S0-BIZ-458

L'HOMME SANS QUALITÉS

DU MÊME AUTEUR

Aux Éditions du Seuil

Les Désarrois de l'élève Törless
1960
et « Points », n° P6

Trois femmes, suivi de Noces
1963
et « Points », n° P9

Œuvres pré-posthumes
1965
et « Points », n° P954

Journaux
deux volumes, 1981

Essais
1984

Théâtre
Les Exaltés, Vincent et l'amie des personnalités
Prélude au mélodrame « Le Zodiaque »
1985

Lettres
1987

Proses éparses
1989
et « Points Roman », n° R482

Robert Musil

L'HOMME SANS QUALITÉS

tome I

Traduit de l'allemand
par Philippe Jaccottet

Éditions du Seuil

TEXTE INTÉGRAL

TITRE ORIGINAL
Der Mann ohne Eigenschaften

ÉDITEUR ORIGINAL
Rowohlt Verlag, Hambourg

ISBN 2-02-023815-2, tome I
(ISBN 2-02-023905-1, édition complète)

(ISBN 2-02-005189-3, édition brochée, tome I
ISBN 2-02-006073-6, 1re édition poche, tome I)

PRÉSENTATION
PAR JEAN-PIERRE MAUREL

A la fin des années 20, le public allemand est effarouché par le premier volume de *L'Homme sans qualités*. Malgré l'incontestable succès critique, il n'achète pas. L'éditeur rechigne (donc) à publier la suite « si ne s'instaure pas un succès plus grand ». Devant le péril, Thomas Mann écrit une « Invitation à lire Musil » dans laquelle il tente de saborder, avec un enthousiasme peut-être forcé, la réputation d'intellectualisme du livre. Quelques années plus tard, en septembre 38, Mann est à Princeton et note dans son Journal : « De bonne heure, épuisé, au lit ; lu seulement quelques pages du livre intellectuel de Musil ! »

C'est ainsi qu'on forge des réputations... Celle qui précède les grands livres en diffère souvent la lecture. On les fuit longtemps. Enfin, on se sent armé de l'épée de la maturité, enfin on se retourne contre eux, on talonne son vieux désir enfoui et l'on affronte d'abord, à l'entrée de la grotte, leur monstrueuse renommée. Avec la volonté ambiguë de la tuer, comme le saint tue le dragon de sa lance.

L'Homme sans qualités interdit tout espoir de triomphe dès les premières pages. Les idées sont tirées des événements comme la larme d'alcool du négligeable moût initial, les pensées diffusent leurs essences rares jusqu'au sein de la trivialité, les réflexions philosophiques sur les théories en cours et sur l'humaine condition gangrènent les personnages, qui n'ont d'autre fonction que de les vomir en torrents de flammes glacées, rarement brûlantes. Intellectuel, ce roman ? Mais oui, intellectuel : le dragon *est* la grotte.

Et la grotte est l'Autriche, cette Autriche impériale de l'aigle à deux têtes qui, à la veille de la Première Guerre mondiale, refuse toujours de considérer sa fin comme inéluctable et se distrait dans des fastes qui ont le souffle court du nonagénaire François-Joseph mais n'en sont pas moins gais, débonnaires et moustachus, tandis que commence à siffler la marmite de ce qu'on appellera « la joyeuse apocalypse ».

Telle est la première partie, cynique, lucide, cruelle, de *L'Homme sans qualités* : Ulrich, poussé par son père, prend la tête du Comité chargé d'organiser le soixante-dixième anniversaire de l'avènement de François-Joseph, en août 1913. L'occasion, n'est-ce-pas, de poser les questions essentielles : qu'est-ce que l'Autriche ? Comment peut-on être autrichien ? Au fait, qu'est-ce qu'un homme et que signifie son insertion dans la structure sociale et politique d'une nation ? Au fait, l'Autriche est-elle une nation ? En cet anniversaire, quel message, quelle grande lumière devrait-elle donner au monde ? N'a-t-elle pas en effet vocation (avec ou sans l'Allemagne ?) de sauver la civilisation, par la pensée, par l'art, par la science ? Par son génie politique ? Un si long règne ! Si protecteur ! Si tolérant, dans le fond !

Que voilà de beaux chantiers ouverts, où doivent s'ébattre les travaux du Comité recruté par Ulrich, véritable microcosme de la société viennoise ; du comte au militaire, du politicien à l'artiste, du financier à la demimondaine. Or, le Comité patauge dans ces chantiers dont il fait de la boue qui éclabousse l'Autriche et le monde de diamants aussitôt ternis, de perles aussitôt mortes. Le Comité patauge et touille, touille, brillamment, élégamment, aristocratiquement, intelligemment, touille les pensées que les uns et les autres lui apportent. Ce qui émerge de ce brassage, oh ! tant d'intelligence pour un si affreux mélange – contenter tout le monde, n'est-ce-pas ? – ce qui émerge, à travers ambitions, conflits de pouvoirs, argent, arrière-pensées, prétentions et vanités, bureaucratie envahissante, opinion toute-puissante, lâchetés et autres affadissements, derniers jeux de cour… premier grand jeu de massacre, c'est la figure, épatée d'un sourire niais, du monde moderne s'écoulant mornement d'entre les cuisses jouisseuses de l'empire moribond.

Pourquoi ce gâchis ? Trop d'intelligence ?…

Pour comprendre la férocité désespérée de Musil face à cet accouchement du néant, il faut se remettre dans l'état d'esprit de l'écrivain autrichien pendant toute l'interminable rédaction du roman, du début des années 20 jusqu'au milieu des années 30, date à laquelle le livre est définitivement… inachevé. Pendant toutes ces années, Musil contemple l'Autriche. Il la contemple avec l'acuité douloureuse de ses quarante puis cinquante ans, avec toute la puissance d'un véritable esprit contemplatif, pour se heurter sans cesse à l'obsédante question qui fait la matière même de *L'Homme sans qualités* : qu'est-il arrivé à l'intelligence ?

C'est que l'intelligence mondiale et la pensée universelle ont élu domicile à Vienne, vers 1880, pour forger en quelque trente ans ce que l'on appelle – pour une unique fois à juste titre – la modernité : révolution dans les théories sociales et politiques, révolution dans les sciences et les sciences humaines, révolution dans la linguistique, les mathématiques et la logique, la philosophie et les arts, la musique et la littérature… Nulle part au monde et à aucune époque, on ne fut plus intelligent. Ainsi, derrière les valses, derrière la pacotille du kitsch, derrière la survivance fantomatique d'une cour impériale, derrière l'aveuglement bourgeois et la misère des masses, derrière la théâtrale façade, s'élaborait dans un gigantesque laboratoire d'idées... quoi ? Qu'est-ce donc qui s'élaborait, puisque l'écrivain Musil n'a plus qu'un champ de ruines à contempler ? Dès la Première Guerre mondiale et jusqu'à la veille de la Seconde, ce ne sont plus que suicides et exils, exils et suicides, dans une Autriche complètement ratatinée. Jusqu'à ce que Musil lui-même s'exile à Genève.

Quelque chose s'élaborait-il ou quelque chose se désagrégeait-il sous les coups de boutoir de l'intelligence ?

Où se trouve le secret délétère de cette faillite ? Musil charge son personnage, Ulrich, de mener l'enquête. Et que fait-on dans ces cas-là ? On constitue un dossier. Sentant venir les temps de la bêtise – nous sommes donc en août 1913 – Ulrich propose au Comité la seule tâche digne de lui : « constituer le commencement d'un inventaire spirituel général ! Nous devons faire à peu près ce qui serait nécessaire si l'année 1918 devait être celle du Jugement dernier, celle où l'esprit ancien s'effacerait pour laisser la place à un esprit supérieur. Fondez, au nom de Sa Majesté, un Secrétariat mondial de l'Âme et de la Précision. »

Telle est l'ambition de Musil-Ulrich, et ici le concept de précision n'est pas moins important que celui d'âme, face à l'opinion, inépuisable, niveleuse, informe. *L'Homme sans qualités* est l'histoire de l'échec de cette ambition immense.

C'est que les pensées « ne peuvent pas plus rester perpétuellement debout que les soldats à la parade, en été ; quand elles doivent trop attendre, elles perdent connaissance et s'écroulent ». *L'Homme sans qualités* retentit page après page du bruit terrible de ces écroulements, pensée après pensée. Et l'on pardonnera à Musil d'avoir désincarné tous ses personnages et de les avoir transformés en simples supports d'idées. Si le roman en souffre comme roman, le roman revient, avec quelle force, à la fois dans les passions de l'intelligence, qui ne le cèdent en rien à celles du sentiment et des sens, et dans l'effondrement imperturbable de ces personnages-supports. Car ils s'effondrent tous, comme autant de catastrophes de l'intelligence ; l'un tombe dans l'impuissance créatrice, un autre dans la folie, un troisième dans le crime... Anticipant de quelques années, Musil écrit : « Mille neuf cent vingt années de morale chrétienne, une guerre catastrophique avec des millions de morts et toute une forêt de poésies allemandes dont les feuillles avaient murmuré la pudeur de la femme, n'avaient pu retarder, ne fût-ce qu'une heure, le jour où les robes et les cheveux des femmes commencèrent à raccourcir et où les jeunes filles européennes, laissant tomber les interdits millénaires, apparurent un instant nues comme des bananes pelées. »

Prenons garde d'interpréter ces lignes comme une banale manifestation de pruderie. Elles cachent la vérité de *L'Homme sans qualités*, une vérité d'un pessimisme noir : ces révolutions de robes et de cheveux, que d'efforts considérables et probablement vains eût-il fallu pour les provoquer « par la voie consciente du développement intellectuel, au lieu de suivre le chemin des tailleurs, de la mode et du hasard : on peut mesurer à cela l'immense pouvoir créateur de la surface, comparé à l'entêtement stérile du cerveau ».

« L'entêtement stérile du cerveau » ! Aucune formule ne peut mieux définir Ulrich, le porte-parole de Musil. Toute la tragédie de ce personnage est dans son énorme intelligence critique. Mais au-delà d'un certain seuil, de tels dons interdisent l'acquisition de qualités de conservation de celles qui vous ont été données. Une qualité est toujours un choix de l'âme couplé à une disposition du caractère. Elle induit un déséquilibre de la personnalité. Ulrich est sur la ligne de crête de la neutralité intransigeante, trop intelligent pour jamais choisir, trop lucide pour ne pas exactement équilibrer le pour et le contre. Ulrich est exactement égal à zéro.

L'Autriche est par essence incapable de construire. Pays des apparences, où la vie même, où la Nature même ne sont que théâtre et décor, l'Autriche retourne toute sa formidable intelligence contre elle-même, c'est son honneur, et ainsi offre-t-elle au monde le modèle de toute vertu critique, le parangon de toute activité destructrice que peut mener la raison dans ses combats. Mais son malheur vient de ce qu'au moment de choisir et de construire, son intelligence se tait. Ulrich se tait. Bien plus intelligent que tous, il se tait bien plus que tous les personnages qui l'entourent. C'est pourquoi Ulrich est un monstre.

Est-ce la réussite ou est-ce l'échec de Musil ? Si nous ne pouvons aimer Ulrich, c'est parce qu'il est ce monstre de l'autrichianité, qui veut tout garder de l'expérience humaine, et tout classer en l'état contradictoire où cette expérience appréhende la réalité. S'il y a un échec philosophique et esthétique de *L'Homme sans qualités*, il est précisément dans l'obligation que Musil s'est donnée, à l'instar de son héros, de tout critiquer, de tout garder. Il n'a voulu jeter aucune idée, il a collectionné les cadavres, jamais il n'a choisi. Les tonnes d'idées qui ont écrasé Ulrich ont écrasé la recherche philosophique et la langue musiliennes sous des tonnes de formules complexes et le tout a été recouvert de cet esprit glacé qu'est l'esprit de catalogue et de recensement. C'est pourtant à l'aune de ce prestigieux échec que se mesure la profondeur de l'épreuve que Musil a vécue puis écrite.

Pourtant, Ulrich recèle une faille : la plus haute intelligence ne peut justement pas faire l'économie de l'irrationnel. La plus haute intelligence est capable de constater que « tout ce qu'il y a de décisif dans la vie se produit au-delà de l'intelligence rationnelle ». La plus haute intelligence est à même d'éprouver la nécessité cachée d'une rédemption de l'intelligence.

Cette poignante demande de rédemption parcourt

souterrainement les milliers de pages de *L'Homme sans qualités.* Lorsqu'on s'est fait, comme Ulrich, mathématicien, « non sans quelques intentions de cruauté », lorsque ensuite on vit, comme Ulrich, « dans cette monotonie de l'âme, hésitant entre la plénitude et la futilité », lorsque enfin, comme Ulrich, « le sentiment de la nécessité s'est épuisé comme l'huile dans une lampe », lorsqu'on se surprend, au sein de la violence froide et brutale de la raison critique, à aspirer, comme Ulrich, à un état « qui se distingue jusque dans les moindres atomes du corps de la misère du non-amour », lorsqu'on a constamment l'impression que « c'est toujours la même histoire », parce que la vie se précipite toujours « dans les deux ou trois douzaines de moules à cake qui constituent la réalité », alors vient l'irrépressible besoin d'être sauvé.

La mort du père d'Ulrich est un événement fondateur pour le fils, enfin débarrassé de celui qui l'a contraint à prendre la tête du Comité de l'apocalypse. Ulrich démissionne. C'est la fin de la première partie du roman. L'heure passée dans la chambre ardente est celle où les critiques et les recensements, les théories et les systèmes, les mathématiques et les catastrophes se roulent en boule compacte d'un trop grand poids dans le corps d'Ulrich. En face, de l'autre côté du cercueil, il y a la sœur, Agathe, qu'Ulrich n'a plus revue depuis des années.

Agathe est-elle la rédemption si ardemment et secrètement souhaitée ? C'est le début de la deuxième partie du roman. Il faudra bien, un jour, essayer de comprendre les motifs de l'extraordinaire fréquence du thème de l'inceste dans la littérature du croissant baroque, de la Sicile à la Pologne. Dans *L'Homme sans qualités*, l'inceste (peu importe qu'il soit physiquement commis ou non, qu'il reste comme une figure indécidable qui fait corps avec l'inachèvement du roman) est d'abord une tentative de fusion spirituelle trinitaire, sur un alpage, entre la sœur, le frère et la nature. Elle ne dure qu'un instant. La Nature n'a que faire de ces accès romantiques, la Nature est parfaitement, vertigineusement indifférente.

Reste, pour le frère et la sœur, la fusion parfaite de leurs intelligences (nous saurons si peu de la fusion réelle ou imaginée des corps). Elle mène directement à l'annihilation du dialogue, à l'explosion de la réalité, à la précipitation de leurs amis dans le néant, à l'éclatement du sens.

De telle sorte que l'inachèvement du roman de Musil était inscrit dans la trame du récit. Lorsque Musil en prend conscience après quelques années d'efforts réitérés et malhabiles, il pose son stylo. Il vient d'inachever la Nausée.

Qu'est-ce que la Nausée, dont l'invention littéraire revient, rappelons-le, non à Sartre mais à un autre Autrichien, Hugo von Hofmannsthal ? La Nausée, c'est la perte de l'unité de l'être et c'est la fragmentation de la réalité en milliards de petits morceaux qui n'ont plus aucun lien entre eux et dont la somme des sensations et perceptions ne parvient plus à faire une totalité. Et pourtant, il faut vivre, survivre, à coups de petites extases fulgurantes qui s'empilent indéfiniment dans la conscience vide privée de tout pôle magnétique. Cet état, Hofmannsthal l'a décrit dans *La Lettre de Lord Chandos* et dans *Lettres du voyageur à son retour*. Au début du siècle.

Trente ans plus tard, dans les années 30, s'épanouissent comme des fleurs noires des « Nausées » dans tout l'Occident littéraire. *La Nausée* métaphysiquement ampoulée de Sartre en France ; la Nausée grinçante et grimaçante de Gombrowicz en Pologne (*Ferdydurke*) ; la Nausée sociale et fraternelle de Faulkner aux États-Unis (*Pylone*, la plus belle des nausées)... La Nausée autrichienne, nausée de l'intelligence mise en demeure de comprendre et de transformer le monde, s'appelle *L'Homme sans qualités*... Thomas Bernhard et toute la littérature autrichienne contemporaine en perpétuent l'indélébile malédiction.

Issu d'une vieille famille de fonctionnaires, d'ingénieurs et d'officiers, Robert Musil est né le 6 novembre 1880, à Klagenfurt en Autriche. Destiné à la carrière des armes, il l'abandonne pour des études d'ingénieur. Puis, nanti de son diplôme, part étudier la philosophie et la psychologie à Berlin. En 1906, il publie son premier roman, Les Désarrois de l'élève Törless, *remarquable et remarqué.*

Il décide alors de se consacrer entièrement à la littérature. Il publie deux recueils de nouvelles, deux pièces de théâtre, mal accueillies, puis attaque une vaste fresque romanesque. En 1933, il quitte Berlin pour Vienne. En 1938, il s'exile en Suisse, à Zurich puis à Genève où il meurt subitement en 1942, pauvre, oublié et sans avoir pu achever ce grand roman auquel il travaillait depuis vingt ans : L'Homme sans qualités.

Il a laissé un important Journal, des Aphorismes, Discours et Essais.

PREMIÈRE PARTIE

UNE MANIÈRE D'INTRODUCTION

1. *D'où, chose remarquable, rien ne s'ensuit.*

On signalait une dépression au-dessus de l'Atlantique ; elle se déplaçait d'ouest en est en direction d'un anticyclone situé au-dessus de la Russie, et ne manifestait encore aucune tendance à l'éviter par le nord. Les isothermes et les isothères remplissaient leurs obligations. Le rapport de la température de l'air et de la température annuelle moyenne, celle du mois le plus froid et du mois le plus chaud, et ses variations mensuelles apériodiques, était normal. Le lever, le coucher du soleil et de la lune, les phases de la lune, de Vénus et de l'anneau de Saturne, ainsi que nombre d'autres phénomènes importants, étaient conformes aux prédictions qu'en avaient faites les annuaires astronomiques. La tension de vapeur dans l'air avait atteint son maximum, et l'humidité relative était faible. Autrement dit, si l'on ne craint pas de recourir à une formule démodée, mais parfaitement judicieuse : c'était une belle journée d'août 1913.

Du fond des étroites rues, les autos filaient dans la clarté des places sans profondeur. La masse sombre des piétons se divisait en cordons nébuleux. Aux points où les droites plus puissantes de la vitesse croisaient leur hâte flottante, ils s'épaississaient, puis s'écoulaient plus vite et retrouvaient, après quelques hésitations, leur pouls normal. L'enchevêtrement d'innombrables sons créait un grand vacarme barbelé aux arêtes tantôt tranchantes, tantôt émoussées, confuse masse d'où saillait une pointe ici ou là et d'où se détachaient comme des éclats, puis se perdaient, des notes plus claires. A ce seul bruit, sans qu'on en pût définir pourtant la singularité, un voyageur eût reconnu les yeux fermés qu'il se trouvait à Vienne, capitale et résidence de l'Empire.

On reconnaît les villes à leur démarche, comme les humains. Ce même voyageur, en rouvrant les yeux, eût été confirmé dans son impression par la nature du mouvement des rues, bien avant d'en être assuré par quelque détail caractéristique. Et s'imaginerait-il seulement qu'il le pût, quelle importance ? C'est depuis le temps des nomades, où il fallait garder en mémoire les lieux de pâture, que l'on surestime ainsi la question de l'endroit où l'on est. Il serait important de démêler pourquoi, quand on parle d'un nez rouge, on se contente de l'affirmation fort imprécise qu'il est rouge, alors qu'il serait possible de le préciser au millième de millimètre près par le moyen des longueurs d'onde ; et pourquoi, au contraire, à propos de cette entité autrement complexe qu'est la ville où l'on séjourne, on veut toujours savoir exactement de quelle ville particulière il s'agit. Ainsi est-on distrait de questions plus importantes.

Il ne faut donc donner au nom de la ville aucune signification spéciale. Comme toutes les grandes villes, elle était faite d'irrégularité et de changement, de choses et d'affaires glissant l'une devant l'autre, refusant de marcher au pas, s'entrechoquant ; intervalles de silence, voies de passage et ample pulsation rythmique, éternelle dissonance, éternel déséquilibre des rythmes ; en gros, une sorte de liquide en ébullition dans quelque récipient fait de la substance durable des maisons, des lois, des prescriptions et des traditions historiques.

Bien entendu, les deux personnes qui remontaient une des artères les plus animées de cette ville n'avaient à aucun degré ce sentiment. Elles appartenaient visiblement à une classe privilégiée, leurs vêtements, leur tenue et leur manière de parler étaient « distingués » ; de même qu'elles portaient leurs initiales brodées sur leur linge, elles savaient, non point extérieurement, mais dans les plus fins dessous de leur conscience, qui elles étaient, et que leur place était bien dans une capitale d'Empire. En admettant que ces deux personnes se nomment Arnheim et Hermeline Tuzzi, et la chose étant impossible puisque Mme Tuzzi, en août, se trouve à Bad-Aussee en compagnie de son mari et que le

Dr Arnheim est encore à Constantinople, une question se pose : qui est-ce ? Ce sont là des questions qui se posent souvent, dans la rue, aux esprits éveillés. Elles se résolvent d'ailleurs curieusement, c'est-à-dire qu'on les oublie pour peu que, dans les cinquante mètres qui suivent, l'on n'ait pas réussi à se rappeler où l'on a bien pu voir ces têtes-là. Les deux personnes dont je parle s'arrêtèrent tout à coup à la vue d'un attroupement. Un instant auparavant, déjà, quelque chose avait dévié, en mouvement oblique ; quelque chose avait tourné, dérapé : c'était un gros camion, freiné brutalement, ainsi qu'on pouvait le voir maintenant qu'il était échoué là, une roue sur le trottoir. Aussitôt, comme les abeilles autour de l'entrée de la ruche, des gens s'étaient agglomérés autour d'un petit rond demeuré libre. On y voyait le chauffeur descendu de la machine, gris comme du papier d'emballage, expliquer l'accident avec des gestes maladroits. Les gens qui s'étaient approchés fixaient leurs regards sur lui, puis les plongeaient prudemment dans la profondeur du trou où un homme, qui semblait mort, avait été étendu au bord du trottoir. L'accident était dû, de l'avis presque général, à son inattention. L'un après l'autre, des gens s'agenouillaient à côté de lui, voulant faire quelque chose ; on ouvrait son veston, on le refermait, on essayait d'asseoir le blessé, puis de le coucher de nouveau ; on ne cherchait, en fait, qu'à occuper le temps en attendant que Police-secours apportât son aide autorisée et compétente.

La dame et son compagnon s'étaient approchés eux aussi et, par-dessus les têtes et les dos courbés, avaient considéré l'homme étendu. Alors, embarrassés, ils firent un pas en arrière. La dame ressentit au creux de l'estomac un malaise qu'elle était en droit de prendre pour de la pitié ; c'était un sentiment d'irrésolution paralysant. Après être resté un instant sans parler, le monsieur lui dit :

« Les poids-lourds dont on se sert chez nous ont un chemin de freinage trop long. »

La dame se sentit soulagée par cette phrase, et remercia d'un regard attentif. Sans doute avait-elle entendu le terme une ou deux fois, mais elle ne savait pas ce qu'était un chemin de freinage et d'ailleurs ne tenait pas à le savoir ; il lui suffisait que l'affreux incident pût être intégré ainsi dans un ordre quelconque, et devenir un problème technique qui ne la concernait plus directement. Du reste, on entendait déjà l'avertisseur strident d'une ambulance, et la rapidité de son intervention emplit d'aise tous ceux qui l'attendaient. Ces institutions sociales sont admirables. On souleva l'accidenté pour l'étendre sur une civière et le pousser avec la civière dans la voiture. Des hommes, vêtus d'une espèce d'uniforme, s'occupèrent de lui, et l'intérieur de la machine, qu'on entr'aperçut, avait l'air aussi propre et bien ordonné qu'une salle d'hôpital. On s'en alla, et c'était tout juste si l'on n'avait pas l'impression, justifiée, que venait de se produire un événement légal et réglementaire.

« D'après les statistiques américaines, remarqua le monsieur, il y aurait là-bas annuellement 190 000 personnes tuées et 450 000 blessées dans des accidents de circulation.

– Croyez-vous qu'il soit mort ? demanda sa compagne qui persistait dans le sentiment injustifié d'avoir vécu un événement exceptionnel.

– J'espère qu'il vit encore, répliqua le monsieur. Quand on l'a porté dans la voiture, ça en avait tout l'air. »

2. *Comment était logé l'Homme sans qualités.*

La rue dans laquelle ce petit accident s'était produit était une de ces longues artères sinueuses qui, partant du centre de la ville comme les rayons d'une roue, traversent les quartiers extérieurs et débouchent dans la banlieue. Si le couple élégant l'avait suivie un instant encore, il aurait découvert quelque chose qui sans doute l'eût ravi. C'était, en partie sauvegardé, un jardin du XVIIIe ou même du XVIIe ; en passant devant la grille de fer forgé, on apercevait entre des arbres, sur une pelouse tondue avec soin, quelque chose comme un petit château à courtes ailes, un pavillon de chasse ou une *folie* des temps passés. Plus précisément, le rez-de-chaussée était du XVIIe, le parc et le bel étage portaient la marque du XVIIIe, la façade avait été remise à neuf et légèrement gâtée au XIXe, de sorte que l'ensemble avait cet air « bougé » des surimpressions photographiques ; tel, néanmoins, que l'on ne pouvait que s'arrêter devant pour faire « oh ! ». Et quand cette petite chose blanche et gracieuse avait ses fenêtres ouvertes, le regard pénétrait dans le silence distingué d'un appartement d'universitaire aux parois tapissées de livres.

Cette demeure appartenait à l'Homme sans qualités.

Debout derrière l'une des fenêtres, il regardait la rue brunâtre à travers le filtre vert tendre de l'air du jardin et comptait depuis dix minutes, montre en main, les autos, les voitures, les tramways et les visages, délavés par la distance, des piétons qui emplissaient le filet du regard de leur hâte mousseuse ; il évaluait les vitesses, les angles, le dynamisme des masses en mouvement les unes devant les autres qui, le temps d'un éclair, attirent l'œil, le retiennent et le relâchent et qui, pendant une durée échappant à toute mesure, contraignent l'attention à s'appuyer sur elles, à s'en détacher pour sauter sur la suivante et se jeter à ses trousses ; enfin, après avoir calculé un instant de tête, il remit sa montre dans sa poche, éclata de rire et constata qu'il avait perdu son temps. Si l'on pouvait mesurer les sauts de l'attention, l'activité des muscles oculaires, les oscillations pendulaires de l'âme et tous les efforts qu'un homme doit s'imposer pour se maintenir debout dans le flot de la rue, on obtiendrait probablement (avait-il songé, essayant comme par jeu de calculer l'incalculable) une grandeur en comparaison de laquelle la force dont Atlas a besoin pour porter le monde n'est rien, et l'on pourrait mesurer l'extraordinaire activité déployée de nos jours par celui-là même qui ne fait rien.

C'était, pour l'instant, le cas de l'Homme sans qualités.

Mais celui qui fait quelque chose ?...

« On en peut tirer deux conclusions », se dit-il.

L'activité musculaire d'un bourgeois qui va tranquillement son chemin tout un jour est considérablement supérieure à celle d'un athlète soulevant, une fois par jour, un énorme poids ; ce fait a été confirmé par la physiologie ; ainsi donc, même ses petites activités quotidiennes, dans leur somme sociale et par la faculté qu'elles ont d'être sommées, produisent infiniment plus d'énergie que les actes héroïques ; l'activité héroïque finit même par sembler absolument dérisoire, grain de sable posé sur une montagne avec l'illusion de l'extraordinaire. L'Homme sans qualités fut enchanté par cette idée.

Il est toutefois nécessaire d'ajouter que si elle lui plaisait, ce n'était pas qu'il aimât la vie bourgeoise ; mais simplement qu'il aimait contrecarrer un peu ses penchants, naguère tout autres. Peut-être est-ce précisément le petit-bourgeois qui pressent l'aurore d'un nouvel héroïsme, énorme et collectif, à l'exemple des fourmis. On le baptisera « héroïsme rationalisé » et on le trouvera fort beau. Qui pourrait, aujourd'hui déjà, le savoir ? De telles questions, toutes de la plus grande importance, et qui demeuraient sans réponse, il y en avait alors à foison. Elles étaient dans l'air, elles vous brûlaient les pieds. Le temps se déplaçait. Ceux qui n'ont pas vécu à cette époque se refuseront à le croire, mais le temps, alors déjà, se déplaçait avec la rapidité d'un chameau : cela n'est pas d'aujourd'hui. Seulement, on ne savait pas où il allait. Puis, on ne pouvait pas distinguer clairement ce qui était en haut de ce qui était en bas, ce qui avançait de ce qui reculait. « On peut faire ce qu'on veut, se dit l'Homme sans qualités en haussant les épaules, dans cet imbroglio de forces, cela n'a aucune importance ! » Il se détourna, comme un homme qui a dû apprendre à renoncer, presque comme un malade que tout contact brutal effraie ; et quand, traversant le cabinet de toilette contigu, il passa devant un punching-ball qui y était suspendu, il lui donna un coup d'une rapidité et d'une violence telles qu'on n'en voit guère dans une humeur résignée ou dans un état de faiblesse.

3. *Même un homme sans qualités peut avoir un père à qualités.*

Quand l'Homme sans qualités, quelque temps auparavant, était rentré de l'étranger, ce n'était au fond que par insolence, et parce qu'il avait horreur des appartements ordinaires, qu'il avait loué ce petit château ; celui-ci, naguère résidence d'été aux portes de la ville, avait perdu son sens, quand la ville l'avait submergé, pour n'être plus enfin qu'une parcelle hors d'usage, attendant la hausse des prix, et que personne n'habitait. Le loyer en fut par conséquent minime ; mais il fallut des sommes considérables et inattendues pour le reste, c'est-à-dire pour tout remettre en état et tout adapter aux exigences du présent ; c'était devenu une aventure dont l'issue contraignit l'Homme sans qualités à recourir à son père, chose fort peu agréable pour quelqu'un qui, comme lui, aimait l'indépendance. Il avait trente-deux ans, et son père en avait soixante-neuf.

Le vieux monsieur fut épouvanté. Non pas tant à cause de cette attaque brusquée, bien qu'à cause d'elle aussi, car il avait horreur d'être pris à l'improviste ; pas davantage à cause de la contribution qu'il devait fournir, car il se félicitait, au fond, que son fils eût manifesté le besoin d'un intérieur et d'un ordre personnel. Mais qu'on s'appropriât une maison à laquelle on ne pouvait donner d'autre nom que celui de château, ou même simplement de pavillon, heurtait ses sentiments profonds et l'inquiétait comme une présomption de mauvais augure.

Lui-même avait débuté comme précepteur dans de grandes maisons, au temps de ses études ; plus tard, stagiaire chez un avocat, et alors même que ce n'était plus une nécessité, son propre père étant déjà un homme aisé, il avait continué. Par la suite, devenu privatdocent, puis professeur à l'Université, il se sentit payé de ses peines ; car le soin qu'il avait mis à entretenir ces relations fit qu'il s'éleva peu à peu au grade d'avocat-conseil de la quasi-totalité de la noblesse féodale de son pays, bien qu'il n'eût plus besoin, alors, d'un à-côté. Mieux encore : longtemps après que la fortune ainsi amassée eut réussi à soutenir la comparaison avec la dot d'une famille d'industriels rhénans que lui avait apportée la mère de son fils, précocement décédée, il gardait encore les relations qu'il avait nouées dans la jeunesse et consolidées dans l'âge mûr. Bien que l'érudit, parvenu désormais aux honneurs, se fût retiré des affaires juridiques et n'exerçât plus qu'occasionnellement une activité grassement payée d'expert, tous les événements qui touchaient au cercle de ses anciens protecteurs n'en furent pas moins soigneusement consignés dans son journal, reportés avec la plus grande minutie des pères aux fils et aux petits-fils, et il n'était pas de promotion, de mariage, de fête ou d'anniversaire sans qu'une lettre, délicat mélange de déférence et de souvenirs communs, vînt en féliciter le destinataire. Non moins ponctuelles étaient à chaque fois les réponses, brèves, qui remerciaient le cher ami et l'estimé savant. Ainsi son fils découvrit-il dès sa jeunesse ce don, typiquement aristocratique, d'un orgueil dont les pesées sont presque inconscientes, mais néanmoins infaillibles : savoir mesurer exactement le degré d'amabilité requis ; et la servilité, devant les propriétaires de chevaux, de domaines et de traditions, d'un homme qui appartenait pourtant à la noblesse de l'esprit, l'avait toujours exaspéré. Mais si son père ne sentait pas cela, ce n'était point par calcul, seul son instinct naturel l'avait fait ainsi thésauriser une grande carrière : il devint non seulement professeur, membre d'académies diverses et de maint comité scientifique ou politique, mais encore chevalier, commandeur et même grand-croix d'ordres importants, jusqu'à ce que Sa Majesté, après l'avoir nommé membre de la Chambre des Seigneurs, lui accordât finalement la noblesse héréditaire. Dans cette assemblée, l'érudit, ainsi distingué, se rallia à l'aile bourgeoise libérale, qui se trouvait parfois en opposition avec le parti de la haute noblesse ; il est significatif qu'aucun de ses nobles protecteurs ne lui en ait voulu ou ne s'en soit même étonné : on n'avait jamais vu en lui autre chose que l'incarnation de la bourgeoisie montante. Le vieux monsieur prenait une part active aux travaux de législature, et même quand un scrutin le trouvait du côté bourgeois, l'autre côté, loin d'en éprouver quelque rancune, feignait d'ignorer ce manque de tact. Son activité politique se confondait avec ce qui avait été jadis sa fonction ; il s'agissait toujours de concilier une science supérieure et parfois prudemment réformiste avec l'impression qu'on pouvait néanmoins se reposer sur son dévouement personnel, et le précepteur des fils, devenu précepteur des Pairs[1], comme disait plaisamment son héritier, n'avait apporté à cette méthode aucune modification essentielle.

Lorsqu'il apprit l'histoire du château, il y vit aussitôt la transgression d'une limite non définie par la loi, mais qu'il fallait, pour cette raison même, respecter d'autant plus scrupuleusement ; il fit à son fils des reproches plus amers encore qu'aucun de ceux qu'il lui avait déjà faits au cours des années ; et ces reproches sonnaient comme la sombre prophétie du commencement de la fin. Le sentiment fondamental de sa vie était offensé. Comme chez beaucoup d'hommes qui atteignent à une situation importante, c'était, à mille lieues de tout égoïsme, un amour profond pour ce que l'on pourrait appeler l'utilité publique et supra-personnelle, en d'autres termes, un respect tout honorable de cela sur quoi l'on fonde son avantage, non point parce qu'on le fonde, mais en même temps qu'on le fonde, en harmonie avec ce fait, c'est-à-dire, somme toute, pour des raisons tout à fait générales. La chose est d'importance : un chien de race, s'il cherche sa place sous la table à manger sans se laisser détourner par les coups de pied, ce n'est point par bassesse de chien, mais par attachement et fidélité ; et dans la vie, ceux-là mêmes qui calculent froidement n'ont pas la moitié du succès qu'obtiennent les esprits bien dosés, capables d'éprouver, pour les êtres et les relations qui leur sont profitables, des sentiments vraiment profonds.

4. *S'il y a un sens du réel, il doit y avoir aussi un sens du possible.*

Quand on veut enfoncer les portes ouvertes avec succès, il ne faut pas oublier qu'elles ont un solide chambranle : ce

1. Ainsi ai-je essayé de rendre le calembour allemand qui joue sur les mots *Hauslehrer* (précepteur, litt. professeur de maison) et *Herrenhauslehrer* (mot forgé par l'Homme sans qualités sur *Herrenhaus*, Chambre des seigneurs). *N. d. T.*

principe, d'après lequel le vieux professeur avait toujours vécu, n'est pas autre chose qu'une exigence du sens du réel. Mais s'il y a un sens du réel, et personne ne doutera qu'il ait son droit à l'existence, il doit bien y avoir quelque chose que l'on pourrait appeler le sens du possible.

L'homme qui en est doué, par exemple, ne dira pas : ici s'est produite, va se produire, doit se produire telle ou telle chose ; mais il imaginera : ici pourrait, devrait se produire telle ou telle chose ; et quand on lui dit d'une chose qu'elle est comme elle est, il pense qu'elle pourrait aussi bien être autre. Ainsi pourrait-on définir simplement le sens du possible comme la faculté de penser tout ce qui pourrait être « aussi bien », et de ne pas accorder plus d'importance à ce qui est qu'à ce qui n'est pas. On voit que les conséquences de cette disposition créatrice peuvent être remarquables ; malheureusement, il n'est pas rare qu'elles fassent apparaître faux ce que les hommes admirent et licite ce qu'ils interdisent, ou indifférents l'un et l'autre... Ces hommes du possible vivent, comme on dit ici, dans une trame plus fine, trame de fumée, d'imaginations, de rêveries et de subjonctifs ; quand on découvre des tendances de ce genre chez un enfant, on s'empresse de les lui faire passer, on lui dit que ces gens sont des rêveurs, des extravagants, des faibles, d'éternels mécontents qui savent tout mieux que les autres.

Quand on veut les louer au contraire, on dit de ces fous qu'ils sont des idéalistes, mais il est clair que l'on ne définit jamais ainsi que leur variété inférieure, ceux qui ne peuvent saisir le réel ou l'évitent piteusement, ceux chez qui, par conséquent, le manque de sens du réel est une véritable déficience. Néanmoins, le possible ne comprend pas seulement les rêves des neurasthéniques, mais aussi les desseins encore en sommeil de Dieu. Un événement et une vérité possibles ne sont pas égaux à un événement et à une vérité réels moins la valeur « réalité », mais contiennent, selon leurs partisans du moins, quelque chose de très divin, un feu, une envolée, une volonté de bâtir, une utopie consciente qui, loin de redouter la réalité, la traite simplement comme une tâche et une invention perpétuelles. La terre n'est pas si vieille, après tout, et jamais, semble-t-il, elle ne fut dans un état aussi intéressant.

Cela dit, si l'on veut un moyen commode de distinguer les hommes du réel des hommes du possible, il suffit de penser à une somme d'argent donnée. Toutes les possibilités que contiennent, par exemple, mille marks, y sont évidemment contenues, qu'on les possède ou non ; le fait que toi ou moi les possédions ne leur ajoute rien, pas plus qu'à une rose ou à une femme. Mais, disent les hommes du réel, « le fou les donne au bas de laine et l'actif les fait travailler » ; à la beauté même d'une femme, on ne peut nier que celui qui la possède ajoute ou enlève quelque chose. C'est la réalité qui éveille les possibilités, et vouloir le nier serait parfaitement absurde. Néanmoins, dans l'ensemble et en moyenne, ce seront toujours les mêmes possibilités qui se répéteront, jusqu'à ce que vienne un homme pour qui une chose réelle n'a pas plus d'importance qu'une chose pensée. C'est celui-là qui, pour la première fois, donne aux possibilités nouvelles leur sens et leur destination, c'est celui-là qui les éveille.

Mais un tel homme est chose fort équivoque. Comme ses idées, dans la mesure où elles ne constituent pas simplement d'oiseuses chimères, ne sont que des réalités non encore nées, il faut, naturellement, qu'il ait le sens des réalités ; mais c'est un sens des réalités possibles, lequel atteint beaucoup plus lentement son but que le sens qu'ont la plupart des hommes de leurs possibilités réelles. L'un poursuit la forêt, si l'on peut ainsi parler ; l'autre les arbres ; et la forêt est une entité malaisément exprimable, alors que des arbres représentent tant et tant de mètres cubes de telle ou telle qualité. Mais voici peut-être qui est mieux dit : l'homme doué de l'ordinaire sens des réalités ressemble à un poisson qui cherche à happer l'hameçon et ne voit pas la ligne, alors que l'homme doué de ce sens des réalités que l'on peut aussi nommer sens des possibilités traîne une ligne dans l'eau sans du tout savoir s'il y a une amorce au bout. A une extraordinaire indifférence pour la vie qui va mordre à l'hameçon correspond chez lui le danger de sombrer dans une activité toute spleenétique. Un homme non pratique (et celui-ci n'en a pas seulement l'apparence, mais il l'est foncièrement) reste, dans le commerce des hommes, peu sûr et indéchiffrable. Il commettra des actions qui auront pour lui un tout autre sens que pour les autres, mais il se consolera de n'importe quoi, pour peu que ce n'importe quoi puisse être résumé en une idée exceptionnelle. Au surplus, aujourd'hui encore, il est fort loin d'être tout à fait conséquent. Ainsi se peut-il fort bien qu'un crime dont un autre que lui se trouve pâtir ne lui semble qu'une erreur sociale dont le responsable n'est pas le criminel, mais l'organisation de la société. En revanche, il n'est pas certain, s'il reçoit une gifle, qu'il la subisse comme un affront de la société ou ne serait-ce qu'une offense aussi impersonnelle que la morsure d'un chien ; il est plus probable qu'il commencera par la rendre ; après seulement, il admettra qu'il n'aurait pas dû le faire. Enfin, si on lui vole sa maîtresse, il est douteux qu'il puisse faire totalement abstraction de la réalité de cet incident et s'en dédommage par la surprise d'un sentiment nouveau. Cette évolution n'en est encore qu'à ses débuts et représente, pour l'individu, une force autant qu'une faiblesse.

Comme la possession de qualités présuppose qu'on éprouve une certaine joie à les savoir réelles, on entrevoit dès lors comment quelqu'un qui, fût-ce par rapport à lui-même, ne se targue d'aucun sens du réel, peut s'apparaître un jour, à l'improviste, en Homme sans qualités.

5. *Ulrich.*

L'Homme sans qualités dont il est question dans ce récit s'appelait Ulrich, et Ulrich (qu'il est désagréable de devoir continuellement nommer par son prénom quelqu'un que l'on ne connaît encore qu'à peine ! mais, par égard pour son père, le nom de famille doit être tenu secret), Ulrich, donc, avait donné le premier échantillon de sa manière dès la fin de l'adolescence, dans une dissertation sur une pensée patriotique. Or le patriotisme, en Autriche, était quelque chose de tout à fait particulier. Voyez les enfants allemands : ils apprenaient tout bonnement à mépriser les guerres des enfants autrichiens, et on leur enseignait que les enfants français avaient pour ancêtres des libertins énervés que la seule vue d'un fantassin allemand à grande barbe faisait fuir, fussent-ils des milliers ; et les enfants français, les enfants russes, les enfants anglais, eux aussi souvent vainqueurs, apprenaient la même leçon en renversant les rôles, et avec toutes les modifications souhaitables. Comme les enfants sont fanfarons, qu'ils aiment jouer aux gendarmes et aux voleurs et sont toujours prêts à tenir pour la première du monde la famille Y., de la rue du grand X., pour peu que le hasard en ait fait leur propre famille, rien n'est plus aisé que de les gagner au patriotisme. En Autriche, les choses étaient un peu moins simples : si les Autrichiens étaient bien sortis vainqueurs de toutes les guerres de leur histoire, la plupart d'entre elles ne les en avaient pas moins obligés à quelque cession. Ce sont des choses qui font penser. Dans sa dissertation sur l'amour du pays, Ulrich écrivit qu'un véritable patriote ne devait pas se croire en droit de juger son pays meilleur que les autres ; et même, en un éclair qui lui parut particulièrement beau, bien que sa lueur l'eût plutôt ébloui qu'illuminé, il avait ajouté à cette phrase déjà suspecte une autre phrase : à savoir que Dieu lui-même préfère sans doute parler de sa création au potentiel (*hic dixerit quispiam* : ici, l'on avancera peut-être que...), car Dieu crée le monde en pensant qu'il pourrait tout aussi bien être différent. Ulrich avait été très fier de cette phrase, mais peut-être ne s'était-il pas exprimé assez clairement, car elle provoqua un véritable scandale, et on faillit le chasser de l'école ; mais on ne résolut rien, incapable qu'on était de décider s'il fallait voir dans sa téméraire observation un outrage à la patrie ou un blasphème. Il poursuivait alors son éducation au lycée Marie-Thérèse, établissement distingué qui fournissait à l'État ses plus nobles soutiens ; et son père, irrité de l'affront que lui valait ce fils indigne, l'envoya à l'étranger, dans un petit institut belge sis dans une ville inconnue et qui, administré avec un heureux sens de l'industrie et n'exigeant que des prix modiques, avait un grand mouvement d'élèves plus ou moins dévoyés. Ulrich y apprit à étendre à toutes les nations son dédain de l'idéal des autres.

Depuis, seize ou dix-sept ans avaient passé, comme

nuages au ciel. Ulrich ne les regrettait pas plus qu'il n'en était fier ; arrivé en sa trente-deuxième année, il les considérait simplement avec surprise. Entre-temps, il avait vécu ici ou là, parfois aussi, brièvement, dans sa patrie, et partout il avait fait des choses estimables et d'autres inutiles. On a déjà laissé entendre qu'il était mathématicien, et il n'est pas besoin d'en dire davantage à ce sujet pour l'instant ; en effet, dans toute profession, pourvu qu'on l'exerce par amour et non pour de l'argent, arrive un moment où les années qui s'accumulent paraissent ne plus mener à rien. Après que ce moment eut quelque peu traîné en longueur, Ulrich se rappela qu'on accorde au pays natal le mystérieux pouvoir de rendre à la réflexion des racines et un terreau, et il s'y installa avec les sentiments d'un promeneur qui s'assied sur un banc pour l'éternité, tout en pressentant déjà qu'il ne va pas tarder à le quitter.

C'est alors que, mettant de l'ordre dans sa maison, comme dit la Bible, il fit une expérience dont l'attente avait été, somme toute, sa véritable occupation. Il s'était mis dans l'agréable obligation de réinstaller entièrement à neuf, et à sa guise, la petite propriété laissée à l'abandon. De la restauration fidèle à l'irrespect total, il avait le choix entre toutes les méthodes, et tous les styles, des Assyriens au cubisme, se présentaient à son esprit. Quel choix fallait-il faire ? L'homme moderne naît en clinique et meurt en clinique : il faut que sa demeure ressemble à une clinique ! Cet impératif venait d'être formulé par un architecte d'avant-garde, tandis qu'un autre, réformateur de l'aménagement, exigeait des parois amovibles sous prétexte que l'homme doit apprendre à vivre en confiance avec son semblable et cesser de s'en isoler par goût du séparatisme. Des temps nouveaux venaient de commencer (il en commence à chaque minute) : à temps nouveaux, style nouveau ! Par bonheur pour Ulrich, le petit hôtel, dans l'état où il le trouva, possédait déjà trois styles superposés, de sorte qu'il était vraiment impossible, dans de telles conditions, de satisfaire à toutes ces exigences à la fois ; il ne s'en trouva pas moins profondément ébranlé par la responsabilité de cette maison à installer, et une menace qu'il avait pu lire plus d'une fois dans des revues d'art : « Dis-moi comment tu es logé et je te dirai qui tu es » planait sur sa tête. Après un examen approfondi de ces revues, il décida qu'il aimait encore mieux prendre lui-même en main l'aménagement de sa personnalité, et il se mit à dessiner son futur mobilier. Mais, à peine avait-il imaginé quelque forme expressive et puissante qu'il songeait qu'on pourrait tout aussi bien la remplacer par une forme fonctionnelle, svelte et robuste comme une machine ; quand il projetait une forme de style béton armé, comme émaciée par sa propre puissance, il se rappelait les formes maigres, avant-printanières, d'une fillette de treize ans, et commençait à rêver au lieu d'agir.

C'était là (dans une affaire qui, somme toute, ne le touchait pas de fort près), cette fameuse incohérence des idées, cette prolifération privée de centre qui caractérisent le temps présent et en constituent l'arithmétique particulière, ce coupage de cheveux en quatre à la poursuite d'une unité toujours fuyante. Ulrich finit par ne plus imaginer que des pièces irréalisables, des chambres tournantes, des installations kaléidoscopiques, des changements à vue pour l'âme, et ses idées perdaient de leur consistance à mesure. Il en arriva enfin au point vers lequel il avait été secrètement attiré. Son père eût dit à peu près : « Si on le laissait faire à sa tête, il finirait par se la taper contre les murs à force de perplexité », ou bien : « Quand on peut faire tout ce qu'on veut, on a bientôt fait de ne plus savoir quoi désirer ». Ulrich se répétait ces sentences avec ravissement. Cette sagesse ancestrale lui semblait d'une extraordinaire nouveauté. Il faut que l'homme se sente d'abord limité dans ses possibilités, ses sentiments et ses projets par toutes sortes de préjugés, de traditions, d'entraves et de bornes, comme un fou par la camisole de force, pour que ce qu'il réalise puisse avoir valeur, durée et maturité... En vérité, c'est à peine si l'on peut mesurer la portée de cette idée !

Ainsi donc, l'Homme sans qualités, une fois de retour au pays, ne craignit pas de faire ce deuxième pas, et de se laisser modeler de l'extérieur par les circonstances de la vie ; à ce point de ses réflexions, il abandonna carrément l'installation de sa maison au génie de ses fournisseurs, bien persuadé que pour la tradition, les préjugés et l'étroitesse, il pouvait se reposer sur eux. Lui-même se contenta de rafraîchir les lignes anciennes qui étaient déjà indiquées, les sombres ramures de cerf sous les voûtes blanches du petit vestibule, le sévère plafond du salon ; pour le reste, il ajouta tout ce qui lui parut pratique et confortable.

Quand tout fut terminé, il ne lui resta plus qu'à secouer la tête en se disant : voilà donc la vie qui est censée être la mienne ? C'était un délicieux petit palais qu'il possédait là ; du moins pouvait-on l'appeler ainsi, car il était exactement tel qu'on se figure une de ces résidences de bon goût pour grands personnages imaginées par les maisons de meubles et de tapis, les ensembliers qui sont dans ce domaine à l'avant-garde. Il ne manquait plus que de remonter l'exquise mécanique : alors, on eût vu rouler des équipages dans l'allée, emportant de hauts dignitaires et des dames de qualité, des laquais sauter à bas des marchepieds et demander non sans méfiance à Ulrich : « Où donc est votre maître, mon brave ? »...

Il était à peine redescendu de la lune qu'il se réinstallait comme s'il ne l'avait jamais quittée.

6. *Léone, ou un déplacement de perspective.*

Quand on a mis de l'ordre dans sa maison, il faut se chercher une femme. En ce temps-là, l'amie d'Ulrich s'appelait Léontine et chantait dans un petit théâtre de Variétés ; elle était grande, élancée sans maigreur, d'une impassibilité provocante, et il la prénommait Léone.

Elle l'avait frappé par les humides ténèbres de ses yeux, quelque expression douloureusement passionnée de son beau, long et régulier visage, et les chansons pleines de sentiment qui tenaient lieu, chez elle, de chansons obscènes. Ces chansonnettes démodées avaient pour thème l'Amour, la Fidélité, la Séparation, les Murmures de la forêt ou les Truites étincelantes. Léone, grande et seule jusqu'à la moelle des os, était debout sur la petite scène et patiemment, d'une voix de mère de famille, jetait ses chansons au public ; les rares fois où s'y glissaient malgré tout de légères incongruités, l'effet en était d'autant plus saugrenu que cette fille soulignait des mêmes gestes, péniblement épelés, le tragique et le facétieux. Ulrich se remémora aussitôt de vieilles photographies, ces belles femmes qu'on voyait dans des livraisons de « Lectures pour tous » devenues introuvables ; et comme il pénétrait de sa pensée le visage de cette femme, il y découvrit une foule de petits traits qui ne pouvaient en aucun cas être réels, et qui le composaient pourtant. Il est vrai qu'on rencontre à chaque époque toute espèce de visages ; mais, à chaque fois, le goût du jour en distingue un dont il fera le visage du bonheur et de la beauté, et tous les autres visages, désormais, s'efforceront de lui ressembler ; même les plus laids s'en approchent, avec l'aide de la mode et des coiffeurs ; et seuls n'y parviennent jamais, nés pour d'étranges succès, ces visages en qui s'exprime sans concession l'idéal de beauté royal, mais évincé, d'une époque antérieure. Ces visages passent comme les cadavres d'anciens désirs dans la grande irréalité du commerce amoureux, et chez les hommes qui contemplaient bouche bée le vaste ennui des chants de Léontine sans comprendre ce qui leur arrivait, les ailes du nez étaient agitées de tout autres sentiments que devant les hardies chanteuses à coiffure tango. Alors Ulrich décida de l'appeler Léone, et sa possession lui parut aussi enviable que celle d'une peau de lion préparée par le pelletier.

Cependant, dès le début de leur intimité, Léone déploya encore une autre qualité inactuelle : elle était incroyablement vorace, et c'est un vice dont la culture intensive est depuis longtemps passée de mode. Il avait pour origine la convoitise, enfin libérée, qu'elle avait éprouvée jadis, enfant pauvre, pour les friandises coûteuses ; mais il avait acquis la force d'un idéal qui a fini par briser sa cage et devenir le maître. Il semblait que le père de Léone eût été un respectable petit bourgeois qui la battait chaque fois qu'elle sortait avec un admirateur ; mais, si elle sortait, c'était uniquement parce que sa plus grande joie était d'être assise à la terrasse d'une petite pâtisserie et de plonger sa cuillère dans une glace tout en jetant sur les passants des regards « distingués ». Bien que l'on ne pût vraiment affirmer qu'elle n'était pas sensuelle, il faudrait dire, dans la mesure où on en a le droit, qu'elle se montrait, dans ce domaine comme dans les autres, plutôt paresseuse et peu encline au travail. Chaque excitation, dans son interminable corps, mettait un temps infini à atteindre le cerveau, et il arrivait qu'au milieu de la journée, sans aucune raison, ses yeux commençaient à fondre, alors que, pendant la nuit, ils étaient restés fixés sans bouger sur un point du plafond comme pour y observer une mouche. De même parfois, au beau milieu d'un silence, lui arrivait-il de rire d'une plaisanterie qui lui devenait enfin claire, alors qu'elle l'avait entendue quelques jours auparavant sans la comprendre et sans broncher. C'est pourquoi, lorsqu'elle n'avait aucune raison particulière de ne pas l'être, elle était extrêmement convenable. Comment elle en était venue à ce métier, il était impossible de le lui faire dire. Apparemment, elle ne le savait plus très bien elle-même. Il apparaissait seulement qu'elle tenait l'activité de chanteuse pour un des rouages indispensables de la vie et y rattachait toutes les merveilles qu'elle avait entendu conter de l'art et des artistes, de sorte qu'elle trouvait parfaitement juste, édifiant et distingué de monter tous les soirs sur une petite scène ennuagée par la fumée des cigares et d'y chanter des chansons dont la puissance émotive était un fait établi. Naturellement, comme il se doit pour colorer un peu le convenable, elle ne craignait nullement d'y glisser parfois quelque inconvenance, mais elle était fermement persuadée que la première chanteuse de l'Opéra impérial n'en agissait pas autrement.

En vérité, si l'on tient absolument à nommer prostitution le fait d'offrir pour de l'argent non point toute sa personne, comme il est d'usage, mais seulement son corps, dans ce cas, Léone pratiquait à l'occasion la prostitution. Mais quand pendant neuf ans, comme elle le faisait depuis sa seizième année, on apprend à connaître la médiocrité des cachets d'usage dans les derniers cercles de l'enfer du chant, quand on a en tête le prix des robes et de la lingerie, quand chaque jour on se bat avec les retenues, la cupidité et l'arbitraire des patrons, avec les pourcentages pris sur les consommations des clients émoustillés et sur la chambre de l'hôtel voisin, quand il faut chaque jour en disputer puis, comme un commerçant, faire la balance, alors cette débauche, si réjouissante aux yeux du profane, devient une profession où règnent la logique, l'objectivité et les lois du milieu. Et justement, la prostitution est de ces choses qui changent fort, selon qu'on les voit d'en haut ou qu'on les examine d'en bas.

Mais si Léone considérait avec une parfaite objectivité la question sexuelle, elle n'en gardait pas moins son romantisme. Il se trouvait seulement que tout ce qu'il y avait chez elle de redondant, de vaniteux, de prodigue, les sentiments de fierté, d'envie, de volupté, d'ambition, de dévouement, en un mot les moteurs de la personnalité et de la réussite sociale s'étaient, par quelque jeu de la nature, reliés non plus à ce qu'on appelle le cœur, mais au *tractus abdominalis*, au mécanisme de l'alimentation avec lequel ils furent d'ailleurs jadis régulièrement en relation, ainsi qu'on peut l'observer aujourd'hui encore chez les primitifs ou chez des paysans en bombance : ces gens-là sont capables d'exprimer la distinction et toutes sortes d'autres caractères proprement humains par un banquet au cours duquel l'on s'empiffre solennellement, avec tous les phénomènes concomitants. Aux tables du beuglant où elle se produisait, Léone faisait son devoir ; mais elle rêvait d'un cavalier qui, par une liaison de la durée de son contrat, l'en soulagerait et lui permettrait de s'asseoir, dans une pose distinguée, devant le distingué menu d'un distingué restaurant. Eût-elle cédé alors à ses préférences qu'elle eût goûté de tous les plats en une fois, et c'était pour elle une satisfaction douloureusement contradictoire de pouvoir montrer aussi qu'elle savait comment l'on doit choisir et composer un menu raffiné. Dès les entremets, elle pouvait donner libre cours à sa fantaisie, et il en résultait d'ordinaire un second repas complet, dans l'ordre inverse. Léone renouvelait son pouvoir d'absorption avec du café noir et de stimulants mélanges de boissons ; elle s'excitait à coups de surprises jusqu'à ce que sa passion fût satisfaite. Alors, son corps était empli de tant de choses distinguées qu'il manquait d'éclater. Elle jetait autour d'elle des regards mollement radieux et, bien qu'elle ne fût jamais loquace, se plaisait, dans cet état, à rattacher aux raretés qu'elle avait consommées quelques considérations rétrospectives. Quand elle disait *Polmone à la Torlogna* ou *Pommes à la Melville*, elle jetait ces mots dans la conversation comme un autre dirait en passant, mais de façon très étudiée, qu'il a parlé au prince ou au lord de ce nom.

Comme les sorties en public avec Léone n'étaient pas précisément du goût d'Ulrich, il transportait ordinairement la cérémonie de son gavage chez lui, où elle devait se contenter d'avoir pour commensaux des ramures de cerf et des meubles de style. Mais elle s'estimait frustrée par là d'une satisfaction mondaine et, quand l'Homme sans qualités l'incitait à l'intempérance solitaire en commandant pour elle les plats les plus inouïs qu'un traiteur puisse livrer, elle se sentait aussi abusée qu'une femme qui s'aperçoit qu'on ne l'aime pas pour son âme. Elle était belle, elle était chanteuse, elle n'avait pas à se cacher, et chaque soir s'accrochaient à elle les convoitises de quelques douzaines d'hommes qui lui eussent donné raison. Mais celui-là, au contraire, quoiqu'il voulût être seul avec elle, n'était même pas capable de lui dire : « Bon Dieu, Léone, ton cul m'affole ! » et de se lécher les moustaches rien qu'à la regarder, comme ses cavaliers l'y avaient accoutumée. Léone le méprisait un peu, bien qu'elle lui restât fidèlement attachée, et Ulrich le savait. Il savait d'ailleurs fort bien ce qui devait se faire dans la société de Léone, mais le temps où il aurait pu amener de pareilles phrases sur ses lèvres et où ses lèvres portaient encore moustache était trop lointain. Et, quand on ne parvient plus à faire quelque chose dont on fut capable jadis, si stupide que cette chose ait pu être, ce n'en est pas moins exactement comme après une attaque, quand on reste impotent d'une main ou d'une jambe. Ulrich, quand il voyait le boire et le manger monter à la tête de son amie, sentait flageoler ses prunelles. Avec un peu de prudence, on pouvait lui retirer sa beauté. C'était la beauté de la comtesse à qui l'Ekkehard de Scheffel fait franchir dans ses bras le seuil du cloître, la beauté de la cavalière tenant un faucon dans sa main gantée, la beauté de l'impératrice Élisabeth dans son halo de légende, couronnée de sa lourde chevelure, un délice pour des êtres qui tous étaient déjà morts. Plus précisément, elle évoquait aussi la divine Junon, non point la déesse éternelle et impérissable, mais ce qu'un temps passé, ou en train de passer, entendait sous ce nom. Ainsi, le rêve de l'être flottait librement sur la matière. Mais Léone savait qu'une invitation distinguée se paie, même quand celui qui vous invite n'a pas de désirs, et qu'on n'a pas le droit de se laisser simplement considérer bouche bée ; elle se levait donc dès qu'elle en était capable et se mettait à chanter, d'une voix paisible mais sonore. Ces soirées semblaient à son ami quelque feuillet arraché d'un livre, animé par mille inspirations et mille pensées, mais momifié (ainsi qu'il arrive à tout ce que l'on détache de son contexte) et chargé de cette tyrannie de l'Immuable qui fait le charme inquiétant des tableaux vivants, où l'on dirait que la vie a tout à coup absorbé un somnifère, et la voilà debout, raide, avec sa structure interne et ses limites précises, mais néanmoins, sur l'arrière-plan du monde, monstrueuse d'absurdité.

7. *Dans un moment de faiblesse, Ulrich s'attire une nouvelle amie.*

Un beau matin, Ulrich rentra chez lui fort mal arrangé. Ses vêtements pendaient à moitié arrachés, il dut poser des compresses sur sa tête contusionnée, il n'avait plus ni sa montre ni son portefeuille. Il ne savait pas s'ils lui avaient été volés par les trois hommes avec qui il s'était battu, ou si quelque discret philanthrope les avait subtilisés dans le peu de temps où il était resté sans connaissance sur le carreau. Il se mit au lit et, comme ses membres épuisés se sentaient de nouveau enveloppés et soutenus avec sollicitude, il réfléchit une fois encore à son aventure.

Tout à coup, il avait eu ces trois têtes devant lui ; peut-être, l'esprit distrait et occupé ailleurs, dans cette rue vidée par l'heure tardive, avait-il frôlé en passant l'un des trois hommes ; mais ces visages étaient déjà prêts à la colère, et c'est en grimaçant qu'ils étaient entrés dans le cercle du réverbère. Il avait alors commis une faute. Il aurait dû rendre le coup aussitôt, comme par crainte, et en même temps, du dos, heurter le gaillard qui s'était avancé derrière lui, ou encore lui donner un coup de coude dans l'estomac et, dans le même instant, essayer de fuir, car on ne se bat pas contre trois hommes vigoureux. Au lieu de cela, il avait hésité un instant. C'était l'âge ; c'était ses trente-deux ans : l'inimitié et l'amour, alors déjà, demandent un peu plus de temps. Se refusant à croire que les trois visages qui l'avaient toisé tout à coup dans la nuit avec mépris et fureur n'en voulaient qu'à son argent, il s'abandonnait au sentiment que de la haine s'était coagulée là contre lui et répartie en personnages ; et, tandis que les rôdeurs l'insultaient déjà grossièrement, il se réjouissait à l'idée que ce n'étaient peut-être nullement des rôdeurs, mais des bourgeois comme lui, tout juste un peu ivres, débarrassés des inhibitions encore attachées à sa figure de passant, et qui se déchargeaient sur lui d'une haine en suspension dans l'air, tel un orage toujours prêt à éclater, sur lui comme sur n'importe qui d'autre. Lui aussi, éprouvait parfois un sentiment analogue. Un nombre considérable de gens se sentent aujourd'hui en contradiction regrettable avec un nombre non moins considérable d'autres gens. C'est un des caractères distinctifs de la civilisation que l'homme ait la plus grande méfiance envers celui qui ne vit pas dans son milieu et qu'un footballeur, par conséquent, tienne un pianiste (et non point seulement un Germain, un Juif) pour un être inférieur et incompréhensible. Après tout, l'objet ne subsiste que par ses limites, c'est-à-dire par une sorte d'acte d'hostilité envers son entourage ; sans le pape, il n'y eût pas eu Luther, et sans les païens point de pape ; c'est pourquoi on ne peut nier que l'homme n'affirme jamais aussi résolument son semblable qu'en le refusant. Bien entendu, Ulrich ne développa point ces pensées de la sorte ; mais il connaissait cette hostilité confuse, atmosphérique dirait-on, dont l'air de notre époque est saturé ; et lorsqu'elle se condense brusquement une bonne fois en la personne de trois inconnus qui l'instant d'après disparaissent à jamais, éclatant comme un coup de tonnerre, on en ressent presque du soulagement.

Toutefois, il semblait bien qu'en face de ces trois rôdeurs, il eût un peu trop pensé. Quand le premier lui sauta dessus,

Ulrich sut bien le prévenir d'un coup de poing au menton et le faire reculer, mais le second qu'il eût fallu liquider en un éclair ne fut qu'effleuré par son poing, parce qu'un objet pesant, frappant Ulrich par-derrière, avait manqué lui faire éclater le crâne. Il tomba à genoux, on l'empoigna, il se redressa une fois encore avec cette lucidité du corps, à peine naturelle, qui fait suite d'ordinaire au premier écroulement, il tapa dans une confusion de corps qui n'étaient pas le sien, et des poings qui semblaient de plus en plus énormes l'abattirent enfin.

Ayant donc établi quelle faute il avait commise, et constaté que c'était une faute de sportif, comme de sauter trop court, Ulrich, qui avait toujours eu d'excellents nerfs, s'endormit paisiblement ; le ravissement qu'il éprouvait à suivre les fuyantes spirales de la perte de conscience était exactement celui qu'il avait déjà ressenti à l'arrière-plan de son évanouissement.

Lorsqu'il s'éveilla, il put se convaincre que ses blessures n'étaient pas graves, et réfléchit une fois encore à son aventure. Une bagarre vous laisse toujours un arrière-goût désagréable, comme d'une intimité un peu prématurée, et Ulrich, indépendamment du fait qu'il était l'attaqué, avait le sentiment de n'avoir pas eu la conduite qui convenait ; mais qui convenait à quoi ? Juste à côté d'une rue où, tous les trois cents pas, un agent subodore le moindre manquement aux lois, s'en trouvent d'autres qui exigent de vous autant de caractère et de force que la jungle. L'humanité produit des bibles et des fusils, la tuberculose et la tuberculine. C'est une démocratie avec rois et noblesse ; elle bâtit des églises et, contre les églises, des universités ; elle transforme des cloîtres en casernes, mais délègue à ces casernes des aumôniers. Bien entendu, elle fournit aussi aux rôdeurs ces matraques garnies de plomb qui leur permettent de maltraiter le corps de leur prochain ; puis elle met à la disposition du corps solitaire et malmené des duvets comme celui-là même qui enveloppait Ulrich et paraissait n'être bourré que de respects et d'égards. C'est la fameuse histoire des contradictions, de l'inconséquence et de l'imperfection de la vie. Histoire qui fait souvent sourire, ou soupirer. Mais, précisément, ce n'était pas le genre d'Ulrich. Il haïssait ce mélange de résignation et d'amour aveugle grâce auquel nous laissons passer les contradictions et les demi-mesures de la vie comme une tante confite dans le célibat les fredaines de son jeune neveu. Néanmoins, il ne sauta pas tout de suite hors du lit, quand bien même il apparaissait qu'y demeurer fût profiter du désordre des affaires humaines ; en plus d'un sens, en effet, celui qui, dans sa vie privée, évite le mal et fait le bien au lieu de s'efforcer de mettre de l'ordre dans l'ensemble, ne fait qu'adopter prématurément un compromis avec sa conscience aux dépens de la cause, crée un court-circuit, se dérobe dans l'univers privé. Il apparut même à Ulrich, après cette expérience involontaire, que le fait qu'on supprimât ici les fusils et là les rois, qu'un quelconque progrès, petit ou grand, diminuât la sottise ou la méchanceté, était d'une importance désespérément minime ; car le niveau des contrariétés et de la méchanceté redevient aussitôt le même, comme si le monde reculait une jambe à chaque fois qu'il avance l'autre. Voilà un phénomène dont il faudrait déceler la cause et le mécanisme secret ! Cela serait, pour sûr ! incomparablement plus important que d'être un homme de bien selon des principes caducs ; ainsi Ulrich, en morale, se sentait-il porté plutôt vers le service d'État-major que vers l'héroïsme de la B. A. quotidienne.

C'est alors seulement qu'il se remémora la suite de son aventure nocturne. Lorsqu'il était revenu à lui, après cette bagarre malencontreuse, un taxi s'était arrêté au bord du trottoir ; le chauffeur, prenant l'inconnu blessé par les épaules, avait essayé de le mettre debout, une dame s'était penchée sur Ulrich avec une expression angélique. Dans ces moments où la conscience remonte des profondeurs, toutes choses nous apparaissent comme en quelque livre d'enfants ; mais cette impuissance eut bientôt fait place à la réalité ; la présence d'une femme occupée de lui souffla sur Ulrich comme une sèche et vive bouffée d'eau de Cologne, de sorte qu'il devina immédiatement qu'il n'avait rien de grave et essaya de se remettre décemment debout. Il n'y réussit pas aussi bien qu'il l'eût souhaité, et la dame, inquiète, lui offrit de le conduire où il pourrait trouver de l'aide. Ulrich pria qu'on le transportât chez lui et, comme il semblait vraiment hébété et sans force, la dame le lui accorda. Une fois dans la voiture, il se ressaisit rapidement. Il sentit à côté de lui une sensualité maternelle, un doux nuage d'idéalisme secourable dans la chaleur duquel commençaient à se former les petits cristaux de glace du doute et de l'angoisse qu'on éprouve devant une action irréfléchie, cependant qu'il redevenait un homme, et ils emplissaient l'air de la douceur d'une chute de neige. Il raconta son aventure, et la beauté, qui semblait être à peine plus jeune que lui, trente ans peut-être, incrimina la brutalité humaine et le trouva terriblement digne de pitié.

Bien entendu, il se mit à justifier vigoureusement ce qui s'était passé, expliquant, au grand étonnement de la maternelle beauté assise à côté de lui, que l'on ne doit pas juger à leur résultat ces expériences de combat. Leur charme, en réalité, réside dans le fait qu'il faille, en un très court espace de temps, avec une rapidité qui n'apparaît jamais ailleurs dans la vie bourgeoise, et en se laissant conduire par des signes à peine perceptibles, exécuter un si grand nombre de mouvements divers, puissants, et néanmoins très exactement subordonnés les uns aux autres, qu'on en perd entièrement la possibilité de les contrôler avec la conscience. Bien au contraire : tous les sportifs savent qu'on doit interrompre son entraînement quelques jours avant la compétition, et cela pour la seule et unique raison qu'il faut que les muscles et les nerfs puissent s'entendre une dernière fois entre eux sans que la volonté, l'intention, la conscience soient présentes ou interviennent dans le débat. Dans l'instant de l'action, commentait Ulrich, il en va toujours ainsi : les muscles et les nerfs bondissent et s'escriment en accord avec le Moi ; mais celui-ci (l'ensemble du corps, l'âme, la volonté, cette personne principale et collective que le code civil distingue nettement de son milieu), les muscles et les nerfs ne font que le porter sur eux comme le taureau portait Europe ; et s'il n'en va pas ainsi, si par malheur le moindre éclair de réflexion surprend cette obscurité, l'entreprise échoue fatalement... Ulrich s'était échauffé en parlant. Il reprit : cette expérience-là, il voulait parler de ce dépassement, de cette abolition presque totale de la personne consciente, était somme toute assez proche d'expériences plus anciennes, familières aux mystiques de toutes les religions ; c'était même, dans une certaine mesure, le moderne succédané de besoins éternels. Encore qu'il fût de qualité médiocre, ce n'en était pas moins un ; et la boxe, comme les sports analogues qui en tirent un système rationnel, était par conséquent une espèce de théologie, quand bien même l'on ne pouvait pas exiger que la chose fût déjà universellement admise.

Si Ulrich avait mis tant de vivacité à parler ainsi à sa compagne, c'était un peu aussi, sans doute, dans le vaniteux désir de lui faire oublier la piteuse situation où elle l'avait trouvé. Dans ces conditions, il était difficile pour elle de décider s'il parlait sérieusement ou se moquait. De toute manière, qu'il tentât d'expliquer la théologie par le sport pouvait lui paraître parfaitement naturel ; peut-être même la tentative tirait-elle son intérêt du fait que le sport était quelque chose d'actuel, alors qu'on ignore tout de la théologie, bien qu'on ne puisse nier qu'il existe toujours, effectivement, beaucoup d'églises. Quoi qu'il en fût, elle jugea qu'un heureux hasard lui avait fait rencontrer un homme plein d'esprit ; il est vrai qu'elle se demandait en même temps s'il n'avait pas eu une commotion cérébrale.

Ulrich, qui voulait maintenant dire quelque chose qui lui fût plus accessible, profita de l'occasion pour insinuer comme en passant que l'amour, lui aussi, était assimilable à ces dangereuses expériences mystiques : car il arrachait l'homme aux bras de la raison pour l'enlever au-dessus des abîmes.

La dame acquiesça, mais rappela la brutalité du sport.

Sans doute (Ulrich se hâta de le concéder), sans doute le sport était brutal. On pourrait dire qu'il est le précipité d'une haine générale, très finement divisée, qui trouve un dérivatif dans les compétitions. On affirmait bien entendu, tout au contraire, que le sport unit, favorise la camaraderie, etc. ; mais cela prouvait seulement, en fin de compte, que la brutalité et l'amour ne sont pas plus distants l'un de l'autre que les deux ailes d'un même grand oiseau multicolore et muet.

Il avait mis l'accent sur les ailes et sur l'oiseau muet multicolore, pensée de peu de sens, mais chargée de cette énorme sensualité grâce à laquelle la vie apaise d'un seul coup, dans son corps sans limites, toutes les contradictions rivales ; il s'aperçut que sa voisine n'avait rien compris ; néanmoins, la douce chute de neige qu'elle répandait dans la voiture n'avait fait que s'épaissir encore. Alors, il se tourna franchement vers elle et lui demanda s'il se pouvait qu'elle éprouvât quelque répugnance à parler de ces questions corporelles. Il était vrai que la vie du corps devenait un peu trop à la mode, ce qui n'allait pas sans provoquer un sentiment de crainte : le corps, lorsqu'il était parfaitement entraîné, prenait le dessus, et ses mouvements, automatiquement rodés, répondaient si sûrement, sans poser de questions, à la moindre excitation, qu'il ne restait plus à son propriétaire que le sentiment peu rassurant d'être un simple témoin, et qu'il voyait son caractère se confondre presque entièrement avec telle ou telle partie de ce corps...

Il semblait en effet que ce problème touchât fort la jeune femme ; apparemment troublée par ces propos, elle respira profondément et, prudente, recula un peu. Un mécanisme analogue à celui qui venait d'être décrit (la respiration oppressée, le rougissement de la peau, des battements de cœur et peut-être quelque autre trouble) semblait s'être déclenché en elle. Mais la voiture s'arrêtait devant la demeure d'Ulrich. Il ne put que demander en souriant l'adresse de son sauveteur afin de pouvoir lui témoigner sa gratitude, mais, à son grand étonnement, cette faveur ne lui fut point accordée. De sorte que la sombre grille de fer forgé se referma sur un inconnu fort surpris.

On peut supposer qu'ensuite les arbres d'un vieux parc, suscités par la lumière des ampoules électriques, étaient apparus grands et obscurs, que les fenêtres s'étaient allumées, qu'au-dessus d'une pelouse couleur d'émeraude, tondue de près, s'étaient déployées les ailes d'un ravissant petit château ; on avait entr'aperçu les murs, couverts de tableaux et de rangées de livres multicolores, et le compagnon de voiture, une fois qu'on eut pris congé, fut accueilli par une existence que l'on n'avait point imaginée si belle.

Voilà comment les choses s'étaient passées. Ulrich songeait encore combien il eût été peu agréable de devoir perdre son temps à quelqu'une de ces aventures dont il était depuis longtemps rassasié, lorsqu'une dame fut annoncée, qui ne voulait point dire son nom et pénétra chez lui fort strictement voilée. C'était elle, qui n'avait voulu donner ni son nom ni son adresse, mais qui de cette manière charitable et romantique, sous le prétexte de demander de ses nouvelles, poursuivait l'aventure de sa propre autorité.

Deux semaines plus tard, Bonadea était depuis quinze jours sa maîtresse.

8. *La Cacanie.*

A l'âge où l'on aime encore à se regarder dans la glace et où l'on accorde encore de l'importance aux problèmes du tailleur et du coiffeur, il arrive aussi que l'on se décrive un lieu où l'on aimerait passer sa vie, ou du moins un lieu où il serait « chic » de séjourner quand bien même on pressentirait qu'on ne s'y plairait guère personnellement.

Parmi ces idées fixes sociales est apparue, depuis longtemps déjà, une espèce de ville hyper-américaine, où tout marche et s'arrête au chronomètre. L'air et la terre ne sont plus qu'une immense fourmilière sillonnée d'artères en étages. Les transports, de surface, aériens et souterrains, les déplacements humains par pneumatique, les files d'automobiles foncent dans l'horizontale tandis que dans la verticale des ascenseurs ultra-rapides pompent les masses humaines d'un palier de circulation à l'autre ; aux points de jonction, l'on saute d'un transport dans l'autre ; leur rythme qui, entre deux vitesses tonnantes, fait une pause, une syncope, un petit gouffre de vingt secondes, vous aspire et vous enlève sans que vous ayez le temps de réfléchir, et dans les intervalles de ce rythme général, on échange hâtivement quelques mots. Les questions et les réponses s'emboîtent les unes dans les autres comme les pièces d'une machine, chacun n'a devant soi que des tâches bien définies, les professions sont groupées par quartiers, on mange tout en se déplaçant, les plaisirs sont concentrés dans d'autres secteurs, et ailleurs encore se dressent les tours où l'on retrouve son épouse, sa famille, son gramophone et son âme. La tension et la détente, l'activité et l'amour ont tous leurs moments distincts, calculés sur la base de minutieuses expériences de laboratoire. Si une difficulté se présente dans l'une ou l'autre de ces activités, rien de plus simple : on l'abandonne ; ou bien on en trouvera une autre, ou bien, à l'occasion, on découvrira une meilleure issue ; et si on passe à côté, un autre saura bien la voir ; dans tout cela, aucune perte, alors que rien n'écorne l'énergie commune autant que la prétention d'avoir une mission personnelle et le refus de s'écarter de son but. Dans une communauté constamment irriguée d'énergie, tous les chemins mènent à un but estimable, pourvu que l'on n'hésite ni ne réfléchisse trop longtemps. Les buts sont à courte distance ; mais la vie aussi est courte ; on lui prend ainsi le maximum de résultats, et il n'en faut pas plus à l'homme pour être heureux, car l'âme est formée par ce qu'elle atteint, alors que ce qu'elle poursuit sans y atteindre la déforme ; pour le bonheur, ce qui compte n'est pas ce que l'on veut ; mais d'atteindre ce que l'on veut. D'ailleurs, la zoologie enseigne que la sommation d'individus diminués peut parfaitement donner un total génial.

Il n'est pas du tout sûr que les choses doivent évoluer ainsi, mais ces imaginations font partie des rêves de voyage dans lesquels se reflète l'impression de mouvement incessant qui nous entraîne. Ils sont superficiels, brefs et agités. Dieu sait ce qui réellement se produira. On serait tenté de croire que nous avons à chaque minute le commencement en main, et que nous devrions tirer des plans pour l'humanité. Si la chimère de la vitesse nous déplaît, créons-en une autre, par exemple très lente, un bonheur mystérieux comme le serpent de mer, flottant comme des voiles, et ce profond regard de vache dont les Grecs déjà s'engouèrent ! Mais il n'en va nullement ainsi. C'est la chose qui nous a en main. Jour et nuit, on voyage en elle, et l'on en fait bien d'autres : on s'y rase, on y mange, on y aime, on y lit des livres, on y exerce sa profession comme si les quatre murs étaient immobiles, mais l'inquiétant, c'est que les murs bougent sans qu'on s'en aperçoive et qu'ils projettent leurs rails en avant d'eux-mêmes comme de longs fils qui se recourbent en tâtonnant, sans qu'on sache jamais où ils vont. Et par-dessus le marché, on voudrait encore, si possible, être l'une des forces qui déterminent le train du temps ! Voilà un rôle bien équivoque, et il arrive que le paysage, si l'on regarde au-dehors après un intervalle suffisant, ait changé ; ce qui file devant nos yeux file parce qu'il n'en peut être autrement ; mais, si résigné que l'on soit, on ne peut faire qu'un sentiment désagréable ne prenne de plus en plus de force, comme si l'on avait dépassé le but ou que l'on se fût trompé de voie. Un beau jour, en tempête, un besoin vous envahit : descendre ! sauter du train ! Nostalgie d'être arrêté, de ne pas se développer, de rester immobile ou de revenir au point qui précédait le mauvais embranchement ! Et dans le bon vieux temps, quand l'empire d'Autriche existait encore, il n'y avait alors qu'à quitter le train du temps, à prendre place dans un train tout court, et à rentrer dans sa patrie.

Là, en Cacanie, dans cet État depuis lors disparu et resté incompris qui fut sur tant de points, sans qu'on lui en rende justice, exemplaire, il y avait aussi du « dynamisme », mais point de trop. Chaque fois qu'on repensait à ce pays de l'étranger, venait flotter devant vos yeux le souvenir de ses routes larges, blanches, prospères, datant de l'époque de la marche à pied et des malles-postes, qui le sillonnaient en tous sens, fleuves d'ordre, clairs rubans de coutil militaire, bras administratifs, couleur de papier timbré, étreignant les provinces... Et quelles provinces ! Il y avait les glaciers et la mer, le Karst et les champs de blé bohêmes, les nuits au bord de l'Adriatique, grésillantes de l'activité des grillons, et les villages slovaques où la fumée sortait des cheminées comme d'un nez retroussé, où les maisons étaient tapies entre deux collines comme si la terre avait entrouvert ses lèvres afin d'y réchauffer son enfant. Naturellement, il y avait aussi des automobiles sur ces routes ; mais pas trop. Ici aussi, l'on préparait la conquête de l'air ; mais point trop intensivement. De loin en loin, point trop souvent, l'on envoyait un bateau en Amérique du Sud ou dans l'Extrême-Orient. On n'avait nulle ambition économique, nul rêve d'hégémonie ; on était installé au centre de l'Europe, au croisement des vieux axes du monde ; les mots de colonie et d'outre-mer ne rendaient encore qu'un son lointain et comme trop neuf. On déployait quelque luxe ; mais en se gardant d'y mettre le raffinement des Français. On pratiquait les sports ; mais avec moins d'extravagance que les Anglo-Saxons. On dépensait pour l'armée des sommes considérables ; juste assez cependant pour être sûr de rester l'avant-dernière des Grandes puissances. La capitale elle-même était un rien plus petite que les plus grandes métropoles du monde, et pourtant considérablement plus grande que ne le sont de simples « grandes villes ». Et ce pays était administré d'une manière éclairée, à peine sensible, tous les angles prudemment arrondis, par la meilleure bureaucratie d'Europe, à qui l'on ne pouvait reprocher qu'une seule faute : qu'elle vît dans le génie et les initiatives géniales des particuliers, s'ils n'en avaient pas reçu le privilège de par leur haute naissance ou quelque mission officielle, une attitude impertinente et une sorte d'usurpation. Mais y a-t-il personne qui aime voir des incompétents se mêler de ses affaires ? Et puis au moins, en Cacanie, on se bornait à tenir les génies pour des paltoquets : jamais on n'eût, comme ailleurs, tenu le paltoquet pour un génie.

Sur cette Cacanie maintenant engloutie, que de choses curieuses seraient à dire ! Elle était, par exemple, *kaiserlich-königlich* (impériale-royale) et aussi bien *kaiserlich und königlich* (impériale et royale) ; il n'était chose ni personne qui ne fût affectée là-bas de l'un de ces deux sigles, *k. k.* ou *k. u. k.* ; il n'en fallait pas moins disposer d'une science secrète pour pouvoir décider à coup sûr quelles institutions et quels hommes pouvaient être dits *k. k.*, et quels autres *k. u. k.* Elle s'appelait, par écrit, Monarchie austro-hongroise, et se faisait appeler, oralement, l'Autriche : nom qu'elle avait officiellement et solennellement abjuré, mais conservait dans les affaires de cœur, comme pour prouver que les sentiments ont autant d'importance que le droit public, et que les prescriptions n'ont rien à voir avec le véritable sérieux de la vie. La Constitution était libérale, mais le régime clérical. Le régime était clérical, mais les habitants libres penseurs. Tous les bourgeois étaient égaux devant la loi, mais justement, tous n'étaient pas bourgeois.

Le Parlement faisait de sa liberté un usage si impétueux qu'on préférait d'ordinaire le tenir fermé ; mais l'on avait aussi une loi d'exception qui permettait de se passer du Parlement ; et chaque fois que l'État tout entier se préparait à jouir des bienfaits de l'absolutisme, la Couronne décrétait qu'on allait recommencer à vivre sous le régime parlementaire. Parmi nombre de singularités du même ordre, il faut citer aussi les dissensions nationales qui attiraient sur elles, à juste titre, l'attention de toute l'Europe, et que les historiens d'aujourd'hui défigurent. Ces dissensions étaient si violentes que la machine de l'État s'enrayait plusieurs fois par année à cause d'elles ; mais dans ces intervalles et ces repos de l'État, chacun s'en tirait à merveille, et l'on faisait comme si de rien n'était. D'ailleurs, il n'y avait rien eu de réel. Il y avait simplement que cette aversion de tout homme pour les efforts de son prochain dans laquelle nous communions tous aujourd'hui, s'était fait jour très tôt dans cet État pour atteindre à une sorte de cérémonial sublimé qui eût pu avoir de grandes conséquences si son évolution n'avait pas été prématurément interrompue par une catastrophe.

Ce n'était pas seulement, en effet, que l'aversion pour le concitoyen se fût élevée là-bas au niveau d'un sentiment de communauté, mais encore que la méfiance envers soi-même, envers son propre destin, y avait pris le caractère d'une profonde assurance. En ce pays (et parfois jusqu'au plus haut point de passion, et jusque dans ses extrêmes conséquences), on agissait toujours autrement qu'on ne pensait, ou on pensait autrement qu'on n'agissait. Des observateurs mal informés ont pris cela pour du charme, ou même pour une faiblesse de ce qu'ils croyaient être le caractère autrichien. C'était faux ; il est toujours faux de vouloir expliquer les phénomènes d'un pays à travers le caractère de ses habitants. Car l'habitant d'un pays a toujours au moins neuf caractères : un caractère professionnel, un caractère de classe, un caractère sexuel, un caractère national, un caractère politique, un caractère géographique, un caractère conscient, un inconscient, et peut-être même encore, un caractère privé ; il les réunit dans sa personne, mais s'en trouve dissocié, et n'est plus finalement qu'un petit vallon creusé par cette multitude de cours d'eau, vallon dans lequel ils viennent s'écouler pour en ressortir ensuite et remplir d'autres vallons avec d'autres ruisselets. C'est pourquoi tout habitant de la terre possède encore un dixième caractère, qui n'est rien d'autre que l'imagination passive d'espaces non encore remplis ; ce caractère donne à l'homme toutes les libertés, sauf une : celle de prendre au sérieux ce que font ses autres caractères (neuf pour le moins), et ce qui leur arrive ; donc, en d'autres termes, la seule liberté, précisément, qui pourrait remplir cet espace. Cet espace, dont il faut avouer qu'il n'est pas facile à décrire, sera coloré et formé autrement en Italie qu'en Angleterre, parce que tout ce qui se détache sur son fond possède une autre forme et une autre couleur ; et pourtant, il reste le même, ici comme ailleurs, c'est-à-dire précisément un espace invisible et vide dans lequel la réalité se dresse comme une petite ville de jeu de construction abandonnée par l'imagination.

Dans la mesure où le fait peut devenir visible à tous les yeux, voilà ce qui s'était passé en Cacanie, voilà en quoi la Cacanie, sans que le monde le sût encore, s'affirmait l'État le plus avancé ; c'était un État qui ne subsistait plus que par la force de l'habitude, on y jouissait d'une liberté purement négative, dans la conscience continuelle des raisons insuffisantes de sa propre existence et baigné par la grande vision de ce qui ne s'est point passé, ou point irrévocablement du moins, comme par l'haleine des Océans dont l'humanité est sortie.

Es ist passiert, disait-on là-bas, quand d'autres gens croyaient ailleurs que Dieu sait quoi avait eu lieu ; c'était un terme singulier, qui n'apparaît nulle part ailleurs, ni en allemand ni dans une autre langue, et dans le souffle duquel les faits et les coups du sort devenaient aussi légers que des pensées, ou du duvet. Oui, malgré tout ce qui parle en sens contraire, la Cacanie était peut-être, après tout, un pays pour génies ; et sans doute fut-ce aussi sa ruine.

9. *Le premier de trois essais pour devenir un grand homme.*

Cet homme qui était revenu au pays ne pouvait se rappeler une seule période de sa vie que n'eût pas animée la volonté de devenir un grand homme ; Ulrich semblait être né avec ce désir. S'il est vrai qu'une telle ambition peut aussi trahir de la vanité et de la bêtise, il n'en est pas moins vrai que c'est une très belle et très légitime aspiration, faute de quoi, sans doute les grands hommes ne seraient guère nombreux.

Le seul ennui était qu'il ne sût ni comment on devient un grand homme, ni même ce que c'est. Au temps où il était encore à l'école, il avait tenu pour tel Napoléon ; en partie parce que la jeunesse est spontanément encline à admirer le crime, en partie parce que les maîtres faisaient de ce tyran qui avait essayé de mettre sens dessus dessous toute l'Europe, le plus grand malfaiteur de l'Histoire. La conséquence fut qu'Ulrich, sitôt échappé de l'école, devint porte-étendard d'un régiment de cavalerie. Il est probable qu'alors déjà, interrogé sur les raisons de ce choix, il n'eût plus répondu : parce que je veux devenir tyran. Mais ces désirs sont jésuitiques ; le génie de Napoléon n'avait commencé à se développer qu'après qu'il fut devenu général : comment le porte-étendard Ulrich eût-il fait pour convaincre son colonel de la nécessité de cette condition préalable ? Déjà lors des exercices d'escadron, il n'était pas rare que le colonel fût d'une autre opinion que lui. Néanmoins, Ulrich n'eût pas maudit la place d'armes sur l'herbe paisible de laquelle on ne fait pas de différence entre la présomption et la vocation, s'il n'avait été si ambitieux. En ce temps-là, il n'accordait pas la moindre valeur à des slogans pacifistes tels que « l'éducation armée du peuple », mais se laissait imprégner jusqu'aux moelles par le souvenir passionné des temps héroïques : féodalité, violence et fierté. Il montait aux courses, se battait en duel et partageait l'humanité en trois espèces : les officiers, les femmes et les civils, cette dernière espèce physiquement sous-développée et mentalement inférieure dont les femmes et les filles constituaient la chasse gardée des officiers. Il s'abandonnait à un pessimisme sublime : puisque le métier de soldat était un fer rouge et acéré, il fallait porter ce fer dans les plaies du monde pour le guérir.

Encore fut-il heureux de n'avoir pas d'ennuis ; un jour, pourtant, il fit une nouvelle expérience. Au cours de quelque soirée, il avait eu un petit malentendu avec un financier fameux, malentendu qu'il avait voulu régler à son habituelle et grandiose manière ; il apparut qu'on trouvait même dans le civil des hommes capables de protéger les membres féminins de leur famille. Le financier eut une entrevue avec le Ministre de la Guerre, qu'il connaissait personnellement, d'où s'ensuivit entre Ulrich et son colonel une explication assez longue au cours de laquelle il découvrit la différence qui subsiste entre un archiduc et un simple officier. Dès lors, le métier de guerrier n'eut plus d'attrait pour lui. Il avait espéré monter sur une scène où se dérouleraient des aventures qui bouleverseraient le monde et dont il serait le héros ; il voyait tout à coup un jeune homme ivre faire du tapage sur une vaste place déserte, où seules les pierres lui répondaient. Lorsqu'il eut compris cela, il dit adieu à l'ingrate carrière où il venait d'atteindre le grade de lieutenant, et quitta le service.

10. *Le deuxième essai. Premiers éléments d'une morale de l'Homme sans qualités.*

Ulrich ne fit que changer de monture en passant de la cavalerie à la technique ; sa nouvelle monture avait des membres d'acier et marchait dix fois plus vite.

Dans le monde de Goethe, le cliquetis des métiers était encore un dérangement ; au temps d'Ulrich, on commençait à découvrir le chant des salles de machines, des marteaux à rivet et des sirènes d'usine. Il ne faut pas croire cependant que les hommes eussent déjà remarqué qu'un gratte-ciel est plus grand qu'un homme à cheval ; au contraire, aujourd'hui encore, lorsqu'ils veulent se distinguer, ils ne montent pas un gratte-ciel, mais un haut destrier, ils sont rapides comme le vent et leurs yeux sont perçants non point comme ceux d'un télescope géant, mais comme ceux de l'aigle. Leur cœur n'a pas encore appris à faire usage de leur raison, et il demeure entre les deux une différence d'évolution presque aussi considérable que celle qui sépare le cæcum de la pie-mère. Aussi n'est-ce pas une petite chance que de découvrir, comme Ulrich le fit dès qu'il eut renoncé aux folies de jeunesse, que l'homme, dans tous les domaines qu'il considère comme supérieurs, se comporte d'une manière bien plus démodée que ne le sont ses machines.

Lorsqu'il pénétra dans les amphithéâtres de mécanique, Ulrich s'enfiévra. A quoi bon l'Apollon du Belvédère, quand on a sous les yeux les formes neuves d'un turbogénérateur ou le jeu des pistons d'une machine à vapeur ! Qui peut encore se passionner pour de millénaires bavardages sur le bien et le mal, quand on a établi que ce ne sont pas des « constantes », mais des « valeurs fonctionnelles », de sorte que la bonté des œuvres dépend des circonstances historiques, et la bonté des hommes de l'habileté psychotechnique avec laquelle on exploite leurs qualités ! Considéré du point de vue technique, le monde devient franchement comique ; mal pratique en tout ce qui concerne les rapports des hommes entre eux, au plus haut point inexact et contraire à l'économie en ses méthodes. A celui qui a pris l'habitude d'expédier ses affaires avec la règle à calcul, il devient carrément impossible de prendre au sérieux la bonne moitié des affirmations humaines. Qu'est-ce donc qu'une règle à calcul ? Deux systèmes de chiffres et de graduations combinés avec une ingéniosité inouïe ; deux petits bâtons laqués de blanc glissant l'un dans l'autre, dont la coupe forme un trapèze aplati, à l'aide desquels on peut résoudre en un instant, sans gaspiller une seule pensée, les problèmes les plus compliqués ; un petit symbole qu'on porte dans sa poche intérieure et qu'on sent sur son cœur comme une barre blanche... Quand on possède une règle à calcul et que quelqu'un vient à vous avec de grands sentiments ou de grandes déclarations, on lui dit : Un instant, je vous prie, nous allons commencer par calculer les marges d'erreur et la valeur probable de tout cela !

Sans aucun doute, c'était là une représentation puissante de l'Ingénieur. Elle formait les grandes lignes d'un autoportrait futur irrésistible, montrant un homme aux traits résolus qui, un brûle-gueule entre les dents, une casquette de sport sur la tête et de superbes bottes à l'écuyère aux pieds, fait la navette entre Le Cap et le Canada, réalisant pour sa maison de grandioses projets. Entre deux voyages, il lui reste toujours quelque loisir pour puiser dans la méditation technique tel ou tel conseil sur l'organisation et le gouvernement du monde, ou composer quelque maxime, telle celle-ci, d'Emerson, qui devrait être affichée dans tous les ateliers : « Les hommes cheminent sur la terre comme des prophéties de l'avenir, et tous leurs actes ne sont qu'essais et expériences, puisque tout acte peut être dépassé par le suivant. » A strictement parler, cette sentence avait été fabriquée par Ulrich lui-même avec plusieurs phrases d'Emerson.

Il est difficile de savoir pourquoi les ingénieurs ne correspondent pas exactement à cette image. Ainsi, pourquoi faut-il qu'ils portent si souvent une chaîne de montre qui forme, du gousset à quelque bouton haut placé, une sorte de J majuscule, quand ils ne la laissent pas scander sur leur ventre un temps fort et deux temps faibles, comme dans un poème ? Pourquoi aiment-ils à planter dans leur cravate des épingles ornées de dents de cerf ou de petits fers à cheval ? Pourquoi leurs vêtements sont-ils bâtis comme les premières automobiles ? Pourquoi enfin parlent-ils si rarement d'autre chose que de leur métier ? Et s'ils s'y risquent, pourquoi ont-ils alors une manière si particulière de s'exprimer, raide, détachée, extérieure, et qui ne leur descend pas plus bas que l'épiglotte ? Bien entendu, cela n'est pas vrai de tous, il s'en faut ; mais cela est vrai de beaucoup, et ceux qu'Ulrich connut lorsqu'il entra pour la première fois en service dans un bureau d'usine étaient ainsi, et ceux qu'il connut la deuxième fois, étaient également ainsi. Ils se révélaient fortement attachés à leur planche à dessin, aimant leur métier et faisant preuve, dans leur métier, d'une activité remarquable ; mais si on leur avait proposé d'appliquer à eux-mêmes, et non plus à leurs machines, la hardiesse de leurs idées, ils eussent réagi comme si on leur eût demandé de faire d'un marteau l'arme d'un meurtre.

Ainsi tourna court le deuxième essai qu'Ulrich, déjà un peu plus mûr, avait tenté pour devenir, par la voie de la technique, un homme exceptionnel.

11. *L'essai le plus important.*

Aujourd'hui, quand il repensait à cette époque, Ulrich pouvait secouer la tête comme si on lui avait parlé de sa propre métempsycose ; mais non point quand il songeait au troisième de ses essais. On peut encore comprendre qu'un ingénieur soit absorbé par sa spécialité, au lieu de déboucher dans la vastitude et la liberté du monde de la pensée, quoique ses machines soient livrées jusqu'aux confins de la terre ; car on ne lui demande pas plus d'être capable de faire bénéficier son âme privée de l'audace et de la nouveauté de l'âme technique, qu'à une machine de pouvoir s'appliquer à elle-même les équations infinitésimales qui sont à la base de sa conception. Mais on ne peut pas en dire autant des mathématiques ; car elles sont la logique nouvelle, l'esprit dans sa pureté, les sources de l'époque et l'origine d'une extraordinaire transformation.

Si c'est réaliser des rêves ancestraux que de pouvoir voler, voyager avec les poissons, se creuser un passage sous le corps des géants des Alpes, envoyer des messages aussi rapidement que les dieux, voir et entendre l'invisible et l'éloigné, ouïr la voix des morts, se laisser submerger, malade, par de miraculeux sommeils, pouvoir envisager, vivant, de quoi l'on aura l'air vingt ans après sa mort, et dans l'étincellement des nuits, connaître, au-dessus et au-dessous de ce monde, mille objets que personne jadis ne connaissait ; si la lumière, la chaleur, la force, la jouissance et le confort sont des rêves ancestraux de l'homme, alors, la recherche moderne n'est pas seulement une science, mais une magie, une cérémonie de la plus grande puissance sentimentale et intellectuelle, devant laquelle Dieu lui-même défait un pli de son manteau après l'autre, une religion dont la dogmatique est à la fois imprégnée et étayée par la logique dure, courageuse, mobile, froide et coupante comme un couteau, des mathématiques.

Certes, on ne peut nier que tous ces rêves ancestraux, de l'avis des non-mathématiciens, ne se soient brusquement réalisés tout autrement qu'on ne se l'était figuré à l'origine. Le cor du postillon de Münchhausen était plus beau qu'une voix mise en conserve à l'usine, les bottes de sept lieues plus belles qu'une automobile, le royaume de Laurin plus beau qu'un tunnel de chemin de fer, la mandragore qu'un bélinogramme, et il était plus beau de manger du cœur de sa mère pour comprendre le langage des oiseaux que de se livrer à une étude de psychologie animale sur la valeur expressive de leur chant. On a perdu en rêve ce qu'on a gagné en réalité.

Ce n'est plus le temps où l'on s'étendait sous un arbre à regarder le ciel entre deux orteils, mais le temps où l'on produit. Quand on veut être actif, on n'a plus le droit d'être affamé ni de rêvasser : il faut manger des beefsteacks, et se remuer. C'est exactement comme si l'ancienne humanité inactive s'était endormie sur une fourmilière, et que la nouvelle, en s'éveillant, eût senti les fourmis dans ses jambes, de sorte qu'elle se voit forcée d'accomplir les mouvements les plus violents sans jamais pouvoir se défaire de ce sentiment d'une activité purement animale qui la démange comme vermine. En vérité, il est inutile de s'appesantir là-dessus : de toute façon, la plupart des hommes d'aujourd'hui ont compris que les mathématiques se sont glissées comme un démon dans tous les emplois de notre vie. Peut-être ces hommes ne croient-ils pas tous à l'histoire du Diable à qui on peut vendre son âme ; mais tous ceux, ecclésiastiques, historiens ou artistes, qui sont tenus de comprendre quelque chose à l'âme parce qu'ils en tirent de bons revenus, prétendent que l'âme a été ruinée par les mathématiques, que les mathématiques sont la source d'une perversion de l'intelligence qui, si elle fait de l'homme le maître de la terre, fait aussi de lui l'esclave de la machine. La sécheresse intérieure, le surprenant mélange de sensibilité aux détails et d'insouciance devant l'ensemble, l'extraordinaire solitude de l'homme dans un désert de détails, son inquiétude, sa méchanceté, l'indifférence sans égale de son cœur, sa cupidité, sa froideur et sa violence, toutes caractéristiques de notre temps, ne peuvent être autre chose, si l'on en croit ces censeurs, que la conséquence des pertes que ferait subir à notre âme une pensée aiguisée par la logique ! C'est ainsi qu'il se trouva des gens, déjà au temps où Ulrich devint mathématicien, pour prédire l'écroulement de la civilisation européenne sous prétexte que la foi, l'amour, l'innocence et la bonté avaient déserté l'homme ; il est significatif que tous ces gens aient été de médiocres mathématiciens au temps de leurs études. Cela suffit à les convaincre plus tard que la mathématique, mère de la science naturelle exacte et grand-mère de la technique, était aussi l'aïeule de cette mentalité qui suscita pour finir les gaz toxiques et les pilotes de guerre.

Seuls vivaient dans l'ignorance de ces dangers les mathématiciens eux-mêmes et leurs disciples, les physiciens, dont l'âme demeurait aussi fermée, aussi sourde que celle d'un coureur cycliste qui fonce de tout son cœur et ne voit rien d'autre au monde que la roue arrière de celui qui mène le train. D'Ulrich, en revanche, on pouvait dire au moins ceci en toute certitude, qu'il aimait les mathématiques à cause de ceux qui ne pouvaient les souffrir. Il était moins scientifiquement qu'humainement amoureux de la science. Il voyait que, sur toutes les questions où elle se jugeait compétente, elle pensait autrement que les hommes ordinaires. Que l'on substitue seulement à l'expression « conceptions scientifiques » l'expression « conception de la vie », au mot « hypothèse » le mot « essai », au mot « vérité » le mot « fait », il n'y aurait pas une seule carrière de physicien ou de mathématicien notable qui ne dépassât de loin pour le courage et la puissance subversive, les plus extraordinaires hauts faits de l'histoire. L'homme n'était point encore né, qui eût pu dire à ses fidèles : « Volez, tuez, forniquez… notre doctrine est si forte qu'elle tirera de la sanie même de vos péchés le clair bouillonnement des torrents ! » Alors que, dans le domaine scientifique, il arrive à peu près tous les deux ans qu'un élément qui avait été tenu jusqu'alors pour une erreur renverse brusquement toutes les conceptions, ou qu'une pensée insignifiante et méprisée devienne la maîtresse d'un nouvel empire de pensées ; dans ce domaine, de tels événements ne sont pas de simples renversements ; comme l'échelle de Jacob, ils conduisent au ciel. Dans le domaine de la science, tout se passe avec la même force, la même souveraineté, la même magnificence que dans les contes. Et Ulrich sentait que les hommes ignoraient cela, qu'ils n'avaient même aucune idée de la façon dont on peut penser ; si on leur apprenait à penser autrement, ils vivraient aussi autrement.

On se demandera bien sûr si le monde où nous vivons est vraiment si renversé qu'il faille toujours le remettre sur pied : mais il y a fort longtemps que le monde lui-même a répondu de deux manières différentes à cette question. Depuis qu'il existe, en effet, la plupart des hommes, dans leur jeunesse, ont été pour les renversements. Ils trouvaient ridicule que les vieux restent attachés au statu quo et pensent avec le cœur, ce morceau de chair, plutôt qu'avec le cerveau. Ces hommes jeunes ont pu remarquer toujours que la bêtise morale des vieux était, au même titre que l'ordinaire bêtise intellectuelle, une incapacité d'établir de nouveaux rapports ; la morale qui leur est naturelle à eux, est une morale de l'action, de l'héroïsme et du changement. Pourtant, dès qu'ils arrivent à l'âge de la réalisation, ils l'oublient et n'en veulent plus rien savoir. C'est pourquoi, même parmi ceux pour qui les mathématiques et la physique sont une profession, il y en aura beaucoup qui jugeront abusives les raisons pour lesquelles Ulrich avait choisi la science.

Néanmoins, depuis plusieurs années qu'il avait embrassé cette troisième profession, sa contribution, de l'avis même des spécialistes, n'y avait point été médiocre.

12. *La dame dont Ulrich conquit l'amour après une conversation sur le sport et la mystique.*

Il apparut que Bonadea, elle aussi, aspirait aux grandes idées.

Bonadea était cette dame qui, lors de sa malheureuse nuit de boxe, avait sauvé Ulrich et lui avait rendu visite, précautionneusement voilée, le lendemain matin. Il l'avait baptisée Bonadea, la bonne déesse, parce que c'était ainsi qu'elle était entrée dans sa vie, et aussi à cause d'une déesse de la Pudeur dont le temple, dans la Rome antique, était devenu, par un étrange retour, le centre de toutes les débauches. Elle ne le savait point. Le nom bien-sonnant dont Ulrich l'avait gratifiée lui plaisait, elle le portait sur elle, quand elle venait le voir, comme un déshabillé aux luxueuses broderies. « Ainsi, je suis ta bonne déesse », demandait-elle, « ta Bona Dea ? » et la prononciation exacte de ces deux mots exigeait qu'elle lui mît les deux bras autour du cou et, la tête légèrement renversée, le regardât avec ardeur.

Elle était la femme d'un personnage en vue et la tendre mère de deux beaux garçons. Son expression favorite était « convenable » ; elle l'appliquait aux humains, aux domestiques, aux affaires et aux sentiments, quand elle voulait en dire du bien. Elle était capable de prononcer les mots « le Vrai », « le Beau », « le Bon », aussi naturellement et aussi fréquemment qu'un autre dirait le mot « jeudi ». Pour apaiser sa soif d'idées, elle ne trouvait rien de mieux que d'imaginer une vie parfaite et paisible dans le cercle formé par l'époux et les enfants, tandis que flotte dans les profondeurs l'obscur royaume du « Ne m'induisez pas en tentation » dont la présence angoissante assourdit l'éclat du bonheur comme on voile une lampe trop brillante. Elle n'avait qu'un défaut, et c'était que la seule vue d'un homme l'excitât dans des proportions extraordinaires. Elle n'était absolument pas lubrique ; elle était sensuelle comme d'autres souffrent de telle ou telle affection, par exemple d'avoir les mains moites ou de changer de couleur à tout propos ; la chose, apparemment, était chez elle congénitale, et jamais elle n'y pouvait résister. Lorsque des circonstances romanesques et particulièrement excitantes pour l'imagination lui firent faire la connaissance d'Ulrich, elle devint aussitôt la proie désignée d'une passion qui, commençant en compassion et devenant, après un bref mais sévère combat, intimités défendues, se poursuivit enfin dans l'oscillation entre les morsures du péché et celles du remords.

Mais Ulrich était, dans sa vie, Dieu sait le quantième cas. D'ordinaire, aussitôt qu'ils ont compris la situation, les hommes ne traitent pas ces maniaques de l'amour beaucoup mieux qu'on ne traite des idiots que les trucs les plus stupides suffisent à faire broncher toujours au même endroit. Car la délicatesse du dévouement viril ressemble au grondement du jaguar sur un morceau de viande, où les fâcheux sont fort mal vus. La conséquence en était que Bonadea menait souvent une double vie, comme un quelconque bourgeois, fort honorable de jour, qui devient, dans les tunnels ténébreux de sa conscience, un bandit de chemins de fer ; cette femme majestueuse et tranquille, dès que plus personne ne la tenait dans ses bras, se sentait oppressée par le mépris de soi-même qu'entraînaient les mensonges et les dégradations auxquelles elle s'exposait pour être tenue dans les bras. Que ses sens fussent excités, elle devenait mélancolique et bonne, et même, à ce mélange d'enthousiasme et de larmes, de naturel grossier et d'inévitable remords, à la manière dont sa manie prenait la fuite devant la dépression déjà menaçante, elle gagnait un charme stimulant comme le roulement incessant d'un tambour voilé de noir. Mais entre deux crises, dans ses moments de remords entre deux faiblesses qui lui découvraient sa misère, elle débordait de prétentions à la respectabilité qui rendaient sa fréquentation singulièrement compliquée. Il fallait être bon et vrai, compatissant à tous les malheurs, il fallait aimer la Maison impériale, respecter tout ce qu'on respecte, et montrer, dans le domaine de la morale, autant de tact qu'au chevet d'un malade.

Pourtant, si on ne se pliait pas à ces exigences, rien

n'était changé au cours des choses. Pour s'en excuser, Bonadea avait imaginé une sorte de conte : c'était son époux qui, dans les premières et candides années de leur mariage, l'avait jetée en ce déplorable état. Ce mari, qui était considérablement plus âgé et physiquement plus grand qu'elle, apparaissait comme un monstre brutal ; dès les premières heures de son nouvel amour, elle en avait parlé à Ulrich avec tristesse et gravité. Celui-ci devait découvrir un peu plus tard que ce mari était un juriste très connu et très considéré, très efficace dans l'exercice de sa profession, par-dessus le marché grand chasseur, massacreur sans y songer, et toujours bienvenu aux tables de Nemrods ou de légistes où l'on parlait d'affaires plutôt que d'amour et d'art. La seule erreur de cet homme sans détours, débonnaire et content de vivre était d'être marié avec sa femme, de sorte qu'il avait avec elle, plus souvent que d'autres, ce que les tribunaux appelleraient peut-être des « rapports occasionnels ». Cette soumission de plusieurs années à un homme dont elle était devenue la femme par habileté plus que par exigence du cœur, avait créé chez Bonadea l'illusion d'être physiquement hyper-excitable, et cette idée s'était comme détachée de sa conscience. Une impulsion intérieure qu'elle-même ne pouvait comprendre l'enchaînait à cet homme favorisé par les circonstances ; elle le méprisait à cause de sa propre faiblesse, et se sentait faible pour pouvoir le mépriser mieux ; elle le trompait pour lui échapper, mais ce faisant, au moment le plus déplacé, elle parlait de lui ou des enfants qu'il lui avait donnés, et jamais elle ne parvenait à se délivrer entièrement de lui. Pareille en cela à plus d'une femme malheureuse, elle finissait par trouver son équilibre, au sein d'une existence sinon fort chancelante, dans son aversion envers un trop solide époux, et elle reportait leur conflit dans toutes les expériences qui étaient censées l'en libérer.

Pour mettre un terme à ses doléances, il ne restait plus guère qu'à la transporter d'urgence de l'état de dépression dans l'état de manie. Alors, elle refusait à celui qui en agissait ainsi et abusait de sa faiblesse, toute distinction intellectuelle ; mais son mal lui posait sur les yeux comme un voile de tendresse humide quand, comme elle aimait à dire avec une froide objectivité, elle éprouvait de « l'inclination » pour cet homme.

13. *Un cheval de course génial confirme en Ulrich le sentiment d'être un homme sans qualités.*

Qu'Ulrich pût penser avoir obtenu quelques résultats dans le domaine scientifique n'était pas absolument sans importance pour lui. Ses travaux lui avaient même valu une certaine estime. De l'admiration eût été trop demander, car l'admiration, même au royaume de la vérité, est réservée aux aînés dont il dépend que l'on obtienne ou non l'agrégation ou une chaire. A strictement parler, il était resté ce qu'on appelle un espoir ; on nomme espoirs, dans la république des esprits, les républicains proprement dits, c'est-à-dire ceux qui s'imaginent qu'il faut consacrer à son travail la totalité de ses forces, au lieu d'en gaspiller une grande part pour assurer son avancement social ; ils oublient que les résultats de l'homme isolé sont peu de chose, alors que l'avancement est le rêve de tous, et négligeant ce devoir social qu'est l'arrivisme, ils oublient que l'on doit commencer par être un arriviste pour pouvoir offrir à d'autres, dans les années du succès, un appui à la faveur duquel ils puissent arriver à leur tour.

Or, un beau jour, Ulrich renonça même à vouloir être un espoir. Alors déjà, l'époque avait commencé où l'on se mettait à parler des génies du football et de la boxe ; toutefois, les proportions demeuraient raisonnables : pour une dizaine, au moins, d'inventeurs, écrivains et ténors de génie apparus dans les colonnes des journaux, on ne trouvait encore, tout au plus, qu'un seul demi-centre génial, un seul grand tacticien du tennis. L'esprit nouveau n'avait pas encore pris toute son assurance. Mais c'est précisément à cette époque-là qu'Ulrich put lire tout à coup quelque part (et ce fut comme un coup de vent flétrissant un été trop précoce) ces mots : « un cheval de course génial ». Ils se trouvaient dans le compte rendu d'une sensationnelle victoire aux courses, et son auteur n'avait peut-être même pas eu conscience de la grandeur de l'idée que l'esprit du temps lui avait glissée sous la plume. Ulrich comprit dans l'instant quel irrécusable rapport il y avait entre toute sa carrière et ce génie des chevaux de course. Le cheval, en effet, a toujours été l'animal sacré de la cavalerie ; dans sa jeunesse encasernée, Ulrich n'avait guère entendu parler que de femmes et de chevaux, il avait échappé à tout cela pour devenir un grand homme, et voilà qu'au moment même où, après des efforts divers, il eût peut-être pu se sentir proche du but de ses aspirations, le cheval, qui l'y avait précédé, de là-bas le saluait...

Le fait a sans doute sa justification historique : il n'y a pas si longtemps encore, un homme digne d'admiration était un être dont le courage est un courage moral, la force une force de conviction, la fermeté celle du cœur et de la vertu, un être qui juge la rapidité puérile, les feintes illicites, la mobilité et l'élan contraires à la dignité. Cet être, il est vrai, a fini par ne plus subsister que dans le corps enseignant secondaire et dans toute espèce de déclarations purement littéraires ; c'était devenu un fantôme idéologique, et la vie a dû se trouver un nouveau type de virilité. Comme elle le cherchait des yeux autour d'elle, elle découvrit que les prises et les ruses dont se sert un esprit inventif pour résoudre un problème logique ne diffèrent réellement pas beaucoup des prises d'un lutteur bien entraîné ; et il existe une combativité psychique que les difficultés et les improbabilités rendent froide et habile, qu'il s'agisse de deviner le point faible d'un problème ou celui d'un ennemi en chair et en os. Si l'on devait analyser un grand esprit et un champion national de boxe du point de vue psychotechnique, il est probable que leur astuce, leur courage, leur précision, leur puissance combinatoire comme la rapidité de leurs réactions sur le terrain qui leur importe, seraient en effet les mêmes ; bien plus, il est à prévoir que les vertus et les capacités qui font leur succès à chacun ne les distingueraient pas beaucoup de tel célèbre steeple-chaser ; on ne doit pas sous-estimer les qualités considérables qu'il faut mettre en jeu pour sauter une haie. Puis, un cheval et un champion de boxe ont encore cet autre avantage sur un grand esprit, que leurs exploits et leur importance peuvent se mesurer sans contestation possible et que le meilleur d'entre eux est véritablement reconnu comme tel ; ainsi donc, le sport et l'objectivité ont pu évincer à bon droit les idées démodées qu'on se faisait jusqu'à eux du génie et de la grandeur humaine.

En ce qui concerne Ulrich, on doit même dire qu'il avait été de quelques années en avance sur son temps dans ce domaine. Car c'est précisément de la manière dont on améliore ses performances d'une victoire, d'un centimètre ou d'un kilo, qu'il avait pratiqué la science. Son esprit devait prouver son acuité et sa force, et il avait fourni un travail de force. Ce plaisir qu'il prenait à la puissance de l'esprit était comme une attente, un jeu belliqueux, une sorte de droit imprécis, mais impérieux sur l'avenir. Il ne savait pas bien à quoi le mènerait cette puissance ; on en pouvait faire tout ou rien, devenir grâce à elle un criminel ou le sauveur du monde. Telle est bien plus ou moins, en général, la situation psychique qui assure au monde des machines et des découvertes des renforts toujours frais. Ulrich avait considéré la science comme un préliminaire, un endurcissement, une sorte d'entraînement. S'il en ressortait que la pensée scientifique fût trop sèche, trop aiguë, trop étroite, sans échappée, il fallait l'accepter comme on accepte l'expression de tension et de privation qui s'inscrit sur le visage lorsque le corps, ou la volonté, fournissent un gros travail. Pendant des années, Ulrich avait aimé la privation spirituelle. Il haïssait les hommes incapables, selon le mot de Nietzsche, « de souffrir la faim de l'âme par amour de la vérité » ; ceux qui ne vont pas jusqu'au bout, les timides, les douillets, ceux qui consolent leur âme avec des radotages sur l'âme et la nourrissent, sous prétexte que l'intelligence lui donne des pierres au lieu de pain, de sentiments religieux, philosophiques ou fictifs qui ressemblent à des petits pains trempés dans du lait. Son avis était qu'on se trouve embarqué aujourd'hui avec toute l'humanité dans une sorte d'expédition, que la fierté exige de répondre « pas encore » à toute question inutile et de conduire sa vie selon des principes *ad interim*, tout en restant conscient d'un but qu'atteindront ceux qui viendront après nous. La vérité est que la science a favorisé l'idée d'une force intellectuelle rude et sobre qui rend franchement insupportables toutes les vieilles représentations métaphysiques et morales de la race humaine, bien qu'elle ne puisse leur substituer qu'une espérance : celle qu'un jour lointain viendra où une race de conquérants intellectuels pourra enfin s'établir dans les vallées de l'abondance spirituelle.

Tout cela reste bel et bon tant qu'on n'est pas obligé de ramener son regard des visions lointaines à la proximité du présent, tant qu'il ne vous a pas fallu apprendre qu'entre-temps, un cheval de course est devenu génial. Le lendemain de cette découverte, Ulrich se leva du pied gauche, et du droit, indécis, alla repêcher sa pantoufle. C'était dans une autre ville et dans une autre rue que celles où il demeurait maintenant, mais peu de semaines auparavant. Déjà, sous ses fenêtres, les autos fonçaient dans l'éclat brun de l'asphalte ; la pureté de l'air matinal commençait à s'emplir de l'acidité du jour, et Ulrich estimait indiciblement absurde, dans cette lumière couleur de lait qui filtrait à travers les rideaux, de recommencer une fois de plus à ployer son corps nu en avant et en arrière, à le soulever de terre puis à l'y recoucher à l'aide des muscles abdominaux, pour finir par faire sonner ses poings sur un punching-ball, comme font tant d'hommes à cette heure-là, avant de se rendre à leur bureau. Une heure par jour, cela représente un douzième de la vie consciente, et suffit pour maintenir un corps exercé dans les dispositions d'une panthère prête à toutes les aventures ; mais cette heure est sacrifiée à une attente absurde, car les aventures qui seraient dignes de cet entraînement ne se produisent jamais. Il en va de même de l'amour, pour lequel l'homme est soumis à un entraînement exagérément intensif, et Ulrich finit par découvrir encore qu'il ressemblait, même dans sa science, à un homme qui franchit une chaîne de montagnes après l'autre sans jamais apercevoir le but. Il possédait des fragments d'une nouvelle manière de penser et de sentir, mais le spectacle d'abord si intense de la nouveauté s'était dissous dans la multiplication des détails, et si Ulrich avait cru boire à la source de la vie, presque toute son attente était désormais tarie. C'est alors qu'il s'arrêta, au beau milieu d'un grand travail dont les perspectives étaient considérables. Ses collègues lui apparaissaient comme des procureurs implacables et maniaques, des policiers de la logique, et tout ensemble comme des opiomanes, dévots d'une drogue étrangement blafarde qui les aidait à peupler le monde de chiffres et de rapports abstraits : « Bon Dieu ! dit-il, je n'ai pourtant jamais eu l'intention d'être mathématicien toute ma vie ? »

Quelle intention, somme toute, avait-il eue ? A ce moment-là, il ne restait plus que la philosophie à quoi il pût se vouer. Mais la philosophie, dans l'état où elle se trouvait alors, lui rappelait l'histoire de Didon, où une peau de bœuf est coupée en lanières sans qu'on sache du tout si on en pourra réellement ceindre un royaume ; et ce qui se formait de neuf en ce domaine ressemblait trop à ce qu'il avait fait lui-même pour pouvoir encore l'attirer. Tout ce qu'il pouvait dire, c'est qu'il se sentait beaucoup plus éloigné que dans sa jeunesse de ce qu'il avait voulu être, supposé qu'il l'eût jamais su. Avec une merveilleuse netteté, il voyait en lui, à l'exception du sens de l'argent dont il n'avait pas besoin, toutes les capacités et toutes les qualités en faveur à son époque, mais la possibilité de les appliquer lui avait échappé ; et puisque en fin de compte, si les footballeurs et les chevaux eux-mêmes ont du génie, seul l'usage qu'on en fait peut encore vous permettre de sauver votre singularité, il résolut de prendre congé de sa vie pendant un an pour chercher le bon usage de ses capacités.

14. *Amis d'enfance.*

Depuis son retour, Ulrich s'était déjà rendu plusieurs fois chez ses amis Walter et Clarisse, car, malgré l'été, ils n'étaient pas partis, et il y avait des années qu'il ne les avait pas revus. Chaque fois qu'il arrivait, ils étaient au piano. Dans ces moments-là, ils trouvaient tout naturel de ne pas remarquer sa présence avant que le morceau fût achevé.

Cette fois, c'était *l'Hymne à la Joie* de Beethoven ; les hommes, les millions d'hommes s'abattaient en frémissant dans la poussière, ainsi que Nietzsche le décrit ; les délimitations hostiles éclataient, l'évangile de l'Harmonie universelle réconciliait, réunissait les séparés ; ils avaient désappris de marcher et de parler, ils étaient en train de s'élever en dansant dans les airs. Les visages étaient couverts de taches, les corps ployés, les têtes piquaient du nez puis se redressaient par saccades, et dans la masse cabrée des sons frappaient des griffes roidies. Quelque chose d'incommensurable se passait ; une bulle aux contours imprécis, toute pleine de sensations brûlantes, enflait jusqu'à éclater, et les pointes exaspérées des doigts, les froncements nerveux du front, les tressaillements du corps faisaient rayonner dans l'effroyable émeute intime une provision jamais tarie de sentiments. Combien de fois déjà la chose s'était-elle produite ?

Ulrich n'avait jamais pu souffrir ce piano aux dents grinçantes, toujours ouvert, cette idole basse sur pattes, à large gueule, croisée de bouledogue et de basset, qui avait rangé sous sa loi la vie de ses amis, jusqu'aux reproductions sur les murs, jusqu'aux lignes fuselées de l'ameublement d'art ; même le fait qu'ils n'eussent pas de bonne, mais seulement une femme de ménage, en dépendait. Au-delà des fenêtres de cette maison, les vignes avec des bouquets de vieux arbres et des maisonnettes de guingois s'élevaient jusqu'à la crête arquée des forêts, mais plus près, tout était chaotique, déshérité, dépareillé et comme rongé par un acide, ainsi qu'il en va toujours autour des grandes villes, là où les quartiers extérieurs empiètent sur la campagne. Entre ce voisinage immédiat et la grâce des lointains, l'instrument jetait un pont ; avec ses reflets noirs, il envoyait contre les parois des colonnes de feu, toutes tendresse et héroïsme, encore qu'elles se dissipassent en une très fine cendre sonore et retombassent à peine cent pas plus loin sans même aller jusqu'à la colline aux pins, là où, à mi-chemin de la forêt, se dressait l'auberge. Néanmoins, le piano était capable de faire trembler la maison ; c'était un de ces mégaphones à travers lesquels l'âme lance ses cris dans le Tout comme un cerf en chaleur auquel rien ne répond que l'appel identique et concurrent de mille autres âmes débouchant solitaires dans le Tout. La situation privilégiée d'Ulrich dans cette maison tenait à ce qu'il définissait la musique comme un évanouissement de la volonté et une destruction de l'esprit, et qu'il en parlait plus dédaigneusement qu'il n'en pensait ; elle était alors pour Clarisse et Walter l'espoir et l'angoisse majeurs. Aussi le méprisaient-ils, tout en le vénérant comme une sorte d'Esprit malin.

Ce jour-là, lorsqu'ils eurent fini de jouer, Walter resta assis au piano, ramolli, hagard, à bout de course, sur le tabouret à demi retourné, tandis que Clarisse se levait et saluait avec vivacité l'intrus. Dans ses mains, sur son visage tressaillait encore l'électricité du jeu, son sourire se frayait difficilement un passage entre la tension de l'enthousiasme et celle du dégoût.

« Roi des crapauds ! » dit-elle, et le mouvement de sa tête indiquait derrière elle la musique, ou Walter lui-même. Ulrich sentit que le lien élastique qu'il y avait entre elle et lui était de nouveau tendu. A sa dernière visite, elle lui avait conté un horrible cauchemar : un être lubrique voulait la subjuguer comme elle dormait, il était tendre, effrayant, ventru et mou, et ce grand crapaud symbolisait la musique de Walter. Pour Ulrich, ses deux amis n'avaient guère de secrets. Clarisse l'avait à peine salué que déjà elle se détournait à nouveau, revenait rapidement à Walter et, poussant une seconde fois ce cri de guerre « Roi des crapauds ! » que Walter parut ne pas comprendre, de ses mains toutes palpitantes encore de musique lui tira les cheveux avec violence, souffrant et voulant faire souffrir. Son mari fit une tête aimablement déconcertée et, s'approchant un peu, émergea du vide lubrique de la musique.

Ulrich et Clarisse sortirent alors se promener sans lui dans l'oblique pluie de flèches du soleil couchant ; Walter resta devant son piano. Clarisse dit : « Pouvoir s'interdire quelque chose qui vous nuirait est une preuve de vitalité. L'homme épuisé est attiré par ce qui lui nuit ! Qu'en penses-tu ? Nietzsche affirme qu'un artiste fait preuve de faiblesse s'il se préoccupe trop de la morale de son art... » Elle s'était assise sur un petit tertre.

Ulrich haussa les épaules. Quand Clarisse, trois ans plus

tôt, avait épousé son ami d'enfance, elle avait vingt-deux ans, et c'était lui qui lui avait offert les œuvres de Nietzsche pour son mariage. « Si j'étais Walter, je provoquerais Nietzsche en duel », répondit-il en souriant.

Le dos mince de Clarisse, dont les lignes délicates flottaient sous la robe, se tendit comme un arc, et son visage aussi était passionnément tendu ; elle le tenait anxieusement détourné de celui de son ami.

« Décidément, tu es toujours héros et jeune fille tout ensemble... » ajouta Ulrich. C'était une question et peut-être n'en était-ce pas une, un peu une plaisanterie, un peu aussi de tendre admiration ; Clarisse ne comprit pas parfaitement ce qu'il voulait dire, mais les deux mots dont il s'était déjà servi une fois, s'enfoncèrent en elle comme une flèche de feu dans un toit de chaume.

De temps en temps, une vague de sons pétris chaotiquement leur arrivait. Ulrich savait que Clarisse se refusait à son mari pendant des semaines, quand il jouait du Wagner. Il continuait néanmoins à en jouer, avec mauvaise conscience, comme un écolier vicieux.

Clarisse aurait bien voulu demander à Ulrich dans quelle mesure il était renseigné ; Walter ne pouvait jamais rien garder pour soi ; mais elle aurait eu honte de l'interroger. Ulrich maintenant s'était assis à son tour sur un petit tertre non loin d'elle, et finalement elle parla d'autre chose : « Tu n'aimes pas Walter, dit-elle. Au fond, tu n'es pas son ami. » Cela sonnait comme une provocation, mais en même temps, elle souriait.

La réponse d'Ulrich fut tout inattendue.

« Justement, nous sommes des amis d'enfance. Tu étais encore toute petite, Clarisse, que déjà nos rapports étaient, visiblement, ceux d'une amitié d'enfance qui s'achève. Il y a de cela un temps infini, nous nous sommes mutuellement admirés, et maintenant, nous connaissant intimement, nous nous méfions l'un de l'autre. Chacun de nous voudrait se défaire de l'impression pénible qu'il a jadis pris l'autre pour lui-même, de sorte que nous nous rendons les mêmes services qu'un incorruptible miroir déformant !

– Ainsi, dit Clarisse, tu ne crois pas qu'il finisse quand même par arriver à quelque chose ?

– Il n'est pas de plus bel exemple de l'inéluctable que celui que nous offre un jeune homme doué se rétrécissant pour entrer dans la peau d'un vieil homme quelconque ; sans intervention du Destin, par le simple ratatinement auquel il était voué ! »

Clarisse pinça les lèvres. Leur ancienne convention de jeunesse, aux termes de laquelle la conviction passait avant les égards, faisait battre son cœur, mais douloureusement. La musique… Ils entendaient toujours les notes que Walter pétrissait. Elle écouta. Maintenant, comme ils se taisaient, on entendait nettement le piano bouillir. Quand on ne faisait pas attention, on aurait dit que s'élevait des talus le « feu flamboyant » qui entoure Brünhilde endormie.

Il eût été difficile de dire ce qu'était réellement Walter. C'était en tout cas aujourd'hui encore, bien qu'il eût déjà plus de trente-quatre ans, un homme agréable avec des yeux éloquents et de bon aloi ; depuis quelque temps, il était employé dans quelque bureau des Beaux-Arts. Son père lui avait procuré cette confortable situation en le menaçant, s'il n'acceptait pas, de lui couper les vivres. Car, au fond, Walter était peintre ; en même temps qu'il étudiait l'histoire de l'art à l'Université, il avait travaillé dans une classe de peinture de l'Académie d'État et vécu plus tard, assez longtemps, en atelier. Lorsqu'il s'était installé avec Clarisse (il l'avait épousée peu avant), dans cette maison « à la belle étoile », il était encore peintre ; maintenant, semblait-il, il se retrouvait musicien ; il avait été tantôt l'un, tantôt l'autre en ces dix années d'amour, et poète par-dessus le marché ; il avait publié une revue littéraire, était devenu, pour pouvoir se marier, employé d'une agence théâtrale et y avait renoncé quelques semaines plus tard ; puis, toujours pour pouvoir se marier, il était devenu chef d'orchestre dans un théâtre ; ayant mesuré en moins d'un an toute l'impossibilité de l'entreprise, il avait été maître de dessin, critique musical, ermite et bien d'autres choses encore, jusqu'à ce que son père et son beau-père, en dépit de leur libéralité, cessassent de le tolérer. Ces personnes d'âge aimaient à dire qu'il manquait simplement de volonté ; on aurait pu affirmer tout aussi bien qu'il n'avait été sa vie durant qu'un dilettante protéiforme ; l'étrange était justement qu'il se fût toujours trouvé des spécialistes de la musique, de la peinture ou de la littérature pour porter sur l'avenir de Walter des jugements enthousiastes.

La vie d'Ulrich proposait l'exemple contraire : quoiqu'il eût obtenu un ou deux résultats incontestables, il ne s'était jamais trouvé personne pour venir à lui et lui dire : « Vous êtes l'homme que je cherchais depuis toujours, celui que mes amis attendent ! » Dans la vie de Walter, cela s'était produit tous les trois mois. Et même s'il ne s'agissait pas précisément des juges les plus qualifiés, ce n'en étaient pas moins des gens qui avaient toujours sous la main quelque petite influence, quelque proposition intéressante, une entreprise en route, des situations, des amitiés, de l'avancement dont ils faisaient profiter leur découverte ; c'est ainsi que l'existence de Walter put parcourir de si riches zigzags. Il flottait au-dessus de sa tête quelque chose, on ne savait quoi, qui semblait avoir plus d'importance qu'une réalisation bien définie. Peut-être était-ce chez lui un talent particulier que de passer pour un grand talent. S'il faut vraiment tenir cela pour du dilettantisme, reconnaissons que la vie intellectuelle des Allemands repose pour une grande part sur le dilettantisme, car ce talent-là s'y retrouve à tous les étages jusqu'au niveau des hommes réellement très doués ; et ceux-là seuls, selon toute apparence, devraient ordinairement en être privés.

Mais Walter avait encore le don d'en être conscient. Bien qu'il fût évidemment prêt, comme tout le monde, à attribuer ses succès à son mérite personnel, cet avantage d'être si aisément soulevé par le moindre hasard heureux l'avait toujours angoissé comme un inquiétant manque de poids, et chaque fois qu'il changeait d'activité et de relations, ce n'était pas par pure instabilité, mais avec de grands débats intérieurs, aiguillonné par le sentiment angoissé qu'il lui fallait reprendre route, pour sauvegarder la pureté du sens intime, avant de s'être établi là où déjà l'illusion commençait à poindre.

Le cours de sa vie n'était qu'un enchaînement d'événements bouleversants d'où ressortait la lutte héroïque d'une âme résistant à toute médiocrité, sans jamais deviner qu'elle ne servait ainsi que sa propre médiocrité. Car, tandis qu'il luttait et souffrait pour sauvegarder la pureté de son activité intellectuelle, ainsi qu'il convient au génie, et payait le prix fort pour un talent qui ne créerait jamais rien de vraiment grand, son destin l'avait tranquillement ramené à son point de départ, c'est-à-dire à rien. Enfin il avait atteint le lieu où nul obstacle ne le gênait plus ; l'emploi paisible, secret, protégé de toutes les souillures du commerce de l'art, que lui assurait sa situation à moitié universitaire, lui laissait bien assez d'indépendance et de loisirs pour rester à l'écoute de la voix intime ; la possession de celle qu'il aimait lui ôtait du cœur toute épine, la maison « au bord de la solitude » où il s'était installé avec elle après leur mariage semblait faite pour la création. Mais, lorsqu'il n'y eut ainsi plus rien à surmonter, il se produisit ceci d'inattendu que les œuvres promises pendant si longtemps par la grandeur de ses idées, ne furent pas réalisées. Walter paraissait ne plus pouvoir travailler ; il cachait et détruisait ; chaque matin, ou chaque après-midi, quand il rentrait à la maison, il s'enfermait pendant des heures, ou faisait de longues promenades avec son carnet de croquis ; et le peu qui en résultait, il le gardait pour lui ou l'anéantissait.

Il y avait à cela cent raisons différentes. Dans l'ensemble d'ailleurs, ses conceptions commencèrent alors à changer du tout au tout. Il ne parlait plus ni de « l'art nouveau », ni de « l'art de l'avenir », notions qui, pour Clarisse, depuis sa quinzième année, étaient inséparables de Walter ; à de certaines dates, maintenant il tirait un trait (en musique, disons après Bach, en littérature après Stifter et en peinture après Ingres), déclarant que tout ce qui avait suivi était surchargé, dégénéré, précieux et décadent ; il allait même jusqu'à affirmer, avec une violence croissante, qu'un talent intègre, dans une époque comme la nôtre, dont les racines mêmes sont pourries, a le devoir de s'abstenir. Mais il y avait un point où il se trahissait : alors même que des affirmations aussi catégoriques sortaient de sa bouche, on entendait de plus en plus fréquemment sortir de sa chambre des échos de Wagner, c'est-à-dire d'une musique qu'il avait naguère appris à Clarisse à mépriser comme le produit typique d'une époque bourgeoise dégénérée et surchargée, musique qu'il subissait maintenant lui-même comme un philtre épais, brûlant et enivrant.

Clarisse s'en défendait. Elle haïssait Wagner, ne fût-ce que pour son béret et sa veste de velours. Elle était la fille d'un peintre dont les maquettes de décor étaient célèbres dans le monde entier. Elle avait passé son enfance dans un royaume imprégné de l'atmosphère des coulisses et de l'odeur des couleurs, entre trois jargons différents d'artistes, celui du théâtre, celui de l'opéra et celui de l'atelier, entourée de velours, de tapis, de génie, de peaux de panthère, de bibelots, de plumes de paon, de bahuts et de luths. C'est pourquoi, de toute son âme, elle abhorrait la volupté dans l'art, et se sentait attirée par l'austère, le maigre et le strict, que ce fût la métagéométrie de la nouvelle musique atonale ou la volonté si claire, dépouillée de la peau comme un écorché, des formes classiques. C'était Walter qui avait apporté dans sa prison virginale les premières nouvelles de ce monde. Elle l'avait appelé « le prince de lumière », et ils s'étaient juré, alors qu'elle n'était encore qu'une enfant, de ne pas se marier avant qu'il fût devenu roi. L'histoire de ses revirements et de ses entreprises successives était aussi l'histoire de souffrances et d'extases indicibles dont Clarisse était le trophée. Clarisse n'était pas aussi douée que Walter, elle l'avait toujours senti ; mais elle tenait que le génie est une affaire de volonté. Avec une sauvage énergie, elle avait essayé de s'approprier l'art musical ; il n'était pas exclu qu'elle ne fût nullement musicienne, mais elle avait les dix doigts tendineux du pianiste, et de la décision ; elle s'exerçait à longueur de journée et maniait ses dix doigts comme dix bœufs efflanqués contraints d'extraire du sol un poids extrêmement lourd. Elle ne travaillait pas la peinture autrement. Depuis l'âge de quinze ans, elle tenait Walter pour un génie, parce qu'elle avait toujours eu l'intention de n'épouser qu'un génie. Elle ne l'autorisait pas à être autre chose. Quand elle s'aperçut qu'il renonçait, elle se défendit sauvagement contre cette lente et oppressante modification de l'atmosphère de leur vie. C'est alors justement que Walter aurait eu besoin de chaleur humaine ; il se pressait contre elle, quand son impuissance le tourmentait, comme un enfant qui cherche le lait et le sommeil, mais le petit corps nerveux de Clarisse n'était pas maternel. Elle avait l'impression qu'un parasite cherchait à se nicher en elle, et elle se refusait. Elle méprisait la lourde chaleur de buanderie où il allait quêter sa consolation. Il se peut que cela soit cruel. Mais elle voulait être la compagne d'un grand homme et luttait avec le destin.

Ulrich avait offert une cigarette à Clarisse. Qu'aurait-il pu lui dire, maintenant qu'il avait si brutalement exprimé le fond de sa pensée ? La fumée de leurs cigarettes, qui suivait les rayons du soleil couchant, se confondait un peu plus loin.

« Dans quelle mesure Ulrich est-il au courant ? pensait Clarisse sur son tertre. Et puis, de toute façon, que pourrait-il comprendre à ces combats ? » Elle se rappelait comment le visage de Walter se décomposait, douloureux jusqu'à l'anéantissement, quand les souffrances de la musique ou de la sensualité l'oppressaient et qu'elle l'empêchait, en lui résistant, de leur trouver une issue ; non ! admit-elle enfin, de ce jeu d'amour monstrueux, à la cime d'un Himalaya, jeu fait d'amour, de mépris, d'angoisse et de tous les devoirs qu'impose l'altitude, Ulrich ne pouvait rien savoir. Elle n'avait pas une opinion trop favorable des mathématiques, et jamais elle n'avait jugé son ami aussi doué que Walter. Il était intelligent, logique, il savait beaucoup de choses ; mais n'était-ce pas là des qualités de barbare ? Il est vrai qu'il avait été naguère un tennisman incomparablement supérieur à Walter, et elle pouvait se rappeler avoir eu souvent l'impression, devant la brutalité de ses coups, qu'il obtiendrait ce qu'il voulait, bien plus violemment du moins qu'elle ne l'avait ressenti devant la peinture, la musique ou les idées de Walter. Elle se dit : « Peut-être qu'il sait tout quand même et n'en dit rien ? » Il avait bien fait allusion, tout à l'heure, à l'héroïsme de sa nature... Ce silence entre eux provoquait une tension extraordinaire.

Mais Ulrich, lui, se disait : « Comme Clarisse était gentille, il y a dix ans ; encore enfant à demi, avec cette foi si fervente en notre avenir à tous trois ! » Somme toute, il ne l'avait trouvée déplaisante qu'une fois, et c'était lorsqu'elle avait épousé Walter ; elle avait alors affiché ce désagréable égoïsme à deux qui rend souvent si insupportables aux autres hommes les jeunes femmes ambitieusement amoureuses de leur mari. « Cela s'est bien amélioré depuis », pensa-t-il.

15. *Révolution intellectuelle.*

Walter et lui avaient été jeunes dans la période aujourd'hui oubliée qui suivit de peu le dernier changement de siècle, quand beaucoup de gens s'imaginaient que le siècle était jeune lui aussi.

Le siècle qu'on venait d'enterrer n'avait pas spécialement brillé par sa seconde moitié. Il s'était montré adroit dans le domaine de la technique, du commerce et de la recherche, mais, en dehors de ces foyers d'énergie, calme et menteur comme une eau dormante. On avait peint comme les vieux maîtres, écrit comme Goethe et Schiller, bâti dans le style gothique ou Renaissance. L'exigence d'idéal pesait sur toutes les manifestations de la vie comme une préfecture de police. Mais en vertu de cette loi secrète aux termes de laquelle aucune imitation n'est permise à l'homme si elle ne s'accompagne d'un excès, tout se faisait alors avec une méthode dont les modèles tant admirés n'auraient jamais été capables, méthode dont on peut voir les traces aujourd'hui dans nos rues et dans nos musées ; et, que ces choses soient ou non en rapport, les femmes de cette époque, aussi farouches que pudiques, devaient être couvertes de vêtements des pieds à la tête, mais présenter une poitrine abondante et un plantureux derrière. D'ailleurs, et pour mille raisons, il n'est pas de passé qu'on connaisse plus mal que ces trois ou quatre décennies qui séparent vos propres vingt ans des vingt ans de votre père. C'est pourquoi il n'est peut-être pas inutile de se remémorer encore le fait que les maisons et les poèmes les plus laids des mauvaises époques, naissent de principes exactement aussi beaux que ceux des bonnes époques ; que tous les gens qui sont intéressés à démolir les réussites d'une bonne période ont le sentiment qu'ils les améliorent ; et que les jeunes gens exsangues de ces époques-là tirent autant de vanité de leur jeune sang que les hommes nouveaux de n'importe quelle autre époque.

Et chaque fois c'est comme un miracle quand se révèle tout à coup, après ces périodes d'avachissement, une petite remontée de l'âme, comme ce fut alors le cas. De la stagnation de l'esprit en ces deux dernières décennies du XIXᵉ siècle s'était brusquement élevée, dans toute l'Europe, une sorte de fièvre ailée. Personne ne savait exactement ce qui était en train ; personne ne pouvait dire si ce serait un art nouveau, un homme nouveau, une nouvelle morale, ou encore un reclassement de la société. C'est pourquoi chacun en disait ce qui lui agréait. Mais partout, des hommes se levaient pour combattre les vieilleries. En tous lieux, brusquement, l'homme qu'il fallait se trouvait là ; enfin, fait essentiel, les inventeurs intellectuels faisaient alliance avec les inventeurs pratiques. Des talents se développaient, qui naguère avaient été étouffés ou maintenus à l'écart de la vie publique. Ils étaient aussi divers que possible, et les contradictions qui séparaient leurs buts, insurmontables. On aimait les surhommes, on aimait les sous-hommes ; on adorait la santé et le soleil, on adorait les fragiles jeunes phtisiques ; on s'enthousiasmait pour les professions de foi des héros, pour le credo social de l'Homme de la rue ; on était crédule et sceptique, naturaliste et précieux, robuste et morbide ; on rêvait de vieilles allées de château, de jardins à l'automne, d'étangs vitreux, de pierres précieuses ; on rêvait de haschisch, de maladie et de démons, mais l'on rêvait aussi prairies, grands horizons, forges et laminoirs ; on voyait des lutteurs nus, le prolétariat en révolte, Adam et Ève dans le Jardin, la société culbutée. C'étaient là sans doute de sérieuses contradictions et des cris de guerre aussi différents que possible, mais ils avaient tous en commun un certain souffle. Analysant cette époque, on n'eût guère trouvé en son fond qu'un non-sens, quelque chose comme un cercle carré ou une pierre en bois. Mais, dans la réalité, tout se fondait en la scintillation d'un unique sens. Cette illusion, qui s'incarna dans la date magique du changement de siècle, était si forte que les uns se précipitèrent avec enthousiasme sur le siècle tout neuf, encore intact, tandis que les autres profitaient des derniers instants de l'ancien pour se laisser aller, comme il arrive dans une maison d'où l'on va déménager, sans qu'aucun des deux partis sentît d'ailleurs une grande différence entre leurs attitudes respectives.

On ne forcera donc personne à surestimer contre son gré ce « mouvement » passé. Il ne se produisit d'ailleurs que dans cette couche mince et instable de l'humanité que forment les intellectuels, méprisés d'un commun accord par les hommes dont la conception du monde, en dépit de toutes les nuances, est garantie inusable, et qui ont aujourd'hui, grâce à Dieu, repris le dessus ; il n'agit donc pas sur la masse. Néanmoins, même si ce ne fut pas un événement historique, ce fut tout de même un « petit événement ». Lorsqu'ils étaient jeunes, Walter et Ulrich, les deux amis, en avaient encore aperçu le reflet. A travers la confusion des croyances, quelque chose avait passé, comme quand beaucoup d'arbres se courbent sous un seul et même coup de vent, un esprit de secte et de réformation, la conscience bienheureuse d'une apparition et d'une éclosion, une petite renaissance, une petite réforme comme n'en connaissent que les meilleures époques ; et quand on entrait dans le monde, on sentait l'esprit, dès le premier coin de rue, qui vous soufflait sur les joues.

16. *Une mystérieuse maladie d'époque.*

Ainsi donc, pensa Ulrich lorsqu'il se retrouva seul, ils avaient été vraiment, dans un temps pas si lointain, deux jeunes hommes dont l'esprit bénéficiait des plus hautes révélations non seulement avant tous les autres, mais encore, chose étrange, simultanément ; il suffisait en effet, que l'un des deux ouvrît la bouche dans l'intention de proférer quelque grande nouveauté, pour que l'autre fît aussitôt la même extraordinaire découverte. Les amitiés d'enfance sont chose bizarre ; elles ressemblent à un œuf qui pressent déjà dans le jaune son splendide avenir d'oiseau, mais ne montre encore au monde qu'un ovale assez inexpressif, impossible à distinguer d'aucun autre. Ulrich revoyait avec netteté la chambre d'adolescent et d'étudiant où ils se retrouvaient lorsqu'il rentrait de ses premières sorties dans le monde : le secrétaire de Walter, couvert de dessins, de notes, de papier à musique, irradiant à l'avance tout l'éclat d'un avenir d'homme célèbre, et, en face, l'étroite bibliothèque devant laquelle Walter se dressait parfois passionnément comme saint Sébastien au poteau, la lumière de la lampe sur ces beaux cheveux qu'Ulrich avait toujours secrètement admirés. Nietzsche, Altenberg, Dostoïevski ou quelque autre écrivain qu'ils fussent en train de lire devaient modestement se contenter de rester par terre ou sur le lit quand ils ne s'en servaient plus ou que le cours de la conversation ne tolérait pas d'être détourné, fût-ce par ce minime rangement.

Cette présomption de la jeunesse, pour qui les plus grands esprits sont tout juste bons à servir ses caprices, lui apparaissait maintenant pleine d'un charme merveilleux. Il cherchait à se rappeler ces conversations avec Walter. Mais c'était comme des rêves dont on attrape juste les ultimes pensées au moment du réveil. Et il pensa, non sans surprise : « Alors, quand nous soutenions telle ou telle affirmation, nous ne nous souciions pas tellement qu'elles fussent justes, mais bien qu'elles servissent à nous affirmer ! » Tant le besoin de luire soi-même, chez les jeunes gens, est plus fort que celui de voir dans la lumière ; et le souvenir de ce sentiment qu'on avait de flotter sur des rayons, Ulrich l'éprouvait comme une perte douloureuse.

Il lui semblait qu'il fût tombé, au commencement de l'âge viril, dans une sorte d'accalmie généralisée dont les pulsations, malgré d'occasionnels tourbillons vite apaisés, s'étaient faites toujours plus mornes et plus confuses. Il était presque impossible de dire en quoi consistait cette transformation. Y avait-il, tout d'un coup, moins de grands hommes ? Bien loin de là ! D'ailleurs, ce n'est pas cela qui compte ; la grandeur d'une époque ne dépend pas de ses grands hommes : la médiocrité intellectuelle des années 60 et 80 n'a pas été plus capable d'entraver le développement de Hebbel et de Nietzsche que l'un ou l'autre de ceux-ci de relever le bas niveau intellectuel de ses contemporains. La vie du monde était-elle au point mort ? Non : sa puissance s'était encore accrue ! Y avait-il plus de contradictions paralysantes qu'autrefois ? Il était presque impossible qu'il y en eût davantage. N'avait-on jamais commis d'absurdités jadis ? Bien au contraire, par milliers ! Entre nous soit dit : le monde se mettait en quatre pour des faibles, et les forts passaient inaperçus ; des sots jouaient quelquefois le premier rôle, et des hommes très doués celui d'originaux ; l'Allemand, sans plus se soucier de ces douleurs d'enfantement qu'il assimilait à des exagérations maladives et décadentes, continuait à lire ses magazines des familles et à fréquenter les Grands-palais et les Salons nationaux avec infiniment plus d'assiduité que les Indépendants ; déjà la politique ne tenait aucun compte des conceptions ni des journaux des hommes nouveaux, et les institutions officielles restaient préservées de toute innovation comme par un cordon sanitaire. Ne pourrait-on donc pas dire, tout au contraire, que les choses se sont beaucoup améliorées ? Des hommes qui, naguère, ne régentaient qu'une chapelle, sont devenus entre-temps de vieilles gloires ; des éditeurs, des marchands de tableaux se sont enrichis ; on ne cesse de créer du nouveau ; tout le monde, maintenant, fréquente indifféremment Grands-palais, Indépendants et Sur-Indépendants ; les magazines des familles se sont fait couper les cheveux court ; les hommes d'État aiment à se montrer versés dans les arts, et les journaux font de l'histoire littéraire. Qu'est-ce donc qui s'est perdu ?

Quelque chose d'impondérable. Un présage. Une illusion. Comme quand l'aimant lâche la limaille, et elle retombe en vrac. Comme quand un peloton de laine se défait. Comme quand un cortège se disperse. Comme quand un orchestre commence à jouer faux. Vous n'auriez pu déceler le moindre détail qui n'eût pas été également possible autrefois, mais tous les rapports s'étaient légèrement gauchis. Des idées dont la valeur était naguère fort mince, avaient pris de l'embonpoint. Des gens qu'on n'aurait pour rien au monde pris au sérieux, récoltaient maintenant des lauriers. Les angles s'arrondissaient, ce qui avait été séparé se recollait, des hommes indépendants faisaient des concessions au succès, le goût qu'on s'était formé entrait dans une nouvelle période d'incertitude. Partout, les limites précises s'étaient effacées, et une sorte de don de la mésalliance, d'ailleurs difficile à décrire, permettait partout l'ascension de conceptions et d'hommes nouveaux. Ces conceptions, ces hommes nouveaux n'étaient sans doute pas absolument mauvais ; il y avait seulement en eux un peu trop de mauvais dans le bon, un peu trop d'erreur dans la vérité, un peu trop de souplesse dans la définition. Il semblait vraiment qu'il y eût pour ce mélange des proportions privilégiées qui lui permettaient de réussir mieux qu'aucun autre ; une petite addition, juste ce qu'il fallait de succédané, qui seule permettait au génie de paraître génial, au talent d'être qualifié de « prometteur », tout comme une certaine dose de café de figues, ou de chicorée, est seule à pouvoir donner au café, de l'avis de bien des gens, la véritable « caféité » ; et, brusquement, toutes les positions importantes et privilégiées de l'esprit se trouvèrent tenues par ces gens-là, toutes les décisions prises dans leur sens. On ne peut en rejeter la faute sur quoi que ce soit. On ne peut davantage expliquer comment les choses en sont venues là. On ne peut s'élever ni contre des personnes, ni contre des idées, ni contre des phénomènes précis. Ce ne sont ni le talent, ni la bonne volonté, ni même les caractères qui manquent. C'est à la fois tout et rien ; on dirait que le sang, ou l'air, ont changé ; une mystérieuse maladie a détruit le germe de génie de l'époque précédente, mais tout reluit de nouveauté, de sorte qu'on ne sait plus en fin de compte, si le monde a réellement empiré, ou si l'on a tout simplement vieilli. Alors, un nouvel âge a décidément commencé.

Ainsi donc, l'époque avait changé, comme un jour qui commence radieux et insensiblement se couvre, et elle n'avait pas même eu la politesse d'attendre Ulrich. Il le lui rendait bien, en expliquant les mystérieux changements qui constituaient sa maladie et consumaient son génie, par la plus ordinaire des bêtises. Mais cela sans aucune intention blessante. Si la bêtise, en effet, vue du dedans, ne ressemblait pas à s'y méprendre au talent, si, vue du dehors, elle n'avait pas toutes les apparences du progrès, du génie, de l'espoir et de l'amélioration, personne ne voudrait être bête et il n'y aurait pas de bêtise. Tout au moins serait-il aisé de la combattre. Le malheur est qu'elle ait quelque chose d'extraordinairement naturel et convaincant. Aussi, quand quelqu'un juge un chromo plus artistique qu'une peinture à l'huile, son jugement comporte une part de vérité beaucoup plus facile à démontrer que le génie de Van Gogh. De même est-il très facile, et très rentable, d'être un dramaturge plus puissant que Shakespeare, un romancier plus égal que Goethe ; un bon lieu commun est toujours plus humain qu'une découverte nouvelle. Il n'est pas une seule pensée importante dont la bêtise ne sache aussitôt faire usage, elle peut se mouvoir dans toutes les directions et prendre tous les costumes de la vérité. La vérité, elle, n'a jamais qu'un seul vêtement, un seul chemin : elle est toujours handicapée.

Quelques instants plus tard, à la suite de ces réflexions, Ulrich eut une curieuse inspiration. Il imagina que le grand philosophe catholique Thomas d'Aquin (mort en 1274), ayant à grand effort rangé dans un ordre parfait les idées de son temps, était allé plus loin encore dans cette entreprise ; et que, à peine achevé ce nouveau travail, resté jeune par quelque grâce spéciale, et sortant par la porte voûtée de sa maison, une pile d'in-folios sous le bras, un tramway lui passait en sifflant sous le nez. La stupeur du « Doctor universalis » (ainsi appelait-on le célèbre Thomas), l'impossibilité où il se trouvait de comprendre, amusaient fort Ulrich. Un motocycliste fonçait dans la rue vide, bras et jambes en O, et remontait la perspective dans un bruit de tonnerre ; son visage reflétait le sérieux d'un enfant qui donne à ses hurlements la plus grande importance. Ulrich se souvint alors de la photographie d'une célèbre championne de tennis qu'il avait vue dans un magazine quelques jours auparavant ; elle se tenait sur la pointe du pied, une jambe découverte jusqu'au-dessus de la jarretière, lançant l'autre dans la direction de sa tête, tandis qu'elle brandissait sa raquette le plus haut possible pour attraper une balle ; tout cela avec la mine d'une gouvernante anglaise. Dans le même numéro se trouvait la photographie d'une nageuse se faisant masser après la compétition ; auprès d'elle, l'une à ses pieds, l'autre à son chevet, se tenaient deux dames d'aspect sévère, en costume de ville ; la nageuse était couchée sur le dos, toute nue, un genou relevé dans une pose abandonnée, le masseur avait les mains posées dessus, il portait une blouse de médecin, et son regard sortait de la photographie comme si cette femme avait été dépecée et sa chair suspendue à une patère. Voilà ce que l'on commençait alors à voir, et ce sont des choses que l'on est bien forcé d'admettre d'une manière ou d'une autre, comme l'on reconnaît l'existence des gratte-ciel et de l'électricité. « On ne peut en vouloir à son époque sans en être aussitôt puni », tel était le sentiment d'Ulrich. Aussi bien était-il toujours prêt à aimer ces modelages de la matière vivante. Mais ce dont il était incapable, c'était de les aimer sans réserve, comme l'exige le bien-être social ; depuis longtemps traînait sur tout ce qu'il faisait ou vivait un souffle de dégoût, une ombre d'impuissance et de solitude, un dégoût en quelque sorte généralisé et dont il ne pouvait trouver le goût complémentaire. Il lui semblait parfois qu'il fût né avec des dons pour lesquels, provisoirement, il n'y avait pas d'emploi.

17. *Influence d'un homme sans qualités sur un homme à qualités.*

Tandis qu'ils conversaient, Ulrich et Clarisse n'avaient pas remarqué que la musique derrière eux s'interrompait de temps en temps. Walter, alors, se mettait à la fenêtre. Il ne pouvait les voir, mais sentait qu'ils se tenaient juste à la limite de son champ visuel. La jalousie le tourmentait. La basse ivresse d'une musique lourdement sensuelle l'attirait en arrière. Le piano était ouvert dans son dos comme un lit bouleversé par un dormeur qui refuse de se réveiller parce qu'il craint de devoir regarder la réalité en face. C'était la jalousie d'un paralysé envers les gens sains qui le torturait, et il ne pouvait prendre sur lui de se joindre à eux ; sa souffrance lui ôtait toute possibilité de se défendre.

Le matin, quand Walter se levait et devait courir à son

bureau, dans la journée, quand il parlait avec des gens et l'après-midi, quand il regagnait parmi eux sa maison, il se sentait un homme considérable, marqué d'un sceau. Alors, il croyait voir toutes choses autrement que les autres ; les autres passaient indifférents devant des choses qui le frappaient, et là où d'autres avec indifférence mettaient la main sur un objet, le seul mouvement de son propre bras lui semblait déjà lourd d'aventures spirituelles ou d'une paralysie amoureuse d'elle-même. Il était sensible, et son âme, toujours émue de rêveries, était pleine de dépressions, de montagnes et de vallées ondoyantes ; il n'était jamais indifférent, mais, voyant en chaque chose un bonheur ou un malheur, il avait sans cesse l'occasion de faire travailler son esprit.

De tels êtres exercent toujours un extraordinaire attrait, parce que le mouvement moral dans lequel ils sont pris continuellement se communique aux autres ; dans leur conversation, tout acquiert une signification personnelle ; leur contact permettant de s'occuper continuellement de soi-même, ils procurent ainsi un plaisir qu'on ne pourrait s'offrir qu'en payant un psychiatre ou un psychologue, avec cette différence supplémentaire que, chez ceux-ci, on se sent malade, alors que Walter aidait son interlocuteur à découvrir sa propre importance pour des raisons qui jusqu'ici lui avaient échappé. C'est grâce à cette même capacité de répandre la contagion d'une sorte de monologue spirituel qu'il avait conquis Clarisse et éliminé peu à peu tous ses rivaux ; parce que tout, en lui, devenait mouvement éthique, il pouvait parler de la façon la plus convaincante de « l'immoralité de l'ornement », de « l'hygiène de la forme pure » et des « relents de bière de la musique wagnérienne », ainsi qu'il convenait au goût artistique du jour ; il réussissait même, de la sorte, à terroriser son futur beau-papa, dont le cerveau de peintre était une vraie roue de paon. Il était donc hors de doute que Walter pouvait compter derrière lui quelques beaux succès.

Pourtant, aussitôt qu'il arrivait chez soi, débordant d'impressions et de plans plus mûrs, plus neufs qu'ils ne l'avaient jamais été peut-être, une décourageante altération se produisait en lui. Il n'avait qu'à poser une toile sur le chevalet ou une feuille de papier sur la table pour que se déclenchât dans son cœur une effroyable débandade. Sa tête restait claire, le plan y flottait dans une atmosphère très nette et très limpide, il se divisait même en deux, en plusieurs plans qui eussent tous pu se disputer la première place ; mais la communication entre la tête et les premiers mouvements qu'eût exigés l'exécution était comme coupée. Walter ne pouvait se décider fût-ce à lever le petit doigt. Il ne bougeait pas de l'endroit où il était assis, et ses pensées glissaient sur la tâche qu'il s'était donnée comme la neige qui fond à mesure qu'elle tombe. Il ignorait par quoi le temps était occupé, mais avant même qu'il pût s'en apercevoir, le soir était là ; et comme il rentrait maintenant chez lui, à la suite de quelques expériences semblables, déjà inquiet d'avoir à les affronter de nouveau, de longues séries de semaines commencèrent à filer comme dans la désolation d'un demi-sommeil. Retardé dans toutes ses décisions et dans tous ses mouvements par l'absence totale de perspectives de succès, il souffrait d'une amère tristesse, et son incapacité, dès qu'il voulait se résoudre à entreprendre quelque chose, devenait douloureuse sous son front comme un saignement de nez. Walter était impressionnable, et les phénomènes qu'il constatait chez lui, non seulement le gênaient dans son travail, mais l'angoissaient beaucoup ; car ils semblaient si indépendants de sa volonté qu'ils lui faisaient souvent l'effet d'un début de délabrement intellectuel.

Mais, tandis que son état, au cours de l'année précédente, ne cessait d'empirer, il avait trouvé le miraculeux secours d'une pensée encore jamais appréciée à sa juste valeur. Et cette pensée était simplement que l'Europe dans laquelle il lui fallait vivre était irrémédiablement dégénérée. Aux époques où il semble que tout aille bien, alors qu'elles subissent intérieurement cette régression à laquelle sont soumises probablement toutes choses, sans excepter le développement intellectuel lorsqu'on lui refuse toute idée nouvelle et tout effort particulier, la première question à se poser devrait être celle-ci : que peut-on faire là contre ? Mais la confusion de l'intelligence et de la bêtise, de la vulgarité et de la beauté est, justement dans ces époques-là, si grande, si inextricable, qu'il paraît évidemment plus simple à beaucoup de gens de croire à un mystère au nom duquel ils proclament la dégénérescence progressive et fatale de quelque chose qui échappe à tout jugement exact et se révèle d'une solennelle imprécision. Il est parfaitement indifférent, au fond, que ce quelque chose soit « la race », « le végétarisme » ou « l'âme » ; la seule chose qui importe, comme dans tout pessimisme bien compris, c'est d'avoir trouvé l'élément inéluctable sur quoi se reposer. Walter lui-même, bien qu'en des années meilleures il eût encore su en rire, comprit bien vite, dès qu'il en eut fait l'essai, quels avantages considérables il retirerait de ces doctrines. Si c'était *lui* jusqu'alors qui se montrait incapable de travailler et se jugeait mauvais, c'était *l'époque*, maintenant, qui se révélait incapable, et lui qui se retrouvait sain. Sa vie, qui n'avait abouti à rien, trouvait soudain une explication grandiose, une justification à la mesure des siècles, ainsi que l'exigeait sa dignité ; bien plus : lorsqu'il lâchait la plume ou le crayon, qu'il venait de prendre en main, c'était maintenant comme un sublime sacrifice.

Walter n'en continuait pas moins de lutter avec lui-même, et Clarisse le tourmentait. Pour lui faire écho quand il critiquait son époque, il ne fallait pas compter sur elle ; elle croyait dur comme fer au génie. Elle ignorait ce que c'était ; mais, dès qu'on en parlait, tout son corps se mettait à trembler et se crispait ; on le sent ou on ne le sent pas, tel était son seul argument. Elle restait toujours pour Walter la petite fille cruelle de quinze ans. Jamais elle n'avait compris tout à fait sa sensibilité, jamais il n'avait pu être son maître. Mais froide et dure comme elle était, avec de brusques ferveurs, et cette volonté qui flambait soudain sans aliment, elle possédait un mystérieux pouvoir sur lui, comme si, à travers elle, des coups l'assaillaient, provenant d'une direction qu'on n'aurait pu situer dans les trois dimensions de l'espace. Cela devenait parfois inquiétant. Il l'éprouvait en particulier quand ils faisaient de la musique ensemble ; le jeu de Clarisse était dur et sans couleur, il obéissait à des lois d'excitation que Walter ignorait ; quand leurs corps s'échauffaient au point qu'on voyait l'âme brûler au travers, il avait peur de ce qui passait d'elle à lui. Quelque chose d'indéfinissable se rompait alors en elle, menaçant de s'enfuir sur les ailes de son esprit ; cela sortait d'un antre secret de son être, qu'il fallait à tout prix tenir fermé ; il ne savait pas à quoi il le sentait, ni ce que c'était ; mais cela le torturait d'une angoisse inexprimable, avec le besoin d'y faire front par quelque acte décisif, il ne le pouvait pas, puisque personne, à part lui, n'en remarquait rien.

Pendant que, de sa fenêtre, il voyait revenir Clarisse, il était à demi conscient déjà qu'il ne pourrait pas résister une fois de plus, au besoin de dire du mal d'Ulrich. Ulrich était rentré à un mauvais moment. Il lésait Clarisse. Il aggravait perversement en elle ce à quoi Walter n'osait pas toucher, cette caverne du mal, ce qu'il y avait en elle de misérable et de malade, son génie maudit, ce mystérieux espace vide où quelque chose tirait sur des chaînes qui risquaient bien de se rompre un jour. Elle se tenait maintenant debout devant lui, tête nue, elle venait d'entrer, son chapeau de jardin à la main, et il la regarda. Ses yeux étaient railleurs, clairs et tendres ; peut-être un peu trop clairs. Il avait parfois le sentiment qu'elle possédait tout simplement une force qui lui manquait. Quand elle était enfant, déjà, il l'avait ressentie comme un aiguillon qui l'empêcherait d'atteindre jamais au repos, et sans doute n'avait-il jamais désiré qu'elle fût autre chose ; c'était peut-être là le secret de sa vie, que les deux autres ne comprenaient pas.

« Profondes sont nos souffrances ! pensa-t-il. Je crois qu'il n'arrive pas souvent que deux êtres s'aiment d'un amour aussi profond que celui auquel nous sommes tenus. » Et, sans transition, il se mit à parler : « Je ne veux pas savoir ce qu'Ulo t'a raconté ; mais je puis te le dire, la force que tu admires en lui n'est que du vide ! » Clarisse regarda le piano et sourit ; involontairement, il s'était de nouveau assis à côté de l'instrument ouvert. Il poursuivit : « Il doit être facile d'avoir des sentiments héroïques quand on est insensible de nature, et de penser en kilomètres quand on ne sait pas quelle plénitude recèle le moindre millimètre ! » Ils l'appelaient de temps en temps Ulo, comme dans sa jeunesse, et il les en aimait davantage, ainsi qu'on garde à sa nourrice une souriante vénération. « Il est au point mort !

ajouta Walter. Tu ne t'en aperçois pas ; mais ne va pas croire que je ne le connais pas ! »

Clarisse était sceptique. Walter dit avec violence : « Aujourd'hui tout est ruine ! Abîme sans fond d'intelligence ! Il a de l'intelligence, je te l'accorde ; mais il ne sait pas ce qu'est la puissance d'une âme entière. Ce que Goethe appelle la "personnalité", ce que Goethe appelle "ordre mobile", il n'en a pas la moindre idée ! *Dieser schöne Begriff von Macht und Schranken, von Willkür und Gesetz, von Freiheit und Mass, von beweglicher Ordnung*[1]... »

Le vers lui roula des lèvres comme une vague. Clarisse regarda ces lèvres avec un étonnement amical, comme si elles avaient fait s'envoler un joli jouet. Puis, se souvenant de ses devoirs de maîtresse de maison, elle dit : « Veux-tu de la bière ?

– Oui, pourquoi pas ? J'en boirais volontiers une.

– Mais je n'en ai plus à la maison !

– Dommage que tu m'en aies parlé, soupira Walter. Peut-être n'y aurais-je même pas pensé... »

Pour Clarisse, la question fut ainsi résolue. Mais Walter avait été désarçonné ; il ne savait plus comment poursuivre. « Te souviens-tu encore de notre conversation sur l'artiste ? demanda-t-il avec hésitation.

– Laquelle ?

– Celle d'il y a quelques jours. Je t'ai expliqué ce que signifiait, dans un être, un principe structurel vivant. Ne te rappelles-tu pas comment j'en suis arrivé à la conclusion que durent régner jadis, au lieu de la mort et de la mécanisation logiques, le sang et la sagesse ?

– Non. »

Walter buta sur cette réponse, chercha, hésita. Puis, tout à coup, il éclata : « C'est un homme sans qualités !

– Qu'est-ce que c'est que ça ? demanda Clarisse en riant sous cape.

– Rien ! Précisément, ce n'est rien du tout ! »

Mais l'expression avait piqué la curiosité de Clarisse.

« Il y en a aujourd'hui des millions, déclara Walter. Voilà

1. « Ce beau concept de puissance et de limite, d'arbitraire et de loi, de liberté et de mesure, d'ordre mobile... »

la race qu'a produite notre époque ! » La formule, qu'il avait prononcée à l'improviste, lui plut ; comme s'il commençait un poème, la formule le poussait à continuer avant même qu'il en eût compris le sens. « Tu n'as qu'à le regarder ! Pour quelle espèce d'homme le prendrais-tu ? A-t-il l'air d'un médecin, d'un commerçant, d'un peintre, d'un diplomate ?

– Aussi bien n'est-il ni l'un ni l'autre, dit assez raisonnablement Clarisse.

– Et alors, il a l'air d'un mathématicien, peut-être ?

– Je ne sais pas ; comment veux-tu que je sache de quoi peut avoir l'air un mathématicien ?

– Ce que tu dis là est très juste ! Un mathématicien n'a l'air de rien du tout, c'est-à-dire qu'il a l'air si généralement intelligent que cela n'a plus aucun sens précis ! A l'exception des membres de l'Église catholique romaine, plus personne aujourd'hui n'a l'aspect qu'il devrait avoir, parce que nous faisons de notre tête un usage aussi impersonnel que de nos mains ; mais le mathématicien, c'est le comble de tout : un mathématicien sait presque aussi peu de choses sur lui-même que les gens n'en sauront sur les prairies, les poules, les jeunes veaux, quand les pilules vitaminées auront remplacé pain et viande ! »

Clarisse, entre-temps, avait posé sur la table leur frugal souper, et Walter s'était déjà mis activement à la tâche ; peut-être était-ce cela qui lui avait inspiré sa comparaison. Clarisse considéra ses lèvres. Elles lui rappelaient sa défunte mère. C'étaient de fortes lèvres féminines pour qui manger était comme une besogne ménagère, et que dominait une petite moustache bien taillée. Les yeux de Walter, même quand il ne faisait que se servir de fromage, brillaient comme des châtaignes fraîchement décortiquées. Bien qu'il fût petit et de constitution sinon délicate, du moins un peu molle, il faisait impression, et il était de ces hommes qui savent toujours se montrer dans un bon éclairage. Maintenant, il poursuivait la conversation : « Quand tu le vois, tu ne peux lui imaginer aucune profession, et néanmoins il n'a pas non plus l'air d'un homme qui n'a pas de profession. Et maintenant, songe un peu quel il est : un homme qui sait toujours ce qu'il doit faire ; qui peut regarder une femme dans les yeux ; qui peut engager quand il veut une réflexion fort efficace sur n'importe quoi ; qui sait boxer. Il est doué, énergique, sans préjugés, courageux, endurant, téméraire et réfléchi... Je ne vais pas examiner toutes ses qualités dans le détail, laissons-les-lui, car en fin de compte, il ne les possède pas ! Elles ont fait de lui ce qu'il est, elles ont déterminé son orientation, et pourtant elles ne lui appartiennent pas. Quand il est en colère, quelque chose rit en lui. Quand il est triste, il prépare quelque plaisanterie. Quand quelque chose le touche, il l'écarte. Toute mauvaise action finira par lui paraître bonne sous un certain rapport. Ce ne sera jamais qu'après en avoir entrevu les relations possibles qu'il osera juger d'une cause. Pour lui, rien n'est stable. Tout est susceptible de changement, tout n'est qu'élément d'un ensemble, ou d'innombrables ensembles, eux-mêmes faisant probablement partie d'un super-ensemble dont cependant il ne sait rien. De sorte que chacune de ses réponses n'est qu'un fragment de réponse, chacun de ses sentiments un point de vue, et que ce qui importe pour lui dans une chose, ce n'est pas ce qu'elle est, mais une manière d'être accessoire, une quelconque addition. Je ne sais si je me fais bien comprendre ?

– Oui, dit Clarisse. Mais je trouve cela très bien de sa part ! »

En parlant, Walter avait montré sans le vouloir tous les signes d'une aversion croissante ; le vieux sentiment enfantin d'être plus faible que son ami aggravait sa jalousie. Bien qu'il fût persuadé qu'Ulrich n'avait jamais rien réussi hors quelques démonstrations d'intelligence pure, il ne pouvait secrètement se défaire de l'impression qu'il lui avait toujours été physiquement inférieur. Le portrait qu'il esquissait là le libérait comme la réussite d'une œuvre d'art ; ce n'était pas lui qui le créait ; liés à la mystérieuse réussite du début, les mots s'étaient succédé en dehors de lui tandis qu'au fond de lui quelque chose se résolvait dont il n'était pas conscient. A la fin de son exposé, il avait compris qu'Ulrich se réduisait à cette sorte de dissolution intérieure qui est commune à tous les phénomènes contemporains.

« Et cela te plaît ? demanda-t-il à Clarisse, douloureusement surpris. Tu ne parles pas sérieusement ! »

Clarisse mangeait du pain et du fromage mou ; elle ne put sourire que des yeux.

« Je sais ! dit Walter, peut-être avons-nous pensé comme ça autrefois, nous aussi ! Mais on ne peut voir dans une telle attitude qu'un préliminaire ! Pareil homme n'est pas vraiment un homme ! »

Clarisse avait fini. « Mais c'est précisément ce qu'il dit ! jeta-t-elle.

– Et que dit-il donc, précisément ?

– Eh ! est-ce que je sais ? Qu'aujourd'hui tout est dissous. Il dit que tout est au point mort, pas seulement lui. Mais il n'en fait pas comme toi un drame. Il m'a raconté une fois toute une histoire : que si l'on analyse la nature d'un millier d'individus, on les trouve composés de quelque deux douzaines de qualités, sensations, structures, types d'évolution, et ainsi de suite. Et que si l'on analyse notre corps, on ne trouve que de l'eau et quelques douzaines de petits amas de matière qui flottent dessus. L'eau monte en nous exactement comme dans les arbres ; les créatures animales, comme les nuages, sont formées d'eau. Je trouve cela charmant. Dès lors, on ne sait plus très bien ce que l'on doit penser de soi. Ni ce que l'on doit faire. » Clarisse eut un petit rire. « Là-dessus, je lui ai raconté que tu passes des journées entières à la pêche, quand tu as congé, ou que tu restes étendu au bord de l'eau.

– Et alors ? Je voudrais bien savoir s'il supporterait cela ne fût-ce que dix minutes ! Mais des *hommes*, dit Walter fermement, des *hommes* le font depuis dix mille ans, contemplant le ciel en éprouvant la chaleur de la terre sans plus songer à l'analyser qu'on ne songerait à analyser sa propre mère ! »

De nouveau, Clarisse ne put retenir un petit rire. « Il dit que, depuis lors, les choses se sont bien compliquées. De même que nous flottons sur de l'eau, nous flottons dans un océan de feu, une tempête d'électricité, un ciel de magnétisme, une mare de chaleur, et ainsi de suite. Mais cela, nous ne le sentons pas. Pour finir, il ne reste plus que des formules. Et ce qu'elles signifient en termes humains, on aurait du mal à le dire : tout est là. J'ai déjà oublié ce que j'avais appris au lycée ; mais d'une façon ou d'une autre, je crois que c'est assez juste. Et si quelqu'un de nos contemporains, dit-il, voulait, comme saint François ou comme toi, appeler les oiseaux ses frères, ce ne serait plus du tout suffisant, il devrait encore prendre sur soi de plonger dans les fours, de s'enfoncer dans la terre par le trolley d'un tram, d'aller patauger dans les égouts en suivant les tuyaux d'écoulement !

– Oui, oui ! dit Walter en interrompant ce compte rendu. Les quatre éléments commencent par devenir des douzaines, et nous finissons par ne plus flotter que sur des rapports, des réactions, sur l'eau de vaisselle des réactions et des formules, sur quelque chose dont on se demande si c'est un objet, un processus, un fantôme de pensée, un Dieu-sait-quoi ! Alors il n'y a plus de différence entre un soleil et une allumette, et pas davantage entre la bouche, qui est l'une des extrémités du tube digestif, et son autre extrémité ! La même chose a cent aspects divers, chacun de ces aspects cent relations différentes avec les autres, et à chacune de ces relations sont liés d'autres sentiments. Le cerveau de l'homme a réussi à diviser les choses ; mais les choses, à leur tour, ont divisé son cœur ! » Il avait sauté sur ses pieds ; mais il resta derrière la table. « Clarisse ! dit-il, Ulrich est un danger pour toi ! Vois-tu, Clarisse, ce dont nous avons tous besoin aujourd'hui avant tout, c'est de simplicité, de santé, de contact avec la terre et aussi, sans aucun doute, quoi que tu puisses dire, d'un enfant, parce que ce sont les enfants qui vous donnent des racines. Tout ce qu'Ulo te raconte est inhumain. Je t'assure que moi, quand je rentre à la maison, j'ai vraiment, je *possède* vraiment le courage de prendre simplement le café avec toi, d'écouter les oiseaux, de faire une petite promenade, d'échanger quelques mots avec les voisins et de laisser tranquillement le jour s'éteindre : voilà ce qu'est la vie humaine ! »

La tendresse de ces images l'avait lentement rapproché d'elle ; mais dès que ces sentiments paternels élevaient en lui leur tendre voix de basse, Clarisse se butait. Comme Walter s'approchait, son visage se ferma et se mit sur la défensive.

Il arriva tout près, répandant une chaude tendresse

comme un bon poêle de campagne. Clarisse vacilla un instant dans ces ondes. Puis elle dit : « Nenni, mon cher ! » Elle attrapa un morceau de pain et de fromage sur la table et embrassa Walter rapidement sur le front.

« Je vais voir s'il y a des papillons de nuit.

– Mais, Clarisse, dit Walter implorant, en cette saison il n'y a plus de papillons !

– Eh ! on ne sait jamais ! »

Il ne resta d'elle, dans la chambre, que le rire. Avec son morceau de pain et de fromage, elle rôda dans les prés ; la région était sûre, elle n'avait nul besoin de chaperon. La tendresse de Walter s'effondra comme un soufflé qu'on n'a pas retiré du feu au bon moment. Il soupira profondément. Ensuite, avec hésitation, il se rassit au piano et frappa une touche, puis une autre. Qu'il le voulût ou non, il en résulta peu à peu une improvisation sur des thèmes de Wagner ; ses doigts pataugeaient et gargouillaient dans le clapotement de cette substance désordonnée qu'il s'était interdite au temps de son orgueil. Ah ! qu'elle se répandît donc au loin ! Par cette narcose musicale, sa moelle épinière fut paralysée, et son destin allégé.

18. *Moosbrugger.*

A cette même époque, l'opinion publique se passionna pour l'affaire Moosbrugger.

Moosbrugger était un charpentier, un grand gaillard large d'épaules, sans graisse superflue, avec des cheveux comme une toison d'agneau brun et de fortes pattes débonnaires. Puissance débonnaire et goût de la justice se reflétaient aussi dans les traits de son visage. Ne les eût-on pas décelés là qu'on les aurait flairés, du moins, à l'odeur âpre, sèche et loyale de jour ouvrable qui émanait de cet homme de trente-quatre ans et provenait de son contact avec le bois et d'un travail qui exige autant de circonspection que d'application.

Quand on rencontrait pour la première fois ce visage que Dieu avait favorisé de toutes les marques de la bonté, on restait comme cloué sur place : en effet, Moosbrugger était généralement accompagné de deux gendarmes armés, et il avait ses deux mains devant lui, serrées l'une contre l'autre par de fortes menottes dont un de ses gardes du corps tenait le cabriolet.

S'apercevait-il qu'on le regardait, un sourire passait sur son large visage aux cheveux en désordre, à moustache et à barbiche ; Moosbrugger portait un court veston noir avec des pantalons gris clair, il se tenait les jambes écartées, à la militaire, mais c'était ce sourire surtout qui avait passionné les journalistes des Assises. Ce pouvait être un sourire embarrassé ou malin, un sourire ironique, sournois, douloureux, hagard, sanguinaire, inquiétant : ils allaient tâtonnant parmi ces épithètes contradictoires et semblaient désespérément chercher dans ce sourire quelque chose qu'ils ne trouvaient visiblement nulle part ailleurs en cette figure toute de loyauté.

Car Moosbrugger avait tué une fille, une prostituée de bas étage, et dans des conditions particulièrement atroces. Les journalistes avaient décrit avec précision une blessure au cou, s'étendant du larynx à la nuque, deux blessures par instrument piquant à la poitrine, traversant le cœur, deux autres dans la partie gauche du dos, et les seins tranchés qu'on pouvait presque détacher du corps ; ils en avaient manifesté de l'horreur, mais ne s'étaient pas arrêtés avant d'avoir énuméré les trente-cinq coups de couteau dans le ventre, mesuré l'estafilade qui s'étendait presque du nombril au sacrum et se continuait en d'innombrables petites entailles le long du dos, cependant que le cou portait des traces de strangulation. De telles horreurs les empêchaient de retrouver le chemin du visage débonnaire de Moosbrugger, bien qu'ils fussent eux-mêmes des hommes débonnaires et décrivissent pourtant ce qui s'était passé avec objectivité, compétence, et une extraordinaire curiosité. Ils écartaient généralement l'explication la plus simple, à savoir qu'on aurait eu affaire à un aliéné, Moosbrugger ayant déjà été interné quelquefois dans des asiles pour des crimes analogues ; quoiqu'un bon journaliste, aujourd'hui, se débrouille fort bien dans ces domaines-là, il semblait qu'ils se refusassent encore, provisoirement, à faire leur deuil du scélérat et à transporter l'événement de leur propre monde dans celui des malades, en quoi ils étaient d'accord avec les psychiatres qui avaient déclaré déjà Moosbrugger sain d'esprit au moins aussi souvent qu'ils l'avaient jugé irresponsable. Un autre fait curieux est à noter : à peine connues, les aberrations maladives de Moosbrugger firent dire à quantité de gens qui blâment pourtant dans les journaux la recherche à tout prix du sensationnel, qu'il y avait « enfin quelque chose d'intéressant » à y lire, et ces gens étaient aussi bien des fonctionnaires pressés que des écoliers de quatorze ans ou des épouses noyées dans les soucis ménagers. Tout en soupirant à la seule idée d'un pareil monstre, on s'y intéressait davantage qu'à ses propres affaires. On eût pu même surprendre le plus impeccable des sous-secrétaires d'État, le plus correct des fondés de pouvoir disant à son épouse ensommeillée, au moment de se mettre au lit : « Et qu'est-ce que tu ferais, maintenant, si j'étais un Moosbrugger ?... »

Ulrich, lorsque ses yeux étaient tombés sur ce visage de véritable enfant de Dieu et sur les menottes, était rapidement revenu sur ses pas, avait offert quelques cigarettes à la sentinelle du tribunal tout proche et demandé des renseignements sur le groupe qui devait avoir passé le portail quelques instants auparavant ; c'est ainsi qu'il apprit... Du moins les événements avaient-ils dû prendre autrefois cette tournure, puisqu'on les trouve si souvent relatés de la sorte, et Ulrich était bien près de le croire ; mais la vérité historique était qu'il avait lu tout cela dans le journal. Il fallut encore longtemps avant qu'il ne fît la connaissance personnelle de Moosbrugger, et jusque-là, il ne réussit à le voir en chair et en os qu'une seule fois, au cours du procès. On a toujours beaucoup plus de chances d'apprendre un événement extraordinaire par le journal que de le vivre ; en d'autres termes, c'est dans l'abstrait que se passe de nos jours l'essentiel, et il ne reste plus à la réalité que l'accessoire.

Ce qu'Ulrich put apprendre ainsi de l'histoire de Moosbrugger se résume à peu près en ceci :

Moosbrugger avait été dans sa jeunesse un pauvre gars, un petit berger vivant dans une commune si petite qu'elle n'avait même pas une rue de village, et il était si pauvre qu'il ne parlait jamais aux filles. Il ne pouvait jamais que les voir ; il en fut de même plus tard durant son temps d'apprentissage, et jusque dans ses tournées de journalier. Qu'on se représente un peu ce que cela veut dire. Quelque chose qu'on convoite aussi naturellement que le pain et l'eau, et qu'on a seulement le droit de voir. Au bout de quelque temps, la convoitise qui avait été naturelle cesse de l'être. Ça vous passe devant, les jupes bougent sur les mollets. Ça grimpe sur une barrière, et on voit jusqu'aux genoux. On regarde ça dans les yeux, et ils deviennent opaques. On entend ça rire, vite on se retourne, et on voit un visage aussi rond, aussi muet qu'un trou dans la terre, quand une souris vient de s'y engouffrer.

Aussi peut-on comprendre que Moosbrugger, dès la première fille qu'il eût tuée, essayât de s'en justifier en disant qu'il était sans cesse persécuté par des esprits qui le hélaient jour et nuit. Ils le jetaient à bas de son lit quand il dormait, ils le dérangeaient dans son travail ; jour et nuit, il les entendait se parler et se quereller. Ce n'était pas de l'aliénation, et Moosbrugger ne pouvait souffrir qu'on parlât de lui comme d'un malade ; il est vrai que lui-même, parfois, brodait sur ce thème avec des réminiscences de prêche, ou adoptait les méthodes de simulation que l'on apprend dans les prisons ; mais il en avait toujours le matériel pour ainsi dire sous la main ; simplement un peu délavé, quand on n'y prêtait pas toute son attention.

Il en avait été de même dans ses tournées. En hiver, un charpentier a du mal à trouver du travail, et Moosbrugger était souvent à la rue pendant des semaines. On a marché toute la journée, on arrive au but et on ne trouve pas à se loger. Il faut continuer à marcher tard dans la nuit. On n'a pas de quoi se payer un repas, de sorte qu'on boit des schnaps jusqu'à ce qu'on ait deux bougies derrière les yeux et que le corps avance tout seul. On ne veut pas aller demander une paillasse à l'asile de nuit, malgré la soupe chaude, autant pour la vermine que pour les vexations qu'il faut endurer ; on aime mieux mendier quelques sous et se glisser dans la grange d'un paysan. Sans le lui dire, bien sûr, parce qu'il faudrait d'abord quémander pendant des heures, pour finir quand même par se faire engueuler. Il est vrai qu'au matin cela donne souvent des bagarres et des dénonciations pour coups et blessures, vagabondage, mendicité, qui finissent par former un casier judiciaire toujours plus chargé que chaque nouveau juge ouvre solennellement, comme s'il devait y découvrir Moosbrugger tout expliqué.

Et qui donc pense à ce que signifie ne pas pouvoir se laver vraiment pendant des jours et des semaines ? La peau devient si raide qu'elle ne permet plus que des gestes grossiers, alors même qu'on voudrait en faire de tendres, et l'âme vivante sous cette croûte s'engourdit. Il se peut que l'intelligence en souffre moins, que l'on continue à faire bien raisonnablement le nécessaire ; il se peut qu'elle brûle encore comme une petite lumière dans un gigantesque phare ambulant plein de vers de terre ou de sauterelles écrasées, mais toute personnalité y est broyée, et ce qui s'avance n'est plus que de la substance organique en fermentation. Et c'est alors, dans ses tournées, que Moosbrugger croisait, quand il traversait les villages et même dans des rues solitaires, de véritables processions de femmes. Elles allaient d'un village à l'autre ou venaient juste de jeter un coup d'œil sur le pas de la porte, elles portaient des fichus épais ou des jaquettes qui enveloppaient leurs hanches d'une ligne serpentine et cependant rigide, elles entraient dans des chambres chaudes ou poussaient leurs enfants devant elles, ou encore se tenaient dans la rue, si seules qu'on aurait pu leur lancer des pierres comme à un corbeau. Moosbrugger affirmait qu'il ne pouvait être un meurtrier sexuel, n'ayant jamais éprouvé que de l'aversion pour ces femmes, et cela ne paraît pas invraisemblable ; on peut aussi comprendre, en effet, le chat assis devant une cage où sautille un gros canari jaune ; ou qui attrape une souris, la relâche, la rattrape, rien que pour la voir fuir encore une fois ; et qu'en est-il du chien qui court après une roue qui roule, ne mordant encore que par jeu, lui, l'ami de l'homme ? Ces rapports avec ce qui vit, bouge, roule ou bondit en silence, nous font mettre le doigt sur quelque aversion secrète éprouvée pour le congénère trop heureux de vivre. Et que faudrait-il faire à la fin, si la femme criait ? On n'aurait plus qu'à recouvrer son sang-froid ou, si précisément c'est impossible, à lui presser le visage contre le sol, à lui remplir la bouche de terre.

Moosbrugger n'était qu'un ouvrier charpentier, un homme tout à fait seul, et, quoiqu'il fût bien vu de ses camarades partout où il travaillait, il n'avait pas d'ami. L'instinct le plus violent extériorisait parfois cruellement son être ; mais peut-être réellement ne lui avait-il manqué, comme il le disait, que l'éducation ou l'occasion pour devenir tout autre chose, un ange exterminateur, un incendiaire boutant le feu aux théâtres, un grand anarchiste ; les anarchistes qui se groupent en sociétés secrètes, il les considérait avec mépris comme des imposteurs. Il était visiblement malade ; mais s'il était évident que sa nature maladive, en le séparant des autres hommes, expliquait sa conduite, lui-même la tenait pour l'expression d'une conscience plus pure et plus forte de sa personnalité. Toute sa vie n'était qu'un combat risiblement, effroyablement maladroit, pour obtenir la reconnaissance de ce fait. Apprenti, il avait brisé les doigts à un patron qui essayait de le mater. Il se sauva de chez un autre avec la caisse : par nécessité de justice, comme il disait. Il ne restait jamais longtemps dans la même place ; aussi longtemps que sa façon de travailler sans mot dire, avec une placidité amicale et avec ces fortes épaules tenait les gens en respect, ainsi qu'il en allait toujours au début, il restait ; aussitôt qu'ils commençaient à le traiter familièrement et irrespectueusement, comme s'ils croyaient l'avoir percé à jour, il décampait ; un étrange sentiment l'envahissant alors, comme s'il ne tenait plus à l'aise dans sa peau. Une fois il avait fui trop tard ; quatre maçons sur un chantier s'étaient concertés pour lui faire sentir leur supériorité et le précipiter du plus haut de l'échafaudage ; il les entendit rire sous cape et s'approcher dans son dos ; il se jeta sur eux de toute son incommensurable force, en précipita un deux étages plus bas et coupa à deux autres tous les tendons du bras. Qu'on l'eût puni pour cela avait heurté ses sentiments, comme il disait. Il émigra, jusqu'en Turquie ; et rentra de nouveau, parce que le monde partout se liguait contre lui ; nulle parole magique ne s'élevait pour lutter contre cette conjuration, et nulle bonté.

De ces paroles, il en avait appris avec ardeur dans les asiles et les prisons, bribes de français et de latin qu'il glissait dans ses discours au plus mauvais moment, depuis qu'il avait découvert que c'était la connaissance des langues qui donnait aux puissants le droit de « statuer » sur son destin. C'est pour la même raison qu'il s'efforçait aussi, dans ses procès, de parler un allemand choisi, disant par exemple « cela doit servir de fondement à ma brutalité » ou bien « je me l'étais imaginée plus cruelle encore que je ne juge d'ordinaire ces femmes-là » ; mais quand il voyait que même cela manquait son effet, il n'était pas rare qu'il prît une majestueuse pose de théâtre et se proclamât dédaigneusement « anarchiste théorique », prétendant qu'il pourrait à tout moment se faire sauver par les sociaux-démocrates, pour peu qu'il voulût accepter un cadeau de ces affreux Juifs, les pires exploiteurs de l'ignorant peuple ouvrier ; ainsi avait-il lui aussi une « science », un terrain sur lequel les prétentions érudites de ses juges ne pouvaient pas le suivre.

Cela lui valait d'ordinaire de la part de la Cour l'appréciation « intelligence remarquable », de l'estime pendant les débats et des peines plus sévères après ; mais au fond, sa vanité flattée voyait dans les procès les grands moments de sa vie. C'est pourquoi il ne haïssait personne aussi ardemment que les psychiatres qui croyaient pouvoir résoudre la complexité de son être en deux ou trois vocables étrangers, comme s'il était pour eux pain quotidien. Comme toujours en pareil cas, les opinions des médecins sur son état mental variaient sous l'influence du corps de doctrine juridique qui leur est hiérarchiquement supérieur, et Moosbrugger ne laissait échapper aucune occasion pour attester publiquement sa supériorité sur les psychiatres, les démasquer, les traiter de sots gonflés d'eux-mêmes, de charlatans ignares, réduits à le mettre en asile quand il simulait au lieu de l'envoyer à la maison de correction qu'il méritait. Il ne niait pas ses actes, mais voulait qu'on vît en eux les infortunes d'une conception grandiose de la vie. C'était surtout les femmes, avec leurs petits rires, qui s'étaient liguées contre lui ; elles avaient toutes un souteneur et tenaient pour tout à fait nulle, ou même pour insultante, la parole droite d'un honnête homme. Il les évitait aussi longtemps qu'il le pouvait, pour ne pas risquer d'être irrité ; mais ce n'était pas toujours possible. Il y a des jours où l'homme se sent devenir tout à fait stupide et ne peut plus rien saisir avec ses mains parce qu'elles transpirent d'agitation. S'il faut alors céder, on peut être sûr que dès les premiers pas, loin en travers de la route comme une patrouille envoyée par les autres en avant-garde, un de ces poisons ambulants passera, une enjôleuse qui se moque de l'homme en cachette, qui l'affaiblit, qui lui joue la comédie, quand elle ne lui fait pas encore bien pire, la sans-conscience !

Ainsi la fin de cette nuit était venue, qu'il avait passée à boire sans plaisir, avec beaucoup de bruit pour aggraver l'agitation intérieure. Il n'est pas toujours nécessaire d'être ivre pour que le monde soit peu sûr. Les murailles des rues vacillent comme des coulisses derrière lesquelles « quelque chose » n'attend plus qu'une réplique pour entrer en scène. Aux confins de la ville, quand on arrive dans les terrains vagues illuminés par la lune, il y a plus de calme. Là, Moosbrugger devait rebrousser chemin pour rentrer, par un assez long détour, chez lui ; et c'est alors, près du pont métallique, que la fille l'accosta. C'était une de ces filles qui se vendent aux hommes dans les champs, une bonne en chômage, ayant quitté sa place, une petite personne dont on ne voyait que les deux yeux provocants de souris sous le mouchoir de tête. Moosbrugger la repoussa, et marcha plus vite ; elle le supplia de l'emmener chez lui. Moosbrugger marchait ; droit devant lui, puis il tourna le coin d'une rue, enfin erra au hasard, ne sachant plus quoi faire ; il allongeait le pas, elle courait à coté de lui ; il s'arrêtait, elle s'arrêtait, comme une ombre. Il la traînait après lui, voilà la vérité. Alors, il fit une dernière tentative pour la faire fuir ; il se retourna et lui cracha deux fois au visage. Peine perdue ; elle était invulnérable.

Cela se produisit dans cet immense parc qu'il leur fallait traverser là où il est le plus étroit. Là, Moosbrugger commença par prendre conscience qu'un souteneur devait être tout près ; sinon, d'où aurait-elle tiré le courage de le suivre contre son gré ? Il prit son couteau dans sa poche, parce qu'on cherchait à l'avoir, peut-être, une fois de plus, à lui tomber dessus ; on sait bien qu'il y a toujours caché, derrière les femmes, *l'autre*, qui vous bafoue. D'ailleurs, ne lui apparaissait-elle pas comme un homme travesti ? Il voyait bouger des ombres, il entendait du bois craquer pendant que la sournoise à côté de lui ne cessait de lui répéter sa demande, à intervalles réguliers, comme un pendule à grande oscillation ; mais il était impossible de rien trouver sur quoi eût pu se précipiter sa force gigantesque, et il eut bientôt peur de cette étrange absence d'événements.

Lorsqu'ils débouchèrent dans la première rue, encore très sombre, la sueur mouillait son front, et il tremblait. Il ne regarda pas à côté de lui et s'engouffra dans un bistro qui était encore ouvert. Il engloutit un café noir et trois cognacs, de sorte qu'il put rester assis calmement, un quart d'heure peut-être ; quand il paya, la pensée de ce qu'il lui faudrait faire si elle l'avait attendu fut de nouveau là. Il y a des pensées qui sont comme des ficelles nouant leurs nœuds sans fin autour des bras et des jambes. Et il n'avait pas fait deux pas dans la rue sombre qu'il sentit la fille à côté de lui. Maintenant, elle n'était plus humble du tout, mais provocante et sûre d'elle-même ; elle ne suppliait plus, elle se taisait. Il reconnut alors qu'il ne pourrait jamais se débarrasser d'elle, parce que c'était lui-même qui la traînait après lui. Un dégoût larmoyant emplit sa gorge. Il allait, et cette chose, presque derrière lui, c'était lui encore. Tout à fait comme d'habitude : il en croisait toujours des processions. Un jour, il s'était arraché lui-même de la jambe un gros éclat de bois, parce qu'il était trop impatient pour attendre le médecin ; son couteau maintenant lui faisait le même effet, il était long et dur dans sa poche.

Mais Moosbrugger, par un effort quasiment supraterrestre de sa conscience, s'avisa d'une ultime échappatoire. Derrière la palissade que leur faisait longer maintenant son trajet, il y avait un terrain de sports ; on y passerait tout à fait inaperçu ; il tourna. Il se laissa tomber dans l'étroite baraque de la caisse et cacha sa tête dans le coin le plus obscur ; son doux et maudit second Moi s'étendit à son côté. C'est pourquoi Moosbrugger fit semblant de s'endormir, dans l'idée de s'esquiver un peu plus tard. Mais quand sans bruit, les pieds d'abord, il se glissa dehors, ce fut là de nouveau, qui lui mettait les bras autour du cou. Alors, il sentit quelque chose de dur dans la poche de la fille ou dans la sienne ; il le sortit. Il ne savait pas bien si c'était un couteau ou des ciseaux ; mais il frappa. Elle avait affirmé que ce n'étaient que des ciseaux, mais c'était son couteau. Elle tomba la tête dans la cabane ; il la traîna un bout dehors, sur la terre molle, et la frappa jusqu'à ce qu'il se fût complètement détaché d'elle. Puis il resta peut-être un quart d'heure encore auprès d'elle et la considéra, cependant que la nuit redevenait plus calme et merveilleusement lisse. Maintenant, elle ne pouvait plus nuire ni s'accrocher à aucun homme. Enfin, il porta le cadavre à travers la rue et l'étendit dans un buisson pour qu'on pût plus facilement la trouver et l'enterrer, à ce qu'il prétendit, puisqu'elle ne ferait plus de mal, désormais.

Au procès, Moosbrugger créa les difficultés les plus inattendues à son défenseur. Il était assis bien confortablement sur son banc comme un spectateur, applaudissait l'avocat général quand celui-ci pouvait prouver d'une manière qui lui semblât digne de lui, qu'il était un danger public, et il distribuait des bonnes notes aux témoins qui déclaraient n'avoir jamais rien constaté en lui qui pût faire conclure à son irresponsabilité. « Vous êtes un drôle de coco », lui disait de temps en temps pour le flatter le juge qui présidait les débats, et il serrait consciencieusement ces nœuds que l'accusé lui-même s'était noués autour du corps. Alors Moosbrugger restait un moment étonné ; comme un taureau exaspéré dans l'arène, il laissait errer ses regards et voyait sur le visage de ceux qui l'entouraient ce qu'il ne pouvait pas comprendre, c'est-à-dire qu'une fois encore il s'était enfoncé lui-même un peu plus profondément dans sa faute.

Ce qui attirait plus particulièrement Ulrich, c'était que Moosbrugger, dans sa défense, suivait de toute évidence un plan, si vaguement qu'on le décelât. Il n'était pas sorti avec l'intention de tuer, et refusait, par dignité, d'être déclaré malade ; on ne pouvait parler de sadisme, mais seulement de dégoût et de mépris ; son acte ne pouvait être qu'un homicide volontaire à quoi l'avait incité la conduite suspecte de la femme, de cette « caricature de femme », comme il disait. Si on le comprenait bien, il exigeait même que l'on considérât son geste comme un crime politique, et donnait parfois l'impression de lutter non pas pour lui-même, mais bien pour faire admettre cette construction juridique. La tactique que le juge avait adoptée contre lui était la tactique habituelle, qui consiste à ne voir en tout ce que dit l'accusé que les efforts grossièrement rusés d'un homme qui veut éluder sa responsabilité. « Pourquoi avez-vous essuyé vos mains sanglantes ?... Pourquoi avez-vous jeté votre couteau ?... Pourquoi avez-vous mis, après le crime, des vêtements et du linge propre ?... Parce que c'était dimanche, et non parce qu'ils étaient couverts de sang ?... Pourquoi êtes-vous allé à un bal ?... Votre acte ne vous en a donc pas empêché ? Avez-vous jamais éprouvé le moindre remords ? » Ulrich comprenait bien le découragement profond avec lequel, en ces moments-là, Moosbrugger accusait l'éducation insuffisante qui l'empêchait de dénouer les nœuds de ce filet d'incompréhension, attitude qui se traduisait, dans le langage du juge, en termes réprobateurs : « Vous savez toujours rejeter la faute sur les autres ! » Ce juge réunissait tous les éléments, à partir des rapports de police et de l'accusation de vagabondage, en un seul tout dont il chargeait l'inculpé ; mais pour Moosbrugger, ce n'était qu'une série d'incidents tout à fait distincts qui n'avaient rien à voir les uns avec les autres et dépendaient chacun d'une autre cause, laquelle était à chercher en dehors de lui, quelque part dans l'univers. Aux yeux du juge, ses actes provenaient de lui, mais aux yeux de Moosbrugger, ils étaient plutôt revenus sur lui comme des oiseaux reviennent de migration. Pour le juge, Moosbrugger était un cas particulier ; pour soi-même, il était un monde, et il est très difficile de dire quelque chose de convaincant sur un monde. C'était deux tactiques qui luttaient entre elles, deux espèces d'unité et de logique ; mais Moosbrugger était dans la position la moins favorable, car ses étranges ombres de raisons, même un homme plus habile que lui n'eût pu les exprimer. Elles sortaient directement de ce qu'il y avait de sauvagement solitaire dans sa vie, et tandis que les autres vies existent cent fois (vues par ceux qui les vivent de la même façon que par ceux qui en répondent), sa vraie vie à lui n'avait d'existence que pour lui. C'était un souffle qui ne cessait de se déformer et de changer d'apparence. Il est vrai qu'il eût pu demander à ses juges si leur vie était vraiment, en substance, différente de la sienne. Mais il ne pouvait avoir de pareilles pensées. Devant la justice, tous les événements qui s'étaient si naturellement succédé se trouvaient absurdement posés les uns à côté des autres en lui, et il faisait les plus grands efforts pour donner à cette juxtaposition un sens qui ne cédât en rien à la dignité de ses distingués adversaires. Le juge donnait presque une impression de bonté dans ses tentatives pour l'y aider et lui fournir des concepts, même s'ils étaient de nature à exposer Moosbrugger aux plus effroyables conséquences.

C'était le combat d'une ombre avec un mur, et pour finir, l'ombre de Moosbrugger n'eut plus que d'horribles vacillements. Ulrich assistait à cette ultime séance. Lorsque le président donna lecture du verdict qui le déclarait coupable, Moosbrugger se leva et déclara à la Cour : « Ce verdict me satisfait, j'ai atteint mon but. » Une incrédulité railleuse dans les regards qui convergeaient sur lui lui répondit, et il ajouta, furieux : « Je suis satisfait de la procédure parce que j'ai forcé la main à l'accusation ! » Le président, qui n'était plus maintenant que l'image de la sévérité et du châtiment, le remit à sa place en remarquant que sa satisfaction importait fort peu à la Cour. Puis il lui donna lecture de l'arrêt de mort, tout à fait comme si les absurdités que Moosbrugger avait dites pendant toute la durée du procès ne devaient obtenir qu'à présent une vraie réponse. Moosbrugger ne dit rien, pour ne pas paraître effrayé. La séance fut levée, tout était consommé. Alors, cependant, l'esprit de Moosbrugger chancela ; il recula, impuissant contre l'orgueil des incompréhensifs ; il se retourna, tandis que les gendarmes déjà l'emmenaient, chercha ses mots, leva les mains au-dessus de sa tête et s'écria, d'une voix qui fit cesser les bourrades de ses gardiens : « Je suis satisfait, encore que je doive vous avouer que vous avez condamné un fou ! »

C'était là une inconséquence ; mais Ulrich, sur son banc, en eut le souffle coupé. C'était nettement de la folie, et tout aussi nettement pourtant une simple déformation des rapports qui unissent les éléments de notre propre nature. C'était démantelé, enténébré : Ulrich pensa néanmoins, Dieu sait comment, que l'humanité, si elle pouvait avoir des rêves collectifs, rêverait Moosbrugger. Il ne reprit son sang-froid que lorsque le « misérable pantin de défenseur », ainsi que l'ingrat Moosbrugger l'avait nommé une fois au cours du procès, annonça, pour quelque vice de forme, le pourvoi en cassation, tandis qu'on emmenait le géant qui avait été leur client à tous deux.

19. *Lettre d'exhortation et occasion d'acquérir des qualités. Concurrence de deux jubilés.*

Ainsi passait le temps lorsque Ulrich reçut une lettre de son père.

« Mon cher fils ! De nouveau se sont écoulés à ce jour plusieurs mois sans qu'il ait été possible de déduire de tes trop rares nouvelles que tu aies fait, ou seulement préparé le moindre pas en avant dans ta carrière.

« Je tiens à reconnaître avec joie qu'au cours de ces dernières années, la satisfaction m'a été donnée d'entendre des voix autorisées louer tes travaux et te promettre, en vertu de ceux-ci, de belles perspectives d'avenir. Mais, d'une part, la tendance que tu as héritée, encore que ce ne soit certes pas de moi, à attaquer impétueusement une tâche qui te séduit pour oublier ensuite presque complètement ce que tu te dois, ce que tu dois à ceux qui ont mis en toi leur espoir, et, d'autre part, le fait que je ne puis trouver dans tes lettres la moindre indication qui me permette de conclure à un plan pour ta conduite à venir, tout cela me donne de graves soucis.

« Non seulement tu es à un âge où les autres hommes se sont déjà créé une situation solide, mais je puis à tout instant mourir, et la fortune que je vous léguerai à parts égales, à ta sœur et à toi, sans être médiocre, ne sera tout de même pas si considérable, dans les circonstances actuelles, que sa seule jouissance puisse t'assurer une position sociale qu'il te faudra donc, en fin de compte, te créer à la force du poignet. Le fait que depuis ton doctorat, tu ne parles que vaguement de projets disparates et dont tu surestimes peut-être, à ton ordinaire, l'intérêt, mais que tu n'évoques jamais la satisfaction que t'apporterait une chaire, ni une prise de contact à cette fin avec une quelconque université, ni même de quelque contact que ce soit avec les cercles influents, voilà ce qui me donne parfois les plus grands soucis... Je ne puis certes pas être suspecté de déprécier l'indépendance scientifique, moi qui le tout premier, il y a de cela quarante-sept ans, dans cette œuvre que tu connais et qui en est aujourd'hui à sa douzième édition : *La doctrine de la responsabilité morale chez Samuel Pufendorf et la jurisprudence moderne*, ai rompu définitivement, en plaçant le problème dans son véritable contexte, avec les préjugés que cultivait en cette matière l'ancienne école de droit criminel. Mais je ne puis pas davantage admettre, après une longue vie d'expérience et de labeur, que l'on ne compte que sur soi-même et que l'on néglige les relations scientifiques et sociales qui seules donnent au travail de l'individu l'appui grâce auquel il devient fécond et profitable.

« C'est pourquoi je compte fermement recevoir bientôt de tes nouvelles et voir les dépenses que j'ai faites pour ton avancement récompensées en ceci que, de retour au pays, tu ne négliges pas plus longtemps lesdites relations. C'est également dans ce sens que j'ai écrit à celui qui est pour moi, depuis de longues années, un véritable ami en même temps qu'un protecteur, l'ex-président de la Cour des comptes et actuel président du Tribunal impérial de Famille près le maréchalat de la Cour, Son Excellence le comte Stallburg, en le priant d'accueillir avec bienveillance la requête que tu lui soumettras par la suite. Cet ami haut placé a eu déjà la bonté de me répondre par retour du courrier, et tu auras la chance non seulement d'être reçu, mais encore de le voir témoigner du plus chaleureux intérêt pour ta carrière, dont je l'ai longuement entretenu. De la sorte, dans la mesure où cela dépend de mes forces et autant que j'en puisse juger, à supposer enfin que tu saches gagner Son Excellence à ta cause tout en confirmant l'opinion que se sont formée sur toi les cercles universitaires influents, de la sorte, ton avenir est assuré.

« En ce qui concerne la requête que tu te feras sans doute un plaisir de présenter à Son Excellence aussitôt que tu sauras ce dont il s'agit, en voici l'objet :

« En 1918, et probablement aux environs du 15 juin, doit avoir lieu en Allemagne une grande cérémonie en l'honneur des trente ans de règne de l'empereur Guillaume II. Cette fête est destinée à imprimer dans la mémoire du monde entier la grandeur et la puissance de l'Allemagne ; bien qu'il y ait encore plusieurs années d'ici là, on sait de source digne de foi que des préparatifs sont faits dès aujourd'hui dans ce dessein, encore qu'ils restent provisoirement, bien entendu, tout officieux. Or, tu n'ignores sans doute pas que notre vénérable empereur fêtera, la même année, le soixante-dixième anniversaire de son avènement, et que cette commémoration tombe le 2 décembre. Avec la modestie exagérée que nous mettons, nous autres Autrichiens, dans tout ce qui touche à notre patrie, il est à craindre que nous ne vivions, il ne faut pas se le cacher, un nouveau Sadowa, c'est-à-dire que les Allemands, avec leur sens de l'effet, ne nous devancent, tout comme alors ils avaient introduit le fusil à aiguille avant même que nous ne songions à une attaque.

« Par bonheur, la crainte que je viens d'exprimer avait été déjà prévenue par d'autres patriotes, personnalités bien placées, et je puis te révéler qu'une campagne se prépare à Vienne pour empêcher cette crainte de devenir réalité et pour mettre en valeur tout le poids d'un jubilé de soixante-dix ans, riche de soucis et de bénédictions, à côté d'un petit jubilé de trente années. Comme il ne peut être naturellement question de placer le 2 décembre avant le 15 juin, on a eu l'heureuse inspiration de faire de l'année 1918 tout entière, l'année jubilaire de l'Empereur de la Paix. Je n'en suis à vrai dire informé que dans la mesure où les corps auxquels j'appartiens ont eu l'occasion de prendre position sur ce projet, tu en apprendras davantage aussitôt que tu te seras annoncé auprès du comte Stallburg, lequel t'a réservé dans le comité préparatoire une place qui honore ta jeunesse.

« Je dois également te recommander de ne plus tarder,

ainsi que tu le fais pour mon désespoir, à renouer les relations avec la famille de M. Tuzzi, sous-secrétaire d'État au Ministère des Affaires étrangères et de la Maison impériale, relations que je te conseille depuis longtemps ; tu voudras bien rendre immédiatement visite à sa femme qui, comme tu le sais, est la fille d'un cousin de la femme de mon défunt frère, c'est-à-dire, par voie de conséquence, ta cousine ; à ce qu'on me dit, elle occupe une situation de premier plan dans le projet dont je viens de t'écrire, et mon vénéré ami, le comte Stallburg, a eu déjà la grande bonté de lui faire prévoir ta visite, ce pourquoi tu ne dois pas la différer d'un instant.

« De moi, je n'ai rien de plus à te dire ; le travail que me donne la réédition du livre cité plus haut, en dehors de mes cours, me prend tout mon temps et le peu de force dont on dispose encore dans la vieillesse. On doit faire bon emploi de son temps, car il est limité.

« De ta sœur, je sais seulement qu'elle est en bonne santé ; elle a pour mari un excellent homme, très capable, mais elle ne voudra jamais avouer qu'elle est satisfaite de son sort et qu'elle y a trouvé le bonheur.

« Dieu te bénisse,

« ton père affectionné. »

DEUXIÈME PARTIE

TOUJOURS LA MÊME HISTOIRE

20. *Le contact de la réalité. Nonobstant son manque de qualités, Ulrich se comporte avec ardeur et énergie.*

Si Ulrich se décida vraiment à rendre ses devoirs au comte Stallburg, ce fut peut-être surtout par une soudaine curiosité.

Le comte Stallburg avait son bureau au Château impérial et royal, à la Hofburg, et l'empereur et roi de Cacanie était un vieux et légendaire monsieur. Depuis lors, nombre de livres ont été écrits sur son compte, et l'on sait exactement ce qu'il a fait, ce qu'il a empêché ou négligé de faire ; mais à cette époque, il n'était pas rare que des hommes jeunes, parfaitement au courant de l'état des sciences et des arts, doutassent s'il existait du tout. Le nombre de portraits de lui que l'on voyait était presque aussi élevé que le nombre d'habitants de ses royaumes ; son anniversaire suscitait autant de bombances que celui du Seigneur, les feux flambaient sur les montagnes et des millions de voix assuraient qu'elles l'aimaient comme un père ; enfin, le chant composé en son honneur était le seul monument musical et poétique dont chaque Cacanien connût au moins une ligne. Mais cette popularité et cette publicité étaient si excessives que l'on se demandait parfois s'il n'en était pas de lui comme de ces étoiles encore visibles bien qu'elles n'existent plus depuis des milliers d'années.

La première chose qui se produisit lorsque Ulrich se rendit au Château impérial fut que la voiture qui devait l'y conduire s'arrêta dès la cour extérieure et que le cocher exigea d'être payé là en affirmant qu'il avait le droit de traverser la cour intérieure, mais non d'y stationner. Ulrich s'emporta, persuadé que le cocher était un filou ou un poltron, et tenta de le faire repartir ; mais il resta impuissant contre son refus anxieux, et sentit tout à coup, à travers cette résistance, le rayonnement d'un pouvoir plus puissant que lui. Lorsqu'il pénétra dans la cour intérieure, ce qui le frappa d'abord fut la masse bleue, blanche, jaune et rouge des habits, culottes et panaches, tout raides dans le soleil comme des oiseaux sur un banc de sable. Jusqu'alors, il avait tenu « Sa Majesté » pour une formule dépourvue de sens, mais demeurée en usage, tout comme on peut être athée et dire quand même « Dieu merci » ; maintenant, son regard s'élevait le long des hautes murailles, il découvrait une île grise, isolée, toute en armes, devant laquelle fonçait inconsciemment la vitesse de la ville moderne.

Lorsqu'il se fut annoncé, on lui fit gravir des escaliers, suivre des corridors, traverser de petites pièces et de grandes salles. Quoiqu'il fût fort bien vêtu, il sentit que tous les regards qu'il croisait le jugeaient avec la plus grande exactitude. Personne ici, ne paraissait songer à confondre l'aristocratie de l'esprit avec la véritable, et il ne resta plus à Ulrich d'autre consolation, d'autre défense que l'ironie et la critique bourgeoise. Il jugea qu'il traversait une demeure vaste, mais de peu de substance ; les salles n'étaient presque pas meublées, et ce goût du vide n'avait pas l'âpreté des grands styles ; il passa devant une file clairsemée de gardes et de domestiques qui constituaient une protection plus maladroite que somptueuse ; une demi-douzaine de détectives bien dressés et grassement payés l'eût assurée avec plus d'efficacité ; enfin, une certaine classe de domestiques, vêtus et coiffés de gris comme des garçons de recette, qui s'affairaient parmi les laquais et les gardes, le fit songer à un dentiste ou à un avocat qui n'aurait pas fait entre son bureau et son appartement une distinction assez nette. « On comprend très bien, pensa-t-il, que tout ce luxe ait effarouché les gens de l'époque Biedermeier, mais aujourd'hui, il ne peut même pas soutenir la comparaison avec l'élégance et le confort d'un grand hôtel ; c'est pourquoi cela se donne, fort adroitement, pour de la réserve, de la raideur aristocratique. »

Mais, lorsqu'il fut introduit en présence du comte Stallburg, Son Excellence le reçut dans un grand prisme creux de proportions parfaites, au centre duquel cet homme chauve, sans apparence, se tenait légèrement incliné, fléchissant les genoux comme font les orangs-outans, dans une pose qui ne pouvait en aucun cas être naturelle à un haut fonctionnaire de famille noble, mais devait certainement être l'imitation de quelque chose. Les épaules tombaient en avant, la lèvre pendait ; il ressemblait à un vieil huissier ou à un honnête comptable. Soudain, on ne put plus hésiter sur l'identité de la personne qu'il rappelait ; le comte Stallburg se fit transparent, et Ulrich comprit qu'un homme qui est depuis soixante-dix ans le très-haut foyer de la puissance suprême doit trouver une certaine satisfaction à se retirer derrière lui-même et à prendre l'apparence du plus humble de ses sujets, en suite de quoi il est de bonne politique, et de la plus élémentaire discrétion, de ne pas prendre une apparence plus personnelle que cette gracieuse Personne, du moins en sa présence. Ainsi s'explique peut-être le fait que les rois se soient si volontiers nommés les premiers serviteurs de l'État, et un rapide coup d'œil suffit à persuader Ulrich que Son Excellence portait vraiment ces favoris en côtelettes, gris sombre, que tous les fonctionnaires et tous les employés de chemins de fer de Cacanie portaient. On croyait qu'ils aspiraient à ressembler à leur Empereur et Roi, mais le besoin le plus profond repose, dans ces cas-là, sur une réciprocité.

Ulrich eut tout loisir de méditer ainsi, car il lui fallut attendre un moment avant que Son Excellence l'interpellât. L'instinct primitif du masque et de la métamorphose, l'un des plaisirs de la vie, s'offrait à lui dans toute sa pureté, sans soupçon de cabotinage ; si puissant même, que l'habitude bourgeoise de bâtir des théâtres et de faire du spectacle un art que l'on se paie pour une heure ou deux lui apparaissait, à côté de cet art de la représentation inconscient et continuel, comme quelque chose d'absolument fabriqué, de décadent et d'incomplet. Et quand Son Excellence eut enfin desserré les lèvres pour lui dire : « Votre cher père... », puis s'arrêta (mais il y avait dans sa voix quelque chose qui attirait l'attention sur ses mains jaunâtres, étonnamment belles, et comme une aura de moralité autour de sa personne), Ulrich fut si charmé qu'il fit un faux pas dont les intellectuels sont d'ailleurs coutumiers. En effet, Son Excellence lui avait demandé ensuite ce qu'il faisait et, Ulrich ayant répondu qu'il était mathématicien, avait dit : « Ah ! très intéressant, à quelle école ? » ; lorsque Ulrich affirma qu'il n'avait rien à faire avec l'école, Son Excellence dit encore : « Ah ! très intéressant, je vois : science pure, Université... » Et tout cela parut à Ulrich si familier, si parfaitement conforme à l'idée que l'on se fait d'un élégant morceau de conversation que, sans s'en rendre compte, il se comporta comme s'il était chez lui et suivit le cours de ses pensées au lieu d'obéir aux impératifs sociaux de sa situation. Il se rappela tout à coup Moosbrugger. Le pouvoir de gracier était à portée de la main, et rien ne lui sembla plus simple que de voir si l'on en pourrait faire usage. « Excellence, demanda-t-il, puis-je profiter d'une si favorable occasion pour m'entremettre en faveur d'un homme qui a été injustement condamné à mort ? »

Son Excellence, à cette question, écarquilla les yeux.

« Un sadique, sans doute », concéda Ulrich, mais au même instant, il se rendit compte que sa conduite était impossible. « Un aliéné, évidemment », dit-il rapidement en cherchant à se corriger, et « Votre Excellence sait que notre législation, qui date de la moitié du siècle dernier, est tout à fait démodée sur ce point », faillit-il ajouter ; mais il ravala ces derniers mots et resta coi. C'était un faux pas que d'attendre de cet homme une discussion comme en engagent souvent, tout à fait en l'air, des gens pour lesquels les jongleries de l'esprit ont encore de l'importance. Quelques mots de ce genre, bien placés, peuvent être féconds comme la terre meuble d'un jardin, mais ils faisaient en cet endroit l'effet d'un petit tas de terre qu'on a amené par mégarde dans une chambre à la semelle de ses souliers. Remarquant son embarras, le comte Stallburg lui témoigna une bienveillance vraiment très grande. « Oui, oui, je me souviens », dit-il quand Ulrich, non sans quelque effort, lui eut rappelé le nom, « et vous dites que c'est un aliéné, que vous aimeriez l'aider ?

– Il n'est pas responsable.

– Oui, ce sont toujours des cas particulièrement désagréables. »

De ces désagréments, le comte Stallburg paraissait beaucoup souffrir. Il regarda Ulrich avec un air de désespoir et lui demanda s'il n'y avait plus rien à attendre, si Moosbrugger était déjà définitivement jugé. Ulrich dut avouer qu'il n'en était rien. « Ah ! vous voyez ! poursuivit-il soulagé, nous avons tout le temps », et il se mit à parler du « papa », laissant le cas Moosbrugger dans un aimable clair-obscur.

Ulrich, après son faux pas, avait perdu un instant sa présence d'esprit ; mais, chose curieuse, cette faute ne fit pas mauvaise impression sur Son Excellence. Certes, le comte Stallburg en éprouva d'abord quelque stupeur, comme si quelqu'un avait quitté sa veste en sa présence ; mais ensuite, cette spontanéité lui parut, chez un homme aussi bien recommandé, pleine d'ardeur et d'énergie, et il fut heureux d'avoir trouvé ces deux mots, car son désir était de se former une bonne impression d'Ulrich. Il les consigna donc aussitôt (« Nous pouvons espérer avoir trouvé un collaborateur plein d'ardeur et d'énergie ») dans le mot d'introduction qu'il composait à l'adresse du premier rôle de la grande Action patriotique. Quand ce mot lui fut remis, quelques instants après, Ulrich se fit l'effet d'un enfant que l'on congédie en lui glissant dans la menotte un morceau de chocolat. Il avait maintenant quelque chose entre les doigts et recevait des instructions pour une prochaine visite, instructions qui pouvaient être un ordre aussi bien qu'une prière, sans que la moindre occasion s'offrît d'élever aucune objection. « Mais c'est un malentendu, je n'ai jamais eu le moins du monde l'intention... » aurait-il voulu dire, mais déjà il était sur le chemin du retour, on le reconduisait à travers les grands corridors et les salles. Tout à coup, il s'arrêta, et pensa : « J'ai été soulevé comme un bouchon et déposé où je n'eusse jamais voulu l'être ! » Il observa avec curiosité la simplicité perfide du décor. Il pouvait se dire en toute tranquillité que ce décor ne faisait sur lui, même maintenant, aucun effet : ce n'était là qu'un monde pas encore déblayé... Mais quelle singulière, quelle puissante qualité lui avait-il pourtant rendue sensible ? Par le diable ! il n'y avait qu'une seule façon de le traduire : ce monde, tout simplement, était d'une surprenante réalité.

21. *La véritable invention, par le comte Leinsdorf, de l'Action parallèle.*

Cependant, le véritable moteur de la grande Action patriotique (qui sera nommée désormais par abréviation, parce qu'elle avait à « faire valoir tout le poids d'un jubilé de soixante-dix années riches de soucis et de bénédictions à côté d'un petit jubilé de trente ans », *l'Action parallèle*), n'était pas le comte Stallburg, mais son ami, Son Altesse le comte Leinsdorf. Dans le beau cabinet de travail à hautes fenêtres de ce grand seigneur, au centre de nombreuses épaisseurs de silence, de dévotion, de galons d'or et dans la solennité de la gloire, le secrétaire de Son Altesse, au moment où Ulrich faisait sa visite à la Hofburg, était debout, un livre à la main, et en lisait à Son Altesse le passage qu'elle l'avait chargé de trouver. C'était cette fois quelques mots de J. G. Fichte qu'il avait découverts dans les *Discours à la Nation allemande* et jugeait tout indiqués : « Pour être délivrés du péché originel de paresse, lisait-il, et de ses séquelles, lâcheté et fausseté, les hommes ont besoin de modèles qui construisent devant eux le mystère de la liberté, comme ils en ont eu dans la personne des fondateurs de religions. L'entente nécessaire sur le problème des convictions morales se fait dans le sein de l'Église, dont les symboles doivent être considérés non point comme une matière, mais comme des moyens d'enseignement, utiles à proclamer les vérités éternelles. » Il avait insisté sur les mots *paresse*, *construire devant eux*, *église*. Son Altesse avait écouté avec bienveillance ; elle se fit montrer le livre, puis, néanmoins, hocha la tête. « Non, dit le comte immédiat de l'Empire, le livre serait bien, mais ce passage protestant sur l'Église ne va pas ! » Le secrétaire eut un regard amer comme un petit employé à qui son directeur refuse pour la cinquième fois la rédaction d'un acte, et objecta prudemment : « Fichte ne ferait-il pas une excellente impression sur les cercles nationalistes ? » « Je crois, répliqua Son Altesse, que nous devrons y renoncer pour le moment. » En refermant le livre, il referma aussi son visage ; à la vue de ce visage muettement impératif, le secrétaire se ferma à son tour en une révérence respectueuse et reprit le Fichte pour le desservir et le remettre sur les rayons de la bibliothèque avec tous les autres systèmes philosophiques du monde ; car on ne cuisine pas soi-même, c'est un soin qu'on laisse à ses gens.

« Ainsi, dit le comte Leinsdorf, nous en restons pour le moment à ces quatre points : Empereur de la Paix, Borne de l'Europe, vraie Autriche et Capital-Culture. Réglez-vous là-dessus pour la circulaire. »

Son Altesse avait eu à l'instant même une idée politique qui, traduite en paroles, eût pris à peu près cette tournure : « Ils y viendront d'eux-mêmes ! » Il entendait par là les milieux qui, dans son pays, se sentaient plus proches de l'Allemagne que de l'Autriche. Ils lui étaient désagréables. Si son secrétaire avait trouvé une citation de nature à flatter leurs sentiments (c'était dans ce dessein qu'on avait choisi J. G. Fichte), le passage aurait sans doute été relevé ; mais lorsque ce détail gênant s'y opposa, le comte Leinsdorf eut un soupir de soulagement.

Son Altesse le comte Leinsdorf était l'inventeur de la grande Action patriotique. Lorsque était arrivée d'Allemagne la stimulante nouvelle, il avait trouvé d'abord l'expression « Empereur de la Paix ». Aussitôt s'y était liée l'image d'un souverain de quatre-vingt-huit ans, vrai père de ses sujets, et d'un règne ininterrompu de soixante-dix années. Ces deux images avaient naturellement les traits, qui lui étaient si familiers, de son impérial maître ; néanmoins, l'auréole qui les nimbait n'émanait pas de Sa Majesté, mais de la gloire de posséder le souverain le plus vieux et le règne le plus long du monde. Des esprits obtus eussent pu se sentir tentés de ne voir là que le plaisir d'avoir chez soi un objet rare (un peu comme si le comte Leinsdorf avait attaché plus de prix à l'un de ces rarissimes « Sahara » rayés transversalement avec filigrane et une dent manquante qu'à un Greco, ce qui était d'ailleurs effectivement le cas, bien qu'il possédât les deux et ne négligeât pas tout à fait sa célèbre collection de tableaux) ; mais ces esprits ne comprennent pas, précisément, qu'une comparaison peut enrichir davantage que la plus grosse fortune du monde. Dans cette allégorie du vieux souverain, le comte Leinsdorf voyait à la fois la patrie qu'il aimait, et le monde qui devait la prendre pour modèle. De grandes et douloureuses espérances l'agitaient. Il n'aurait pu dire si ce qui l'émouvait le plus était la souffrance de découvrir sa patrie écartée de la place d'honneur qui lui revenait dans la « grande famille des peuples », ou la jalousie à l'égard de la Prusse qui en avait été la cause en 1866 (par quelle perfidie !), ou si, plus simplement, l'emplissaient la fierté qu'inspire la noblesse d'un vieil État, et le désir de le citer en exemple ; selon lui, les peuples européens roulaient tous dans le gouffre de la démocratie matérialiste, et ce qu'il envisageait, c'était un symbole sublime qui devait être pour eux à la fois un avertissement et un appel à rentrer en eux-mêmes. Il voyait clairement qu'il devait se passer quelque chose qui mettrait l'Autriche à la tête des autres nations, afin que cette « brillante manifestation de la vitalité autrichienne » fût pour le monde entier comme une « borne », un jalon qui lui servît à retrouver sa vraie nature, et il comprenait aussi que tout cela était lié à la possession d'un Empereur de la Paix de quatre-vingt-huit ans. En fait, c'était encore tout ce que savait le comte Leinsdorf, et c'était fort vague. Mais on ne pouvait douter qu'une grande pensée ne se fût emparée de lui. Celle-ci, non contente d'enflammer sa passion (chose qui eût dû tout de même éveiller la méfiance d'un chrétien éduqué sévèrement dans le sentiment de ses responsabilités), s'épanchait encore, avec la plus grande évidence, en des images aussi sublimes, aussi radieuses que « le Souverain », « le Pays » et « le Bonheur universel ». Et ce qui restait dissimulé dans cette pensée n'arrivait pas à inquiéter Son Altesse. Le comte Leinsdorf connaissait parfaitement la doctrine théologique de la *contemplatio in caligine divina*, de la contemplation dans l'obscurité divine, qui, infiniment claire en soi, est pour l'intellect humain aveuglement et ténèbres ; d'ailleurs, il avait toujours été convaincu qu'un homme qui fait de grandes choses ignore généralement pourquoi. Cromwell ne l'a-t-il pas dit : « Un homme ne va jamais plus loin que lorsqu'il ignore où il va » ? Le comte Leinsdorf s'abandonnait donc en toute tranquillité d'esprit à la jouissance de sa comparaison, dont ce qu'elle avait de peu clair, il le sentait, l'excitait plus profondément que toutes les clartés.

En dehors des comparaisons, d'ailleurs, il faut dire que ses conceptions politiques avaient une extraordinaire fermeté, et cette liberté, inséparable des grands caractères, que seule une absence complète de doutes rend possible. Comme majoritaire, il était membre de la Chambre des Seigneurs, mais n'avait ni activité politique ni fonction à la Cour ou dans l'État ; il était « simple patriote ». C'est précisément pour cette raison, et pour l'indépendance que lui donnait sa fortune, qu'il était devenu le centre de ralliement de tous les patriotes qui suivaient d'un œil inquiet l'évolution de l'Empire et de l'humanité. L'obligation morale de ne pas être un simple spectateur de cette évolution, mais de « lui tendre d'en haut une main secourable », avait imprégné toute sa vie. Du « peuple », il était convaincu qu'il était « bon » ; comme dépendaient de lui non seulement ses nombreux fonctionnaires, employés et domestiques, mais encore, dans leur existence économique, d'innombrables êtres, il n'avait jamais vu le peuple sous un autre angle, hors les dimanches et jours fériés où celui-ci surgit des coulisses, cohue aimablement bariolée, tel un chœur d'opéra. C'est pourquoi tout ce qui ne correspondait pas à cette image était attribué par lui à des « éléments subversifs » ; c'était, selon lui, l'œuvre d'individus irresponsables, dépourvus de maturité et avides de sensation. Élevé dans une atmosphère féodale et religieuse, ne risquant jamais aucune contradiction dans ses rapports avec les bourgeois, non sans lectures, mais rendu incapable, sa vie durant, par le contrecoup de la pédagogie ecclésiastique qui avait préservé sa jeunesse, de voir dans un livre autre chose que la confirmation ou la déviation de ses propres principes, il ne connaissait les conceptions de ses contemporains qu'à travers les querelles parlementaires ou journalistiques ; comme il avait assez de connaissances pour relever tout ce qu'elles avaient de superficiel, il se voyait chaque jour confirmé dans ce préjugé que le vrai monde bourgeois, bien compris, n'était autre que ce qu'il en pensait. L'adjonction de l'adjectif « vrai » à des opinions politiques était d'ailleurs un des moyens qu'il avait de se reconnaître dans un monde qui, bien que créé par Dieu, ne le renie que trop souvent. Il était fermement convaincu que le vrai socialisme était en harmonie avec ses conceptions ; son idée la plus personnelle avait même toujours été, mais il n'osait encore se l'avouer tout entière à lui-même, de jeter un pont grâce auquel les socialistes pourraient passer dans son propre camp. Il est bien clair qu'aider les pauvres est un devoir de chevalerie, et qu'il ne peut y avoir une grande différence pour la vraie haute noblesse, entre un bourgeois directeur de fabrique et ses ouvriers ; « au fond, nous sommes tous intimement socialistes » était une de ses phrases favorites, qui revenait à peu près à dire, ni plus ni moins, qu'il n'y a plus de différences sociales dans l'Au-delà. Dans le monde, en revanche, il les tenait pour des réalités nécessaires et attendait de la classe ouvrière qu'elle renonçât, pour peu qu'on lui fît quelques avances sur le plan du bien-être matériel, aux slogans déraisonnables qu'on lui avait inculqués, et reconnût cet ordre naturel du monde dans lequel chacun trouve, à la place qui lui est destinée, son devoir et ses chances de réussite. C'est pourquoi le vrai noble lui paraissait aussi important que le vrai ouvrier, et la solution des problèmes politiques et économiques se ramenait au fond pour lui à une vision harmonieuse qu'il appelait « le Pays ».

Son Altesse n'eût pu dire exactement quelle fraction de ces pensées l'avait occupée pendant le quart d'heure qui avait suivi le départ de son secrétaire. Peut-être en avait-elle parcouru tout le cycle. L'homme, de taille moyenne, âgé peut-être de soixante ans, était assis immobile devant son bureau, les mains croisées sur les genoux, sans se rendre compte qu'il souriait. Il portait un col bas, parce qu'il avait une tendance au goître, et l'impériale, pour la même raison peut-être, ou parce qu'il rappelait un peu, ainsi, les portraits d'aristocrates bohêmes du temps de Wallenstein. Une haute pièce s'élevait autour de lui, laquelle à son tour était enveloppée par les grandes pièces vides de l'antichambre et de la bibliothèque, autour desquelles, écorce sur écorce, de vastes espaces, le silence, la dévotion, la solennité et enfin la couronne de deux escaliers de pierre courbes s'étendaient ; à l'endroit où ils débouchaient dans l'entrée se dressait, dans son lourd manteau galonné, bâton à la main, le grand portier ; il regardait par l'ouverture du portail la fluidité claire du jour où les piétons nageaient comme dans un bocal à poissons rouges. A la limite de ces deux mondes montaient les volutes exubérantes d'une façade rococo, célèbre auprès des historiens d'art non seulement pour sa beauté, mais encore parce qu'elle était plus haute que large ; elle passe aujourd'hui pour la première tentative que l'on ait faite de tendre la peau d'un manoir de campagne, avec son ample confort, sur le squelette de la maison citadine, construite selon les plans étriqués de l'esprit bourgeois ; elle représente par conséquent l'un des témoins majeurs de la transition entre la seigneurie féodale et le style de la démocratie bourgeoise. Là, l'existence des Leinsdorf (les livres d'art l'attestaient) était absorbée par le siècle. Mais celui qui l'ignorait ne s'en apercevait pas davantage que la goutte d'eau qui se rue dans un tuyau n'en discerne les parois ; il remarquait seulement l'ouverture grisâtre et molle du portail dans la rue ailleurs dure, cavité surprenante, presque excitante, tout au fond de laquelle brillait sur la canne du portier l'or des galons et du pommeau. Quand il faisait beau, ce portier s'avançait devant l'entrée ; il se tenait là comme un joyau multicolore, visible de loin, serti dans une enfilade de maisons dont personne ne prenait conscience bien que ce soient leurs murs qui ordonnent les premiers le grouillement sans nombre et sans nom de la rue. On peut parier qu'une grande partie de ce « peuple » sur le bon ordre duquel veillait sans cesse avec sollicitude le comte Leinsdorf, ne rattachait guère à son nom, s'il tombait dans la conversation, que le seul souvenir de ce portier.

Son Altesse n'y eût rien vu d'humiliant ; posséder de tels portiers lui fût bien plutôt apparu comme le signe même de ce « vrai désintéressement » qui sied à un homme de qualité.

22. *L'Action parallèle, en la personne d'une dame influente et d'une indicible grâce spirituelle, semble prête à dévorer Ulrich.*

C'est à ce même comte Leinsdorf qu'Ulrich, selon le vœu du comte Stallburg, eût dû rendre ses devoirs, mais il avait résolu de s'en dispenser ; en revanche, il se proposait de faire à sa « grande cousine » la visite recommandée par son père, car il était curieux de la voir une fois de ses propres yeux. Il ne la connaissait pas, mais éprouvait depuis quelque temps déjà une aversion particulière à son égard : des gens qui étaient au courant de leurs liens de parenté et qui lui voulaient du bien, l'avaient plus d'une fois conseillé en ces termes : « Cette femme est de celles qu'un homme comme vous devrait connaître ! » Et, disant cela, ils mettaient sur le *vous* cet accent qui doit prouver à l'interpellé son aptitude singulière à apprécier une pareille perle, cet accent qui peut révéler une flatterie sincère ou, aussi bien, receler la conviction que vous êtes le toqué idéal pour de telles relations. C'est pourquoi il s'était souvent informé des qualités qui distinguaient cette femme, sans jamais obtenir de réponse satisfaisante. Ou bien on lui disait : « Elle a une indicible grâce spirituelle », ou bien : « Elle est la femme la plus belle et la plus intelligente que nous ayons ici ! » Quelques-uns disaient simplement : « C'est une créature idéale ! » « Quel âge a donc cette personne ? » demandait Ulrich ; mais personne ne le savait et d'ordinaire, celui que l'on interrogeait ainsi s'étonnait de n'avoir pas pensé lui-même à poser la question. « Et qui donc est son amant ? » demandait à la fin Ulrich impatienté. « Une liaison ? » Le jeune homme point inexpérimenté avec lequel il parlait manifestait quelque surprise. « Vous avez tout à fait raison. Personne ne songerait à faire une telle supposition. » « C'est donc une beauté spirituelle, une seconde Diotime », se disait Ulrich. De ce jour, il la nomma ainsi à part soi, du nom de cet illustre professeur d'amour.

En réalité, Diotime se nommait Ermelinda Tuzzi et même, en vérité, tout bonnement Hermine. Ermelinda n'est pas du tout la traduction d'Hermine ; mais elle avait acquis le droit de porter ce beau nom par une sorte d'inspiration intuitive, du jour où il était tombé dans son oreille telle une révélation, bien que son mari s'appelât simplement Hans et non Giovanni et n'eût appris l'italien, en dépit de son patronyme, qu'à l'Académie consulaire. Ulrich ne nourrissait pas de moindres préjugés à l'égard de ce sous-secrétaire qu'à l'égard de sa femme. Il était, dans un ministère qui, en tant que Ministère des Affaires étrangères et de la Maison impériale, se montrait encore plus féodal que les autres départements, le seul fonctionnaire bourgeois bénéficiant d'un véritable pouvoir. Il dirigeait la division la plus influente, passait pour la main droite et même, si l'on en croyait les on-dit, pour le cerveau de ses ministres, et faisait partie du petit nombre d'hommes qui pouvaient influencer les destinées de l'Europe. Quand un membre de la bourgeoisie est parvenu à se créer une pareille situation dans un milieu aussi hautain, on a le droit d'en conclure à des qualités d'un certain ordre, et de lui supposer le don avantageux de se rendre indispensable tout en restant modestement en retrait ; Ulrich n'était pas très éloigné de s'imaginer l'influent sous-secrétaire sous les traits d'un maréchal des logis-chef que son grade oblige à commander à des cadets de la haute noblesse. Le complément naturel de cette image était une compagne qu'il se représentait, en dépit de tant d'éloges dédiés à sa beauté, ambitieuse, plus très jeune et corsetée de culture bourgeoise.

Mais la surprise d'Ulrich fut grande. Lorsqu'il lui rendit ses devoirs, Diotime le reçut avec le sourire indulgent de la femme importante qui se sait belle par-dessus le marché et doit bien pardonner aux hommes, toujours superficiels, de ne penser jamais qu'à sa beauté.

« Je vous attendais », dit-elle, et Ulrich se demanda si c'était une amabilité ou un reproche. La main qu'elle lui tendit était grasse et légère.

Il la retint un instant de trop, car de cette main, ses

pensées ne parvinrent pas à se détacher tout de suite. Elle était dans la sienne tel un pétale épais ; les ongles pointus, comme des élytres, semblaient capables à tout instant de s'envoler avec elle dans l'invraisemblable. Ulrich avait été subjugué par l'extravagance de la main féminine, cet organe somme toute indécent qui, comme la queue des chiens, touche à tout, mais n'en est pas moins officiellement le siège de la fidélité, de la noblesse et de la tendresse. Pendant ces quelques secondes, il put constater que le cou de Diotime avait quelques bourrelets dissimulés sous la peau la plus fine ; ses cheveux étaient rassemblés à la grecque au sommet de la tête, et ce chignon, qui se tenait tout droit, ressemblait, dans sa perfection, à un nid de guêpes. Ulrich se sentit aiguillonné par un sentiment d'hostilité, un désir d'irriter cette femme souriante, mais il ne pouvait pas se soustraire entièrement à sa beauté.

Diotime, elle aussi, le regarda, on pourrait presque dire : l'examina longtemps. Elle avait ouï dire de ce cousin beaucoup de choses qui dégageaient, pour ses narines, un léger fumet de scandale et, de plus, cet homme était son parent. Ulrich observa qu'elle non plus ne pouvait entièrement se soustraire à l'impression physique qu'il produisait sur elle. Il en avait l'habitude. Il était rasé de près, grand, athlète souple et bien entraîné ; son visage était clair et impénétrable ; en bref, il se considérait parfois comme l'idée même que la plupart des femmes se font d'un homme encore jeune et fascinant ; toutefois, il n'avait pas toujours la force de les détromper à temps. Mais Diotime se défendit par la compassion spirituelle. Ulrich nota qu'elle le dévisageait longuement avec des sentiments qui visiblement n'étaient point désagréables, songeant peut-être que les nobles qualités qu'il semblait posséder si évidemment n'avaient été qu'étouffées par sa mauvaise conduite, et pouvaient donc être sauvées. Bien qu'elle ne fût pas beaucoup plus jeune qu'Ulrich et que son corps eût atteint son plein épanouissement, elle donnait l'impression que son esprit n'était pas encore éclos, et ce quelque chose de virginal formait un étrange contraste avec la conscience qu'elle avait de sa valeur. Ainsi continuaient-ils à s'observer alors même qu'ils avaient déjà engagé la conversation.

Diotime commença en déclarant que l'Action parallèle était une occasion unique de donner une réalité à ce que l'on jugeait être les choses les plus importantes et les plus grandes de la vie. « Nous devons et nous voulons donner réalité à une très grande idée. Nous en avons l'occasion, il serait criminel de la laisser passer ! »

Naïvement, Ulrich demanda : « Pensez-vous à quelque chose de précis ? »

Non, Diotime ne pensait à rien de précis. Comment l'aurait-elle pu ? Aucun homme, parlant de ce qu'il y a de plus grand et de plus important au monde, ne prétend que ces choses aient une réalité. Mais à quelle étrange qualité du monde cela correspond-il ? Tout se ramène à dire qu'une chose est plus grande, plus importante, plus belle ou plus triste qu'une autre, c'est-à-dire à un classement et à des comparatifs, et il n'y aurait pas de sommet, pas de superlatif ? Mais si l'on rend attentif à cela quelqu'un qui se préparait justement à vous parler de ce qu'il y a de plus grand et de plus important au monde, ce quelqu'un se méfie aussitôt, pensant avoir affaire à un homme insensible et sans idéal. C'était le cas de Diotime, et c'est ainsi qu'avait parlé Ulrich.

Diotime, en femme dont l'esprit faisait l'admiration de tous, jugea l'intervention d'Ulrich irrévérencieuse. Puis elle sourit et répondit : « Il est tant de choses grandes et bonnes qui ne sont pas encore réalisées que le choix ne sera point facile. Mais nous créerons des comités représentatifs de tous les milieux pour nous aider. Ne pensez-vous pas, Monsieur de..., qu'il y ait un profit extraordinaire à pouvoir, en pareille occasion, exhorter une nation, et même le monde entier, à se rappeler, au sein même de l'agitation matérialiste, l'existence du spirituel ? N'allez surtout pas croire que nous songions à quoi que ce soit de patriotique, au sens depuis longtemps démodé de ce terme ! »

Ulrich se déroba derrière une plaisanterie.

Diotime ne rit pas ; elle se contenta de sourire. Elle avait l'habitude des hommes d'esprit ; mais ceux qu'elle connaissait n'étaient pas seulement des hommes d'esprit. Le paradoxe pour le paradoxe lui paraissait trahir un manque de maturité, et éveilla en elle le besoin de rappeler à son parent la gravité de la vie réelle qui donnait à la grande entreprise patriotique sa dignité et ses responsabilités. Elle parlait maintenant sur un autre ton, à la fois péremptoire et engageant ; Ulrich, involontairement, chercha entre ses mots ces rubans jaunes et noirs qui, dans les ministères, servaient à attacher les feuillets des dossiers. Toutefois, ce n'étaient pas seulement des expressions de grand politique, mais aussi des formules d'intellectuel qui tombaient des lèvres de Diotime : « cette époque sans âme, dominée par la logique et la psychologie », « le présent et l'éternité » ; tout à coup, il fut aussi question de Berlin, et de ce « trésor d'émotion dont le monde autrichien, à l'opposé de la Prusse, s'était institué le gardien ».

Une ou deux fois, Ulrich essaya d'interrompre ce discours du trône spirituel ; mais à l'instant même, l'encens de la haute bureaucratie couvrait son interruption d'un nuage, dissimulant avec délicatesse son manque de tact. Ulrich fut émerveillé. Il se leva, sa première visite touchait visiblement à sa fin.

Dans le temps qu'il battait en retraite, Diotime le traita avec cette prévenance aimable, prudemment mais ostensiblement exagérée, qu'elle imitait de son mari ; celui-ci en faisait usage dans ses relations avec les jeunes nobles qui étaient ses subordonnés et pouvaient devenir un jour ses ministres. On percevait, dans la manière dont elle l'invita à revenir, l'incertitude présomptueuse de l'esprit en face d'une vitalité plus brutale. Lorsqu'il tint de nouveau dans la sienne sa douce et légère main, ils se regardèrent dans les yeux. Ulrich eut l'impression très nette qu'ils étaient destinés à se créer l'un à l'autre de grands ennuis d'amour.

« Décidément, se dit-il, une hydre de beauté ! » Il avait eu l'intention de laisser la grande Action patriotique l'attendre en vain, mais celle-ci semblait s'être incarnée en Diotime et se tenait prête à le dévorer. C'était une impression quasi comique. Malgré son âge et son expérience, il se faisait l'effet d'un petit ver nuisible qu'une grosse poule considère avec attention. « Pour l'amour de Dieu, se dit-il, surtout ne nous laissons pas entraîner à quelque petit forfait par cette géante idéale ! » Il était las de sa liaison avec Bonadea et se faisait un devoir de l'extrême réserve.

En quittant la maison, il fut consolé par une impression agréable qui l'avait déjà frappé à l'entrée. Une petite bonne aux yeux rêveurs l'accompagnait. Dans l'obscurité de l'antichambre, ses yeux lui avaient rappelé un papillon noir lorsqu'ils avaient voltigé jusqu'à lui pour la première fois ; maintenant qu'il s'en allait, ils s'enfonçaient dans l'obscurité comme de sombres flocons de neige. Quelque chose d'arabo-judaïque, une suggestion dont il n'avait pas eu clairement conscience, enveloppait cette enfant avec une douceur si discrète qu'Ulrich, cette fois encore, oublia de l'examiner plus attentivement ; il fallut qu'il se retrouvât dans la rue pour sentir qu'après Diotime, la vision de cette petite personne avait été quelque chose d'extraordinairement vif et salubre.

23. *Première apparition d'un grand homme.*

Le départ d'Ulrich laissa Diotime et sa femme de chambre légèrement émues. Tandis que le petit lézard noir, du seul fait de reconduire à la porte un visiteur de marque, se sentait grimper comme un éclair le long d'un haut mur scintillant, Diotime examinait méticuleusement l'impression qu'Ulrich lui avait faite, en femme qui ne se sent pas sans agrément touchée à tort, parce qu'elle sait trouver en elle la force d'une tendre remontrance. Ulrich ne savait pas que le même jour était entré dans la vie de Diotime un autre homme, qui s'élevait sous ses yeux telle une de ces montagnes géantes d'où l'on découvre les plus vastes panoramas.

Peu après son arrivée, M. le Dr Paul Arnheim avait rendu ses devoirs à Diotime.

Il était démesurément riche. Son père passait pour le premier maître de « l'Allemagne de fer » (le sous-secrétaire Tuzzi lui-même s'était permis ce calembour, bien qu'il prétendît qu'il faut se montrer avare de paroles et que les calembours, si une conversation brillante exige que l'on y recoure parfois, ne doivent jamais être trop bons sous peine de faire bourgeois). Tuzzi avait donc recommandé à son épouse de traiter ce visiteur avec toutes les marques de la distinction ; sans doute ces gens-là ne régnaient-ils pas encore en Allemagne, sans doute leur influence ne pouvait-elle être comparée à celle des Krupp, mais cela pouvait venir d'un jour à l'autre ; Tuzzi avait ajouté, d'après des rumeurs confidentielles, que ce fils (qui d'ailleurs avait largement dépassé la quarantaine), loin d'ambitionner simplement de succéder à son père, se préparait, en s'appuyant sur le cours des événements et sur ses relations internationales, à devenir ministre de l'Empire. De l'avis du sous-secrétaire, la chose était, en fait, sauf cataclysme, absolument exclue.

Il ne se doutait guère de la tempête qu'il avait soulevée dans l'imagination de son épouse. L'une des convictions des gens de son milieu était, cela va de soi, qu'il ne faut pas estimer trop les « marchands » ; mais, comme toutes les personnes de mentalité bourgeoise, elle admirait la richesse dans certaines régions profondes de son cœur où ses convictions n'avaient pas entrée, et rencontrer personnellement un homme si démesurément riche, c'était un peu comme de se voir pousser des ailes d'ange, toutes dorées. Sans doute Ermelinda Tuzzi avait-elle pris l'habitude, depuis l'ascension de son mari, de fréquenter la richesse et la gloire ; mais la gloire conquise par les ouvrages de l'esprit fond étrangement vite pour peu que l'on fréquente ceux qui en sont les porteurs, et la richesse féodale, quand elle ne prend pas la forme des folles dettes de quelque jeune attaché d'ambassade, reste liée à un style de vie traditionnel et ne peut atteindre à cette profusion de l'argent qu'on entasse librement en montagnes, ni à ce frisson de l'or, à ces étincelantes cascades avec quoi les grandes banques et les industries internationales règlent leurs affaires. La seule chose que Diotime sût de la banque était que même les employés de moyenne importance, lorsqu'ils voyageaient pour affaires, le faisaient en première classe, alors qu'elle se trouvait obligée de voyager en seconde quand son mari ne l'accompagnait pas ; c'est là-dessus qu'elle avait jugé le luxe dont devaient s'entourer les despotes de ce monde des mille et une nuits.

Rachel, sa petite bonne (inutile de dire que Diotime, quand elle l'appelait, prononçait son nom à la française), avait appris des choses fabuleuses. La moindre de ses révélations était que le nabab avait débarqué avec toute sa suite, qu'il avait loué un hôtel entier et qu'il traînait avec lui un petit esclave nègre. La vérité était considérablement plus modeste ; ne serait-ce que parce que Paul Arnheim ne s'affichait jamais. Seul le garçon noir était réel. Des années auparavant, comme il voyageait dans l'extrême sud de l'Italie, Arnheim l'avait enlevé à une troupe de danseurs et emmené, à la fois dans le désir de s'en parer et avec la vague intention de tirer une créature de l'abîme et de faire œuvre pie en l'initiant à la vie de l'esprit. Mais il en avait bientôt perdu le goût, et le garçon, qui avait maintenant seize ans, n'était plus que son domestique, alors qu'on lui avait fait lire jusqu'à l'âge de quatorze ans Dumas et Stendhal. Encore que les bruits rapportés par sa femme de chambre fussent si puérilement exagérés que Diotime ne pouvait s'empêcher d'en sourire, elle ne se les fit pas moins répéter mot pour mot, jugeant qu'il ne pouvait y avoir autant d'ingénuité que dans cette capitale unique, « naïve à force de culture ». Et Diotime elle-même, chose remarquable, eut l'imagination troublée par le jeune Noir.

Elle avait été l'aînée des trois filles d'un instituteur sans fortune, de sorte que son mari, alors même qu'il n'était encore qu'un vice-consul bourgeois tout à fait inconnu, avait immédiatement passé pour un bon parti. Elle n'avait rien eu d'autre à soi, dans son adolescence, que sa vanité, et comme celle-ci, à son tour, n'avait rien eu sur quoi se fonder, elle s'était réduite à une sorte de correction repliée sur elle-même, comme une plante sur laquelle avaient poussé les roides épines de la sensibilité. Mais une telle attitude peut aussi receler de l'ambition et des rêves, et représenter une ressource inépuisable. Si Diotime s'était d'abord sentie attirée par la perspective de lointaines intrigues en de lointains pays, la déception ne tarda pas ; cette perspective même ne fut bientôt plus qu'un atout servi discrètement aux amies qui lui enviaient le parfum d'exotisme dont elle s'enveloppait, et elle dut bien reconnaître que l'existence dans ces postes restait toujours, pour l'essentiel, celle qu'on avait emportée de chez soi avec le reste des bagages. L'ambition de Diotime avait longtemps failli échouer dans la distinction sans espoir des fonctionnaires de cinquième classe quand, par une soudaine fortune, un ministre bienveillant et progressiste ayant fait entrer le représentant de la bourgeoisie à la Chancellerie présidentielle, l'ascension de son mari commença. Dans cette nouvelle situation, Tuzzi vit venir à lui beaucoup de gens qui avaient des services à lui demander, et dès cet instant s'éveilla en Diotime, presque surprise elle-même, tout un trésor de souvenirs de « beauté » et de « grandeur » spirituelles qu'elle disait avoir amassé dans l'atmosphère cultivée de la maison paternelle et dans les grandes capitales, alors qu'il était simplement le bagage ordinaire d'une bonne élève de l'École supérieure de jeunes filles ; et ce trésor, elle ne tarda pas plus longtemps à le monnayer. Sans le vouloir, l'intelligence terre à terre, mais extrêmement solide de son mari avait attiré l'attention sur elle, et elle agit dès lors, tout ingénument, à la manière d'une petite éponge qui rend tout ce qu'elle a absorbé sans en avoir l'usage, glissant avec délices dans sa conversation, à l'endroit voulu, de petites « grandes idées », dès qu'elle se fut rendu compte que l'on remarquait ses avantages intellectuels. Peu à peu, comme son mari continuait à s'élever, les gens qui recherchaient son voisinage se firent de plus en plus nombreux, et sa maison devint ce salon dont on disait qu'il était le rendez-vous du monde et de l'esprit. Alors, hantant des hommes qui avaient tous, en quelque domaine que ce fût, leur importance, Diotime commença sérieusement à se découvrir. Sa correction, grâce à laquelle elle continuait à être bien attentive comme elle l'avait été à l'école, gardant bien en tête ce qu'elle avait appris et sachant en faire une aimable unité, devint comme automatiquement, par simple extension, de l'esprit, et la maison Tuzzi conquit une position qu'on ne lui disputa plus.

24. *Capital et Culture ; l'amitié de Diotime avec le comte Leinsdorf, et la fonction de son salon : mettre des hommes célèbres en accord avec l'âme.*

Mais il fallut l'amitié de Diotime avec Son Altesse le comte Leinsdorf pour que cela devînt un fait établi.

Il arrive que l'on distingue les amitiés d'après les parties du corps : la dangereuse amitié leinsdorfienne se fût alors située entre la tête et le cœur, de telle sorte que l'on n'eût pu nommer Diotime autrement que son « amie de gorge [1] », si le terme était encore en usage. Son Altesse vénérait l'esprit et la beauté de Diotime sans se permettre aucune pensée coupable. Grâce à sa bienveillance, le salon de Diotime conquit non seulement une position inébranlable, mais remplit encore, comme le comte aimait à le dire, une fonction.

Personnellement, Son Altesse le comte immédiat était un « simple patriote ». Mais l'État, ce n'est pas seulement la Couronne, le Peuple et l'Administration entre deux : c'est encore la Pensée, la Morale, l'Idée ! Si religieux qu'il fût, le comte Leinsdorf, étant un esprit tout pénétré du sens des responsabilités et de plus, exploitant des usines sur ses domaines, ne pouvait se refuser à reconnaître qu'aujourd'hui, sur plus d'un point, en se conformant aux principes de la religion, les grandes propriétés modernes seraient rationnellement impensables sans la Bourse et l'Industrie ; quand Son Altesse recevait le rapport de son directeur commercial lui expliquant qu'une affaire serait meilleure si on s'associait à un groupe de spéculateurs étrangers plutôt qu'à la noblesse foncière du pays, Son Altesse était le plus souvent contrainte de choisir la première formule, parce que

1. *Busenfreundin*, qu'il faudrait traduire, en bon français, par « amie intime », signifie littéralement « amie de gorge », et c'est sur ce sens littéral que joue ici l'auteur.

les rapports objectifs ont leur raison propre, à laquelle le directeur d'une grosse entreprise, responsable non seulement de lui-même, mais d'innombrables autres existences, n'a pas le droit d'opposer de simples raisons de sentiment. Il existe une espèce de conscience professionnelle qui, en certaines circonstances, s'oppose à la conscience religieuse, et le comte Leinsdorf était persuadé que le Cardinal-archevêque lui-même, placé dans une pareille situation, n'eût pas pu agir autrement. Lors des séances publiques de la Chambre des Seigneurs, le comte Leinsdorf était toujours prêt à déplorer ce fait et à exprimer l'espoir que la vie retrouverait bientôt le chemin de la simplicité, du naturel, du surnaturel, de la santé et de la nécessité des principes chrétiens. A peine avait-il ouvert la bouche pour ce genre de déclarations, c'était comme quand on déplace une fiche de contact, son courant passait dans un autre circuit. Il en va d'ailleurs ainsi pour la plupart des hommes qui s'expriment en public ; si quelqu'un avait reproché à Son Altesse de faire en privé ce qu'elle combattait en public, le comte Leinsdorf, enflammé d'une sainte conviction, eût aussitôt stigmatisé dans ces propos les ragots démagogiques d'éléments subversifs, totalement ignorants des vastes responsabilités de la vie. Néanmoins, il reconnaissait qu'il eût été très important de pouvoir accorder les vérités éternelles et les affaires, celles-ci infiniment plus complexes que la belle simplicité de la tradition ; il avait reconnu également que cet accord ne serait possible que dans l'approfondissement de la culture bourgeoise ; celle-ci, avec ses grandes pensées et ses grands idéaux du Droit, du Devoir, de la Morale et de la Beauté, touchait aux combats quotidiens, aux contradictions journalières, elle était à ses yeux un pont de lianes vivantes entrelacées. Sans doute ne pouvait-on s'y fier autant qu'aux dogmes de l'Église, mais elle n'était ni moins nécessaire, ni moins sérieuse, et c'est pourquoi le comte Leinsdorf n'était pas seulement idéaliste en religion, mais encore, passionnément, dans la vie laïque.

Par sa composition, le salon de Diotime répondait parfaitement à ces convictions. Les soirées de Mme Tuzzi étaient célèbres du fait qu'on y rencontrait, dans les grands jours, des hommes avec lesquels il était impossible d'échanger un mot : ils étaient si illustres, chacun dans son domaine, qu'on n'aurait jamais osé parler devant eux des découvertes qui s'y étaient faites, d'autant plus qu'on ignorait fréquemment jusqu'au nom de la spécialité dans laquelle ils avaient acquis une réputation internationale. Il y avait des Kenzinistes et des Canisistes, parfois un philologue du Bo tombait sur un partigéniste, un tocontologue sur un théoricien des quanta, sans parler des représentants des dernières tendances de l'art et de la poésie qui changeaient chaque année de titre et se voyaient reçus en petit nombre, à côté de leurs collègues arrivés. En général, ce mouvement était ordonné de telle sorte que tout y fût confondu et harmonieusement mêlé ; seuls les jeunes esprits étaient tenus à l'écart au moyen d'invitations spéciales ; Diotime savait favoriser discrètement, encadrer avec art les hôtes rares ou importants. Ce qui distinguait le salon de Diotime de tous les salons analogues, c'était d'ailleurs précisément, si l'on peut ainsi parler, l'élément laïque ; les hommes qui savent donner aux idées une application pratique et qui, pour parler comme la maîtresse de maison, s'étaient jadis répartis autour du noyau des sciences divines comme un peuple de créateurs fanatiques, une communauté de frères et de sœurs convers, en un mot, l'élément de l'action ; et maintenant que les sciences divines ont été évincées par l'économie politique et la physique, que la liste où Diotime consignait les vicaires de l'Esprit qu'elle devait inviter commençait à ressembler au *Catalogue of scientific papers* de la British Royal Society, les frères et sœurs convers étaient évidemment des directeurs de banque, des techniciens, des politiciens, des conseillers ministériels, enfin les dames et les messieurs de la haute société et des milieux qui gravitent autour. Diotime accordait aux femmes une importance toute particulière, mais préférait les « dames » aux « intellectuelles ». « De nos jours, aimait-elle à dire, la vie est trop encombrée de savoir pour que nous puissions renoncer à la femme *intégrale*. » Elle était convaincue que seule la femme intégrale dispose encore de la puissance fatale capable d'enlacer l'intelligence avec les bras vigoureux de l'Être, enlacement dont dépendait à ses yeux le salut même de l'intelligence. D'ailleurs, cette théorie de l'enlacement par la femme intégrale était admirée même par les jeunes mâles de l'aristocratie qui hantaient son salon, d'abord parce que cela passait pour « bien vu », ensuite parce que Tuzzi était assez aimé ; l'Être indivis, qu'y aurait-il de plus aristocratique ? De plus, le salon Tuzzi, en permettant de profonds et discrets tête-à-tête, se trouvait, sans que Diotime en soupçonnât rien, plus apprécié encore qu'une église pour les rendez-vous galants et les explications prolongées.

Son Altesse le comte Leinsdorf, s'il leur refusait encore la qualité de « vraie aristocratie », groupait les deux éléments, chacun si complexe en soi, qui se rencontraient chez Diotime, sous le titre de « Capital et Culture » ; mais il préférait encore les rattacher à cette notion de « fonction » qui occupait dans sa pensée une place privilégiée. Selon son point de vue, tout travail, non seulement celui d'un fonctionnaire, mais aussi bien celui d'un ouvrier ou d'un ténor, était une fonction. « Tout homme, aimait-il à dire, a dans l'État une fonction : le prince, l'ouvrier et l'artisan sont des fonctionnaires ! » C'était là l'émanation d'une pensée qui restait perpétuellement et en toutes circonstances objective, au-dessus de tout favoritisme ; à ses yeux, les messieurs et les dames de la haute société qui bavardaient avec les spécialistes des inscriptions Boghaz-Keui ou des lamellibranches, ou qui considéraient avec curiosité les épouses des hauts financiers, remplissaient eux aussi une fonction importante, quoique difficile à définir. Cette idée de fonction remplaçait chez lui ce que Diotime appelait l'unité religieuse des activités humaines, disparue avec le Moyen Age.

Il est vrai qu'une sociabilité forcée comme celle dont faisait preuve Diotime, pourvu qu'elle ne soit pas tout à fait naïve et grossière, ressortit finalement au besoin de se créer l'illusion d'une unité humaine qui embrasserait nos manifestations les plus diverses, mais qui en fin de compte n'existe pas. Diotime appelait cette illusion la « culture », et d'ordinaire même, par une précision supplémentaire, la « vieille culture autrichienne ». Depuis que son ambition, par simple extension, était devenue de l'esprit, elle avait appris à faire de ce terme un usage de plus en plus fréquent. Elle entendait par là : les beaux tableaux de Vélasquez et de

Rubens des Musées impériaux ; le fait que Beethoven avait été, somme toute, autrichien ; Mozart et Haydn, la cathédrale Saint-Étienne et le Burgtheater ; le cérémonial de la Cour, empesé par la tradition ; le premier arrondissement où s'étaient concentrés les couturiers et les chemisiers les plus chics d'un empire de cinquante millions d'âmes ; le tact des hauts fonctionnaires, la culture viennoise, la noblesse (qui s'estimait la deuxième du monde après l'anglaise) et ses vieux hôtels ; le ton de la société qu'imprégnait un bel esprit parfois authentique et souvent falsifié. Elle entendait aussi par là le fait qu'un seigneur aussi considérable que le comte Leinsdorf lui accordait son attention et transférait dans sa maison ses propres aspirations culturelles. Elle ne savait pas que Son Altesse agissait de la sorte *aussi* parce qu'il lui paraissait messéant d'ouvrir sa porte à des nouveautés dont on a vite fait d'être débordé. Le comte Leinsdorf était souvent secrètement effrayé de la liberté et de l'indulgence avec lesquelles sa belle amie parlait des passions humaines et des désordres qu'elles provoquent, ou des idées révolutionnaires. Diotime ne s'en apercevait pas. Elle avait tracé une ligne entre ce que l'on eût pu appeler son impudeur professionnelle et sa pudeur privée, comme une femme-médecin ou une assistante sociale ; elle était sensible comme une écorchée à un mot trop personnel, mais elle parlait impersonnellement de n'importe quoi ; tout ce qu'elle comprenait, c'était que le comte Leinsdorf se montrait fort attiré par ce mélange.

Hélas ! la vie ne peut bâtir quelque part sans démolir ailleurs... A la surprise douloureuse de Diotime, une toute petite amande de fantaisie, de douceur et de rêves dont sa vie avait été la pulpe quand elle ne contenait encore rien d'autre, et que Diotime continuait à receler lorsqu'elle avait décidé d'épouser ce vice-consul Tuzzi qui ressemblait à une malle-cabine de cuir aux yeux sombres, une minuscule amande de douceur s'était desséchée avec le succès. Sans doute beaucoup de choses que Mme Tuzzi réunissait sous le titre de « vieille culture autrichienne », Haydn et les Habsbourg par exemple, beaucoup de choses qui n'avaient été naguère que d'ennuyeux devoirs scolaires avaient-elles pris, depuis qu'elle se savait vivre au milieu d'elles, une sorte de charme ensorcelant, héroïque comme un bourdonnement d'abeilles en plein été ; mais ce charme, avec le temps, devint monotone, pénible et même désespérant. Il en allait de Diotime avec ses hôtes célèbres comme du comte Leinsdorf avec ses relations bancaires ; si désireux que l'on fût de les mettre en accord avec son âme, on n'y réussissait jamais. Parler des automobiles ou des rayons X, passe encore, cela peut vous toucher un peu ; mais que pouvait-on faire des inventions et découvertes sans nombre que notre époque suscite tous les jours, sinon admirer d'une manière tout à fait générale les ressources de l'esprit humain, chose fort ennuyeuse à la longue ! Son Altesse apparaissait de temps en temps, échangeait quelques mots avec un homme politique et se faisait nommer un nouvel hôte : il lui était facile de s'exalter sur l'approfondissement de la culture ! Mais quand on entretenait avec cette culture des relations aussi intimes que Mme Tuzzi, c'était non point sa profondeur, mais son étendue qui se révélait insurmontable ! Même des questions aussi directement humaines que la « noble simplicité grecque » ou le « sens des prophètes » se dissolvaient, dès qu'on en parlait avec un spécialiste, en une infinité de doutes et d'hypothèses. Diotime découvrait que les hôtes célèbres eux-mêmes, dans ses soirées, s'entretenaient toujours en tête à tête, parce que l'époque voulait qu'un homme ne pût parler objectivement et raisonnablement avec plus d'un interlocuteur ; quant à elle, elle n'aurait pu le faire avec personne. Diotime avait découvert ainsi qu'elle souffrait, comme tous ses contemporains, de ce mal qu'on appelle la civilisation. C'est un état embarrassant où se confondent le savon, les ondes hertziennes, l'arrogant langage chiffré des mathématiques et de la chimie, l'économie politique, la recherche expérimentale, l'impossibilité pour l'homme d'accéder à une communauté simple, mais noble. Enfin, les relations de sa noblesse spirituelle avec la noblesse tout court, relations qui imposaient à Diotime une grande prudence et lui procuraient, en dépit de tous ses succès, mainte déception, lui parurent avec le temps trahir de plus en plus ouvertement une époque de simple civilisation, non de véritable culture.

Ainsi donc, la civilisation n'était pas autre chose, pour

elle, que ce qui échappait au contrôle de son esprit. Voilà pourquoi c'était avant tout, et depuis fort longtemps, son mari.

25. *Souffrances d'une âme mariée.*

Elle lisait beaucoup dans ses souffrances et découvrit qu'elle avait perdu quelque chose dont elle ne s'était pas souciée jusqu'alors : son âme.

Qu'est-ce qu'une âme ? Il est facile de la définir négativement : c'est très exactement cela en nous qui se rétracte quand nous entendons parler de séries algébriques.

Mais positivement ? Il semble que cela réussisse à échapper à tous les efforts faits pour le saisir. Il était possible qu'il y eût eu naguère en Diotime une source cachée, une sensibilité d'abord engoncée dans le vêtement brossé et rebrossé de sa correction, quelque chose qu'elle appelait maintenant son âme et retrouvait dans la métaphysique orientalisante de Maeterlinck, chez Novalis, mais surtout dans cette vague anonyme de faux romantisme et de nostalgie religieuse que l'ère des machines a fait jaillir pendant un temps en guise de protestation artistique et intellectuelle contre elle-même. Il était également possible que cette source profonde, en Diotime, fût définie plus justement comme un élément de recueillement, de tendresse, de dévotion et de bonté qui n'avait jamais trouvé à s'épanouir et avait pris, dans le creuset où le destin nous coule, la forme ridicule de son idéalisme. Peut-être était-ce simple fantaisie ; peut-être l'intuition de ce travail instinctif et végétatif qui se poursuit quotidiennement sous l'enveloppe du corps au-dessus de laquelle nous considère le regard inspiré d'une belle femme ; peut-être vivait-elle simplement parfois de ces heures indéfinissables où elle se sentait vaste et chaude, où les sensations semblaient plus élevées que d'habitude, où l'ambition et la volonté faisaient silence, où une légère ivresse, une petite plénitude l'envahissaient, où ses pensées, même si elles ne s'attachaient qu'à un sujet infime, tournaient le dos à la surface et s'enfonçaient dans les profondeurs ; et les événements du monde, alors, étaient lointains comme le vacarme qui s'élève au-delà du mur d'un jardin. Diotime croyait alors voir en elle-même, immédiatement et sans effort, le vrai en soi ; de tendres expériences, qui ne portaient pas encore de nom, soulevaient leurs voiles ; elle se sentait (pour ne citer que quelques-unes des descriptions de ces états que lui fournissait la littérature) harmonieuse, humaine, religieuse, proche d'une profondeur originelle qui rend sacré tout ce qui en surgit et coupable tout ce qui jaillit d'une autre source. Mais, quoique tout cela fût fort beau à méditer, Diotime ne réussissait jamais à dépasser ces pressentiments, ces approches de l'extraordinaire, et pas davantage n'y réussissaient les livres prophétiques dans lesquels elle cherchait conseil, qui parlaient de la même expérience dans les mêmes termes mystérieux et imprécis. Il ne restait donc plus à Diotime qu'à en rejeter encore une fois la faute sur une période de simple civilisation où l'accès de l'âme se trouvait obstrué de gravats.

En fait, ce qu'elle nommait son âme n'était vraisemblablement qu'un petit capital d'amour dont elle disposait encore au moment de son mariage ; le sous-secrétaire Tuzzi n'en était pas la meilleure occasion de placement. Sa supériorité sur Diotime avait été d'abord, et pendant longtemps, celle de l'homme plus âgé ; plus tard s'y ajouta celle de l'homme qui réussit dans une situation entourée de mystère, qui s'ouvre peu à son épouse et considère avec bienveillance les futilités dont elle s'occupe. Mises à part les délicatesses de la lune de miel, le sous-secrétaire Tuzzi avait toujours été un utilitaire et un rationaliste qui ne perdait jamais son équilibre. Néanmoins, la sérénité bien coupée de ses actions et de ses habits, l'odeur que l'on eût pu dire poliment sérieuse de son corps et de sa barbe, sa voix ferme et prudente de baryton l'entouraient d'un halo qui excitait l'âme de la jeune Diotime comme la présence de son maître un chien de chasse qui lui pose sa queue sur les genoux. Et de même que le chien, à l'abri de son affection, trotte à sa suite, Diotime, sous la conduite d'un guide objectif et sérieux, avait pénétré dans le paysage infini de l'amour.

Le sous-secrétaire Tuzzi n'aimait pas y faire des détours. Ses habitudes de vie étaient celles d'un travailleur ambitieux. Il se levait très matin, soit pour monter à cheval, soit, de préférence, pour faire une petite promenade d'une heure ; celle-ci servait d'abord à lui garder le corps souple, mais présentait aussi une habitude d'une pédante simplicité, qui, strictement conservée, convenait parfaitement à l'image du grand responsable. Que Tuzzi se retirât le soir presque aussitôt dans son cabinet de travail s'ils n'avaient pas d'invitation au-dehors ou chez eux, allait de soi, puisqu'il était obligé de maintenir ses vastes connaissances d'expert au niveau qui faisait sa supériorité sur ses collègues et ses chefs de la noblesse. Une telle vie impose des limites précises et subordonne l'amour aux autres activités. Comme tous les hommes dont l'imagination n'est pas hantée par l'érotisme, Tuzzi, célibataire, avait été (encore qu'il se fût montré ici ou là, dans la société de ses amis, avec de petites danseuses destinées à soutenir sa réputation diplomatique) un paisible habitué des bordels, et il reporta dans le mariage le rythme régulier de cette habitude. Ainsi Diotime apprit-elle à connaître l'amour comme un orage violent, brusque et spasmodique qu'une puissance plus grande que la sienne déchaînait une fois la semaine. Cette altération de deux êtres commençant à l'improviste et se transformant quelques minutes plus tard en une brève conversation sur les incidents de la journée restés en compte, puis en un profond sommeil, ce quelque chose dont on ne parlait jamais dans les intervalles, sinon tout au plus par allusions et insinuations (par exemple en faisant une plaisanterie diplomatique sur la « patrie honteuse » du corps), eut néanmoins pour Diotime des conséquences inattendues et contradictoires.

Ce fut, d'une part, la cause de l'enflure démesurée de son idéalisme ; de cette personnalité officieuse, toute tournée vers l'extérieur, dont la capacité d'aimer et les désirs spirituels s'étendaient à tout ce qu'elle voyait de noble et de grand à la ronde pour s'y répandre et s'y allier avec tant de ferveur que Diotime finit par évoquer l'image, déconcertante à des yeux d'homme, d'un soleil d'amour ardent mais platonique, image qui avait rendu Ulrich si curieux de faire sa connaissance. Le rythme large des rapports conjugaux était devenu d'autre part en Diotime une habitude purement physiologique : elle avait son propre circuit et s'annonçait, sans aucune relation avec les parties plus élevées de son être, comme s'annonce la faim chez un valet de ferme dont les repas sont rares, mais substantiels. Avec le temps, lorsque de petits poils apparurent sur la lèvre supérieure de Diotime et qu'à sa nature virginale se mêla l'autonomie virile de la femme mûre, elle en prit conscience avec terreur. Elle aimait son mari, mais il s'alliait à cet amour une proportion croissante de répulsion, une affreuse meurtrissure de l'âme, à quoi l'on ne pouvait finalement comparer que les sentiments qu'eût éprouvés Archimède absorbé dans ses grandes entreprises si le soldat étranger, au lieu de l'assassiner, lui avait fait des propositions. Comme son mari ne le remarquait pas plus qu'il n'y eût réfléchi s'il s'en était rendu compte, mais que son corps, contre sa volonté, finissait toujours par la lui livrer, elle se sentait la victime d'une véritable tyrannie ; c'en était bien une, quoiqu'elle ne passât pas pour coupable, et son échéance était exactement aussi pénible que Diotime se figurait l'apparition d'un tic ou le caractère inéluctable d'un vice. Diotime ne s'en fût peut-être trouvée qu'un peu mélancolique et plus idéale encore si ce fait ne s'était malheureusement produit au moment précis où son salon lui créait ses premières difficultés intérieures. Le sous-secrétaire Tuzzi encourageait naturellement les aspirations intellectuelles de sa femme, ayant assez vite compris quel profit sa propre situation pouvait en tirer, mais il ne s'y était jamais associé, et l'on peut même dire qu'il ne les avait jamais prises au sérieux ; cet homme d'expérience ne prenait au sérieux que la puissance, le devoir, la haute extraction et, à un degré moindre, la raison. A plusieurs reprises, il avertit même Diotime de ne pas mettre trop d'ambition dans sa politique culturelle ; si la culture était comme le sel de la vie, la bonne société n'aimait pas la cuisine trop salée ; il dit cela sans la moindre ironie, parce que telle était sa conviction, mais Diotime se jugea sous-estimée. Elle devinait perpétuellement dans l'air le sourire dont son mari accompagnait ses nobles aspirations ; que Tuzzi se trouvât ou non chez lui, que ce sourire (supposé qu'il sourît vraiment, ce qui était rien moins que sûr) lui fût plus particulièrement adressé ou fît simplement partie de l'expression d'un homme dont la profession exige qu'il ait toujours l'air supérieur, il lui devint avec le temps toujours plus intolérable, sans qu'elle pût réussir à chasser tout à fait l'infâme apparence de raison qu'il s'arrogeait. Parfois, Diotime en rejetait la faute sur cette époque matérialiste qui avait fait du monde un jeu futile et criminel, et retirait à l'homme encore doué d'une âme, pris entre l'athéisme, le socialisme et le positivisme, la possibilité de s'élever à la hauteur de sa vraie nature ; mais cet expédient même n'était pas souvent efficace.

Telle était la situation dans la maison Tuzzi lorsque la grande Action patriotique vint accélérer le cours des événements. Depuis que le comte Leinsdorf, pour ne pas exposer la noblesse, en avait transféré le centre dans la maison de son amie, il y régnait une atmosphère de grave responsabilité, Diotime étant résolue à prouver à son mari, maintenant ou jamais, que son salon n'était pas un jouet. Son Altesse lui avait confié que l'Action patriotique avait besoin du couronnement d'une grande idée, et l'ambition la plus brûlante de Mme Tuzzi était de la trouver. L'idée de donner réalité à ce qui devait être l'un des plus grands thèmes de culture, ou au moins, plus modestement, à quelque chose qui révélerait l'intimité même de la culture autrichienne, et cela devant les yeux attentifs du monde entier, avec les moyens de tout un Empire, cette pensée faisait sur Diotime le même effet que si, la porte de son salon s'étant brusquement ouverte, elle eût vu en battre le seuil, continuation de son plancher, l'infini de la mer. On ne peut nier cependant que ce qu'elle ressentit d'abord fut comme la brusque ouverture, sous ses pieds, d'un incommensurable vide.

Les premières impressions sont souvent les plus justes. Diotime était certaine que quelque chose d'incomparable allait se produire, et invoqua toute l'armée de ses idéaux ; elle mobilisa le pathôs de ses leçons d'histoire, quand, encore fillette, elle avait appris à calculer en siècles et en royaumes ; elle fit, en un mot, tout ce que l'on doit faire en pareille occasion. Après que quelques semaines se furent écoulées de la sorte, elle fut bien forcée de constater qu'il ne lui était pas venu la moindre inspiration. Alors, c'est une véritable haine que Diotime eût éprouvée à l'endroit de son mari, si elle avait jamais été capable d'un aussi bas mouvement ; ce ne fut donc qu'un peu de mélancolie, et il s'éleva en elle une « rancune généralisée » qu'elle n'avait jamais connue jusque-là.

C'est à ce moment précis que le Dr Arnheim fit son entrée en compagnie de son jeune nègre, et, quelque temps après, Diotime recevait son importante visite.

26. *La fusion de l'Ame et de l'Économie. L'homme capable de la réaliser désire goûter au charme baroque de la vieille culture autrichienne. D'où il naît une idée à l'Action parallèle.*

Diotime ne savait pas ce que c'était qu'une mauvaise pensée, mais il est probable que beaucoup de choses se cachait ce jour-là derrière l'innocent petit Noir dont elle s'occupait après avoir renvoyé « Rachèle », sa bonne. Depuis qu'Ulrich avait quitté la maison de sa Grande Cousine, celle-ci avait écouté encore une fois avec gentillesse les récits de la jeune fille ; cette femme belle et mûre se sentait rajeunir, elle avait l'impression de jouer avec un hochet carillonnant. Jadis la noblesse, la haute société avait eu des nègres à son service ; Diotime imaginait des scènes charmantes, des promenades en traîneau avec des chevaux à panache, des laquais ornés de plumes, des arbres poudrés de givre ; mais il y avait longtemps que ce côté fantaisiste de la noblesse s'était perdu. « De nos jours, la vie de société n'a plus d'âme », songea Diotime. Quelque chose, dans son cœur, prenait parti pour l'audacieux dissident qui osait encore avoir un nègre à son service, pour ce bourgeois parvenu à la distinction contre toutes les règles, cet intrus qui faisait honte aux seigneurs installés dans leur patrimoine, comme jadis les savants esclaves grecs avaient fait honte à leurs maîtres romains. Sa conscience d'elle-même, prisonnière de tous les scrupules, la désertait soudain pour courir au-devant de cette âme sœur, et ce sentiment, si naturel chez elle en comparaison des autres, lui permettait même d'oublier que le Dr Arnheim (encore que les bruits fussent contradictoires et que l'on ne sût rien de certain) passait pour être d'origine juive : du moins tenait-on la chose pour assurée de son père, mais sa mère était décédée depuis si longtemps qu'il faudrait attendre encore avant d'avoir des renseignements précis. Au reste, il n'eût pas été tout à fait impossible qu'un certain pessimisme cruel, au cœur de Diotime, n'exigeât nullement de démenti.

Prudemment, Diotime avait permis à ses pensées de se détacher du jeune Noir pour se rapprocher de son maître. Le Dr Paul Arnheim n'était pas seulement un homme riche, mais encore un grand esprit. Sa gloire ne tenait pas seulement à ce qu'il dût hériter d'une affaire d'importance mondiale : à ses heures de loisir, il avait écrit des livres qui passaient pour « très extraordinaires » dans les milieux avancés. Les hommes qui constituent ces milieux purement intellectuels sont au-dessus de l'argent, au-dessus des honneurs bourgeois ; mais on ne doit pas oublier que, pour cette raison même, ils éprouvent une sorte de fascination lorsqu'un homme riche se mêle à eux ; au surplus, dans ses brochures et dans ses livres, Arnheim ne prophétisait rien de moins que la fusion de l'Ame et de l'Économie, ou de l'Idée et de la Puissance. Les esprits sensibles, doués d'un flair subtil pour l'avenir, proclamèrent partout qu'il unissait en lui-même ces deux pôles d'ordinaire séparés, et laissèrent entendre qu'une force nouvelle était en marche, appelée à conduire un jour vers un avenir meilleur les destinées de l'Empire et peut-être même celles du monde. Que les principes et les méthodes de la politique et de la diplomatie anciennes conduisissent l'Europe au tombeau, c'était depuis longtemps le sentiment général ; d'ailleurs, le temps de l'hostilité aux spécialistes avait déjà commencé.

L'état de Diotime lui-même pouvait s'interpréter comme un refus des façons de penser de l'ancienne école diplomatique ; c'est pourquoi elle comprit aussitôt la merveilleuse analogie qu'il y avait entre sa situation et celle de ce génial dissident. En outre, l'homme célèbre lui avait rendu ses devoirs aussitôt qu'il l'avait pu, sa maison avait été la toute première à bénéficier de cette faveur, et la lettre d'introduction qu'avait rédigée une amie commune parlait de la vieille culture de la cité des Habsbourg et de ses habitants, culture que cet homme surchargé de travail espérait pouvoir savourer entre deux inévitables affaires ; lorsqu'elle en déduisit que le célèbre voyageur connaissait la réputation de son esprit, Diotime se sentit distinguée comme un écrivain qu'on traduit pour la première fois dans une langue étrangère. Elle remarqua qu'il n'avait nullement l'air d'un Juif, que c'était un homme d'allure aristocratique, et de type phénicien. Arnheim lui aussi fut ravi de trouver en Diotime une femme qui non seulement avait lu ses livres, mais encore, véritable antique étoffée d'une légère corpulence, correspondait à son idéal de beauté : celui-ci, en effet, était hellénique, mais d'un hellénisme un peu engraissé, histoire d'assouplir le canon classique. Diotime dut bientôt s'avouer que l'impression qu'elle réussissait à produire, dans une conversation de vingt minutes, sur un homme dont les relations étaient véritablement internationales, dissipait radicalement tous les doutes dont son propre mari offensait son importance ; il est vrai que celui-ci était empêtré dans des méthodes diplomatiques légèrement démodées.

Elle se répétait leur conversation avec un doux agrément. Celle-ci avait à peine commencé qu'Arnheim déclarait n'être venu voir cette vieille cité que pour trouver dans le charme baroque de la vieille culture autrichienne un antidote aux calculs, au matérialisme, à l'aride rationalisme qui sont aujourd'hui le lot du créateur civilisé.

Il y avait dans cette ville une telle présence d'âme, et si sereine, avait répliqué Diotime, non sans satisfaction.

« Oui, avait-il dit, nous n'avons plus de voix intérieures ; nous savons trop de choses, l'entendement tyrannise notre vie. »

Elle avait alors répondu : « J'aime à fréquenter les femmes ; parce qu'elles ne savent rien, parce qu'elles sont intégrales. » Et Arnheim avait dit : « Néanmoins, une belle femme a beaucoup plus de compréhension qu'un homme : en dépit de la logique et de la psychologie, l'homme ignore tout de la vie ! » Elle lui avait alors raconté qu'un problème tout semblable à cette « décivilisation » de l'âme, mais porté aux dimensions de l'État, préoccupait ici les cercles influents ; « on devrait... » avait-elle commencé, et Arnheim l'interrompit pour dire que c'était merveilleux, « on devrait introduire des idées neuves ou tout au moins, pour commencer, s'il est permis de s'exprimer ainsi (il eut un léger soupir), des idées tout court dans les sphères de la puissance... » Et Diotime avait poursuivi : On voulait créer des comités dans tous les cercles de la population pour découvrir ces idées. Arnheim avait dit alors quelque chose d'extraordinairement important, et l'avait dit sur un tel ton de chaleur et d'affectueuse estime que l'avertissement s'était gravé dans l'esprit de Diotime : De cette manière, s'était-il écrié, il serait malaisé d'obtenir de grands résultats ; ce n'était pas une démocratie de comités, mais une poignée d'hommes forts, ayant autant d'expérience dans la réalité que dans le domaine des idées, qui pourrait diriger l'Action !...

Diotime, jusque-là, s'était répété le dialogue mot pour mot ; mais en ce point, il se défit dans sa propre splendeur ; elle ne put se rappeler ce qu'elle avait répondu. Un sentiment indéfini, ardent, de bonheur et d'attente n'avait cessé de l'emporter toujours plus haut ; maintenant, son esprit ressemblait à un petit ballon d'enfant multicolore qu'on a lâché, et qui plane, éblouissant, en s'élevant vers le soleil. L'instant d'après, il éclatait.

Ainsi naquit à l'Action parallèle une idée qui jusqu'alors lui avait fait défaut.

27. *Nature et substance d'une grande idée.*

Il serait facile de dire en quoi cette idée consistait, mais personne ne pourrait embrasser sa signification ! En effet, ce qui distingue une grande et bouleversante idée d'une idée ordinaire, peut-être même incompréhensiblement ordinaire et absurde, c'est qu'elle se trouve dans une sorte d'état de fusion grâce auquel le Moi pénètre dans des étendues infinies tandis que, réciproquement, les étendues du monde entrent dans le Moi, si bien qu'il devient impossible de distinguer ce qui vous appartient de ce qui appartient à l'Infini. C'est pourquoi les grandes et bouleversantes idées se composent d'un corps comme celui de l'homme, compact, mais caduc, et d'une âme éternelle qui leur donne leur signification mais est tout, sauf compacte ; chaque fois qu'on essaie de la saisir en termes précis, elle se dissout dans le néant.

Ce préambule terminé, il faut dire que la grande idée de Diotime n'était autre que de mettre le Prussien Arnheim à la tête de l'Action autrichienne, malgré la botte jalouse que celle-ci poussait contre l'Allemagne prussienne. Mais ce n'est là que le corps mort de l'idée, et le déclarer incompréhensible ou ridicule serait insulter un cadavre. Pour l'âme de cette idée, en revanche, on se doit de dire qu'elle était chaste et licite ; à tout hasard, d'ailleurs, Diotime avait ajouté à son décret une sorte d'article additionnel à l'intention d'Ulrich. Elle ne savait pas que son cousin aussi avait fait impression sur elle (mais c'était sur un plan beaucoup plus profond qu'Arnheim, et l'influence de celui-ci l'avait recouvert), et sans doute se serait-elle méprisée si elle en avait eu conscience ; mais elle avait fait instinctivement une contre-manœuvre en le déclarant devant le tribunal de sa conscience « dépourvu de maturité », bien qu'Ulrich fût plus âgé qu'elle. Elle s'était proposé de le prendre en pitié, et put ainsi se convaincre plus aisément de la nécessité de choisir Arnheim plutôt que lui pour diriger une action aussi importante ; d'un autre côté, quand cette résolution fut prise, et comme elle était femme, elle songea que l'évincé avait désormais besoin de son aide, et d'ailleurs en était digne. Si quelque chose lui manquait, il ne trouverait pas de meilleure occasion de l'acquérir qu'en collaborant à la grande Action qui lui donnerait la possibilité d'être souvent près d'elle, et près d'Arnheim. C'est ainsi que Diotime prit cette seconde résolution ; mais ce n'étaient là, il faut le dire, que des considérations accessoires.

28. *Un chapitre que peut sauter quiconque n'a pas d'opinion personnelle sur le maniement des pensées.*

Pendant ce temps, Ulrich, assis à son bureau, travaillait. Il avait repris la recherche interrompue quelques semaines auparavant, lorsqu'il s'était décidé à rentrer ; il n'avait pas l'intention de la mener à bonne fin, mais se réjouissait simplement de s'en savoir toujours capable. Le temps était beau, mais Ulrich n'avait quitté la maison, les derniers jours, que pour de brèves courses, il ne descendait même pas au jardin, il avait tiré les rideaux et travaillait dans une lumière amortie, comme un acrobate qui, dans un cirque à moitié obscur, avant que les spectateurs ne soient admis, présente de nouveaux et périlleux exercices à un parterre de connaisseurs. La précision, la force, la sûreté de ces pensées, qui n'a pas d'équivalent dans la vie, l'envahissait d'un sentiment presque mélancolique.

Il repoussa le feuillet couvert de signes et de formules sur lequel il venait de noter une équation d'état de l'eau, exemple de physique qui lui permettait d'appliquer le nouveau processus mathématique qu'il décrivait ; mais sans doute y avait-il un moment déjà que ses pensées étaient ailleurs.

« N'ai-je pas raconté à Clarisse quelque chose sur l'eau ? » se demanda-t-il, sans réussir à préciser son souvenir. Cela aussi était sans importance, et il laissa ses pensées se déployer indolemment.

Il n'est malheureusement rien d'aussi difficile à rendre, dans toutes les belles-lettres, qu'un homme qui pense. Un grand découvreur à qui l'on demandait comment il s'y prenait pour avoir tant d'idées neuves répondit : en ne cessant d'y penser. On peut bien dire, en effet, que les idées inattendues ne se présentent à nous que parce que nous les attendons. Elles sont, pour une bonne part, l'heureux produit d'un caractère, d'inclinations durables, d'une ambition tenace et d'une inlassable activité. Comment une telle persévérance ne serait-elle pas ennuyeuse ! D'un autre point de vue, la solution d'un problème intellectuel, c'est un peu comme quand un chien tenant un bâton dans sa gueule essaie de passer par une étroite ouverture ; il tourne la tête de droite et de gauche jusqu'à ce qu'enfin le bâton glisse au travers ; nous agissons exactement de même, avec la seule différence que nous n'allons pas tout à fait au hasard, mais que nous savons plus ou moins, par habitude, comment nous y prendre. Et s'il est naturel qu'une tête pleine ait plus d'habileté et d'expérience à se mouvoir ainsi qu'une tête vide, le glissement au travers de la porte ne lui en paraît pas moins surprenant ; on y est tout d'un coup, et l'on peut percevoir très distinctement en soi une légère stupeur en constatant que les pensées, loin d'attendre leur auteur, se sont bel et bien faites toutes seules. Ce sentiment de stupeur légère, beaucoup de gens, de nos jours, l'ont baptisé « intuition », après l'avoir appelé « inspiration », et croient y voir quelque chose de supra-personnel, alors que c'est simplement quelque chose d'impersonnel, à savoir l'affinité et l'homogénéité des choses mêmes qui se rencontrent dans un cerveau.

Meilleur est ce cerveau, moins visibles sont ses actes. C'est pourquoi l'acte de penser, tant qu'il se prolonge, est un état proprement lamentable, une sorte de colique de toutes les circonvolutions du cerveau ; mais lorsqu'il est achevé, il a déjà perdu la forme du penser, sous laquelle il est vécu, pour prendre celle de la chose pensée ; et cette forme est, hélas, impersonnelle, car la pensée est alors tournée vers l'extérieur et destinée à la communication. Il est pour ainsi dire impossible, lorsqu'un homme pense, d'attraper le moment où il passe du personnel à l'impersonnel, et c'est évidemment pourquoi les penseurs donnent aux écrivains de tels soucis que ceux-ci préfèrent éviter ce genre de personnages.

Quoi qu'il en soit, l'Homme sans qualités continuait à réfléchir. De ce qui précède, concluons que cela n'était pas, du moins pour une part, une affaire personnelle. Mais qu'est-ce donc, en fin de compte ? Le monde qui entre et qui sort, des aspects du monde qui se recomposent dans une tête. Absolument rien d'important n'était venu à l'esprit d'Ulrich ; après que son exemple l'eut amené à s'occuper de l'eau, il avait pensé simplement que l'eau était un élément trois fois plus vaste que la terre, même à ne considérer strictement que ce que tout un chacun reconnaît sous ce nom, c'est-à-dire les fleuves, les mers, les lacs et les sources. On a pensé longtemps qu'elle était apparentée à l'air. Le grand Newton l'a cru, et néanmoins, la plupart de ses autres idées sont restées actuelles. Pour les Grecs, le monde et la vie étaient nés de l'eau. C'était un dieu, Okéanos. Plus tard, on inventa les nixes, les elfes, les ondines, les nymphes. On a fondé des temples, des oracles sur ses bords. Mais les cathédrales d'Hildesheim, de Paderborn, de Brême, qui ont été bâties sur des sources, ne sont-elles pas encore debout ? Ne baptise-t-on pas toujours avec de l'eau ? N'y a-t-il pas des Amis de l'eau, des apôtres du naturisme dont l'âme témoigne d'une sorte de sépulcrale santé ? Ainsi, il y avait dans le monde un lieu pareil à un point effacé, à de l'herbe foulée. Et, bien entendu, l'Homme sans qualités hébergeait aussi, dans un coin de sa conscience, qu'il y pensât précisément ou non, les données de la science moderne. Là, l'eau n'est plus qu'un liquide inodore, insipide et incolore (sauf aux grandes profondeurs où elle devient bleue), ainsi qu'on l'a ânonné à l'école, et tant de fois qu'on ne pourra jamais plus l'oublier, bien qu'elle contienne, du point de vue physiologique, des bactéries, des substances végétales, de l'air, du fer, du sulfate et du bicarbonate de calcium, et que l'archétype de tous les liquides ne soit pas, pour les physiciens, uniquement un liquide, mais, selon les cas, un solide, un liquide ou un gaz. Le tout finit par se résoudre en systèmes de formules hiérarchisées, et il n'y a guère dans le vaste monde qu'une douzaine d'hommes pour penser la même chose d'un objet aussi simple que l'eau ; tous les autres emploient pour en parler des langages qui se situent entre aujourd'hui et des milliers d'années en arrière. Il faut donc avouer qu'un homme qui réfléchit a vite fait de tomber dans ce qu'on pourrait appeler une société fort tumultueuse !

A ce moment, Ulrich se souvint aussi qu'il avait effectivement raconté tout cela à Clarisse ; elle était inculte comme un petit animal, mais malgré les superstitions dont elle était pétrie, on ressentait avec elle une espèce d'entente imprécise. Cela le piqua comme une aiguille brûlante.

Il s'irrita.

On sait que les médecins ont découvert aux pensées la faculté de résoudre et de distraire les conflits qui pullulent et s'emmêlent maladivement dans les régions sourdes du moi ; cette faculté ne repose probablement sur rien d'autre que sur la nature sociale et extérieure des pensées, qui tendent à relier l'individu aux autres hommes et aux choses ; malheureusement ce qui leur donne ce salubre pouvoir semble être aussi ce qui diminue leur qualité d'événement personnel. La mention incidente d'un poil sur le nez prend plus de poids que la plus grave pensée ; à force de se répéter, des actions, des sentiments, des sensations donnent l'impression que l'on a assisté à un incident, à un événement personnel plus ou moins considérable, quand bien même ces actions, ces sentiments et ces sensations seraient fort ordinaires et parfaitement impersonnels.

« Stupide, mais vrai », pensa Ulrich. Cela rappelait cette impression bêtement profonde, excitante, touchant directement au moi, que l'on ressent quand on respire sa propre peau. Il se leva et écarta les rideaux de la fenêtre.

Les arbres avaient gardé sur leur écorce l'humidité du matin. Dehors, dans la rue, une vapeur d'essence traînait, couleur de violette. Le soleil entrait dans la chambre, les gens avaient des gestes vifs. C'était un printemps d'asphalte, un jour de printemps hors de saison, en plein automne, tel que les villes savent en faire naître par magie.

29. *Explication et interruption d'un état de conscience normal.*

Ulrich était convenu avec Bonadea d'un signe pour qu'elle sût s'il était seul chez lui. Il était toujours seul, mais le signe était invisible. Il y avait longtemps déjà qu'il s'attendait à voir entrer Bonadea sous sa voilette, à l'improviste. Car Bonadea était démesurément jalouse. Et quand elle allait voir un homme (ne fût-ce que pour lui dire qu'elle le méprisait), elle arrivait toujours intimement affaiblie, parce que les impressions du trajet et les regards des hommes qu'elle avait rencontrés oscillaient en elle comme un début de mal de mer. Mais quand l'homme le devinait et cinglait droit sur elle, bien qu'il eût pu rester si longtemps insoucieux d'elle dans une quasi-indifférence, elle se sentait blessée, le querellait, ajournant par ses remarques critiques ce qu'elle-même ne pouvait presque plus attendre. Elle ressemblait à un canard auquel on a tiré dans les ailes, et qui, tombé dans la mer de l'amour, espère s'en tirer en nageant.

Puis, tout d'un coup, Bonadea fut vraiment assise là, pleurant et se sentant frustrée.

Dans les moments où elle en voulait à son amant, elle demandait passionnément pardon de ses fautes à son mari. Selon cette bonne vieille règle dont usent les femmes infidèles pour ne pas se trahir par une parole irréfléchie, elle lui avait parlé de cet intéressant savant qu'elle rencontrait parfois dans la famille d'une amie, mais n'invitait pas, parce que la société l'avait trop gâté pour qu'il voulût venir chez eux et qu'elle-même ne se souciait pas assez de lui pour l'y inviter néanmoins. La moitié de vérité qu'il y avait dans ces paroles lui facilitait son mensonge, et pour l'autre moitié, elle la reprochait à son amant. – Que penserait son mari, demandait-elle, si elle se mettait tout à coup à espacer ses prétendues visites à son amie ? Comment lui ferait-elle comprendre de telles fluctuations dans ses sympathies ? Elle avait le respect de la vérité parce qu'elle avait le respect de tous les idéaux, et Ulrich la déshonorait en l'obligeant à s'en écarter plus qu'il n'était nécessaire !

Elle lui fit une terrible scène ; lorsqu'elle l'eut terminée, dans le vacuum qui s'ensuivit, reproches, protestations et baisers se ruèrent. Quand eux aussi furent terminés, rien ne s'était produit ; une régurgitation de fadaises vint remplir le vide, et le temps fit des bulles comme un verre d'eau éventée.

« Comme l'indignation l'embellit ! réfléchit Ulrich, et comme tout, une fois de plus, fut mécanique ! » Sa vue l'avait ému et induit à quelques caresses ; maintenant que la chose était passée, il sentait à nouveau combien elle le concernait peu. L'incroyable rapidité de ces altérations qui transforment un homme sain en un fou écumant ressortait avec évidence. Il lui semblait que cette métamorphose de la conscience par l'amour n'était qu'un cas particulier de quelque phénomène beaucoup plus général ; une soirée au théâtre, un concert, un service divin, toutes les extériorisations de l'être intérieur produisent aujourd'hui l'apparition et la disparition rapide d'un second état de conscience inséré temporairement comme un flot dans notre état normal.

« A l'instant, je travaillais encore, se dit-il ; avant j'étais dans la rue et j'ai acheté du papier. J'ai salué quelqu'un de la Société de Physique. J'ai eu il y a quelque temps avec lui une discussion sérieuse. A cette heure, si Bonadea voulait seulement se dépêcher un peu, je pourrais feuilleter un moment les livres que j'aperçois par l'entrebâillement de la porte. Mais, entre-temps, nous avons volé à travers un nuage de démence, et il n'est pas moins inquiétant de voir comment les événements sordides se referment maintenant sur ce trou évanoui, et réaffirment leur ténacité. »

Mais Bonadea ne se pressait pas, et Ulrich dut penser à autre chose. Son ami d'enfance Walter, devenu le bizarre époux de la petite Clarisse, avait dit une fois à son propos : « Ulrich met toute son énergie à ne faire jamais que ce qui ne lui paraît pas nécessaire ! » Cette phrase lui revenait en cet instant précis. « On pourrait le dire aujourd'hui de nous tous », pensa-t-il. Il se rappelait fort bien : un balcon de bois courait autour de la maison d'été. Ulrich était l'hôte des parents de Clarisse ; c'était peu de jours avant le mariage, et Walter était jaloux de lui. Walter pouvait être merveilleusement jaloux. Ulrich était debout dehors, en plein soleil, lorsque Clarisse et Walter pénétrèrent dans la chambre qui donnait sur le balcon. Il les avait écoutés sans se cacher. D'ailleurs, il ne se souvenait plus aujourd'hui que de cette unique phrase. Et du tableau : l'ombre profonde de la chambre suspendue comme une bourse plissée, à peine ouverte, sur l'ensoleillement éblouissant du mur extérieur. Dans les plis de cette bourse apparurent Walter et Clarisse ; le visage de Walter était douloureusement tiré en longueur ;

on aurait dit qu'il avait de longues dents jaunes. On pourrait dire aussi qu'il y avait dans un coffret tendu de velours noir une paire de longues dents jaunes, et ces deux êtres étaient debout à côté comme des esprits. Bien entendu, cette jalousie était absurde ; Ulrich n'avait aucun goût pour les femmes de ses amis. Mais Walter avait toujours eu une capacité toute particulière de vivre intensément les choses. Il n'obtenait jamais ce qu'il voulait parce qu'il était trop émotif. Il semblait porter en lui, pour son petit bonheur et son petit malheur, un très mélodieux amplificateur. Il émettait toujours de la petite monnaie de sentiment, mais c'était de l'or et de l'argent, alors qu'Ulrich opérait plus en grand, avec des sortes de chèques intellectuels, sur lesquels étaient écrits d'immenses chiffres ; mais ce n'était jamais en fin de compte que du papier. Quand Ulrich voulait imaginer le Walter le plus caractéristique, il le voyait couché à l'orée d'une forêt. Walter portait alors des pantalons courts et, chose remarquable, des chaussettes noires. Il n'avait pas des jambes d'homme, ni les fortes musclées, ni les maigres osseuses, mais des jambes de jeune fille ; d'une jeune fille pas trop belle, avec de douces jambes pas belles. Les mains sous la nuque, il regardait le paysage, et le ciel au-dessus de lui savait qu'on le dérangeait. Ulrich ne se souvenait pas d'avoir jamais vu ce Walter-là dans des circonstances assez précises pour que cette image se gravât dans sa mémoire ; cette image s'était plutôt dessinée en relief, comme un sceau symbolique, une quinzaine d'années après. Se rappeler que Walter, alors, avait été jaloux de lui, provoquait en Ulrich une très agréable excitation. Mais cela s'était produit en un temps où, précisément, l'on éprouvait encore de la joie à être soi. Ulrich se dit : « Je suis allé quelquefois chez eux sans que Walter m'ait jamais rendu mes visites. Je pourrais néanmoins y retourner ce soir : à quoi bon me faire du souci ? »

Il se proposa de leur envoyer un message dès que Bonadea aurait fini de s'habiller ; il valait mieux ne pas le faire en sa présence, à cause de l'ennuyeux interrogatoire qui s'ensuivrait forcément.

Comme les pensées sont rapides et que Bonadea était loin d'être prête, d'autres idées vinrent à l'esprit d'Ulrich. Ce fut cette fois une petite théorie ; elle était simple, plausible, et lui aida à passer le temps. « Un homme jeune, lorsque son esprit est sensible (se dit Ulrich en pensant probablement de nouveau à son ami d'enfance Walter), ne cesse d'émettre des idées dans toutes les directions. Mais celles-là seules qui éveillent une résonance dans son entourage lui renvoient leurs rayons et se condensent, alors que tous ses autres messages se dispersent et se perdent dans l'espace ! » Ulrich admit volontiers qu'un homme qui a de l'esprit possède toutes les espèces d'esprit, de sorte que l'esprit préexisterait aux qualités ; lui-même était un homme pétri de contradictions et il s'imaginait que toutes les qualités que l'humanité a jamais extériorisées reposent, assez près les unes des autres, dans l'esprit de chaque homme, à condition naturellement qu'il en ait un. Il se peut que cela ne soit pas tout à fait exact, mais ce que nous savons de la naissance du Bien et du Mal s'accorderait au mieux avec le fait que chaque homme, bien qu'il ait sa taille intérieure, peut remplir, dans les limites de cette taille, les vêtements les plus divers que le destin lui présente. Aussi les pensées qu'Ulrich venait d'avoir ne lui parurent-elles pas tout à fait insignifiantes. Car si, dans le cours des temps, les idées ordinaires et impersonnelles se renforcent toujours d'elles-mêmes, alors que les idées extraordinaires se perdent, de sorte que presque toutes les idées, en fin de compte, avec la régularité fatale d'un processus mécanique, deviennent toujours plus médiocres, cela explique le fait que malgré les milliers de possibilités différentes que nous aurions devant nous, l'homme ordinaire soit si ordinaire ! Cela explique aussi qu'il y ait chez les hommes privilégiés qui réussissent à percer et à s'imposer un certain dosage, environ 51 % de profondeur et 49 % de platitude, qui assure le meilleur succès ; depuis longtemps, cela paraissait à Ulrich si complexement absurde, si insupportablement triste, qu'il aurait volontiers continué d'y réfléchir.

Il en fut empêché parce que Bonadea ne donnait toujours pas le moindre signe qu'elle fût prête ; épiant prudemment par l'ouverture de la porte, il vit qu'elle avait cessé de se rhabiller. Elle jugeait que toute distraction était une grossièreté quand il s'agissait des dernières gouttes d'un savoureux tête-à-tête, blessée par le silence d'Ulrich, elle attendait de voir ce qu'il allait faire. Elle avait pris un livre, et la chance voulut que ce fût une Histoire de l'art avec de belles reproductions.

Ulrich, lorsqu'il reprit ses considérations, se sentit irrité par cette attente, et une vague impatience le gagna.

30. *Ulrich entend des voix.*

Tout à coup, ses pensées se contractèrent ; comme s'il regardait par une fente brusquement formée entre elles, il vit Christian Moosbrugger, le charpentier, et ses juges.

Le juge parlait, et c'était atrocement ridicule pour un homme qui ne pense pas ainsi : « Pourquoi avez-vous essuyé vos mains sanglantes ? Pourquoi avez-vous jeté votre couteau ? Pourquoi avez-vous mis, après le crime, des vêtements et du linge propre ? Parce que c'était dimanche, et non parce qu'ils étaient couverts de sang ? Pourquoi êtes-vous allé le soir même au bal ? Votre acte ne vous en a donc pas empêché ? Avez-vous jamais éprouvé le moindre remords ? »

Quelque chose en Moosbrugger vacille : vieille expérience des prisons, il faut affecter des remords. Ce vacillement tord la bouche de Moosbrugger, et il dit : « Sans doute ! »

Le juge enclenche aussitôt : « Vous avez dit cependant au commissariat : je n'éprouve aucun remords, rien qu'un paroxysme de haine et de fureur !

– Il se peut, dit Moosbrugger, reprenant son assiette et sa distinction. Il se peut qu'alors je n'aie pas éprouvé d'autres sentiments.

– Vous êtes un homme grand et fort, interrompt l'avocat général, comment pouviez-vous avoir peur de l'Hedwige ?

– Monsieur le Conseiller, répond Moosbrugger en souriant, elle se faisait cajoleuse. Je me la figurais plus cruelle encore que je ne juge d'ordinaire ces femmes-là. Sans doute ai-je l'air robuste, et je le suis...

– Eh bien... grogna le Président, feuilletant le dossier.

– Mais dans certaines situations, dit Moosbrugger d'une voix forte, je suis timoré et même lâche. »

Les yeux du Président jaillissent hors du dossier ; comme deux oiseaux une branche, ils abandonnent la phrase où ils étaient posés. « Le jour où vous vous êtes disputé avec vos collègues sur l'échafaudage, vous ne vous êtes pas montré si lâche ! dit le Président. Vous en avez jeté un deux étages plus bas, et pour les autres, avec votre couteau...

– Monsieur le Président, s'écrie Moosbrugger d'une voix dangereuse, mon point de vue n'a pas changé depuis... »

Le Président lui fait signe de se taire.

« C'est injuste, dit Moosbrugger, cela doit servir de fondement à ma brutalité. J'ai affronté le tribunal en homme naïf et j'ai pensé que Messieurs les Juges sauraient tout. Mais l'on m'a déçu ! »

Il y a longtemps que le visage du juge est de nouveau enfoui dans le dossier.

L'avocat général sourit et dit aimablement : « Pourtant, l'Hedwige était une fille tout à fait inoffensive...

– A moi, elle ne faisait pas cet effet ! rétorque Moosbrugger, toujours irrité.

– Et il me semble, à moi, conclut avec force le Président, que vous savez toujours rejeter la faute sur les autres !

– Pourquoi donc l'avez-vous attaquée à coups de couteau ? » dit aimablement l'avocat général, reprenant tout dès le début.

31. *A qui donnes-tu raison ?*

Était-ce un fragment du procès auquel Ulrich avait assisté, ou les reportages qu'il avait lus ? Son souvenir était si vif qu'il croyait entendre cette voix. De sa vie, il n'avait encore « entendu des voix » : bon Dieu ! ce n'était pas son genre. Mais quand on les entend, cela descend sur vous un peu comme la douceur d'une chute de neige. Tout à coup des murs sont là, de la terre jusqu'au ciel ; là où auparavant il y avait de l'air, on marche à travers d'épaisses murailles molles, et toutes les voix qui sautillaient d'un lieu à l'autre dans la cage de l'air s'en vont maintenant librement dans ces parois blanches, profondément soudées les unes aux autres.

Sans doute était-il surexcité par le travail et l'ennui : c'est dans ces moments-là que ces choses vous arrivent ; mais ce n'était pas si mal, somme toute, d'entendre des voix. Il dit tout à coup à mi-voix : « Chacun de nous possède une seconde patrie, où tout ce qu'il fait est innocent. »

Bonadea nouait un lacet. Elle était en effet entrée dans sa chambre. La conversation lui déplaisait, elle la trouvait indélicate ; elle avait oublié depuis longtemps le nom de cet assassin dont les journaux avaient tant parlé, et sa mémoire ne s'en approcha qu'avec répugnance quand Ulrich commença d'en parler.

« Si Moosbrugger, dit-il au bout d'un moment, peut donner cette inquiétante impression d'innocence, combien plus cette pauvre personne déshéritée, glacée, avec ses yeux de souris sous le mouchoir de tête, cette Hedwige qui le suppliait de la prendre dans sa chambre et qu'il a tuée pour cela ?

– Laisse donc ! » dit Bonadea en haussant ses blanches épaules. En effet, pour donner à la conversation cette tournure, Ulrich avait malignement choisi le moment où les vêtements à demi relevés de son amie offensée et assoiffée de réconciliation, après qu'elle était entrée dans sa chambre, formaient de nouveau sur le tapis ce petit cratère d'écume, délicieusement mythologique, d'où surgit Aphrodite. C'est pourquoi Bonadea était prête à abhorrer Moosbrugger et à n'accorder à son sacrifice qu'un fugitif frisson. Ulrich ne le permit pas et lui dépeignit avec force le destin qui attendait Moosbrugger. « Deux hommes lui mettront la corde au cou sans pour autant éprouver contre lui la moindre haine, simplement parce qu'ils sont payés pour le faire. Une centaine de personnes assisteront peut-être, en partie parce que leur fonction l'exige, en partie parce que tout le monde aimerait bien assister une fois dans sa vie à une exécution. Un monsieur solennel en haut-de-forme, frac et gants noirs tire la corde, et au même moment ses deux aides se suspendent aux jambes de Moosbrugger pour que la nuque se brise. Alors, le monsieur aux gants noirs pose sa main sur le cœur de Moosbrugger et observe avec la mine attentive d'un médecin s'il vit encore ; car s'il vit encore, toute la scène doit être rejouée une seconde fois, avec plus d'impatience et moins de solennité. Eh bien ! es-tu pour Moosbrugger, ou contre lui ? » demanda Ulrich.

Lentement et douloureusement comme quelqu'un qu'on réveille au mauvais moment, Bonadea avait perdu la « Stimmung [1] », comme elle aimait à appeler ses crises d'adultère. Il lui fallut s'asseoir, après que ses mains, un moment indécises, eurent retenu ses vêtements qui tombaient et son corsage ouvert. Comme toutes les femmes en de telles circonstances, elle était sûre qu'il existait un ordre public assez juste pour qu'on pût, sans y songer davantage, vaquer à ses propres affaires ; maintenant qu'on l'avertissait du contraire, la pitié pour la victime lui fit rapidement prendre parti pour Moosbrugger, mais en excluant toute pensée pour Moosbrugger le coupable.

« Ainsi, affirma Ulrich, tu es toujours pour la victime, contre l'acte. »

Bonadea exprima le sentiment bien compréhensible qu'une conversation pareille, dans une telle situation, était déplacée.

« Mais si ton jugement s'élève si formellement contre l'acte, répondit Ulrich au lieu de s'excuser aussitôt, comment justifieras-tu tes adultères, Bonadea ? »

Le pluriel, surtout, était indélicat ! Bonadea se tut, s'assit l'air dédaigneux dans un confortable fauteuil, et se mit à regarder fixement, d'un air offensé, l'intersection de la paroi et du plafond.

1. *Stimmung*, humeur, bonne disposition. Le mot n'a pas d'équivalent exact en français. *N. d. T.*

32. *Ulrich avait oublié la très importante histoire de la femme du major.*

Il n'est pas indiqué de se sentir des affinités avec un détraqué notoire, et Ulrich, d'ailleurs, n'y songeait pas. Mais pourquoi tel spécialiste déclarait-il que Moosbrugger était un détraqué, et tel autre qu'il n'en était pas un ? Où les reporters avaient-ils pris l'alerte pertinence avec laquelle ils décrivaient le travail de son couteau ? Quelles qualités permettaient donc à Moosbrugger de provoquer cette excitation frémissante qui, pour la moitié des deux millions d'habitants de cette ville, prenait autant d'importance qu'une querelle de famille ou des fiançailles rompues, provoquait une émotion extraordinairement personnelle, envahissait des espaces de l'âme habituellement endormis, alors que son cas ne représentait, dans les villes de province, qu'une nouvelle entre beaucoup, et à Berlin ou à Breslau, où l'on avait de temps en temps ses propres Moosbrugger, ses Moosbrugger de famille, strictement plus rien ? La férocité avec laquelle la société joue avec ses victimes préoccupait Ulrich. Il retrouvait ce jeu en lui. Nul désir ne le travaillait, ni de sauver Moosbrugger, ni de voler au secours de la justice ; ses sentiments se hérissaient comme le pelage d'un chat. Par quelque chose de mystérieux, Moosbrugger le touchait plus profondément que la vie qu'il menait ; il le bouleversait comme un sombre poème dans lequel toutes choses sont légèrement défigurées et désajustées, et dont le sens apparaît flottant en morceaux dans les profondeurs du cœur.

Ulrich se reprocha de sombrer dans la littérature noire. Admirer l'horrible et l'illicite sous la forme licite des rêves et des névroses lui paraissait bien digne des citoyens d'un âge bourgeois. « Ou bien... ou bien, pensa-t-il. Ou bien tu me plais, ou bien tu ne me plais pas ! Ou bien je te défends jusque dans ta monstruosité, ou bien je mérite un soufflet pour oser jouer avec elle ! » En fin de compte, même de froids mais énergiques regrets eussent aussi bien fait l'affaire ; de nos jours déjà, sans plus attendre, on pourrait faire beaucoup pour empêcher que de tels incidents se produisent, que de telles créatures existent, si la société voulait bien faire elle-même ne serait-ce que la moitié des efforts moraux qu'elle exige de ses victimes. Il apparut alors que l'on pouvait aussi considérer l'affaire sous un tout autre aspect, et Ulrich retrouva de singuliers souvenirs.

Jamais notre jugement sur un acte n'est un jugement sur cet aspect de l'acte que Dieu récompense ou châtie ; chose curieuse, c'est Luther qui a dit cela. Probablement sous l'influence de l'un de ces mystiques avec lesquels il fut un certain temps lié. Sans doute, bien d'autres croyants auraient-ils pu le dire. Ils étaient tous, au sens bourgeois, des immoralistes. Ils faisaient une distinction entre les péchés et l'âme qui, en dépit de tous les péchés, peut rester sans tache, à peu près comme Machiavel distingue entre la fin et les moyens. « Le cœur humain » leur était « dérobé ». « Il y avait également en Christ un homme extérieur et un homme intérieur. Tout ce qu'Il fit en relation avec les choses extérieures, Il le fit à partir de l'homme extérieur, et l'homme intérieur, cependant, demeurait dans un isolement immobile », dit Eckhart. De tels saints, de tels croyants n'eussent-ils pas été finalement capables d'acquitter Moosbrugger lui-même ? Sans doute l'humanité a-t-elle progressé depuis lors ; mais elle aura beau tuer Moosbrugger, elle n'en aura pas moins la faiblesse de vénérer les hommes qui l'auraient, qui sait ? acquitté.

C'est alors qu'une phrase revint à la mémoire d'Ulrich, précédée d'une vague de malaise. Cette phrase était la suivante : « L'âme du Sodomite pourrait s'avancer à travers la foule sans rien pressentir, et il y aurait dans ses yeux le transparent sourire d'un enfant ; car toutes choses dépendent d'un principe invisible. » Ce n'était pas très différent des premières phrases, mais répandait, dans sa légère exagération, le faible et douceâtre parfum de la corruption. A ce qu'il apparut, une pièce était inséparable de cette phrase, une chambre avec des brochures françaises à couverture jaune sur les tables et des rideaux faits de bâtonnets de verre à la place des portes, et il éprouva dans la poitrine le même sentiment que lorsqu'une main pénètre dans une carcasse de poulet pour en retirer le cœur ; cette phrase, en effet, c'était Diotime qui l'avait proférée lorsqu'il lui avait rendu visite. De plus, elle était d'un écrivain contemporain qu'Ulrich avait aimé dans sa jeunesse, mais qu'il en était venu ensuite à tenir pour un philosophe de salon ; et des phrases comme celles-là ont aussi mauvais goût que du pain sur lequel on aurait versé du parfum, au point que pour des années on ne veut plus avoir affaire à elles.

Mais, si vive que fût la répulsion éveillée en Ulrich par ce souvenir, il ne lui en parut pas moins honteux, à cet instant, de s'être laissé détourner toute sa vie des autres phrases, des authentiques éléments de cette langue mystérieuse. Car il avait pour elles une compréhension particulière, immédiate, ou mieux encore une familiarité qui lui permettait de sauter par-dessus la compréhension ; sans pourtant qu'il eût jamais pu se résoudre à les confesser sans réserves. Elles étaient (ces phrases qui lui parlaient avec un air fraternel, avec une intériorité tendre et sombre tout opposée au ton autoritaire du langage mathématique et scientifique, sans que l'on pût dire néanmoins en quoi elle consistait), elles étaient comme des îles dans l'immensité de ses occupations, sans rapport les unes avec les autres et rarement visitées ; mais s'il les embrassait du regard, aussi loin qu'il en pouvait voir, il lui semblait alors qu'une cohérence y était sensible, comme si ces îles, pas très distantes les unes des autres, étaient situées en avant d'une côte qui se dissimulait derrière elles, ou représentaient les derniers vestiges d'un continent englouti dans un temps immémorial. Il sentait le tendre de la mer, du brouillard et de basses collines noires dormant dans la lumière gris-jaune. Il se rappelait un petit voyage en mer, une escapade qu'il avait faite sur le modèle des agences de voyage : « Voyagez, changez-vous les idées ! », et il savait exactement quel événement singulier, ridiculement magique, avait pu s'interposer une fois pour toutes, grâce à sa force répulsive, entre lui et les autres expériences analogues. Un instant, le cœur d'un jeune homme de vingt ans battit dans sa poitrine dont la peau velue était devenue avec les années plus épaisse et plus rude. Le battement d'un cœur de vingt ans dans une poitrine de trente-deux ans lui fit l'effet d'un baiser pervers donné par un jeune homme à un homme mûr. Néanmoins, cette fois, il ne se déroba point au souvenir. C'était celui d'une passion qui avait bizarrement fini, une passion qu'il avait éprouvée à vingt ans pour une femme qui, par les années et plus encore par la perfection de son évolution domestique, était considérablement plus âgée que lui.

Chose caractéristique, il ne la revoyait que vaguement dans sa mémoire ; une maladroite photographie et le souvenir des heures où il était seul et pensait à elle prirent la place des souvenirs immédiats qu'il aurait pu garder du visage, des vêtements, des mouvements et de la voix de cette femme. Son monde, entre-temps, lui était devenu si étranger que le seul énoncé du fait qu'elle était la femme d'un major lui paraissait comiquement incroyable. « Sans doute est-elle aujourd'hui depuis longtemps Madame la Colonelle en retraite », songea-t-il. On racontait au régiment qu'elle était une artiste accomplie, une pianiste virtuose qui néanmoins, pour obéir au vœu de sa famille, n'avait jamais fait un usage public de ses dons, et en avait été définitivement empêchée par son mariage. On put constater aux fêtes du régiment qu'elle jouait en effet fort bien, avec le rayonnement d'un soleil bien doré flottant sur les abîmes du cœur, et dès le début, Ulrich s'était moins épris de la présence sensuelle de cette femme que de son idée. Le lieutenant qui portait alors son nom n'était pas timide ; son regard s'était déjà exercé sur du menu fretin, et avait même guetté chez plus d'une femme respectable le sentier de braconnier, d'ailleurs vite battu, par lequel on pouvait l'atteindre. Mais le « grand amour », pour ces officiers de vingt ans, et supposé qu'ils en eussent le désir, c'était tout autre chose, c'était une idée ; il était hors de la portée de leurs entreprises, aussi pauvre de contenu vécu, c'est-à-dire aussi éblouissant et vide que seules peuvent l'être les toutes grandes idées. Et lorsque Ulrich, pour la première fois de sa vie, sentit en lui la possibilité de mettre cette idée en pratique, il était fatal que la chose se produisît ; il n'échut à la majoresse d'autre rôle que d'être l'ultime agent qui détermine une maladie à se déclarer. Ulrich fut malade d'amour. Comme une authentique maladie d'amour n'est pas un désir de possession, mais une façon qu'a le monde de se dévoiler doucement, ce pour quoi l'on renonce volontiers à la possession de la bien-aimée, le lieutenant se mit à expliquer le monde à la majoresse avec une persévérance et une originalité qu'elle n'eût jamais imaginées. Les constellations, les bactéries, Balzac et Nietzsche tournoyaient dans une trombe de pensées dont elle sentait avec une évidence croissante la pointe dirigée contre certaines distinctions alors cachées par la décence et qui séparaient son corps de celui du lieutenant. Elle fut troublée par cette persuasive association de l'amour avec des problèmes qui, à ses yeux, n'avaient jamais rien eu à faire jusqu'alors avec ce sentiment ; lors d'une promenade à cheval, comme ils marchaient à côté de leurs montures, elle abandonna un instant sa main à Ulrich et fut effrayée de constater que cette main restait comme évanouie dans la sienne. La seconde d'après, un feu flamba en elle de ses poignets à ses genoux, un éclair abattit les deux êtres au point qu'ils faillirent s'écrouler sur le bord du chemin où ils se virent enfin assis sur la mousse, s'embrassèrent passionnément et se trouvèrent bientôt embarrassés, parce que leur amour était si grand et si exceptionnel qu'à leur vive surprise ils ne trouvaient pas autre chose à dire ou à faire que ce qu'on dit ou fait dans toutes les autres étreintes. Enfin, les chevaux qui s'impatientaient tirèrent de peine les deux amants.

L'amour de la majoresse et du trop jeune lieutenant fut d'ailleurs, dans toute sa durée, aussi bref, aussi irréel. Ils s'émerveillèrent tous deux, se serrèrent encore quelques fois l'un contre l'autre, ils sentaient tous deux que quelque chose clochait et les empêcherait toujours d'être vraiment corps contre corps dans leurs étreintes, quand bien même ils se déferaient de toutes les entraves du vêtement et de la morale. La majoresse ne voulait pas se refuser à une passion qu'elle se sentait bien incapable de juger, mais des reproches secrets battaient en elle à cause de son mari et de la différence d'âge ; et lorsque Ulrich lui annonça un jour, sous de forts mauvais prétextes, qu'il devait partir pour un long congé, cette femme d'officier eut au milieu des larmes un soupir de soulagement. Alors déjà, Ulrich n'avait plus d'autre désir que de fuir aussi vite que possible, par pur amour, l'origine de son amour. Il voyagea droit devant lui, aveuglément, jusqu'à ce qu'un rivage interrompît la voie ferrée ; il se fit transporter en bateau jusqu'à la première île qu'il aperçut et là, dans un endroit de hasard, tout à fait inconnu, mal logé et mal nourri, il s'installa, et écrivit dès la première nuit la première d'une série de longues lettres à la bien-aimée, qu'il n'envoya jamais.

Ces lettres du silence nocturne, qui jusque dans le jour occupaient ses pensées, il les avait plus tard perdues ; c'était d'ailleurs bien là leur destination. Au commencement, il y avait encore beaucoup parlé de son amour et de toutes les pensées qu'il lui inspirait, mais le paysage de plus en plus en prit la place. Le matin, le soleil éveillait Ulrich et quand les pêcheurs étaient en mer, les femmes et les enfants gardant les maisons, il semblait qu'ils fussent, lui et un âne broutant les buissons et les collines rocheuses qui séparaient les deux petites localités de l'île, les uniques animaux supérieurs qu'il y eût sur cet aventureux avant-poste de la terre. Il imitait son compagnon et montait sur l'une des collines ou s'étendait sur le rivage dans la société de la mer, de la roche et du ciel. Il n'est pas prétentieux de parler ainsi, car les différences de taille s'effaçaient comme s'effaçaient d'ailleurs, dans ce compagnonnage, les différences entre l'esprit, la nature animale et la nature inanimée, comme toute espèce de différence entre les choses se réduisait. Pour garder tout notre sang-froid, disons que ces différences sans doute ne s'effaçaient ni ne se réduisaient, mais que leur signification se détachait d'elles : « on n'était plus soumis à aucune des séparations qui caractérisent l'humanité », exactement comme l'ont décrit autrefois, envahis par l'amour mystique, ces croyants dont le jeune lieutenant de cavalerie ignorait encore jusqu'à l'existence. Il ne réfléchissait d'ailleurs pas à ces phénomènes (comme d'ordinaire, à l'instar des chasseurs sur la piste du gibier, on poursuit ses observations à la trace et réfléchit derrière elles), il ne s'en apercevait peut-être même pas, mais il les absorbait. Il s'abîmait dans le paysage, encore qu'on eût pu tout aussi bien dire qu'il était étrangement porté par lui, et quand le monde franchissait le seuil de ses yeux, le sens du monde, de l'intérieur de lui-même, battait sur ses bords en vagues silencieuses. Il était tombé dans le cœur du monde ; de lui à sa très lointaine bien-aimée, la distance était la même que jusqu'à l'arbre le plus proche ; une sorte d'intériorité unissait les êtres et supprimait l'espace, comme, dans les rêves, deux êtres peuvent se traverser sans se confondre, et cette intimité transformait tous leurs rapports. Mais, pour le reste, cet état n'avait rien de commun avec le rêve. Il était clair et débordait de claires pensées ; simplement, nulle cause, nul but, nul désir physique n'y agissait ; toutes choses s'y éployaient en cercles toujours renouvelés, comme quand un jet d'eau tombe inépuisablement dans une vasque. C'était cela même qu'Ulrich décrivait dans ses lettres, et rien d'autre. Une transformation complète de la vie ; tout ce qui dépendait de cette forme nouvelle, retiré du foyer ordinaire de l'attention, avait perdu la netteté de ses contours ; vu ainsi, tout était plutôt légèrement dispersé et brouillé ; mais il était évident que d'autres foyers restituaient à toutes choses une sûreté et une clarté délicates. Car tous les problèmes et tous les incidents de la vie prenaient une douceur, une tendresse, une paix incomparables, et en même temps un sens entièrement différent de l'ancien. Qu'un scarabée, par exemple, passât sur la main de l'homme méditant, ce n'était pas là une approche, un passage, un éloignement, ce n'était pas un scarabée et un homme, mais un événement qui touchait indescriptiblement le cœur, même pas un événement, bien que cela advînt, mais un état. Grâce à ces silencieuses expériences, tout ce qui fait la vie ordinaire prenait une signification bouleversante, en quelque circonstance que ce fût. Aussi l'amour d'Ulrich pour la majoresse prit-il rapidement, dans cet état, la forme qui lui était prédestinée. Ulrich cherchait parfois à se représenter la femme à laquelle il pensait sans relâche et à s'imaginer ce qu'elle faisait au moment où il pensait à elle, ce à quoi sa connaissance très précise des circonstances de sa vie l'aidait puissamment ; mais aussitôt qu'il y parvenait, aussitôt qu'il avait devant les yeux la bien-aimée, ses sentiments, devenus si infiniment clairvoyants, redevenaient aveugles, et il lui fallait s'efforcer de réduire aussi vite que possible son image à la bienheureuse conscience de la présence-pour-lui-quelque-part d'une grande bien-aimée. Il ne fallut pas longtemps pour qu'elle devînt le centre tout impersonnel d'énergie, la dynamo souterraine de son installation d'éclairage, et il lui écrivit une dernière lettre dans laquelle il lui exposait que le grand idéal d'une vie vouée à l'amour n'avait rien à faire avec la possession et le désir de posséder qui sont du domaine de l'épargne, de l'appropriation et de la gloutonnerie. Ce fut l'unique lettre qu'il envoya, et à peu de choses près le point culminant de sa maladie d'amour, qui s'acheva bientôt après par une brusque rupture.

33. *Rupture avec Bonadea.*

Bonadea cependant, ne pouvant rester éternellement à considérer le plafond, s'était allongée sur le divan ; son tendre ventre maternel, que ne comprimait plus ni corset ni ceinture, respirait dans la blancheur de la batiste : c'était la position qu'elle nommait « réflexion ». L'idée lui vint, tout à coup, que son mari n'était pas seulement juge, mais encore chasseur, et qu'on voyait ses yeux étinceler quand il évoquait la meute traquant le gibier ; il lui parut qu'il en devait résulter quelque événement favorable autant à Moosbrugger qu'à ses juges. D'un autre côté, elle ne souhaitait pas voir son amant donner tort à son mari, sauf dans les choses de l'amour : son sens de la famille exigeait un chef digne, entouré de respect. Aussi n'arrivait-elle pas à se décider. Pendant que ce dilemme, ainsi qu'on voit deux bancs de nuages vaguement se confondre, assombrissait son horizon somnolent, Ulrich pouvait se livrer à ses pensées en toute liberté. Ce silence dura, il faut le dire, assez longtemps, et Bonadea, n'ayant pas trouvé la moindre idée qui pût les en faire sortir, se sentit réenvahir par le chagrin à la pensée qu'Ulrich l'avait offensée avec tant d'indifférence ; le temps qu'il laissait s'écouler sans faire amende honorable devenait d'un poids exaspérant. « Ainsi, tu trouves que j'agis mal en venant te voir ? » Elle avait fini par lui poser cette question, d'une voix lente, en soulignant chaque mot, avec une tristesse qui ne cachait pas sa ferme résolution de lutter.

Ulrich resta silencieux et haussa les épaules ; il y avait un bon moment qu'il ne savait plus de quoi elle parlait, mais il jugea impossible de la supporter en cet instant.

« Tu te sens vraiment capable de me reprocher, à moi, notre passion ?

– A chacune de ces questions, il y a autant de réponses que d'abeilles dans une ruche, répliqua Ulrich. Tout le désordre psychique de l'humanité, avec ses questions toujours sans réponse, s'accroche à chaque question particulière de la plus dégoûtante façon. » Ce qu'il exprimait là, c'était simplement une pensée qu'il avait eue à deux ou trois reprises dans la journée ; mais Bonadea prit pour elle le « désordre psychique », et jugea que c'en était trop. Elle aurait volontiers tiré les rideaux pour effacer cette querelle, mais non moins volontiers hurlé de douleur. Elle crut comprendre tout d'un coup qu'Ulrich en avait assez d'elle. Jusqu'alors, sa nature aidant, elle avait perdu ses amants comme on change un objet de place, comme on le perd de vue ; ou bien, elle s'en était séparée aussi rapidement qu'elle s'était vue unie à eux, ce qui permettait d'entrevoir, quel que fût son dépit, l'intervention de puissances supérieures. Devant la paisible résistance d'Ulrich, son premier sentiment fut d'avoir vieilli. Elle eut honte de sa situation piteuse et obscène, à demi nue sur ce divan, en butte à tous les outrages. Sans plus hésiter, elle se redressa et saisit ses vêtements. Mais le bruissement froufroutant des calices dans lesquels elle se glissait n'induisit pas Ulrich au repentir. Bonadea sentit sur ses yeux le picotement douloureux de l'impuissance. « C'est un rustre, il m'a offensée exprès ! » se redisait-elle. Puis, comme une constatation : « Il ne fait pas un pas ! » Et à chaque cordon qu'elle nouait, à chaque crochet qu'elle fermait, elle s'enfonçait plus avant dans le profond puits noir d'une souffrance depuis longtemps oubliée, celle de l'enfant qui se sent abandonné. L'obscurité paraissait alentour. Le visage d'Ulrich s'offrait comme dans une lumière définitive, il se détachait avec rudesse et dureté sur l'ombre du chagrin. « Comment ai-je bien pu aimer ce visage ? » se demanda Bonadea ; mais au même instant elle sentit toute sa poitrine se crisper sur ces mots : « Perdu pour toujours ! »

Ulrich, qui devinait confusément la résolution qu'elle avait prise de ne plus revenir, ne fit rien pour l'en empêcher. Alors Bonadea, plantée devant le miroir, lissa ses cheveux d'un geste violent, mit son chapeau et attacha sa voilette. Maintenant que la voilette lui cachait le visage, tout était consommé ; le moment était solennel comme une condamnation à mort, ou comme quand la serrure d'une malle se ferme bruyamment. Il ne l'embrasserait plus, il ne devinerait pas qu'il perdait ainsi la dernière occasion de le faire !

Aussi, prise de pitié, était-elle tout près de lui sauter au cou, et d'y pleurer toutes ses larmes.

34. *Un rayon brûlant et des murs refroidis.*

Lorsque Ulrich eut raccompagné Bonadea et se retrouva seul, il n'avait plus aucune envie de poursuivre son travail. Il sortit dans la rue avec l'intention d'envoyer à Walter et Clarisse un commissionnaire porteur d'un billet qui leur annoncerait sa visite pour le soir. Lorsqu'il traversa le petit vestibule, il remarqua au mur un bois de cerf dont le mouvement était semblable à celui que Bonadea avait eu en nouant sa voilette devant le miroir ; il ne lui manquait que le sourire résigné. Il jeta les yeux autour de lui, considérant les choses qui l'entouraient. Toutes ces lignes en O et en croix, ces droites, ces courbes, ces entrelacs dont se compose un intérieur et qui s'étaient accumulés autour de lui, ni la nature ni une nécessité interne ne les justifiaient ; ils étaient, jusqu'au moindre détail, surchargés d'opulence baroque. La pulsation, le courant qui ne cesse d'animer les objets qui nous environnent avait cessé un instant. Je ne suis qu'accident, ricanait la Nécessité ; examinez-moi sans préjugés, et vous verrez qu'entre un visage rongé par le lupus et moi, il n'y a pas de différence essentielle, avouait la Beauté. Il n'y avait pas eu grand-chose à faire pour en arriver là ; une couche de vernis s'était écaillée, une illusion s'était dissipée, un enchaînement d'habitude, d'attente et de tension s'était rompu, l'équilibre fluide et secret qui s'établit entre nos sentiments et le monde avait été une seconde inquiété. Tout ce que l'on sent et tout ce que l'on fait se produit en quelque sorte « dans le sens de la vie », et le moindre mouvement qui s'en écarte est difficile ou effrayant. Un phénomène exactement identique se produit quand on marche : on élève le centre de gravité, on le pousse en avant puis on le laisse retomber ; mais qu'un rien ait changé, qu'on ait eu un peu de crainte à se laisser ainsi tomber dans l'avenir, ou qu'on s'en soit simplement étonné... et l'on ne peut plus se tenir debout ! Il ne faut pas y réfléchir. Ulrich s'aperçut que tous les instants décisifs de sa vie lui avaient laissé le même sentiment.

Il fit signe à un commissionnaire et lui remit son mot. Il était environ quatre heures de l'après-midi, et il décida de faire la route tranquillement à pied. Ce jour d'automne qui ressemblait aux derniers du printemps le remplissait de bonheur. L'air fermentait. Les visages des gens avaient quelque chose de l'écume sur l'eau. Après la monotone tension de ses pensées, les jours précédents, il avait l'impression d'être transporté d'un cachot dans un bain moelleux. Il s'efforça d'avoir une démarche amicale et accommodante. Un corps maintenu en forme par l'exercice est si bien apprêté pour le mouvement et le combat, qu'il lui procurait aujourd'hui la même gêne que le visage d'un vieux comédien plein de passions fausses et trop souvent jouées. De la même manière, son besoin de vérité avait rempli son être intérieur de toutes sortes de mouvements intellectuels, l'avait divisé en groupes de pensées qui, les uns en face des autres, faisaient avec soin l'exercice, et lui avait donné cette expression, à strictement parler fausse et théâtrale, que prennent toutes choses, et jusqu'à la sincérité, dans l'instant qu'elles deviennent habitude. Telles étaient les pensées d'Ulrich. Il roulait comme une vague parmi ses frères-vagues, s'il est permis de s'exprimer ainsi ; et pourquoi ne serait-ce pas permis, lorsqu'un homme qui s'est usé à un travail solitaire retrouve la communauté, et le bonheur de couler dans la même direction qu'elle !

Dans de tels moments, l'on est aussi éloigné que possible de penser que la vie que les hommes mènent, et qui les mène, ne les concerne guère, ne les concerne pas intimement. Pourtant, chaque homme sait cela, aussi longtemps qu'il est jeune. Ulrich se rappelait ce qu'eût été pour lui, dix ou quinze ans auparavant, une telle journée dans ces rues. Toutes choses étaient, une fois de plus, tellement belles ; et pourtant, il y avait très nettement, dans ce bouillonnant désir, le douloureux pressentiment d'une captivité ; le sentiment inquiétant que tout ce que l'on croit atteindre vous atteint ; le térébrant soupçon que les affirmations fausses, distraites, sans importance personnelle, auront toujours dans ce monde un écho plus puissant que les véritables, et les plus singulières. Cette beauté (se disait-on alors), parfait ! mais est-ce vraiment *ma* beauté ? Et la vérité que l'on m'enseigne, est-ce *ma* vérité ? Les buts, les voix, la réalité, toutes ces choses séduisantes qui vous attirent et vous guident, que l'on suit et sur quoi l'on se rue... est-ce donc la réalité réelle, ou n'en voit-on qu'un souffle insaisissable au-dessus de la réalité proposée ? Ce qui excite le plus la méfiance, ce sont les divisions et les formes toutes faites de la vie, l'histoire toujours la même, les choses déjà préfigurées par les générations précédentes, le langage tout fait non seulement de nos lèvres, mais de nos sensations et sentiments. Ulrich s'était arrêté devant une église. Grands dieux ! si une matrone géante avait été assise là dans l'ombre, avec un gros ventre retombant en escaliers, le dos appuyé aux murs des maisons et tout là-haut, en mille plis, sur les boutons et les verrues, le coucher du soleil au visage... ne se serait-il pas exclamé tout autant ? Dieu ! que c'était beau ! On ne veut nullement se dérober au fait qu'on a été mis au monde avec le devoir d'admirer cela ; mais, comme on vient de le dire, il ne serait pas impossible non plus de trouver beaux, chez une respectable matrone, les formes amples, doucement retombantes, et le filigrane de ses plis ; il est seulement plus simple de dire qu'elle est vieille. Cette transition du moment où l'on trouve les choses du monde vieilles à celui où on les trouve belles est à peu de chose près celle qui nous conduit des conceptions du jeune homme à la morale plus élevée de l'adulte, laquelle demeure un ridicule B-A-Ba jusqu'au jour où brusquement, on l'a faite sienne. Ulrich ne resta que quelques secondes devant cette église, mais ces secondes croissaient en profondeur et oppressaient son cœur de toute la répulsion originelle que l'on éprouve pour ce monde figé en millions de quintaux de pierre, ce paysage sentimental lunaire et glacé où l'on est transporté sans l'avoir voulu.

Il se peut que la plupart des hommes trouvent un agrément et un réconfort à ce qu'on leur présente un monde tout fait, à l'exception de quelques minimes détails personnels ; et l'on ne saurait mettre en doute le fait que tout ce qui dure n'est pas simplement du conservatisme, mais la base même de tous les progrès et de toutes les révolutions ; il faut cependant ajouter que les hommes qui vivent pour ainsi dire de leur propre chef en ressentent un obscur et profond malaise. Tandis qu'Ulrich considérait le bâtiment sacré dans une parfaite intelligence de ses subtilités architecturales, il prit conscience, avec une vivacité surprenante, du fait que l'on pouvait tout aussi aisément dévorer des êtres humains que bâtir ou laisser debout de pareils monuments. Les maisons voisines, la voûte du ciel au-dessus, partout un inexprimable accord des lignes et des volumes qui accueillaient et guidaient le regard, l'air et l'expression des gens qui passaient au-dessous, leurs livres et leur morale, les arbres de la rue... : tout cela est parfois aussi raide qu'un paravent, aussi dur que le poinçon d'un estampeur, et (comment dire autrement ?) si complet, si achevé et si complet que l'on n'est plus à côté qu'un brouillard superflu, un vague souffle réprouvé dont Dieu ne se soucie guère. Alors, Ulrich se souhaita d'être un homme sans qualités. Mais les choses ne sont pas tellement différentes chez les autres hommes. Au fond, il en est peu qui sachent encore, dans le milieu de leur vie, comment ils ont bien pu en arriver à ce qu'ils sont, à leurs distractions, leur conception du monde, leur femme, leur caractère, leur profession et leurs succès ; mais ils ont le sentiment de n'y plus pouvoir changer grand-chose. On pourrait même prétendre qu'ils ont été trompés, car on n'arrive jamais à trouver une raison suffisante pour que les choses aient tourné comme elles l'ont fait ; elles auraient aussi bien pu tourner autrement ; les événements n'ont été que rarement l'émanation des hommes, la plupart du temps ils ont dépendu de toutes sortes de circonstances, de l'humeur, de la vie et de la mort d'autres hommes, ils leur sont simplement tombés dessus à un moment donné. Dans leur jeunesse, la vie était encore devant eux comme un matin inépuisable, de toutes parts débordante de possibilités et de vide, et à midi déjà voici quelque chose devant vous qui est en droit d'être désormais votre vie, et c'est aussi surprenant que le jour où un homme est assis là tout à coup, avec qui l'on a correspondu pendant vingt ans sans le connaître, et qu'on s'était figuré tout différent. Mais le plus étrange est encore que la plupart des hommes ne s'en aperçoivent pas ; ils adoptent l'homme qui est venu à eux, dont la vie s'est acclimatée en eux, les événements de sa vie leur semblent désormais l'expression de leurs qualités, son destin est leur mérite ou leur malchance. Il leur est arrivé ce qui arrive aux mouches avec le papier tue-mouches : quelque chose s'est accroché à eux, ici agrippant un poil, là entravant leurs mouvements, quelque chose les a lentement emmaillottés jusqu'à ce qu'ils soient ensevelis dans une housse épaisse qui ne correspond plus que de très loin à leur forme primitive. Dès lors, ils ne pensent plus qu'obscurément à cette jeunesse où il y avait eu en eux une force de résistance : cette autre force qui tiraille et siffle, qui ne veut pas rester en place et déclenche une tempête de tentatives d'évasion sans but ; l'esprit moqueur de la jeunesse, son refus de l'ordre établi, sa disponibilité à toute espèce d'héroïsme, au sacrifice comme au crime, son ardente gravité et son inconstance, tout cela n'est que tentatives d'évasion. Celles-ci expriment simplement, en fin de compte, qu'aucune entreprise juvénile ne paraît issue d'une nécessité intérieure incontestable, quand bien même elles l'expriment de manière à laisser entendre que toutes ces entreprises étaient urgentes et indispensables. Quelqu'un, n'importe qui, invente un beau geste nouveau, intérieur ou extérieur… Comment appeler cela ? Une attitude vitale ? Une forme dans laquelle l'être intérieur se répand comme le gaz dans un ballon de verre ? Une ex-pression de l'impression ? Une technique de l'être ? Ce peut être une nouvelle taille de moustache ou une nouvelle pensée. C'est du théâtre, mais tout théâtre a un sens, et dans l'instant, comme les moineaux sur les toits quand on leur lance des miettes, les jeunes âmes se jettent là-dessus. Ce n'est pas difficile à comprendre : quand au-dehors pèsent sur la langue, les mains et les yeux un monde lourd, cette lune refroidie qu'est la terre, des maisons, des mœurs, des tableaux et des livres, et quand il n'y a rien au-dedans qu'un brouillard informe et toujours changeant, n'est-ce pas un immense bonheur que quelqu'un vous propose une expression dans laquelle on croit se reconnaître ? Quoi de plus naturel si l'homme passionné s'empare de cette forme nouvelle avant l'homme ordinaire ? Elle lui offre l'instant de l'Être, de l'équilibre des tensions entre le dedans et le dehors, entre l'écrasement et l'éclatement. Ainsi, songeait Ulrich (et tout cela, bien sûr, le touchait aussi personnellement, il avait les mains dans les poches et son visage rayonnait d'un bonheur silencieux et endormi, comme si, dans les rayons du soleil qui s'enfonçaient là-bas en tournoyant, il était en train de mourir d'une douce mort par le froid), ainsi, il n'y a pas d'autre cause à ce phénomène toujours recommencé qu'on appelle « nouvelle génération », « pères et fils », « révolution intellectuelle », « changement de style », « évolution », « mode » ou « renouvellement ». Qu'est-ce donc qui fait de cette soif de rénovation de l'existence un *perpetuum mobile*, sinon la malencontreuse interposition, entre le Moi vrai, mais brumeux, et le Moi des prédécesseurs, d'un pseudo-Moi, d'une âme de groupe dont chacun se déclare à peu près satisfait ? Pour peu qu'on soit attentif, on pourra toujours deviner, dans le dernier avenir entré en scène, les présages du futur « bon vieux temps ». Alors, les idées nouvelles n'auront guère que trente ans de plus, mais elles seront apaisées, légèrement empâtées, elles auront fait leur temps : rappelez-vous, quand on aperçoit, à côté du visage miroitant d'une jeune fille la face éteinte de sa mère ; ou bien, elles n'auront pas eu de succès, elles se seront émaciées et ratatinées jusqu'à n'être plus que ce projet de réforme dont un vieux fou que ses cinquante admirateurs appellent le grand Untel, s'était fait le champion.

Ulrich s'arrêta de nouveau, mais cette fois sur une place où il reconnut quelques maisons et se souvint des luttes publiques et de l'excitation des esprits qui avaient accompagné leur édification. Il songea à ses amis d'enfance ; tous avaient été ses amis, qu'il les connût personnellement ou seulement de nom, qu'ils eussent son âge ou fussent plus âgés (les rebelles qui voulaient donner au monde des choses et des hommes nouveaux), qu'ils fussent d'ici ou dispersés en tous les lieux du monde qu'il connaissait. Maintenant, ces maisons étaient debout comme de braves tantes aux chapeaux démodés dans la lumière de fin d'après-midi qui commençait à pâlir, toutes gentilles, inoffensives et rien moins qu'excitantes. On était tenté de sourire. Mais les gens qui avaient laissé derrière eux ces restes humiliés, étaient devenus entre-temps des professeurs, des célébrités, des « noms », une part fameuse du fameux progrès, et, par un chemin plus ou moins rapide, avaient passé du brouillard au figement ; c'est pourquoi, le jour où l'on fera le portrait de notre siècle, l'Histoire s'avancera pour dire d'eux : Étaient présents…

35. *M. le directeur Léon Fischel et le Principe De Raison Insuffisante.*

A ce moment, Ulrich fut interrompu par une connaissance qui l'aborda à l'improviste. Le matin de ce même jour, au moment de quitter sa demeure, ce monsieur avait découvert avec une désagréable surprise, dans un compartiment négligé de sa serviette, une circulaire du comte Leinsdorf à laquelle il avait oublié depuis longtemps de répondre, parce que son solide sens des affaires lui rendait suspectes les actions patriotiques qui émanaient des hautes sphères. « Affaire douteuse », avait-il dit probablement alors. Sans doute s'était-il bien gardé d'en faire son opinion officielle sur la question, mais (voilà bien les mémoires !) la sienne lui avait joué un mauvais tour en se réglant sur ce premier ordre spontané et officieux, et en laissant négligemment tomber l'affaire au lieu d'attendre une décision plus réfléchie. C'est pourquoi il trouva dans la missive, lorsqu'il la rouvrit, quelque chose qui lui fut extrêmement pénible, bien qu'il n'y eût pas prêté attention d'abord ; ce n'était à vrai dire qu'une simple formule, deux petits mots qui se retrouvaient un peu partout comme au hasard dans la circulaire ; mais à cet homme imposant, la serviette sous le bras, qui se préparait à sortir, ces deux mots avaient coûté plusieurs minutes d'irrésolution, et ces deux mots étaient : *le vrai.*

M. le directeur Fischel (car tel était son nom : M. le directeur Léon Fischel, de la Lloyd Bank, en réalité simple fondé de pouvoir portant le titre de directeur ; Ulrich avait le droit de se dire son jeune ami depuis longtemps, il s'était beaucoup lié avec sa fille Gerda lors de son dernier séjour, mais depuis son retour il ne l'avait pas honorée d'une seule visite), M. le directeur Fischel connaissait Son Altesse pour quelqu'un qui faisait travailler son argent et se tenait au courant des plus récentes méthodes ; il le « créditait » même d'une importance considérable, comme on dit dans le métier, quand il se remettait ses entrées en mémoire, car la Lloyd Bank faisait partie des institutions que le comte Leinsdorf chargeait de ses opérations boursières. C'est pourquoi Léon Fischel ne pouvait comprendre la négligence avec laquelle il avait traité une invitation aussi pathétique que celle où Son Altesse exhortait une élite de personnalités à se tenir prête pour une grande œuvre commune. Lui-même, d'ailleurs, n'avait été inclus dans cette élite qu'eu égard à certaines circonstances toutes particulières qui seront évoquées plus tard. Tout cela nous explique pourquoi, Ulrich à peine aperçu, il s'était précipité sur lui ; il avait appris qu'il était mêlé à l'affaire, qu'il y jouait même un rôle de premier plan (ce qui était une de ces rumeurs incompréhensibles, mais point rares, qui traduisent la vérité avant même qu'elle soit vérité), et, comme un pistolet, il lui mit sous le nez trois questions : ce qu'il entendait, en fait, par « vrai patriotisme », « vrai progrès » et « vraie Autriche ».

Ulrich, brusquement arraché à son humeur et la prolongeant néanmoins, répondit, sur le ton qu'il avait adopté depuis toujours avec Fischel : « Le PDRI.

– Le… ? »

Le directeur Fischel répéta ingénument les quatre lettres et ne pensa pas tout de suite à une plaisanterie, car de telles abréviations, si elles n'étaient pas encore aussi nombreuses qu'aujourd'hui, avaient cependant été répandues par les cartels et les trusts ; elles inspiraient confiance. Il se reprit pourtant : « Pas de plaisanteries, je vous en prie : je suis pressé, j'ai une conférence.

– Le Principe De Raison Insuffisante ! répéta Ulrich. Étant philosophe, vous devez savoir ce que l'on entend par principe de raison suffisante. Malheureusement, pour tout ce qui le concerne directement, l'homme y fait toujours exception ; dans notre vie réelle, je veux dire notre vie personnelle, comme dans notre vie historique et publique, ne se produit jamais que ce qui n'a pas de raison valable. »

Léon Fischel balança s'il devait ou non répliquer. M. le directeur Léon Fischel, de la Lloyd Bank, aimait à philosopher, il y a encore des hommes de cette espèce dans les professions pratiques, mais il était vraiment pressé ; c'est pourquoi il répliqua : « Vous ne voulez pas me comprendre. Je sais ce qu'est le progrès, je sais ce qu'est l'Autriche, et je sais probablement aussi ce qu'est le patriotisme. Mais peut-être ne puis-je me représenter exactement ce que sont le vrai progrès, la vraie Autriche et le vrai patriotisme. Voilà ce que je vous demande !

– Bon. Savez-vous ce qu'est une enzyme, ou un catalyseur ? »

Léon Fischel leva la main comme pour se protéger.

« C'est quelque chose qui ne fournit aucune contribution matérielle, mais qui met en branle un processus. L'histoire doit vous avoir appris que la vraie foi, la vraie morale, la vraie philosophie n'ont jamais existé ; néanmoins, les guerres, les brutalités et les atrocités qui se sont déchaînées pour elles ont transformé fructueusement le monde.

– Un autre jour ! » protesta Fischel et il essaya de jouer la sincérité : « Écoutez, je devrai m'occuper de cette histoire à la Bourse, et j'aimerais vraiment connaître les intentions réelles du comte Leinsdorf ; à quoi veut-il en venir avec ce *vrai* additionnel ?

– Je vous jure, répliqua Ulrich gravement, que ni moi ni

personne ne sait ce qu'est le vrai, mais je puis vous certifier qu'il est en passe de devenir réalité !

– Vous n'êtes qu'un cynique ! » déclara le directeur Fischel en s'éloignant en hâte, mais il n'avait pas fait un pas qu'il se retournait pour se reprendre : « Il n'y a pas longtemps, je disais à Gerda que vous auriez pu faire un diplomate de premier ordre ! J'espère que vous viendrez nous voir bientôt ! »

36. *Grâce au principe susnommé, l'Action parallèle devient quelque chose de tangible avant même qu'on sache ce qu'elle est.*

M. le directeur Léon Fischel de la Lloyd Bank croyait, comme tous les directeurs de banque avant la guerre, au progrès. Étant un homme efficace dans sa spécialité, il savait naturellement que l'on ne peut avoir de conviction sur laquelle miser soi-même en dehors du seul domaine où l'on est vraiment ferré ; l'extraordinaire extension des activités empêche qu'il s'en forme ailleurs. C'est pourquoi les hommes efficaces et travailleurs, en dehors du cercle fort étroit de leur spécialité, n'ont aucune conviction qu'ils ne soient prêts à renier pour peu qu'ils devinent sur elle quelque pression extérieure ; on pourrait carrément dire qu'ils se voient forcés par scrupule de conscience, d'agir autrement qu'ils ne pensent. M. le directeur Fischel, par exemple, ne voyait absolument pas ce que pouvaient être le vrai patriotisme et la vraie Autriche, mais il avait du vrai progrès une opinion toute personnelle, et qui n'était sûrement pas celle du comte Leinsdorf ; lassé des actions et des obligations, ou de quoi que ce fût dont son service s'occupât, avec pour toute distraction un fauteuil à l'opéra une fois par semaine, il croyait à un progrès général qui devait ressembler d'assez près à la courbe de rentabilité progressive de sa banque. Mais, quand le comte Leinsdorf prétendit connaître cela aussi mieux que lui, et qu'il commença à agir sur la conscience de Léon Fischel, celui-ci sentit qu'on « ne pouvait jamais savoir » (en dehors des actions et obligations) ; comme on ne sait jamais, et qu'on ne voudrait tout de même pas manquer le coche, il se proposa de demander à son directeur général, tout à fait en passant, ce qu'il pensait de l'affaire.

Lorsqu'il le fit, le directeur général, pour des raisons tout à fait analogues, avait déjà eu un entretien sur le sujet avec le gouverneur de la Banque nationale, et se trouvait parfaitement renseigné. Si le directeur général de la Lloyd Bank avait reçu l'invitation du comte Leinsdorf, il va de soi que le gouverneur de la Banque nationale l'avait également reçue ; Léon Fischel, qui n'était que chef de service, devait la sienne exclusivement aux relations de famille de sa femme, qui sortait d'un milieu de hauts fonctionnaires et n'oublia jamais ces attaches, pas plus dans ses relations sociales que dans ses disputes domestiques avec Léon. Aussi, se contenta-t-il, en parlant de l'Action parallèle avec son chef, de dodeliner expressivement de la tête, ce qui voulait dire « grosse affaire », mais pouvait tout aussi bien signifier « affaire douteuse » ; de toute façon, cela ne pouvait faire de mal. A cause de sa femme, Fischel eût été plus heureux que l'affaire se révélât douteuse.

Néanmoins, pour le moment, le gouverneur que le directeur général avait consulté, von Meier-Ballot, avait personnellement la meilleure impression. Lorsqu'il reçut la circulaire du comte Leinsdorf, il s'approcha du miroir (avec naturel, bien que ce ne fût pas à cause de la circulaire), et y découvrit, qui le regardait au-dessus du frac et du collier de l'ordre, le visage bien ordonné d'un ministre bourgeois dans lequel il ne restait de la dureté de l'argent qu'une trace au plus, tout au fond des yeux ; les doigts pendaient des mains comme des drapeaux un jour sans vent, à croire qu'ils n'avaient jamais dû exécuter de leur vie les hâtifs mouvements calculatoires d'un petit employé de banque. Ce haut financier, produit du forçage bureaucratique, qui n'avait presque plus rien de commun avec les chiens errants, affamés et féroces, de la spéculation, voyait devant lui des possibilités encore indéfinies, mais agréablement tempérées ; le soir même, il eut l'occasion de se confirmer dans cette idée en causant au Club de l'Industrie avec deux anciens ministres, von Holtzkopf et le baron Wisnietzky.

Ces deux messieurs étaient des hommes renseignés, distingués, réservés, occupant les quelconques hautes situations où on les avait relégués quand le bref gouvernement de transition entre deux crises politiques auquel ils avaient appartenu s'était révélé à nouveau superflu ; c'étaient des hommes qui avaient passé leur vie au service de l'État et de la Couronne sans jamais vouloir paraître sur le devant de la scène, à moins que Sa Gracieuse Majesté ne le leur ordonnât. Ils n'ignoraient pas les rumeurs qui voulaient que la grande Action comportât une petite pointe dirigée contre l'Allemagne. Leur conviction, après comme avant l'échec de leur mission, était que les phénomènes déplorables qui faisaient de la vie politique de la double monarchie un foyer d'infection pour l'Europe, étaient extraordinairement complexes. Mais, tout comme ils s'étaient fait un devoir de ne pas juger ces difficultés insolubles dès lors qu'ils en avaient reçu l'ordre, ils ne voulaient pas exclure maintenant toute possibilité d'arriver à quelque chose avec les moyens inspirés par le comte Leinsdorf ; ils sentaient surtout qu'une « borne », une « brillante manifestation de vitalité », une « apparition puissante dans le monde extérieur, salutaire à la situation intérieure elle-même », que tous ces vœux étaient formulés par le comte Leinsdorf avec tant de pertinence que l'on ne pouvait en aucun cas s'y soustraire : c'était comme si l'on avait demandé à tous les défenseurs du Bien de répondre « présent ! » à l'appel.

Il n'en reste pas moins possible que Holtzkopf et Wisnietzky, en tant qu'ils avaient une grande connaissance et une vieille expérience des affaires publiques, aient éprouvé quelque scrupule, d'autant plus qu'ils pouvaient penser avoir été choisis eux-mêmes pour jouer quelque rôle dans le développement futur de cette Action. Il est toujours facile, pour les hommes du rez-de-chaussée, de critiquer et de refuser ce qui ne leur convient pas ; quand la nacelle de votre vie plane à quelque trois cents mètres de hauteur, on ne peut pas en descendre comme ça, même s'il se trouve des points sur lesquels vous n'êtes pas d'accord. Comme, dans ces milieux-là, on est réellement loyal, et que l'on n'aime pas, contrairement à la cohue bourgeoise décrite plus haut, agir autrement que l'on ne pense, on en est souvent réduit à ne pas penser trop intensément. Ainsi donc, le gouverneur von Meier-Ballot se vit confirmé dans son impression favorable par les déclarations des deux messieurs ; bien qu'il fût enclin, personnellement et professionnellement, à la prudence, ce qu'il avait entendu l'amena à décider qu'on avait affaire à une proposition dont il valait la peine de suivre en tout cas, mais à quelque distance, le développement ultérieur.

L'Action parallèle, toutefois, n'avait pas encore la moindre existence réelle, et le comte Leinsdorf lui-même ne savait pas encore en quoi elle consisterait. Tout ce qu'on peut dire avec certitude, c'est que la seule chose précise qui fût encore venue à l'esprit de celui-ci était une liste de noms.

C'était déjà considérable. De la sorte, il existait dès ce moment, sans que quiconque eût besoin d'une représentation plus objective, un filet de disponibilité tendu autour d'un vaste complexe d'idées ; l'on est sans doute en droit d'affirmer que c'est bien dans cet ordre qu'il faut procéder. Pour que l'humanité apprît à manger convenablement, il fallut d'abord qu'on inventât le couteau et la fourchette ; c'était du moins ce que disait le comte Leinsdorf.

37. *Par l'invention de « l'Année autrichienne », un publiciste crée au comte Leinsdorf de gros ennuis. Son Altesse appelle Ulrich de tous ses vœux.*

Sans doute le comte Leinsdorf avait-il envoyé de différents côtés des invitations qui avaient pour but de « susciter l'idée » ; mais peut-être n'eût-il pas progressé si rapidement si un publiciste influent, ayant appris que quelque chose était dans l'air, n'avait publié aussitôt dans son journal deux grands articles où il attribuait à sa propre initiative tout ce qu'il supposait se préparer. Il ne savait pas grand-chose (où aurait-il appris quoi que ce fût ?), mais on ne s'en aperçut pas ; ce fut même cette ignorance qui donna à ses deux articles une efficacité irrésistible. En fait, il était l'inventeur de l'idée d'Année autrichienne, à laquelle il consacra ses colonnes sans même pouvoir dire ce qu'il entendait par là ; il le dit dans des phrases toujours renouvelées, de sorte que ces mots, comme en un rêve, s'alliaient à d'autres mots, faisaient leur chemin, et déclenchèrent un extraordinaire enthousiasme. Le comte Leinsdorf fut d'abord atterré, mais il avait tort. Une expression telle que « l'Année autrichienne » vous fait toucher du doigt ce qu'est le génie journalistique : l'instinct le plus juste l'avait en effet inventée. Elle faisait vibrer des cœurs que l'idée d'un « Siècle autrichien » eût laissés de glace, tandis que l'invitation à en organiser un eût été classée par les gens raisonnables parmi les idées qu'on ne peut prendre au sérieux. La raison en serait difficile à dire. Peut-être les sentiments du comte Leinsdorf n'étaient-ils pas les seuls auxquels donnassent des ailes une certaine imprécision, et cette disposition à la métaphore qui permet de penser moins que d'ordinaire à la réalité. Car l'imprécision possède un pouvoir d'agrandissement et d'ennoblissement.

Il semble que le réaliste, le brave homme pratique n'aime jamais sans réserves et ne prenne jamais tout à fait au sérieux la réalité. Enfant, il se glisse sous la table pour faire de la chambre de ses parents, quand ils ne sont pas là, le lieu de toutes les aventures ; adolescent, il rêve d'une montre ; jeune homme à montre en or, il rêve de la femme idéale ; homme avec montre et femme, il rêve d'une haute situation ; et quand il a réussi enfin à boucler ce petit cercle de désirs, qu'il y oscille paisiblement de-ci de-là comme un pendule, sa provision de rêves insatisfaits n'en paraît pas s'être réduite pour autant. S'il veut s'élever désormais, il lui faut recourir à la comparaison. Sans doute parce qu'il arrive à la neige de lui déplaire, il la compare à de miroitants seins de femme ; dès que les seins de sa femme commencent à l'ennuyer, il les compare à de la miroitante neige ; il serait atterré si leurs pointes se révélaient vraiment un beau jour becs de colombe ou corail serti dans la chair, mais ces images, poétiquement, l'excitent. Il est capable de changer tout en tout (la neige en chair, la chair en fleurs, les fleurs en sucre, le sucre en poudre, et la poudre, à nouveau, en friselis de neige), car la seule chose apparemment qui lui importe est de faire des choses ce qu'elles ne sont pas : excellente preuve qu'il ne peut supporter longtemps d'être au même endroit, quel qu'il soit. Au surplus, il n'était pas un Cacanien autochtone qui pût se voir en Cacanie. Si donc on avait exigé de lui un « Siècle autrichien », il aurait eu le sentiment de devoir imposer au monde, et à lui-même, au prix d'un effort dérisoirement volontaire, l'un des châtiments de l'enfer. Une « Année autrichienne », en revanche, c'était tout autre chose. Cela voulait dire en effet : Nous allons montrer une bonne fois ce que nous pourrions être ; mais jusqu'à nouvel avis, en quelque sorte, et pour une année au plus. Que l'on entendît par cette formule ce que l'on voudrait, ce n'était pas pour l'éternité, et cela vous serrait étrangement le cœur. Cela redonnait vie au patriotisme le plus profond.

C'est ainsi que le comte Leinsdorf remporta un succès inattendu. Sans doute avait-il lui aussi conçu son idée, à l'origine, sous la forme d'une comparaison ; mais il avait tout de même trouvé aussi une liste de noms, et son moralisme aspirait à dépasser ce stade d'inconsistance ; l'idée était ancrée profondément en lui qu'il fallait orienter l'imagination du peuple ou, comme il le dit à un journaliste à lui dévoué, du « public », vers un but qui fût clair, raisonnable, sain et compatible avec les vrais buts de l'humanité et de la nation. Ce journaliste, stimulé par le succès de son collègue, nota aussitôt cette phrase et, comme il avait sur son prédécesseur l'avantage de la tenir de « source digne de foi », la technique de sa profession voulut qu'il fît aussitôt état, en gros caractères, de ces « informations émanant de cercles influents » ; c'était précisément ce que le comte Leinsdorf attendait de lui. Son Altesse tenait beaucoup à ne pas passer pour un idéologue, mais pour un politicien réaliste expérimenté, et voulait qu'une distinction subtile fût faite entre cette « Année autrichienne » née du cerveau d'un journaliste génial, et la prudence réfléchie des milieux responsables. Dans ce dessein, il recourut à la technique d'un homme qu'il n'aimait pas d'ordinaire à prendre pour modèle, Bismarck, et qui consistait à faire révéler par les journalistes ses véritables intentions afin de pouvoir les confirmer ou les démentir ensuite selon les exigences de l'heure.

Cependant qu'il agissait avec une si fine intelligence, le comte Leinsdorf n'avait pas prévu une chose : les hommes comme lui ne sont pas les seuls à connaître le « Vrai » dont nous avons besoin ; d'innombrables autres hommes se croient en sa possession. Ce fait peut être considéré comme une induration de l'état, précédemment décrit, dans lequel on recourt encore à la comparaison. A un moment donné, le plaisir qu'on y prenait se dissipe à son tour ; beaucoup d'hommes, parmi ceux en qui demeure un stock de rêves définitivement insatisfaits, choisissent de se procurer un « point » sur lequel ils puissent désormais tenir secrètement leurs regards braqués, comme s'il devait naître là-bas un monde dont on leur serait resté en quelque sorte redevable. Très peu de temps après qu'il eut envoyé sa déclaration à la presse, Son Altesse crut pouvoir remarquer déjà que tout homme qui manque d'argent recèle un désagréable sectaire. Cet homme-dans-l'homme, toujours plein d'obstination, accompagne l'autre le matin à son bureau ; tout à fait incapable d'ailleurs de protester d'une manière efficace contre le cours des choses, il reste sa vie durant les regards braqués sur un point secret que personne ne consent à remarquer, bien que ce soit de lui que parte évidemment tout le malheur d'un monde qui refuse de reconnaître son Sauveur. Ces points fixes, dans lesquels le centre de gravité d'une personne coïncide avec le centre de gravité du monde, peuvent être un crachoir à fermeture simplifiée ou la suppression, dans tous les restaurants, de cette sorte de salières où les gens plongent leur couteau, suppression qui empêcherait du même coup la propagation de la tuberculose, fléau de l'humanité ; ou l'adoption de la sténographie Oehl, qui par d'incomparables gains de temps résout également le problème social, ou encore le retour à un mode de vie naturel qui mettrait un terme à la dévastation progressive du monde ; ce peut être aussi une théorie métapsychique des mouvements célestes, la simplification de l'appareil administratif ou une réforme de la vie sexuelle. Si les circonstances sont favorables à l'inventeur, il se soulage en publiant un beau jour un livre, une brochure ou au moins un article de journal sur son « point », inscrivant ainsi sa protestation au procès-verbal de l'humanité, ce qui est extraordinairement apaisant, même quand personne ne le lit ; d'ordinaire, cela suffit à attirer quelques personnes qui assurent à l'auteur qu'il est un second Copernic ; après quoi ils se présentent à lui comme des Newton incompris. Cette habitude de se chercher mutuellement les points est très bienfaisante et fort répandue, mais son action n'est pas durable, parce que ceux qui en ont bénéficié ne mettent pas longtemps à se disputer et à se retrouver seuls ; il arrive néanmoins que tel ou tel réussisse à rassembler autour de lui un petit cercle d'admirateurs qui accusent le Seigneur, avec la force que fait l'union, de ne pas soutenir suffisamment son oint. Qu'un rayon d'espérance tombe soudain d'une grande hauteur sur ces petits amas de points (comme ce fut le cas lorsque le comte Leinsdorf fit préciser publiquement qu'une « Année autrichienne », s'il devait vraiment y en avoir une, ce qui n'était pas encore dit, devrait de toute manière être en harmonie avec les « vrais buts » de l'existence), ils l'accueillent comme les saints la vision envoyée par Dieu.

Le comte Leinsdorf avait pensé que son œuvre devrait être « une manifestation puissante surgie du cœur même du peuple ». C'est-à-dire qu'il avait pensé à l'Université, à l'Église, à quelques noms qui ne font jamais défaut dans les rapports des organisations de charité, enfin même aux journaux ; il comptait avec les partis patriotes, avec le « bon sens » de cette bourgeoisie qui pavoise pour l'anniversaire de l'Empereur, et avec l'appui de la haute finance ; il comptait même avec la politique, car il espérait secrètement que son œuvre la rendrait superflue en la réduisant au commun dénominateur « Patrie » qu'il avait l'intention de diviser plus tard par « Pays » en ne gardant pour tout reste que le « Maître paternel » ; mais Son Altesse n'avait pas pensé à une chose, et fut surprise de l'extraordinaire extension de ce réformisme que la chaleur d'une grande occasion fait éclore comme un incendie les œufs d'insecte. Son Altesse n'avait pas compté avec cela ; elle avait attendu de grands élans de patriotisme, mais n'était pas préparée aux inventions, aux théories, aux cosmogonies et à cette foule de réformateurs qui lui demandaient de les délivrer de leurs chaînes spirituelles. Ils assiégeaient son palais, célébraient dans l'Action parallèle la possibilité d'aider enfin la vérité à percer, et le comte Leinsdorf ne savait absolument pas qu'en faire. La conscience de sa position sociale l'empêchait de s'asseoir à la même table qu'eux, mais son esprit travaillé de tensions morales exigeait qu'il ne les fuît pas ; comme sa formation était politique et philosophique, nullement technique ou scientifique, il lui était tout à fait impossible de savoir si ces propositions présentaient ou non quelque intérêt.

Dans cette situation, il désira de plus en plus ardemment voir Ulrich, dont on lui avait dit qu'il était l'homme qu'il lui fallait, puisque ni son secrétaire, ni aucun secrétaire ordinaire ne pouvait être à la hauteur de tels problèmes. Un jour que son secrétaire l'avait particulièrement irrité, il alla même jusqu'à prier Dieu (bien qu'il en eût honte dès le lendemain) qu'Ulrich vînt enfin jusqu'à lui. Comme cela ne se produisait pas, le comte se mit lui-même systématiquement à sa recherche. Il fit consulter le bottin ; Ulrich ne s'y trouvait pas encore. Il se rendit alors chez son amie Diotime, qui était d'ordinaire de bon conseil ; en effet, l'Admirable avait déjà eu une conversation avec Ulrich, mais avait négligé de lui demander son adresse ; du moins le prétendit-elle, car elle voulait profiter de l'occasion pour soumettre à Son Altesse une proposition nouvelle, et bien meilleure, pour le poste de secrétaire de la grande Action. Mais le comte Leinsdorf s'en irrita et déclara avec la plus grande netteté qu'il s'était déjà habitué à Ulrich, qu'il ne pouvait pas utiliser un Prussien, fût-ce un Prussien réformiste, que d'ailleurs il ne voulait plus entendre parler de nouvelles complications. Il fut stupéfait de voir son amie offensée ; mais de cette stupeur naquit une inspiration personnelle : il déclara qu'il allait se rendre de ce pas chez son ami le Préfet de Police, lequel devait être capable, en fin de compte, de vous trouver l'adresse de n'importe quel citoyen.

38. *Clarisse et ses démons.*

Lorsque le mot d'Ulrich arriva, Walter et Clarisse jouaient de nouveau avec tant de violence que les meubles « Arts décos » dansaient sur leurs jambes grêles et que les gravures de Dante-Gabriel Rossetti tremblaient aux murs. Le vieux commissionnaire qui avait trouvé la maison et l'appartement ouverts et était entré sans voir personne reçut tonnerre et éclairs en pleine figure quand il pénétra dans la chambre ; le vacarme sacré où il était tombé le colla respectueusement au mur. Ce fut Clarisse qui, finalement, de deux puissants accords, soulagea la tension musicale qui continuait à croître, et le délivra. Tandis qu'elle lisait le message, l'effusion interrompue continuait à s'arracher douloureusement aux mains de Walter ; une mélodie s'enfuit, claudiquant comme une cigogne, puis étendit les ailes. Clarisse observait cela avec méfiance tout en déchiffrant le mot d'Ulrich.

Lorsqu'elle lui annonça la venue de leur ami, Walter s'écria : « Dommage ! »

Elle se rassit à côté de lui sur le tabouret de piano tournant, et un sourire où Walter ressentit de la cruauté fendit ses lèvres qui prirent quelque chose de sensuel. C'était l'instant où les exécutants retiennent leur sang pour pouvoir ensuite le laisser battre au même rythme, les axes de leurs yeux leur sortent de la tête comme quatre tiges dirigées dans le même sens tandis qu'ils retiennent avec le derrière le tabouret qui ne songe jamais qu'à vaciller sur le long cou de sa vis de bois.

Un instant après, Clarisse et Walter étaient déchaînés comme deux locomotives fonçant côte à côte. Le morceau qu'ils jouaient leur volait au visage comme des rails étincelants, disparaissait dans la machine tonitruante et se changeait derrière eux en paysage sonore, écouté, miraculeusement durable. Pendant ce frénétique voyage, les sentiments de ces deux êtres étaient comprimés en un seul ; l'ouïe, le sang, les muscles, privés de volontés, étaient emportés par la même expérience ; des parois sonores miroitantes, s'inclinant ou se courbant, forçaient leurs corps à suivre la même voie, les ployaient d'un même mouvement, élargissaient ou resserraient leurs poitrines dans un même souffle. A un fragment de seconde près, la gaieté, la tristesse, la colère et l'angoisse, l'amour et la haine, le désir et la satiété traversaient Walter et Clarisse. Il y avait là une fusion semblable à celle qui se produit dans les grandes paniques, où des centaines d'êtres qui l'instant d'avant différaient du tout au tout, exécutent les mêmes mouvements de fuite, comme s'ils ramaient, poussent les mêmes cris absurdes, ouvrent tout grands les yeux et la bouche de la même manière, et se voient tous ensemble poussés en avant et en arrière, de droite et de gauche, par une violence sans but, hurlant, tremblant, tressaillant pêle-mêle. Ce n'était pas la violence sourde et souveraine de la vie, dans laquelle de tels événements ne se produisent pas si aisément, mais où toute vie personnelle s'abîme sans résistance. La colère, l'amour, le bonheur, la gaieté et la tristesse que Clarisse et Walter vivaient dans leur essor n'étaient pas des sentiments pleins ; c'en était seulement l'habitacle corporel, exaspéré jusqu'à la frénésie. Ils étaient assis sur leurs petits sièges, raides et ravis, ils n'étaient irrités, amoureux ou tristes de rien, ou alors chacun d'autre chose, ils pensaient à des choses différentes et voulaient dire chacun sa chose ; l'autorité de la musique les unissait à l'extrême de la passion et leur donnait en même temps quelque chose d'absent comme dans le sommeil forcé de l'hypnose.

Chacun de ces deux êtres le devinait à sa manière. Walter était heureux et surexcité. Comme la plupart des natures musiciennes, il tenait ces bouillonnements houleux, ces mouvements émotionnels de l'être intérieur, c'est-à-dire ce trouble nébuleux des sous-sols physiques de l'âme, pour le langage de l'éternel par quoi les hommes peuvent être tous unis. Il était enivré de serrer Clarisse contre lui dans l'étreinte vigoureuse du sentiment primitif. Ce soir-là, il était rentré du bureau plus tôt que de coutume. Il avait eu à cataloguer des œuvres d'art qui portaient encore la marque des grandes époques de plénitude et irradiaient une mystérieuse énergie. Clarisse l'avait accueilli aimablement, et maintenant, dans le monde énorme de la musique, elle était solidement attachée à lui. Toutes choses, ce jour-là, portaient en elles le signe d'une réussite secrète, comme une marche silencieuse, comme quand les dieux sont en route. « Serait-ce aujourd'hui le jour ? » songeait Walter. Il ne voulait pas se soumettre Clarisse par la force, il voulait que la compréhension montât du plus intime d'elle-même et l'inclinât vers lui avec douceur.

Les marteaux du piano enfonçaient les têtes des notes dans une paroi d'air. Bien que ce fait fût, à l'origine, tout à fait réel, les murs de la chambre disparaissaient, et les parois d'or de la musique s'élevaient à leur place, ce mystérieux espace dans lequel le Moi et le monde, la perception et le sentiment, le dedans et le dehors s'entremêlent de la manière la moins définie qui soit, alors qu'il est lui-même tout entier sensation, définition, précision, éclat hiérarchisé de détails ordonnés. C'est à ces détails sensibles qu'étaient fixés les fils du sentiment tendus hors des vapeurs houleuses de l'âme ; et ces vapeurs, se reflétant dans la précision des murs, y prenaient une forme claire. Les âmes de ces deux êtres étaient suspendues comme des cocons dans ces fils et ces rayons. Plus s'étoffait leur enveloppe, plus ils offraient de surface aux rayons, et plus Walter se sentait mal à l'aise ; ses rêves prenaient même si intensément la forme d'un petit enfant qu'il lui échappa quelques accents faux ou emphatiques.

Mais, bien avant que cela se produisît et fît passer à travers la brume dorée l'éclair brutal d'un sentiment ordinaire qui ramenât les deux époux à des rapports plus terrestres, les pensées de Clarisse s'étaient détachées des siennes, comme seuls peuvent le faire deux êtres fonçant l'un à côté de l'autre avec des gestes jumeaux de désespoir et de béatitude. Des images surgissant, fondant, se recouvrant, disparaissant dans des brumes flottantes, telle était la manière de penser de Clarisse ; c'était là son originalité ; souvent plusieurs pensées étaient présentes à la fois, souvent il n'y en avait aucune, mais on les sentait alors en coulisse comme des démons ; la succession temporelle des événements qui donnent aux autres un soutien adéquat devenait chez Clarisse un voile qui tantôt accumulait ses plis les uns sur les autres, tantôt se dissipait en un souffle à peine visible.

Cette fois-là, il y avait autour de Clarisse trois personnes : Walter, Ulrich, et Moosbrugger, l'assassin.

C'était Ulrich qui lui avait parlé de Moosbrugger.

Attrait et répulsion mêlés composaient un philtre étrange.

Clarisse rongeait la racine de l'amour. C'est une racine fourchue, morsures et baisers, regards suspendus l'un à l'autre et chavirement torturé de l'œil au dernier moment. « La bonne vie en commun vous accule-t-elle donc à la haine ? se demandait-elle. La vie civilisée exige-t-elle la brutalité ? L'âme paisible a-t-elle besoin de cruauté ? L'ordre conduit-il au déchirement ? » C'était et ce n'était pas ce que Moosbrugger suscitait en elle. Dans le tonnerre de la musique un immense incendie flottait, non encore déclaré ; rongeant par-dedans la charpente. Mais c'était aussi comme dans une comparaison où les choses sont les mêmes et en même temps toutes différentes, où la dissemblance des semblables comme la ressemblance des dissemblables font s'élever deux colonnes de fumée, l'odeur fabuleuse des pommes cuites et des aiguilles de pin jetées dans le feu...

« On ne devrait jamais cesser de jouer », se dit Clarisse et, faisant rapidement tourner les feuilles du cahier en arrière, elle recommença le morceau lorsqu'il fut achevé. Walter embarrassé sourit et l'imita.

« Finalement, qu'est-ce qu'Ulrich fait avec ses mathématiques ? » demanda-t-elle.

Walter haussa les épaules tout en jouant, comme s'il pilotait une voiture de course.

« On devrait jouer, et jouer encore, jusqu'à la fin, songeait Clarisse. Si l'on pouvait jouer sans s'interrompre jusqu'à la fin de sa vie, que deviendrait alors Moosbrugger ? Un monstre ? Un fou ? Un oiseau noir dans le ciel ? » Elle ne le savait pas.

Au fond, elle ne savait rien du tout. Un jour (elle aurait pu calculer le jour exact où la chose s'était produite), elle avait été tirée du sommeil de l'enfance avec la conviction toute formée déjà qu'elle était appelée à accomplir quelque chose, à jouer un rôle particulier, qu'elle était même élue, peut-être, pour une grande mission. A cette époque, elle ignorait encore tout du monde. Elle ne croyait d'ailleurs rien de ce que les gens en racontent, parents ou frère aîné : tout cela était bel et bon, des mots sonores, qu'on ne pouvait s'approprier ; on ne le pouvait pas plus qu'un corps, en chimie, n'en tolère un autre, s'il lui est étranger. Alors Walter survint : ce fut le jour ; de ce jour-là, tout lui fut « propre ». Walter avait une petite moustache en brosse ; il disait : Mademoiselle ; tout d'un coup, le monde n'était plus une surface désolée, irrégulière, en mille morceaux, mais un cercle miroitant ; Walter était un centre, elle aussi, ils étaient deux centres qui coïncidaient. De la terre, des maisons, des feuilles mortes qu'on n'a pas balayées, de blessantes lignes d'air (elle se souvenait de l'instant, l'un des plus pénibles de son enfance, où elle s'était trouvée avec son père devant un vaste panorama, lui, le peintre, s'en régalant pendant une éternité, elle, sentant seulement que le regard, le long de ces longues lignes d'air, lui faisait mal, comme si elle avait dû suivre du doigt l'arête d'une règle) : telles étaient les choses qui avaient constitué naguère son existence ; maintenant, celle-ci était devenue sienne, comme la chair de sa chair.

Elle savait maintenant qu'elle allait accomplir quelque chose de titanesque ; elle ne pouvait pas encore dire ce que ce serait, mais pour le moment c'était la musique qui lui en donnait l'impression la plus intense. Elle espérait que Walter deviendrait un jour un génie plus sublime encore que Nietzsche ; pour ne rien dire d'Ulrich, qui n'apparut que plus tard, et s'était contenté de lui offrir les œuvres de Nietzsche en cadeau de mariage.

Dès lors, les choses étaient allées de l'avant. Avec quelle rapidité, il était maintenant impossible de le dire. Naguère, Clarisse avait été la plus médiocre des pianistes, la moins musicienne des femmes ; maintenant, elle jouait mieux que Walter. Et que de livres elle avait lus ! D'où étaient-ils donc venus, tous ces livres ? C'étaient des oiseaux noirs voletant autour d'une petite fille debout dans la neige. Mais, un peu après, elle vit une paroi noire avec des taches blanches dessus ; était noir tout ce qu'elle ne connaissait pas, et bien que le blanc, en se groupant, formât des îles plus ou moins vastes, le noir restait immuablement infini. De l'angoisse et de l'excitation émanaient de cet espace noir. « Est-ce le Diable ? Le diable s'est-il changé en Moosbrugger ? » pensa-t-elle. Entre les taches blanches, elle devinait maintenant de minces sentiers gris : c'est ainsi que sa vie était allée d'une chose à l'autre ; c'étaient des événements ; des départs, des arrivées, des discussions violentes, le combat avec les parents, le mariage, la maison, des luttes inouïes avec Walter. Les minces sentiers gris serpentaient. « Couleuvres ! songea Clarisse. Nœuds coulants ! » Ces événements l'enlaçaient, la retenaient, l'empêchaient d'aller où elle voulait, ils étaient glissants et la faisaient dévaler à l'improviste là où elle ne le désirait pas.

Des couleuvres, des nœuds coulants, des choses glissantes : ainsi filait la vie. Ses pensées se mirent à filer comme la vie. Les pointes de ses doigts plongeaient dans le torrent de la musique. Dans le lit de la musique plongeaient des couleuvres, des nœuds coulants. Alors s'ouvrit devant elle, comme le havre d'une anse paisible, la prison dans laquelle Moosbrugger était tenu caché. Les pensées de Clarisse entrèrent en frissonnant dans sa cellule. « Il faut faire de la musique jusqu'à la fin ! » se redit-elle comme un encouragement, mais son cœur tremblait violemment. Lorsqu'il se fut calmé, toute la cellule était emplie de son Moi. C'était un sentiment aussi doux qu'un baume sur une blessure, mais lorsqu'elle voulut le retenir pour ne plus jamais le perdre, il commença à s'ouvrir, à se disloquer comme une légende, comme un rêve. Moosbrugger était assis la tête sur la main, elle lui enlevait ses chaînes. Pendant que ses doigts se mouvaient, la force, le courage, la vertu, la bonté, la beauté et la richesse pénétraient dans la cellule, comme un vent accouru de diverses prairies, appelé par ses doigts. « Il est tout à fait indifférent de savoir pourquoi je dois le faire, sentait Clarisse, la seule chose qui importe est que, maintenant, je le fais ! » Elle lui posa ses mains, une partie de son propre corps sur les yeux. Lorsqu'elle retira ses doigts, Moosbrugger était devenu un beau jeune homme, elle-même était debout à côté de lui, une femme merveilleusement belle dont le corps était aussi moelleux, aussi doux qu'un vin de Sicile, plus du tout ce corps rétif qu'était d'ordinaire celui de la petite Clarisse. « C'est notre corps d'innocence ! » décida-t-elle dans une couche profonde de sa conscience.

Pourquoi Walter n'était-il pas ainsi ? Souvenir remontant des abîmes du rêve musical, elle se rappela à quel point elle était encore enfant quand elle s'était mise à aimer Walter, avec ses quinze ans, quand elle voulait le sauver par son courage, sa force et sa bonté, de tous les dangers qui menaçaient son génie. Que c'était beau quand Walter apercevait partout ces graves dangers intérieurs ! Elle se demandait si tout cela n'avait été qu'enfantillages. Le mariage avait répandu là-dessus une lumière qui gênait. Un grand embarras dans leur amour était né de ce mariage. Bien que cette dernière période fût elle aussi, naturellement, merveilleuse, plus riche de substance, plus concrète peut-être que la précédente, l'incendie géant, le flamboiement du feu jusqu'au ciel n'en était pas moins devenu les aléas d'un feu ménager qui prend mal. Clarisse n'était pas tout à fait sûre que ses combats avec Walter fussent encore vraiment grands. Et la vie filait comme cette musique qui disparaissait entre ses doigts. Dans un instant ce serait fini ! Une angoisse désespérée enveloppait peu à peu Clarisse. C'est alors qu'elle remarqua l'incertitude qui gagnait le jeu de Walter. Son émotion s'écrasait sur les touches comme de grosses gouttes de pluie. Elle devina tout de suite que c'était à l'enfant qu'il pensait. Elle savait qu'il voulait se l'attacher par un enfant. C'était leur quotidienne dispute. Et la musique ne s'arrêtait pas un seul instant, la musique ne connaissait pas de refus. Comme un filet dont elle n'avait pas remarqué l'installation, cela se refermait sur Clarisse avec une rapidité frénétique.

Alors, en plein morceau, elle bondit sur ses pieds, et referma le piano si brusquement que Walter eut à peine le temps de retirer ses doigts.

Quelle douleur ! Encore tout effrayé, il comprit tout. La seule annonce de la venue d'Ulrich avait suffi à soulever en Clarisse cette tempête ! Il lui faisait du mal en excitant brutalement en elle ce à quoi Walter lui-même osait à peine toucher, le génie maudit de Clarisse, la caverne secrète où quelque chose de sinistre tirait sur des chaînes qui pourraient bien se rompre un jour.

Il ne bougeait pas, considérant seulement Clarisse d'un air déconcerté.

Et Clarisse ne s'expliquait pas, elle restait là, haletante.

Elle n'aimait nullement Ulrich, assura-t-elle après que Walter eut parlé. Si elle tombait amoureuse de lui, elle le dirait tout de suite. Mais elle se sentait allumée par lui comme une lampe. Elle se voyait de nouveau briller un peu plus, valoir un peu plus, quand il était dans les parages. Alors que Walter voulait tirer les contrevents ! Et ce qu'elle ressentait ne regardait personne, ni Ulrich, ni Walter !

Walter crut cependant sentir, entre la fureur et l'irritation que respiraient ces paroles, le parfum d'une mortelle petite graine assoupissante qui n'était pas de la fureur.

Le soir était tombé. La chambre était noire. Le piano était noir. Les ombres de deux êtres qui s'aimaient étaient noires. Les yeux de Clarisse luisaient dans l'obscurité, telles des lampes, et dans la bouche de Walter, agitée par la souffrance, l'émail d'une dent miroitait comme de l'ivoire. On aurait dit, même si dehors, dans le monde, les grandes actions politiques se poursuivaient, un de ces instants pour l'amour desquels la terre fut créée par Dieu.

39. *Un homme sans qualités se compose de qualités sans homme.*

Mais Ulrich, ce soir-là, ne vint pas. Après que M. le directeur Fischel l'eut si brusquement quitté, il se retrouva face à face avec la question de sa jeunesse : pourquoi donc le monde favorisait-il si étrangement les manifestations les moins personnelles, les moins vraies (au sens le plus élevé), de la personne ? « C'est justement quand on ment qu'on fait un pas en avant, pensa-t-il. Voilà ce que j'aurais dû lui dire aussi. »

Ulrich était un homme passionné, à condition que l'on

n'entende point par passion ce que l'on appelle au pluriel « les passions ». Sans doute y avait-il quelque chose en lui qui n'avait jamais cessé de le jeter dans « les passions », et peut-être était-ce la passion, mais lorsqu'il était excité ou qu'il agissait sous l'empire de l'excitation, son attitude était à la fois passionnée et indifférente. Il avait fait ainsi toutes sortes d'expériences et il se sentait capable encore maintenant de se jeter à tout moment dans une aventure sans qu'elle eût nécessairement pour lui le moindre sens, simplement parce qu'elle stimulerait son besoin d'activité. C'est pourquoi il pouvait dire de sa vie, sans exagérer beaucoup, que les événements qui s'y étaient déroulés paraissaient avoir dépendu davantage les uns des autres que de lui-même. Que ce fût dans le combat ou dans l'amour, B avait toujours suivi A. Il était donc bien obligé de croire que les qualités personnelles qu'il s'était acquises dépendaient davantage les unes des autres que de lui-même ; bien plus : chacune de ces qualités prise en particulier, pour peu qu'il s'examinât bien, ne le concernait guère plus intimement que les autres hommes qui pouvaient également en être doués.

Il n'en reste pas moins qu'on est sans aucun doute déterminé par elles, qu'on en est constitué, même quand on ne leur est pas identique ; ainsi se découvre-t-on parfois aussi étranger à soi-même au repos qu'en mouvement. Si l'on avait demandé à Ulrich de dire à quoi il ressemblait vraiment, il aurait été fort embarrassé ; comme beaucoup d'hommes, il ne s'était jamais examiné que dans une tâche donnée et en relation avec elle. Sa conscience de soi n'avait pas été lésée, elle n'était ni vaine, ni choyée, et n'éprouvait pas le besoin de cette remise en état, de ce graissage qu'on appelle l'examen de conscience. Était-il une forte personnalité ? Il ne le savait pas ; peut-être entretenait-il sur ce point une erreur fatale. Il est certain qu'il avait toujours été confiant dans sa force. Maintenant encore, il ne doutait pas que cette différence entre celui qui possède des expériences et des qualités propres et celui qui leur reste étranger, n'était qu'une différence d'attitude et dans un certain sens une décision de la volonté, la latitude où l'on choisit de vivre entre le personnel et le général.

Pour parler tout à fait simplement, on peut avoir à l'égard

des choses qui vous arrivent ou que l'on fait, une attitude plus ou moins personnelle ou plus moins générale. On peut ressentir un coup non seulement comme une souffrance, mais encore comme un affront, ce qui l'aggrave jusqu'à le rendre insupportable ; on peut aussi l'encaisser sportivement, comme un obstacle qu'on ne doit pas laisser vous intimider ou vous entraîner à une colère aveugle ; il n'est pas rare, alors, qu'on ne le remarque même pas. Que s'est-il passé, dans ce second cas, sinon qu'on a intégré le coup dans un certain contexte, celui du combat, grâce à quoi la nature de ce coup s'est révélée fonction de la tâche qu'il avait à accomplir ? Et ce phénomène-là, à savoir qu'un événement ne tire sa signification et même son contenu que de la place qu'il occupe dans un enchaînement d'actions conséquentes, ce phénomène-là se produit justement chez celui qui ne considère pas l'événement comme un événement purement personnel, mais comme un défi à sa puissance intellectuelle. Cet homme-là, lui aussi, ressentira dès lors plus faiblement ce qu'il fait ; l'étrange est que ce que l'on tient chez un boxeur pour supériorité intellectuelle soit appelé froideur et insensibilité dès que cela se manifeste chez des hommes qui ne savent pas boxer, dans le choix d'une ligne de conduite. Toutes sortes de distinctions sont d'ailleurs en usage pour adopter ou recommander une conduite, selon les cas, personnelle ou générale. Un assassin objectif est tenu pour particulièrement dangereux ; un professeur qui poursuit ses travaux jusque dans les bras de son épouse est un cœur de pierre ; un politicien qui s'élève sur le cadavre des autres est jugé grand ou vil selon qu'il a réussi ou non ; d'un soldat, d'un bourreau, d'un chirurgien, on exige au contraire cette attitude inébranlable qu'on a condamnée chez les autres. Sans qu'il soit nécessaire d'insister davantage sur la morale de ces exemples, on est frappé par l'incertitude avec laquelle on établit chaque fois un compromis entre l'attitude objectivement et l'attitude personnellement juste.

Cette incertitude donnait au problème personnel d'Ulrich un vaste arrière-plan. Jadis, l'on avait meilleure conscience à être une personne qu'aujourd'hui. Les hommes étaient semblables à des épis dans un champ ; ils étaient probablement plus violemment secoués qu'aujourd'hui par Dieu, la grêle, l'incendie, la peste et la guerre ; mais c'était dans l'ensemble, municipalement, nationalement, c'était en tant que champ, et ce qui restait à l'épi isolé de mouvements personnels était quelque chose de clairement défini dont on pouvait aisément prendre la responsabilité. De nos jours, au contraire, le centre de gravité de la responsabilité n'est plus en l'homme, mais dans les rapports des choses entre elles. N'a-t-on pas remarqué que les expériences vécues se sont détachées de l'homme ? Elles sont passées sur la scène, dans les livres, dans les rapports des laboratoires et des expéditions scientifiques, dans les communautés, religieuses ou autres, qui développent certaines formes d'expérience aux dépens des autres comme dans une expérimentation sociale. Dans la mesure où les expériences vécues ne se trouvent pas, précisément, dans le travail, elles sont, tout simplement, dans l'air. Qui oserait encore prétendre, aujourd'hui, que sa colère soit vraiment la sienne, quand tant de gens se mêlent de lui en parler et de s'y retrouver mieux que lui-même ? Il s'est constitué un monde de qualités sans homme, d'expériences vécues sans personne pour les vivre ; on en viendrait presque à penser que l'homme, dans le cas idéal, finira par ne plus pouvoir disposer d'une expérience privée et que le doux fardeau de la responsabilité personnelle se dissoudra dans l'algèbre des significations possibles. Il est probable que la désagrégation de la conception anthropomorphique qui, pendant si longtemps, fit de l'homme le centre de l'univers, mais est en passe de disparaître depuis plusieurs siècles déjà, atteint enfin le Moi lui-même ; la plupart des hommes commencent à tenir pour naïveté l'idée que l'essentiel, dans une expérience, soit de la faire soi-même, et dans un acte, d'en être l'acteur. Sans doute y a-t-il encore des gens qui ont une vie tout à fait personnelle ; ils disent : « Nous étions hier chez tel et tel », ou bien : « Nous faisons aujourd'hui ceci ou cela », et ils s'en réjouissent sans qu'il soit même nécessaire que ces phrases aient encore un contenu et un sens. Ils aiment tout ce qui entre en contact avec leurs doigts, ils sont aussi « personne privée » qu'il est possible ; le monde, aussitôt qu'ils ont affaire à lui, devient « monde privé » et scintille comme un arc-en-ciel. Peut-être sont-ils très heureux ; mais d'ordinaire, cette sorte de gens paraît déjà absurde aux autres, sans qu'on sache encore bien pourquoi. Et tout d'un coup, devant ces considérations, Ulrich fut obligé de s'avouer, dans un sourire, qu'il était malgré tout ce qu'on appelle un « caractère », même s'il n'en avait aucun.

40. *Un homme a toutes les qualités, mais elles lui sont indifférentes. Un prince de l'esprit est arrêté, et l'Action parallèle trouve un secrétaire d'honneur.*

Il n'est pas difficile de décrire dans ses grandes lignes cet homme de trente-deux ans nommé Ulrich, même si la seule chose qu'il sache de lui-même est que toutes les qualités lui sont à la fois proches et étrangères, et que toutes, qu'elles soient ou non devenues les siennes, lui sont curieusement indifférentes. A la mobilité de l'âme qui présuppose simplement des dons extrêmement variés s'ajoute chez lui une certaine agressivité. C'est un esprit viril. Il ne s'attendrit pas sur les autres et ne s'est guère mis à leur place que lorsque ses desseins exigeaient qu'il les connût. Il ne respecte les droits que s'il a du respect pour celui qui les possède, ce qui est rare. Il s'est développé en lui avec le temps un certain goût de la négation, une souple dialectique du sentiment qui l'induit volontiers à découvrir des défauts dans ce qui bénéficie de l'approbation générale, à prendre la défense de ce qui est interdit et à refuser les obligations avec une mauvaise volonté qui procède de la volonté de se créer ses propres obligations. En dépit de cette volonté, et hormis les quelques exceptions qu'il s'accorde parfois, il abandonne simplement sa direction morale à cette bienséance chevaleresque qui, dans la société bourgeoise, guide à peu près tous les hommes aussi longtemps qu'ils vivent dans une situation régulière ; de la sorte, il se trouve mener, avec l'orgueil, la brutalité et la nonchalance d'un homme qui se sait une vocation, la vie d'un autre homme, faisant de ses inclinations et de ses capacités un usage plus ou moins ordinaire, avantageux et social. Il avait l'habitude de se considérer tout naturellement, et sans aucune vanité, comme l'instrument d'un dessein non sans importance qu'il pensait pouvoir connaître à temps ; maintenant encore, au début de cette année d'inquiète recherche, après qu'il avait réalisé le mouvement hasardeux de sa vie, il retrouvait le sentiment d'être sur le bon chemin, et ne faisait aucun effort particulier pour mettre au point son plan. Il n'est pas très facile, en une pareille nature, de discerner quelle passion la conduit ; la forme que lui ont donnée ses dispositions et les circonstances est encore équivoque, aucune contre-pression réelle n'a encore dénudé son destin, mais le principal est qu'il lui manque, pour se décider, quelque chose qu'elle ne connaît pas. Ulrich est un homme que quelque chose contraint à vivre contre lui-même, alors même qu'il paraît se dérober à toute contrainte.

La comparaison du monde avec un laboratoire lui avait rappelé une de ses vieilles idées. La vie qui lui aurait plu, il se l'était représentée naguère comme une vaste station d'essais où l'on examinerait les meilleures façons d'être un homme et en découvrirait de nouvelles. Le fait que cet ensemble de laboratoires travaillât un peu au hasard, que toute direction générale, toute théorie d'ensemble fissent défaut, était une autre question. On pouvait dire sans crainte d'erreur qu'Ulrich aurait voulu être quelque chose comme un seigneur ou un prince de l'esprit : en vérité, qui ne le souhaite ? C'est même si naturel que l'esprit est considéré comme ce qu'il y a de plus élevé dans le monde, le tout-puissant souverain. C'est là matière d'enseignement. Tout ce qui le peut s'orne d'esprit, s'en chamarre. L'esprit, combiné avec autre chose, est ce qu'il y a de plus répandu au monde. « L'esprit de fidélité », « l'esprit d'amour », un « esprit viril », un « esprit cultivé », « le plus grand esprit de notre temps », « nous voulons sauvegarder l'esprit de telle ou telle chose », « nous voulons agir dans l'esprit de notre mouvement » : ah ! le beau son décent de tout cela jusque dans les plus basses classes ! Tout le reste, à côté, le crime quotidien, la cupidité assidue, apparaît alors comme l'inavouable crasse que Dieu enlève aux ongles de ses orteils.

Mais quand l'esprit demeure tout seul, substantif nu, glabre comme un fantôme à qui l'on aimerait prêter un suaire, qu'en est-il donc ? On peut lire les poètes, étudier les philosophes, acheter des tableaux, discuter toute la nuit : mais ce que l'on y gagne, est-ce de l'esprit ? En admettant même qu'on en gagne, le possédera-t-on pour autant ? Cet esprit-là est si étroitement lié à la forme fortuite qu'il a prise pour entrer en scène ! Il passe à travers celui qui aimerait l'accueillir, ne lui laissant qu'un ébranlement léger. Qu'allons-nous faire de tout cet esprit ? On ne cesse d'en produire en quantités proprement astronomiques sur des tonnes de papier, de pierre et de toile, on ne cesse pas davantage d'en ingérer et d'en consommer dans une gigantesque dépense d'énergie nerveuse : qu'en advient-il ensuite ? Disparaît-il comme un mirage ? Se dissout-il en particules ? Se soustrait-il à la loi terrestre de la conservation de la matière ? Les parcelles de poussière qui descendent au fond de nous et lentement s'y immobilisent n'ont aucun rapport avec la dépense faite. Où est-il parti ? Où est-il, qu'est-il ? Peut-être se formerait-il autour de ce mot « esprit », si l'on en savait davantage, un cercle de silence angoissé...

Le soir était tombé. Des maisons, comme arrachées de l'espace, de l'asphalte, des rails d'acier, formaient le coquillage de plus en plus froid de la ville. La coquille mère, bondée de mouvements humains, ingénus, joyeux ou rageurs, où tout un chacun commence par une gouttelette jaillissante, giclante [1], débute par une petite explosion, est accueilli et refroidi par les parois, s'adoucit et s'immobilise, reste délicatement accroché à l'enveloppe interne de la coquille mère, et finalement se fige en une petite graine contre la cloison. Ulrich pensa tout à coup : « Pourquoi ne me suis-je pas fait pèlerin ? » Ses sens entrevoyaient une vie pure, absolue, d'une fraîcheur consumante comme l'air limpide. Celui qui ne veut pas dire « oui » à la vie devrait au moins lui opposer le « non » des saints ; pourtant, y penser

1. *Wo jeder Tropf als Tröpfchen anfängt* : *Tropf* signifie benêt, *Tröpfchen* gouttelette ; le français ne m'a offert aucun équivalent de ce jeu de mots, mais le sens demeure le même. *N. d. T.*

sérieusement était strictement impossible. Il n'aurait pas pu davantage se faire aventurier, bien que cette vie-là dût ressembler à d'éternelles fiançailles, que ses membres et son courage en devinassent les plaisirs. Il n'avait pu devenir un poète, ni l'un de ces désillusionnés qui ne croient plus qu'à l'argent et à la violence, encore qu'il eût des dispositions pour tout cela. Il oublia son âge, s'imagina qu'il avait vingt ans : alors déjà, néanmoins, une décision intérieure voulait qu'il ne pût rien devenir de tout cela ; quelque chose l'attirait vers toutes les formes de la vie, mais quelque chose de plus puissant l'empêchait d'y atteindre. Pourquoi donc vivait-il d'une manière si peu claire, si indécise ? Sans aucun doute, se disait-il, ce qui l'exilait dans cette existence anonyme et confinée n'était pas autre chose que cette obligation de lier et de délier le monde que l'on appelle, d'un mot que l'on n'aime pas rencontrer sans épithète, l'esprit. Ulrich ne savait même pas pourquoi, mais il devint brusquement triste et pensa : « Tout simplement, je ne m'aime pas. » Dans le corps gelé et pétrifié de la ville il sentait battre, tout au fond, son cœur. Il y avait là quelque chose en lui qui n'avait jamais voulu rester nulle part, sentant le long de lui les murs du monde et se disant qu'il y en avait encore des millions d'autres ; ce Moi, goutte dérisoire, lentement refroidie, qui ne voulait pas céder son feu, son minuscule noyau de feu.

L'esprit sait que la beauté rend bon, mauvais, bête ou séduisant. Il dissèque un mouton et un pénitent, et trouve dans l'un et l'autre humilité et patience. Il analyse une substance et constate que, prise en grandes quantités, elle devient un poison, en petites doses, un excitant. Il sait que la muqueuse des lèvres est apparentée à celle de l'intestin, mais il sait aussi que l'humilité de ces mêmes lèvres est apparentée à celle du sacré. Il mélange, il dissout, il recompose différemment. Pour lui, le bien et le mal, le haut et le bas ne sont pas comme pour le sceptique des notions relatives, mais les termes d'une fonction, des valeurs qui dépendent du contexte dans lequel elles se trouvent. Les siècles lui ont enseigné que les vices peuvent devenir des vertus, et réciproquement ; il tient pour pure maladresse que l'on ne réussisse pas encore, dans le temps d'une vie, à récupérer un criminel. Il n'admet rien de licite ou d'illicite, parce que toute chose peut avoir une qualité qui la fera participer un jour à un nouveau grand système. Il hait secrètement comme la mort tout ce qui feint d'être immuable, les grands idéaux, les grandes lois, et leur petite copie pétrifiée, l'homme satisfait. Il n'est rien qu'il considère comme ferme, aucune personne, aucun ordre ; parce que nos connaissances peuvent se modifier chaque jour, il ne croit à aucune liaison, et chaque chose ne garde sa valeur que jusqu'au prochain acte de la création, comme un visage auquel on parle et qui s'altère avec les mots.

L'esprit est donc l'opportuniste par excellence, mais on ne peut le saisir nulle part, et l'on serait tenté de croire qu'il ne demeure de son action que décadence. Tout progrès constitue un gain de détail, mais une coupure dans l'ensemble ; c'est un accroissement de puissance qui débouche dans un progressif accroissement d'impuissance, et c'est une chose à quoi l'on ne peut rien. Cela rappela à Ulrich ce corps de faits et de découvertes, grossissant presque d'heure en heure, dont l'esprit est contraint aujourd'hui de détourner ses regards s'il veut examiner avec précision quelque problème que ce soit. Ce corps grossit en s'éloignant de l'être intérieur. D'innombrables conceptions, opinions, systèmes provenant de toutes les régions du monde et de toutes les époques, de toutes les espèces de cerveaux, sains ou malades, en état de veille ou de rêve, ont beau le sillonner comme des milliers de petits cordons nerveux, il manque le centre où ses rayons pourraient converger. L'homme se sent menacé de reproduire le destin de ces races d'animaux géants de la préhistoire, qui sont morts de leur grandeur même ; mais il ne peut pas abdiquer.

Cela fit ressouvenir Ulrich d'une idée fort douteuse à laquelle il avait cru longtemps et qu'il n'avait pas encore pu extirper de son cerveau : que seul un sénat d'hommes évolués, doués de vastes connaissances, pouvait gouverner le monde. Il est très naturel de penser que l'homme qui, malade, se confie aux soins de médecins spécialisés plutôt qu'à des bergers, n'a aucune raison, lorsqu'il est en bonne santé, de se faire traiter par des bavards beaucoup moins qualifiés que des bergers, comme c'est le cas dans ses affaires publiques ; c'est pourquoi les jeunes gens, qui s'attachent à l'essentiel, commencent par juger secondaire tout ce qui, dans le monde, n'est ni beau, ni vrai, ni bon, par exemple le Ministère des Finances ou, justement, un débat parlementaire. Du moins étaient-ils tels autrefois : aujourd'hui, grâce à l'éducation politique et économique, ils doivent avoir changé. Mais, alors déjà, quand on avait pris de l'âge et fréquenté assez longtemps ces fumoirs de l'esprit où le monde fume le jambon des affaires, on apprenait à s'accommoder de la réalité. En fin de compte, l'homme cultivé en venait ordinairement à se limiter à sa spécialité en adoptant pour le reste de sa vie la conviction que, si les choses pouvaient évidemment être différentes dans l'ensemble, il n'en était pas moins inutile d'y penser trop. Tel apparaît à peu près l'équilibre intérieur des travailleurs de l'esprit. Et soudain, tout le problème apparut à Ulrich sous la forme assez comique d'une question : le mal ne viendrait-il pas, en fin de compte, puisqu'on ne peut douter qu'il n'y ait de l'esprit en suffisance, de ce que l'esprit n'a pas d'esprit ?

Il eut envie de rire : n'était-il pas lui-même un de ces résignés ? Mais l'ambition déçue, vivante encore cependant, le traversa comme une épée. En cet instant, deux Ulrich marchaient côte à côte. L'un regardait en souriant autour de lui et pensait : « Ainsi donc, j'ai voulu jouer un rôle dans des coulisses comme celles-là ! Je me suis éveillé un jour, non point mou comme dans le corbillon maternel, mais fermement persuadé que j'avais quelque chose à réaliser. On m'a donné mes répliques, et j'ai senti qu'elles ne me concernaient pas. Toutes choses alors étaient emplies, comme par le scintillement du trac, de mes attentes et de mes desseins propres. Entre-temps, la scène a tourné imperceptiblement, j'ai avancé de quelques pas, et me voici déjà, peut-être, au seuil du dénouement. Sous peu, la scène tournante m'aura jeté dehors, et tout ce que j'aurai dit de mon grand rôle sera : "*Les chevaux sont sellés*. Le diable vous emporte tous !" » Mais tandis que l'un des deux Ulrich, pensant ainsi et souriant, marchait dans le flottement du soir, l'autre tenait les poings fermés, dans la colère et la souffrance. C'était des deux le moins visible, ne pensant qu'à trouver une formule de conjuration, une poignée que l'on pût saisir, le véritable esprit de l'esprit, le morceau manquant, tout petit peut-être, qui permettrait de fermer le cercle interrompu. Ce second Ulrich n'avait pas de mots à sa disposition. Les mots sautent d'arbre en arbre comme des singes, mais dans l'obscur domaine où l'on prend racine, on est privé de leur amicale entremise. Le sol ruisselait sous ses pieds. Il pouvait à peine ouvrir les yeux. Un sentiment peut-il souffler en tempête sans être le moins du monde un sentiment tempétueux ? Quand on parle d'une tempête de sentiment, on pense à ces tempêtes qui font grincer l'écorce de l'homme et s'envoler ses branches au point de rompre. Dans cette tempête-ci, la surface demeurait parfaitement calme. C'était seulement, à peu près, un état de conversion, ou d'inversion : rien ne bougeait dans les traits du visage, mais au-dedans, pas un atome ne paraissait rester en place. Les sens d'Ulrich étaient lucides, et néanmoins, chaque être qui venait à sa rencontre était accueilli par l'œil, chaque son par l'oreille, autrement que d'habitude ; non pas avec plus d'acuité, ni même à proprement parler plus profondément, ou plus tendrement, plus ou moins naturellement. Ulrich ne pouvait rien dire du tout, mais en cet instant, il pensa à cette étrange expérience qu'est « l'esprit » comme à une femme aimée qui vous a trompé toute sa vie sans qu'on l'en aime moins, et cela l'unissait à tout ce qui venait à sa rencontre. Quand on aime, tout est amour, même la douleur et la répulsion. La petite branche de l'arbre, le pâle carreau de fenêtre dans la lumière du soir devinrent une expérience profondément abîmée dans sa propre essence, et que les mots pouvaient à peine exprimer. Les choses ne semblaient plus être faites de bois et de pierre, mais d'une grandiose, d'une infiniment tendre immoralité qui, dans l'instant où elle entra en contact avec lui, devint profond ébranlement moral.

Cela dura le temps d'un sourire, et au moment où Ulrich se disait : « Cette fois, je vais rester là où j'ai été transporté », la malchance voulut que cette tension se brisât sur un obstacle.

Ce qui se produisit alors ressortit en fait à un tout autre univers que celui où l'arbre et la pierre venaient d'apparaître à Ulrich comme le prolongement sensible de son propre corps.

Un organe de la classe ouvrière avait, comme se fût exprimé le comte Leinsdorf, déversé une salive destructrice sur la Grande Idée en affirmant que celle-ci n'était qu'une nouvelle sensation pour les classes dirigeantes, succédant au dernier crime sadique ; et un brave ouvrier qui avait un peu trop bu se sentit enflammé par ces déclarations. Il avait frôlé en passant deux bourgeois qui, satisfaits des affaires de la journée, exprimaient à voix assez haute, dans la conscience que les bons sentiments ont toujours le droit d'être exprimés, leur plein accord avec l'Action patriotique. Il s'ensuivit un échange de « mots » ; comme la proximité d'un agent de police n'encourageait pas moins les bien-pensants qu'elle n'excitait l'attaquant, la scène prit une forme de plus en plus violente. L'agent l'observa d'abord par-dessus son épaule, puis il se retourna, et enfin s'approcha ; il y assista en observateur, comme une sorte de levier avancé de la machine appelée État, qui s'achève en boutons et autres éléments de métal. Il faut dire qu'un séjour continuel dans un État bien organisé a quelque chose d'absolument fantômal ; on ne peut sortir dans la rue, boire un verre d'eau ou monter dans le tram sans toucher aux leviers subtilement équilibrés d'un gigantesque appareil de lois et de relations, les mettre en branle ou se faire maintenir par eux dans la tranquillité de son existence ; on n'en connaît qu'un très petit nombre, ceux qui pénètrent profondément dans l'intérieur et se perdent à l'autre bout dans un réseau dont aucun homme, jamais, n'a débrouillé l'ensemble ; c'est d'ailleurs pourquoi on le nie, comme le citadin nie l'air, affirmant qu'il n'est que du vide ; mais il semble que ce soit justement parce que tout ce que l'on nie, tout ce qui est incolore, inodore, insipide, sans poids et sans mœurs, comme l'eau, l'air, l'espace, l'argent et la fuite du temps, est en réalité l'essentiel, que la vie prend ce caractère spectral. Il peut arriver que la panique saisisse un homme, comme dans les rêves où la volonté est impuissante, une tempête de coups et de ruades en tous sens comme d'un animal tombé dans l'incompréhensible mécanisme d'un filet. Ce fut une influence de cet ordre qu'exercèrent sur l'ouvrier les boutons de l'uniforme de l'agent, et c'est alors que le représentant de l'ordre, considérant qu'on lui manquait de respect, procéda à l'arrestation.

Elle ne se fit pas sans résistance et manifestation réitérée d'opinions séditieuses. Des badauds s'émurent, l'ivrogne en fut flatté, et une aversion résolue pour son semblable, restée jusque-là soigneusement cachée, éclata alors au grand jour. Un combat passionné pour l'honneur commença. Une fierté accrue affronta le sentiment inquiétant de ne plus bien tenir dans sa peau. Le monde lui non plus n'était pas ferme ; c'était un souffle incertain qui ne cessait de se déformer et de changer d'aspect. Les maisons étaient de guingois, comme expulsées de l'espace ; les gens, là, au milieu, étaient un grouillement de pauvres types ridicules, mais tous parents. Je suis appelé à y mettre ordre, voilà ce que sentait cet ivrogne exceptionnel. La scène tout entière était remplie d'une sorte de vacillement, un fragment de ce qui se passait lui apparut clairement comme un bout de chemin, puis de nouveau les murs tournèrent. Les axes des yeux lui sortaient de la tête comme des tiges, cependant que la plante de ses pieds retenait de toutes ses forces la terre. Un étrange ruissellement avait commencé dans sa bouche ; des mots sortaient, remontant de l'intérieur, dont il était impossible de savoir comme ils avaient pu y entrer. C'étaient peut-être des injures. Il était malaisé de le préciser. Le dedans et le dehors se ruaient l'un dans l'autre. Cette colère n'était pas une colère profonde, mais seulement l'habitacle corporel de la colère, exaspéré jusqu'à la frénésie, et le visage d'un agent de police s'approcha avec une extrême lenteur d'un poing fermé, avant de se mettre à saigner.

Mais l'agent lui aussi, entre-temps, avait triplé ; avec les gardiens de la paix accourus aussitôt, des gens s'étaient attroupés, l'ivrogne s'était jeté à terre et ne voulait pas se laisser prendre. Ulrich commit alors une imprudence. Il avait entendu dans l'attroupement le mot « Lèse-majesté », et observa qu'un homme dans cet état n'était pas en mesure de commettre un tel crime, qu'il fallait l'envoyer se coucher. Il avait dit cela sans y accorder beaucoup d'importance, mais il tombait mal. L'homme se mit à crier qu'Ulrich, autant que Sa Majesté, pouvaient aller se faire...

– et un agent qui rejeta évidemment la faute de cette récidive sur l'intervention d'Ulrich, invita celui-ci, non sans brusquerie, à vider les lieux. Ulrich n'était pas habitué à voir dans l'État autre chose qu'un hôtel où l'on a droit à être servi poliment. Il se plaignit du ton sur lequel on lui parlait ; chose inattendue, la police en déduisit qu'un seul ivrogne ne suffisait pas à justifier la présence de trois agents, et sans plus attendre, on emmena Ulrich à son tour.

La main d'un homme en uniforme entoura son bras. Son bras était de loin plus fort que cette étreinte offensante, mais Ulrich ne pouvait la rompre à moins de s'engager dans un pugilat sans espoir avec la force armée ; si bien qu'il ne lui resta plus en fin de compte qu'à demander poliment qu'on voulût bien le laisser suivre volontairement. Le poste se trouvait dans l'immeuble d'un commissariat, et lorsque Ulrich y pénétra, les murs et le sol lui rappelèrent aussitôt la caserne ; la même lutte obscure entre la saleté qu'on s'obstine à y faire entrer et les moyens grossiers qu'on utilise pour en venir à bout, l'emplissait. La deuxième chose qu'il remarqua fut le symbole de l'autorité civile qui y était serti : deux pupitres avec une balustrade à laquelle manquaient une ou deux colonnettes, de vraies caisses à écrire, recouvertes d'un tapis déchiré et brûlé, le tout reposant sur des pieds très bas en forme de boule et couvert, au temps de l'empereur Ferdinand, d'une couche de vernis brun jaune dont il ne restait plus sur le bois que les ultimes lambeaux. La troisième chose qui emplissait cette pièce de son épaisseur était le sentiment que l'on n'avait plus ici qu'à attendre sans poser de questions. Une fois qu'il eut annoncé le motif de l'arrestation, l'agent d'Ulrich resta debout comme une colonne à côté de lui. Ulrich essaya de donner aussitôt une explication, le brigadier commandant cette forteresse leva un œil au-dessus d'une feuille de papier timbré sur laquelle il était en train d'écrire lorsque le groupe était entré, inspecta Ulrich, puis l'œil replongea, et le fonctionnaire continua sans un mot à écrire sur son document. Ulrich eut le sentiment de l'infinité. Puis le sergent repoussa la feuille de papier, prit un livre sur un rayon, y inscrivit quelque chose, versa du sable dessus, mit le livre de côté, en prit un autre, inscrivit, versa, tira d'une pile de dossiers un fascicule et y poursuivit son activité. Ulrich eut le sentiment qu'une seconde infinité commençait maintenant à se dérouler, pendant laquelle les astres poursuivaient leur course réglementaire ; mais lui-même n'était plus au monde.

De ce bureau, une porte ouverte donnait sur un corridor le long duquel s'alignaient les cellules. C'est là qu'on avait immédiatement conduit le protégé d'Ulrich, et comme on ne l'entendait plus, l'ivresse lui avait sans doute accordé la bénédiction du sommeil ; mais on devinait le déroulement inquiétant d'autres événements. Le couloir aux cellules devait avoir une autre entrée ; Ulrich entendit à plusieurs reprises de lourdes allées et venues, des portes qui claquaient, des voix étouffées, et tout à coup, comme on livrait de nouveau un prisonnier, une de ces voix s'éleva, qu'Ulrich entendit désespérément supplier : « Si vous avez une étincelle de sentiment humain, vous ne m'arrêterez pas ! » Les paroles trébuchèrent, et il eut l'air étrangement déplacé, presque risible, cet appel aux sentiments d'un fonctionnaire, quand les fonctions ne peuvent être remplies qu'objectivement. Le sergent leva un instant la tête, sans abandonner tout à fait ses dossiers. Ulrich entendit le piétinement violent de plusieurs pieds dont les corps devaient évidemment pousser en silence un autre corps, qui résistait. Puis le bruit de deux pieds chancela seul, comme à la suite d'un coup. Puis une porte fut violemment fermée à clef, un verrou cliqueta, l'homme en uniforme à son pupitre avait de nouveau penché la tête, et il y eut dans l'air le silence d'un point lancé où il faut à la fin d'une phrase.

Ulrich semblait s'être trompé en croyant qu'il n'était pas encore mûr pour entrer dans le cosmos de la police ; lorsqu'il releva la tête, le brigadier se mit à le considérer, les dernières lignes qu'il avait écrites restèrent brillantes d'encre sans qu'il les séchât, et il apparut que le cas Ulrich était devenu depuis un bon moment déjà une réalité officielle. Nom ? Age ? Profession ? Adresse ? Ulrich fut interrogé.

Il crut être tombé dans une machine qui le démembrait en éléments impersonnels et généraux avant même qu'il eût été seulement question de son innocence ou de sa culpabilité. Son nom, les deux mots les plus pauvres d'idées, mais les plus riches d'émotion de la langue, son nom ici ne disait rien du tout. Ses travaux, qui lui avaient valu l'estime d'un monde qui passe pourtant pour solide, le monde savant, étaient absents de ce monde-ci ; on ne l'interrogea pas une seule fois sur eux. Son visage n'était qu'un signalement ; il avait l'impression de n'avoir jamais pensé jusqu'alors que ses yeux étaient des yeux gris, l'une des quatre paires d'yeux officiellement admises qui se retrouvent en millions d'exemplaires ; ses cheveux étaient blonds, sa taille élevée, son visage ovale, et il n'avait pas de signes particuliers, bien que lui-même fût là-dessus d'un autre avis. A son sentiment, il était grand, large d'épaules, sa cage thoracique était comme une voile gonflée à son mât, et les articulations de son corps prolongeaient ses muscles comme de fins membres d'acier, dès qu'il s'irritait, se querellait ou serrait Bonadea contre lui ; en revanche, il était mince, tendre, sombre et souple comme une méduse flottant dans l'eau quand il lisait un livre qui l'empoignait, ou lorsque l'effleurait le souffle du grand amour sans patrie dont il n'avait jamais pu comprendre l'Être-dans-le-monde. C'est pourquoi il demeura capable d'apprécier, même en cet instant, le désenchantement que la statistique faisait subir à sa personne, et la méthode de signalement et de mensuration que le policier lui appliquait l'enthousiasma comme un poème d'amour inventé par Satan. Le plus merveilleux était que la police pût ainsi non seulement disséquer un homme au point qu'il n'en restât plus rien, mais encore à partir de ces éléments dérisoires, le recomposer, le rendre à nouveau distinct des autres et le reconnaître à ses traits. Il suffit pour réussir ce tour qu'intervienne cet impondérable qu'elle appelle le soupçon.

Ulrich comprit tout d'un coup que seule l'habileté la plus froide pourrait le tirer de la situation où l'avait mis sa folie. On continuait à l'interroger. Il se figura l'effet qu'il obtiendrait si, interrogé sur son adresse, il répondait que son adresse était celle d'une personne qui lui était inconnue. Ou si, quand on lui demanderait pourquoi il avait fait ce qu'il avait fait, il répliquait qu'il faisait toujours autre chose que ce qu'il lui importait vraiment de faire. Extérieurement, néanmoins, il donna sagement le nom de sa rue et le numéro de sa maison, et tenta de trouver une justification passable à sa conduite. Mais l'autorité intérieure de l'esprit se révéla péniblement impuissante devant l'autorité extérieure du brigadier. Enfin, Ulrich aperçut une lueur d'espoir. Quand, interrogé sur sa profession, il avait répondu « indépendante » (dire « savant indépendant » lui eût été impossible), il avait encore senti se poser sur lui le même regard que s'il s'était déclaré « sans abri » ; mais, lorsqu'il fut prié de donner le nom de son père et qu'il apparut que celui-ci était membre de la Chambre des Seigneurs, le regard changea brusquement. Il restait encore méfiant, mais quelque chose aussitôt fit éprouver à Ulrich un sentiment analogue à celui d'un homme longtemps ballotté par les vagues de la mer et dont le gros orteil touche enfin le fond. Dans un brusque réveil de sa présence d'esprit, il exploita cet avantage. Il atténua immédiatement tout ce dont il était convenu, opposa à l'autorité d'une paire d'oreilles qui l'avait écouté sous la foi du serment le ferme désir d'être entendu par le commissaire en personne. Quand il vit que cette demande ne provoquait qu'un simple sourire, il mentit (avec un naturel parfaitement joué, comme en passant, prêt à revenir sur son affirmation au cas où l'on en tirerait le lasso d'un point d'interrogation pour l'y entortiller), prétendant qu'il était l'ami du comte Leinsdorf et le secrétaire de la grande Action patriotique dont on devait sans doute avoir entendu parler par les journaux. Il nota aussitôt qu'il avait réussi à provoquer ainsi sur sa personne la réflexion sérieuse qu'on lui avait jusqu'alors refusée, et il maintint son avantage. La suite fut que le brigadier l'examina, furieux parce qu'il ne voulait prendre la responsabilité ni de détenir plus longtemps, ni de laisser courir une prise pareille ; comme il n'y avait pas de fonctionnaire plus haut placé que lui à cette heure-là dans l'immeuble, il s'avisa d'un moyen qui prouvait avec éclat que le simple brigadier qu'il était n'avait pas été insensible à la manière dont ses supérieurs réglaient les affaires scabreuses. Il prit un air important pour déclarer que de graves présomptions pesaient sur Ulrich : Ulrich, non seulement s'était rendu coupable d'offense à un magistrat dans l'exercice de ses fonctions, mais compte tenu précisément de la situation qu'il prétendait avoir, s'était encore rendu suspect de menées obscures, peut-être d'ordre politique, ce pourquoi il devait s'attendre à être transféré à la Division politique de la Préfecture de police.

C'est ainsi qu'Ulrich, quelques minutes plus tard, roulait à travers la nuit dans une voiture commandée exprès pour lui, à côté d'un policier en civil peu enclin à la conversation. Lorsqu'ils approchèrent de la Préfecture, l'inculpé vit les fenêtres du premier étage brillamment illuminées, car une importante conférence se tenait encore, malgré l'heure avancée, dans le bureau du Préfet ; le bâtiment n'était pas une obscure écurie, mais ressemblait à un ministère : déjà Ulrich respirait un air plus familier. Il eut bientôt fait de remarquer également que le fonctionnaire du service de nuit devant lequel il avait été conduit reconnaissait rapidement la gaffe qu'avait commise en l'arrêtant l'organe périphérique exaspéré ; retirer des griffes de la Justice un homme qui avait eu l'insouciance de s'y jeter lui-même paraissait néanmoins tout à fait contre-indiqué. Le fonctionnaire de la Préfecture portait lui aussi sur son visage une machine d'acier, et déclara au prisonnier qu'il doutait, vu l'irréflexion de celui-ci, de pouvoir prendre sur lui la responsabilité de le relâcher. Ulrich avait déjà exposé par deux fois tout ce qui avait été d'un effet si heureux sur le brigadier, mais, en face de ce fonctionnaire plus haut placé, son effort semblait vain, et il allait déjà considérer sa cause comme perdue lorsque se produisit tout à coup sur le visage de son juge une modification remarquable, et presque bienheureuse. Il examina une nouvelle fois de plus près le procès-verbal, se fit répéter le nom d'Ulrich, s'assura de son adresse et le pria poliment d'attendre un instant, tandis qu'il quittait la pièce. Dix minutes s'écoulèrent jusqu'à ce qu'il réapparût, avec la tête de qui vient de se rappeler une circonstance agréable ; il invita le détenu, cette fois avec une politesse marquée, à le suivre. Arrivé à la porte d'une des pièces illuminées de l'étage supérieur, il se contenta de dire : « Monsieur le Préfet de police désire s'entretenir personnellement avec vous. » L'instant d'après, Ulrich se trouva devant un monsieur qui sortait de la salle de séance voisine et portait les favoris en côtelettes qu'il connaissait déjà. Il était décidé à expliquer sa présence sur un ton de blâme discret, par une méprise du commissariat de quartier, mais le Préfet le prévint et le salua en ces termes : « Un malentendu, cher monsieur de..., monsieur le Commissaire m'a déjà tout raconté. Néanmoins, nous sommes obligés de vous infliger une petite amende, car... » En disant cela, il le regardait d'un air fripon (dans la mesure où il est permis d'employer ce terme à propos du premier fonctionnaire de la police), comme s'il voulait le laisser deviner lui-même le mot de l'énigme.

Cependant, Ulrich ne devinait rien du tout.

« Son Altesse ! » dit le Préfet pour le mettre sur la voie.

« Son Altesse le comte Leinsdorf, ajouta-t-il, était encore ici il n'y a que quelques heures, ardemment désireux de vous trouver. »

Ulrich ne comprenait qu'à moitié. « Vous n'êtes pas dans le bottin, monsieur le Docteur ! » dit le Préfet en guise d'explication, sur un ton de reproche plaisant, comme si c'était là l'unique crime d'Ulrich.

Ulrich s'inclina avec un sourire réservé.

« Je crois savoir que vous devez vous rendre auprès de Son Altesse demain pour une affaire publique de grande importance, et ne puis prendre sur moi de vous en empêcher en vous incarcérant... » Le maître de la machine d'acier avait terminé sa petite plaisanterie.

On peut supposer que le Préfet, en tout autre cas, eût également jugé l'arrestation déplacée, et que le commissaire qui se souvint par hasard du contexte dans lequel le nom d'Ulrich était apparu pour la première fois dans cette maison quelques heures plus tôt, avait présenté l'incident au Préfet de telle manière que celui-ci fût forcé d'en arriver à cette conclusion ; autrement dit, que personne n'était intervenu arbitrairement dans le cours des événements. D'ailleurs, Son Altesse ne sut jamais comment les choses s'étaient passées. Ulrich se sentit le devoir de lui présenter ses hommages le jour même qui suivit cette scène de lèse-majesté, et c'est en cette occasion qu'il devint immédiatement secrétaire d'honneur de la grande Action patriotique. Le comte Leinsdorf, s'il avait su toute l'histoire, n'eût rien pu dire, sinon qu'il s'agissait d'un véritable miracle.

41. *Rachel et Diotime.*

Peu de temps après eut lieu chez Diotime la première grande séance de l'Action patriotique.

La salle à manger contiguë au salon avait été transformée en salle de conférence. Au milieu de la pièce se dressait la table à manger, déployée dans toute sa longueur et recouverte d'un tapis vert. Il y avait à toutes les places des feuilles de papier ministre blanc d'ivoire et des crayons plus ou moins durs. Le buffet avait été enlevé. Les angles de la pièce étaient vides et austères. Pour imposer davantage, les murs étaient nus, hors un portrait de Sa Majesté que Diotime avait accroché, et celui d'une dame en taille de guêpe que monsieur Tuzzi, du temps qu'il était consul, avait dû rapporter on ne sait d'où, mais qui pouvait fort bien passer pour le portrait d'une ancêtre. Diotime aurait beaucoup aimé mettre encore un crucifix à la tête de la table, mais le sous-secrétaire Tuzzi, avant de quitter sa maison, quelques instants plus tard, par discrétion, lui avait ri au nez.

L'Action parallèle devait avoir des débuts tout à fait privés. Ni ministres ni grosses nuques ; pas un seul homme politique : c'était voulu. On ne devait réunir d'abord, en petit comité, que des serviteurs désintéressés de l'Idée : le gouverneur de la Banque nationale, monsieur von Holtzkopf et le baron Wisnietzky, quelques dames de la haute société, des représentants notoires des patronages bourgeois. Pour rester fidèle au principe leinsdorfien de « Capital et Culture », des représentants des hautes écoles, des associations artistiques, de l'industrie, de la grande propriété foncière et de l'Église étaient attendus. Les différents départements ministériels avaient choisi pour les représenter de jeunes fonctionnaires peu voyants dont la situation sociale convenait à ce milieu et qui jouissaient de la confiance de leurs chefs. La composition de cette réunion répondait aux vœux du comte Leinsdorf qui, s'il pensait toujours à une « manifestation née sans contrainte du cœur même du peuple », n'en considérait pas moins comme un grand soulagement, depuis l'histoire des « points », de savoir à qui l'on avait affaire.

Rachel, la petite bonne (que sa maîtresse appelait Rachèle, dans une traduction française assez libre), était sur ses jambes depuis six heures du matin. Elle avait ouvert la grande table à manger, l'avait prolongée à chaque extrémité d'une table de jeu, puis recouverte d'un tapis vert ; elle époussetait maintenant avec le plus grand soin et accomplissait chacune de ces ennuyeuses besognes dans le plus pur enthousiasme. Diotime lui avait dit le soir d'avant : « Demain, peut-être, nous verrons se faire ici l'Histoire du monde ! », et tout le corps de Rachel brûlait du bonheur d'être associé à un tel événement : excellente recommandation pour celui-ci, car le corps de Rachel sous sa petite robe noire était charmant comme de la porcelaine de Meissen.

Rachel avait dix-neuf ans et croyait aux miracles. Elle était née en Galicie dans une baraque sordide où la mesousa[1] était suspendue au montant de l'entrée, et où la terre sortait par les fentes du plancher. Elle avait été maudite et jetée à la porte. Sa mère n'avait pu que prendre un air désespéré, ses frères et sœurs avaient ricané avec l'angoisse au visage. Elle s'était mise à genoux, suppliante, la honte avait étouffé son cœur, mais rien n'y avait fait. Un garçon sans scrupules l'avait séduite ; elle ne savait plus comment ; elle avait dû accoucher chez des inconnus et quitter le pays. Puis Rachel avait voyagé ; sous le coffre de bois crasseux dans lequel elle voyageait, le désespoir roulait lui aussi ; enfin, vide de larmes, elle ne vit dans la capitale où quelque instinct la poussait à se réfugier qu'un mur de feu où elle voulait se jeter pour mourir. Mais, par un authentique miracle, le mur s'ouvrit et l'accueillit ; depuis lors, Rachel avait eu continuellement l'impression de vivre à l'intérieur d'une flamme d'or. Le hasard l'avait fait aboutir chez Diotime, et cette dernière avait trouvé tout naturel

1. La *mesousa*, rouleau de parchemin où s'inscrit le décalogue et que les Juifs pieux placent au chambranle de la porte. *N. d. T.*

qu'on se sauvât de chez soi en Galicie, puisque c'était pour échouer chez elle. Quand elles furent devenues intimes, elle parla quelquefois à la petite des gens célèbres et haut placés qui fréquentaient la maison où « Rachèle » avait l'honneur de pouvoir servir ; elle lui avait même fait quelques confidences sur l'Action parallèle, pour le plaisir de voir les prunelles de Rachèle s'enflammer à chaque révélation, tels des miroirs d'or irradiant l'image de la maîtresse.

Si la petite Rachel avait été maudite par son père à cause d'un garçon sans scrupules, elle n'en était pas moins une honnête jeune fille qui, de Diotime, aimait simplement tout : les cheveux sombres et souples qu'elle avait la permission de brosser matin et soir, les vêtements qu'elle lui aidait à passer, les laques chinoises et les guéridons hindous de bois sculpté, les livres écrits en des langues étrangères, et dont elle ne comprenait pas un mot ; elle aimait aussi monsieur Tuzzi et, depuis peu, le nabab qui avait rendu visite à Madame le lendemain (Rachel disait : le jour même) de son arrivée ; dans l'antichambre, Rachel l'avait contemplé avec la même exaltation que s'il avait été le Sauveur des Chrétiens sorti de son armoire d'or, et l'unique chose qui la chagrinât fut qu'il n'eût pas emmené avec lui, pour cette visite, son petit Soliman.

Aujourd'hui, dans l'imminence d'un événement d'une importance mondiale, elle était persuadée qu'il y aurait aussi un événement pour elle, et elle supposa que cette fois, comme la solennité des circonstances l'exigeait, Soliman accompagnerait son maître. Cet espoir, néanmoins, n'était nullement l'essentiel, c'était simplement la complication inévitable, le nœud, l'intrigue qui ne manquaient jamais dans les romans grâce auxquels Rachel faisait son éducation. Car Rachel avait la permission de lire les romans que Diotime mettait de côté, de même qu'elle pouvait arranger pour son usage la lingerie que Diotime ne portait plus. Rachel coupait et lisait couramment, c'était son héritage juif, mais lorsqu'elle avait entre les mains un roman dont Diotime lui avait dit que c'était un grand chef-d'œuvre (c'était ceux qu'elle préférait lire), elle n'en comprenait naturellement le déroulement que comme on assiste de très loin, ou dans un pays étranger, à des événements animés ;

elle était intéressée, empoignée même, par un mouvement qui lui restait incompréhensible, où elle ne pouvait songer à intervenir, et c'était cela qu'elle aimait par-dessus tout. Quand on l'envoyait de l'autre côté de la rue, quand une visite d'importance arrivait, c'est de la même manière qu'elle savourait la grande pantomime excitante de la ville impériale, cette abondance inconcevable de détails brillants auxquels elle avait part simplement parce qu'elle se trouvait en leur centre, dans une position privilégiée. Elle ne tenait pas du tout à en comprendre davantage ; de colère, elle avait oublié d'un coup son instruction juive élémentaire et les sages sentences de la maison paternelle ; elle n'en avait pas plus besoin qu'une fleur d'une cuillère et d'une fourchette pour se nourrir des sucs du sol et de l'air.

Elle rassembla donc une fois encore tous les crayons et, prudemment, enfila leurs pointes luisantes dans la petite machine qui se trouvait à l'angle de la table et taillait le bois si parfaitement, lorsqu'on tournait la manivelle, qu'à la seconde manœuvre il n'en tombait plus la moindre fibrille ; puis elle replaça les crayons à la tête des feuilles de papier veloutées, trois crayons différents à chaque place, et pensa que cette machine parfaite dont elle avait la permission de se servir provenait du Ministère des Affaires étrangères et de la Maison impériale ; un domestique l'en avait apportée la veille au soir avec les crayons et le papier. Sept heures entre-temps avaient sonné ; Rachel jeta un bref regard de général sur tous les détails de l'installation et sortit en hâte de la chambre pour réveiller Diotime, car la séance était fixée à dix heures un quart, et Diotime, après le départ de Monsieur, était restée encore un peu au lit.

Ces matins avec Diotime étaient pour Rachel une joie unique. Le mot amour ne conviendrait pas ici ; bien plutôt le mot vénération, si on l'entend dans son sens le plus plein, quand le respect qu'un être témoigne à un autre l'imprègne et l'emplit au point qu'il en est presque expulsé de lui-même. Depuis son aventure au pays, Rachel avait une petite fille, âgée maintenant d'un an et demi ; ponctuellement, le premier dimanche de chaque mois, elle apportait à une nourrice une grande partie de son salaire, et avait alors l'occasion de voir sa fille ; mais, bien qu'elle ne négligeât pas son devoir de mère, elle n'y voyait guère que le châtiment d'une faute ancienne, et ses émotions étaient redevenues celles d'une jeune fille dont le corps chaste n'a pas encore été ouvert par l'amour. Elle s'approchait du lit de Diotime, et ses regards, adorants comme ceux d'un alpiniste qui aperçoit, montant des ténèbres du matin, une cime de neige s'élever dans le premier bleu du ciel, glissaient sur les épaules de sa maîtresse, avant qu'elle n'effleurât de ses doigts la chaleur délicate comme nacre de la peau. Puis elle goûtait au parfum subtilement compliqué de la main, qui sortait ensommeillée de la couverture pour qu'on la baisât et sentait les eaux de toilette de l'aube, mais aussi les vapeurs du repos nocturne ; elle approchait la mule du pied nu qui la cherchait, et accueillait le regard de l'éveil. Mais ce contact sensuel avec un majestueux corps de femme n'eût pas été de fort loin aussi beau pour elle, s'il n'avait été irradié tout entier par la signification morale de Diotime.

« As-tu pensé à mettre le fauteuil pour Son Altesse ? La petite cloche d'argent à ma place ? Douze feuilles de papier à la place du secrétaire ? Et six crayons, Rachèle, six, pas trois, pour le secrétaire ? » Tels furent, ce jour-là, les premières paroles de Diotime. A chacune de ces questions, Rachel refaisait mentalement sur ses doigts le compte de tout ce qu'elle avait fait, tremblante de peur et d'orgueil, comme si une vie était en jeu. Sa maîtresse avait passé un peignoir et se rendit dans la salle des conférences. Sa manière d'éduquer « Rachèle » consistait à rappeler à celle-ci, à chacun de ses actes, à chacune de ses omissions, qu'on ne doit jamais rien considérer comme son affaire personnelle, mais qu'il faut toujours penser à la signification générale. Quand Rachel brisait un verre, « Rachèle » apprenait que le dommage en soi était tout à fait insignifiant, mais que le verre transparent était un symbole des petites tâches quotidiennes que l'œil n'aperçoit qu'à peine parce qu'il aime regarder plus haut, mais auxquelles on doit vouer, pour cette raison même, une attention particulière... Et, tandis qu'elle balayait les débris, se voyant traitée avec cette courtoisie ministérielle, Rachel pleurait des larmes de remords et de bonheur. Les cuisinières, dont Diotime exigeait aussi qu'elles sachent penser correctement et reconnaître leurs erreurs passées, avaient déjà changé souvent depuis que Rachel était en service, mais Rachel aimait de tout son cœur ces grandes et merveilleuses phrases, comme elle aimait l'Empereur, les enterrements et les cierges qui brillent dans l'ombre des églises catholiques. De temps en temps, elle mentait pour se tirer d'affaire, mais en avait ensuite de grands remords ; peut-être aimait-elle pourtant les petits mensonges, parce qu'elle sentait alors, en face de Diotime, toute sa méchanceté ; mais elle ne se les permettait d'ordinaire que lorsqu'elle espérait pouvoir les changer rapidement et discrètement en vérités.

Lorsqu'un être vit ainsi continuellement les regards posés sur un autre, il arrive que son corps lui soit littéralement dérobé et se précipite comme un petit météore dans le soleil de l'autre corps. Diotime n'avait rien trouvé à redire, et avait tapé amicalement sur l'épaule de sa petite servante ; elles gagnèrent alors la salle de bains et commencèrent la toilette pour le grand jour. Quand Rachel tiédissait l'eau chaude, faisait mousser le savon ou recevait la permission d'essuyer le corps de Diotime avec la serviette aussi vigoureusement que si ç'avait été le sien, elle en retirait un plaisir bien plus grand que si ç'avait été vraiment son propre corps. Celui-ci lui semblait misérable et indigne de confiance, elle n'aurait jamais osé y penser, ne fût-ce que par comparaison, et lorsqu'elle touchait la plénitude sculpturale de Diotime, elle avait les mêmes sentiments qu'un gros paysan de conscrit qu'on affecte à un régiment étincelant.

C'est ainsi que Diotime fut armée pour le grand jour.

42. *La grande séance.*

Quand la dernière minute avant l'heure fixée fut passée, le comte Leinsdorf apparut en compagnie d'Ulrich. Rachel, déjà incandescente parce que des hôtes n'avaient cessé d'arriver qu'elle avait dû introduire puis aider à retirer leur pardessus, reconnut immédiatement ce dernier et nota avec satisfaction que lui non plus n'était pas un visiteur quelconque, mais un homme que des circonstances importantes avaient conduit dans la maison de sa maîtresse, ainsi qu'il apparaissait maintenant qu'il y revenait en compagnie de Son Altesse. Elle voltigea jusqu'à la porte de la salle qu'elle ouvrit solennellement, puis s'accroupit devant le trou de la serrure pour savoir ce qui allait se passer. C'était un trou assez grand, et elle vit le menton rasé du gouverneur, la cravate violette du prélat Niedomansky ainsi que la dragonne dorée du général Stumm von Bordwehr que le Ministère de la Guerre avait délégué bien qu'il n'eût pas été réellement invité ; le Ministère avait expliqué, dans une lettre au comte Leinsdorf, qu'il ne voulait pas ne pas être représenté « dans une occasion si hautement patriotique », même si son origine et son développement probable ne le concernaient pas directement. C'était une chose dont Diotime avait oublié de faire part à Rachel, de sorte que celle-ci fut fort excitée par la présence à la conférence d'un officier, mais elle ne put provisoirement rien savoir de plus sur ce qui se passait dans la pièce.

Diotime, cependant, avait accueilli Son Altesse et ne prêta pas grande attention à Ulrich ; elle faisait les présentations et commença par nommer à Son Altesse M. le Dr Paul Arnheim, en expliquant qu'un heureux hasard leur avait valu la visite de cet illustre ami en leur maison, et qu'elle demandait, bien que sa qualité d'étranger l'empêchât de participer dans les formes aux séances, qu'on l'autorisât à en faire son conseiller personnel ; car (elle glissa sans plus attendre cette tendre menace) sa grande expérience et ses importantes relations dans le domaine de la culture internationale et dans les rapports qui unissent ces problèmes à ceux de l'Économie étaient pour elle un appui inestimable ; elle avait dû jusqu'alors rapporter seule sur ces sujets, on ne pourrait pas si aisément la remplacer, même plus tard, encore qu'elle ne fût que trop consciente de l'insuffisance de ses moyens.

Le comte Leinsdorf se trouva surpris et, pour la première fois depuis le début de leurs relations, dut s'étonner d'un faux pas dans la conduite de sa bourgeoise amie. Arnheim se sentit embarrassé lui aussi, comme un souverain dont l'entrée n'a pas été suffisamment bien ménagée ; il avait été fermement convaincu jusqu'alors que le comte Leinsdorf était au courant de son invitation et l'avait ratifiée. Diotime, dont le visage en cet instant était rouge et figé par l'entêtement, ne céda pas ; comme toutes les femmes qui ont trop bonne conscience en matière matrimoniale, elle était capable de pousser l'indiscrétion féminine aux pires excès quand il s'agissait d'une affaire parfaitement honorable.

Déjà, elle était amoureuse d'Arnheim qui était venu la voir une ou deux fois entre-temps ; dans son inexpérience, elle n'avait pas la moindre idée de la véritable nature de son sentiment. Ils conféraient ensemble de ce qui émeut l'âme, cette âme qui, de la plante des pieds à la racine des cheveux, ennoblit la chair et transforme les impressions confuses de la civilisation en harmonieuses vibrations spirituelles. Cela même était déjà beaucoup. Comme Diotime avait l'habitude de la prudence et qu'elle avait été toute sa vie soucieuse de ne jamais se découvrir, cette intimité lui parut trop soudaine ; elle dut mobiliser de très grands sentiments, ou disons simplement « les grands sentiments ». Où les trouve-t-on de préférence ? Là où tout le monde les relègue : dans les événements historiques. L'Action parallèle était pour Diotime et Arnheim comme un refuge dans le flot croissant de leur circulation intérieure ; ils considéraient ce qui les avait réunis en un moment si capital comme un destin particulier, et il n'y avait pas entre eux la moindre divergence d'opinion sur le fait que la grande entreprise patriotique représentait pour les tenants de l'esprit une occasion et une responsabilité considérables. Arnheim le disait aussi, mais n'oubliait jamais d'ajouter que ce qu'il fallait d'abord, c'était des hommes énergiques, ayant autant d'expérience des affaires que des idées, et que l'étendue de l'organisation était une question secondaire. C'est ainsi que l'Action parallèle, en Diotime, s'était inextricablement mêlée à la personne d'Arnheim, et le vide abstrait d'abord lié à cette entreprise avait fait place à la richesse et à la plénitude. L'espoir que le trésor de sentiment que recelait l'Autriche pourrait être fortifié par la discipline intellectuelle de la Prusse se voyait justifié de la manière la plus heureuse, et ces impressions étaient si puissantes que la très correcte

Diotime ne se rendit même pas compte du coup de force qu'elle risquait en invitant Arnheim à assister à la séance inaugurale. Il était maintenant trop tard pour se raviser ; Arnheim, saisissant par intuition le sens caché de ces événements, y trouva quelque chose d'essentiellement conciliant, malgré l'irritation où le mettait la situation dans laquelle il s'était trouvé ; et Son Altesse était vraiment beaucoup trop bien disposée envers Diotime pour aller au-delà de l'expression involontaire de son étonnement ; elle n'ajouta pas un mot à l'explication de Diotime, et, après une pénible petite pause, tendit aimablement la main à Arnheim en déclarant, de la manière la plus courtoise et la plus flatteuse, qu'il était le bienvenu : et c'était en effet le cas. Parmi les autres assistants, la plupart avaient sans doute remarqué cette brève scène et, dans la mesure où ils savaient qui il était, s'étonnèrent aussi de la présence d'Arnheim ; mais on admet d'avance, entre gens bien élevés, que toute chose a sa raison, et l'on serait mal venu de la chercher avec trop de curiosité.

Diotime, entre-temps, avait retrouvé sa sérénité de statue ; un instant plus tard, elle ouvrait la séance et priait Son Altesse de faire à sa maison le grand honneur d'en accepter la présidence.

Son Altesse le comte Leinsdorf prononça une allocution. Il l'avait préparée depuis plusieurs jours, et sa pensée était d'une nature beaucoup trop ferme pour qu'il eût pu y changer quoi que ce fût au dernier moment ; la seule chose qu'il put faire fut d'atténuer les allusions les plus directes au fusil à aiguille prussien (qui avait perfidement devancé, en 66, les fusils rayés autrichiens). « Si nous sommes ici réunis, dit le comte Leinsdorf, c'est que nous sommes tous d'accord pour penser qu'une manifestation puissante, issue du cœur même du peuple, ne peut être abandonnée au hasard, qu'elle exige des organisateurs à qui leur situation permette de voir loin et de voir grand, donc haut placés. Sa Majesté, notre bien-aimé Empereur et maître, fêtera en 1918 l'anniversaire exceptionnel de soixante-dix ans de règne, c'est-à-dire de bénédictions pour son peuple ; et, si Dieu veut, aussi dispos, aussi vert que nous l'avons toujours connu. Nous sommes certains que la manière dont les populations reconnaissantes de l'Autriche célébreront cette fête, non seulement démontrera au monde entier notre profond amour, mais encore prouvera que la monarchie austro-hongroise demeure groupée autour de son souverain, avec la fermeté du roc. » Arrivé à ce point de son discours, le comte Leinsdorf hésita à dire un mot des symptômes de désagrégation auxquels ce roc était exposé jusque dans la célébration d'une fête commune en l'honneur de l'Empereur-Roi ; on devait en effet compter avec la résistance de la Hongrie, qui ne reconnaissait qu'un roi. C'est pourquoi Son Altesse avait d'abord voulu parler de deux rocs, fermement groupés autour de leur maître. Mais cela même n'était pas encore l'exacte traduction de son sentiment politique austro-hongrois.

Ce sentiment politique austro-hongrois était une entité si curieusement bâtie qu'il semble presque inutile d'essayer de l'expliquer à quelqu'un qui ne l'a pas vécu. Il n'était pas formé d'une partie hongroise et d'une partie autrichienne qui se fussent, comme on eût pu le croire, complétées, mais bien d'une partie et d'un tout, c'est-à-dire d'un sentiment hongrois et d'un sentiment austro-hongrois, ce dernier ayant pour cadre l'Autriche, de telle sorte que le sentiment autrichien se trouvait à proprement parler sans patrie. L'Autrichien n'avait d'existence qu'en Hongrie, et encore comme objet d'aversion ; chez lui, il se nommait citoyen-des-royaumes-et-pays-de-la-monarchie-austro-hongroise-représentés-au-Conseil-de-l'Empire, ce qui équivalait à dire « un Autrichien plus un Hongrois moins ce même Hongrois » ; et il le faisait moins par enthousiasme que pour l'amour d'une idée qui lui déplaisait, puisqu'il ne pouvait souffrir les Hongrois plus que les Hongrois ne le souffraient, ce qui compliquait encore les choses. C'est pourquoi beaucoup d'entre eux se faisaient appeler Tchèques, Polonais, Slovènes ou Allemands ; ainsi commença la décadence et apparurent « ces désagréables phénomènes de politique intérieure », comme les appelait le comte Leinsdorf, qui étaient selon lui « l'œuvre d'éléments irresponsables, dépourvus de toute maturité et simplement avides de sensation », lesquels ne trouvaient pas, dans la masse mal éduquée politiquement des citoyens, toute la sévérité souhaitable. Après ces allusions à un sujet sur lequel beaucoup de livres ingénieux et bien informés ont été écrits depuis lors, on accueillera avec soulagement la promesse que ni en ce chapitre ni plus tard l'auteur ne tentera sérieusement de peindre un tableau d'histoire et d'entrer en compétition avec la réalité. Il est amplement suffisant de noter que les mystères du dualisme (telle était l'expression technique) étaient au moins aussi difficiles à percer que ceux de la Trinité ; car le procès de l'histoire, plus ou moins partout, ressemble aux procès juridiques, avec mille clauses, codicilles, accommodements et protestations, et c'est là-dessus seulement que l'attention devait être attirée. L'homme moyen vit et meurt là-dedans sans s'en douter, pour son salut d'ailleurs ; s'il voulait se rendre compte dans quel procès il se trouve embarqué, avec quels frais, quels considérants, quels avoués, il est probable qu'il n'est pas d'État où le délire de la persécution ne s'emparerait de lui. L'intelligence de la réalité est exclusivement réservée au penseur historico-politique. Pour celui-ci, le présent succède à la bataille de Mohacs ou de Lietzen comme l'entrée au potage ; il connaît tous les procès-verbaux et il n'est pas d'instant où il n'éprouve le sentiment d'une nécessité quasi juridique ; que ce penseur historico-politique soit encore un aristocrate comme le comte Leinsdorf, dont les ancêtres, consanguins et utérins, ont participé aux négociations préliminaires, il pourra en envisager le résultat d'un coup d'œil, comme une simple ligne ascendante.

Aussi Son Altesse le comte Leinsdorf, avant la séance, s'était-il dit : « Nous ne pouvons oublier que Sa Majesté n'a pas pris la généreuse décision d'accorder au peuple une certaine responsabilité dans la conduite de ses affaires depuis assez longtemps pour qu'ait pu se manifester partout la maturité politique qui paraîtrait digne à tous égards de la confiance magnanimement accordée par le souverain. C'est pourquoi, dans les manifestations en elles-mêmes condamnables auxquelles nous sommes malheureusement exposés, nous ne verrons pas, comme le fait l'étranger jaloux, le symptôme de la sénilité et de la décadence, mais bien le signe de la vitalité encore juvénile, donc indestructible, du peuple autrichien ! » Il aurait aussi voulu le rappeler à la séance, mais comme Arnheim était là, il ne dit pas tout ce qu'il avait projeté de dire, et se contenta d'une allusion à l'ignorance où se trouvait l'étranger de la véritable situation de l'Autriche, et à la manière dont on surestimait certaines manifestations déplaisantes. « En effet, dit Son Altesse en guise de conclusion, si nous désirons donner ainsi un témoignage non négligeable de notre force et de notre unité, nous n'en pensons pas moins à l'intérêt international, puisque d'heureuses relations entre les membres de la famille européenne ne peuvent reposer que sur l'estime réciproque et le respect de la puissance d'autrui. » Elle se borna ensuite à répéter encore une fois qu'une démonstration de force aussi spontanée devait réellement naître du cœur du peuple, donc être dirigée d'en haut, et que cette assemblée avait été convoquée pour en découvrir les moyens. Si l'on veut bien se souvenir que Son Altesse n'avait encore trouvé peu de temps auparavant qu'une liste de noms, à quoi était venue s'ajouter du dehors l'idée d'une « Année autrichienne », on notera un progrès considérable, et cela d'autant plus que Son Altesse n'avait même pas dit toute sa pensée.

Après cette allocution, Diotime prit la parole pour expliquer les intentions du Président. La grande action patriotique, déclara-t-elle, devait trouver un grand but qui naquît, comme l'avait dit Son Altesse, du cœur même du peuple. « Nous qui sommes réunis ici aujourd'hui pour la première fois, nous ne nous sentons pas appelés à définir d'ores et déjà ce but ; nous nous sommes réunis pour le moment dans le seul désir de créer une organisation qui rende possible l'établissement des suggestions conduisant à ce but. » C'est en ces termes qu'elle ouvrit la discussion.

Il n'y eut d'abord qu'un long silence. Enfermez dans une même cage des oiseaux d'origine et de chant différents, qui ignorent ce qui les attend, ils commencent par observer exactement le même silence.

Enfin, un professeur demanda la parole ; Ulrich ne le connaissait pas, Son Altesse avait dû le faire inviter au dernier moment par son secrétaire privé. Il parla de la route de l'histoire. Si nous regardons devant nous, dit-il : un mur opaque ! Si nous regardons à droite ou à gauche : une surabondance d'événements importants sans orientation visible !

Il n'en citait que quelques-uns : le conflit actuel avec le Monténégro, les rudes combats que les Espagnols avaient à mener au Maroc, l'obstruction ukrainienne au Reichsrat autrichien. Mais quand on regarde derrière soi, il semble qu'une intervention miraculeuse ait donné à ce chaos une harmonie et un but... C'est pourquoi, s'il osait s'exprimer ainsi, nous vivons à tout moment le mystère d'une miraculeuse direction. Et il saluait comme une noble idée ce désir d'ouvrir là-dessus, pour ainsi dire, les yeux de tout un peuple, de le faire se pencher consciemment sur la Providence, en l'exhortant dans certaines circonstances d'une solennité particulière... C'était tout ce qu'il avait voulu dire. C'était au fond comme dans la pédagogie moderne où l'on fait travailler l'élève avec le maître au lieu de lui présenter des résultats tout faits.

L'assemblée, pétrifiée, contemplait le tapis vert d'un air aimable ; même le prélat qui représentait l'archevêque avait gardé, tout au long de la religieuse démonstration du laïque, l'attitude de réserve polie des gens du ministère, sans permettre à son visage de laisser échapper la moindre manifestation de chaleureux accord. On semblait avoir le même sentiment que quand quelqu'un, dans la rue, se met brusquement à parler pour tout le monde, à haute voix ; chacun, alors, et même celui qui ne pensait à rien, sent tout à coup qu'il est embarqué dans une affaire sérieuse, ou qu'on mésuse de la rue. Le professeur avait dû lutter, tout le temps qu'il parla, avec une gêne contre laquelle il semblait pousser littéralement ses mots, décousus et modestes, comme si du vent lui coupait le souffle ; il attendait maintenant qu'on lui répondît, et ce fut non sans dignité qu'il recouvrit son visage de cette attente.

Après cet incident, chacun se jugea sauvé lorsque le représentant de la Chancellerie impériale demanda la parole et lut à l'assemblée une longue liste des fondations et institutions qui devaient bénéficier, à l'occasion du Jubilé, des largesses de la cassette de l'Empereur. Cela commença par une subvention pour l'édification d'une église de pèlerinage et une fondation pour l'aide aux coopérateurs dans la gêne ; puis se déployèrent en ordre de marche les associations de vétérans « Archiduc Charles » et « Maréchal Radetzky », les veuves et orphelins de guerre des campagnes de 66 et de 78 ; puis un fonds pour l'aide aux sous-officiers en retraite, un fonds pour l'Académie des Sciences, et ainsi de suite. Ces listes n'avaient rien de très passionnant en elles-mêmes, mais elles suivaient un ordre uniforme et avaient leur place réservée dans toutes les manifestations officielles de la Très-Gracieuse bienveillance. Leur lecture était à peine achevée qu'une certaine madame Weghuber, femme d'industriel, se leva. C'était une personne fort méritante dans la charité, et qui se montrait résolument imperméable à l'idée qu'il pût y avoir quelque chose de plus important que l'objet de ses soucis ; elle s'avança donc pour proposer à une assemblée qui l'écouta avec sympathie l'institution de « Soupes populaires François-Joseph ». Le représentant du Ministère de l'Instruction publique et des Cultes fit remarquer qu'une suggestion assez semblable avait été faite auprès de son département, à savoir l'édition d'une œuvre monumentale intitulée « l'Empereur François-Joseph Ier et son temps ». Après cet heureux élan, le silence se refit, et la plupart des assistants se sentirent placés dans une situation pénible.

Qu'on leur eût demandé, à leur retour chez eux, s'ils savaient ce qu'étaient de grands événements, des événements historiques ou tout autre événement de cet ordre, ils auraient sans doute répondu oui ; mais devant la proposition instante qu'on leur avait faite d'en inventer un, ils se sentaient peu à peu ramollir, et quelque chose s'émouvait au fond d'eux-mêmes, qui n'était peut-être que le grognement d'une très naturelle nature.

C'est à ce périlleux moment que Diotime, toujours pleine de tact et qui songeait à ses rafraîchissements, interrompit la séance.

43. *Première rencontre d'Ulrich avec le grand homme. Il ne se produit jamais d'événement déraisonnable dans l'Histoire du monde, mais Diotime se risque à affirmer que la vraie Autriche, c'est le monde entier.*

Pendant cet entracte, Arnheim fit observer que plus l'organisation serait vaste, plus les suggestions divergeraient. C'était là, selon lui, la caractéristique de l'évolution actuelle, fondée sur la seule raison. Aussi bien était-ce un projet immense que de vouloir forcer un peuple à revenir à la volonté, à l'inspiration, à ces choses essentielles qui sont en nous plus profondes que la raison.

Ulrich répondit en lui demandant s'il croyait qu'il sortirait quelque chose de cette Action.

« Sans aucun doute, répliqua Arnheim, les grands événements sont toujours l'expression d'une situation générale ! » Cette situation existait aujourd'hui ; et le seul fait qu'une réunion comme la leur eût été possible quelque part suffisait à prouver sa nécessité profonde.

Il y avait là pourtant une distinction difficile à faire, dit Ulrich. « Admettez, par exemple, que le compositeur du dernier succès mondial d'opérette soit un intrigant et s'érige en président du monde, ce qui, avec son immense popularité, ne serait pas complètement impossible : serait-ce là un saut dans le cours de l'histoire, ou l'expression de la situation spirituelle ?

– C'est tout à fait impossible ! dit Arnheim gravement. Ce compositeur ne peut être ni un intrigant ni un politicien ; on ne pourrait comprendre, sinon, son génie à la fois musical et comique, et dans l'histoire du monde, il ne se produit pas d'événements déraisonnables.

– Ne s'en produit-il pas par milliers dans le monde ?

– Dans l'histoire du monde, jamais ! »

Arnheim était visiblement nerveux. Tout près, Diotime et le comte Leinsdorf poursuivaient à mi-voix une conversation animée. Son Altesse avait fini par exprimer à son amie l'étonnement où elle était de rencontrer un Prussien dans une occasion si spécifiquement autrichienne. Ne fût-ce que pour des raisons de convenance, elle estimait absolument exclu qu'un étranger pût jouer un rôle de premier plan dans l'Action parallèle, encore que Diotime lui fît remarquer quelle impression excellente et rassurante un tel mépris de l'égoïsme politique pourrait faire sur l'étranger. Mais, à ce moment-là, elle changea de tactique, et amplifia son projet de la plus surprenante façon. Elle parla du tact de la femme, de cette justesse du sentiment qui ne tenait aucun compte des préjugés de la société. Il fallait que Son Altesse écoutât, au moins une fois, cette voix-là... Arnheim était un Européen, un esprit connu de l'Europe entière ; c'était précisément parce qu'il n'était pas autrichien qu'on prouverait, en se l'associant, que l'Autriche était la patrie de l'esprit ; et tout à coup, elle ne craignit pas d'affirmer que la vraie Autriche, c'était le monde entier. Le monde, expliquait-elle, n'atteindrait pas à la sérénité avant que les nations qui le formaient ne fussent arrivées à vivre dans la même noble unité que les peuples autrichiens au sein de leur patrie. Une « Grande-Autriche », une « Autriche universelle », voilà ce que Son Altesse en cette minute fortunée lui avait inspiré, c'était là l'idée suprême qui avait fait défaut à l'Action parallèle jusqu'alors.

Irrésistible et pacifiste souveraine, telle se dressait devant son illustre ami la belle Diotime. Le comte Leinsdorf ne pouvait se résoudre encore à abandonner ses objections, mais il admirait une fois de plus l'idéalisme enflammé, l'ampleur de vues de cette femme, et il se demanda s'il ne vaudrait pas mieux attirer Arnheim dans la conversation que répondre immédiatement à des suggestions si lourdes de conséquences.

Arnheim n'était pas tranquille parce qu'il flairait cette conversation sans pouvoir l'influencer. Ulrich et lui furent entourés de curieux que la personne du Crésus attirait. Ulrich disait : « Il y a plusieurs milliers de professions dans lesquelles les hommes disparaissent complètement ; c'est là que leur intelligence se cache. Mais quand on leur demande de l'universellement humain, ce qui leur est commun à tous, il ne peut rester que trois choses : la bêtise, l'argent ou, tout au plus, un vague relent de religion ! » « Très juste, la religion ! » enchaîna Arnheim avec emphase, en demandant à Ulrich s'il croyait vraiment qu'elle eût totalement disparu et qu'il n'en restât rien. Il avait suffisamment appuyé sur le mot religion pour que le comte Leinsdorf ne pût pas ne pas l'entendre.

Son Altesse parut avoir abouti entre-temps à un compromis avec Diotime : sous la conduite de son amie, elle s'approchait maintenant du groupe qui se dispersa avec tact, et interpella le Dr Arnheim.

Ulrich se vit seul tout à coup et n'eut plus qu'à ronger son frein. Il se mit alors (Dieu sait comment, pour passer le temps ou ne pas se sentir trop délaissé) à songer au trajet en voiture qui l'avait amené. Le comte Leinsdorf, qui l'avait pris avec lui, était un esprit moderne : il possédait des automobiles. Comme il n'était pas moins attaché à la tradition, il se servait aussi, parfois, d'un attelage de deux magnifiques chevaux bais qu'il avait conservés avec calèche et cocher ; et quand le maître d'hôtel vint prendre ses ordres, Son Altesse avait jugé à propos de se rendre à la séance inaugurale de l'Action parallèle avec ces deux superbes et déjà presque historiques montures. « Voici Pepi, et celui-là c'est Hans », avait expliqué le comte en chemin à Ulrich. On voyait les brunes et dansantes collines de leurs croupes et parfois une des têtes oscillantes qui se détournait en mesure, et l'écume lui sortait de la bouche. Il était difficile de savoir ce qui se passait à l'intérieur de ces chevaux ; la matinée était belle, et ils couraient. L'avoine et la course sont peut-être les uniques grandes passions chevalines, si l'on considère que Hans et Pepi étaient castrés, et que l'amour n'était plus pour eux un désir tangible, mais un simple souffle, un éclat qui revêtait parfois leur vision de minces nuages éblouissants. La passion du fourrage était logée dans une crèche de marbre pleine de la meilleure avoine, dans un râtelier plein de foin vert, avec le grincement des licous dans les anneaux ; elle était condensée dans l'odeur de pain de l'étable chaude, dans ce parfum épicé, insinuant, que traversait comme des aiguilles, fortement chargé d'ammoniaque, le sentiment du Moi, proclamant :

« Il y a des chevaux ici ! » Il devait en être autrement de la course. Car la pauvre âme est encore unie au troupeau dans lequel un mouvement, venu on ne sait d'où, gagne soudain l'étalon de tête, ou toutes les autres bêtes, et la troupe galope contre le vent et le soleil ; souvent, lorsque la bête est seule et que les quatre directions de l'espace lui sont ouvertes, un frémissement démentiel court dans son crâne, elle fonce sans but, elle se jette dans une liberté épouvantable qui n'a de contenu ni dans une direction ni dans l'autre, jusqu'à ce qu'enfin, perplexe, elle s'arrête, et il suffit d'un picotin d'avoine pour la ramener à l'écurie. Pepi et Hans avaient l'habitude de l'attelage ; ils allongeaient le pas, battant de leurs sabots la rue ensoleillée entre ses barrières de maisons ; les hommes n'étaient pour eux qu'une confusion grisâtre dont ils ne tiraient ni plaisir ni effroi ; les étalages bariolés des magasins, les femmes brillant de toutes leurs couleurs : fragments de prairie où l'on ne peut brouter ; les chapeaux, les cravates, les livres, les brillants le long de la rue : un désert. Il ne s'en détachait que deux îlots de rêve, l'étable et la course ; de loin en loin, Hans et Pepi s'effrayaient d'une ombre, en rêve ou comme par jeu, ils se jetaient contre les brancards, se faisaient corriger d'un coup de fouet puis s'abandonnaient de nouveau, avec reconnaissance, au mors.

Tout à coup, le comte Leinsdorf s'était redressé dans les coussins pour demander à Ulrich : « Stallburg m'a raconté, Monsieur de..., que vous êtes intervenu en faveur de quelqu'un ? » Ulrich fut si surpris qu'il ne fit pas tout de suite le rapprochement, et Leinsdorf poursuivit : « C'est très bien de votre part. Je sais tout. Je ne crois pas qu'on pourra faire grand-chose, c'est un bien triste sire ; mais c'est souvent chez de tels individus qu'apparaît le mieux cette personne insaisissable, privée de la Grâce, que tout chrétien porte en lui, et lorsqu'on veut entreprendre quelque chose de grand, on doit d'abord penser au plus humble de ces déshérités. Peut-être pourrait-on le faire examiner une fois encore par les médecins. » Après que le comte Leinsdorf, le buste droit malgré les cahots de la voiture, eut tenu ce long discours, il se laissa retomber dans les coussins et ajouta : « Mais nous ne pouvons oublier que nous sommes tenus de réserver toutes nos forces, en ce moment, à un événement historique ! »

Au fond, Ulrich se sentait quelque inclination pour ce vieil aristocrate naïf qui poursuivait maintenant sa conversation avec Diotime et Arnheim, ce dont il était presque jaloux. La conversation paraissait fort animée ; Diotime souriait, le comte Leinsdorf, déconcerté, tenait les yeux grands ouverts pour pouvoir suivre, et Arnheim, avec une sérénité pleine de distinction, discourait. Ulrich surprit une formule : « introduire la pensée dans les sphères de la puissance ». Il ne pouvait souffrir Arnheim ; il détestait, par principe, ce mode d'être, le type Arnheim. Cette alliance de l'esprit avec les affaires, de l'aisance avec la lecture, lui était parfaitement intolérable. Il était persuadé qu'Arnheim avait tout fait, dès la veille, pour ne pas être le premier ou le dernier arrivant à la séance du lendemain ; qu'il n'avait toutefois certainement pas regardé l'heure avant de partir, mais s'en était assuré peut-être une dernière fois juste avant de s'asseoir pour déjeuner et écouter le rapport de son secrétaire qui lui apportait le courrier ; et le temps dont il disposait encore avant son départ, il l'avait transformé en activité interne. S'il s'était alors livré en toute tranquillité d'esprit à cette activité, c'est qu'il était sûr qu'elle remplirait exactement le temps qui lui restait : ce qu'il faut faire et le temps qu'il faut pour le faire sont deux termes unis par une force mystérieuse, comme la sculpture avec l'espace qu'elle occupe ou le lanceur de javelot avec le but qu'il atteint sans même le regarder. Ulrich avait déjà beaucoup entendu parler d'Arnheim ; il avait lu quelques-uns de ses livres. Dans l'un d'eux, il était écrit que l'homme qui contrôle son habillement dans la glace est incapable d'avoir une activité continue. Car le miroir, créé à l'origine pour la joie (c'était ce qu'Arnheim exposait), était devenu un instrument de torture, de même que la montre est devenue un mal nécessaire depuis que nos activités ne se relaient plus naturellement.

Ulrich fut obligé de penser à autre chose pour ne pas laisser ses regards attachés grossièrement au groupe voisin ; ses yeux s'arrêtèrent sur la petite bonne qui glissait à travers les groupes de causeurs et leur offrait des rafraîchissements en levant vers eux des yeux pleins de vénération. Mais la petite Rachel ne le remarqua pas ; elle l'avait oublié, et elle négligea même de lui présenter son plateau. Elle s'était approchée d'Arnheim et lui offrait des rafraîchissements comme à une idole ; elle aurait donné n'importe quoi pour baiser la courte et paisible main qui s'emparait d'une limonade et tenait distraitement le verre sans que le nabab voulût boire. Quand ce point culminant eut été dépassé, elle fit son devoir comme un petit automate détraqué et s'enfuit au plus vite de la chambre pleine de jambes et de paroles où se faisait l'histoire du monde, pour retrouver l'abri de l'antichambre.

44. *Suite et fin de la grande séance. Ulrich trouve de l'agrément à Rachel, et Rachel à Soliman. L'Action parallèle est dotée d'une organisation solide.*

Ulrich aimait cette sorte de jeunes filles ambitieuses, de bonne conduite et qui ressemblent, dans la timidité que leur a donnée une bonne éducation, à de petits arbres fruitiers dont la maturité suave tombe un jour dans la bouche d'un jeune cavalier de Cocagne, pour peu qu'il daigne l'entrouvrir. « Il leur faut être braves et endurantes comme les femmes de l'âge de la pierre qui, la nuit, partageaient la couche et, le jour, portaient les armes et le mobilier de leur guerrier », se dit-il, bien que lui-même, passée la lointaine préhistoire de sa virilité naissante, ne se fût plus jamais engagé sur le sentier d'une telle guerre. Il reprit sa place en soupirant, car la séance avait été rouverte.

Comme il y songeait encore, il s'aperçut que le costume noir que l'on impose à ces jeunes filles a les mêmes couleurs que celui des nonnes ; il en faisait la remarque pour la première fois, et s'en étonna. Mais déjà la divine Diotime avait pris la parole et déclarait que l'Action parallèle devait culminer en un symbole grandiose. Cela signifiait qu'elle ne pouvait se contenter de n'importe quel but sensationnel, fût-il hautement patriotique. Non ! ce but devait empoigner le cœur du monde. Il ne pouvait être simplement pratique, il fallait qu'il fût un poème. Il fallait qu'il fût une borne. Il fallait qu'il fût un miroir dans lequel le monde se regarderait et rougirait. Et non seulement rougirait, mais encore découvrirait, comme dans les contes, son vrai visage, qu'il ne pourrait plus oublier. Son Altesse avait fait une suggestion dans ce sens : « l'Empereur de la Paix ».

Cela posé, on ne pouvait méconnaître que les propositions débattues jusqu'ici ne correspondaient pas à ce désir. Si, dans la première partie de la séance, elle avait parlé de symboles, elle n'avait évidemment pas pensé aux soupes populaires ; en effet, il ne s'agissait de rien de moins que de retrouver l'unité humaine qu'a démantelée la diversité sans cesse croissante de nos intérêts. Il est vrai qu'on devait se demander, à ce point de la réflexion, si notre temps, si les peuples d'aujourd'hui sont encore réellement capables d'engendrer de ces grandes idées communes. Toutes les propositions qu'on avait faites étaient sans doute excellentes, mais fortement divergentes, ce qui suffisait à prouver qu'aucune d'entre elles ne possédait cette force d'unification que l'on recherchait avant tout.

Ulrich observait Arnheim pendant que Diotime parlait. Toutefois, son aversion ne s'attachait pas à quelque détail de sa physionomie, mais bien, carrément, à l'ensemble. Encore que ces détails (le crâne dur de grand marchand phénicien, le visage tranchant et pourtant plat, comme si on avait manqué de matériau pour le former, la figure d'une sérénité de coupe anglaise et, au second endroit où l'homme pointe hors de l'habit, ces mains aux doigts un peu trop courts), fussent déjà assez remarquables. Ce qui irritait Ulrich, c'était les bonnes relations que ces détails entretenaient entre eux. Les livres d'Arnheim avaient cette même assurance ; le monde était en ordre pour peu qu'Arnheim l'observât. Ulrich aurait voulu se retrouver gamin des rues pour jeter des cailloux ou de la boue à cet homme grandi dans la richesse et la perfection, cependant qu'il observait avec quelle attention il feignait de suivre les sottises auxquelles ils étaient contraints d'assister ; il les buvait littéralement, avec cérémonie, comme un connaisseur dont tout le visage signifie : je ne voudrais pas exagérer, mais c'est là un tout grand cru !

Cependant, Diotime était arrivée au bout de sa déclaration. Aussitôt après l'entracte, lorsqu'ils s'étaient retrouvés à leur place, on avait pu lire sur le visage de tous les assistants la conviction qu'un événement allait enfin être trouvé. Aucun d'entre eux n'y avait réfléchi entre-temps, mais tous avaient pris l'attitude de qui attend une grave décision. Diotime maintenant concluait : si la question se posait de savoir si notre temps, si les peuples d'aujourd'hui sont encore réellement capables d'engendrer ces grandes idées communes, on devait, on avait le droit de demander également s'ils trouveraient la force rédemptrice. Car c'était bien d'une rédemption qu'il s'agissait. D'un élan rédempteur. La définition était brève ; on ne pouvait encore se représenter la chose exactement. Cet élan surgirait de la totalité ou ne sortirait pas. C'est pourquoi Diotime se permettait, après entente avec Son Altesse, de présenter pour conclusion à la séance la proposition suivante : Son Altesse avait fait observer avec raison que les grands ministères représentent déjà à eux seuls une division du monde fondée sur ses principaux aspects : Religion et Instruction, Commerce, Industrie et Justice. Si donc l'on décidait d'instituer des comités à la tête desquels se trouverait un mandataire de chacun de ces départements et qu'on lui associât des représentants des corporations et parties de la population respectives, on créerait ainsi une organisation qui embrasserait en les ordonnant les principales forces morales du monde, les canaliserait et les filtrerait tout ensemble. Le comité exécutif représenterait la plus haute condensation de ces forces, et il n'y aurait plus qu'à compléter cette organisation par l'institution de quelques comités et sous-comités spéciaux, comme une section de la propagande, un comité pour la réunion des fonds nécessaires et autres semblables, Diotime souhaitant pouvoir se réserver personnellement la fondation d'un comité intellectuel pour l'élaboration des idées fondamentales, cela, bien entendu, en accord avec les autres comités.

De nouveau tous se taisaient, mais cette fois avec soulagement. Le comte Leinsdorf hocha la tête à plusieurs reprises. Quelqu'un demanda, pour complément d'information, comment on introduirait dans l'Action ainsi conçue l'élément proprement autrichien.

Le général Stumm von Bordwehr se leva pour répondre, alors que tous les orateurs qui l'avaient précédé avaient parlé assis. Il savait bien, dit-il, que, dans une salle de conférence, le soldat doit s'effacer. S'il se permettait néanmoins de prendre la parole, ce n'était pas pour ajouter quoi que ce fût à la critique incomparable qu'on avait faite des propositions précédentes, lesquelles étaient toutes excellentes. Il souhaitait cependant, en guise de conclusion, soumettre à l'attention bienveillante des participants l'idée suivante : La manifestation projetée devait agir au-dehors. Mais ce qui agissait au-dehors, c'était la puissance d'un peuple. D'ailleurs, la situation de la famille européenne était telle, Son Altesse l'avait bien dit, que cette manifestation ne serait sans doute pas superflue. L'idée d'État, c'était, somme toute, l'idée de puissance. Treitschke l'a dit : l'État, c'est la puissance de survivre à la lutte des nations. Il ne ferait que retourner le couteau dans la plaie en rappelant dans quel déplorable état, par la faute d'un Parlement indifférent, se trouvaient notre artillerie et notre marine. Si donc on ne trouvait pas d'autre but à poursuivre, ce qui n'était pas impossible, il proposait que l'on considérât quel but serait plus noble que d'obtenir d'un peuple une participation plus large aux problèmes de l'armée et de son armement. *Si vis pacem para bellum !* La force que l'on déployait en temps de paix tenait la guerre en respect ou, tout au moins, l'abrégeait. Il était donc en droit d'assurer ses auditeurs qu'une mesure de ce genre aurait une influence apaisante et constituerait une impressionnante démonstration de pacifisme.

Il y avait à ce moment-là dans la pièce quelque chose de vraiment étrange. Au début, la plupart des assistants avaient eu l'impression que cette harangue jurait avec les véritables tâches qui les avaient fait se réunir ; mais, le général se déployant acoustiquement toujours davantage, il semblait qu'on entendît le grondement rassurant de bataillons en marche. Le sens premier de l'Action parallèle, « Mieux que la Prusse », pointait timidement, comme si la fanfare d'un régiment eût joué dans le lointain la Marche du Prince Eugène « qui lutta contre les Turcs », ou le *Gott erhalte*... A vrai dire, si Son Altesse s'était alors levée (mais elle n'en avait pas la moindre intention) pour proposer de mettre Arnheim, notre frère prussien, à la tête de la fanfare du régiment, on aurait cru entendre, dans l'état de confuse lévitation interne où l'on se trouvait, le *Heil dir im Siegerkranz*, et sans doute n'y eût-on pas fait la moindre objection.

De son trou de serrure, « Rachèle » signala : « Maintenant ils parlent de guerre ! »

Si elle avait tant souhaité revenir dans le vestibule à la fin de l'entracte, c'était aussi parce que Arnheim, cette fois-là, avait réellement amené avec lui son Soliman. Comme le temps se gâtait, le jeune nègre avait suivi son maître avec un pardessus. Il avait pris une petite mine effrontée quand Rachel lui avait ouvert, parce qu'il était un jeune Berlinois corrompu que les femmes choyaient sans qu'il sût encore bien comment en profiter. Rachel avait cru qu'il fallait lui parler dans la langue des nègres, et n'avait même pas eu l'idée d'essayer en allemand ; comme il fallait absolument qu'elle se fît comprendre, elle lui avait simplement mis le bras sur les épaules, lui avait indiqué la cuisine, apporté une chaise, et l'avait poussé devant tout ce qu'il y avait de gâteaux et de rafraîchissements à proximité. Elle n'avait encore jamais eu pareille audace dans sa vie ; lorsqu'elle s'était levée de table, le cœur lui battait comme quand on écrase du sucre dans un mortier.

« Comment vous appelez-vous ? demanda Soliman (qui parlait donc l'allemand).

– Rachèle », avait-elle répondu en se sauvant.

Dans la cuisine, entre-temps, Soliman s'était régalé de gâteaux, de vin et de petits pains, avait allumé une cigarette et engagé une conversation avec la cuisinière. Lorsque Rachel revint, ayant fini de servir, cela lui donna un coup. Elle dit : « Là-bas, il va de nouveau y avoir une discussion très importante ! » Soliman demeura de glace, et la cuisinière, une personne d'âge, ne fit qu'en rire. « Il peut même en sortir une guerre ! » avait ajouté Rachel dans son excitation ; et le sommet de la gradation venait d'être atteint maintenant, quand elle avait annoncé de son trou de serrure qu'on était au bord de la guerre.

Soliman dressa les oreilles. « Y a-t-il des généraux autrichiens ? demanda-t-il.

– Voyez vous-même ! Il y en a déjà un ! » dit Rachel ; et ils s'approchèrent ensemble du trou de serrure.

Le regard, à travers le trou, tombait tantôt sur une feuille de papier blanc, tantôt sur un nez, ou bien une grande ombre passait, une bague étincelait. La vie n'était plus que détails ; on voyait du tapis vert s'étaler comme une pelouse ; une main blanche reposait quelque part, sans environs, comme en un musée Grévin ; et quand le regard obliquait tout à fait, on pouvait voir brasiller dans un angle la dragonne dorée du général. Soliman, si blasé qu'il fût, se montra saisi. La vie, vue à travers une imagination et un trou de serrure, prenait des proportions fabuleuses, inquiétantes. La position courbée faisait bourdonner le sang dans les oreilles, et derrière la porte, les voix tantôt grondaient comme des blocs de rocher, tantôt glissaient comme sur des planches savonnées. Rachel se redressa lentement. Le sol sembla se soulever sous ses pieds et l'esprit des événements l'enveloppa comme si elle avait fourré la tête sous une de ces étoffes noires dont se servent les magiciens et les photographes. Puis Soliman se redressa à son tour, le sang redescendit de leurs têtes en tremblant. Le petit nègre sourit, et derrière ses lèvres bleues luisaient des gencives écarlates.

Tandis que dans l'antichambre, parmi les pardessus des personnalités suspendus au mur, cette seconde s'éteignait lentement comme le son d'une trompette, à l'intérieur, dans la chambre, une résolution générale était adoptée, après que le comte Leinsdorf eut fait état de la vive reconnaissance que l'on devait au général pour ses très importantes suggestions et précisé que l'on ne pouvait encore débattre sur le fond, mais seulement régler les problèmes essentiels de l'organisation. En dehors de l'adaptation du projet aux exigences du monde par une répartition analogue à celle des principaux ministères, il n'était plus besoin maintenant que d'une résolution finale aux termes de laquelle les participants seraient convenus, à l'unanimité, de soumettre à Sa Majesté, aussitôt que leur Action l'aurait révélé, le désir du peuple, en la priant très humblement de disposer selon Son gracieux plaisir des moyens que l'on devrait trouver d'ici là pour sa réalisation matérielle. Cette formule avait l'avantage de donner au peuple la possibilité de définir lui-même, et cependant par l'entremise de la gracieuse et souveraine volonté, son plus noble but ; on en avait décidé ainsi sur le désir personnel de Son Altesse. Bien qu'il ne s'agît là que d'une question de forme, le comte jugeait essentiel que le peuple ne fît rien tout seul, sans l'accord du second terme de la Constitution : pas même Lui rendre grâce.

Les autres participants ne se fussent pas montrés aussi pointilleux : c'est justement pourquoi ils ne firent aucune objection. Et que la séance s'achevât par une résolution était dans l'ordre. En effet, que le couteau mette le point final à une rixe, qu'à la fin d'un morceau de musique les dix doigts frappent les touches tous ensemble une ou deux fois, que le danseur s'incline devant sa cavalière ou que l'on vote une résolution : si on agit ainsi, c'est que le monde ne serait pas rassurant, où les événements tout bonnement s'esquiveraient, sans avoir dûment certifié d'abord qu'ils sont réellement advenus.

45. *Muette rencontre de deux sommités.*

Lorsque la séance fut terminée, M. le Dr Arnheim avait subtilement manœuvré pour pouvoir rester le dernier ; cet effort avait été inspiré par Diotime ; le sous-secrétaire Tuzzi observait un délai de discrétion pour être sûr de ne pas rentrer chez lui avant la fin de la séance.

Dans ces minutes qui séparaient le départ des hôtes de la consolidation de la situation qu'ils laissaient, pendant le passage d'une chambre à l'autre qu'interrompaient, que traversaient de petits arrangements, de brèves réflexions, et cette agitation qu'un grand événement laisse derrière lui en s'éloignant, Arnheim avait suivi des yeux Diotime en souriant. Diotime sentait que son appartement frémissait, tous les objets qui avaient dû quitter leur place habituelle à cause de l'événement revenaient maintenant les uns après les autres, comme quand une grosse vague, ruisselant d'innombrables petits fossés et petits creux, redécouvre à nouveau le sable. Et cependant qu'Arnheim, dans un silence distingué, attendait que Diotime et tout ce mouvement autour d'elle se fussent apaisés, elle-même pensait à tous les hommes qui avaient fréquenté sa maison et se disait qu'aucun, néanmoins, hormis le sous-secrétaire, n'avait partagé avec elle une solitude si domestique que l'on pouvait percevoir la vie muette de l'appartement vide. Soudain, sa pudeur fut troublée par une imagination peu ordinaire : son appartement vide, où même son mari manquait, lui apparut tel un pantalon dans lequel Arnheim se fût glissé. Il y a des moments comme ça ; ils peuvent surprendre, telles des créatures de la nuit, l'être le plus chaste, et le merveilleux rêve d'un amour dans lequel l'âme et le corps ne feraient qu'un, irradia en Diotime.

Arnheim n'en devina rien. Son pantalon formait avec le parquet miroitant une perpendiculaire irréprochable, son cut away, sa cravate, sa figure distinguée, au sourire serein, ne parlaient pas, tant ils étaient parfaits. En réalité, il avait eu le projet de faire quelques reproches à Diotime pour l'incident qui s'était produit à son arrivée, et de prendre des mesures de précaution pour l'avenir ; mais quelque chose en cet instant voulait que cet homme qui traitait d'égal à égal avec les grands magnats américains, qui était reçu par des rois et des empereurs, ce nabab qui pouvait payer n'importe quelle femme au poids du platine, loin de lui faire des reproches, gardât comme fasciné ses regards attachés sur Diotime, qui s'appelait en vérité Ermelinda ou même simplement Hermine Tuzzi, et n'était que la femme d'un haut fonctionnaire. Ce quelque chose nous oblige, une fois de plus, à recourir ici au terme d'âme.

C'est là un mot apparu déjà fréquemment dans ces pages, mais non pas, il est vrai, dans les conditions les plus claires. C'était par exemple cela qui, de nos jours, se perd, et ne peut s'accorder avec la civilisation ; cela qui entre en conflit avec les besoins physiques et les habitudes matrimoniales ; cela qu'un meurtrier émeut, et pas seulement de répugnance ; cela qui devait être libéré par l'Action parallèle ; c'était, chez le comte Leinsdorf, méditation religieuse et *contemplatio in caligine divina* ; chez beaucoup de gens, amour des comparaisons, et ainsi de suite. Mais de toutes les propriétés du mot âme, la plus remarquable est bien que les jeunes gens ne puissent le prononcer sans rire. Même Arnheim et Diotime redoutaient de l'employer seul : dire que l'on a une âme grande, noble, lâche, téméraire ou basse, est encore concevable, mais dire tout simplement « mon âme », personne n'en aurait le courage. C'est un mot strictement réservé aux gens d'âge, et on ne peut le comprendre que si l'on admet que se fasse de plus en plus sensible au cours de la vie un quelque chose pour lequel on a le plus grand besoin d'un nom sans arriver à le trouver, jusqu'au jour où l'on accepte enfin à contrecœur d'adopter celui que l'on avait d'abord dédaigné.

Comment donc doit-on décrire ce quelque chose ? Que l'on choisisse de rester immobile ou de marcher, l'essentiel n'est pas ce que l'on a devant soi, ce que l'on voit, entend, veut, saisit ou dompte. C'est devant vous un horizon, un demi-cercle ; mais il y a une corde qui réunit les deux extrémités de ce demi-cercle, et le plan de cette corde traverse le monde par le milieu. En avant de nous, visage et mains pointent hors de ce plan ; les sensations et les aspirations accourent à nous devant lui ; et personne ne doute que ce que l'on fait dans cet espace soit toujours raisonnable, ou du moins passionné ; cela signifie que les circonstances extérieures ont une manière de conditionner nos actions que tout le monde peut comprendre, et que, même si nous faisons, sous le coup de la passion, quelque chose d'incompréhensible, cet incompréhensible a encore, en fin de compte, sa manière propre. Mais si parfaitement compréhensibles et pleines que paraissent alors toutes choses, le sentiment obscur n'en demeure pas moins qu'il n'y a là qu'une demi-plénitude, une demi-compréhension. L'équilibre n'y est pas tout à fait, et l'homme avance pour ne pas chanceler, comme le fait un danseur de corde. Comme il avance à travers la vie et laisse derrière soi du vécu, le vécu et ce qui est encore à vivre forment une espèce de cloison, et le cheminement de l'homme finit par ressembler à celui du ver dans le bois, qui peut y sinuer à son aise et même retourner en arrière, mais n'en laisse pas moins toujours un espace vide derrière lui. C'est à ce sentiment effrayant d'un espace aveugle et amputé derrière tout espace rempli, à cette moitié perpétuellement manquante, même si chaque chose forme un tout, que l'on finit par remarquer ce que l'on appelle l'âme.

De plus, on la pense, on la devine, on la sent évidemment tout le temps, sous la forme des succédanés les plus divers, et chacun selon son tempérament. Dans la jeunesse, c'est un sentiment très net d'incertitude en tout ce que l'on fait : était-ce bien ce qu'il fallait faire ? Dans la vieillesse, c'est l'étonnement de n'avoir pas fait davantage de tout ce que l'on s'était proposé. Dans l'entre-deux, c'est la consolation de penser que l'on est un sacré type, un brave type, ou un « type » tout court, même s'il y a dans ce que l'on fait des petites choses pas toujours parfaitement justifiables ; ou bien, que le monde n'est pas ce qu'il devrait être, de sorte qu'en fin de compte tout ce que l'on n'a pas pu faire aboutit encore à un compromis satisfaisant ; sans compter que beaucoup de gens imaginent encore, au-dessus de toutes choses, un Dieu qui garde dans sa poche le morceau qui leur manquait. L'amour seul adopte à cet égard une attitude particulière ; dans cette exception, la seconde moitié grandit. L'être que l'on aime paraît se dresser là où d'ordinaire il manque quelque chose. Les âmes s'unissent pour ainsi dire « dos à dos » et se rendent elles-mêmes superflues. C'est pourquoi la plupart des hommes, une fois passé le premier grand amour, ne sont plus sensibles à l'absence de l'âme ; cette prétendue folie accomplit donc un travail social méritoire.

Ni Diotime ni Arnheim n'avaient aimé. Pour Diotime on le savait déjà ; mais le grand financier lui aussi possédait une âme (au sens large) chaste. Il avait toujours craint que les sentiments qu'il éveillait chez les femmes s'adressassent à son argent plutôt qu'à lui, c'est pourquoi il ne vivait qu'avec des femmes à qui lui-même ne donnait que de l'argent, et pas de sentiments. Il n'avait jamais eu d'ami parce qu'il craignait qu'on abusât de lui, mais seulement des amis d'affaires, même quand ces affaires étaient d'ordre intellectuel. Ainsi, quelle que fût son expérience de la vie, il n'en était pas moins intact et en danger de solitude, au moment où il rencontra Diotime que le destin avait choisie pour lui. Les puissances mystérieuses qui les habitaient se heurtèrent. On ne peut comparer cela qu'au passage des vents alizés, au Gulf Stream, aux vibrations sismiques de l'écorce terrestre ; des forces démesurément supérieures à celles de l'homme, apparentées aux astres, se mettaient en mouvement de l'un à l'autre au-delà des limites de l'heure et du jour ; d'incommensurables courants. Dans de tels instants, les paroles prononcées n'ont aucune importance. Hors du pli vertical de son pantalon, le corps d'Arnheim semblait s'élever dans la solitude de Dieu comme une montagne géante ; unie à lui par la vague de la vallée, Diotime illuminée de solitude se dressait de l'autre côté, vêtue, à la mode d'alors, d'une robe aux manches légèrement bouffantes qui dissolvait la gorge, juste au-dessus de l'estomac, en une ampleur adroitement plissée et, à partir du genou, revenait mouler le mollet. Les perles de verre des rideaux de porte miroitaient comme des viviers, les lances et les flèches contre les murs tremblaient de leur passion emplumée et mortelle, et sur les tables, les volumes jaunes de Calmann-Lévy restaient silencieux tels des bosquets de citronniers. Nous passons respectueusement sur les premiers mots échangés.

46. *Les idéaux et la morale sont le meilleur moyen de combler ce grand trou qu'on appelle l'âme.*

Arnheim fut le premier à rompre le sortilège. A son avis, on ne pouvait s'attarder plus longtemps dans un tel état sans tomber dans une sourde, vide et bienheureuse rumination, à moins qu'on n'étayât son adoration d'un solide échafaudage de pensées et de convictions qui ne serait plus tout à fait de même nature qu'elle.

L'un de ces moyens (qui tuent l'âme, sans doute, mais la

mettent ensuite en conserve pour la consommation courante), fut, depuis toujours, de l'associer à la raison, aux convictions et à l'action pratique, comme l'ont fait non sans succès toutes les morales, philosophies et religions du monde. Dieu sait, on l'a dit, ce que peut bien être une âme ! Il ne peut subsister aucun doute sur le fait que le désir ardent de n'écouter qu'elle vous laisse toute latitude d'agir, entraîne une véritable anarchie, et l'histoire ne manque pas d'exemples où des âmes pour ainsi dire chimiquement pures commettent de véritables crimes. En revanche, aussitôt qu'une âme a une morale, une religion ou une philosophie, une culture bourgeoise approfondie et des idéaux dans le domaine du devoir ou du beau, elle se voit gratifiée de tout un système de prescriptions, de conditions, de règlements auquel elle doit se soumettre avant même de pouvoir penser à être une âme supérieure, et son ardeur, comme celle d'un haut-fourneau, se voit canalisée dans de beaux moules en sable. Il ne reste plus alors, au fond, que des problèmes d'interprétation logique, comme de savoir si une action tombe sous le coup de tel ou tel commandement ; l'âme offre le caractère sereinement panoramique d'un champ de bataille après la bataille ; les morts se tiennent tranquilles, de sorte que l'on peut immédiatement remarquer où un reste de vie se redresse, ou gémit. C'est pourquoi l'homme accomplit cette transition aussi vite que possible. Quand quelque doute sur sa foi, comme il arrive dans la jeunesse, le tourmente, il passe aussitôt à la persécution des incroyants ; quand l'amour le gêne, il le transforme en mariage ; et quand un autre enthousiasme, quel qu'il soit, s'empare de lui, il se soustrait à l'impossibilité de vivre longtemps *dans* son feu, en commençant à vivre *pour* son feu. C'est-à-dire qu'il remplit les nombreux moments de sa journée, dont chacun a besoin d'un contenu et d'une impulsion, non plus de son état idéal lui-même, mais de l'activité qui doit lui faire conquérir cet état, autrement dit, des innombrables moyens, obstacles et incidents qui lui garantissent qu'il n'aura jamais besoin d'atteindre son but. Il n'y a que les fous, les dérangés, les gens à idées fixes qui puissent persévérer longtemps dans le feu de l'âme en extase ; l'homme sain doit se contenter d'expliquer que la vie, sans une parcelle de ce feu mystérieux, ne lui paraîtrait pas digne d'être vécue.

L'existence d'Arnheim était débordante d'activité ; il était un homme de la réalité, et c'est avec un sourire bienveillant, sans rester insensible à l'urbanité des représentants de la vieille Autriche, qu'il avait écouté parler des Soupes populaires François-Joseph et des relations entre le sentiment du devoir et les marches militaires. Il était fort loin de songer à s'en moquer comme Ulrich l'avait fait, car il était persuadé qu'il fallait beaucoup moins de courage et de supériorité d'esprit pour poursuivre de grandes idées que pour admettre, dans ces âmes quotidiennes, un peu ridicules mais de bonne apparence, un touchant noyau d'idéalisme.

Mais quand, au milieu de tous ces propos, Diotime, cette antique avec un je-ne-sais-quoi de viennois en plus, avait prononcé les mots d'Autriche universelle, des mots qui étaient aussi brûlants, et presque aussi incompréhensibles pour un homme que la flamme, quelque chose l'avait empoigné.

Une histoire courait sur son compte. Il avait dans sa maison de Berlin une salle pleine de sculptures baroques et gothiques. Or, l'Église catholique (pour laquelle Arnheim avait un faible) représente le plus souvent ses saints et les porte-drapeaux du Bien dans des poses ravies, ou même extasiées. Il y avait là des saints agonisant dans toutes les positions, et dont l'âme tordait le corps comme un morceau de linge dont on veut extraire l'eau. Les gestes des bras, croisés comme des épées, et les cous distordus, détachés de leur contexte originel et rassemblés dans une pièce étrangère, faisaient songer à une réunion de catatoniques dans un asile d'aliénés. Cette collection était très appréciée et valait à Arnheim de fréquentes visites d'historiens d'art, avec lesquels il avait d'érudites conversations. Souvent aussi, il allait s'asseoir seul dans cette salle, et des sentiments tout autres s'emparaient alors de lui : une stupeur proche de l'épouvante, comme devant un monde à demi fou. Il sentait qu'avait dû brûler aux origines de la morale un feu indicible, dont même un esprit comme le sien ne pouvait plus guère que contempler les scories refroidies. L'obscure révélation de ce que tous les mythes et toutes les religions traduisent en racontant qu'à l'origine du monde, les lois ont été données aux hommes par les dieux, le pressentiment donc d'un état antérieur de l'âme qui, pour n'être pas tout à fait rassurant, n'en plaisait pas moins aux dieux, dessinaient alors une étrange marge d'inquiétude autour d'une pensée qui se déployait d'ordinaire avec tant de complaisance. Or, Arnheim avait un aide-jardinier, un être profondément simple, comme il disait, avec lequel il aimait à s'entretenir de la vie des plantes, parce qu'il y a plus à apprendre d'un tel homme que d'un savant. Jusqu'au jour où Arnheim découvrit que cet ouvrier le volait. On peut dire qu'il emportait désespérément tout ce qu'il pouvait attraper, mettant soigneusement de côté le produit de ses larcins dans l'espoir de devenir un jour indépendant : c'était son unique pensée, jour et nuit ; un beau jour, une petite sculpture disparut aussi, et la police appelée à la rescousse, découvrit le pot aux roses. Le soir même où Arnheim fut averti de cette découverte, il fit appeler l'homme en question et toute la nuit l'accabla de reproches pour s'être laissé égarer par son incroyable amour du lucre. On racontait que lui-même s'était montré bouleversé et parfois tout près de pleurer dans l'obscurité d'une pièce voisine. Il enviait cet homme, pour des raisons qu'il n'arrivait pas à s'expliquer ; le lendemain matin, il le remit à la police.

Cette histoire était confirmée par de proches amis d'Arnheim. Eh bien ! il avait éprouvé cette fois-ci des sensations semblables, se trouvant seul dans une chambre avec Diotime et devinant autour des quatre murs quelque chose comme l'embrasement sans bruit du monde.

47. *Ce que sont tous les autres isolément, Arnheim l'est en une seule personne.*

Dans les semaines qui suivirent, le salon de Diotime prit un nouvel et remarquable essor. On venait pour apprendre les dernières informations sur l'Action parallèle, pour voir le dernier homme que Diotime, comme on disait, s'était fait venir, un nabab allemand, un riche Juif, un original qui écrivait des poèmes, dictait les cours du charbon et fraternisait avec l'empereur d'Allemagne. On n'y rencontrait pas seulement des seigneurs ou des grandes dames appartenant aux cercles du comte Leinsdorf ; même les milieux d'affaires et les intellectuels bourgeois se sentaient irrésistiblement attirés. Ainsi se heurtaient des spécialistes de la langue Evé et des compositeurs qui n'avaient jamais rien entendu les uns des autres, des professeurs et des confesseurs, des gens qui en entendant le mot « cours » pensaient les uns au cours des changes, les autres à un cours de littérature et les troisièmes à la Cour d'assises.

Mais un phénomène inouï se produisait maintenant : il existait un homme capable de parler à chacun dans sa langue, et cet homme, c'était Arnheim.

Arnheim se tenait désormais à l'écart des séances officielles, à cause de l'expérience pénible qu'il avait faite au commencement de la première ; il ne participait même pas à toutes les soirées, car il était souvent absent de la ville. De la place de secrétaire, il va de soi qu'il n'était plus question ; lui-même avait expliqué à Diotime que cette idée, même à ses propres yeux, était inacceptable, et Diotime, qui ne pouvait plus voir Ulrich sans le considérer comme un usurpateur, s'était résignée à approuver Arnheim. Celui-ci allait et venait ; trois, cinq jours s'écoulaient comme rien, il revenait de Paris, de Berlin, de Rome ; les événements chez Diotime n'étaient qu'un petit fragment de sa vie, mais c'était celui qu'il préférait : il y participait de tout son être.

Qu'il pût parler industrie avec de grands industriels ou finance avec des banquiers était compréhensible ; mais il était capable de bavarder aussi librement sur la physique moléculaire, la mystique ou le tir aux pigeons. C'était un causeur extraordinaire ; quand il avait commencé, il ne pouvait pas plus s'arrêter qu'on ne peut achever un livre avant que tout ce qui aspire à être dit le soit. Il avait une manière de parler paisiblement distinguée, coulante, presque attristée sur elle-même, comme un ruisseau bordé de taillis sombres, qui donnait à sa loquacité une sorte de nécessité. Ses lectures et sa mémoire avaient réellement une étendue peu ordinaire, il pouvait donner aux connaisseurs les plus subtiles répliques de leur spécialité, mais connaissait également tous les grands personnages de la noblesse anglaise, française ou japonaise ; et les champs de courses, les terrains de golf non seulement d'Europe, mais d'Australie ou d'Amérique, n'avaient aucun secret pour lui. C'est ainsi que même les chasseurs de chamois, les dresseurs de chevaux et les propriétaires de loges au Théâtre impérial qui étaient venus chez Diotime pour voir un riche Juif un peu fou (*halt auch so was Neiches*[1], disaient-ils dans leur dialecte), quittaient sa maison avec un hochement de tête respectueux.

Un jour, Son Altesse prit Ulrich à part et lui dit : « Voyez-vous, la haute noblesse de ces cent dernières années n'a pas été heureuse avec ses précepteurs ! C'étaient jadis des hommes dont une grande partie passait dans le dictionnaire ; ils amenaient avec eux des maîtres de musique ou de dessin qui, pour les remercier, faisaient des choses que l'on appelle maintenant notre vieille civilisation. Mais depuis qu'il y a l'instruction publique et que des gens de mon milieu, pardonnez-moi, obtiennent le titre de docteur, les précepteurs, je ne sais comment, ne valent plus rien. Notre jeunesse a tout à fait raison de tirer le faisan et le sanglier, de faire du cheval et de courir les jolies femmes, il n'y a rien à redire à ça, tant qu'on est jeune ; mais les précepteurs, jadis, savaient orienter une partie de cette force juvénile en sorte qu'elle cultivât l'art et l'esprit comme on soigne les faisans, et c'est cela qui nous manque. » Cette idée était venue brusquement à Son Altesse, comme c'était souvent le cas chez elle ; soudain, le comte se tourna franchement du côté d'Ulrich et conclut : « Voyez-vous, c'est cette fatale année 48 qui, pour le malheur de l'une comme de l'autre, a séparé la bourgeoisie de la noblesse... » Il considérait d'un œil soucieux la réunion. Il s'irritait toujours, au Parlement, quand les leaders de l'opposition se prévalaient de la culture bourgeoise, et il eût été ravi s'il avait fallu chercher sa forme la plus authentique dans la noblesse ; mais la pauvre noblesse ne pouvait rien trouver à

1. Encore du nouveau, encore une nouveauté.

y redire, c'était une arme invisible avec laquelle on la frappait ; et comme elle n'avait cessé de perdre du pouvoir au cours de cette évolution, on finissait par aller chez Diotime avec une curiosité de touristes. Tels étaient parfois les sentiments du comte Leinsdorf quand il observait, le cœur soucieux, cette agitation ; il aurait souhaité que l'on prît davantage au sérieux la fonction que cette demeure permettait de remplir. « Il en va aujourd'hui, Altesse, des intellectuels et de la bourgeoisie exactement comme il en est allé jadis de la haute noblesse et de ses précepteurs ! dit Ulrich pour le consoler. Ils lui demeurent étrangers. Je vous en prie, voyez-les tous béer devant Arnheim ! »

Mais le comte Leinsdorf, de toute manière, n'avait pas cessé de regarder Arnheim. « D'ailleurs, ce n'est plus un esprit, dit Ulrich en revenant à l'objet de cet étonnement, c'est un phénomène, un arc-en-ciel qu'on pourrait prendre par le pied et toucher du doigt. Il parle d'amour et de finance, de chimie et de voyages en kayak, c'est un savant, un gros propriétaire et un spéculateur ; en un mot, ce que nous sommes tous isolément, il l'est en une seule personne, et c'est cela qui nous stupéfie. Votre Altesse secoue la tête ? Mais je suis convaincu que c'est le nuage impénétrable du prétendu progrès qui l'a fait descendre de nos cintres !

– Ce n'est pas pour vous que j'ai secoué la tête, rectifia Son Altesse, je pensais au docteur Arnheim. Tout compte fait, il faut avouer que c'est une personnalité intéressante. »

48. *Les trois causes de la célébrité d'Arnheim et le Mystère du Tout.*

Mais tout cela n'était que l'effet très ordinaire de la personne d'Arnheim.

Arnheim était un homme de grand format.

Son activité s'étendait sur tous les continents de la terre et de la connaissance. Il connaissait tout : les philosophes, la finance, la musique, le monde et le sport. Il s'exprimait couramment en cinq langues. Il avait pour amis les plus célèbres artistes du monde, et il achetait l'art de demain en herbe, avant que les prix ne montent. Il fréquentait la Cour impériale et s'entretenait avec les ouvriers. Il possédait une villa de style ultra-moderne qu'on pouvait voir reproduite dans toutes les revues d'architecture contemporaine, et un vieux château branlant, quelque part au plus avare de la noble Marche, qui semblait être le berceau pourri de la pensée prussienne.

Un tel déploiement, une telle réceptivité excluent ordinairement toute activité personnelle ; mais là encore, Arnheim faisait exception. Une ou deux fois l'an, il se retirait dans ses terres pour y coucher sur le papier les expériences de sa vie intellectuelle. Ces livres, ces essais, dont la liste était déjà imposante, étaient très recherchés, atteignaient de gros tirages et étaient traduits en plusieurs langues : si l'on ne fait pas confiance à un médecin malade, on pense qu'il doit bien y avoir du vrai dans ce que dit un homme qui a si bien su prendre soin de lui-même. C'était la première cause de sa célébrité.

La deuxième tenait à la nature de la science. La science jouit chez nous d'une haute considération, et à bon droit ; mais s'il est certain qu'une vie d'homme n'est pas de trop pour se consacrer à l'étude de l'activité rénale, il n'en arrive pas moins des moments, qu'on pourrait appeler les moments humanistes, où l'on se voit obligé de rappeler quels rapports unissent les reins à l'ensemble de la nation. C'est pourquoi Goethe se voit si fréquemment cité en Allemagne. Quand un universitaire tient particulièrement à montrer qu'il n'est pas un simple érudit, mais un esprit vivant, ouvert aux promesses de l'avenir, il ne peut en donner de meilleure preuve qu'en faisant allusion à des écrits dont la connaissance non seulement vous fait honneur, mais encore vous en promet pour l'avenir, comme une action en hausse ; en pareils cas, les citations de Paul Arnheim jouissaient d'une popularité croissante. A vrai dire, les expéditions qu'il entreprenait dans les territoires scientifiques pour étayer ses conceptions générales ne satisfaisaient pas toujours aux plus sévères exigences. Elles montraient sans doute qu'il disposait comme en se jouant de vastes lectures, mais le spécialiste ne manquait jamais d'y buter sur ces petites inexactitudes, ces petits malentendus auxquels on reconnaît un travail de dilettante aussi infailliblement qu'on distingue à la seule couture une robe faite par la couturière de la famille de celle qui vient d'un bon atelier. On ne doit nullement en déduire que cela empêchait les spécialistes d'admirer Arnheim. Ils souriaient avec complaisance ; Arnheim leur en imposait comme un fait résolument moderne, un homme dont tous les journaux parlaient, un roi de la finance, dont les réalisations, comparées aux réalisations intellectuelles des anciens rois, se révélaient bien supérieures ; s'ils étaient en droit de penser qu'eux-mêmes, dans le domaine qui leur était propre, représentaient bien autre chose que lui, du moins s'en montraient-ils reconnaissants en le qualifiant de brillant, génial ou simplement universel, ce qui, pour des spécialistes, revient à dire d'une femme, entre hommes, que les femmes la trouvent charmante.

C'est dans le commerce qu'il fallait aller chercher la troisième cause de la célébrité d'Arnheim. Il ne s'en tirait pas trop mal avec ses vieux loups de mer, ses capitaines chevronnés ; quand il avait une grosse affaire à traiter avec eux, il roulait même les plus retors. A vrai dire, ils ne faisaient pas grand cas du commerçant en lui, et l'appelaient le « dauphin » pour le distinguer de son père dont la langue épaisse et courte n'était pas faite pour parler, mais n'en savait que mieux deviner de fort loin, et aux signes les plus subtils, la véritable bonne affaire. Celui-là, ils le redoutaient et le vénéraient ; mais quand ils entendaient parler des exigences philosophiques que le dauphin imposait aux hommes d'affaires ou mêlait aux conversations les plus positives, ils ne pouvaient s'empêcher de sourire. Il était réputé pour citer les poètes dans les conseils d'administration et vouloir à tout prix que le commerce ne fût pas séparé des autres activités humaines, que les affaires fussent traitées en liaison avec tous les problèmes de la vie nationale, intellectuelle et même intime. Et pourtant, même s'ils en souriaient, ils ne pouvaient complètement négliger le fait que c'était précisément par ces suppléments au commerce qu'Arnheim junior intéressait de plus en plus l'opinion publique. Tantôt à la page économique, tantôt à la page politique ou culturelle des grands journaux de tous les pays, on trouvait son nom, la recension d'un ouvrage de sa main, le commentaire d'un discours remarquable qu'il avait prononcé ici ou là, l'annonce de sa réception par quelque souverain ou quelque association artistique, et il n'y eut bientôt plus personne, dans le cercle de ces grands industriels accoutumés à agir en silence et derrière des portes fermées à double tour, qui fît parler de lui au-dehors davantage que le Dr Arnheim.

Il ne faut pas croire que Messieurs les gouverneurs, conseillers, directeurs généraux et directeurs de banques, forges, trusts, unions minières et compagnies de navigation soient, dans le fond d'eux-mêmes, les mauvaises gens que l'on dit d'ordinaire. Sans parler de leur sens familial très développé, la raison interne de leur vie est l'argent, et c'est une raison qui a les dents saines et l'estomac solide. Ils étaient tous persuadés que le monde irait beaucoup mieux si on le confiait au libre jeu de l'offre et de la demande plutôt qu'aux cuirassés, aux baïonnettes, aux Majestés et à des diplomates qui ne connaissent rien aux affaires ; mais, comme le monde est ce qu'il est et qu'un vieux préjugé veut qu'une vie consacrée d'abord au profit personnel et ensuite seulement, par contrecoup, au bien commun, soit cotée moins haut que l'esprit de chevalerie et la fidélité à l'État, comme enfin les commandes de l'État ont une plus grande valeur morale que les commandes privées, ils étaient les derniers à ne pas compter avec elles, et tout le monde savait qu'ils tiraient le plus grand profit des avantages qu'offrent au Bien public les négociations douanières conduites par la force armée et les levées de troupes pendant les grèves. Engagées sur cette voie, les affaires conduisent forcément à la philosophie : il n'y a plus guère aujourd'hui que les criminels qui osent nuire à autrui sans recourir à la philosophie. Ainsi les hommes d'affaires s'habituèrent-ils à voir en Arnheim Jr. une sorte de vaticanesque représentant de leurs intérêts. Malgré toute l'ironie qu'ils gardaient en réserve pour parler de ses goûts, il leur était agréable d'avoir en lui un représentant capable de défendre leur point de vue aussi bien dans une réunion d'évêques que dans un congrès de sociologues ; il finit par exercer sur eux une influence semblable à celle qu'exerce une femme belle et cultivée, utile aux affaires, bien qu'elle ne cesse de protester contre l'éternel travail de bureau, parce que tout le monde l'admire. Il n'est plus besoin maintenant que de se figurer l'effet de la philosophie de Maeterlinck ou de Bergson appliquée aux problèmes du prix du charbon ou de la politique des cartels pour mesurer l'action déprimante que pouvait exercer Arnheim fils sur les réunions d'industriels ou dans les bureaux directoriaux, aussitôt qu'il apparaissait, à Paris, à Pétersbourg ou à Cape Town, comme envoyé de son père, et qu'il fallait l'écouter de A jusqu'à Z. Les résultats, en ce qui concerne les affaires, étaient aussi considérables que mystérieux ; c'est ainsi qu'Arnheim passa bientôt partout pour un homme de tout premier plan, et qui avait toujours la main heureuse.

Il y aurait encore beaucoup à raconter sur le succès d'Arnheim. Sur les diplomates qui approchaient ce monde du commerce, aussi incompréhensible qu'important à leurs yeux, avec la prudence de gens à qui l'on a donné à soigner un éléphant dont on n'est pas tout à fait sûr, alors qu'Arnheim le traitait avec l'insouciance d'un gardien inné. Sur les artistes auxquels il était rarement utile, et qui n'en avaient pas moins le sentiment d'avoir affaire à un mécène. Enfin sur les journalistes, qui pourraient même revendiquer qu'on parlât d'eux d'abord, parce que c'étaient eux qui avaient fait d'Arnheim, par leur seule admiration, un grand homme, en croyant que c'était l'inverse ; on leur avait mis la puce à l'oreille, et ils croyaient entendre pousser l'herbe du temps. Son succès était partout du même type. Auréolé du halo magique de sa richesse et du bruit de son importance, il devait constamment fréquenter des gens qui, dans leur domaine propre, lui étaient supérieurs ; il leur plaisait pourtant, parce qu'il avait une connaissance étonnante de leur spécialité pour un non-spécialiste, et il les intimidait dans la mesure même où sa personne représentait une relation entre leur monde et d'autres mondes dont ils n'avaient pas la moindre idée. C'est ainsi qu'en face d'une société de spécialistes, le sentiment d'être un Tout lui était devenu comme une seconde nature. Il voyait parfois flotter devant ses yeux le rêve d'une époque weimarienne ou florentine de l'Industrie et du Commerce, où régneraient des personnalités puissantes qui sauraient accroître le bien-être général et seraient qualifiées pour réunir dans leur personne et diriger d'en haut les productions séparées de la technique, de la science et des arts. Lui-même s'en sentait capable. Il avait le talent de n'être jamais supérieur en aucun détail et en quoi que ce fût de démontrable, mais de remonter à la surface dans toutes les situations grâce à un équilibre fluide et qui se rétablissait de lui-même à chaque instant, ce qui est peut-être la qualité foncière de l'homme politique. Arnheim était persuadé, de plus, que c'était un profond mystère. Il le nommait *le Mystère du Tout.*

La beauté d'un être, elle non plus, n'est pas faite de détails ou de quoi que ce soit de démontrable : elle tient tout entière dans ce je-ne-sais-quoi magique qui tire parti même des petits défauts ; ainsi, la bonté et l'amour, la dignité et la grandeur profondes d'un être sont presque indépendantes de ses actes ; elles sont même en mesure de les ennoblir tous. Dans la vie, mystérieusement, l'ensemble prime les détails. Si les petites gens, néanmoins, sont faits de leurs qualités et de leurs défauts, le grand homme, seul, donne à ses qualités leur véritable rang ; quand le secret de son succès est de n'être explicable par aucun de ses mérites et aucune de ses qualités, cette présence d'une puissance supérieure à ses manifestations, c'est précisément le mystère sur lequel toute grandeur, en notre vie, se fonde. Voilà ce qu'avait écrit Arnheim dans un de ses livres ; au moment où il l'écrivit, il crut presque avoir attrapé le surnaturel par ses basques, et il ne manqua pas de le laisser entendre entre les lignes.

49. *Premières oppositions entre l'ancienne et la nouvelle diplomatie.*

La fréquentation des personnes dont la seule spécialité est la noblesse héréditaire ne faisait pas exception à cette règle. Arnheim mettait une sourdine à sa distinction personnelle et se confinait si modestement dans la noblesse de l'esprit (qui connaît ses avantages comme ses limites), qu'au bout d'un certain temps, à côté de lui, ceux qui portaient les plus grands noms semblaient n'y avoir gagné, tant ces noms étaient lourds, que le dos voûté de l'ouvrier. Personne ne l'observait avec plus d'acuité que Diotime. Elle avait pour le Mystère du Tout l'intelligence d'un artiste qui voit réalisé le rêve de sa vie si parfaitement qu'il ne pourrait songer à la moindre retouche.

Elle était maintenant complètement réconciliée avec son salon. Arnheim l'exhorta à ne pas surestimer l'organisation extérieure ; de grossiers intérêts matériels allaient altérer la pureté de l'intention ; il accordait plus de prix au salon.

Le sous-secrétaire Tuzzi, en revanche, exprima la crainte que l'on ne s'enfonçât ainsi dans un abîme de bavardage.

Il avait mis une jambe sur l'autre et croisé sur ses genoux ses maigres mains brunes, fortement veinées ; avec sa petite barbe et ses yeux de Méridional, il avait l'air, à côté d'Arnheim sanglé dans un habit irréprochable coupé dans la meilleure étoffe, d'un tire-laine levantin à côté d'un noble marchand hanséatique. Deux distinctions se heurtaient là, et l'autrichienne qui, fondée sur un goût raffiné et complexe, se donnait volontiers un petit air de négligence, était fort loin de se prendre pour l'inférieure. Le sous-secrétaire Tuzzi avait une charmante façon de s'enquérir des progrès de l'Action parallèle, comme s'il ne lui était pas permis de savoir directement ce qui se passait dans sa maison. « Nous serions très heureux d'être renseignés aussi rapidement que possible sur ce qu'on projette », dit-il en regardant son épouse et Arnheim avec un sourire aimable qui devait signifier qu'il n'était, dans cette affaire, qu'un étranger. Là-dessus, il expliqua que l'œuvre commune de sa femme et de Son Altesse donnait déjà de grands soucis aux milieux officiels. Lors du dernier rapport qu'il avait soumis à Sa Majesté, le ministre avait essayé de savoir quelles manifestations extérieures à l'occasion du Jubilé pourraient éventuellement compter sur Sa très haute approbation, et en particulier, jusqu'à quel point pourrait être agréable en haut lieu le projet de prendre la tête d'une vaste action pacifiste internationale, en anticipant sur le cours des événements ; c'était là l'unique façon de comprendre en termes politiques, expliquait Tuzzi, l'idée qu'avait eue Son Altesse d'une Autriche universelle. Mais Sa Très Gracieuse Majesté, avec le scrupule et la réserve que le monde entier Lui connaissait, continua-t-il, en avait aussitôt écarté l'idée par cette énergique remarque : « *Ah, i mag mi net vordrängen lassen*[1] » ; maintenant, on ne savait pas s'il s'agissait d'un catégorique très gracieux refus, ou non.

C'est avec délicatesse que Tuzzi se montrait indélicat envers les petits secrets de sa profession, en homme qui sait fort bien ne pas en trahir les grands. Il conclut en disant que les ambassades devaient maintenant sonder les sentiments des Cours étrangères, puisqu'on n'était pas sûr de ceux de sa propre Cour et qu'il fallait bien trouver quelque part un endroit où poser le pied. Car enfin, du point de vue purement professionnel, ce n'étaient pas les possibilités qui manquaient, de la convocation d'une conférence générale de la Paix en passant par une réunion des vingt rois jusqu'à faire simplement décorer le palais de La Haye par des artistes autrichiens ou instituer une fondation pour les enfants et orphelins des fonctionnaires de ce même palais. Il en profita pour demander l'opinion de la Cour de Prusse sur l'Année jubilaire. Arnheim déclara n'en être pas informé. Le cynisme autrichien le choquait ; lui qui savait bavarder avec tant d'élégance, en présence de Tuzzi il se sentait boutonné, comme un homme qui tient à marquer que la froideur et la gravité sont de mise dès qu'il s'agit des affaires de l'État. C'est ainsi que deux distinctions, deux styles de politique et de vie opposés se présentaient devant Diotime, non sans une secrète intention de concurrence. Mais posez un lévrier à côté d'un carlin, un saule à côté d'un peuplier, un verre de vin sur un champ fraîchement labouré ou un portrait dans un bateau à voile plutôt que dans une exposition de peinture, en un mot, rapprochez l'une de l'autre deux formes de vie également raffinées et caractérisées, vous les verrez se vider, s'annuler réciproquement dans un ridicule malicieux et sans fond. Diotime le sentit dans ses yeux, dans ses oreilles, sans le comprendre, effrayée ; elle relança la conversation en déclarant à son

1. « Ah ! j' n'aime point trop qu'on me mette en avant ! »

mari du ton le plus résolu que son intention était d'atteindre avec l'Action parallèle un but essentiellement intellectuel, et qu'elle ne laisserait influencer son orientation que par les besoins d'hommes réellement modernes !

Arnheim vit avec reconnaissance sa dignité restituée à la pensée ; dans la mesure même où il devait se défendre parfois contre certaines tentations de noyade, il ne souhaitait pas plus plaisanter avec les événements qui justifiaient si grandiosement ses rencontres avec Diotime, qu'un homme qui se noie avec sa ceinture de sauvetage. A sa propre surprise, il demanda alors à Diotime, sur un ton quelque peu sceptique, qui elle pensait choisir pour composer l'État-major intellectuel de l'Action.

Diotime, bien entendu, n'en savait encore rien ; ces jours passés en compagnie d'Arnheim lui avaient donné une telle plénitude de suggestions et de pensées qu'elle n'avait pu y faire un choix positif. Arnheim lui avait bien répété quelquefois qu'il n'importait pas d'instituer une démocratie de comités, mais de choisir quelques personnalités puissantes et de grande envergure : le sentiment qu'elle avait éprouvé alors se fût traduit par « toi et moi » ; ce n'était encore qu'un sentiment, nullement une décision, même pas une idée ; et c'était probablement cela que le pessimisme perceptible dans la voix d'Arnheim lui avait rappelé, car elle répondit : « Y a-t-il d'ailleurs quoi que ce soit aujourd'hui d'assez grand, d'assez important, pour qu'on veuille consacrer toutes ses forces à lui donner réalité ?

– C'est la marque d'un temps qui a perdu l'assurance intime des grandes époques, remarqua alors Arnheim, que les choses les plus grandes et les plus importantes aient de la peine à y cristalliser. »

Le sous-secrétaire Tuzzi baissa les yeux sur un grain de poussière de son pantalon, de sorte que son sourire pouvait passer pour de l'approbation.

« Et que serait-ce, en fait ? poursuivit Arnheim comme quelqu'un qui s'interroge. La religion ? »

Le sous-secrétaire releva son sourire ; Arnheim n'avait sans doute pas prononcé le mot avec autant d'assurance et d'énergie que naguère devant Son Altesse ; il y avait mis tout de même une gravité bien-sonnante.

Diotime, pour protester contre le sourire de son mari, intervint : « Et pourquoi pas ? La religion aussi !

– Sans doute, mais nous devons prendre une décision pratique : avez-vous jamais songé à introduire un évêque dans le comité chargé de trouver à notre action un but actuel ? Dieu est profondément inactuel. Nous sommes incapables de nous le figurer en frac, rasé de près, avec la raie, nous ne pouvons l'imaginer qu'en patriarche. Et qu'y a-t-il en dehors de la religion ? La nation ? L'État ? »

Diotime fut ravie de ce mot, parce que Tuzzi avait l'habitude de considérer l'État comme une affaire d'hommes dont on ne parle pas avec les femmes. Mais maintenant, il ne disait plus rien, ses yeux seuls faisaient entendre qu'il y aurait eu encore une ou deux choses à ajouter sur ce sujet.

« La science ? poursuivit Arnheim, la culture ? Reste l'art. En vérité, l'art devrait être le premier à refléter l'unité de l'existence et son organisation interne. Mais nous connaissons le spectacle qu'il nous offre aujourd'hui : une désintégration générale, des extrêmes sans communication entre eux. Dès le début, Stendhal, Balzac et Flaubert ont su créer l'épopée qui correspondait à la vie nouvelle, mécanisée, de la société et des sentiments, Dostoïevski, Strindberg et Freud ont révélé le démonisme des profondeurs ; nous autres contemporains avons le sentiment très net qu'il ne nous reste plus rien à faire. »

Le sous-secrétaire Tuzzi intervint alors pour dire que lorsqu'il voulait lire quelque chose de solide, il revenait toujours à Homère ou à ce bon vieux Rosegger.

Arnheim sauta sur l'occasion : « Vous devriez ajouter la Bible. Avec la Bible, Homère, Rosegger ou Reuter[1], on peut toujours s'en tirer ! D'ailleurs, nous sommes là au cœur même du problème ! Admettons que nous ayons un nouvel Homère : demandons-nous alors avec la plus grande sincérité possible si nous serions réellement capables de l'écouter. Je crois que nous serions forcés de répondre non. Nous n'en avons pas, parce que nous n'en avons pas

1. Peter Rosegger, célèbre romancier du XIXe. Fritz Reuter, romancier allemand du XIXe, également très populaire. *N. d. T.*

besoin ! » Arnheim se retrouvait en selle et galopait. « Si nous en avions besoin, nous l'aurions ! Car, en fin de compte, l'histoire du monde ne nous donne pas d'exemple d'événement négatif. Pourquoi donc transportons-nous dans le passé tout ce qui est véritablement grand et essentiel ? Homère et le Christ n'ont jamais été égalés, à plus forte raison surpassés ; il n'y a rien de plus beau que le Cantique des Cantiques ; l'époque du gothique et la Renaissance sont devant les temps modernes comme un pays de montagnes à l'entrée d'une plaine ; et où sont nos grands conquérants ? Qu'elles paraissent courtes de souffle, l'entreprise de Napoléon à côté de celle des Pharaons, l'œuvre de Kant à côté de celle de Bouddha, celle de Goethe à côté de celle d'Homère ! Néanmoins, nous vivons, nous devons vivre pour quelque chose : quelle conclusion en tirerons-nous ? Nulle autre que celle-ci... » A ce point de sa harangue, Arnheim dut pourtant s'interrompre, affirmant qu'il hésitait à le dire ; car la seule conclusion possible était que tout ce que l'on tient pour grand et essentiel n'avait rien à faire avec la force la plus intime de notre vie.

« Et quelle serait-elle donc ? » demanda Tuzzi. Que l'on accordât beaucoup trop d'importance à la plupart des choses, il était prêt à en tomber d'accord.

« Personne aujourd'hui ne peut le dire, répliqua Arnheim. Le problème de la civilisation ne peut être résolu qu'avec le cœur. Par l'entrée en scène d'une personnalité nouvelle. Par la vision intérieure et la volonté pure. Tout ce que la raison a obtenu fut de faire sombrer la grandeur du passé dans le libéralisme. Mais peut-être ne voyons-nous pas suffisamment loin, peut-être nos mesures sont-elles trop courtes ; chaque instant peut devenir un tournant de l'histoire du monde ! »

Diotime avait voulu représenter qu'il ne resterait dès lors plus aucun objectif pour l'Action parallèle. Mais, chose curieuse, elle fut entraînée par les sombres visions d'Arnheim. Peut-être était-il resté en elle comme un relent de l'ennui scolaire qui l'incommodait lorsqu'elle se voyait obligée de lire sans répit les derniers livres parus, de parler des derniers tableaux exposés ; le pessimisme à l'égard de l'art la délivrait de beaucoup de beautés qui ne lui avaient en réalité jamais plu ; le pessimisme à l'égard de la science atténuait son angoisse devant la civilisation, devant la surabondance de choses importantes et dignes d'être sues. Ainsi le jugement désespéré d'Arnheim sur son temps fut-il pour elle un bienfait qu'elle devina tout d'un coup. Et son cœur fut délicieusement touché à l'idée que la mélancolie d'Arnheim avait avec elle-même on ne sait quel lien.

50. *Comment les choses évoluent. Le sous-secrétaire Tuzzi décide d'avoir quelques clartés sur la personne d'Arnheim.*

Diotime avait deviné juste. Dès l'instant où Arnheim avait remarqué que la gorge de cette femme merveilleuse, qui avait lu tous ses livres sur l'âme, était agitée et soulevée par une puissance sur laquelle on ne pouvait se tromper, il était devenu la proie d'une timidité inhabituelle. Pour l'exprimer brièvement et dans les termes mêmes où il l'avait reconnue, c'était la timidité du moraliste à qui l'on offre tout à coup, sans qu'il s'y attende, le ciel sur la terre ; et si l'on veut pouvoir partager son émotion, il suffit de se représenter ce que serait de n'avoir plus autour de soi que cette paisible flaque bleue où flottent de tendres balles de plume blanche.

Considéré en soi, l'homme moral est ridicule et désagréable, comme nous l'apprend l'odeur de ces pauvres personnes dévouées qui prétendent ne posséder rien d'autre que leur moralité ; la morale a besoin de grandes tâches pour nourrir son importance, c'est pourquoi Arnheim avait toujours cherché le complément de sa nature moralisante dans les événements mondiaux, dans l'histoire universelle, en imprégnant toute son activité d'idéologie. Son idée favorite était qu'il fallait introduire la pensée dans les sphères de la puissance et ne jamais séparer les affaires que l'on traitait des problèmes spirituels. Il aimait à se choisir dans l'histoire des exemples auxquels il rendait une vie nouvelle ; le rôle de la finance dans l'époque contemporaine lui paraissait analogue à celui de l'Église catholique, c'était une puissance qui agissait en coulisses et se montrait à la fois souple et inflexible dans ses rapports avec les pouvoirs souverains ; parfois, au milieu de ses activités, il se faisait l'effet d'un cardinal. Mais cette fois-là, c'était vraiment un caprice qui l'avait d'abord poussé à partir ; bien qu'il ne partît jamais, même par caprice, sans avoir quelque projet caché, il ne pouvait se rappeler comment ce plan, d'ailleurs important, s'était formé en lui. Il planait sur son voyage quelque chose comme une inspiration imprévue, une brusque résolution, et c'était probablement ce petit élément de liberté qui fit que des vacances à Bombay n'eussent guère pu lui donner une plus intense impression d'exotisme que la grande ville allemande dissidente dans laquelle il avait échoué. L'idée, absolument impensable en Prusse, qu'il fût invité à jouer un rôle dans l'Action parallèle avait fait le reste et le jetait dans un monde d'illogisme et de fantaisie comme en un rêve dont l'absurdité n'eût pas échappé à son intelligence pratique sans que celle-ci, toutefois, fût en mesure de rompre le charme de la féerie. Il est probable qu'il eût pu atteindre plus directement et plus simplement le but de sa venue, mais il considérait ses fréquents retours dans cette ville comme des vacances et un repos pour sa raison ; son esprit commercial le punit de cette évasion dans la féerie en transformant le noir mauvais point de conduite qu'il eût dû se donner en une grisaille diluée sur toutes choses.

A vrai dire, il n'eut pas deux fois l'occasion de s'abandonner, comme ce jour-là en présence de Tuzzi, à d'aussi vastes considérations sur le mode noir ; ne fût-ce que parce que le sous-secrétaire ne faisait d'ordinaire que de brèves apparitions, et qu'Arnheim devait répartir ses propos sur les personnes les plus diverses, qu'il trouvait d'ailleurs, dans ce beau pays, étonnamment réceptives. En présence de Son Altesse, il disait que la critique était stérile et l'époque désacralisée, puis laissait entendre une fois de plus que l'homme ne pouvait être délivré d'une existence aussi négative que par le cœur, ajoutant pour Diotime que seule l'Allemagne du sud, avec sa profonde culture, était encore en mesure de délivrer l'esprit allemand, et peut-être même le monde, des égarements du rationalisme et de la folie des chiffres. Au milieu d'un cercle de dames, il disait la nécessité d'organiser la tendresse intime pour sauver l'humanité du matérialisme et de la course aux armements. Il expliquait à un groupe de créateurs la parole de Hölderlin selon laquelle il n'y aurait plus en Allemagne que des métiers, et pas un homme. « Or, personne ne peut réaliser quoi que ce soit dans son métier s'il n'a le sentiment d'une unité plus haute : personne, et surtout pas le financier ! » Ainsi conclut-il son exposé.

On l'écoutait volontiers, parce qu'il était beau qu'un homme qui avait déjà tant d'idées, eût aussi tant d'argent. Le fait que tous ses interlocuteurs le quittaient avec l'impression qu'une entreprise comme l'Action parallèle était une affaire extrêmement suspecte, entachée des plus dangereuses contradictions intellectuelles, les fortifiait tous dans le sentiment que personne ne serait plus qualifié pour prendre la tête d'une pareille aventure.

Le sous-secrétaire Tuzzi n'eût pas été, malgré sa quiétude, l'un des premiers diplomates de son pays, s'il n'avait rien remarqué de l'enracinement d'Arnheim chez lui ; seulement, il ne parvenait pas à y voir clair. Il ne le montrait pas, parce qu'un diplomate ne montre jamais ce qu'il pense. Cet étranger lui était au plus haut point désagréable, dans sa personne d'abord, mais tout autant, si l'on peut dire, dans son principe ; et qu'il eût manifestement choisi le salon de sa femme pour théâtre d'on ne savait quelles opérations, Tuzzi le ressentait comme une provocation. Il ne croyait pas un instant Diotime lorsqu'elle l'assurait que le nabab ne revenait si souvent dans la ville du Danube que parce que son esprit ne respirait nulle part aussi bien que dans cette atmosphère de vieille culture. Il ne s'en heurta pas moins dès l'abord à un problème pour la solution duquel il n'avait pas le moindre point d'appui ; car ses relations officielles ne l'avaient jamais encore mis en contact avec un être de ce genre.

Depuis que Diotime lui avait exposé son projet de confier à Arnheim un des postes les plus importants de l'Action parallèle et se plaignait de la résistance de Son Altesse, Tuzzi était sérieusement troublé. Il ne faisait aucun cas ni de l'Action parallèle, ni du comte Leinsdorf, mais il avait vu dans l'inspiration de sa femme un si surprenant manque de tact politique que ce fut pour lui comme si le long travail d'éducation virile qu'il pouvait se vanter d'avoir mené à bien, s'écroulait tel un château de cartes. C'est de cette image même que le sous-secrétaire s'était servi au fond de lui-même, encore que d'ordinaire il ne se permît jamais d'en user, parce que les images sont trop littéraires et sentent la vulgarité ; mais, cette fois-là, il était sérieusement secoué.

Dans la suite, il est vrai, grâce à son entêtement, Diotime améliora de nouveau sa position. Elle était devenue suavement agressive, parlant d'une nouvelle espèce d'hommes qui n'abandonnerait plus désormais passivement aux guides patentés la responsabilité spirituelle de l'histoire. Elle avait parlé ensuite du tact de la femme qui pouvait être parfois un véritable don de divination et conduire le regard à des distances plus grandes que le travail professionnel quotidien. Elle dit enfin qu'Arnheim était un Européen, un esprit connu dans l'Europe entière, que la politique européenne était loin d'être assez européenne et assez intellectuelle, et que le monde ne retrouverait la paix que le jour où l'esprit de l'Autriche universelle soufflerait sur lui comme la vieille culture autrichienne tenait embrassées dans les limites de la Monarchie les nations de langues différentes.

Jamais encore elle n'avait osé affronter si résolument la supériorité de son mari, mais le sous-secrétaire en fut provisoirement rassuré. Il n'avait jamais accordé aux aspirations de son épouse plus d'importance qu'à des histoires de couturière, il était heureux quand d'autres l'admiraient, et il se mit à considérer l'affaire avec plus d'indulgence, à peu près comme on agirait si une femme aimant les couleurs choisissait un jour un ruban trop bariolé. Il se contenta de lui répéter, avec une courtoisie grave, les raisons qui, dans le monde des hommes, excluaient de donner publiquement à un Prussien la haute main sur des affaires autrichiennes ; il reconnut pourtant qu'il pouvait y avoir avantage à se lier à un homme dont la situation était si exceptionnelle, et assura Diotime qu'elle interpréterait fort mal ses scrupules en en déduisant qu'il ne lui était pas agréable de voir Arnheim aussi souvent que possible en sa compagnie. Il espérait à part soi qu'ainsi, l'occasion se trouverait bientôt de tendre un piège à l'étranger.

Mais lorsque Tuzzi fut obligé d'ouvrir les yeux sur les succès innombrables d'Arnheim, il revint sur le fait que Diotime se montrait décidément trop engagée avec cet homme ; il dut constater une nouvelle fois qu'elle ne respectait plus sa volonté comme d'ordinaire, qu'elle le contredisait et qualifiait ses préoccupations de chimères. Il décida, étant homme, de ne pas lutter avec la dialectique féminine, mais d'attendre l'heure où sa prévoyance triompherait d'elle-même ; il se trouva néanmoins qu'il reçut alors un violent coup de fouet. Une nuit, en effet, quelque chose qui lui parut être un sanglot infiniment lointain l'incommoda ; au commencement, cela ne le gêna presque pas, simplement il ne comprenait pas ; mais de temps en temps la distance spirituelle, d'un bond, se réduisait ; tout à coup la menaçante agitation fut à son oreille même, et il s'arracha si brusquement au sommeil qu'il se trouva assis dans son lit. Diotime lui tournait le dos et ne bougeait pas, mais il sentit à quelque chose qu'elle était éveillée. Il l'appela doucement par son nom, recommença encore, et tenta de tourner vers lui, avec les doigts les plus tendres possible, sa blanche épaule. Comme il la tournait et que le visage de sa femme se levait dans l'obscurité au-dessus d'elle, il vit que ce visage le regardait méchamment, exprimait le défi, et qu'il avait pleuré. Malheureusement, son profond sommeil avait entre-temps à demi réenvahi Tuzzi, il l'attirait opiniâtrement en arrière dans les oreillers, et le visage de Diotime ne fut plus devant lui qu'une pénible grimace blanche qu'il ne pouvait plus du tout comprendre. « Qu'y a-t-il ? » murmura-t-il avec la douce voix de basse de celui qui s'endort ; une réponse claire, désagréable, agacée, vint frapper son oreille, elle tomba dans son ivresse de sommeil et resta immobile au fond, comme une monnaie qui brille dans l'eau. « Tu bouges tellement qu'il n'y a pas moyen de dormir à côté de toi ! » Voilà ce que Diotime lui avait dit, clairement et durement ; son oreille l'avait enregistré, mais déjà il avait pris congé de l'état de veille, sans pouvoir réfléchir plus longuement à ce reproche.

Il sentait seulement qu'un grand tort lui avait été fait.

Dormir paisiblement était à son avis l'une des principales vertus d'un diplomate, car c'était la condition même du succès. Il ne fallait pas le toucher à cet endroit, et il se trouva sérieusement mis en question par la remarque de Diotime. Il comprit que des changements s'étaient produits en elle. Il ne lui vint tout de même pas à l'idée, même dans son sommeil, de soupçonner sa femme d'une tangible infidélité ; pourtant, il ne douta pas un seul instant que le malaise qu'on avait provoqué en lui ne fût en relation avec Arnheim. Il dormit pour ainsi dire furieux jusqu'au matin, et s'éveilla avec la ferme volonté de se procurer quelques clartés sur ce fâcheux.

51. *La famille Fischel.*

M. le directeur Fischel de la Lloyd Bank était ce directeur de banque, ou plus exactement ce fondé de pouvoir portant le titre de directeur, qui, pour des raisons d'abord incompréhensibles, avait oublié de répondre à une invitation du comte Leinsdorf et, par la suite, n'avait jamais été réinvité. Encore n'avait-il dû cette première invitation qu'aux relations de Clémentine, sa femme. Clémentine Fischel appartenait à une vieille famille de hauts fonctionnaires, son père avait été Président de la Cour des comptes, son grand-père Conseiller caméral, et trois de ses frères occupaient des postes importants dans différents ministères. Elle avait épousé Léon, vingt-quatre ans auparavant, pour deux raisons : premièrement, parce que les familles de hauts fonctionnaires ont quelquefois plus d'enfants que de fortune, deuxièmement, par romantisme, parce que la profession de banquier, vue de la maison familiale avec ses étroites limites et le tourment des économies, lui paraissait moderne et libérale, et qu'une personne cultivée du XIXe siècle n'apprécie pas les autres selon qu'ils sont juifs ou catholiques ; bien mieux (c'est ainsi qu'on était alors), elle pensait donner une preuve de culture de plus en négligeant le naïf préjugé antisémite du commun.

La malheureuse devait voir s'élever plus tard dans toute l'Europe une vague de nationalisme et de persécutions contre les Juifs qui transforma pour ainsi dire dans ses bras l'esprit libre qu'avait été pour elle son mari vénéré, en esprit de vin, en poison étranger. Elle avait commencé par s'élever là contre avec toute la secrète rage d'un « grand cœur », mais, les années passant, l'hostilité naïvement cruelle qui ne cessait de gagner du terrain eut raison de sa résistance, et le préjugé universel l'intimida. Elle en arriva même, devant les désaccords de plus en plus graves qui se déclarèrent entre elle et son mari du jour où celui-ci, pour des raisons qu'il n'expliqua jamais, resta arrêté au stade de fondé de pouvoir et perdit tout espoir de devenir jamais directeur en fait, elle en arriva même plus d'une fois, lorsqu'elle se sentait blessée, à hausser les épaules en se disant à part soi que le caractère de Léon était quand même, en fin de compte, d'une autre race que le sien, encore qu'elle ne trahît jamais en public les principes de sa jeunesse.

Ces désaccords n'étaient au fond qu'un manque d'accord ; comme en beaucoup de mariages où un malheur pour ainsi dire naturel remonte à la surface aussitôt que cesse l'éblouissement du bonheur. Depuis que la carrière de Léon s'embourbait dans une place de simple commis de bourse, Clémentine ne parvenait plus à excuser certaines des particularités de son mari, comme elle l'avait fait autrefois, en se disant qu'il n'était pas assis dans l'immobilité de miroir d'un vieux bureau ministériel, mais au « métier bruissant du temps », et qui sait si elle ne l'avait pas épousé précisément pour cette citation de Goethe ? Les favoris en côtelettes qui, associés au pince-nez trônant au milieu du nez, lui avaient rappelé naguère un lord, la faisaient penser maintenant à un agent de change, et certaines habitudes dans le geste ou la façon de parler commencèrent à lui devenir proprement insupportables. Au commencement, Clémentine essaya d'améliorer son époux, mais, ce faisant, elle se heurta à des difficultés extraordinaires ; il apparut qu'il n'existait dans le monde aucun critère pour savoir si des favoris doivent légalement faire penser à un lord ou à un agent de change, et s'il y a une place sur le nez où un pince-nez, avec tel ou tel geste de la main, exprime le cynisme ou l'enthousiasme. De plus, Léon Fischel n'était nullement homme à se laisser améliorer. Il déclara que les critiques par lesquelles on voulait faire de lui un conseiller ministériel selon l'idéal de beauté germano-chrétien n'étaient que des bouffonneries mondaines, et il refusa toute explication comme indigne d'un homme raisonnable ; plus son épouse s'achoppait à des détails, plus il mettait l'accent sur les grandes lignes de la raison. C'est ainsi que la maison Fischel devint peu à peu le champ de bataille de deux conceptions du monde.

M. le directeur Fischel, de la Lloyd Bank, aimait à philosopher, mais dix minutes par jour. Il aimait à reconnaître les fondements rationnels de l'existence humaine, croyait à sa rentabilité spirituelle qu'il s'imaginait conforme à l'ordonnance subtilement hiérarchisée d'une grande banque, et c'est avec plaisir qu'il découvrait chaque jour, dans les journaux, de nouveaux pas en avant. Cette foi en la fixité des lignes directrices de la raison et du progrès lui avait longtemps permis de passer sur les critiques de sa femme avec un haussement d'épaules ou une réponse coupante. Mais comme le malheur avait voulu que dans le cours de leur vie commune, le temps tournât le dos à tout ce qui avait été favorable à Léon Fischel, les vieux principes du libéralisme, les grands idéaux de la libre-pensée, de la dignité humaine et du libre-échange, et que la raison et le progrès avaient été supplantés dans le monde occidental par le racisme et les slogans démagogiques, lui-même n'en resta pas à l'abri. Au début, il avait simplement nié cette évolution, exactement comme le comte Leinsdorf avait l'habitude de nier « certaines manifestations désagréables de caractère public » ; il attendait qu'elles disparussent d'elles-mêmes, et cette attente est le premier degré, à peine perceptible encore, de la torture par le dépit que la vie inflige aux hommes qui ont des principes. Le deuxième degré s'appelle d'ordinaire (et Fischel l'appela donc également ainsi) le « poison ». Le poison, c'est l'apparition goutte à goutte de conceptions nouvelles en morale, en art, en politique, dans le sein de la famille, les journaux, les livres et les relations sociales, qu'accompagnent dès le début le sentiment de l'impuissance devant l'irrévocable et une négation irritée qui ne peut s'empêcher de comporter une certaine reconnaissance du fait nié. Mais le troisième et dernier degré lui-même ne fut pas épargné au directeur Fischel : les frémissements, les ondées isolées du « nouveau » forment alors une pluie qui ne cesse plus, et qui devient avec le temps l'un des martyres les plus affreux que puisse endurer un homme qui ne dispose que de dix minutes par jour pour la philosophie.

Léon apprit à connaître sur combien de sujets les hommes peuvent diverger d'opinion. Le besoin d'avoir raison, penchant qui se confond presque avec la dignité humaine, se mit à célébrer dans la maison Fischel de véritables orgies. Ce besoin a produit au cours des siècles des milliers de philosophies, d'œuvres d'art, de livres, d'actions et d'associations partisanes admirables ; mais quand ce besoin inné à la nature humaine, certes digne d'admiration, mais aussi bien monstrueux et fanatique, doit se contenter de dix minutes de philosophie appliquée ou de discussions sur les problèmes fondamentaux du ménage, il est inévitable qu'il se hérisse comme une goutte de plomb brûlant d'innombrables dents et pointes, qui peuvent entraîner les plus douloureuses blessures. Il éclatait, par exemple, lorsqu'on se demandait s'il fallait ou non congédier une bonne, si l'on devait mettre ou non des cure-dents sur la table ; quelle que fût la raison de son éclatement, il avait toujours la capacité de se recomposer aussitôt pour reformer deux conceptions du monde riches d'inépuisables détails.

Le jour, cela allait encore, car le directeur Fischel était à son bureau ; mais la nuit, il redevenait un homme, ce qui aggravait considérablement ses rapports avec Clémentine. Avec l'actuelle complexité de toutes choses, l'homme ne peut plus être réellement à l'aise que dans un seul domaine : pour Fischel, c'étaient les actions et les obligations, et c'est pourquoi, la nuit, il inclinait à une certaine indulgence. Clémentine, en revanche, restait même alors pointue et sans indulgence, car elle avait grandi dans l'atmosphère stable et sérieuse d'une maison de fonctionnaire ; de plus, le sentiment qu'elle avait de sa situation sociale n'autorisait pas les chambres à coucher séparées, pour ne pas encombrer encore une maison déjà trop petite. Les chambres à coucher communes, lorsqu'elles sont sans lumière, mettent un homme dans la situation d'un acteur qui doit jouer devant un parterre invisible le rôle avantageux, mais un peu usé tout de même, d'un héros évoquant un lion rugissant. Or, depuis des années, l'obscur auditoire de Léon n'avait laissé échapper devant cet exercice ni le plus léger applaudissement, ni le moindre signe de désapprobation, et l'on peut dire qu'il y avait là de quoi ébranler les nerfs les plus solides. Le matin, au petit déjeuner qu'une respectable tradition leur faisait prendre en commun, Clémentine était raide comme un cadavre gelé et Léon sensible à en trembler. Leur fille Gerda elle-même s'en apercevait à chaque fois et se figura dès lors la vie conjugale, avec horreur et un amer dégoût, comme une bataille de chats dans l'obscurité de la nuit.

Gerda, qui avait vingt-trois ans, était le thème de dispute favori de ses parents. Léon Fischel estimait que le temps était venu pour elle de le faire songer à quelque beau mariage. Gerda disait au contraire : « Tu es vieux genre, mon pauvre papa. » Elle avait choisi ses amis dans une bande de contemporains germano-chrétiens qui n'offraient pas la moindre assurance pour l'avenir, ce qui les faisait mépriser le capitalisme et déclarer que jamais un Juif ne s'était montré capable de donner un grand symbole à l'humanité. Léon Fischel les considérait comme de grossiers antisémites et voulait leur interdire sa porte, mais Gerda disait : « Tu ne comprends rien, papa, tout cela est purement symbolique... » Gerda était nerveuse et anémique, et, pour peu qu'on manquât de prudence, elle s'excitait tout de suite terriblement. C'est ainsi que Fischel dut tolérer ces fréquentations dans sa maison, comme jadis Ulysse les prétendants de Pénélope, parce que Gerda était son rayon de soleil ; mais il ne tolérait pas sans mot dire, ce n'était pas dans sa nature. Il croyait savoir fort bien lui-même ce qu'étaient la morale et les grandes idées, et il le disait chaque fois qu'il en avait l'occasion, dans l'espoir d'avoir sur Gerda une influence favorable. Et Gerda, chaque fois, répondait : « Bien sûr, papa, tu aurais entièrement raison, s'il ne fallait pas considérer cette question d'un tout autre point de vue ! »

Et que faisait Clémentine, quand Gerda parlait ainsi ? Rien ! Elle se taisait avec une mine résignée, mais Léon pouvait être certain que, derrière son dos, elle soutiendrait Gerda, comme si elle savait, elle, ce que c'est qu'un symbole ! Léon Fischel avait toujours eu toute raison de croire que son bon cerveau juif était supérieur à celui de sa femme, et rien ne l'irritait davantage que de constater qu'elle tirait profit de la folie de Gerda. Pourquoi diable devait-il tout à coup, lui plutôt qu'un autre, se trouver dans l'incapacité de penser moderne ? C'était une cabale ! Alors il se souvenait de la nuit. Déjà, ce n'était plus simplement l'honneur entaché, mais l'honneur arraché avec toutes les racines ! La nuit, l'homme n'a plus qu'une chemise de nuit sous laquelle apparaît tout de suite le caractère. Nulles connaissances, nul savoir-faire technique ne le protègent plus. On met toute sa personne en jeu. Rien d'autre. Si donc Clémentine, quand il était question des opinions germano-chrétiennes, le regardait comme s'il avait été un sauvage, qu'est-ce que cela pouvait bien vouloir dire ?

L'être humain est de ceux qui supportent les soupçons aussi mal que le papier de soie la pluie. Depuis que Clémentine ne jugeait plus Léon bel homme, elle le trouvait insupportable, et depuis que Léon se sentait mis en doute par Clémentine, il ne voyait plus chez lui que complots. De plus, comme tous ceux à qui la morale et la littérature l'ont inculqué, Clémentine et Léon étaient victimes du préjugé qui voulait qu'ils dépendissent l'un de l'autre par leurs passions, leurs caractères, leurs destins et leurs actions. En réalité, pour plus de la moitié, l'existence est faite naturellement non pas d'actions, mais de dissertations dont on s'assimile le point de vue, d'opinions et des contre-opinions correspondantes, enfin de l'entassement impersonnel de tout ce que l'on sait ou que l'on a entendu. Le destin de ces deux époux dépendait pour la plus grande part d'une stratification tenace, trouble et désordonnée de pensées, lesquelles relevaient non pas de leur opinion propre, mais de l'opinion publique, et s'étaient modifiées en même temps qu'elle sans qu'eux-mêmes pussent s'en défendre. Comparée à cette dépendance-là, leur dépendance personnelle réciproque n'était que peu de chose, un arriéré follement surestimé.

Tandis qu'ils se persuadaient mutuellement qu'ils avaient une vie privée, et mettaient réciproquement en question leur caractère et leur volonté, la difficulté sans espoir de ce conflit était toute dans son irréalité, dissimulée par eux sous toutes les contrariétés possibles.

Le malheur de Léon Fischel était qu'il n'aimât ni jouer aux cartes ni séduire de jolies filles, mais qu'il souffrît, fatigué de son travail, d'un sens très marqué de la famille, alors que son épouse dont la seule tâche était de former nuit et jour le centre de cette famille, ne pouvait plus être leurrée par aucune image romantique de son destin. Léon Fischel était pris parfois d'un sentiment d'oppression qui l'assaillait de toutes parts, encore que nulle part tangible. Il était dans le corps social une petite cellule active qui faisait bravement son devoir, mais recevait de partout des substances empoisonnées. Bien que cela dépassât de beaucoup son besoin de philosophie, Léon Fischel, laissé en plan par la compagne de sa vie, homme vieillissant qui ne voyait aucune raison d'abandonner les modes raisonnables de sa jeunesse, commença à pressentir le profond néant de la vie intérieure, cette absence de formes qui est perpétuel changement de forme, lente mais inquiète révolution, emportant toutes choses dans son cours.

C'est l'un de ces matins où sa pensée avait été sollicitée par des problèmes familiaux que Fischel avait oublié de répondre à la lettre de Son Altesse ; et plus d'une fois, les matins qui suivirent, on lui fit de telles descriptions de ce qui se passait dans le cercle de la femme du sous-secrétaire Tuzzi qu'il lui apparut fort regrettable d'avoir négligé pour Gerda une pareille occasion d'entrer dans la meilleure société. Fischel lui-même n'avait pas très bonne conscience, puisque son propre directeur général et le gouverneur de la Banque nationale y allaient, mais, comme chacun sait, on refuse toujours d'autant plus violemment les reproches qu'on se sent soi-même plus écartelé entre la culpabilité et l'innocence. Chaque fois que Fischel, avec la supériorité d'un homme d'action, essayait de plaisanter un peu cette patriotique entreprise, on lui expliquait qu'un financier aussi important que Paul Arnheim était d'un tout autre avis que lui. C'était extraordinaire, tout ce que Clémentine et Gerda, qui d'ordinaire, naturellement, s'opposait aux désirs de sa mère, avaient pu apprendre sur cet homme ! Et comme, à la Bourse aussi, on entendait beaucoup d'histoires étonnantes sur son compte, Fischel se sentit acculé à la défensive : s'il ne pouvait en aucun cas les admettre, il ne pouvait pas davantage prétendre, s'agissant d'un homme dont les relations d'affaires étaient si considérables, qu'on ne devait pas le prendre au sérieux.

Quand Fischel se sentait acculé à la défensive, cela prenait assez utilement la forme de la contre-mine, c'est-à-dire qu'il gardait un silence aussi impénétrable que possible à toutes les allusions à la maison Tuzzi, à Arnheim, à l'Action parallèle et à son refus, qu'il recueillait des renseignements sur le séjour d'Arnheim et attendait, en secret, un événement qui devait révéler d'un coup l'inanité de toute l'affaire et la réduire, dans sa famille, à la faillite totale.

52. *Le sous-secrétaire Tuzzi constate une lacune dans l'organisation de son ministère.*

Peu après qu'il eut résolu de se procurer quelques clartés sur la personne du Dr Arnheim, le sous-secrétaire Tuzzi eut la satisfaction de découvrir dans la structure du Ministère des Affaires étrangères et de la Maison impériale, son premier souci, une lacune d'importance : il n'était pas équipé pour des personnalités comme Arnheim. Dans le domaine des belles-lettres, lui-même ne lisait, outre les mémoires, que la Bible, Homère et Rosegger, et il en tirait quelque vanité, parce que cela le préservait de l'éparpillement ; mais que dans tous les bureaux des Affaires étrangères, il n'y eût pas un seul fonctionnaire qui eût lu un seul livre d'Arnheim, il reconnut que c'était une faute.

Le sous-secrétaire Tuzzi avait le droit de faire venir à son bureau tous les autres chefs de service, mais, le matin qui avait suivi cette nuit troublée de larmes, il s'était rendu auprès du chef du département de la presse, guidé par le sentiment qu'il serait difficile d'accorder toute la dignité de sa fonction avec l'occasion qui motivait l'entretien. Le chef du département de Presse admira le sous-secrétaire Tuzzi pour l'abondance des détails personnels qu'il avait recueillis sur Arnheim, admit, en ce qui le concernait, avoir souvent entendu citer ce nom, mais lui dénia immédiatement toute possibilité d'être classé dans les dossiers de son département, étant donné qu'il ne se souvenait pas qu'il eût jamais fait l'objet d'un rapport officiel, et que la revue de presse ne pouvait évidemment s'étendre à toutes les manifestations des personnes privées. Tuzzi concéda que la chose était toute normale, mais fit observer qu'il était devenu difficile, de nos jours, de définir clairement la frontière qui sépare la signification officielle de la signification privée des personnes et des phénomènes ; le chef du département de Presse jugea l'observation très fine, après quoi les deux chefs de service s'accordèrent à penser qu'ils se trouvaient là devant une fort intéressante déficience du système.

C'était sans doute un après-midi où l'Europe soufflait un peu, car les deux chefs de service convoquèrent le chef de bureau et firent ouvrir un dossier au nom de *Arnheim, Dr Paul*, bien qu'il dût provisoirement rester vide. Après le chef de bureau vint le tour du chef archiviste et du chef du service de coupures de journaux qui purent aussitôt répondre de tête, en rayonnant de zèle, qu'aucun Arnheim ne figurait dans leurs registres. On fit enfin appeler les attachés de presse qui devaient chaque jour dépouiller les journaux et en présenter les résumés à leurs chefs ; tous prirent un air important lorsqu'on les questionna sur Arnheim, assurant qu'on le trouvait cité très fréquemment dans leurs feuilles, et sur le ton le plus favorable, mais ils ne purent rien révéler sur le contenu de ses écrits, parce que son activité, comme ils surent aussitôt le dire, n'entrait pas dans le cadre des comptes rendus officiels. Le fonctionnement irréprochable de la machine des Affaires étrangères apparaissait aussitôt que l'on pressait sur le bouton, et tous les employés quittèrent la place avec le sentiment d'avoir montré leurs mérites sous le jour le plus favorable.

« C'est exactement comme je vous le disais, dit le chef

du département de Presse en se tournant avec satisfaction vers Tuzzi, personne ne sait rien. »

Les deux chefs de service avaient écouté les rapports avec un sourire plein de dignité, ils étaient assis (comme préparés par le décor pour l'éternité, telle la mouche dans l'ambre) dans de magnifiques fauteuils de cuir, sur le rouge et moelleux tapis, derrière les hauts rideaux rouge sombre de cette pièce blanc et or qui datait du temps de Marie-Thérèse ; ils reconnurent que la lacune qu'ils avaient eu au moins le mérite de découvrir dans le système, serait difficile à combler. « Dans notre département, dit son chef avec fierté, toutes les déclarations publiques sont enregistrées ; mais il faut bien tracer quelque part une limite au concept *public*. Je puis me porter garant que toute interpellation faite par un député dans l'une quelconque des assemblées de l'année courante peut être retrouvée dans nos archives en l'espace de dix minutes, et que toutes les interpellations de ces dix dernières années, dans la mesure où elles concernent la politique extérieure, le seront en une demi-heure au plus. Ce que je dis vaut également pour tous les articles de journaux à caractère politique ; mes gens travaillent consciencieusement. Mais il s'agit là de déclarations tangibles, responsables pour ainsi dire, rattachées à des circonstances, des pouvoirs et des notions solides. Et si je me demande, tout professionnellement, sous quelle rubrique l'employé qui rédige les résumés ou le catalogue doit classer un essai de quelqu'un qui ne parle qu'en son nom personnel... voyons, qui pourrais-je nommer ? »

Tuzzi, secourable, lui nomma l'un des plus jeunes écrivains qui fréquentaient le salon de Diotime.

Le chef du département de Presse, inquiet, leva vers lui les yeux de quelqu'un qui n'entend pas bien. « Bon, disons celui-là ; mais où sera la frontière entre ce qu'on prend en considération et ce qu'on laisse passer ? On a même vu des poésies politiques. Faut-il donc que le moindre rimailleur... ? Ou faut-il s'arrêter aux auteurs du Burgtheater ?... »

Les deux messieurs se mirent à rire.

« Comment savoir exactement, d'ailleurs, ce que ces gens-là veulent dire, fussent-ils Schiller ou Goethe ? Bien entendu, il y a toujours un sens plus élevé, mais pour ce qui est des fins pratiques ils se contredisent à tout bout de champ. »

Entre-temps, il était apparu clairement aux deux messieurs qu'ils couraient le danger de se dépenser pour un problème « impossible », avec la nuance de ridicule social que ce mot peut avoir et pour laquelle les diplomates ont un flair si subtil. « On ne peut pas adjoindre au ministère tout un état-major de critiques dramatiques ou littéraires, constata Tuzzi en souriant. D'un autre côté, quand on commence à s'en préoccuper, on ne peut nier que ces gens-là n'aient quelque influence sur la formation des opinions qui prévalent autour de nous, et qu'ils n'agissent aussi, par ce biais, sur la politique.

– Il n'y a pas au monde un seul département de l'Extérieur où on le fasse, dit le chef du département de Presse pour lui venir en aide.

– Sans doute. Mais goutte sur goutte creuse la pierre. » Tuzzi trouvait que ce proverbe traduisait très bien un certain danger. « Ne faudrait-il pas tout de même tenter une réorganisation quelconque ?

– Je ne sais. J'ai quelques scrupules, dit l'autre chef de service.

– Moi aussi, bien entendu ! » ajouta Tuzzi. Il éprouvait à la fin de cet entretien un sentiment pénible, comme quand on a la langue chargée, et il ne se sentait plus capable de distinguer si ce dont il avait parlé était simplement absurde, ou finirait tout de même par donner une nouvelle preuve de cette sagacité pour laquelle il était renommé. Le chef du département de Presse ne pouvait pas davantage en décider, de sorte que les deux messieurs se donnèrent réciproquement l'assurance qu'ils reparleraient de cette question une autre fois.

Le chef du département de Presse donna des instructions afin que l'on commandât les œuvres complètes d'Arnheim pour la bibliothèque, en sorte que l'affaire eût quand même une manière de conclusion, et le sous-secrétaire Tuzzi se rendit dans l'une des divisions politiques où il demanda que l'on chargeât l'ambassade de Berlin de préparer sur la personne d'Arnheim un rapport détaillé. C'était là l'unique chose qu'il pût faire en ce moment. En attendant ce rapport, il ne lui restait que sa femme pour se renseigner sur Arnheim, ce qui n'était pas peu désagréable. Il se rappelait le mot de Voltaire, que les hommes ne se servent des paroles que pour dissimuler leurs pensées, et des pensées que pour justifier leurs irrégularités. Sans doute était-ce ce que la diplomatie avait toujours fait. Mais qu'un homme parlât et écrivît autant qu'Arnheim pour dissimuler derrière des mots ses véritables intentions, c'était quelque chose de nouveau qui l'inquiétait, et qu'il lui faudrait à tout prix tirer au clair.

53. *Moosbrugger est transféré dans une autre prison.*

Christian Moosbrugger, l'assassin de la prostituée, quelques jours seulement après qu'eurent cessé de paraître dans les journaux les reportages sur l'action intentée contre lui, était oublié, et la sensibilité publique s'était tournée vers d'autres objets. Seul un groupe de spécialistes continuait à s'occuper de lui. Son défenseur avait annoncé le pourvoi en cassation, exigé un nouvel examen de son état mental, et décidé quelques autres mesures ; l'exécution avait été remise à une date indéterminée, et l'on transféra Moosbrugger dans une autre prison.

Les précautions qui furent prises à cette occasion le flattèrent : fusils chargés, beaucoup de monde, menottes aux mains, fers aux pieds ; on lui vouait de l'attention, on avait peur de lui, et Moosbrugger aimait cela. Lorsqu'il monta dans la voiture cellulaire, il regarda autour de lui si on l'admirait et considéra un instant le regard étonné des passants. Un vent froid qui soufflait en descendant la rue joua dans ses boucles, l'air le consuma. Cela dura deux secondes ; puis un gendarme lui donna un coup dans le derrière pour le faire entrer dans la voiture.

Moosbrugger était fier ; il n'aimait pas être poussé ainsi ; il craignait que ses gardiens ne le frappent, l'insultent ou le raillent ; le géant enchaîné n'osa regarder aucun de ses gardes et roula spontanément jusqu'au fond du camion.

Cependant, il ne craignait pas la mort. On doit supporter dans la vie bien des choses qui font certainement plus mal qu'une pendaison, et qu'on vive un ou deux ans de plus ou de moins, voilà qui n'a pas grande importance. La fierté passive d'un homme qui a fait beaucoup de prison lui interdisait de redouter la peine ; mais de toute façon, il ne tenait pas à la vie. Qu'aurait-il dû en aimer ? Tout de même pas le vent de mars, les grandes routes de campagne, le soleil ? Tout cela n'est bon qu'à vous rendre un homme las, brûlant ou poussiéreux. Quiconque en a la connaissance réelle ne peut aimer cela. « Pouvoir raconter, songeait Moosbrugger, que la veille, à l'auberge du coin, on a mangé un fameux rôti de porc ! » C'était déjà autre chose. Mais à cela aussi on pouvait renoncer. Ce qui l'eût réjoui davantage, ç'eût été la satisfaction de son ambition qui n'avait jamais subi que stupides offenses. Les roues, à travers la banquette, communiquaient à son corps un cahotement désordonné ; derrière les barreaux de la portière grillagée on voyait fuir les pavés, des camions étaient dépassés, parfois des hommes, des femmes, des enfants titubaient en travers des barreaux, de très loin en arrière un fiacre les rattrapait, grandissait, s'approchait, il commençait à jeter de la vie comme une enclume des étincelles, les têtes des chevaux paraissaient vouloir enfoncer la porte, puis le claquement des sabots et le bruit mou des jantes passaient derrière la cloison. Moosbrugger retournait lentement la tête et regardait de nouveau le plafond à l'endroit où il rejoignait la cloison qui lui faisait face. Le bruit dehors bourdonnait et roulait, tendu comme un drap sur lequel, ici ou là, l'ombre de quelque événement sautillait. Pour Moosbrugger, qui se souciait peu de son contenu, ce trajet était une diversion. Entre deux temps de prison, sombres et calmes, fonçait un quart d'heure d'un autre temps, comme une écume blanche et opaque. Telle lui était toujours apparue, d'ailleurs, sa liberté. Pas particulièrement belle. « L'histoire du dernier repas, songeait-il, de l'aumônier, des bourreaux et du dernier quart d'heure avant que tout soit fini, ça ne sera pas tellement différent ; elle s'avancera elle aussi en dansant sur ses roues, on aura tout le temps quelque chose à faire, comme maintenant, pour ne pas être renversé de la banquette par les chocs, on ne verra, on n'entendra pas grand-chose, parce qu'il y aura des tas de gens à vous sauter autour. Finalement, c'est ce qui vaudra le mieux, qu'on vous fiche enfin la paix… »

Très grande est la supériorité d'un homme qui s'est délivré du désir de vivre. Moosbrugger se souvint du commissaire de police qui l'avait entendu le premier. C'était quelqu'un de très bien, qui parlait sans élever la voix. « Voyez-vous, monsieur Moosbrugger, avait-il dit, je vous en prie instamment : ne me refusez pas ce succès ! » Et Moosbrugger avait rétorqué : « Bon, si c'est le succès que vous désirez, dressons donc le procès-verbal. » Plus tard, le juge n'avait pas voulu le croire, mais le commissaire l'avait confirmé devant la Cour. « Même si vous ne voulez pas soulager votre conscience de votre propre gré, accordez-moi donc la satisfaction personnelle de le faire pour l'amour de moi ! » Voilà ce que le commissaire avait répété devant la Cour au complet, le président lui-même avait souri aimablement, et Moosbrugger s'était levé. « Toute ma considération pour cette déclaration de M. le commissaire de police ! » avait-il déclaré à haute et intelligible voix, ajoutant avec une élégante révérence : « Quoique M. le commissaire ait pris congé de moi en disant : Nous ne nous reverrons sans doute plus jamais, j'ai aujourd'hui l'honneur et le plaisir de revoir ici M. le commissaire. »

Le sourire de celui qui se comprend transfigura le visage de Moosbrugger, il en oublia les gendarmes assis en face de lui et que les cahots de la voiture ballottaient tout comme lui de-ci de-là.

54. *Dans une conversation avec Walter et Clarisse, Ulrich se montre réactionnaire.*

Clarisse dit à Ulrich : « Il faut faire quelque chose pour Moosbrugger, cet assassin est musicien ! »

Ulrich avait profité d'un après-midi libre pour leur rendre enfin la visite qu'avait retardée une arrestation si fertile en conséquences.

Clarisse tenait le revers de sa jaquette à la hauteur des seins ; Walter était debout à côté d'elle, l'air pas tout à fait sincère.

« Que veux-tu dire par *musicien* ? » demanda Ulrich en souriant.

Elle prit une mine gaiement honteuse. Sans le vouloir. Comme si la honte essayait de sortir de chacun de ses traits, et que Clarisse fût obligée de donner à son visage la tension de la gaieté pour que la honte n'apparût pas. Elle lâcha le revers de sa jaquette. « C'est comme ça, dit-elle. N'es-tu pas devenu un personnage influent ? » Il n'était pas toujours aisé de suivre sa pensée.

L'hiver avait déjà commencé une première fois, puis cessé. Ici, hors de la ville, il y avait encore de la neige ; des champs blancs et entre deux, telle de l'eau sombre, la terre noire. Le soleil se répartissait également sur tout. Clarisse portait une jaquette orange et un bonnet de laine bleue. Les trois amis partirent en promenade, et Ulrich dut expliquer à Clarisse, dans cette nature chaotiquement crevassée, les écrits d'Arnheim. Il y était question de séries algébriques et d'anneaux de benzène, de la conception matérialiste et de la conception universaliste de l'histoire, des piles de pont, de l'évolution de la musique, de l'esprit de l'automobile, de Hata 606, de la théorie de la relativité, des théories atomistiques de Bohr, de la soudure autogène, de la flore de l'Himalaya, de la psychanalyse, de la psychologie individuelle, de la psychologie expérimentale, de la psychologie physiologique, de la psychologie sociale et de toutes les autres acquisitions qui encombrent l'époque et l'empêchent de produire des êtres bons, uns et totaux. Cette évolution apparaissait dans les écrits d'Arnheim de la manière la plus rassurante : il affirmait que tout ce que l'on ne comprenait pas ne pouvait être qu'une perversion des forces stériles de l'entendement, alors que le Vrai, c'était toujours la simplicité, la dignité humaine, cet instinct des vérités surnaturelles que chacun peut acquérir pour autant qu'il vive simplement, en accord avec les étoiles. « Beaucoup de gens, de nos jours, risquent des affirmations analogues, expliqua Ulrich, mais quand cela vient d'Arnheim on le croit parce qu'on peut se le représenter comme un grand homme, un riche qui connaît sans aucun doute parfaitement tout ce dont il parle, qui a gravi en personne l'Himalaya, possède plusieurs voitures et porte autant d'anneaux de benzène qu'il veut ! »

Clarisse voulut savoir à quoi ressemblaient des anneaux de benzène ; cela lui rappelait vaguement les anneaux de cornaline.

« Tu es quand même charmante, Clarisse ! dit Ulrich.

– Dieu merci ! elle n'a pas besoin de comprendre toutes les absurdités de la chimie ! » dit Walter pour la défendre ; puis il se mit à défendre les écrits d'Arnheim, qu'il avait lus. Il ne voulait pas prétendre qu'Arnheim fût ce qu'il y avait de mieux, mais c'était tout de même ce que notre époque avait fait de mieux ; c'était l'esprit nouveau ! Une science irrécusable, sans doute, mais qui dépassait les limites de la science ! Ainsi se déroula la promenade. Le résultat final pour tout le monde fut des pieds mouillés, un cerveau agacé comme si les fines branches des arbres, nues et brillantes dans le soleil d'hiver, s'étaient accrochées telles des échardes dans la rétine, un désir général de café brûlant et le sentiment du délaissement humain.

Des souliers montait la vapeur de la neige fondante, Clarisse se réjouit de voir la chambre salie, et Walter ne cessa de retrousser tout le temps ses fortes lèvres féminines, parce qu'il cherchait la dispute. Ulrich parlait de l'Action parallèle. Au nom d'Arnheim, ils recommencèrent à se disputer.

« Je vais te dire ce que j'ai contre lui, répéta Ulrich. L'homme scientifique est, de nos jours, tout à fait inévitable : on ne peut pas refuser de savoir ! Et la différence entre l'expérience d'un spécialiste et celle d'un profane n'a jamais été aussi grande qu'aujourd'hui. Tout le monde peut le voir aux capacités d'un masseur ou d'un pianiste ; on ne ferait pas courir un cheval, aujourd'hui, sans une préparation spéciale. Il n'y a plus que les problèmes de l'humain où chacun se croie appelé à trancher, et un vieux préjugé prétend que l'on naît et que l'on meurt homme ! Mais si je sais que les femmes d'il y a cinq cents ans écrivaient à leurs amoureux textuellement les mêmes lettres qu'aujourd'hui, je ne pourrai plus lire une seule de ces lettres sans me demander si cela ne devrait pas une bonne fois changer ! »

Clarisse se montra tentée d'approuver. Walter en revanche souriait comme un fakir qui s'en voudrait d'avoir seulement cillé quand on lui enfonce une épingle à chapeau dans les joues.

« Autrement dit, tu te refuses jusqu'à nouvel ordre à être un homme ! objecta-t-il.

– Si tu veux. Je reconnais qu'il y a là une déplaisante nuance de dilettantisme.

« Mais je vais t'accorder encore autre chose, quelque chose de tout différent, poursuivit Ulrich après un moment de réflexion. Les spécialistes n'en ont jamais fini. Non qu'ils n'en aient pas fini, simplement, en ce moment : il leur est tout à fait impossible d'imaginer que leur activité prenne fin. Peut-être même de le souhaiter. Peut-on se figurer, par exemple, que l'homme aura encore une âme, quand la biologie et la psychologie lui auront appris à la comprendre, à la traiter dans son entier ? Néanmoins, nous aspirons à ce moment ! Tout est là. Le savoir est une attitude, une passion. C'est même, au fond, une attitude illicite : comme le goût de l'alcool, de l'érotisme ou de la violence, le besoin de savoir entraîne la formation d'un caractère qui n'est plus en équilibre. Il est tout à fait faux de dire que le chercheur poursuive la vérité, c'est elle qui le poursuit. Il la subit. Le Vrai est vrai, le fait est réel indépendamment du chercheur : simplement, le chercheur en a la passion ; la dipsomanie du fait détermine son caractère, et il se soucie comme d'une guigne de savoir si ses constatations engendreront quelque chose de total, d'humain, d'accompli, ou si elles engendreront quoi que ce soit. C'est une nature contradictoire, souffrante, et cependant extraordinairement énergique.

– Et alors ? demanda Walter.

– Quoi, et alors ?

– Tu ne prétendras tout de même pas qu'on puisse en rester là ?

– J'aimerais qu'on en restât là, dit Ulrich calmement. Notre conception du monde qui nous entoure, mais de nous-mêmes aussi bien, change chaque jour. Nous vivons dans une époque de transition. Peut-être se prolongerat-elle, si nous n'affrontons pas plus courageusement que jusqu'ici nos tâches essentielles, jusqu'à la fin de la planète. Néanmoins, quand on a été relégué dans l'obscurité, on n'a pas le droit de chanter de peur comme les enfants. C'est chanter de peur, précisément, que feindre de savoir comment on doit se comporter ici-bas : rugis à faire trembler les assises du monde, ce n'est jamais que de la peur ! D'ailleurs, j'en suis convaincu, nous galopons ! Nous sommes encore loin des buts, ils ne s'approchent pas, nous ne les voyons même pas, nous nous tromperons encore souvent de route, nous devrons changer de chevaux souvent encore ; mais un jour, après-demain ou dans deux mille ans, l'horizon commencera à couler et se ruera sur nous en mugissant ! »

Le crépuscule était venu. « Personne ne peut voir mon visage, pensa Ulrich. Je ne sais pas moi-même si je mens. » Il parlait comme on résume, en un moment d'incertitude, le résultat d'une certitude de longues années. Il se souvint que le rêve de jeunesse qu'il exposait maintenant à Walter s'était vidé de toute substance depuis longtemps. Il ne voulut pas continuer.

« Ainsi donc, repartit âprement Walter, nous devrions renoncer à donner à la vie aucun sens ? »

Ulrich lui demanda pourquoi, somme toute, il lui fallait un sens. A son avis, on pouvait s'en passer.

Clarisse rit sous cape. Ce n'était pas par méchanceté, la question lui avait paru si comique !

Walter alluma, il ne lui semblait pas nécessaire qu'Ulrich profitât devant Clarisse de l'avantage de l'homme dans l'ombre. Une lumière pénible les éblouit tous les trois.

Ulrich, incorrigible, continua son exposé : « Tout ce dont nous avons besoin dans la vie, c'est de la conviction que nos affaires marchent mieux que celles du voisin. C'est-à-dire tes tableaux, mes mathématiques, pour tel et tel sa femme et ses enfants ; tout ce qui donne à un homme l'assurance que, sans être en aucune manière quelqu'un d'extraordinaire, dans cette manière de n'être en aucune manière quelqu'un d'extraordinaire il trouverait malaisément son égal ! »

Walter ne s'était pas encore rassis. Il y avait en lui de

l'agitation et du triomphe. Il s'écria : « Sais-tu bien ce que tu évoques là ? Le train-train ! Tu es un pur Autrichien, tout simplement ! Tu enseignes la philosophie nationale de l'Autriche, le train-train !

– Ce n'est peut-être pas aussi mal que tu le crois, répondit Ulrich. Un besoin passionné de rigueur, de précision ou de beauté peut vous amener à préférer le train-train à tous les efforts de l'esprit nouveau ! Je te félicite d'avoir découvert la vocation mondiale de l'Autriche ! »

Walter voulut répliquer. Il apparut que le sentiment qui l'avait exalté n'était pas seulement le triomphe, mais (comment dit-on cela ?) le désir de sortir un instant. Il hésita entre les deux désirs. Ils n'étaient pas conciliables, et son regard glissa des yeux d'Ulrich dans la direction de la porte.

Lorsqu'ils furent seuls, Clarisse dit : « Cet assassin est musicien. C'est-à-dire... » elle s'interrompit, puis continua mystérieusement : « On ne peut rien dire, mais tu dois faire quelque chose pour lui.

– Et que faut-il donc que je fasse ?

– Le délivrer !

– Tu rêves, non ?

– Tu ne penses pas vraiment, n'est-ce pas, tout ce que tu dis à Walter ? » demanda Clarisse, et ses yeux semblaient l'acculer à une réponse dont il ne pouvait deviner le contenu.

« Je ne sais où tu veux en venir », dit-il.

Clarisse regardait obstinément ses lèvres ; puis elle répéta : « Tu devrais quand même faire ce que j'ai dit ; tu serais transformé. »

Ulrich l'observa. Il ne comprenait pas bien. Il devait y avoir quelque chose qu'il n'avait pas entendu : une comparaison, ou un quelconque « comme si » qui aurait donné un sens à ses propos. C'était très étrange de l'entendre parler sans connaître ce sens, aussi naturellement que s'il s'agissait d'une expérience tout ordinaire qu'elle eût faite.

Mais Walter revint. « Je veux bien te concéder... » commença-t-il. L'interruption avait émoussé le dialogue.

Il se rassit sur sa petite chaise de piano et regarda avec satisfaction ses souliers crottés de terre. Il pensa : « Pourquoi n'y a-t-il pas de terre sur les souliers d'Ulrich ? La terre est l'ultime recours de l'homme européen. »

Mais Ulrich, au-dessus des souliers de Walter, regardait ses jambes ; elles étaient prises dans des chaussettes noires en coton, elles étaient sans beauté comme de suaves jambes de fillette. « Qu'un homme ait l'ambition, aujourd'hui encore, d'être quelque chose d'entier, cela mérite l'estime, dit Walter.

– Cela n'existe plus, avança Ulrich. Tu n'as qu'à jeter un coup d'œil dans le journal. Il est rempli d'une opacité démesurée. Il y est question de tant de choses que cela dépasse de loin la capacité de pensée d'un Leibniz. Mais on ne s'en aperçoit même pas ; on a changé. Il n'y a plus maintenant un homme total face à un monde total, mais un quelque chose d'humain flottant dans un bouillon de culture général.

– Très juste, dit aussitôt Walter. Il n'y a plus, précisément, d'éducation intégrale au sens goethéen. C'est pourquoi chaque pensée, aujourd'hui, a sa contre-pensée, chaque tendance sa tendance opposée. L'intellect trouve aujourd'hui, pour chaque action, et pour son contraire, les raisons les plus perspicaces de les défendre ou de les condamner. Je ne comprends pas comment tu peux te faire l'avocat d'une pareille cause ! »

Ulrich haussa les épaules.

« On doit se retirer complètement, dit Walter à voix basse.

– On peut aussi faire sans ça, lui répliqua son ami. Peut-être sommes-nous sur la voie de l'État-fourmilière, ou de quelque autre répartition non chrétienne du travail. » Ulrich observa à part soi que l'on pouvait aussi bien se disputer que tomber d'accord. Dans la courtoisie, le mépris était aussi visible que la friandise dans l'aspic. Il savait que même ses derniers mots devraient irriter Walter, mais la nostalgie le prenait de parler enfin à un homme avec lequel il pût s'entendre. Ç'avait été le cas autrefois entre Walter et lui. Alors, une force mystérieuse tire les paroles de la poitrine, et aucune ne manque son but. Au contraire, quand on parle avec aversion, elles montent comme des brouillards au-dessus d'une surface glacée. Il considéra Walter sans rancune. Il était certain que Walter avait lui aussi le sentiment que plus cette conversation avançait, plus elle défigurait ses opinions intimes, mais qu'il en rejetait la faute sur lui, Ulrich. « Toutes nos pensées sont sympathie ou antipathie ! » pensa Ulrich. En cet instant, la justesse de cette idée lui apparut si vivement qu'il la ressentit comme un choc physique, semblable au vacillement qui se propage d'individu en individu dans une foule très dense. Il chercha Clarisse des yeux.

Clarisse, apparemment, n'écoutait plus depuis longtemps ; à un certain moment, elle avait dû prendre le journal qui était posé devant elle sur la table ; puis elle s'était interrogée sur la raison du plaisir si profond qu'elle y avait trouvé. Elle sentait devant ses yeux l'opacité démesurée dont Ulrich avait parlé. Les bras dépliaient l'obscurité et s'ouvraient. Les bras formaient avec le tronc deux poutres en croix, entre lesquelles le journal était suspendu. Tel était son plaisir, mais les mots qu'il eût fallu pour le décrire, Clarisse ne les trouvait pas. Elle savait seulement qu'elle était en train de regarder le journal sans le lire et de penser qu'il y avait en Ulrich quelque chose de sauvagement mystérieux, une force apparentée à elle-même, sans pouvoir nullement préciser davantage. Si ses lèvres s'étaient ouvertes comme pour sourire, c'était sans qu'elle en eût conscience, dans une tension engourdie et lâche à la fois.

Walter poursuivait à voix basse : « Tu as raison de dire qu'aujourd'hui, plus rien n'est sérieux, raisonnable ou seulement intelligible ; pourquoi ne veux-tu pas comprendre que la faute en est précisément à cette rationalité croissante qui empoisonne tout ? Dans tous les cerveaux s'est installé le désir d'être de plus en plus raisonnable, de rationaliser et de spécialiser toujours davantage notre vie, en même temps que l'impuissance à s'imaginer ce qu'il adviendra de nous lorsque nous aurons tout expliqué, analysé, standardisé, normalisé, tout transformé en machines. Cela ne peut pas continuer.

– Mon Dieu ! répondit Ulrich calmement, le Chrétien des époques monastiques a dû être croyant bien qu'il ne pût s'imaginer qu'un ciel un peu ennuyeux, peuplé de harpes et de nuages ; et nous, nous craignons le ciel de la raison qui nous rappelle les règles, les pupitres droits et les terribles figures de craie de l'école.

– J'ai le sentiment qu'il s'ensuivra de terribles excès d'étrangeté », ajouta Walter pensivement. Il y avait dans ce propos une petite lâcheté et une petite ruse. Walter pensait à ce qui se cachait en Clarisse de mystérieusement irrationnel, et tandis qu'il parlait de la raison qui conduisait à des excès, il pensait à Ulrich. Les deux autres ne s'en aperçurent pas, et cela lui donna la souffrance et le triomphe de l'incompris. Il aurait bien aimé prier Ulrich de ne plus mettre les pieds chez lui tant qu'il séjournerait en ville, si la chose avait été possible sans provoquer chez Clarisse une révolte.

Ainsi, les deux hommes observaient Clarisse en silence.

Elle s'aperçut soudain qu'ils ne se disputaient plus, se frotta les yeux et leur fit à tous deux un clin d'œil amical ; inondés par la lumière jaune, ils étaient assis devant les fenêtres bleuies par le soir comme des objets dans une vitrine.

55. *Soliman et Arnheim.*

Mais Christian Moosbrugger, l'assassin de la prostituée, avait encore une seconde amie. Quelques semaines auparavant, la question de sa culpabilité ou de ses souffrances l'avait bouleversée aussi profondément que beaucoup d'autres, et elle avait de son cas une conception un peu différente de celle du tribunal. Le nom de Christian Moosbrugger lui plaisait bien, il lui figurait un homme solitaire, de haute taille, assis près d'un moulin couvert de mousse[1], écoutant le tonnerre de l'eau. Elle était fermement convaincue que les charges dont on l'accablait s'expliqueraient d'une façon tout inattendue. Quand elle était assise dans la cuisine ou dans la salle à manger avec son travail de

1. Mousse, *Moos* en allemand. *N. d. T.*

couture, il arrivait que Moosbrugger, ayant secoué ses chaînes, s'avançât à côté d'elle, et c'était alors pour l'imagination de folles équipées. Dans ces rêveries, il n'était nullement exclu que Christian, s'il avait pu la connaître à temps, elle, Rachel, eût interrompu sa carrière d'assassin pour se révéler sous les traits d'un chef de brigands promis au plus vaste avenir.

Ce pauvre homme dans son cachot ne devinait pas le cœur qui, penché sur le linge à repriser de Diotime, battait pour lui. De l'appartement du sous-secrétaire Tuzzi au Tribunal, la distance n'était pas bien grande. Pour voler d'un toit à l'autre, un aigle n'aurait eu besoin que de quelques coups d'aile ; pour l'âme moderne, qui franchit en se jouant les continents et les mers, rien n'est plus impossible que de communiquer avec les âmes qui habitent au coin de la rue.

Les courants magnétiques s'étaient donc à nouveau dissous et, depuis quelque temps, l'amour de Rachel s'était reporté de Moosbrugger sur l'Action parallèle. Même quand, dans les chambres, les choses n'avançaient pas tout à fait comme elles auraient dû, il y avait toujours dans les antichambres une grande richesse d'événements. Rachel, qui jusqu'alors avait toujours trouvé le temps de lire les journaux que les maîtres laissaient échouer dans la cuisine, ne le pouvait plus depuis qu'elle était debout du matin jusqu'au soir, comme une petite sentinelle devant l'Action parallèle. Elle aimait Diotime, le sous-secrétaire Tuzzi, Son Altesse le comte Leinsdorf, le nabab et, depuis qu'elle avait remarqué qu'il commençait à jouer un rôle dans la maison, Ulrich aussi ; ainsi un chien aime les amis de sa maison d'une même affection, mais leurs odeurs différentes créent en lui une variété d'émotions. Rachel était intelligente. D'Ulrich, par exemple, elle remarquait fort bien qu'il était toujours plus ou moins en opposition avec les autres. Son imagination s'était mise à travailler, lui assignant dans l'Action parallèle un rôle à part et qu'il faudrait tirer au clair. Il la regardait toujours affectueusement, et la petite Rachel s'aperçut qu'il l'observait toujours plus longtemps lorsqu'il croyait qu'elle ne le voyait pas. Elle tint pour assuré qu'il attendait d'elle quelque chose ; quoi, on verrait bien ; sa petite peau blanche se contractait d'espoir, et parfois, de ses beaux yeux noirs, une fine, fine pointe dorée filait jusqu'à lui ! Ulrich sentait le crépitement de cette petite personne sans pouvoir s'en rendre raison, tandis qu'elle tournait autour des meubles et des visiteurs également magnifiques, et cela lui donnait un peu de distraction.

S'il avait pris cette place dans l'attention de Rachel, c'était peut-être, pour beaucoup, grâce aux mystérieuses conversations d'antichambre qui sapaient la situation prééminente d'Arnheim. Sans le savoir, ce rayonnant personnage avait, outre Ulrich et Tuzzi, un troisième ennemi en la personne de son petit laquais Soliman. De la ceinture enchantée que l'Action parallèle avait mise aux hanches de Rachel, ce jeune nègre était la boucle scintillante. Ce gamin cocasse qui, suivant son maître, était arrivé du pays des contes dans la rue où Rachel était en service, celle-ci en avait pris possession carrément comme de cette partie du conte qui lui était immédiatement destinée ; tel avait été l'arrangement social ; le nabab était le soleil et appartenait à Diotime, Soliman appartenait à Rachel, c'était un tesson merveilleusement multicolore, brillant dans le soleil, qu'elle avait ramassé pour son plaisir. Mais ce n'était pas tout à fait l'opinion du garçon. Il avait déjà, en dépit de sa petite taille, entre seize et dix-sept ans, c'était une nature pleine de romantisme, de malignité et de revendications personnelles. Naguère, dans l'Italie du Sud, Arnheim l'avait enlevé à une troupe de danseurs et pris avec lui ; ce petit nègre aux bonds étranges, au mélancolique regard de singe, l'avait touché au cœur, et l'homme riche avait résolu de lui ouvrir les portes d'une vie plus noble. C'était là cette nostalgie d'une compagnie affectueuse et fidèle dont il n'était pas rare que le solitaire fût envahi, mais qu'il dissimulait d'ordinaire derrière un redoublement d'activité ; jusqu'à l'âge de quatorze ans, il avait traité Soliman avec la même indifférente égalité que l'on élevait jadis, dans les riches familles, les frères et sœurs de lait de ses propres enfants, leur permettant d'avoir part à tous les jeux, à tous les plaisirs, jusqu'à ce qu'arrivât le moment où l'on était obligé de constater que le même lait a moins de valeur nutritive s'il vient du sein d'une nourrice que s'il sort de celui d'une mère. Soliman avait vécu jour et nuit accroupi devant le secrétaire de son maître ou, pendant de longues heures d'entretien avec des visiteurs célèbres, à ses pieds, derrière son dos, sur ses genoux. Il avait lu Scott, Shakespeare et Dumas quand Scott, Shakespeare et Dumas s'étaient trouvés traîner sur les tables, et il avait appris à lire dans le Dictionnaire de poche de la philosophie. Il mangeait les bonbons de son maître et commença très tôt, quand on ne le voyait pas, à lui fumer aussi ses cigarettes. Un précepteur vint lui donner, un peu irrégulièrement à cause des fréquents voyages, une instruction élémentaire. En tout cela, Soliman s'était prodigieusement ennuyé, rien ne lui avait plu davantage que les devoirs de valet de chambre auxquels on lui avait également permis d'avoir part, car c'était là une activité réelle, adulte, qui flattait son besoin d'action. Mais un beau jour (c'était il n'y avait pas si longtemps), son maître l'avait fait venir pour lui expliquer gentiment qu'il n'avait pas entièrement confirmé les espoirs mis en lui, qu'il n'était plus un enfant désormais et qu'il incombait à Arnheim, son maître, de faire du petit serviteur Soliman un homme digne de ce nom ; ce pour quoi il avait résolu de le traiter désormais exactement comme il traiterait celui qu'il devait être un jour, afin qu'il eût encore le temps de s'y accoutumer. Beaucoup d'hommes importants, ajouta Arnheim, avaient commencé comme cireurs de chaussures ou plongeurs, c'était même en cela qu'avait résidé leur force, parce que l'essentiel était de mettre dès le début, à chacune de ces tâches, tout son cœur.

Cette heure qui le promut de l'état indéfini de créature de luxe à celui de domestique nourri, logé, à petit salaire, provoqua dans le cœur de Soliman des ravages qu'Arnheim ne soupçonna point. Soliman n'avait pas réellement compris les ouvertures que lui avait faites Arnheim, mais son cœur les avait devinées, et du jour où son maître lui fit subir cette transformation, il le haït. Non qu'il renonçât le moins du monde aux livres, aux bonbons et aux cigarettes. Mais, alors qu'il s'était contenté jusque-là de prendre ce qui lui faisait envie, maintenant il volait Arnheim tout à fait consciemment ; et cela ne suffisant pas encore à son besoin de vengeance, il se mit parfois carrément à casser, dissimuler ou jeter des objets dont Arnheim croyait pourtant garder un vague souvenir et qui, à son grand étonnement, disparaissaient à tout jamais. Si Soliman se vengeait de la sorte comme un lutin, lorsqu'il fallait remplir les obligations de son service ou réussir une plaisante entrée en scène, il savait admirablement se tenir. Il continua, après comme avant, à faire sensation auprès des cuisinières, des femmes de chambre, des employées d'hôtel et de toutes les visiteuses féminines dont les coups d'œil et les sourires le choyaient ; il continua à provoquer les regards surpris et moqueurs des gamins des rues et garda l'habitude, même lorsqu'il fut opprimé, de se considérer comme une personnalité importante et captivante. Son maître lui-même lui accordait encore de temps en temps un regard satisfait et flatté, un mot aimable et sentencieux, on louait généralement son savoir-faire et sa complaisance, et s'il se trouvait qu'à ce moment précis Soliman vînt de charger sa conscience de quelque péché particulièrement repréhensible, il jouissait de sa supériorité, derrière ses obséquieuses grimaces, comme d'un cube de glace qu'il eût avalé, brûlant de froid.

Rachel avait gagné la confiance du jeune homme du moment où elle lui avait confié qu'une guerre se préparait peut-être dans sa propre maison ; dès lors, elle dut entendre de sa bouche les plus horribles révélations sur Arnheim, son idole. Si blasé que fût Soliman, son imagination ressemblait à une pelote d'épingles piquée d'épées et de poignards, et dans tout ce qu'il racontait d'Arnheim à Rachel retentissait le tonnerre des sabots de cheval, vacillaient les torches et les échelles de corde. Il lui confia qu'il ne s'appelait nullement Soliman et lui révéla un nom interminable, aux sonorités étranges, qu'il prononça si vite qu'elle ne put jamais le retenir. Il ajouta plus tard, sous le sceau du secret, qu'il était le fils d'un prince nègre et avait été volé à son père, lequel possédait par milliers guerriers, esclaves, têtes de troupeaux et bijoux ; Arnheim l'avait acheté dans l'intention de le revendre par la suite au prince, à un prix terriblement élevé, mais Soliman voulait s'enfuir ; s'il n'avait pu le faire encore, c'est que son père habitait à l'autre bout du monde.

Rachel n'était pas assez sotte pour croire à ces histoires ; elle y croyait pourtant, parce que l'Action parallèle ne lui offrait jamais rien de trop incroyable. Elle aurait aussi bien aimé interdire à Soliman de parler ainsi d'Arnheim ; mais elle devait se contenter d'une méfiance mêlée d'horreur pour la témérité du jeune homme, car, on ne sait comment, dans cette affirmation qu'il ne fallait pas se fier à son maître, elle sentait, malgré tous les doutes qui lui restaient, la possibilité d'une complication imminente, passionnante, extraordinaire, pour l'Action parallèle.

C'étaient là des nuées d'orage derrière lesquelles l'homme à la haute stature dans son moulin couvert de mousse disparaissait, et une lumière blafarde se rassemblait dans les grimaces du petit visage simiesque de Soliman.

56. *Intense activité dans les comités de l'Action parallèle. Clarisse écrit à Son Altesse pour proposer une « Année Nietzsche ».*

Dans cette période-là, Ulrich devait se rendre deux ou trois fois par semaine auprès de Son Altesse. Il trouvait à sa disposition une pièce, haute, étroite, dont le volume seul était déjà un délice. Un grand secrétaire Marie-Thérèse se dressait devant la fenêtre. Au mur était accroché un tableau assez sombre, éclairé sourdement par des taches rouges, bleues et jaunes qui représentaient de quelconques cavaliers plantant leurs lances dans le ventre d'autres cavaliers désarçonnés ; sur la paroi opposée se trouvait une dame un peu perdue, dont le ventre était soigneusement protégé par une « taille de guêpe » brodée d'or. On ne voyait pas pourquoi on l'avait exilée, toute solitaire, sur cette paroi, car elle avait évidemment fait partie de la famille Leinsdorf, et son jeune visage poudré ressemblait autant à celui du comte qu'une trace de pas dans la neige fraîche à une trace de pas dans la glaise humide.

Ulrich avait d'ailleurs rarement l'occasion d'examiner le visage du comte Leinsdorf. Le développement extérieur de l'Action parallèle avait pris depuis la grande séance un tel essor que Son Altesse ne réussissait plus à se consacrer aux grandes pensées et se voyait obligée de passer son temps en lectures de pétitions, réceptions de visiteurs, entretiens et sorties. C'est ainsi qu'il avait eu déjà une conversation avec le Premier ministre, un entretien avec l'archevêque, une conférence à la Chancellerie, et plusieurs prises de contact à la Chambre des Seigneurs avec les membres de la Haute aristocratie et de la bourgeoisie anoblie. Ulrich n'avait pas été invité à ces discussions, il en apprit seulement que l'on s'attendait de toutes parts à une forte résistance politique de l'opposition, ce pour quoi les divers départements déclaraient pouvoir appuyer l'Action parallèle d'autant plus efficacement que leur nom y paraîtrait moins, et ne se faisaient provisoirement représenter dans les comités que par des observateurs.

Par bonheur, ces comités faisaient de semaine en semaine de considérables progrès. Comme il en avait été décidé dans la séance inaugurale, ils avaient divisé le monde selon ses principaux aspects, Religion, Instruction publique, Commerce, Agriculture, et ainsi de suite ; il y avait dans chaque comité un représentant du ministère correspondant, et tous les comités se consacraient déjà à leur tâche, qui était que chaque comité, en accord avec tous les autres, attendît les représentants des corporations et parties de la population respectives pour réunir leurs vœux, suggestions et pétitions et les transmettre au comité exécutif. De cette manière, on espérait canaliser vers celui-ci, après les avoir ordonnées et résumées, les principales forces morales de la nation, et l'on avait déjà la satisfaction de voir le mouvement de la correspondance s'accroître. Les mémoires des comités adressés au comité exécutif purent assez rapidement se référer à d'autres mémoires déjà adressés audit comité, et commencèrent à commencer par une phrase qui prenait d'une fois à l'autre plus de poids et débutait par ces mots : « En nous référant à notre lettre-référence numéro un tel et un tel, respectivement numéro tant et tant, barre de fraction... » après laquelle barre venait un nouveau chiffre, romain cette fois-ci ; et tous ces chiffres grossissaient à chaque mémoire. Cela seul donnait déjà l'impression d'une saine croissance ; il s'y ajouta le fait que les ambassades commencèrent à faire parvenir, par des voies semi-officielles, des rapports sur l'impression que produisait à l'étranger la démonstration de force du patriotisme autrichien ; que déjà les ambassadeurs étrangers cherchaient prudemment les occasions de se renseigner ; que les parlementaires, l'attention en éveil, s'informaient des intentions ; que l'initiative privée, enfin, commençait à se manifester dans les lettres des maisons de commerce qui prenaient la liberté de soumettre quelques suggestions ou demandaient respectueusement que l'on trouvât quelque terrain solide sur lequel fonder l'alliance de leur firme avec le patriotisme. Un appareil était là ; parce qu'il était là, il fallait qu'il travaille, et parce qu'il travaillait, il se mit à courir : qu'une automobile commence à rouler sur de vastes étendues, n'y aurait-il personne au volant, elle n'en fera pas moins un certain chemin, et même un chemin assez singulier et impressionnant.

C'est ainsi qu'une puissante poussée se produisit, et le comte Leinsdorf peu à peu s'en aperçut. Il mettait son lorgnon et lisait d'un bout à l'autre, avec le plus grand sérieux, toutes les lettres. Ce n'étaient plus les propositions et vœux d'inconnus passionnés dont il avait été débordé avant que toute l'affaire ne fût canalisée ; même quand ces suggestions ou ces demandes émanaient du cœur même du peuple, elles portaient la signature d'un bureau de club alpin, de ligues de libres penseurs, de congrégations pour la jeune fille, d'associations professionnelles, de sociétés de chant, de clubs bourgeois ou de tout autre de ces grossiers petits groupements qui précèdent le passage de l'individualisme au collectivisme, comme des amas de balayures le vent qui souffle en tourbillons. Même si Son Altesse ne pouvait être d'accord avec tout ce qu'on attendait d'elle, elle n'en constatait pas moins un progrès essentiel. Le comte Leinsdorf enlevait son lorgnon, rendait la lettre au conseiller ministériel ou au secrétaire qui la lui avait tendue et hochait la tête avec satisfaction sans dire un mot ; il avait le sentiment que l'Action parallèle était en bonne voie, et que la vraie voie se trouverait toujours.

Le conseiller ministériel qui reprenait la lettre la posait d'ordinaire sur une pile d'autres lettres, et quand la dernière était au haut de la pile, il lisait dans les yeux de Son Altesse. Alors la bouche de Son Altesse disait habituellement ceci : « Tout cela est parfait, mais on ne peut répondre ni oui ni non avant de savoir quels principes seront au centre de nos objectifs. » C'était là ce que le conseiller ministériel avait lu déjà dans les yeux de Son Altesse à toutes les lettres précédentes, son opinion personnelle était d'ailleurs parfaitement identique, et il avait à la main un porte-mine en or avec lequel il avait déjà inscrit, à la fin de chaque lettre, la formule magique *Ass...* Cette formule magique, en usage dans les bureaux de Cacanie, signifiait *Asserviert*, c'est-à-dire « en instance » : exemple d'une circonspection qui ne laisse rien se perdre ni ne précipite rien. Qu'un petit employé demandât une allocation de naissance extraordinaire, sa demande était *asserviert* jusqu'à ce que l'enfant eût atteint l'âge de gagner sa vie, pour la seule raison qu'entre-temps la question pouvait bénéficier d'une réglementation officielle et que le cœur des préposés ne voulait pas refuser une telle demande ; on classait aussi sous cette rubrique la suggestion de telle personne, de tel département influent que l'on ne pouvait offenser d'un refus, bien que l'on sût qu'un autre département influent était opposé à ladite suggestion ; en principe, tout ce qui arrivait dans un bureau pour la première fois était « en instance » jusqu'à ce qu'un nouveau cas analogue pût lui servir de précédent.

Il serait injuste de plaisanter cette habitude bureaucratique, puisque, en dehors des bureaux, elle est plus répandue encore. Quelle importance y a-t-il à ce qu'un futur roi, lorsqu'il prête le serment du trône, promette encore qu'il combattra les Turcs et les Païens, si l'on songe qu'aucune phrase, dans toute l'histoire de l'humanité, n'a jamais pu être ni entièrement effacée ni écrite jusqu'au bout, d'où, parfois, ce rythme troublant du progrès qui ressemble à s'y méprendre à un taureau ailé ? De plus, dans les bureaux, il se perd au moins quelque chose ; dans le monde, jamais rien. De sorte que la mise « en instance » est une des formules fondamentales de la structure de notre vie.

Mais, quand quelque chose paraissait particulièrement urgent à Son Altesse, il lui fallait choisir une autre méthode. Elle commençait alors par envoyer la proposition à la Cour, à son ami le comte Stallburg, en demandant si on pouvait la considérer comme « provisoirement définitive », ainsi qu'elle s'exprimait. La même réponse lui était faite immanquablement au bout de quelque temps : on ne pouvait encore, sur ce point, faire état du bon plaisir de Sa Très Gracieuse Majesté, et il paraissait souhaitable de laisser d'abord l'opinion publique prendre forme, afin de reconsidérer la proposition plus tard, selon l'accueil que celle-ci lui aurait réservé et toutes contingences qui pouvaient se manifester alors. Le dossier en quoi le projet s'était ainsi transformé était transmis ensuite au département compétent et en revenait accompagné d'une note précisant que le département en question ne s'estimait pas en mesure de prendre une décision unilatérale sur ce point ; la chose faite, le comte Leinsdorf prenait note qu'il lui faudrait proposer, à l'une des prochaines séances du comité exécutif, la nomination d'un sous-comité interministériel pour l'étude de la question.

Le comte Leinsdorf n'était impitoyablement résolu que dans un seul cas : quand une communication arrivait qui ne portait ni la signature d'un président de société, ni le sceau de quelque corporation religieuse, scientifique ou artistique reconnue officiellement. Une telle lettre vint ces jours-là de Clarisse, qui se référait à Ulrich et proposait que l'on organisât une « Année Nietzsche » autrichienne et qu'on en profitât pour faire quelque chose en faveur de Moosbrugger, le tueur de femmes : en tant que femme, écrivait Clarisse, elle se sentait appelée à proposer cela, sans parler de la coïncidence significative qui voulait que Nietzsche eût été un aliéné, et que Moosbrugger en fût aussi un. Ulrich put à peine voiler son irritation d'une plaisanterie, lorsque le comte Leinsdorf lui montra cette lettre dont l'écriture curieusement enfantine, mais toute balafrée de barres de T et de lourds soulignements, avait suffi à lui faire deviner la provenance. Pourtant, le comte Leinsdorf, lorsqu'il crut remarquer son embarras, lui dit gravement et aimablement : « Ce n'est pas sans intérêt. C'est, dirais-je volontiers, plein d'ardeur et d'énergie ; mais il nous faut malheureusement classer toutes ces propositions individuelles, sinon nous n'arriverons jamais à rien. Peut-être transmettriez-vous cette lettre, puisque vous semblez connaître personnellement la dame qui l'a écrite, à madame votre cousine ? »

57. *Grande exaltation. Diotime fait d'étranges découvertes sur la nature des grandes idées.*

Ulrich mit la lettre dans sa poche avec l'intention de la faire disparaître ; de toute façon, il eût été difficile d'en parler avec Diotime, car celle-ci, depuis qu'avait paru l'article sur « l'Année autrichienne », se sentait en proie à une exaltation tout à fait désordonnée. Non seulement Ulrich lui transmettait, si possible sans les lire, tous les dossiers qu'il recevait du comte Leinsdorf : mais le courrier lui apportait encore chaque jour des piles de lettres et de coupures de journaux, les libraires lui adressaient d'énormes quantités de livres pour examen, le trafic montait dans sa maison comme la mer monte quand le vent et la lune s'unissent pour l'aspirer, le téléphone n'avait pas un instant de répit, et si la petite Rachel n'avait pas officié à l'appareil comme un archange, donnant elle-même la plupart des renseignements parce qu'elle avait compris qu'on ne pouvait mettre perpétuellement sa maîtresse à contribution, Diotime se fût brisée sous le poids de tant d'exigences.

La palpitation, la vibration continuelle dans son corps de cet effondrement nerveux qui ne se produisait jamais, donnait à Diotime un bonheur qu'elle n'avait pas encore connu. C'était comme un frisson sous un ruissellement d'importance, un craquement comme celui que produirait la pression dans une pierre située au faîte de l'édifice du monde, un picotement pareil au sentiment du néant, lorsqu'on se tient sur une cime dominant de très haut les autres. En un mot, ce dont avait tout d'un coup pris conscience celle qu'elle était restée, en dépit de son ascension, dans les parties les plus fraîches de sa nature, la fille d'un modeste instituteur, la jeune femme d'un vice-consul bourgeois, c'était le sentiment de sa « position ». Ce sentiment de la position est un des éléments essentiels de notre existence, bien qu'il passe inaperçu comme la révolution de la terre ou la part personnelle que nous prenons à nos perceptions. Comme on lui a enseigné à ne pas porter la vanité dans son cœur, l'homme en porte la plus grande part sous ses pieds, se dressant sur le sol d'une grande patrie, d'une religion ou d'une certaine catégorie d'impôts sur le revenu ; s'il est démuni de toute position de cet ordre, il se contente même de ce que tout le monde peut faire, c'est-à-dire de se trouver à la pointe provisoirement la plus haute de cette colonne du temps qui monte du néant, c'est-à-dire de vivre justement le moment présent : quand tous les prédécesseurs sont retournés à la poussière, et qu'il n'y a pas encore de successeurs. Mais que cette vanité, d'ordinaire inconsciente, monte pour une raison quelconque des pieds à la tête, ce déplacement peut entraîner une douce folie, comme chez ces vierges qui croient être enceintes du globe terrestre.

Le sous-secrétaire Tuzzi lui-même faisait maintenant à Diotime l'honneur de s'informer auprès d'elle du cours des événements et de la prier parfois de bien vouloir se charger pour lui de telle ou telle petite mission ; et le sourire avec lequel il parlait d'ordinaire de son salon cédait alors la place à une digne gravité. On ne savait toujours pas jusqu'à quel point était agréable en haut lieu l'initiative éventuelle d'une manifestation pacifiste internationale, mais faisant allusion à cette hypothèse, Tuzzi rappela plusieurs fois à Diotime la prière instante qu'il lui avait faite de ne jamais s'aventurer sur le terrain de la politique étrangère sans lui avoir demandé conseil au préalable. Il en profita même pour en donner un sans plus attendre : à savoir que l'on prît bien garde d'éviter toute complication politique au cas où, quelque jour, la proposition d'une campagne internationale pour la Paix prendrait sérieusement forme. On ne demandait nullement d'écarter une si belle idée, expliqua-t-il à son épouse, même s'il y avait une possibilité de lui donner corps, mais il était absolument nécessaire de se ménager dès l'abord toute liberté de manœuvres, ainsi que des positions de repli. Il expliqua ensuite à Diotime quelles différences il y avait entre un désarmement, une conférence de la paix, une réunion des Grands, jusqu'à la fondation, déjà citée, qui devait confier à des artistes autrichiens la décoration murale du Palais de la Paix de La Haye. Jamais encore il n'avait parlé aussi objectivement avec sa femme. Parfois même, sa serviette sous le bras, il revenait dans la chambre à coucher pour compléter ses explications, par exemple, s'il avait oublié d'ajouter que pour lui tout ce qui touchait à l'idée d'une « Autriche universelle » ne pouvait évidemment se concevoir que sous la forme d'une entreprise pacifiste ou humanitaire, si l'on ne voulait pas passer pour dangereusement irresponsable...

Diotime répondait avec un sourire plein de patience : « Je m'efforcerai de tenir compte de tes vœux, mais il ne faut pas t'exagérer l'importance que nous accordons à la politique étrangère. Nous avons affaire à une exaltation des cœurs proprement rédemptrice, issue des anonymes profondeurs populaires ; tu ne peux pas t'imaginer le nombre de pétitions et de suggestions dont je suis chaque jour débordée ! »

Elle était admirable ; car, sans qu'elle en laissât rien voir, elle se heurtait à de terribles difficultés. Dans les délibérations du grand comité central, fondé sur les divisions de la Religion, de la Justice, de l'Agriculture, de l'Instruction publique, et ainsi de suite, les plus sublimes suggestions se heurtaient toujours à cette réserve prudente et glacée à laquelle son mari l'avait habituée lorsqu'il n'était pas encore l'homme attentif qu'il était devenu ; elle se sentait parfois épuisée d'impatience, et ne pouvait se dissimuler que l'inertie du monde serait un obstacle difficile à vaincre. Elle voyait clairement devant elle « l'Année autrichienne », conçue comme une « Année de l'Autriche universelle » et destinée à donner en exemple aux autres nations du monde les peuples de l'Autriche ; il suffisait pour cela de prouver que l'Autriche était la vraie patrie de l'esprit ; mais il apparaissait non moins clairement que pour les esprits obtus, il fallait donner à cette affirmation un contenu particulier, la compléter d'une idée qui, par son caractère plus évident que général, en faciliterait la compréhension. Et Diotime passait des heures plongée dans d'innombrables livres pour trouver l'idée qu'il fallait, qui devait être encore, naturellement et avant tout, une idée symbolique de l'Autriche ; mais Diotime faisait d'étranges découvertes sur la nature des grandes idées.

Il apparaissait qu'elle vivait dans une grande époque, car cette époque était pleine de grandes idées ; mais on ne saurait croire à quel point il est difficile de donner corps à la plus grande, à la plus importante d'entre elles, du moment que toutes les conditions sont remplies pour y parvenir, sauf une : savoir de laquelle il s'agit. Chaque fois que Diotime était tout près de se décider pour l'une, elle était obligée de constater qu'il ne serait pas moins grand de donner réalité à son contraire. Les choses sont ainsi, et elle n'y pouvait rien. Les idéaux ont de curieuses qualités, entre autres celle de se transformer brusquement en absurdité quand on essaie de s'y conformer strictement. Voyez par exemple Tolstoï et Berta Suttner, deux écrivains dont les idées étaient à peu près également en vogue à l'époque : comment l'humanité, dans la non-violence, pensait Diotime, pourrait-elle se procurer ne fût-ce que des poulets ? Et que faire des soldats si, comme ces écrivains le réclament, on ne doit pas tuer ? Ils seront en chômage, les pauvres, et les criminels auront de beaux jours. Mais ces propositions existaient réellement, et l'on disait qu'on avait déjà recueilli des signatures. Diotime n'aurait jamais pu se représenter une vie privée de vérités éternelles, mais elle constatait maintenant à sa grande surprise que chaque vérité éternelle existe en double, en multiples exemplaires. C'est pourquoi l'homme raisonnable (et c'était dans ce cas le sous-secrétaire Tuzzi, qui se vit ainsi, en quelque manière, réhabilité) éprouve pour les vérités éternelles une méfiance profonde ; sans doute ne contestera-t-il jamais qu'elles soient indispensables, mais il est convaincu que les êtres qui les prennent à la lettre sont des fous. A son avis, qu'il offrait secourablement à son épouse, les idéaux humains présentent des exigences excessives qui peuvent conduire à la ruine, à moins qu'on ne se garde dès le début de les prendre tout à fait au sérieux. La meilleure preuve qu'en pouvait donner Tuzzi était que des mots comme Idéal, Vérité éternelle, sont complètement ignorés des bureaux, où l'on s'occupe de choses sérieuses ; à un rapporteur qui se laisserait aller à les utiliser dans un document, on conseillerait aussitôt une visite médicale pour l'obtention d'un congé de santé. Diotime, bien qu'elle lui prêtât une oreille mélancolique, finissait toujours par tirer même de ces heures de faiblesse une énergie nouvelle pour se plonger une fois de plus dans ses études.

Le comte Leinsdorf lui-même, lorsqu'il eut enfin trouvé le temps de paraître à une conférence, fut surpris de son énergie intellectuelle. Son Altesse souhaitait une manifestation issue du cœur même du peuple. Elle désirait sincèrement sonder la volonté du peuple, puis la raffiner par l'intervention prudente d'influences supérieures, car elle voulait la soumettre en temps voulu à Sa Majesté, non point comme un cadeau du byzantinisme, mais comme le témoignage que les peuples, emportés dans le tourbillon de la démocratie, s'étaient enfin ressaisis. Diotime savait que Son Altesse restait attachée à l'idée de l'Empereur de la Paix et d'une manifestation brillante de la vraie Autriche, encore qu'elle ne refusât pas catégoriquement le projet d'une « Autriche universelle », dans la mesure où ce projet n'exclurait pas le beau tableau de famille des peuples groupés autour du patriarche. De cette famille, il est vrai que Son Altesse excluait en sous-main, tacitement, la Prusse, bien qu'elle ne trouvât rien à reprendre au Dr Arnheim et qu'elle l'eût même expressément défini comme une intéressante personnalité. « A aucun prix, nous ne voulons faire quelque chose de patriotique au sens démodé du mot, rappelait-elle. Nous devons arracher l'Autriche et le monde au sommeil ! Je trouve l'idée d'une “Année autrichienne” extrêmement belle, et j'ai d'ailleurs déclaré personnellement aux journalistes qu'il fallait orienter dans cette direction l'imagination du public. Mais avez-vous déjà réfléchi, ma chère, si nous nous en tenons à cette idée, à la manière dont nous devrons occuper cette année ? Tout est là, voyez-vous ! Il faudra bien le savoir. Il faudra bien donner un coup de main d'en haut, de crainte que les éléments irresponsables ne prennent le dessus ! Et je n'ai jamais un moment pour trouver moi-même une idée ! »

Diotime trouva Son Altesse soucieuse et rétorqua vivement : « L'Action culminera dans un grand symbole ou ne sera pas ! Cela au moins est sûr. Elle doit empoigner le cœur du monde, mais exige également qu'on l'influence d'en haut. La chose est incontestable. “L'Année autrichienne” est une excellente proposition, mais je pense qu'une "Année universelle" serait encore plus belle ; une "Année de l'Autriche universelle", où l'esprit européen pourrait découvrir dans l'Autriche sa vraie patrie !

– Soyons prudents, prudents ! dit le comte Leinsdorf en manière de mise en garde : l'audace intellectuelle de son amie l'avait bien souvent effrayé. Peut-être vos idées sont-elles toujours un tout petit peu trop grandes, Diotime ! Vous en avez déjà parlé, mais on ne sera jamais assez prudent ! Voyons, qu'avez-vous donc trouvé à nous faire faire, pendant cette "Année universelle" ? »

Avec cette question, le comte Leinsdorf, guidé par la rectitude qui donnait à sa manière de penser tant de caractère, avait touché en Diotime le point le plus sensible. « Altesse, répondit-elle après quelque hésitation, la question à laquelle vous souhaiteriez que je réponde est la plus difficile qui soit. Mon intention est de réunir ici nos personnalités les plus considérables dans le domaine de la pensée et de la création, et je veux attendre de voir quelles suggestions naîtront de cette assemblée avant de dire quoi que ce soit.

– Voilà qui est parfait ! s'écria Son Altesse, aussitôt gagnée à l'idée d'attendre. Voilà qui est parfait ! On ne sera jamais assez prudent ! Si vous saviez ce que je dois entendre chaque jour ! »

58. *L'Action parallèle crée des inquiétudes. Mais, dans l'histoire de l'humanité, il n'est pas de retour volontaire en arrière.*

Un autre jour, Son Altesse trouva également le temps de s'entretenir plus longuement avec Ulrich. « Ce docteur Arnheim ne m'est pas très agréable, lui confia-t-elle. Sans doute, c'est quelqu'un d'extrêmement brillant, on comprend votre cousine ; mais enfin, c'est un Prussien. On le voit à sa manière d'observer. Vous savez, quand j'étais un petit garçon, en 65, mon père avait organisé une partie de chasse dans son château de Chrudim et l'un de ses hôtes avait cette même façon d'observer toujours ; une année plus tard, il apparut que personne ne savait qui avait bien pu l'introduire chez nous, et que c'était un général d'État-major prussien ! Bien entendu, je ne fais pas de rapprochement, mais il ne m'est pas agréable que ce monsieur Arnheim soit si bien renseigné sur nous.

– Altesse, dit Ulrich, je suis heureux que vous me donniez l'occasion de dire toute ma pensée. Il est temps que quelque chose se produise ; j'accumule des expériences qui me rendent songeur et ne sont pas du tout faites pour un observateur étranger. L'Action parallèle devait stimuler heureusement tout le monde, c'était bien là, n'est-ce pas, l'intention de Votre Altesse ?

– Mais bien sûr, naturellement !

– Or c'est le contraire qui se produit ! s'écria Ulrich. J'ai l'impression qu'elle rend les gens cultivés terriblement tristes et soucieux ! »

Le comte Leinsdorf secoua la tête et se tourna les pouces, comme chaque fois que son esprit pensivement s'assombrissait. En fait, il avait fait lui aussi des expériences assez semblables à celles qu'Ulrich lui rapportait.

« Depuis qu'il est notoire que je suis mêlé à l'Action parallèle, raconta ce dernier, il ne se passe pas trois minutes, lorsque je rencontre quelqu'un qui veut avoir avec moi une conversation un peu générale, sans qu'il me dise : "A quoi voulez-vous donc en venir avec votre Action parallèle ? Vous savez bien qu'il n'y a plus aujourd'hui ni grandes entreprises, ni grands hommes !"

– A part eux-mêmes, évidemment ! interrompit Son Altesse. Je connais cela, il m'arrive aussi de l'entendre. Les gros industriels pestent contre la politique qui n'encourage pas assez le protectionnisme, et les politiciens pestent contre l'industrie qui ne subventionne pas les partis…

– C'est exact ! dit Ulrich en reprenant son exposé. Il est certain que les chirurgiens croient que la chirurgie a fait des progrès depuis Billroth ; ils disent seulement que le reste de la médecine et la recherche scientifique dans son ensemble ne font pas assez pour la chirurgie. J'irais même jusqu'à dire, si Votre Altesse me le permet, que les théologiens eux aussi sont persuadés que la théologie est aujourd'hui, en quelque manière, plus avancée qu'au temps du Christ... »

Le comte Leinsdorf leva la main en signe d'indulgente protestation.

« Que Votre Altesse me pardonne si j'ai dit là quelque chose d'inconvenant, ce n'était d'ailleurs nullement nécessaire ; car ce que je veux dire semble avoir une signification tout à fait générale. Les chirurgiens, ai-je dit, prétendent que la recherche scientifique ne tient pas toutes ses promesses. Que l'on parle en revanche du temps présent avec un chercheur, il se plaindra de ce qu'il s'ennuie au théâtre et qu'il ne trouve jamais de roman qui le distraie ou le passionne, alors qu'il voudrait bien se divertir un peu de son travail. Que l'on parle avec un poète, il vous dira qu'il n'y a plus de foi. Et que l'on parle, puisque je tiens maintenant à laisser les théologiens de côté, avec un peintre, on peut être à peu près assuré qu'il prétendra que les peintres, dans une époque où la poésie et la philosophie sont pareillement misérables, ne peuvent pas donner le meilleur d'eux-mêmes. L'ordre dans lequel chacun rejette la faute sur le voisin change évidemment quelquefois, mais cela fait toujours un peu songer au jeu de l'Homme noir, si Votre Altesse voit ce que je veux dire, ou à celui des Quatre coins ; et je n'arrive pas à découvrir le principe, ou la loi qui régit ce fait ! Je crains que l'on ne soit amené à dire ceci : tout homme est encore satisfait de soi, en particulier, mais en général, pour quelque raison universelle, il ne se sent pas bien dans sa peau ; il semble que l'Action parallèle soit destinée à nous révéler cela.

– Mon Dieu ! répondit Son Altesse à ces explications, sans qu'il fût possible de savoir exactement ce qu'elle entendait par là, tout n'est que pure ingratitude !

– J'ai d'ailleurs déjà, poursuivit Ulrich, deux portefeuilles gonflés de propositions écrites de nature tout à fait générale, que je n'ai pas encore eu l'occasion de retourner à Votre Altesse. J'ai intitulé l'un : “Retour à...” En effet, quantité de gens nous informent que le monde se trouvait autrefois dans une bien meilleure passe qu'aujourd'hui, et qu'il suffirait à l'Action parallèle de l'y ramener. Si je laisse de côté le désir bien naturel d'un “retour à la foi”, il reste encore un retour au Baroque, au Gothique, à l'état de nature, à Goethe, au droit allemand, à la pureté des mœurs, et à quelques autres choses.

– Hum, oui. Mais peut-être y a-t-il dans tout cela une pensée vraie, qu'il ne faudrait pas décourager ? dit le comte Leinsdorf.

– Ce n'est pas impossible ; mais comment répondre ? Votre honorée du Tant-et-tant mûrement considérée, nous estimons provisoirement que le moment n'est pas encore venu de... Ou bien : Ayant lu votre lettre avec intérêt, nous vous prions de bien vouloir nous adresser le détail de vos vœux concernant la restauration du monde en baroque, gothique, et ainsi de suite ?... »

Ulrich sourit, mais le comte Leinsdorf, à cet instant, le trouva un peu trop gai, et se tourna les pouces, en signe de protestation, avec une extrême énergie. Avec la dureté dont il se revêtit alors, son visage à moustache faisait penser au temps de Wallenstein, et c'est alors qu'il fit une très remarquable déclaration. « Mon cher monsieur, dit-il, dans l'histoire de l'humanité, il n'y a pas de retour volontaire en arrière ! »

Le comte Leinsdorf fut le premier surpris de cette déclaration, car ce n'était pas du tout ce qu'il avait voulu dire. Il était conservateur, Ulrich l'irritait, il avait voulu remarquer que la bourgeoisie avait bafoué l'esprit universel de l'Église catholique, et qu'elle en subissait maintenant les conséquences. Il eût été également naturel de vanter les époques de centralisation absolue où le monde était dirigé selon des principes uniformes par des personnalités conscientes de leur responsabilité. Mais, tandis qu'il cherchait ses mots, il avait songé tout à coup qu'il se trouverait vraiment désagréablement surpris s'il devait se réveiller un beau jour sans bain chaud et sans chemin de fer et se contenter, en guise de journaux, d'un héraut impérial cavalcadant par les rues. Ainsi, le comte Leinsdorf se dit : « Ce qui fut une fois ne se retrouvera jamais sous la même forme », et cette pensée l'étonna. Car si l'on admettait qu'il n'y avait pas de retour volontaire en arrière dans l'histoire, l'humanité ne pouvait plus que ressembler à un homme qu'entraîne un étrange besoin de voyage, et pour lequel il n'y a ni retour ni arrivée, et c'était là une bien curieuse condition.

Il est vrai que le comte Leinsdorf était extraordinairement doué pour tenir d'une main heureuse deux pensées capables de se contredire à une telle distance l'une de l'autre qu'elles ne se rencontrassent jamais dans son conscient ; mais il aurait dû repousser cette pensée-là, qui allait à l'encontre de tous ses principes. Néanmoins, il avait pris un certain goût pour Ulrich, et dans la mesure où ses devoirs lui en laissaient le temps, il avait le plus grand plaisir à parler politique, sur un plan strictement logique, avec cet homme d'une intelligence si alerte, qui lui avait été si chaudement recommandé et dont le seul défaut était de passer toujours, en bon bourgeois, un peu à côté des véritables grands problèmes. Quand on commence avec cette logique où les pensées découlent tout naturellement l'une de l'autre, on ne peut jamais savoir où on aboutira. C'est pourquoi le comte Leinsdorf ne se rétracta pas et se contenta de regarder Ulrich dans un silence pénétrant.

Ulrich prit en main un second portefeuille et profita de la pause pour remettre les deux portefeuilles à Son Altesse. « J'ai dû intituler le second : "En avant vers..." » commençait-il, mais Son Altesse se leva brusquement et découvrit qu'Ulrich lui avait déjà pris plus de temps qu'il ne devait. Elle le pria instamment de remettre la suite à une autre fois, quand elle aurait le loisir d'y songer. « D'ailleurs, votre cousine veut organiser à cette fin une réunion des personnalités les plus en vue, dit-elle, déjà debout. Allez-y ! Allez-y sans faute, je vous prie. Je ne sais pas si j'aurai moi-même l'honneur d'en être ! »

Ulrich referma ses portefeuilles, et le comte Leinsdorf se retourna une dernière fois dans l'obscurité de la porte ouverte. « Évidemment, une grande tentative rend les gens timides : mais allez ! nous saurons bien les secouer ! » Son sens du devoir ne lui permettait pas d'abandonner Ulrich sans l'avoir réconforté.

59. *Moosbrugger réfléchit.*

Entre-temps, Moosbrugger s'était installé dans sa nouvelle prison comme il avait pu. La porte s'était à peine refermée sur lui qu'on avait commencé à le rudoyer. Comme il s'emportait, on l'avait menacé de bastonnade, s'il se rappelait bien. On l'avait mis à l'isolement. A l'heure de la promenade dans la cour, ses mains étaient chargées de chaînes, et les yeux des gardiens ne le quittaient pas. Soi-disant pour le mesurer, on l'avait tondu, sans se soucier du fait que le jugement rendu contre lui ne fût pas encore exécutoire. Sous prétexte de désinfection, on l'avait frotté avec du savon mou, qui puait. C'était un vieux routier, il savait que rien de tout cela n'était permis, mais derrière la porte de fer, il n'est pas aisé de garder l'honneur. Ils faisaient avec lui ce qu'ils voulaient. Il se fit conduire devant le directeur de la prison et se plaignit. Le directeur fut obligé de reconnaître qu'une ou deux choses étaient en désaccord avec le règlement, toutefois ce n'était pas une punition, dit-il, mais une simple mesure de prudence. Moosbrugger se plaignit auprès de l'aumônier de la prison ; mais c'était un bon vieillard dont l'aimable direction spirituelle avait cette faiblesse démodée de reculer devant les crimes sexuels. Il les abhorrait avec l'incompréhension d'un corps qui n'en a même pas effleuré la frange, et il alla jusqu'à s'effrayer de voir que Moosbrugger, avec son air honnête, émouvait en lui la faiblesse d'une personnelle compassion ; il l'envoya chez le médecin de l'établissement, lui-même se contentant, comme toujours en pareil cas, d'adresser au Créateur une grande prière qui n'entrait pas dans les détails et évoquait les égarements des mortels d'une manière si générale que Moosbrugger était inclus dans cette prière, le temps qu'elle durait, au même titre que les libres penseurs et les athées. Le médecin de la prison dit à Moosbrugger que tout ce dont il se plaignait n'était pas si terrible, lui tapa cordialement sur l'épaule et refusa résolument d'appuyer ses réclamations ; c'était superflu, si Moosbrugger comprenait bien, tant que la Faculté n'aurait pas décidé s'il était un malade ou un simple simulateur. Moosbrugger irrité devinait que chacun d'eux parlait comme ça l'arrangeait, et que c'était précisément cette parole qui leur donnait licence de le traiter à leur guise. Comme tous les simples, il avait le sentiment qu'on devrait couper la langue aux gens instruits. Il regardait le visage du docteur avec ses souvenirs de duel, le visage, tari par l'intérieur, de l'homme d'Église, le visage officiel, épousseté, de l'administrateur, il les voyait chacun regarder le sien à sa manière, et il y avait dans ces visages quelque chose qui leur était à tous commun, qu'il ne pouvait atteindre et qui avait été toute sa vie son ennemi.

La force cohésive qui, dans le monde extérieur, enfonce péniblement tout homme, avec sa présomption, dans la cohue des autres corps, se relâchait un peu, en dépit de toute la discipline, sous le toit de la prison où tout vivait d'attente, où le rapport vivant qui unit l'homme à son semblable était voilé, même dans la grossièreté et la violence, d'une ombre d'irréalité. De tout son corps robuste, Moosbrugger réagissait contre le relâchement qui avait suivi les combats du procès. Il avait l'impression d'être une dent branlante. La peau le démangeait. Il se sentait misérable, infecté. Comme cela lui arrivait parfois, il devenait la proie d'une hypersensibilité plaintive, d'une nervosité à fleur de peau ; quand il se comparait avec la femme qui était couchée sous la terre et qui lui avait joué ce sale tour, il se faisait l'effet d'un enfant à côté d'une grossière et maligne femelle. Néanmoins, dans l'ensemble, Moosbrugger n'était pas mécontent ; à beaucoup de signes, il pouvait constater qu'il était dans ces lieux un personnage, et la chose le flattait. Même la sollicitude accordée sans distinctions à tous les détenus lui procurait quelque satisfaction. L'État, depuis qu'ils étaient devenus des coupables, était tenu de les nourrir, de les baigner, de les habiller, de s'occuper de leur travail, de leur santé, de leurs livres et même de leur chant, toutes choses qu'il n'avait jamais faites auparavant. Moosbrugger jouissait de cette attention, si sévère qu'elle fût, comme un enfant qui a réussi, en l'exaspérant, à forcer sa mère à s'occuper de lui ; mais il ne souhaitait pas qu'elle durât longtemps ; l'idée qu'il pourrait être gracié, sa condamnation muée en détention perpétuelle, ou être confié à nouveau à un asile d'aliénés, éveillait en lui la même résistance que nous éprouvons lorsque tous les efforts que nous avons faits pour échapper à notre vie nous ramènent immanquablement dans la même odieuse situation. Il savait que son avocat tâchait d'obtenir la réouverture du dossier et qu'il devrait subir un nouvel examen médical, mais il se proposait de s'élever là contre en temps voulu en insistant pour qu'on le tuât.

Que son départ dût être digne de lui, la chose ne faisait pour lui aucun doute, car sa vie n'avait été qu'un long combat pour son droit. Dans sa cellule solitaire, Moosbrugger réfléchissait à ce qu'était son droit. Il ne pouvait le dire. Pourtant, c'était cela qu'on lui avait toute sa vie refusé. Dans l'instant où il y pensa, ses sentiments enflèrent. Sa langue se voûta et se mit à bouger comme un étalon qui passège ; tant elle voulait donner de distinction à ce qu'elle allait dire. « Le droit, pensa-t-il avec une lenteur extraordinaire, afin de définir cette notion, pensant comme s'il parlait avec quelqu'un, c'est quand on ne fait rien de mal, rien de pas droit, non ? » et tout à coup une idée lui vint : « Le droit, c'est le *Jus*[1] ! » C'était cela : son droit était son *Jus* ! Il considéra la planche qui lui servait de lit dans l'intention de s'y asseoir, fit attentivement le tour de sa cellule, essaya vainement de déplacer la banquette qui était vissée au sol, et s'y assit en hésitant. On lui avait retenu son *Jus* ! Il se souvenait d'une patronne qu'il avait eue à l'âge de seize ans. Il avait rêvé que quelque chose de froid lui soufflait sur le ventre, qui avait disparu ensuite dans son corps, il avait crié, il était tombé du lit, et le lendemain matin il s'était senti moulu par tout le corps. Mais d'autres apprentis, une fois, lui avaient raconté que, quand on montre le poing à une femme de telle manière que le pouce ressorte un peu entre l'index et le médius, elle ne peut pas vous résister. Il

1. J'ai tenu à garder le terme latin, bien qu'on ne l'emploie pas en français comme en allemand, parce que le recours à un tel terme est caractéristique de Moosbrugger. *N. d. T.*

se sentait troublé ; tous prétendaient l'avoir déjà essayé, mais quand il y pensait, le sol se dérobait sous ses pieds, ou bien sa tête n'était plus posée sur son cou comme d'habitude, bref, quelque chose lui arrivait qui s'écartait de l'épaisseur d'un cheveu de l'ordre naturel, quelque chose qui n'était pas absolument sûr. « Maîtresse, dit-il, j'aimerais vous faire un plaisir... » Ils étaient seuls, elle le regarda dans les yeux, et comme elle devait y avoir lu quelque chose, elle répliqua : « Fiche-moi le camp de cette cuisine, en vitesse ! » Alors, il lui tendit son poing avec le pouce qui ressortait. Mais le charme n'agit qu'à moitié ; devenue rouge sang, la patronne, si vite qu'il ne put se sauver, le frappa avec la cuillère de bois qu'elle tenait à la main, sur le visage ; il ne le comprit que lorsque le sang commença à ruisseler sur ses lèvres. Il se souvenait maintenant très bien de cet instant : son sang ne fit qu'un tour, lui monta au visage et jusque dans les yeux ; il se rua sur la forte femme qui l'avait si honteusement outragé, le patron arriva, et ce qui se passa entre ce moment et celui où il se retrouva debout dans la rue, les jambes vacillantes, avec ses affaires qu'on lui jetait après, c'était comme un grand drap rouge qu'on déchire en morceaux. Ainsi avait-on bafoué, frappé son *Jus*, et il se remit à marcher. Mais trouve-t-on le *Jus* dans la rue ? Toutes les femmes étaient déjà le *Jus*, le droit de quelqu'un d'autre, toutes les pommes, toutes les couches ; les gendarmes et les juges de district étaient plus mauvais que des chiens.

Mais ce qu'était en fait ce par quoi les gens réussissaient toujours à l'attraper, et pour quoi ils le jetaient dans des prisons ou des asiles, cela, Moosbrugger ne parvenait jamais à le bien comprendre. Longtemps il tint les yeux baissés sur le sol de sa cellule, puis il les leva vers les angles, avec effort ; il était comme quelqu'un qui aurait laissé tomber une clef. Il n'arrivait pas à la trouver ; le sol et les angles, dans la lumière du jour, redevinrent gris et quelconques, alors qu'un instant avant seulement, ils étaient encore comme un plancher de rêve où surgit tout à coup un objet, un être, quand une parole est prononcée. Moosbrugger rassembla toute sa logique. Tout ce dont il pouvait se souvenir avec exactitude, c'étaient les endroits où chaque fois ça commençait. Il aurait pu les énumérer, les décrire tous. Une fois, c'était à Linz, une autre fois à Braila. Entre deux, il y avait des années. Et la dernière fois c'était ici, à la ville. Il voyait devant ses yeux chaque pierre. Avec une évidence dont les pierres sont tout à fait dépourvues habituellement. Il se rappelait aussi la mauvaise humeur qui était chaque fois de la partie. Comme s'il avait eu non plus du sang, mais du poison dans les veines, pourrait-on dire, ou quelque chose d'équivalent. Par exemple, il travaillait dehors, et des femmes passaient ; il ne voulait pas les regarder, parce qu'elles le dérangeaient, mais il en venait toujours d'autres ; alors, finalement, ses yeux les suivaient avec répugnance, et une fois de plus, quand ses yeux allaient et revenaient ainsi, c'était comme s'ils avaient dû se mouvoir dans de la poix ou du ciment en train de prendre. Puis il remarquait que sa pensée commençait à s'embarrasser. De toute façon il pensait lentement, les mots lui coûtaient un effort, il n'en avait jamais assez, et parfois, lorsqu'il parlait avec quelqu'un, il arrivait que son interlocuteur, tout à coup, le regardât avec étonnement, ne comprenant pas tout ce qu'il pouvait y avoir dans un seul mot, quand Moosbrugger lentement l'extrayait. Il enviait tous les hommes qui avaient appris dès leur jeunesse à parler facilement ; lui, comme par dérision, les mots lui collaient au palais comme de la gomme juste au moment où il en avait le plus urgent besoin ; alors, il se passait parfois un temps interminable jusqu'à ce qu'il réussît à dégager une syllabe, et repartît. On ne pouvait nier que cela déjà fût anormal. Mais quand il déclarait devant le tribunal que c'étaient les francs-maçons, les Jésuites ou les socialistes qui le persécutaient ainsi, personne ne le comprenait. Bien que les juristes pussent parler mieux que lui et lui opposer toutes les raisons imaginables, ils n'avaient pas la moindre idée de la situation réelle.

Quand cela avait duré quelque temps, Moosbrugger commençait à avoir peur. Essayez donc de vous tenir les mains liées en pleine rue et d'attendre de voir ce que les gens feront ! La conscience que sa langue, ou quelque chose de plus profond encore en lui, était paralysée comme par de la colle, lui donnait un sentiment d'insécurité pitoyable qu'il lui fallait pendant des jours s'efforcer de dissimuler. Alors apparaissait soudain une subtile, on pourrait presque dire même une silencieuse frontière. Tout d'un coup, un souffle glacé était là. Ou bien, tout près de lui, dans l'air, une grosse boule émergeait et s'enfonçait dans sa poitrine. Dans le même moment, il sentait quelque chose sur lui, dans ses yeux, sur ses lèvres, ou bien dans les muscles faciaux ; il y avait comme une disparition, un noircissement de tout ce qui l'entourait, et tandis que les maisons se posaient sur les arbres, un ou deux chats, peut-être, se sauvant à toute vitesse, bondissaient hors du taillis. Cela ne durait qu'une seconde, puis tout était de nouveau comme avant.

Alors seulement commençait à proprement parler la période qu'ils voulaient tous étudier et dont ils ne cessaient de discuter. Ils lui faisaient les plus inutiles objections, et lui-même, malheureusement, ne pouvait se rappeler ses expériences que vaguement, d'après leur sens. Car ces périodes étaient tout entières sens ! Elles duraient parfois quelques minutes, parfois elles s'étendaient sur toute une journée, parfois encore elles se prolongeaient en d'autres, semblables, qui pouvaient durer des mois. Pour commencer par ces dernières, parce qu'elles sont les plus simples, de celles que même un juge, de l'avis de Moosbrugger, pouvait comprendre, c'étaient des périodes où il entendait des voix, de la musique, ou bien des souffles, des bourdonnements, des sifflements aussi, des cliquetis, ou encore des coups de feu, de tonnerre, des rires, des appels, des paroles, des murmures. Cela lui venait de partout ; c'était logé dans les cloisons, dans l'air, dans les habits et dans son corps même. Il avait l'impression qu'il portait cela dans son corps tant que cela restait muet ; mais dès que cela éclatait, cela se cachait dans les environs, quoique jamais très loin de lui. Quand il travaillait, les voix protestaient contre lui, le plus souvent avec des mots détachés ou de courtes phrases, elles l'injuriaient, le critiquaient, et quand il pensait à quelque chose, elles l'exprimaient avant qu'il en ait eu le temps, ou disaient malignement le contraire de ce qu'il voulait. Que cela suffît à le faire juger malade, Moosbrugger ne pouvait qu'en rire ; lui-même ne traitait pas ces voix et ces visions autrement que si ç'avait été des singes. Cela le distrayait de les entendre et de les voir se démener ; c'était incomparablement plus beau que les pensées pesantes et tenaces qu'il avait lui-même ; mais quand elles le gênaient trop, il se mettait en colère, finalement c'était assez naturel. Comme il avait toujours été très attentif à tous les termes qu'on employait à son propos, il savait que cela s'appelle des hallucinations, et il admettait volontiers qu'il possédait là un avantage sur ceux qui ne peuvent pas en avoir ; il voyait en effet beaucoup de choses que les autres ne voient pas, d'admirables paysages, des créatures de l'enfer, mais il trouvait très exagérée l'importance qu'on accordait à cette faculté, et quand le séjour dans les asiles commençait à lui peser, il prétendait sans plus qu'il s'agissait de simples vertiges. Les « savants » lui demandaient de quelle intensité étaient les bruits qu'il entendait ; cette question n'avait pas grand sens ; c'était, naturellement, tantôt aussi fort qu'un coup de tonnerre, tantôt plus léger qu'un murmure. De même, les souffrances qui le tourmentaient de loin en loin pouvaient être intolérables ou bénignes comme un songe. Là n'était pas l'essentiel. Il eût été souvent dans l'incapacité de décrire ce qu'il voyait, entendait ou flairait ; il n'en savait pas moins ce que c'était. C'était quelquefois extrêmement confus ; les visions venaient du dehors, mais une lueur d'observation lui disait en même temps qu'elles n'en venaient pas moins de lui-même. L'important était qu'il n'est pas important qu'une chose soit dedans ou dehors ; dans son état, il n'y avait plus qu'une eau claire des deux côtés d'une cloison de verre transparente.

Dans ses grandes périodes, Moosbrugger n'accordait plus aucune attention aux voix et aux visions : il pensait. Il disait ainsi, parce que ce mot lui avait toujours fait impression. Il pensait mieux que d'autres, parce qu'il pensait à la fois dedans et dehors. Ça pensait en lui contre sa volonté. Il disait qu'on lui faisait des pensées. Sans qu'il perdît pour autant sa lente et virile circonspection, les moindres petites choses l'irritaient, comme il arrive à une femme pendant la montée du lait. Alors, sa pensée coulait comme un ruisseau nourri de cent ruisseaux bondissants, au travers d'une grasse prairie.

Moosbrugger, maintenant, avait laissé sa tête retomber, il regardait le bois entre ses doigts. « Par ici, les gens disent à l'écureuil *Eichkatzl*[1], pensa-t-il ; mais allez essayer de dire, avec tout le sérieux qu'il faut sur la langue et sur la figure : *Die Eichenkatze !* Tous écarquilleraient les yeux, comme quand éclate brusquement, dans la pétarade d'un feu de tirailleurs à blanc, un vrai coup ! Dans la Hesse, en revanche, ils disent *Baumfuchs.* C'est des choses qu'on apprend quand on a beaucoup roulé. » Et quelle curiosité chez les psychiatres quand ils présentaient à Moosbrugger le portrait d'un écureuil, et que celui-ci leur répondait : « Ça doit être un renard, ou peut-être bien un lièvre ; ça peut être aussi un chat, ou du pareil. » Alors, à chaque fois, ils lui demandaient très vite : « Combien font quatorze plus quatorze ? » Et il leur répondait, circonspect : « Eh bien ! entre vingt-huit et quarante... » Cet « entre » leur créait des difficultés qui faisaient sourire Moosbrugger. C'est tout simple en effet ; il sait bien, lui aussi, qu'on arrive à vingt-huit quand on va de quatorze en quatorze, mais qui dit qu'on doive s'y arrêter ? Le regard de Moosbrugger erre encore un peu au-delà, comme celui d'un homme qui a atteint la crête d'une colline se profilant sur le ciel, et qui voit encore beaucoup d'autres crêtes semblables apparaître derrière. Si un écureuil n'est pas un chat, ni un renard, si, au lieu de corne, il a des dents comme le lièvre que le renard dévore, on n'a aucune raison d'être à ce point vétilleux : d'une façon ou d'une autre, c'est un rafistolage de tout cela ensemble, et qui va courir dans les arbres. L'expérience et la conviction de Moosbrugger étaient qu'il n'est rien qu'on puisse saisir en soi, parce que tout dépend de tout. Il lui était aussi arrivé dans sa vie de dire à une fille : « Votre bouche est une rose ! » mais tout à coup le mot se défaisait aux coutures, et quelque chose de très pénible se produisait : le visage devenait gris comme la terre que couvre le brouillard, et devant lui, sur une longue tige, une rose se dressait ; affreusement grande alors était la tentation de prendre un couteau, de la couper ou de la frapper pour qu'elle rentrât de nouveau dans le visage. Sans doute Moosbrugger ne prenait-il pas toujours tout de suite

1. L'auteur, dans ce passage et plus bas également, joue sur les mots composés dont le sens étymologique est oublié : *Eichenkatze* signifierait « chat des chênes », *Baumfuchs*, « renard des arbres ».

le couteau ; il ne le faisait que lorsqu'il ne pouvait s'en sortir autrement. D'ordinaire, justement, il mettait toute sa force de colosse à tenir le monde rassemblé.

Quand il était de bonne humeur, il pouvait regarder un homme au visage et y découvrir son propre visage, tel qu'il vous regarde entre les petits poissons et les cailloux clairs d'un ruisseau peu profond ; s'il était de mauvaise humeur, il lui suffisait de jeter un rapide coup d'œil sur le visage d'un homme pour reconnaître que c'était bien le même avec lequel il lui avait toujours fallu lutter, quelque effort que l'autre fît chaque fois pour se déguiser. Que pourrait-on lui reprocher ? Nous aussi, nous nous battons presque toujours avec le même homme. Si l'on recherchait quels sont les êtres auxquels nous restons si absurdement attachés, il apparaîtrait que c'est l'homme dont la clef correspond à notre serrure. Et dans l'amour ? Combien d'êtres contemplent jour après jour le même visage bien-aimé, mais ne peuvent dire, pour peu qu'ils ferment les yeux, comment il est. Et même sans parler d'amour ou de haine : à quelles modifications les choses ne sont-elles pas perpétuellement exposées, selon l'habitude, l'humeur et le point de vue ! Que de fois la joie se consume pour mettre à jour un indestructible noyau de tristesse ! Que de fois un homme en frappe calmement un autre, alors qu'il pourrait aussi bien le laisser tranquille ! La vie forme une surface qui se donne l'air d'être obligée d'être ce qu'elle est, mais sous cette peau les choses poussent et pressent. Moosbrugger était continuellement debout sur deux mottes de terre qu'il tenait réunies, s'efforçant raisonnablement d'éviter tout ce qui pouvait le troubler ; mais quelquefois un mot crevait dans sa bouche, et quelle révolution, quel rêve des choses surgissait alors d'un mot composé aussi refroidi, aussi consumé que *Eichkätzchen* ou *Rosenlippe* !

Tel qu'il était là dans sa cellule, assis sur le banc qui servait à la fois de lit et de table, il déplorait son éducation, qui ne lui avait pas appris à traduire ses expériences comme il aurait fallu. La petite personne aux yeux de souris qui, encore maintenant, bien qu'elle fût depuis longtemps sous la terre, lui créait tant d'ennuis, l'irritait. Tous étaient avec elle. Il se leva pesamment. Il se sentait friable comme du bois carbonisé. De nouveau, il avait faim ; l'ordinaire de la prison était trop frugal pour un homme aussi fort, et il n'avait pas d'argent pour l'améliorer. Dans un tel état, il était impossible qu'il pensât à tout ce qu'on voulait savoir de lui. Il s'était fait justement une de ces transformations, pendant des jours, des semaines, comme arrive mars, ou avril, et puis l'histoire était venue par-dessus. Il n'en savait d'ailleurs pas plus qu'il n'y en avait dans le procès-verbal, il ne savait même pas comment cette transformation y avait abouti. De toute façon, les raisons et les considérations dont il se souvenait, il les avait déjà dites lors du procès ; ce qui s'était réellement passé, cela lui faisait le même effet que s'il avait tout à coup parlé couramment dans une langue étrangère, disant quelque chose qui l'avait rendu très heureux mais qu'il ne pouvait plus répéter désormais.

« Pourvu que toutes ces histoires finissent aussi vite que possible ! » pensa Moosbrugger.

60. *Excursion dans le royaume logico-moral.*

Ce qu'il y avait à dire de Moosbrugger du point de vue juridique aurait pu se résumer en une seule phrase. Moosbrugger était un de ces cas limites que la jurisprudence et la médecine légale ont fait connaître aux profanes sous le nom de « responsabilité restreinte ».

Ce qui caractérise ces malheureux, c'est qu'ils n'ont pas seulement une santé, mais une maladie insuffisante. La nature a une curieuse prédilection pour la production en série de tels cas ; *natura non fecit saltus*, elle ne fait pas de sauts, elle aime les transitions, et sur une grande échelle également elle maintient le monde dans un état de transition entre l'imbécillité et la santé. Mais la jurisprudence n'en tient pas compte. Elle dit : *non datur tertium sive medium inter duo contradictoria*, c'est-à-dire : ou bien l'homme est en mesure d'agir illégalement, ou il ne l'est pas, car entre deux contraires il n'y a pas de troisième ou de moyen terme.

Grâce à cette capacité, il devient punissable ; grâce à sa qualité d'homme punissable, il devient personne juridique, et en tant que personne juridique il a droit aux bienfaits suprapersonnels de la loi. Que celui qui n'a pas compris immédiatement songe à la cavalerie. Quand un cheval, à chaque tentative qu'on fait pour le monter, s'affole, on le soigne avec la plus grande sollicitude, on lui réserve les bandages les plus mous, les meilleurs cavaliers, la plus fine avoine, les traitements les plus patients. En revanche, quand un cavalier commet une quelconque faute, on le fourre dans une cage remplie de puces, on lui retire la nourriture pour lui donner des menottes. Cette différence de traitement est fondée sur le fait que le cheval appartient simplement au royaume empirique des animaux, alors que le dragon participe du royaume logico-moral. Dans ce sens, l'homme se distingue de l'animal et, peut-on ajouter, de l'aliéné aussi bien, par le fait que, possédant des qualités intellectuelles et morales, il est en mesure d'agir illégalement et de commettre un crime ; comme c'est avant tout la qualité d'homme punissable qui fait de lui un être moral, il est compréhensible que le juriste y tienne mordicus.

A cela s'ajoute malheureusement le fait que les psychiatres autorisés dont le métier serait de s'opposer au juriste, se montrent d'ordinaire bien plus timides que lui dans l'exercice de leur profession ; ils ne déclarent réellement malades que les personnes qu'ils ne peuvent pas guérir, ce qui est légèrement exagéré, puisqu'ils ne peuvent pas non plus guérir les autres. Ils distinguent entre les maladies mentales incurables, celles qui, avec l'aide de Dieu, s'améliorent d'elles-mêmes au bout de quelque temps, et enfin celles que le docteur ne pourra pas guérir davantage, il est vrai, mais que le patient pourrait éviter, en admettant évidemment que l'intervention de la Providence fasse agir à temps sur lui les influences et les considérations indispensables. Ce deuxième et ce troisième groupe fournissent ces malades insuffisants que l'ange de la Médecine veut bien traiter comme malades quand ils lui échoient dans la clientèle privée, mais qu'il abandonne timidement à l'ange du Droit quand il se heurte à eux dans la clientèle légale.

Moosbrugger était précisément un de ces cas. Au cours

de cette vie tout honorable qu'avaient seulement interrompue les débordements d'une inquiétante ivresse de sang, on l'avait aussi souvent retenu dans les asiles qu'on l'en avait renvoyé, et il avait passé tour à tour pour paralytique général, paranoïaque, épileptique, cyclothymique, jusqu'à ce dernier procès où deux médecins légistes particulièrement consciencieux lui avaient rendu la santé. Bien entendu, il ne se trouvait alors personne, eux compris, dans la grande salle pleine de monde, qui ne fût convaincu que Moosbrugger était d'une manière ou de l'autre, un malade ; mais ce n'était pas d'une manière qui répondît aux conditions posées par la loi et pût être reconnue par un cerveau consciencieux. Quand on est partiellement malade, en effet, les professeurs de droit veulent que l'on soit aussi partiellement sain ; si l'on est partiellement sain, on est au moins partiellement capable de discernement ; et si l'on est partiellement capable de discernement, on l'est tout à fait ; car le discernement est, selon eux, la possibilité de se déterminer librement pour un acte déterminé sans avoir à subir de contrainte irrésistible ; cette possibilité, on ne peut pas à la fois en disposer et en être privé.

Cela n'exclut pas, il est vrai, qu'il existe des personnes dont l'état et les prédispositions rendent difficiles la résistance aux « impulsions criminelles » et le retour « dans le droit chemin », pour recourir une fois de plus aux expressions consacrées ; Moosbrugger était une de ces personnes en qui des circonstances qui laisseraient un autre indifférent suffisaient à déterminer l'infraction. Mais, de l'avis du tribunal, primo : ses capacités intellectuelles étaient entières, de sorte que s'il en avait fait usage l'acte aurait pu tout aussi bien être évité ; il ne pouvait donc raisonnablement être exclu de la responsabilité pénale. Secundo : un système judiciaire bien compris exige que tout acte délictueux soit puni quand il est accompli volontairement et sciemment. Tertio : la logique juridique admet qu'il demeure chez tous les aliénés (à l'exception de ces malheureux qui vous tirent la langue quand vous leur demandez combien font sept fois sept, ou disent « Moi » quand ils devraient citer avec respect le nom de Son Impériale et Royale Majesté) un minimum de discernement dans la détermination, et qu'il leur eût donc suffi d'un effort particulier de l'intelligence et de la volonté pour reconnaître le caractère illicite de l'acte et résister aux impulsions mauvaises. C'est bien la moindre chose que l'on puisse exiger d'individus aussi dangereux !

Les tribunaux ressemblent à des caves où dort dans des bouteilles la sagesse de nos arrière-grands-pères ; on ouvre ces bouteilles, et l'on pleurerait presque à découvrir à quel point l'effort de précision de l'homme, lorsqu'il arrive au dernier degré de fermentation avant la perfection, est imbuvable. Il semble pourtant qu'il enivre ceux qui n'y sont pas endurcis. Il est bien connu que l'ange de la Médecine, lorsqu'il a assisté quelque temps aux débats des hommes de loi, en oublie souvent sa mission propre. Il referme alors ses ailes avec un cliquetis, et l'on dirait, dans la salle du tribunal, l'ange de réserve de la Jurisprudence.

61. *L'idéal des trois traités, ou l'utopie de la vie exacte.*

C'est ainsi que Moosbrugger avait été condamné à mort, et s'il restait une chance que son état mental fût examiné une fois de plus, il ne la devait qu'à l'influence du comte Leinsdorf et à ses sentiments d'amitié pour Ulrich. Toutefois, Ulrich n'avait aucunement l'intention de veiller plus longtemps sur le destin de Moosbrugger. Le décourageant mélange de cruauté et de souffrances qui forme la substance de ces êtres lui était aussi désagréable que le mélange de précision et de négligence qui caractérise les jugements que l'on a coutume de porter sur eux. Il savait très précisément ce qu'il devait penser de Moosbrugger quand il considérait froidement son cas, et quelles mesures on pourrait tenter de prendre en faveur de ces êtres à qui ni la liberté ni la prison ne conviennent, et pour qui les asiles eux-mêmes ne font pas l'affaire. Mais il n'ignorait pas non plus que des milliers d'autres hommes le savent aussi, qu'ils passent leur temps à débattre de tels problèmes, chacun les retournant du côté qui l'intéresse ; il savait que l'État finirait quand même par tuer Moosbrugger, simplement parce que c'est la méthode la plus claire, la plus sûre et la moins coûteuse si l'on tient compte de l'imperfection du monde. Il se peut que s'en arranger ainsi soit brutal, mais il est vrai que les moyens de transport rapides font plus de victimes que tous les tigres de l'Inde ; et la négligence, le manque d'égards et de scrupules qui nous permettent de supporter ce fait sont sans doute ce qui a permis, d'un autre côté, les réussites que l'on ne peut nous dénier.

Cette attitude d'esprit, si perspicace pour les détails et si aveugle pour l'ensemble, trouve son expression la plus significative dans un idéal où l'œuvre d'une vie se réduirait à trois traités. Il est des activités intellectuelles où ce ne sont pas les gros livres, mais les petits traités qui font la fierté d'un homme. Si quelqu'un venait à découvrir, par exemple, que les pierres, dans certaines circonstances restées jusqu'alors inobservées, peuvent parler, il ne lui faudrait que quelques pages pour décrire et expliquer un phénomène aussi révolutionnaire. Les bons sentiments, en revanche, sont un thème sur lequel on peut toujours recommencer à écrire des livres, et ce n'est pas là du tout une simple affaire d'érudition : il s'agit bien d'une méthode grâce à laquelle les plus importants problèmes de la vie restent toujours indéchiffrés. On pourrait classer les activités humaines d'après le nombre de mots nécessaires pour les définir ; plus il en faut, plus ce sera mauvais signe pour elles. Toutes les connaissances qu'il a fallu pour que notre espèce passe des peaux de bêtes à l'aviation, avec toutes leurs preuves et sous leur forme définitive, ne rempliraient guère qu'une petite bibliothèque de poche ; alors qu'un meuble grand comme la terre serait loin de suffire pour accueillir tout le reste, sans même parler de l'interminable discussion qui s'est poursuivie non par la plume, mais par l'épée et les chaînes. On serait tenté de penser que nous menons nos affaires humaines fort peu rationnellement, du moins quand nous n'imitons pas les sciences qui, elles, ont progressé d'une manière si exemplaire.

Ce furent là d'ailleurs réellement l'atmosphère et les dispositions d'une époque (quelques dizaines d'années à peine) à laquelle Ulrich avait eu juste le temps de participer un peu. On pensait alors (cet « on » est une indication volontairement imprécise, car on ne pourrait savoir qui, et combien d'hommes pensaient ainsi, mais c'était néanmoins dans l'air), on pensait alors, donc, qu'il était peut-être possible de vivre exactement. On nous demandera aujourd'hui ce que cela veut dire. La réponse serait sans doute que l'on peut se représenter l'œuvre d'une vie réduite à trois traités, mais aussi bien à trois poèmes ou à trois actions dans lesquelles le pouvoir personnel de création serait poussé à son comble. Ce qui voudrait dire à peu près : se taire quand on n'a rien à dire, ne faire que le strict nécessaire quand on n'a pas de projets particuliers et, chose essentielle, rester indifférent quand on n'a pas le sentiment indescriptible d'être emporté, bras grands ouverts, et soulevé par une vague de la création ! On remarquera que la plus grande part de notre vie psychique serait dès lors interrompue, mais peut-être le mal ne serait-il pas si grand. La thèse qui veut qu'une grande dépense de savon témoigne d'une grande propreté ne sera pas forcément juste en morale, où se révéleront plus justes au contraire les théories modernes selon lesquelles l'obsession de l'hygiène serait le symptôme d'un manque de propreté interne. Ce serait une utile expérience que de limiter une fois au minimum la dépense morale, de quelque espèce qu'elle soit, qui accompagne tous nos actes, et de se contenter de n'être moral que dans les cas exceptionnels où il s'agit vraiment de l'être, en n'accordant à ses actes, dans tous les autres cas, pas plus de réflexion qu'à la normalisation indispensable des vis et des crayons. Sans doute n'en sortirait-il pas beaucoup de bonnes choses, mais quelques-unes de meilleures ; il ne resterait plus de talents, mais le seul génie ; de l'image de la vie disparaîtraient les fades épreuves nées de la pâle ressemblance que les actions ont avec les vertus, et à leur place apparaîtrait l'enivrante unité de ces dernières au cœur de la sainteté. En un mot, il ne resterait de chaque quintal de morale qu'un milligramme d'une essence dont un millionième de milligramme serait encore l'occasion d'une magique béatitude.

On objectera que c'est là pure utopie ! C'en est une, bien entendu. Une utopie, c'est à peu près l'équivalent d'une possibilité ; qu'une possibilité ne soit pas réalité signifie simplement que les circonstances dans lesquelles elle se trouve provisoirement impliquée l'en empêchent, car autrement, elle ne serait qu'une impossibilité ; qu'on la détache maintenant de son contexte et qu'on la développe, elle devient une utopie. Le processus est le même lorsqu'un chercheur observe une modification dans l'un des éléments d'un phénomène complexe, et en tire ses conséquences personnelles ; l'utopie est une expérience dans laquelle on observe la modification possible d'un élément et les conséquences que cette modification entraînerait dans ce phénomène complexe que nous appelons la vie. Que l'élément observé soit l'exactitude même, qu'on l'isole et le laisse se développer, qu'on le considère comme une habitude de pensée et une attitude de vie et qu'on laisse agir sa puissance exemplaire sur tout ce qui entre en contact avec lui, on aboutira alors à un homme en qui s'opère une alliance paradoxale de précision et d'indétermination. Il possède ce sang-froid délibéré, incorruptible, qui est le tempérament même de l'exactitude ; mais au-delà de cette qualité, tout le reste est indéterminé. Des rapports intérieurs fixes, tels qu'ils sont garantis par une morale, ont peu de valeur pour un homme dont l'imagination est orientée vers le changement ; enfin, quand l'exigence d'un accomplissement aussi vaste et aussi précis que possible est transférée du domaine intellectuel à celui des passions, il s'ensuit cette chose étonnante, à quoi l'on a déjà fait allusion, que les passions disparaissent, cédant la place à une bonté qui ressemble au feu originel.

Telle est l'utopie de l'exactitude. On se demandera comment cet homme passera ses journées, puisqu'il ne peut tout de même pas flotter continuellement dans l'extase créatrice et qu'il aura sacrifié le foyer des sensations modérées à quelque imaginaire incendie. Mais cet homme exact, notre époque le connaît ! Homme à l'intérieur de l'homme, il vit non seulement dans le chercheur, mais dans le marchand, l'organisateur, le sportif, le technicien ; encore que ce ne soit pour le moment que dans ces parties essentielles de la journée qu'ils n'appellent pas leur vie, mais leur métier. Cet homme, qui se montre si radical et si dépourvu de préjugés envers toutes choses, ne déteste rien tant que l'idée de se montrer radical envers soi-même, et on ne peut, hélas ! douter qu'il ne considérerait l'utopie de soi-même comme une tentative immorale commise sur une personne occupée d'affaires fort sérieuses.

C'est pourquoi Ulrich, dans la question de savoir s'il faut ou non soumettre au groupe le plus puissant des ouvrages intérieurs tous ses autres ouvrages, en d'autres termes, si l'on peut trouver un but et un sens à ce qui nous arrive ou nous est arrivé, était toujours resté, toute sa vie, assez seul.

62. *La terre même, mais Ulrich en particulier, rend hommage à l'utopie de l'essayisme.*

Considérée comme une attitude humaine, la précision exige aussi un faire et un être précis. Elle pose à l'être et au faire des exigences maxima. Mais il faut noter ici une distinction.

En effet, il n'existe pas seulement une précision imaginaire (qui d'ailleurs, dans la réalité, n'existe encore nullement), mais une précision pédante, et ces deux espèces de précisions se distinguent en ceci que l'imaginaire s'en tient aux faits et la pédante à des créations de l'imagination. Par exemple, la précision avec laquelle l'esprit singulier de Moosbrugger avait été introduit dans un système de notions juridiques vieilles de deux mille ans ressemblait aux efforts pédants que fait un fou pour embrocher sur une épingle un oiseau en plein vol : sans le moindre souci des faits, elle s'attachait uniquement à la notion imaginaire de loi. En revanche, la précision dont faisaient preuve les psychiatres dans leur attitude à l'égard de l'importante question de savoir si l'on pouvait ou non condamner Moosbrugger à mort, était parfaitement exacte, car tout ce qu'ils osaient dire était que sa description clinique ne correspondait exactement à aucune description clinique connue, abandonnant aux juristes la décision. L'image qu'offrait alors le tribunal était celle même de la vie ; tous les hommes vraiment vivants, qui jugeraient complètement exclu de se servir d'une voiture vieille de plus de cinq ans ou de faire soigner une maladie selon des principes qui prévalaient pourtant dix ans plus tôt ; tous ceux qui, de plus, consacrent tout leur temps, volontairement et involontairement, à encourager ces nouvelles inventions, et sont si fiers de rationaliser tout ce qu'ils touchent, ces hommes-là préfèrent abandonner les questions de beauté, de justice, d'amour et de foi, bref tous les grands problèmes humains, dans la mesure où leurs intérêts n'y sont pas en jeu, à leurs femmes, et, quand celles-ci n'y suffisent pas, à une sous-espèce d'hommes qui évoquent pour eux, dans des tournures millénaires, le calice et le glaive de la vie, cependant qu'ils les écoutent avec frivolité, scepticisme et contrariété, sans croire un mot de ce qu'ils disent et sans penser même à la possibilité qu'il y aurait d'y changer enfin quelque chose. Il existe donc en réalité deux conceptions qui non seulement se combattent, mais encore subsistent ordinairement côte à côte, ce qui est pire, sans échanger un mot, sinon pour s'assurer réciproquement qu'elles sont toutes deux également souhaitables, chacune dans son rayon. L'une se contente d'être exacte et s'en tient aux faits ; l'autre ne s'en contente pas, mais considère toujours l'Ensemble et déduit ses connaissances des prétendues grandes vérités éternelles. L'une y gagne en réussite, l'autre en ampleur et en dignité. Il est clair qu'un pessimiste pourrait dire aussi bien que les résultats de l'une n'ont aucune valeur et que ceux de l'autre sont faux. Que pourra-t-on bien faire en effet, au jour du Jugement dernier, quand seront pesées les œuvres humaines, de trois traités sur l'acide formique, ou même de trente, s'il le fallait ? D'autre part, que peut-on savoir du Jugement dernier si l'on ne sait même pas tout ce qui peut sortir d'ici là de l'acide formique ?

C'est entre les deux pôles de ce Ni... Ni que l'évolution oscillait, lorsqu'il y avait un peu plus de dix-huit ans et pas encore vingt siècles que l'humanité avait appris pour la première fois qu'elle affronterait à la fin des temps ce tribunal spirituel. L'expérience nous apprend qu'en de tels cas, à une certaine orientation succède immanquablement l'orientation opposée. Bien qu'il soit pensable, et souhaitable, qu'un tel renversement s'accomplisse à la manière d'un pas de vis qui s'élève un peu plus à chaque changement de direction, en fait, pour des raisons inconnues, il est rare que l'évolution y gagne davantage que les détours et les destructions ne lui font perdre. Le Dr Paul Arnheim avait donc raison lorsqu'il disait à Ulrich que l'histoire universelle n'autorisait jamais d'événement négatif ; l'histoire universelle est optimiste : toujours enthousiaste pour prendre un parti, et ne prenant jamais qu'ensuite le parti contraire ! C'est ainsi qu'aux premiers rêves d'exactitude ne succéda nullement une tentative de réalisation, mais qu'on les abandonna au prosaïsme des ingénieurs et des savants pour se retourner une fois de plus vers les conceptions plus amples et plus dignes.

Ulrich se rappelait encore très bien comment l'incertitude avait retrouvé son crédit. On avait pu lire de plus en plus souvent des déclarations dans lesquelles des gens qui exercent un métier assez incertain, des poètes, des critiques, des femmes, ou ceux dont la vocation est de former la « nouvelle génération », se plaignaient de ce que la science pure fût un poison qui dissolvait les grandes œuvres de l'homme sans pouvoir les recomposer, et en appelaient à une nouvelle foi, à un retour aux sources intérieures, à un renouveau spirituel ou autres chansons du même genre. Naïvement, il avait commencé par penser que c'étaient là des gens qui s'étaient blessés en faisant du cheval et maintenant, clopinant, réclamaient à grands cris qu'on les oignît d'âme ; mais il dut reconnaître peu à peu que cet appel réitéré qui lui avait paru d'abord si comique trouvait partout de vastes échos ; la science commençait à se démoder, et le type d'homme indéfini qui domine notre époque avait commencé à s'imposer.

Ulrich s'était refusé à prendre la chose au sérieux, et il continua à développer à sa manière ses dispositions intellectuelles.

Du tout début de la jeunesse, de ces temps où elle commence à prendre conscience d'elle-même et qu'il est souvent si touchant, si bouleversant de retrouver plus tard, il lui restait encore en mémoire toutes sortes d'imaginations naguère aimées, entre autres l'idée de « vivre hypothétiquement ». Ces deux mots continuaient à évoquer maintenant le courage et l'ignorance involontaire de la vie, le temps où chaque pas est une aventure privée de l'appui de l'expérience, le désir de grandeur dans les rapports et ce souffle de révocabilité que ressent un jeune homme lorsqu'il entre dans la vie en hésitant. Ulrich pensait qu'il n'y avait réellement rien à y reprendre. Le sentiment passionnant d'être élu pour quelque chose, quoi que ce soit, voilà la seule chose belle et certaine qu'il y ait en celui dont le regard mesure pour la première fois le monde. S'il contrôle ses émotions, il n'est rien à quoi il puisse dire oui sans réserve ; il cherche la bien-aimée possible, mais il ne sait pas si c'est la bonne ; il est en mesure de tuer sans être certain qu'il doit le faire. Le désir qu'a sa propre nature d'évoluer l'empêche de croire à l'accompli ; mais tout ce qui vient à lui fait comme s'il l'était déjà. Il pressent que cet ordre n'est pas aussi stable qu'il prétend l'être ; aucun objet, aucune personne, aucune forme, aucun principe ne sont sûrs, tout est emporté dans une métamorphose invisible, mais jamais interrompue, il y a plus d'avenir dans l'instable que dans le stable, et le présent n'est qu'une hypothèse que l'on n'a pas encore dépassée. Que pourrait-il donc faire de mieux que de garder sa liberté à l'égard du monde, dans le bon sens du terme, comme un savant sait rester libre à l'égard des faits qui voudraient l'induire à croire trop précipitamment en eux ? C'est pourquoi il hésite à devenir quelque chose ; un caractère, une profession, un mode de vie défini, ce sont là des représentations où perce déjà le squelette qui sera tout ce qui restera de lui pour finir. Il cherche à se comprendre autrement ; avec cet appétit qu'il a de tout ce qui pourrait l'enrichir intérieurement (serait-ce même au-delà des limites de la morale ou de la pensée), il a l'impression d'être un pas, libre d'aller dans toutes les directions, mais qui va toujours d'un point d'équilibre au suivant, et toujours en avançant. Et s'il pense, un beau jour, avoir eu l'idée juste, il s'aperçoit qu'une goutte d'une incandescence indicible est tombée dans le monde, et que la terre, à sa lueur, a changé d'aspect.

Plus tard, quand sa puissance intellectuelle eut augmenté,

Ulrich en tira une idée qu'il n'attacha plus désormais au mot trop incertain d'hypothèse, mais, pour des raisons bien précises, à la notion caractéristique d'essai. Un peu comme un essai, dans la succession de ses paragraphes, considère de nombreux aspects d'un objet sans vouloir le saisir dans son ensemble (car un objet saisi dans son ensemble en perd d'un coup son étendue et se change en concept), il pensait pouvoir considérer et traiter le monde, ainsi que sa propre vie, avec plus de justesse qu'autrement. La valeur d'une action ou d'une qualité, leur essence et leur nature mêmes lui paraissaient dépendre des circonstances qui les entouraient, des fins qu'elles servaient, en un mot, de l'ensemble variable dont elles faisaient partie. C'est là, d'ailleurs, la description tout à fait banale du fait qu'un meurtre peut nous apparaître comme un crime ou comme un acte d'héroïsme, et l'heure de l'amour comme la plume tombée de l'aile d'un ange ou de celle d'une oie. Ulrich la généralisait. Tous les événements moraux avaient lieu à l'intérieur d'un champ de forces dont la constellation les chargeait de sens, et contenaient le bien et le mal comme un atome contient ses possibilités de combinaisons chimiques. Ils étaient, pour ainsi dire, cela même qu'ils devenaient, et de même que le mot « blanc » définit trois entités toutes différentes selon que la blancheur est en relation avec la nuit, les armes ou les fleurs, tous les événements moraux lui paraissaient être, dans leur signification, fonction d'autres événements. De la sorte naissait un système infini de rapports dans lequel on n'eût plus trouvé une seule de ces significations indépendantes telles que la vie ordinaire en accorde, dans une première et grossière approximation, aux actions et aux qualités ; dans ce système, ce qui avait l'apparence de la stabilité devenait le prétexte poreux de mille autres significations, ce qui se passait devenait le symbole de ce qui peut-être ne se passait pas, mais était deviné au travers, et l'homme conçu comme le résumé de ses possibilités, l'homme potentiel, le poème non écrit de la vie s'opposait à l'homme copie, à l'homme réalité, à l'homme caractère. Au fond, dans cette conception, Ulrich se sentait capable de toutes les vertus comme de toutes les bassesses ; le fait que les vertus et les vices, dans une société équilibrée, sont ressentis généralement, quoique secrètement, comme également fâcheux, était pour lui la preuve de ce qui se produit partout dans la nature, à savoir que tout système de forces tend peu à peu à une valeur, à un état moyen, à un compromis et à une pétrification. La morale au sens ordinaire du mot n'était plus pour Ulrich que la forme sénile d'un système de forces que l'on ne saurait, sans une réelle perte de force éthique, confondre avec la véritable morale.

Peut-être ces conceptions trahissaient-elles aussi une sorte d'incertitude devant la vie ; mais l'incertitude n'est quelquefois que le refus des certitudes et des sécurités ordinaires, et l'on est d'ailleurs en droit de rappeler que même une personne d'expérience comme l'Humanité semble se conformer à des principes analogues. Elle révoque à la longue tout ce qu'elle a fait pour le remplacer par autre chose ; pour elle aussi, avec le temps, les crimes se transforment en vertus et inversement, elle bâtit à coups d'événements de grandes architectures intellectuelles qu'elle laisse après quelques générations s'écrouler ; la seule différence est que cela se produit successivement au lieu de se produire dans l'unité d'un sentiment individuel, et l'on ne voit dans la chaîne de ses tentatives aucun progrès, alors que le devoir d'un essayiste conscient serait, en gros, de transformer cette négligence en volonté. L'orientation de mainte évolution intellectuelle laisse prévoir que cette métamorphose pourrait n'être plus très lointaine. La laborantine d'hôpital, tout de blanc vêtue comme une fleur, qui broie dans un petit plat de porcelaine blanche les matières d'un patient afin d'en tirer, avec la collaboration de quelque acide, un frottis pourpre dont la juste coloration sera le prix de son attention, se trouve déjà, même si elle ne s'en doute pas, dans un monde plus transformable que la jeune dame qui frémit devant le même objet aperçu dans la rue. Le criminel entré dans le champ magnifique de son acte n'est plus qu'un nageur contraint de suivre un courant irrésistible, et toute mère dont l'enfant a été emporté par un tel courant le sait bien ; simplement, jusqu'ici, on ne le croyait pas, parce qu'on n'avait pas de place pour cette croyance. Les psychiatres appellent la grande gaieté « euphorie » ou, en allemand, « dépression gaie », comme s'il s'agissait d'un gai malaise, et ils ont montré que tous les paroxysmes, ceux de la chasteté comme ceux de la sensualité, ceux du scrupule comme ceux de la frivolité, ceux de la cruauté comme ceux de la compassion, débouchent dans le pathologique. L'idée de la vie saine aurait dès lors bien peu de sens, si elle n'avait pour but qu'un compromis entre deux excès ! Et son idéal serait bien mesquin s'il n'était réellement que le refus d'exagérer ses idéaux ! De telles constatations nous conduisent donc à ne plus voir dans la norme morale l'immobilité figée d'un règlement, mais un mouvant équilibre qui exige à tout instant que l'on travaille à le renouveler. On commence à considérer de plus en plus souvent comme le fait d'un esprit borné d'assigner pour caractère à un homme une tendance à la répétition acquise involontairement, pour rendre ensuite son caractère responsable de ces mêmes répétitions. On apprend à reconnaître quels échanges se font entre le dedans et le dehors, et c'est précisément par la compréhension de ce qu'il y a d'impersonnel dans l'homme qu'on a fait de nouvelles découvertes sur la personnalité, sur certains types de comportement fondamentaux, sur l'instinct de la construction du Moi qui, comme l'instinct de la construction du nid chez les oiseaux, bâtit son Moi de toute espèce de matériaux, selon une ou deux méthodes toujours identiques. On est même déjà si près de pouvoir endiguer, grâce à des influences définies, toute sorte d'états de dégénérescence comme on endigue un torrent, que seule une négligence sociale ou un reste de maladresse peuvent expliquer qu'on n'arrive pas encore à transformer à temps un criminel en archange. On pourrait citer ainsi beaucoup d'autres exemples, des faits dispersés, pas encore collationnés, qui, pris tous ensemble, nous font éprouver à la fois une lassitude à l'égard des approximations grossières nées pour être appliquées dans des conditions plus simples, et le besoin de transformer dans ses fondements mêmes une morale qui depuis deux mille ans ne s'est jamais adaptée au changement du goût que dans ses détails, et de l'échanger une bonne fois contre une autre, épousant plus étroitement la mobilité des faits.

La conviction d'Ulrich était qu'il ne manquait vraiment plus que la formule : cette expression qui doit, en quelque moment fortuné, trouver le but d'un mouvement avant même qu'il ne soit atteint, afin que les derniers mètres du trajet puissent être courus ; c'est toujours une expression hasardeuse que l'état de choses contemporain ne justifiera pas, une combinaison d'exact et d'inexact, de précision et de passion. Mais, dans les années mêmes qui auraient dû le stimuler, Ulrich avait fait une curieuse expérience.

Il n'était pas philosophe. Les philosophes sont des violents qui, faute d'armée à leur disposition, se soumettent le monde en l'enfermant dans un système. Probablement est-ce aussi la raison pour laquelle les époques de tyrannie ont vu naître de grandes figures philosophiques, alors que les époques de démocratie et de civilisation avancée ne réussissent pas à produire une seule philosophie convaincante, du moins dans la mesure où l'on en peut juger par les regrets que l'on entend communément exprimer sur ce point. C'est pourquoi la philosophie au détail est pratiquée aujourd'hui en si terrifiante abondance qu'il n'est plus guère que les magasins où l'on puisse recevoir quelque chose sans conception du monde par-dessus le marché, alors qu'il règne à l'égard de la philosophie en gros une méfiance marquée. On la tient même carrément pour impossible. Ulrich lui-même n'était nullement exempt de ce préjugé, et ses expériences scientifiques le rendaient un peu moqueur à l'égard des métaphysiques. C'était cela qui commandait son attitude, de sorte que, perpétuellement requis de réfléchir par ce qu'il voyait, il était toujours retenu par une certaine crainte de penser trop. Mais un autre élément déterminait son attitude : il y avait quelque chose, dans la nature d'Ulrich, qui agissait d'une manière distraite, paralysante, désarmante, contre la systématisation logique, contre la volonté univoque, contre les poussées trop nettement orientées de l'ambition, et ce quelque chose se rattachait aussi à ce mot d'essayisme choisi naguère, bien que cela contînt précisément les éléments qu'il avait exclus peu à peu, avec un soin inconscient, de cette notion. La traduction du mot français « essai » par le mot allemand *Versuch*, telle qu'on l'admet généralement, ne respecte pas suffisamment l'allusion essentielle au modèle littéraire ; un essai n'est pas l'expression provisoire ou accessoire d'une conviction qu'une meilleure occasion permettrait d'élever au rang de vérité, mais qui pourrait tout aussi bien se révéler erreur (à cette espèce n'appartiennent que les articles et traités dont les doctes nous favorisent comme des « déchets de leur atelier ») ; un essai est la forme unique et inaltérable qu'une pensée décisive fait prendre à la vie intérieure d'un homme. Rien n'est plus étranger à l'essai que l'irresponsabilité et l'inachèvement des inspirations qui relèvent de la subjectivité ; pourtant les notions de « vérité » et d'« erreur », d'« intelligence » ou de « sottise » ne sont pas applicables à ces pensées soumises à des lois non moins strictes qu'apparemment subtiles et ineffables. Assez nombreux furent ces essayistes-là, ces maîtres du flottement intérieur de la vie ; il n'y aurait aucun intérêt à les nommer ; leur domaine se situe entre la religion et le savoir, entre l'exemple et la doctrine, entre l'*amor intellectualis* et le poème ; ce sont des saints avec ou sans religion et parfois aussi, simplement, des hommes égarés dans telle ou telle aventure.

D'ailleurs, rien n'est plus révélateur que l'expérience involontaire de ces tentatives, érudites et raisonnables, pour expliquer l'œuvre de ces grands essayistes, pour transformer leur sens de la vie, tel qu'ils l'exposent, en une théorie de la vie, et pour trouver un « contenu » à ce mouvement d'esprits émus ; de tout cela, il ne reste guère plus alors que la délicate architecture de couleurs d'une méduse après qu'on l'a tirée de l'eau et déposée sur le sable. Dans la raison des non-inspirés, la doctrine des inspirés tombe en poussière, contradictions et non-sens ; pourtant, il ne faut pas dire qu'elle est délicate et incapable de vivre, ou alors il faudrait dire aussi d'un éléphant qu'il est délicat, puisqu'il ne peut subsister dans un espace privé d'air et qui ne répond pas aux exigences de sa nature. Il serait tout à fait déplorable que ces descriptions évoquent un mystère, ou ne fût-ce qu'une musique où dominent les notes de la harpe et le soupir des *glissandi.* C'est le contraire qui est vrai, et la question fondamentale, Ulrich ne se la posait pas seulement sous la forme de pressentiments, mais aussi, tout à fait prosaïquement, sous la forme suivante : un homme qui cherche la vérité se fait savant ; un homme qui veut laisser sa subjectivité s'épanouir devient, peut-être, écrivain ; mais que doit faire un homme qui cherche quelque chose situé entre deux ?

De ce qui est ainsi « entre deux », toute sentence morale nous peut donner un exemple, même la plus simple et la plus connue, comme : Tu ne tueras point. On voit au premier coup d'œil que ce n'est là ni une vérité, ni une constatation subjective. On sait qu'à bien des égards, nous nous y conformons strictement, mais que, à d'autres égards, certaines exceptions sont admises, très nombreuses même, et pourtant précisément définies. Mais il existe un très grand nombre de cas d'une troisième espèce, par exemple dans nos rêveries, nos désirs, dans les pièces de théâtre ou dans le plaisir que l'on prend à lire les nouvelles des journaux ; nous y errons de la manière la moins réglementée qui soit entre la répulsion et l'attirance. On nomme parfois exigence ce qui n'est ni une vérité ni une constatation purement subjective. On a rattaché cette exigence aux dogmes de la religion et de la loi, on lui a donné le caractère d'une vérité dérivée, mais les romanciers, en nous en présentant les exceptions, depuis le sacrifice d'Abraham jusqu'à la dernière vamp meurtrière de son amant, la réduisent de nouveau en pure subjectivité. Ainsi donc, ou bien on s'accroche aux pieux, ou bien on se laisse ballotter par la lame entre deux ; mais dans quel sentiment ? Le sentiment qu'éprouve l'être humain pour ce précepte du Décalogue est un mélange d'obéissance bornée (y compris la « saine nature » qui se hérisse à la seule idée d'un tel acte, mais qui le commettra néanmoins pour peu qu'elle ait été légèrement détraquée par l'alcool ou la passion), et un barbotement inconscient dans une houle de possibles. N'y a-t-il vraiment pas d'autre manière de comprendre ce commandement ? Ulrich sentait qu'un homme qui désirerait de toute son âme un certain acte, ne saurait ainsi ni s'il doit le commettre, ni s'il doit s'en abstenir. Pourtant, il pressentait qu'on devait pouvoir, de tout son être, le commettre ou non. Ni les inspirations ni les interdictions ne lui plaisaient. Le rattachement de toutes choses à une loi supérieure ou intérieure à l'homme éveillait son esprit critique. Davantage même : à ses yeux, c'était dévaluer un instant de certitude que de vouloir à tout prix lui donner une généalogie. Dans tout cela, son cœur restait muet, et sa tête seule parlait ; il devinait qu'il devait y avoir un moyen de faire coïncider sa décision et son bonheur. Il pourrait être heureux parce qu'il ne tuerait pas, ou parce qu'il tuerait, mais jamais il ne pourrait être l'exécuteur indifférent d'un ordre qu'on lui aurait donné. Ce qu'il éprouvait à ce moment-là, ce n'était pas de recevoir un ordre, mais d'entrer dans un ordre ; il comprenait que dans cet ordre neuf, tout était déjà décidé, et les sens apaisés comme par le lait maternel. Ce qui lui soufflait cela, ce n'était plus la pensée, ce n'était pas non plus le sentiment à sa manière habituelle, fragmentaire ; c'était une « compréhension totale ». Et puis, de nouveau, ce n'était plus qu'une nouvelle apportée de très loin par le vent : elle ne lui semblait ni vraie ni fausse, ni raisonnable ni déraisonnable, elle le saisissait, comme si quelque légère et bienheureuse exagération était entrée doucement dans son cœur.

Pas plus qu'on ne peut faire des parties authentiques d'un essai une seule vérité, on ne peut tirer d'un tel état une conviction ; du moins pas sans devoir aussitôt l'abandonner, comme un amant doit sortir de son amour pour le décrire. L'émotion sans limites qui ébranlait parfois Ulrich sans le faire agir pour autant, contredisait son besoin d'activité, son désir de limite et de forme. Sans doute est-il juste et naturel que l'on veuille savoir avant de laisser la parole au sentiment. Sans le vouloir, il s'imaginait que ce qu'il désirait trouver un jour, bien que ce ne dût pas être « la » vérité, ne lui céderait rien sous le rapport de la stabilité ; mais dans son cas particulier, cette attente le faisait ressembler à un homme qui, dans le temps même où il se procure tout un équipement, perd peu à peu le goût de s'en servir. A quelque moment qu'on lui eût demandé, lorsqu'il travaillait à ses traités mathématiques ou logico-mathématiques ou s'occupait de sciences naturelles, quel but il avait présent à l'esprit, il eût toujours répondu qu'un seul problème méritait réellement qu'on y pensât, celui de la vie juste. Mais quand on élève une prétention très longtemps sans que rien ne se passe, le cerveau s'endort exactement comme s'endort le bras qui doit tenir quelque chose en l'air pendant des heures ; et nos pensées ne peuvent pas plus rester perpétuellement debout que les soldats à la parade, en été ; quand elles doivent trop attendre, elles perdent connaissance et s'écroulent. Comme Ulrich avait achevé l'esquisse de sa philosophie aux environs de sa vingt-sixième année, arrivé dans sa trente-deuxième, il ne la trouvait plus tout à fait sincère. Il n'avait pas continué à développer ses pensées, et, à part un vague sentiment de tension pareil à celui que l'on éprouve quand on attend quelque chose les yeux fermés, on ne lui avait pas vu beaucoup d'émotions personnelles depuis les jours des premières tremblantes découvertes. Néanmoins, c'était probablement un mouvement souterrain de ce genre qui le freinait dans son travail scientifique et l'empêchait d'y consacrer toute sa force de volonté. Cela créa en lui un curieux schisme. On ne doit pas oublier que l'attitude exacte est, au fond, plus religieuse que l'attitude esthétique ; car elle se soumettrait à « Lui » pour peu qu'Il daignât se montrer à elle dans les conditions qu'elle exige pour reconnaître Son caractère de fait, alors que nos beaux esprits, s'Il se manifestait, trouveraient seulement que Son talent n'est pas suffisamment original, Sa vision du monde pas suffisamment intelligible pour qu'ils puissent Le placer au même niveau que certaines personnalités douées d'un génie réellement divin. Ulrich n'aurait donc pu s'abandonner à de vagues pressentiments aussi facilement qu'un quelconque bel esprit ; mais il ne pouvait pas davantage se dissimuler qu'en vivant pendant des années dans l'exactitude pure il avait simplement vécu contre lui-même et il souhaitait que quelque chose d'imprévu lui arrivât ; lorsqu'il se décida à ce qu'il appelait un peu railleusement son « congé de la vie », il ne possédait rien dans l'une comme dans l'autre direction qui lui donnât la paix du cœur.

Peut-être pourrait-on alléguer à sa décharge que, dans certaines années, la vie passe incroyablement vite. Mais le jour où l'on doit commencer à vivre sa dernière volonté précède de beaucoup celui où l'on devra en léguer le restant, et ne peut être différé. Ce fait était devenu pour Ulrich d'une menaçante clarté depuis qu'une moitié d'année ou presque s'était écoulée sans que rien changeât. Tandis qu'il se laissait porter de-ci de-là au sein de la petite activité stupide dont il s'était chargé, parlant, aimant à trop parler, vivant avec l'obstination désespérée d'un pêcheur qui plonge ses filets dans un fleuve vide, tandis qu'il ne faisait rien qui correspondît à la personne que malgré tout il représentait, et qu'intentionnellement il ne faisait rien, il attendait. Il attendait derrière sa personne, dans la mesure où ce terme définit la partie de l'homme qui se laisse former par le monde extérieur et le cours de la vie, et son tranquille désespoir, endigué derrière, montait chaque jour un peu plus haut. Il traversait la pire calamité de sa vie et se méprisait pour ses omissions. Les grandes épreuves sont-elles le privilège des grandes natures ? Il eût aimé le croire, mais ce n'est pas exact, car les nerveux les plus communs ont aussi leurs crises. Dans ce profond ébranlement, il ne lui restait donc plus rien que ce noyau inébranlable que possèdent tous les héros et tous les criminels : ce n'est pas du courage, ce n'est pas de la volonté, ce n'est pas de l'assurance, ce n'est que le pouvoir tenace de s'accrocher à soi-même, pouvoir qu'il est aussi difficile d'extirper de soi que la vie du corps d'un chat, même quand il est déjà complètement déchiqueté par les chiens.

Si l'on veut se représenter comment vit un tel homme lorsqu'il se retrouve seul, tout ce qu'on peut raconter est que les vitres illuminées de ses fenêtres, la nuit, semblent observer sa chambre, et les pensées, après usage, se tiennent assises en rond tout autour de la pièce comme les clients dans la salle d'attente d'un avocat dont ils ne sont pas satisfaits. Ou peut-être qu'Ulrich, une de ces nuits-là, ouvrit les fenêtres et regarda les troncs d'arbre, glabres comme des serpents, leurs sinuosités étrangement noires et polies entre la couche de neige de leurs cimes et celle du sol, et ressentit brusquement le désir de descendre, tel qu'il était, en pyjama dans le jardin ; il voulait sentir le froid dans ses cheveux. Lorsqu'il fut en bas, il éteignit la lumière pour ne pas se trouver devant la porte éclairée ; son bureau seul faisait avancer dans l'ombre une toiture de lumière. Une allée menait à la grille du portail qui donnait sur la rue, une autre la croisait, obscurément visible. Ulrich s'avança longuement sur celle-ci. Alors, l'obscurité qui s'élevait entre les couronnes des arbres lui rappela soudain, fantastiquement, la silhouette gigantesque de Moosbrugger, et les arbres nus lui apparurent curieusement corporels ; répugnants, mouillés comme des vers, et pourtant tels qu'on eût voulu les étreindre et s'affaisser à leur pied, le visage baigné de larmes. Mais il ne le fit pas. La sentimentalité de son émotion le repoussa dans le même temps qu'elle l'atteignait. A travers l'écume laiteuse du brouillard passaient à cet instant devant la grille du jardin des piétons attardés, et ils l'auraient sans doute pris pour un fou s'ils avaient vu comment sa silhouette, dans son pyjama rouge entre les troncs noirs, maintenant se détachait des arbres. Il reprit l'allée d'un pas ferme et regagna sa maison, relativement satisfait : car si quelque chose était pour lui en réserve, ce devait être assurément d'un tout autre ordre.

63. *Bonadea a une vision.*

Quand Ulrich, le matin qui suivit cette nuit, se leva, fort tard et très abattu, on vint lui annoncer la visite de Bonadea ; c'était la première fois, depuis leur brouille, qu'ils devaient se revoir.

Dans la période de la séparation, Bonadea avait beaucoup pleuré. Durant toute cette période, elle s'était souvent sentie frustrée. Souvent elle avait roulé, comme roule un tambour sous le crêpe. Elle avait eu mainte aventure, mainte déception. Et bien que le souvenir d'Ulrich, à chaque aventure nouvelle, sombrât dans un puits profond, à chaque déception il en resurgissait ; impuissant, mais chargé de reproches comme la souffrance sur un visage d'enfant abandonné. Cent fois déjà, en secret, Bonadea avait demandé à son ami de lui pardonner sa jalousie, de « punir sa vilaine fierté », comme elle disait, enfin, elle se résolut à lui proposer l'armistice.

Elle était délicieuse, belle, mélancolique, assise là devant lui, l'estomac lourd. Il était debout devant elle « comme un jeune homme ». Les grands événements et la diplomatie dont elle le croyait capable avaient donné à sa peau la patine du marbre. Jamais encore elle n'avait remarqué l'air énergique et résolu de son visage. Elle aurait volontiers capitulé sans conditions, mais n'osait pas aller si loin, et lui ne semblait nullement songer à l'y inviter. Cette froideur était d'une tristesse indicible pour elle, mais avec la grandeur des statues. Bonadea, tout soudain, s'empara de la main d'Ulrich qui pendait et la baisa. Pensivement, il lui caressa les cheveux. Les jambes de Bonadea, le plus fémininement du monde, faiblirent, elle faillit tomber à genoux. Alors, Ulrich la repoussa doucement sur sa chaise, apporta du whisky et alluma un cigarette.

« Une dame ne boit jamais de whisky le matin ! » protesta Bonadea. Un instant elle retrouva la force d'être offensée, le cœur lui monta à la tête, il lui semblait en effet qu'il y eût, dans la façon toute naturelle dont Ulrich lui avait offert une boisson si forte et, pensait-elle, si licencieuse, quelque indélicate allusion.

Mais Ulrich dit, aimablement : « Cela te fera du bien ; toutes les femmes qui ont fait de la haute politique buvaient du whisky. » Bonadea avait dit en effet, pour rentrer en grâce auprès d'Ulrich, qu'elle avait la plus vive admiration pour la grande Action patriotique, et souhaitait y apporter sa contribution.

Tel était son plan. Elle croyait toujours plusieurs choses à la fois, et ses demi-vérités lui facilitaient le mensonge.

Le whisky était de l'or fluide et réchauffait comme un soleil de mai.

Bonadea croyait avoir soixante-dix ans et être assise sur un banc de jardin devant la maison. Elle vieillissait. Ses enfants grandissaient. L'aîné avait déjà douze ans. C'était une honte, sans nul doute, de suivre dans son appartement un homme qu'on ne connaissait même pas très bien, simplement parce qu'il avait des yeux avec lesquels il vous regardait comme vous regarde un homme derrière une fenêtre. On distingue fort bien en cet homme, songeait-elle, des détails qui déplaisent, et qui pourraient vous mettre en garde ; en vérité (si seulement quelque chose, en ces moments-là, vous retenait !), envahie par la honte, peut-être même enflammée de colère, on pourrait briser là ; mais on ne le fait pas, et cet homme, entrant toujours plus passionnément dans la peau de son personnage, grandit. Soi-même, alors, on a tout à fait l'impression d'être une coulisse de théâtre éclairée à la lumière artificielle ; ce sont des jeux de scène, une moustache de scène, ce sont des boutons de costume, s'ouvrant tout seuls, qu'on a devant soi, et les instants qui séparent l'entrée dans la chambre de l'effroyable premier mouvement du sang-froid retrouvé se déroulent dans une conscience qui est sortie de votre tête et a tendu les parois de la pièce d'une tapisserie de chimères. Bonadea n'usait pas tout à fait des mêmes mots, en réalité elle ne pensait que partiellement en mots, mais, tandis qu'elle s'efforçait de se représenter la chose, elle se sentit très vite exposée de nouveau à cette altération de la conscience. « Celui qui réussirait à décrire cela serait un grand artiste ; non ! ce serait un pornographe ! » songea-t-elle tout en considérant Ulrich. Même dans ces états-là, elle n'oubliait pas un instant ses bons principes et sa ferme volonté de décence ; ils restaient alors au-dehors, ils attendaient ; simplement, ils n'avaient pas leur place dans ce monde transformé par les désirs. Le retour de la raison, chez Bonadea, était son plus affreux tourment. L'altération de la conscience par l'ivresse sexuelle, sur quoi les autres gens, la jugeant chose naturelle, ne s'attardent pas, prenait chez elle, par la profondeur et la soudaineté de l'ivresse comme aussi bien du remords, une intensité qui l'oppressait dès qu'elle avait réintégré la paix familiale. Elle se faisait alors l'effet d'une aliénée. C'est à peine si elle osait encore lever les yeux sur ses enfants, dans la crainte que son regard corrompu ne les contaminât. Elle tressaillait quand son mari la considérait avec plus d'affection que de coutume, et elle redoutait les relâchements de l'intimité. C'est pourquoi le projet avait mûri en elle, dans les semaines de la séparation, de n'avoir plus d'autre amant qu'Ulrich ; il devait lui servir de soutien et la protéger de tous autres égarements. « Comment ai-je pu seulement me permettre de le blâmer, pensait-elle maintenant qu'elle se retrouvait pour la première fois assise en face de lui, il est tellement plus parfait que moi. » Elle lui faisait un mérite de ce qu'elle avait été, dans le temps de ses étreintes, un être meilleur, et elle songeait aussi, sans nul doute, qu'il serait bien obligé de l'introduire, à la prochaine manifestation de charité, dans le cercle de ses nouvelles relations. Bonadea prêta silencieusement son serment au drapeau, des larmes d'émotion emplirent ses yeux, tandis qu'elle pesait tout cela dans son cœur.

Ulrich achevait son whisky avec la lenteur d'un homme qui doit s'encourager à une décision grave. Pour le moment, il n'était pas encore possible de l'introduire chez Diotime, déclara-t-il.

Bonadea, bien entendu, voulut qu'on lui expliquât exactement pourquoi ce n'était pas possible ; puis elle désira savoir exactement à quel moment cela le deviendrait.

Ulrich dut lui expliquer qu'elle ne s'était signalée encore ni dans les arts, ni dans les sciences, ni dans la bienfaisance ; il faudrait donc beaucoup de temps avant qu'il pût faire comprendre à Diotime la nécessité de sa collaboration.

Or, entre-temps, Bonadea s'était mise à éprouver de curieux sentiments à l'égard de Diotime. Elle avait suffisamment entendu parler de ses vertus pour n'être pas jalouse ; elle enviait, elle admirait bien plutôt une femme capable de s'attacher son amant sans lui faire aucune concession inconvenante. Elle attribuait à cette influence la sérénité de statue qu'elle croyait remarquer chez Ulrich. Elle se traitait, elle-même, de « passionnée », par quoi elle voulait exprimer à la fois son déshonneur et la très honorable excuse qu'elle en avait ; mais elle admirait les femmes froides avec les sentiments mêmes du malheureux possesseur de mains moites lorsqu'il touche une main particulièrement belle et sèche. « C'est elle, se dit Bonadea, c'est elle qui l'a transformé ainsi ! » Ce fut un âpre taraud dans son cœur, un doux taraud dans ses genoux : ces deux tarauds tournant ensemble en sens contraire faillirent lui enlever tous ses moyens quand elle s'aperçut qu'Ulrich lui résistait. Alors, elle joua son dernier atout : Moosbrugger.

Une pénible méditation lui avait fait comprendre qu'Ulrich nourrissait une étrange prédilection pour cette inquiétante figure. Elle-même repoussait avec horreur la « sensualité grossière » que trahissaient, selon sa conviction intime, tous les actes de Moosbrugger ; dans cette question, mais sans en rien savoir bien sûr, elle réagissait exactement comme les prostituées qui, sans la moindre hésitation, moins romantiques que le bourgeois, ne voient dans un crime sadique qu'une atteinte à leur profession. Mais, ses inévitables manquements compris, elle avait besoin d'un monde vrai, d'un monde en ordre, et Moosbrugger devait l'aider à le restaurer. Comme Ulrich avait un faible pour lui, et elle un mari juge, capable de donner tous renseignements utiles, dans le délaissement où elle était, l'idée avait mûri toute seule d'unir sa faiblesse, par l'entremise de son époux, à celle d'Ulrich ; et ce rêve impatient était aussi chargé de consolations que la bénédiction de la loi sur les sens. Lorsqu'elle aborda ce sujet avec son époux, celui-ci s'étonna de cette brusque ardeur juridique, encore qu'il sût avec quelle facilité elle s'enthousiasmait pour le Beau et le Bon ; comme, s'il était juge, il était aussi chasseur, il lui répondit, et c'était gentiment l'éconduire, que la seule chose à faire était d'exterminer ces bêtes nuisibles sans plus de sentimentalisme ; ses informations en restèrent là. D'une seconde tentative qu'elle fit quelque temps après, Bonadea ne retira que cet avis supplémentaire : qu'on tenait l'accouchement pour une histoire de femmes, mais que tuer était l'affaire des hommes ; et comme il ne fallait pas que trop de zèle en cette scabreuse affaire la rendît suspecte, le chemin du droit lui fut provisoirement barré. C'est ainsi qu'elle en avait été réduite à prendre le chemin de la grâce par le désir où elle était de plaire à Ulrich en aidant Moosbrugger, et ce chemin passait, chose moins surprenante qu'attrayante, par Diotime.

Elle se voyait, en imagination, l'amie de Diotime, elle exauçait elle-même son désir d'être forcée, par l'urgence de la cause, à entrer en relation avec sa rivale admirée, alors même qu'elle était trop fière pour le faire par goût personnel. Elle s'était proposé de la gagner à Moosbrugger, chose qu'Ulrich évidemment, elle l'avait tout de suite deviné, n'avait pu obtenir, et son imagination lui en peignait d'avance les plus charmants tableaux. La grande marmoréenne Diotime posait son bras sur ses épaules brûlantes, accablées de péchés, et le rôle que Bonadea entrevoyait alors pour elle-même serait d'oindre d'une goutte de corruption humaine ce cœur de déesse intacte. Tel était le projet qu'elle exposait à son ami perdu.

Mais, ce jour-là, il ne fallait pas espérer gagner Ulrich à

la cause de Moosbrugger. Il connaissait les nobles sentiments de Bonadea et savait avec quelle soudaineté, chez elle, la flambée d'un seul beau mouvement devenait la panique d'un incendie généralisé. Il lui expliqua qu'il n'avait pas le moins du monde l'intention de se mêler du procès que l'on faisait à Moosbrugger.

Bonadea leva sur lui de beaux yeux offensés dans lesquels l'eau flottait sur la glace comme aux confins de l'hiver et du printemps.

Ulrich avait toujours gardé une certaine reconnaissance pour la puérile beauté de leur première rencontre, cette nuit où, tandis qu'il gisait sans connaissance sur le pavé, Bonadea accroupie à son chevet, l'incertaine, aventureuse imprécision du monde, de la jeunesse, des sentiments, était tombée des yeux de cette jeune femme goutte à goutte dans le réveil de sa conscience. Il s'efforça donc d'atténuer ce que son refus avait de blessant en prolongeant la conversation. « Suppose, lui dit-il, que tu traverses de nuit quelque grand parc et que deux rôdeurs te sautent dessus ; jugerais-tu que ce sont des êtres très dignes de pitié, que de leur brutalité la société seule est responsable ?

– Mais je ne vais jamais la nuit dans un parc, repartit aussitôt Bonadea.

– Suppose encore qu'un agent s'approche, les ferais-tu quand même arrêter ?

– Je le prierais de me protéger !

– Donc, qu'il les arrête ?

– Ce qu'il en fera, je n'en sais rien. D'ailleurs Moosbrugger n'est pas un rôdeur.

– Eh bien ! suppose qu'il travaille comme menuisier chez toi. Tu es seule avec lui dans la maison, et il commence à te faire des yeux gros comme ça... »

Bonadea protesta. « C'est affreux, ce que tu me demandes là !

– Sûrement, dit Ulrich. Je voudrais seulement te montrer que des êtres si prompts à sortir de leur assiette sont extrêmement désagréables. En fait, on ne peut montrer d'impartialité à leur égard que si c'est un autre qui encaisse. Alors, certes, ils méritent toute notre tendresse, ils sont les victimes d'un ordre social, ou du destin. Tu avoueras que personne n'est responsable de ses fautes aussi longtemps qu'il les considère de ses propres yeux ; elles sont pour lui, au pis aller, des erreurs, les qualités négatives d'un ensemble qui n'en reste pas moins bon ; et celui qui en juge ainsi, bien entendu, a entièrement raison ! »

Bonadea dut rajuster quelque chose à son bas et, pour continuer à regarder Ulrich, se vit obligée de renverser un peu la tête, de sorte qu'à son genou, échappant au contrôle du regard, se déploya toute une vie de contrastes : ourlet de dentelle et bas lisse, doigts tendus et ce luisant de perle, doucement détendu, de la peau.

Ulrich alluma rapidement une cigarette et poursuivit : « L'homme n'est pas bon, mais il est toujours bon ; la différence est énorme, tu comprends ? Ces sophismes de l'amour-propre font sourire, mais la conséquence qu'il en faudrait déduire est que l'homme ne peut rien faire de mal : il arrive simplement que ses actes aient de mauvais effets. Admettre cela serait le vrai point de départ d'une morale sociale. »

En soupirant Bonadea tira sur sa jupe pour la remettre en place, se redressa et chercha le calme dans une gorgée d'or mat.

« Je vais t'expliquer maintenant, ajouta Ulrich en souriant, pourquoi, si l'on peut éprouver toutes sortes de sentiments pour Moosbrugger, il est impossible de rien faire en sa faveur. Dans le fond, tous les cas de ce genre sont comme un fil tiré : si l'on continue à tirer dessus, c'est toute la trame de la société qui se défait. Je te le montrerai d'abord à propos de quelques problèmes purement rationnels. »

On ne sait comment, Bonadea perdit un soulier. Ulrich se pencha pour le prendre, et le pied aux tièdes orteils, comme un petit enfant, s'avança à la rencontre de la main qui tenait le soulier. « Laisse donc, laisse, je le ferai moi-même ! » dit Bonadea cependant qu'elle lui tendait son pied.

« Il y a d'abord les problèmes de psychiatrie légale, poursuivit Ulrich impitoyable, tandis que de cette jambe le parfum de la responsabilité restreinte montait à son nez. Ces problèmes où nous savons que les médecins ont fait de tels progrès qu'ils seraient bien près de pouvoir empêcher la plupart des crimes, si seulement nous voulions leur en donner les moyens financiers. Ce n'est donc plus qu'un problème social.

– Ah ! cesse, je t'en prie ! supplia Bonadea lorsqu'il eut prononcé le mot "social" pour la seconde fois. Quand on parle de ça chez moi, je quitte la chambre : ça m'ennuie à mourir.

– Bon, concéda Ulrich, j'ai simplement voulu dire que, si la technique, depuis longtemps, sait fabriquer toutes sortes de choses utiles à partir des cadavres, des ordures, de la boue et des poisons, la psychotechnique n'est pas loin d'y réussir à son tour. Mais, pour résoudre ces problèmes, le monde prend un temps infini. L'État gaspille son argent pour toutes les stupidités imaginables, et il ne lui reste plus un sou pour résoudre les problèmes moraux essentiels. La chose est dans sa nature : car l'État est le plus stupide et le plus méchant des êtres humains. »

Il parlait avec conviction ; mais Bonadea voulut le ramener au cœur du sujet. « Chéri, dit-elle langoureusement, la chance de Moosbrugger, n'est-ce pas, c'est qu'il est irresponsable ?...

– Sans doute serait-il plus important d'exterminer un ou deux responsables que de protéger un irresponsable de l'extermination ! » dit Ulrich sans répondre à la question.

Maintenant, il marchait de long en large devant elle, tout près d'elle. Bonadea le trouvait électrisant, révolutionnaire ; elle réussit à lui prendre la main, et se la posa sur le cœur.

« Bon, dit-il, je vais t'expliquer maintenant les problèmes du sentiment. »

Bonadea écarta les doigts, étala la main d'Ulrich sur sa poitrine. Le regard qui accompagnait ce geste aurait touché un cœur de pierre ; dans les instants qui suivirent, Ulrich crut percevoir deux cœurs dans sa poitrine, battant pêle-mêle comme les horloges dans la boutique d'un horloger. Rassemblant toute son énergie, il remit de l'ordre dans cette poitrine et dit tendrement : « Non, Bonadea ! »

Bonadea était maintenant au bord des larmes, Ulrich voulut la consoler. « N'est-il pas contradictoire que tu t'agites pour cette seule affaire, simplement parce que le hasard a voulu que je t'en parle, alors que tu ne t'aperçois même pas des millions d'injustices aussi graves qui se produisent chaque jour ?

– Mais cela n'a rien à voir, protesta Bonadea. Celle-là, précisément, je la connais ! Et je ne serais pas un être humain si je restais tranquille ! »

Ulrich déclara qu'il fallait rester tranquille ; orageusement tranquille, ajouta-t-il. Il s'était dégagé et assis à quelque distance de Bonadea. « Tout se passe aujourd'hui *provisoirement* et *entre-temps*, remarqua-t-il, et il doit en être ainsi. Les scrupules de notre intelligence contraignent notre cœur à une affreuse absence de scrupules. » Il s'était reversé à son tour un verre de whisky, il avait ramené les jambes sur le divan. La fatigue le gagnait peu à peu. « Tout homme commence par réfléchir sur la vie dans son ensemble, expliqua-t-il, mais plus il réfléchit avec précision, plus son domaine se rétrécit. Quand il a atteint la maturité, tu as devant toi un homme qui est si ferré sur un certain millimètre carré qu'il n'y a pas dans le monde entier deux douzaines d'hommes aussi ferrés dans ce domaine. Il voit fort bien que les autres, moins ferrés que lui, ne disent que des bêtises sur ses affaires, et pourtant il ne peut bouger, parce que c'est lui, s'il quitte sa place ne fût-ce que d'un micromillimètre, qui en dira à son tour. » Sa fatigue était maintenant d'or fluide comme la boisson sur la table. « Donc, depuis une demi-heure, moi aussi je n'ai fait que dire des bêtises », songea-t-il ; mais cette condition diminuée était plaisante. Il ne redoutait qu'une chose, c'était qu'il prît fantaisie à Bonadea de s'asseoir à côté de lui. Il n'avait qu'un moyen de prévenir cela : parler. Il était étendu de tout son long, la tête dans sa main, comme les figures du tombeau des Médicis. L'idée lui en vint subitement, et vraiment, tandis qu'il adoptait cette pose, une majesté envahit tout son corps, comme s'il flottait dans le repos de ces figures, et il s'apparut plus puissant qu'il n'était ; pour la première fois, à distance, il crut comprendre ces œuvres qui lui étaient restées jusqu'alors étrangères. Et au lieu de parler, il se tut. Bonadea, elle aussi, perçut quelque chose. C'était un « moment » : ainsi désigne-t-on ce qu'on ne peut définir. Une solennité un peu théâtrale les unit, ils demeurèrent muets.

« Que reste-t-il de moi ? songea Ulrich amèrement. Peut-être un homme courageux et incorruptible, qui s'imagine ne respecter, par amour de la liberté intérieure, que peu de lois extérieures. Mais qu'est-ce que cette liberté intérieure, sinon le pouvoir de tout concevoir, de savoir, en toute situation humaine, pourquoi il n'est pas nécessaire qu'on s'y attache, et de ne jamais savoir à quoi s'attacher ! » Dans cet instant peu heureux où l'étrange petite marée d'émotion qui l'avait une seconde envahi retombait, il eût été prêt à reconnaître qu'il ne possédait rien qu'une capacité de découvrir à chaque chose deux aspects, cette ambivalence morale qui caractérisait presque tous ses contemporains, qui était le talent, et peut-être le destin de sa génération. Ses rapports avec le monde étaient pâles, fantomatiques, négatifs. Quel droit avait-il donc à traiter mal Bonadea ? C'était toujours entre eux le même irritant dialogue qui recommençait. Il naissait de l'acoustique interne du vide où un coup de feu retentit deux fois plus fort qu'ailleurs et ne cesse plus de rouler d'écho en écho ; il lui était pénible de ne plus pouvoir lui parler que de cette façon-là ; et il avait trouvé, pour désigner le tourment singulier qu'elle leur donnait à tous deux, le joli nom à demi absurde de « baroque du vide ». Il se redressa pour lui dire une phrase plus aimable. « Une idée m'est venue tout à coup, dit-il en se tournant vers Bonadea qui était toujours très dignement assise. C'est une chose assez drôle, une distinction bizarre : l'homme responsable de ses actes peut toujours agir autrement qu'il ne le fait, mais l'irresponsable jamais ! »

Bonadea eut une réplique très importante. « Ah toi ! » répliqua-t-elle. Il n'y eut pas d'autre interruption, et le silence se referma.

Elle n'aimait pas qu'Ulrich parlât en sa présence de choses trop générales. A bon droit, elle se sentait mêlée, en dépit de tous ses faux pas, à une foule d'êtres pareils à elle et ressentait fort bien ce qu'il y avait d'insociable, d'extravagant, d'incorrigiblement solitaire dans la façon qu'avait Ulrich de la régaler, non point de sentiments, mais de pensées. Le résultat en était néanmoins que le crime, l'amour et la tristesse avaient fini par former en elle une alliance d'idées fort dangereuse. Maintenant, Ulrich était bien loin de lui sembler aussi intimidant et aussi parfait qu'au début de leur revoir ; en dédommagement, il y avait gagné un côté petit garçon qui excitait son idéalisme, comme d'un enfant qui n'ose pas, pour quelque obstacle, courir se réfugier dans les bras de sa mère. Depuis longtemps déjà, elle éprouvait pour lui une tendresse abandonnée, désordonnée, incontrôlée. Mais, depuis qu'il avait détourné la première allusion qu'elle y avait faite, elle s'imposait implacablement la réserve. Elle n'avait pas encore surmonté le souvenir de cette dernière visite où elle s'était trouvée dépourvue et dévêtue sur son divan, et elle s'était proposé, s'il le fallait, de rester plutôt jusqu'au bout assise sur une chaise avec chapeau et voilette, pour qu'il comprît enfin qu'il avait affaire à quelqu'un d'aussi capable de se maîtriser, le cas échéant, que sa rivale Diotime. Elle ne trouvait jamais la grande idée qui correspondît à la grande excitation qu'elle éprouvait dans la proximité de ses amants ; c'est là, il est malheureusement vrai, quelque chose qu'on pourrait dire de la vie tout entière, qui offre beaucoup d'excitations et peu de sens, mais Bonadea ne le savait pas, et elle cherchait à exprimer quelque idée. Celles d'Ulrich manquaient, à son goût, de la dignité dont elle ne pouvait se passer, et il est probable qu'elle en cherchait une à la fois plus belle et plus émouvante. Mais cette hésitation idéale et la vulgaire attirance, cette attirance et une peur terrible d'être attirée trop vite, se mêlaient cependant en elle à l'incitation du silence dans lequel vacillaient les actions inaccomplies, et au souvenir de ce vaste repos qui, une seconde, l'avait unie à celui qu'elle aimait. Pour finir, ce fut comme quand la pluie est suspendue dans l'air et qu'il ne peut pas pleuvoir : un engourdissement qui gagna toute la surface de son corps, lui inspirant la crainte qu'elle pût perdre, sans même s'en apercevoir, la maîtrise de soi.

De tout cela, soudain, jaillit une illusion physique : une puce. Bonadea ne savait pas si c'était imagination ou réalité. Elle sentit un frémissement dans son cerveau, une impression incroyable, comme si quelque idée s'était dégagée de la sujétion spectrale des autres, tout en demeurant encore simple imagination ; en même temps, un frémissement indubitable, loyalement réel, sur la peau. Elle retint son souffle. Quand quelque chose, trip-trap, monte l'escalier, et on sait qu'il n'y a personne, mais on entend quand même très nettement trip-trap, c'est du même ordre. Comme à la lueur d'un éclair, Bonadea comprit que c'était une suite involontaire au soulier perdu. C'était, pour une dame, un expédient désespéré. Pourtant, au moment même où elle voulait chasser le fantôme, elle sentit une vive piqûre. Elle poussa un petit cri, ses joues s'enflammèrent, elle pria Ulrich de l'aider dans sa recherche. Une puce élit les mêmes séjours qu'un amant ; le bas fut inspecté jusqu'au soulier, il fallut ouvrir la blouse sur la gorge. Bonadea expliqua que la puce venait du tram ou d'Ulrich. Mais on ne la put trouver, ni en découvrir aucune trace.

« Je ne comprends pas ce que c'était ! » dit Bonadea.

Ulrich eut un sourire étonnamment gentil.

Alors Bonadea se mit à pleurer, comme une petite fille qui s'est mal conduite.

64. *Le général Stumm von Bordwehr rend visite à Diotime.*

Le général Stumm von Bordwehr avait rendu ses devoirs à Diotime. C'était cet officier que le Ministère de la Guerre avait délégué à la grande séance inaugurale, où il avait prononcé un discours qui avait impressionné chacun, sans pouvoir empêcher néanmoins que le Ministère de la Guerre, lorsqu'on avait organisé les comités pour la grande campagne de paix sur le modèle des différents ministères, ne fût, pour d'assez évidentes raisons, oublié.

C'était un général pas très imposant avec un petit ventre, une petite moustache en brosse, et un visage rondelet. Il évoquait ces familles où l'on a juste assez de fortune pour satisfaire aux conditions imposées aux officiers désireux de se marier, et pas un sou de plus. Il dit à Diotime que le soldat, dans une salle de conférences, devait s'effacer. De plus, des raisons politiques rendaient tout naturel le fait que le Ministère de la Guerre ne pouvait entrer en ligne de compte dans la formation des comités. Il ne craignait pas néanmoins d'affirmer que l'action projetée devait agir au-dehors, mais que ce qui agissait au-dehors, c'était la puissance d'un peuple. Il répéta ce qu'avait dit le célèbre philosophe Treitschke : que l'État est la puissance de survivre à la lutte des nations. La force que l'on déployait en temps de paix tenait la guerre en respect ou, tout au moins, abrégeait sa cruauté. Il parla encore pendant un quart d'heure, usa de quelques citations classiques qui étaient, ajouta-t-il, de chers souvenirs de son temps de lycée, et affirma que ces années d'études avaient été les plus belles de sa vie ; il chercha à faire comprendre à Diotime l'admiration qu'il lui vouait, et combien il avait été ravi de la manière dont elle avait dirigé la grande séance ; il voulut enfin répéter une dernière fois que, bien compris, le parachèvement de l'organisation d'une armée qui se trouvait très en retard sur celles des autres grandes puissances constituerait une impressionnante démonstration de pacifisme, et déclara d'ailleurs attendre du peuple, avec confiance, un vaste mouvement spontané d'intérêt pour les problèmes militaires.

Cet aimable général jetait Diotime dans des terreurs mortelles. Il y avait alors en Cacanie des familles dont les officiers fréquentaient la maison parce que les filles épousaient des officiers, et des familles dont les filles n'épousaient pas d'officiers, soit parce qu'il n'y avait pas assez d'argent pour la caution de mariage, soit par principe, de sorte que les officiers n'en fréquentaient pas la maison ; pour l'une et l'autre raison, la famille de Diotime avait appartenu à la seconde espèce, d'où il s'ensuivait que cette consciencieuse beauté avait emporté dans la vie une image du militaire qui était à peu près celle d'une Mort en haillons bariolés. Elle répliqua qu'il y avait dans le monde tant de grandes et belles choses que le choix n'était pas aisé. C'était sans doute un grand privilège que d'être appelé à susciter, en plein courant matérialiste, un grand symbole, mais c'était aussi une lourde charge. Enfin, cette manifestation devait émaner du cœur même du peuple : il lui fallait faire passer ses propres désirs à l'arrière-plan. Elle plaçait ses mots avec soin, on aurait dit qu'ils étaient brochés avec des rubans jaunes et noirs, et sur ses lèvres, comme de doux parfums, elle faisait brûler le jargon de la haute bureaucratie.

Mais quand le général eut pris congé, l'âme de cette femme sublime se brisa sans plus de force. Eût-elle été capable d'un sentiment aussi bas que la haine, elle eût haï ce petit homme rondelet avec ses yeux frétillants et ses boutons dorés sur le ventre ; comme cela lui était impossible, elle ressentit une sorte de sourde offense sans pouvoir s'expliquer pourquoi. Malgré le froid hivernal, elle fut ouvrir les fenêtres et arpenta deux ou trois fois la chambre dans un murmure de soie. Lorsqu'elle referma les fenêtres, elle avait des larmes dans les yeux. Elle fut fort étonnée. C'était la deuxième fois qu'elle pleurait sans motif. Elle se souvint de cette nuit où, à côté de son mari, elle avait versé tant de pleurs sans en trouver d'explication. Cette fois, le caractère purement nerveux de ce phénomène, auquel nul sens ne correspondait, était encore plus net ; ce gros officier lui tirait des larmes comme un oignon, sans qu'aucun sentiment raisonnable s'en mêlât. Elle en fut inquiète à bon droit ; une angoisse quasi prophétique lui disait que quelque loup invisible rôdait autour de ses bergeries, et qu'il était grand temps de l'en éloigner par la puissance de l'Idée. C'est ainsi que Diotime, aussitôt après la visite du général, se mit en tête de hâter autant que possible la réunion des grands esprits qu'elle avait prévue pour l'aider à assurer un contenu à l'Action patriotique.

65. *Extrait des conversations d'Arnheim avec Diotime.*

Diotime se sentit soulagée qu'Arnheim fût juste revenu de voyage et se trouvât à sa disposition.

« Il n'y a que quelques jours encore, j'avais une conversation sur les généraux avec votre cousin », répondit-il aussitôt ; pour lui faire cette communication, il avait pris la mine de quelqu'un qui veut laisser entendre quelque connexion suspecte sans préciser pourtant de quoi il s'agit.

Diotime eut l'impression que son contradictoire cousin, peu enthousiasmé par la grande idée de l'Action, devait encore favoriser les obscurs dangers qui émanaient du général, et Arnheim continua :

« Je m'en voudrais d'exposer ceci aux railleries de votre cousin, dit-il en donnant ainsi à la conversation un tour nouveau, mais il m'importe de vous rendre sensible à quelque chose que vous-même, vivant trop loin de tout cela, ne pourriez envisager seule que difficilement : la relation des affaires et de la poésie. Je pense naturellement aux affaires en grand, aux affaires d'ordre international, telles que j'ai été destiné à en traiter de par ma naissance ; elles sont apparentées à la poésie, elles présentent des aspects irrationnels, et même franchement mystiques ; j'irais même jusqu'à dire qu'elles en ont, sinon le monopole, du moins le privilège. Voyez-vous, l'argent est une puissance extraordinairement intolérante.

– Dans toute activité où l'homme met en jeu son être entier, il y a probablement une certaine intolérance », répondit, avec un peu d'hésitation, Diotime dont l'esprit en était encore à la première partie de la conversation, demeurée en suspens.

« Mais dans l'argent surtout ! répliqua rapidement Arnheim. Des insensés se figurent que la possession de l'argent est une jouissance ! En réalité, c'est une responsabilité inquiétante. Je ne veux pas parler des innombrables existences qui dépendent de moi au point que je fais presque figure du destin à leurs yeux ; laissez-moi seulement vous dire que mon grand-père a commencé dans une ville rhénane de moyenne importance avec une affaire d'enlèvement des ordures. »

A ces mots, Diotime ressentit réellement un brusque frisson, qu'elle jugea suscité par l'impérialisme économique ; c'était une méprise, car elle n'était pas tout à fait libérée des préjugés de sa classe et, comme l'enlèvement des ordures lui avait fait songer à ceux qu'on appelle dans son pays « les boueux », la courageuse confession de son ami la fit rougir.

« C'est sur cette opération de raffinage des déchets, dit Arnheim poursuivant sa confession, que mon grand-père établit jadis la puissance des Arnheim. Mon père lui-même apparaît encore comme un *self-made man* si l'on songe qu'il a fait de cette firme, en quarante ans, une maison mondiale. Il n'a pas passé plus de deux ans à l'École de commerce, mais il débrouille d'un coup d'œil les situations internationales les plus complexes, et il sait tout ce qu'il lui faut savoir avant les autres. J'ai étudié l'Économie nationale et toutes les sciences imaginables, il n'en connaît pas le premier mot et on ne peut expliquer comment il s'y prend, mais il ne rate jamais rien. C'est le mystère d'une vie grande et simple, pleine de santé et de force ! »

La voix d'Arnheim, tandis qu'il parlait de son père, avait pris un accent de déférence qui ne lui était pas ordinaire, comme s'il y avait eu une faille quelque part dans sa sérénité doctorale. Cela frappa Diotime d'autant plus qu'Ulrich lui avait raconté qu'on dépeignait le vieil Arnheim comme un petit gaillard large d'épaules, le visage osseux et le nez en forme de bouton, qui portait invariablement un habit à queue d'hirondelle largement ouvert, et maniait ses actions avec la même prudence et la même avarice qu'un joueur d'échecs ses pions. Sans attendre sa réponse, après une courte pause, Arnheim continua : « Quand une affaire prend une extension comme celle des rares dont je vous parle en ce moment, il n'est guère de choses dans la vie auxquelles elle ne se trouve mêlée. C'est un véritable microcosme. Vous seriez étonnée d'apprendre quels problèmes en apparence tout à fait extra-commerciaux, problèmes artistiques, moraux, politiques, il m'arrive de devoir aborder dans mes entretiens avec le président-gérant. Notre firme ne se développe plus maintenant comme au début, dans ces temps que j'aimerais appeler héroïques. Il y a pour une affaire, comme pour tout organisme, en dépit de sa prospérité, une mystérieuse limite de croissance. Vous êtes-vous jamais demandé pourquoi aucun animal, aujourd'hui, ne dépassait plus la taille de l'éléphant ? Vous retrouvez le même mystère dans l'histoire de l'art, et dans l'étrange architecture de la vie des peuples, des civilisations et des époques. »

Diotime regrettait maintenant d'avoir reculé d'effroi devant l'opération de raffinage des déchets, et se sentait troublée.

« La vie est pleine de ces mystères. Il y a quelque chose devant quoi toute intelligence capitule. Mon père a une alliance avec ce quelque chose. Mais un homme comme votre cousin, dit Arnheim, un activiste, qui ne songe jamais qu'au moyen de changer ou d'améliorer les choses, ne peut pas sentir cela. »

Lorsque le nom d'Ulrich resurgit une fois de plus, Diotime exprima par un sourire qu'un homme comme son cousin n'avait aucun droit à exercer la moindre influence sur elle. La peau régulière, un peu jaunâtre, d'Arnheim, qui était sur son visage aussi lisse qu'une poire, avait rougi jusqu'au-delà des joues. Il avait cédé au bizarre besoin que Diotime éveillait depuis quelque temps en lui de se confier à elle sans réserve, jusqu'au dernier de ses secrets. Puis il se referma, prit un livre sur la table, en parcourut le titre sans le lire vraiment, le reposa avec impatience et dit de sa voix habituelle, qui fit à ce moment-là sur Diotime une impression aussi troublante que le mouvement de quelqu'un qui rassemble ses vêtements, à quoi elle s'aperçut qu'il s'était mis à nu : « Je me suis un peu égaré. Voici ce que j'ai à vous dire au sujet du général : le mieux à faire est de réaliser votre plan aussi vite que possible afin que l'esprit de l'humanisme, à travers ses représentants consacrés, relève notre Action. Mais nul besoin d'écarter le général a priori. Peut-être est-il, personnellement, de bonne volonté, et vous connaissez mon principe : ne jamais manquer une occasion d'introduire l'esprit dans les sphères de la simple puissance ! »

Diotime saisit sa main et résuma leur entretien dans sa formule d'adieu : « Je vous remercie pour votre sincérité ! »

Arnheim laissa cette douce main reposer dans la sienne pendant un instant, irrésolu, les yeux sur elle, comme s'il y avait quelque chose qu'il eût oublié de dire.

66. *Entre Ulrich et Arnheim, il y a quelque chose qui cloche.*

Son cousin s'amusait souvent à décrire à Diotime les expériences officielles qu'il collectionnait aux côtés de Son Altesse, et il tenait beaucoup à lui montrer régulièrement les portefeuilles qu'emplissaient les propositions arrivées au bureau du comte Leinsdorf.

« Puissante cousine, rapporta-t-il, un énorme dossier sous le bras, je ne puis plus m'en tirer seul ; le monde entier semble attendre de nous des améliorations dont une moitié commence par les mots *A bas !...* et l'autre par les mots *En route pour !...* J'ai ici des propositions qui vont de *A bas Rome !* à *En route pour la culture des légumes.* Pour quoi vous déciderez-vous ? »

Il n'était pas facile de mettre de l'ordre dans les désirs que le monde exprimait au comte Leinsdorf, mais deux groupes, par leur importance, se détachaient de l'ensemble des suppliques. L'un rendait responsable des troubles de l'époque tel ou tel détail dont il exigeait l'abolition, et ces détails n'étaient rien de moins que les Juifs ou l'Église catholique, le socialisme ou le capitalisme, la pensée mécaniste ou le retard du développement technique, le croisement ou le décroisement des races, la grande propriété ou la grande ville, l'excès d'intellectualisme ou les insuffisances de l'instruction populaire. L'autre groupe, au contraire, déterminait certains buts qu'il suffirait amplement d'atteindre, et ces buts hautement souhaitables du second groupe ne se distinguaient d'ordinaire des détestables détails du premier que par le signe émotionnel qui les précédait, sans doute parce qu'il y a dans le monde des natures critiques et des natures positives. Les suppliques du second groupe laissaient entendre par exemple, dans une dénégation joyeuse, qu'il fallait en finir une bonne fois avec le culte ridicule de l'art, parce que la vie était un bien plus grand poète que tous les scribouillards réunis, et réclamaient des collections de reportages d'audience et de récits de voyage pour l'usage général ; alors que les suppliques du premier groupe, dans le même cas, proclamaient dans une joyeuse affirmation que l'ivresse des sommets, chez l'alpiniste, dépassait toutes les exaltations de l'art, de la philosophie et de la religion qu'il fallait donc abolir pour favoriser les clubs alpins. On réclamait ainsi, par ces deux chemins opposés, le ralentissement du rythme de la vie ou un concours du meilleur feuilleton, la vie étant intolérablement ou précieusement brève, et l'on souhaitait délivrer l'humanité *de* ou *par* les cités-jardins, *de* ou *par* l'émancipation de la femme, *de* ou *par* la danse, le sport et la vie familiale, comme on souhaitait la délivrer *de* toutes sortes d'autres choses ou *par* toutes sortes d'autres choses.

Ulrich referma le portefeuille et commença une conversation privée. « Puissante cousine, dit-il, c'est une chose bien étrange que la moitié du monde cherche la guérison dans l'avenir et l'autre moitié dans le passé. Je ne sais ce qu'il faut en conclure. Son Altesse dirait que le présent est incurable.

– Son Altesse a-t-elle une arrière-pensée religieuse ? demanda Diotime.

– Elle est parvenue pour l'instant à cette découverte qu'il n'y a jamais de recul volontaire dans l'histoire de l'humanité. Ce qui rend la situation difficile est que nous n'ayons pas davantage de progrès utilisable. Vous me permettrez de juger singulière une situation où l'on ne peut aller ni en avant ni en arrière, et où l'instant présent est lui-même ressenti comme intolérable. »

Quand Ulrich parlait de la sorte, Diotime se retranchait dans son grand corps comme dans une de ces tours qui portent trois étoiles dans le Guide bleu.

« Croyez-vous, chère Madame, qu'un homme, quel qu'il soit, qui lutte aujourd'hui pour ou contre telle ou telle cause, demanda Ulrich, si un miracle faisait de lui demain le maître tout-puissant du monde, réaliserait le jour même ce qu'il a réclamé toute sa vie ? Je suis persuadé qu'il se donnerait quelques jours de sursis. »

Comme Ulrich, là-dessus, faisait une petite pause, Diotime se tourna brusquement vers lui et, sans répondre, l'interrogea sévèrement : « Pour quelle raison avez-vous donné des espérances au général sur notre action ?

– Quel général ?

– Le général von Stumm !

– Vous voulez dire ce petit général ventripotent qui était à la grande séance ? Je ne l'ai même pas revu depuis lors ! Encore moins ai-je pu lui faire entrevoir quoi que ce soit ! »

L'étonnement d'Ulrich était convaincant et réclamait une explication. Mais comme un homme tel qu'Arnheim ne pouvait pas non plus ne pas dire la vérité, il devait y avoir un malentendu, et Diotime expliqua sur quoi se fondait sa supposition.

« J'aurais donc parlé avec Arnheim du général von Stumm ? Pas davantage ! certifia Ulrich. J'ai parlé avec Arnheim... accordez-moi une minute, s'il vous plaît... » Il réfléchit, et tout à coup se mit à rire. « Je serais vraiment très flatté qu'Arnheim accordât une telle importance à chacune de mes paroles ! Je me suis plusieurs fois entretenu avec lui ces derniers temps (si vous voulez qualifier d'entretiens nos controverses), et une fois, en effet, je lui ai parlé d'un général, mais tout à fait dans le vague, en passant, à titre d'exemple. J'ai prétendu qu'un général qui, pour quelque raison stratégique, envoie des bataillons à une mort certaine est un assassin, si on le considère en relation avec le fait que tous ces hommes peuvent avoir des mères ; mais qu'il devient immédiatement tout autre chose si on le considère en relation avec d'autres idées, par exemple avec celle de la nécessité du sacrifice ou du peu d'importance qu'il y a à mourir jeune. J'ai recouru d'ailleurs à quantité d'autres exemples. Mais il faut que vous m'accordiez ici une digression. Pour des raisons suffisamment évidentes, chaque génération traite la vie qu'elle trouve à son arrivée dans le monde comme une donnée définitive, hors les quelques détails à la transformation desquels elle est intéressée. C'est une conception avantageuse, mais fausse. A tout instant, le monde pourrait être transformé dans toutes les directions, ou du moins dans n'importe laquelle ; il a ça, pour ainsi dire, dans le sang. C'est pourquoi il serait original d'essayer de se comporter non pas comme un homme défini dans un monde défini où il n'y a plus, pourrait-on dire, qu'un ou deux boutons à déplacer (ce qu'on appelle l'évolution), mais, dès le commencement, comme un homme né pour le changement dans un monde créé pour changer, c'est-à-dire à peu près comme une goutte d'eau dans un nuage. Me mépriserez-vous d'être obscur une fois de plus ?

– Je ne vous méprise pas, mais je ne puis vous comprendre, dit Diotime autoritaire. Rapportez-moi donc toute votre conversation !

– C'est Arnheim qui l'a provoquée ; il m'a accroché et bel et bien acculé à la discussion, commença Ulrich. Nous autres hommes d'affaires, m'a-t-il dit avec un sourire très malicieux qui contrastait un peu avec l'attitude sereine qu'il observe d'ordinaire, mais n'en était pas moins rempli de majesté, nous autres hommes d'affaires ne calculons pas, comme vous pourriez le croire. Mais nous (je veux dire naturellement les grands directeurs, car les petits peuvent bien passer leur temps à calculer), nous apprenons à considérer nos inspirations vraiment fécondes comme quelque chose qui se rit du calcul, ainsi qu'il en va d'ailleurs pour les succès des politiques et ceux même, finalement, de l'artiste. Puis il m'a prié de juger ce qu'il allait dire avec l'indulgence que mérite toute traduction de l'irrationnel. Du premier jour où il m'avait vu, il s'était fait de moi, m'a-t-il confié, certaines idées, et vous-même, chère cousine, lui avez sans doute beaucoup parlé de moi ; mais il n'aurait même pas eu besoin, m'assura-t-il, de ces confidences, m'expliquant qu'il était singulier que j'eusse choisi une profession toute conceptuelle, tout abstraite, car, si doué que je pusse être en ce domaine, je ne m'en égarais pas moins en me vouant à la science pure ; j'étais en effet essentiellement armé, dussé-je en être surpris, pour l'action et pour l'efficacité !

– Vraiment ? dit Diotime.

– Je suis tout à fait de votre avis, se hâta de répondre Ulrich. Il n'est rien pour quoi je sois moins doué que moi-même.

– Vous vous moquez toujours, au lieu de vous consacrer à la vie, dit Diotime qui lui en voulait encore à cause des portefeuilles.

– Arnheim prétend le contraire. J'éprouve, paraît-il, le besoin de tirer de ma réflexion des conclusions un peu trop absolues sur la vie.

– Vous vous moquez et vous êtes négatif ; vous êtes toujours prêt à sauter dans l'Impossible et vous esquivez toute décision réelle ! dit résolument Diotime.

– Ma conviction est simplement, repartit Ulrich, que la pensée est une institution pour soi, et que la vie réelle en est une autre. La différence de niveau qui les sépare présentement est trop grande. Notre cerveau est âgé de quelques milliers d'années ; supposez qu'il n'ait pensé toutes choses qu'à demi, qu'il ait oublié l'autre moitié : eh bien ! la réalité serait alors son plus fidèle reflet ! Non, la seule chose à faire est de refuser d'y participer intellectuellement.

– N'est-ce pas là se faciliter un peu trop la tâche ? » demanda Diotime sans intention blessante, comme une montagne observe le ruisselet qui coule à ses pieds. « Arnheim aussi aime les théories, mais je crois qu'il laisse passer peu de choses sans les examiner dans toutes leurs relations : ne croyez-vous pas que le sens de toute pensée soit d'être une capacité concentrée d'application au réel ?...

– Non, dit Ulrich.

– J'aimerais bien savoir ce qu'Arnheim vous a répondu.

– De nos jours, m'a-t-il dit, l'esprit n'est plus que le spectateur impuissant de l'évolution réelle, parce qu'il s'écarte des grands devoirs que la vie nous impose. Il m'a invité à considérer de quoi traitent nos arts, quelles petitesses préoccupent nos Églises, et combien l'horizon même de l'érudition reste borné. Et je devais songer que la terre, pendant ce temps, était littéralement démembrée ! Il me dit alors que c'était précisément de cela qu'il avait voulu m'entretenir.

– Et qu'avez-vous répondu ? dit Diotime impatiente, car elle croyait deviner qu'Arnheim avait voulu reprocher à son cousin son peu d'intérêt pour les problèmes de l'Action parallèle.

– Je lui ai répondu que la réalisation m'intéressait toujours beaucoup moins que l'irréalisé, et je ne pense pas seulement à l'irréalisé de l'avenir, mais au passé, aux occasions perdues. Ce qui caractérise notre histoire, me semble-t-il, est que chaque fois que nous avons réalisé le centième d'une idée, la joie où nous en étions nous en a fait laisser tout le reste inachevé. Les institutions grandioses sont d'ordinaire des ébauches d'idées bousillées ; les personnalités grandioses aussi, d'ailleurs : voilà ce que je lui ai dit. Dans une certaine mesure, la différence était dans l'orientation du regard.

– C'était vous montrer bien agressif ! dit Diotime offensée.

– En échange, il m'a révélé l'impression que je lui fais quand je renie l'énergie au profit d'on ne sait quelle réglementation générale et toujours ajournée, de la pensée. Tenez-vous à le savoir ? Celle d'un homme qui se couche par terre à côté du lit qu'on lui a fait. Il ajouta, à mon intention, que c'était un gaspillage d'énergie, donc un acte physiquement immoral. Il m'a pressé de comprendre enfin que des buts intellectuels de grande envergure ne pouvaient être atteints qu'en exploitant les rapports de forces existant actuellement dans le domaine économique, politique et, *last but not least*, intellectuel. Personnellement, il estime plus moral de les exploiter que de les négliger. Il m'a mis véritablement au pied du mur. Il m'a qualifié d'homme actif en position de défense, crispé dans sa position de défense. Je le soupçonne d'avoir quelque inquiétante raison de conquérir mon estime !

– Il veut vous rendre service ! s'écria sévèrement Diotime.

– Oh non ! dit Ulrich. Je ne suis peut-être qu'un petit caillou et lui une magnifique boule de verre ventrue. Mais j'ai l'impression qu'il a peur de moi. »

Diotime ne répondit rien. Ce qu'Ulrich avait dit là était peut-être présomptueux, mais elle fut frappée de ce que la conversation qu'il lui avait rapportée ne correspondît nullement à l'impression qu'Arnheim lui en avait donnée. Elle en fut même troublée. Bien qu'elle tînt Arnheim pour incapable de la moindre pensée d'intrigue, Ulrich lui en parut plus digne de confiance, et elle lui demanda ce qu'il lui conseillait de faire avec le général.

« Le tenir à distance ! » répondit Ulrich ; et Diotime ne put que se blâmer de trouver le conseil bon.

67. *Diotime et Ulrich.*

A cette époque, la transformation de leurs rencontres en habitude avait beaucoup amélioré les relations de Diotime et d'Ulrich. Il leur fallait souvent sortir ensemble pour des visites, Ulrich venait chez elle plusieurs fois la semaine et souvent même sans être annoncé, à des heures insolites. Dans ces circonstances, il leur était agréable de tirer profit de leur lien de parenté et d'atténuer privément la sévérité de l'étiquette. Diotime ne le recevait plus forcément au salon, cuirassée du chignon à l'ourlet de la robe, mais parfois dans un léger, encore que très prudent négligé domestique... Ainsi s'était-il créé entre eux une sorte de sympathie qui résidait principalement dans la forme de leurs rapports ; mais les formes ont une influence sur l'intérieur, et les sentiments dont elles sont faites peuvent aussi bien être éveillés par elles.

Ulrich sentait parfois avec toute l'intensité possible que Diotime était très belle. Il la voyait alors comme une jeune grande forte vache de bonne race, s'avançant avec assurance et considérant d'un regard profond les herbes desséchées qu'elle broute. Ainsi donc, même alors, il ne pouvait la considérer sans cette ironie méchante qui se vengeait de la noblesse d'esprit de Diotime en empruntant ses comparaisons au règne animal, et qui provenait d'une irritation profonde ; mais celle-ci s'adressait moins à l'absurde élève modèle qu'à l'école où ses exploits étaient applaudis. « Qu'elle pourrait être agréable, songeait-il, si elle était inculte, nonchalante et débonnaire comme l'est toujours un grand corps chaud de femme lorsqu'il ne prétend pas à des idées personnelles ! » La célèbre épouse de ce sous-secrétaire Tuzzi dont on bavardait tant s'évaporait alors de son corps, et il n'en restait plus que celui-ci, comme un rêve qui avec lit, dormeur et coussins, se change en un blanc nuage, seul au monde dans sa tendresse.

Quand Ulrich revenait de ces excursions de l'imagination, il ne trouvait plus devant lui qu'un esprit de bourgeoise appliquée cherchant à se faire des relations dans le monde des idées nobles. Des liens de parenté associés à de grandes différences de nature troublent toujours, il suffit même pour en être troublé d'y penser et d'avoir quelque conscience de soi ; il arrive que des frère et sœur se détestent, d'une manière qui va bien au-delà de tout ce qu'on pourrait justifier, simplement parce que leur seule existence met en doute celle de l'autre et qu'ils sont l'un pour l'autre comme un miroir légèrement déformant. Le fait que Diotime était à peu près aussi grande qu'Ulrich suffisait parfois à faire naître la pensée qu'ils étaient parents, et à lui faire éprouver de l'aversion pour le corps de cette cousine. Il lui avait confié là, bien qu'un peu modifiée, une tâche que remplissait d'ordinaire son ami Walter ; c'était d'humilier et de provoquer sa fierté, de même que certains désagréables vieux portraits où nous nous revoyons nous humilient à nos propres yeux tout en nous défiant dans notre amour-propre. Il y eut ainsi jusque dans la méfiance qu'Ulrich nourrissait à l'égard de Diotime, quelque chose qui devait les unir et les lier, en un mot, une ombre d'inclination vraie ; de même que l'ancienne cordiale amitié pour Walter se survivait maintenant sous la forme de la méfiance.

Comme néanmoins il n'aimait pas Diotime, Ulrich resta perplexe assez longtemps sans pouvoir percer ce mystère. Ils faisaient parfois ensemble de petites excursions ; avec l'appui de Tuzzi, on avait profité du beau temps pour montrer à Arnheim, malgré la saison peu favorable, « les beautés des environs de Vienne » (Diotime n'avait pas d'autres mots que ce cliché pour dire cela), et Ulrich s'était vu inviter à son tour afin de jouer le rôle de chaperon, le sous-secrétaire n'étant pas disponible ; plus tard, il arriva qu'Ulrich partît seul avec Diotime, quand Arnheim était en voyage. Ce dernier avait mis toutes les voitures qu'on désirait à disposition, que ce fût pour ces promenades ou pour les besoins immédiats de l'Action ; la voiture de Son Altesse, relevée d'armoiries, était trop connue dans la ville et trop voyante ; ce n'étaient pas, d'ailleurs, les voitures personnelles d'Arnheim, les gens riches en trouvant toujours de plus riches qui se font un plaisir de leur rendre service.

Ces sorties n'étaient pas vouées seulement au plaisir ; leur but était aussi d'obtenir la participation de gens influents ou opulents à l'entreprise patriotique, et elles les conduisaient plus souvent aux environs immédiats de la ville qu'à la campagne. Ensemble, les deux parents voyaient beaucoup de belles choses : des meubles Marie-Thérèse, des palais baroques, des gens qui se faisaient encore doucettement porter à travers le monde par leur domesticité, des maisons modernes aux enfilades interminables, les palais des banques, et ce mélange d'austérité espagnole et d'habitudes bourgeoises qui caractérise les demeures des hauts fonctionnaires de l'État. Dans l'ensemble, pour la noblesse, c'étaient les restes d'un grand style de vie sans eau courante qui se retrouvaient dans les demeures et les salles de conférences de la riche bourgeoisie sous forme de copie, avec plus d'hygiène et plus de goût, mais moins d'accent. Une caste de seigneurs demeure toujours un peu barbare ; des restes, des scories que le feu sourd du temps n'avait point encore consumées étaient demeurées, dans les châteaux nobles, là où on les avait trouvées ; tout à côté d'un escalier de cérémonie le pied heurtait un plancher de sapin, et d'horribles meubles modernes apparaissaient sans remords au milieu de merveilleuses pièces anciennes. La classe des nouveaux riches, en revanche, éprise des grandes heures de ceux qui l'avaient précédée, avait fait un choix plus exigeant et plus raffiné. Quand un château devenait propriété bourgeoise, on ne se contentait pas de le doter de tout le confort moderne, comme on adapte à l'électricité un vieux lustre de famille : dans son ameublement même, on éliminait le moins beau, qu'on remplaçait par des objets de valeur, en suivant son propre goût ou le conseil irréfutable des experts. D'ailleurs, ce n'était pas dans les châteaux que ce raffinement se manifestait avec le plus de force, mais bien dans les demeures citadines qui, pour obéir au goût du temps, étaient installées avec le même luxe qu'un transatlantique, mais savaient sauvegarder, dans ce pays d'ambition sociale raffinée, par une indéfinissable nuance, une manière presque insensible d'établir les distances entre les meubles ou la situation dominante d'un portrait sur un mur, l'écho délicatement perceptible des grandes sonorités depuis longtemps éteintes.

Tant de « culture » faisait les délices de Diotime ; elle savait depuis toujours que son pays abritait ces trésors, mais leur abondance réussissait à la surprendre. A la campagne, on invitait les deux parents ensemble, et Ulrich était frappé de voir bien souvent manger un fruit à la main, sans le peler, ou d'autres détails du même ordre, alors que les grands bourgeois maintenaient strictement le cérémonial de la fourchette et du couteau ; on pouvait faire la même remarque sur la conversation qui ne gardait guère une distinction parfaite que dans les maisons bourgeoises, alors que prédominait dans les milieux aristocratiques le célèbre langage débraillé des cochers de fiacre. Diotime s'en faisait, contre son cousin, l'avocate enthousiaste. Elle lui concédait que les résidences bourgeoises étaient installées avec un plus grand sens de l'hygiène et plus d'intelligence. L'hiver, dans les châteaux de campagne des nobles, on gelait ; des escaliers étroits et creusés par l'usage n'y étaient point rares, et l'on y trouvait, jouxtant les plus magnifiques salons, des chambres à coucher basses de plafond qui sentaient le moisi. Il n'y avait ni monte-plats, ni salles de bains pour les domestiques. Mais c'était justement cela, dans un certain sens, qui marquait l'héroïsme, la tradition, la magnifique nonchalance ! concluait-elle avec ravissement.

Ulrich profitait de ces sorties pour explorer le sentiment qui l'attachait à Diotime. Comme ses réflexions étaient surchargées de digressions, c'est en celles-ci qu'il nous faut nous engager avant d'en arriver à l'essentiel.

A cette époque, les femmes portaient des vêtements qui les dissimulaient du cou à la cheville ; ceux des hommes, bien qu'ils n'aient guère changé jusqu'aujourd'hui, convenaient mieux, parce qu'ils représentaient dans une analogie encore vivante la perfection impeccable et la stricte réserve qui révélaient alors l'homme du monde. Cette loyauté limpide qui consiste à s'exposer nu fût alors apparue, même à un homme dépourvu de préjugés et fort capable d'apprécier sans fausse honte un corps dévêtu, comme une rechute dans l'animalité, non point tant à cause de la nudité elle-même que du renoncement au subtil pouvoir érotique du vêtement. Sans doute même aurait-on parlé alors d'une rechute au-dessous du niveau de l'animal ; car un « trois-ans » de bonne race ou un espiègle lévrier sont, dans leur nudité, beaucoup plus expressifs qu'un corps humain ne peut espérer l'être jamais. En revanche, ils ne peuvent porter de vêtements ; ils n'ont qu'une seule peau, et les humains d'alors en disposaient d'une quantité. De cet énorme vêtement, avec ses ruchés, ses bouillons, ses cloches, ses jabots, ses dentelles et ses retroussis, ils s'étaient fait une surface cinq fois plus étendue que l'autre, un calice aux mille plis, difficile d'accès, chargé de potentiel érotique et dissimulant en son centre la mince bête blanche qui, d'être si bien cachée, devenait terriblement désirable. C'était le procédé type que la Nature elle-même utilise lorsqu'elle fait hérisser le poil ou éjaculer des nuages d'encre à ses créatures pour exalter dans l'amour et l'effroi, jusqu'en une sublime folie, les opérations prosaïques qui sont le véritable but de cet amour.

Pour la première fois de sa vie, encore que de la plus décente façon, Diotime se sentait profondément atteinte par ce jeu. La coquetterie ne lui était pas étrangère, car elle faisait partie de ces devoirs sociaux qu'une dame doit savoir remplir ; et quand le regard des jeunes hommes exprimait pour elle autre chose que de la déférence, elle ne manquait jamais de s'en apercevoir, et même avec plaisir, parce qu'elle pouvait leur faire sentir le pouvoir d'une tendre et féminine réprobation en forçant ces regards, pointés sur elle comme les cornes d'un taureau, à se détourner vers les sphères idéales où sa parole les entraînait. Mais Ulrich, abrité par leur lien de parenté et la gratuité de sa collaboration à l'Action parallèle, protégé encore par l'article additionnel ajouté en sa faveur, s'autorisait des libertés qui traversaient tout droit les complexes frondaisons de son idéalisme.

C'est ainsi qu'un jour, comme ils roulaient à travers la campagne, la voiture avait longé de charmantes vallées entre lesquelles des coteaux couverts de forêts de sapins s'avançaient presque jusqu'à toucher la route ; et Diotime, en les montrant du doigt, avait dit : « Qui t'a donc, belle forêt, bâtie si haut dans les airs ?... » Bien entendu, elle citait le poème, sans même seulement faire allusion à la chanson, car cela lui eût semblé banal et vulgaire. Ulrich lui répliqua : « Le Crédit foncier de la Basse-Autriche. Vous ignoriez, cousine, que toutes ces forêts appartiennent au Crédit foncier ? Le Maître que vous alliez célébrer est un inspecteur forestier attaché audit établissement. La nature est ici le produit planifié de l'industrie forestière ; les entrepôts bien alignés d'une fabrique de cellulose, ainsi qu'on en peut juger au premier coup d'œil. »

Telles étaient bien souvent ses réponses. Qu'elle parlât de beauté, il lui parlait du tissu adipeux qui étaie l'épiderme ; qu'elle parlât de l'amour, il évoquait la courbe annuelle qui matérialise les hausses et les baisses automatiques du chiffre des naissances. Qu'elle parlât des grandes figures de l'art, il s'engageait dans l'enchaînement d'emprunts qui relie ces figures entre elles. En réalité, c'était toujours la même chose : Diotime commençait comme si Dieu avait déposé la perle humaine, au septième jour, dans la coquille du monde, sur quoi Ulrich lui rappelait que l'homme était un amas de petits points posé sur la croûte d'un globe nain. Il n'était guère aisé de comprendre à quoi il voulait en venir ; sans doute visait-il ainsi tout cet univers de grandeur auquel Diotime se sentait associée ; Diotime, elle, y voyait avant tout la prétention blessante d'en savoir toujours plus que les autres. Elle ne pouvait supporter que son cousin, qui n'était finalement à ses yeux qu'un enfant terrible, voulût en savoir plus qu'elle-même, et ses objections matérialistes auxquelles elle ne comprenait rien parce qu'il les empruntait à la basse civilisation du calcul et de la précision, l'irritaient profondément. « Grâce à Dieu ! lui répliqua-t-elle assez vivement un jour, il est encore des êtres que leurs grandes expériences n'empêchent pas de croire à la simplicité ! » « Votre mari, entre autres, répondit Ulrich. Il y a longtemps que je voulais vous dire combien je le préfère à Arnheim... »

Ils avaient pris cette habitude d'échanger des idées en s'entretenant d'Arnheim. Comme tous les amoureux, Diotime avait plaisir à parler de l'objet de son amour, et cela, du moins le croyait-elle, sans se trahir ; et comme Ulrich, à l'instar de tout homme qui ne lie pas d'intention secrète à son propre effacement, trouvait cela insupportable, il n'était pas rare, alors, qu'il se déchaînât contre Arnheim. Ainsi s'était créé entre ces deux hommes, pour les unir, un singulier commerce. Quand Arnheim n'était pas en voyage, ils se rencontraient presque tous les jours. Ulrich savait que le sous-secrétaire Tuzzi soupçonnait cet étranger, comme lui-même avait deviné dès le premier jour son influence sur Diotime. Il est vrai qu'il semblait n'y avoir encore « rien de mal » entre eux, dans la mesure où pouvait en juger un tiers qui fondait sa supposition sur la vue, intolérable, de tout ce qu'il y avait de « bien » dans leurs rapports ; visiblement, ce couple s'efforçait de rivaliser avec les plus sublimes modèles de communion platonicienne. Cependant, Arnheim témoignait d'un désir manifeste d'attirer dans leur intimité le cousin de son amie (amie, ou maîtresse tout de même ? se demandait Ulrich ; la formule la plus probable lui paraissait : amie plus maîtresse divisé par deux). Souvent, il s'adressait à Ulrich à la manière d'un ami plus âgé ; ce que la différence d'âge autorisait prenait par la différence de situation une désagréable nuance de condescendance. Ulrich y ripostait d'ailleurs presque toujours par le refus, d'une façon quasi provocante, comme s'il était absolument incapable d'apprécier la fréquentation d'un homme qui pouvait, au lieu de lui, choisir pour les entretenir de ses idées aussi bien des chanceliers que des rois. Souvent il le contredisait impoliment, avec une discourtoise ironie, et s'irritait lui-même de ce manque de tenue qu'il eût mieux fait de remplacer par les plaisirs de l'observation silencieuse. Il était le premier surpris de se sentir si violemment irrité par Arnheim. Il voyait en lui le type même, gavé par la faveur des circonstances, d'une évolution intellectuelle qu'il haïssait. Cet écrivain célèbre était en effet assez intelligent pour comprendre en quelle dangereuse situation l'homme s'est fourré depuis qu'il ne cherche plus son image dans le miroir des ruisseaux, mais dans les débris coupants de son intelligence ; toutefois, ce magnat-écrivain en rejetait la faute, non sur l'imperfection, mais sur l'intrusion même de l'intelligence. Il y avait une escroquerie dans cette alliance de l'âme et des cours du charbon qui était, en même temps, une séparation fort utile entre ce qu'Arnheim faisait les yeux bien ouverts, et ce qu'il disait ou écrivait dans la pénombre de l'intuition. A cela s'ajoutait, pour aggraver encore le malaise d'Ulrich, quelque chose qu'il n'avait pas rencontré jusqu'alors, l'alliance de l'esprit avec la richesse : quand Arnheim parlait, presque en spécialiste, de quelque problème particulier, pour en escamoter ensuite les détails, d'un geste négligent, dans la lumière d'une « grande idée », bien qu'elle pût répondre à un besoin partiellement justifié, cette libre disposition de deux directions différentes n'en évoquait pas moins l'homme riche qui peut toujours s'offrir ce qu'il y a de meilleur et de plus cher. Sa richesse de pensées n'était pas sans rappeler, malgré tout, les procédés de la véritable richesse. Et peut-être n'était-ce pas encore cela qui incitait le plus Ulrich à contrarier le grand homme ; mais plutôt la tendance de son esprit à tenir dignement sa cour et son ménage, tendance qui conduit fatalement à s'associer aux meilleures marques de la tradition comme de l'insolite. Dans le miroir de cet épicurien de la connaissance, Ulrich voyait la grimace affectée à quoi se réduit le visage de notre temps quand on en efface les rares traits vraiment virils de la pensée et de la passion ; il ne lui restait ainsi que peu d'occasions de mieux pénétrer cet homme, auquel on n'eût pu refuser d'ailleurs toutes sortes de mérites. C'était bien sûr un combat parfaitement dépourvu de sens qu'il menait là, dans un milieu qui donnait d'avance raison à Arnheim, et pour une cause tout à fait dénuée d'importance ; tout au plus aurait-on pu dire que ce manque de sens signifiait qu'Ulrich était extraordinairement prodigue de ses ressources. C'était aussi un combat tout à fait désespéré : qu'Ulrich réussît à blesser une fois son adversaire, il devait aussitôt s'avouer qu'il ne l'avait pas touché au bon endroit ; pareil à une créature ailée, quand l'intellectuel Arnheim semblait terrassé, Arnheim le réaliste s'élevait au-dessus de terre avec un indulgent sourire et se hâtait de fuir la sphère oisive de ces conversations pour voler vers les actes, à Bagdad ou à Madrid.

Une telle invulnérabilité lui permettait d'opposer à l'impertinence de son cadet cette camaraderie aimable dont l'origine était toujours demeurée obscure à Ulrich. Il est vrai qu'il importait à Ulrich lui-même de ne pas trop déprécier son adversaire, car il s'était proposé de résister à la tentation de ces indignes demi-aventures dont son passé n'était que trop riche ; et les progrès qu'il observait entre Arnheim et Diotime ne pouvaient qu'affermir son propos. C'est pourquoi ses attaques étaient d'ordinaire comme la pointe du fleuret qui cède en arrivant au but et se termine par un petit bouton destiné à gentiment atténuer ses coups. C'était d'ailleurs Diotime qui avait trouvé cette comparaison. Sa situation à l'égard de son cousin était singulière. Son visage franc au front clair, la respiration paisible de son cœur, l'aisance et la mobilité de tout son corps disaient assez qu'il n'y avait pas de place en lui pour des désirs malins, perfides ou sournoisement lascifs ; elle n'était d'ailleurs pas peu fière de voir un membre de sa famille faire si bonne figure dans le monde, et dès le début de leurs relations, elle avait résolu de le prendre en main. S'il avait eu les cheveux noirs, une épaule déjetée, la peau douteuse et un front bas, elle aurait dit que cela cadrait bien avec ses opinions ; tel qu'il apparaissait en réalité, elle ne pouvait plus être frappée que par un léger désaccord entre lui et ses vues qu'elle ressentait comme un inexplicable trouble. Les antennes de sa fameuse intuition tâtonnaient en vain à la recherche de son origine, mais ces tâtonnements, à l'autre extrémité de l'antenne, lui procuraient quelque plaisir. Dans un certain sens, mais bien entendu ce n'était pas tout à fait sérieux, elle avait parfois presque plus d'agrément à s'entretenir avec Ulrich qu'avec Arnheim. Son complexe de supériorité y trouvait mieux son compte, elle-même se sentait plus sûre, et ce qu'elle jugeait en lui frivolité, prétention extravagante ou manque de maturité lui procurait une certaine satisfaction qui compensait l'idéalisme chaque jour plus périlleux, chaque jour plus démesuré, qui régnait dans ses rapports avec Arnheim. L'âme est une chose affreusement sérieuse, d'où il s'ensuit que le matérialisme en est une fort gaie. La régulation de ses rapports avec Arnheim lui coûtait parfois autant d'efforts que son salon, tandis que son léger dédain pour Ulrich lui facilitait la vie. Elle ne se comprenait pas, mais constatait cette influence, et cela lui permettait, quand une remarque de son cousin l'avait par trop excédée, de lui jeter un regard oblique qui n'était qu'un minuscule sourire du coin de l'œil, tandis que l'œil lui-même, cuirassé d'idéalisme et même un rien méprisant, continuait à regarder droit devant soi.

De toute manière, quelles qu'en fussent les raisons, Diotime et Arnheim se conduisaient avec Ulrich comme deux combattants qui s'appuient sur un troisième et le poussent tour à tour entre eux deux dans le va-et-vient de leur angoisse. Une telle situation n'était pas sans dangers pour lui. A travers Diotime, en effet, la question suivante prenait vie : les hommes doivent-ils ou non être à l'unisson de leur corps ?

68. *Une digression : les hommes doivent-ils être à l'unisson de leur corps ?*

Indifférent à ce dont parlaient les visages, le mouvement de la voiture dans leurs longues randonnées balançait les deux cousins de telle manière que leurs vêtements se touchaient, glissaient un peu l'un sur l'autre, et de nouveau s'écartaient ; on ne pouvait l'observer qu'à leurs épaules, parce que le reste était dissimulé sous une couverture, mais les corps ressentaient ce contact amorti par les vêtements dans la même confusion délicate qui voile les choses sous la lune. Ulrich, sans le prendre très au sérieux, n'était pas insensible à ce jeu d'adresse de l'amour. Le trop subtil transfert du désir du corps sur les vêtements, de l'étreinte sur ses obstacles et, en un mot, de la fin sur les moyens, était contraire à sa nature ; sa sensualité le portait vers la femme, mais des forces plus hautes le détournaient de cette créature étrangère qui ne lui convenait pas et qu'il voyait tout à coup devant lui avec une netteté impitoyable, de sorte qu'il se trouvait constamment et vivement tiraillé entre l'attirance et la répulsion. Cela signifie que la beauté sublime, la beauté humaine du corps, l'instant où la mélodie de l'esprit s'exhale de l'instrument de la nature, ou celui où le corps est pareil à une coupe qu'emplit un mystique breuvage, lui étaient restés étrangers toute sa vie, si l'on excepte les rêves qu'il avait dédiés à la majoresse et qui avaient anéanti en lui pour très longtemps ces tendances.

Depuis, tous ses rapports avec les femmes avaient été faussés ; avec un peu de bonne volonté de part et d'autre, cela se fait, hélas ! très facilement. Qu'ils commencent à y penser, l'homme et la femme trouvent à portée de la main un schéma de sentiments, d'actions et d'implications tout prêt à s'emparer d'eux ; c'est alors un déroulement spirituellement inversé, où les derniers moments s'efforcent de prendre la première place ; les choses ne coulent plus de source. Dans cette inversion psychique, le pur plaisir que deux êtres prennent l'un à l'autre, le plus simple et le plus profond de tous les sentiments amoureux, disparaît complètement. C'est ainsi qu'Ulrich, dans ses randonnées avec Diotime, pensait souvent à la manière dont elle avait mis fin à sa première visite. Il avait alors tenu dans la sienne cette douce main sans poids, artificiellement et noblement embellie, et Diotime et lui s'étaient en même temps regardés dans les yeux ; ils avaient sûrement éprouvé tous deux de l'aversion, mais n'en avaient pas moins pensé qu'un jour ils se pénétreraient peut-être jusqu'à n'être plus qu'un souffle. Quelque chose de cette vision était demeuré entre eux. Ainsi deux têtes peuvent-elles ne s'accorder l'une à l'autre qu'une froideur effrayante, quand les corps en dessous se fondent l'un dans l'autre, saisis d'un feu irrésistible. Il y a là quelque chose de malicieusement mythique, comme dans un dieu bicéphale ou le pied fourchu du diable ; Ulrich en avait souvent été égaré dans sa jeunesse, lorsqu'il en faisait plus fréquemment l'expérience, mais il était apparu avec le temps que ce n'était rien d'autre qu'un moyen fort bourgeois de stimuler le désir, au même degré que la substitution du déshabillé au nu. Rien n'allume tant l'amour chez les bourgeois que le sentiment flatteur de pouvoir jeter un être humain dans une extase si folle qu'il faudrait véritablement se faire assassin pour se retrouver par d'autres voies à la source de semblables altérations. Peut-il vraiment se produire de telles altérations chez des êtres civilisés, avons-nous donc un tel pouvoir ? Cette question et cet étonnement, ne les déchiffre-t-on pas dans les yeux hardis et vitreux de tous ceux qui abordent à l'île solitaire du plaisir, où ils sont assassin, destin et dieu tout ensemble, et vivent de la façon la plus commode le plus haut degré qu'ils puissent espérer atteindre d'irrationnel et d'aventure ?

L'aversion qu'il avait acquise avec le temps pour ce genre d'amour finit par s'étendre à son propre corps qui avait toujours favorisé la naissance de ces liaisons à l'envers en donnant aux femmes l'illusion d'une virilité courante pour laquelle Ulrich souffrait de trop de contradictions et d'esprit. Parfois même, il était jaloux de son apparence comme d'un rival qui eût recouru à des moyens trop faciles et pas très corrects ; en cela se faisait jour une opposition qui se retrouve aussi chez d'autres, mais ils ne la sentent pas. C'était lui-même qui maintenait son corps en forme par les soins de l'athlétisme et lui donnait l'allure, l'expression, la souplesse dont l'influence sur l'intérieur n'est pas si minime qu'on ne puisse la comparer à celle d'un visage éternellement souriant ou grave sur l'état d'esprit. Or, chose curieuse, la plupart des hommes ont soit un corps négligé, formé et déformé par les contingences, qui ne paraît avoir que fort peu de rapports avec leur esprit et leur nature, soit un corps dissimulé sous le masque du sport qui lui donne l'apparence des heures où il prend congé de lui-même. Ce sont en effet les heures où l'homme, qui l'a cueilli négligemment dans les magazines du beau et du grand monde, poursuit le rêve éveillé du « paraître ». Tous ces êtres bronzés et musclés, tennismen, cavaliers et coureurs automobiles, qui semblent destinés aux plus hautes performances et ne sont d'ordinaire que d'honnêtes spécialistes, ces dames très habillées ou très déshabillées sont des rêveurs diurnes et se distinguent des ordinaires rêveurs éveillés par le seul fait que leur rêve ne reste pas enfermé dans leur cerveau, mais surgit à l'air libre, créé par l'âme collective, et prend une forme corporelle, dramatique, on serait même tenté de dire, en évoquant certains phénomènes occultes plus que douteux, idéoplastique. Leurs rêves ont néanmoins en commun avec ceux des songe-creux habituels une certaine platitude, eu égard autant à leur contenu qu'à leur proximité du réveil. Le problème de la physionomie générale semble aujourd'hui encore résister à l'examen ; bien que l'on ait appris à tirer de l'écriture, de la voix, de la position du dormeur et de Dieu sait quoi encore toutes sortes de conclusions sur la nature des hommes qui sont même, parfois, d'une surprenante exactitude, on ne dispose guère, pour l'ensemble du corps, que des images de mode qui le modèlent, ou tout au plus d'une sorte de naturisme moral.

Mais est-ce là le corps de notre esprit, de nos idées, de nos intuitions et de nos projets, ou celui de nos folies (les charmantes comprises) ? Qu'Ulrich eût aimé ces folies et qu'il en nourrît encore quelques-unes ne l'empêchait pas de se sentir mal à l'aise dans le corps qu'elles lui avaient fait.

69. *Diotime et Ulrich (suite).*

C'était surtout Diotime qui, sur un mode nouveau, encourageait en lui le sentiment que la surface et la profondeur de sa personne n'étaient pas en accord. Dans les randonnées qu'il faisait en sa compagnie et qui étaient parfois comme la traversée d'un rayon de lune où la beauté de cette jeune femme se détachait de sa personne et se posait quelques instants sur ses yeux comme une chimère, la chose éclatait avec une singulière évidence. Il savait fort bien que Diotime comparait tout ce qu'il disait avec ce que l'on dit généralement (encore que ce fût à un certain niveau de généralité), et il lui était agréable qu'elle le jugeât manquer de maturité, parce qu'il lui semblait perpétuellement se trouver sous le regard d'une lunette d'approche braquée à l'envers. Il devenait toujours plus petit et, lorsqu'ils causaient, il croyait, ou du moins n'était pas loin de croire entendre dans ses propres paroles, lorsqu'il se faisait l'avocat du diable et du terre-à-terre, les conversations de ses dernières années d'école, quand ses camarades et lui s'exaltaient sur tous les criminels et tous les monstres de l'Histoire pour la seule raison que l'indignation idéaliste de leurs maîtres les avait ainsi désignés. Et lorsque Diotime le considérait, scandalisée, il devenait plus petit encore et passait de la morale de l'héroïsme et de l'expansionnisme à celle, impudemment sournoise, grossièrement et douteusement déréglée, de ses folles années. Métaphoriquement parlant, bien entendu, comme on peut découvrir dans un geste ou une parole une ressemblance éloignée avec des gestes ou des paroles que l'on a depuis longtemps reniés, ou même avec des gestes que l'on a seulement rêvés ou vu faire à d'autres avec indignation ; quoi qu'il en soit, dans le plaisir qu'il prenait à choquer Diotime, il y avait de cela. L'esprit de cette femme qui, sans son esprit, eût été si belle, éveillait en lui un sentiment inhumain, une crainte de l'esprit peut-être, une aversion pour toutes les grandes choses, sentiment très faible, à peine discernable – et peut-être le terme de « sentiment » était-il beaucoup trop prétentieux pour ce qui n'était guère qu'une exhalaison ! Si l'on avait osé le grossir pour le traduire en mots, peut-être eût-on dit qu'Ulrich voyait parfois en chair et en os devant lui non seulement l'idéalisme de cette femme, mais tout l'idéalisme du monde dans ses ramifications et son extension, flottant à quelques doigts au-dessus de cette coiffure grecque ; tout juste si ce n'était pas les cornes du diable ! Alors il se rapetissait encore un peu plus et revenait, toujours au figuré, à la première morale passionnée de l'enfance, dans les yeux de laquelle la tentation et la peur vacillent comme dans le regard d'une gazelle. Les délicates impressions de cet âge peuvent enflammer, dans un seul instant d'abandon, le monde entier, qui est encore petit, parce qu'elles n'ont ni l'intention ni la possibilité d'agir sur quoi que ce soit, parce qu'elles sont purement et simplement feu sans frontières. On ne l'eût pas attendu d'Ulrich, mais c'est de ces sentiments de l'enfance, qu'il pouvait à peine s'imaginer encore parce qu'ils n'ont presque plus rien de commun avec les conditions dans lesquelles vit l'adulte, que la société de Diotime finissait par lui donner la nostalgie.

Un jour, il s'en fallut de peu qu'il ne le lui avouât. Au cours d'une de leurs promenades, ils avaient quitté la voiture pour s'enfoncer à pied dans une petite vallée qui était comme une embouchure de prairies aux rives abruptes et boisées, formant un triangle irrégulier au milieu duquel s'allongeait un ruisseau tortueux, immobilisé par une légère gelée. Les versants avaient été partiellement déboisés, il y avait dans les coupes et sur les crêtes des arbres isolés pareils à des panaches plantés en terre. Ce paysage les avait incités à marcher ; c'était une de ces émouvantes journées sans neige qui sont au cœur de l'hiver comme une robe d'été démodée et pâlie. Diotime, tout à coup, interrogea son cousin : « Somme toute, pourquoi Arnheim vous traite-t-il d'activiste ? Il dit que vous ne pensez jamais qu'à la façon dont vous pourriez changer et corriger ce qui est. » Elle s'était rappelé tout à coup que sa conversation avec Arnheim sur Ulrich et le général avait tourné court. « Je ne le comprends pas, poursuivit-elle, car il me semble que vous prenez rarement quelque chose au sérieux. Mais il faut que je vous interroge, puisque nous avons en commun de grands devoirs ! Vous rappelez-vous encore notre dernière conversation ? Vous avez dit une chose étrange ; vous avez prétendu que nul homme, s'il avait la toute-puissance, ne réaliserait ce qu'il désire. Je voudrais bien savoir ce que vous voulez dire par là. N'était-ce pas une pensée effroyable ? »

Ulrich commença par se taire. Pendant ce silence, après qu'elle eut dit ce qu'elle voulait dire avec toute l'effronterie possible, elle comprit combien vivement la préoccupait l'illicite question de savoir si Arnheim et elle réaliseraient jamais ce que chacun d'eux, secrètement, souhaitait. Soudain, elle crut s'être trahie devant Ulrich. Elle rougit, s'en défendit, rougit davantage et s'efforça de détourner les yeux pour fixer la vallée d'un air aussi dégagé que possible.

Ulrich avait tout vu. « Je crains fort que l'unique raison pour laquelle Arnheim me traite, comme vous dites, d'activiste, ne soit qu'il surestime mon rôle dans la famille Tuzzi, répliqua-t-il. Vous savez vous-même le peu de cas que vous faites de mes paroles. Mais dans l'instant où vous m'avez interrogé, j'ai compris quelle influence je devrais avoir sur vous. Puis-je vous le dire sans qu'aussitôt vous recommenciez à me blâmer ? »

Diotime fit un signe muet d'assentiment et s'efforça, sous des dehors distraits, de rassembler ses esprits.

« J'ai donc prétendu, commença Ulrich, que personne, même le pouvant, ne réaliserait ses désirs. Vous souvenez-vous de nos portefeuilles bourrés de propositions ? Eh bien ! je vous le demande : qui ne serait embarrassé, si tout à coup se produisait ce qu'il a revendiqué passionnément toute sa vie ? Par exemple, si le royaume de Dieu, brusquement, fondait sur les catholiques, et sur les socialistes l'État de l'avenir ? Mais il se peut que cela ne prouve rien ; on s'habitue à revendiquer, et l'on ne peut plus être immédiatement en état de réaliser ; il se peut que beaucoup trouvent cela simplement naturel. Je poursuivrai donc mes questions : il ne fait pas de doute que pour un musicien, c'est la musique qui est l'essentiel, et pour un peintre la peinture ; il est probable même que pour un spécialiste du béton, ce soit la construction d'immeubles en béton. Croyez-vous donc que ce dernier se représentera le Bon Dieu comme un technicien du béton armé, que les deux autres préféreront au monde réel un monde peint, ou joué sur le cor ? Vous allez juger cette question absurde, mais tout le sérieux en est justement que l'on serait obligé de revendiquer des choses aussi absurdes !

« Et surtout n'allez pas croire, poursuivit-il avec gravité en se tournant vers elle, que je veuille dire simplement par là que chacun aime ce qui est difficilement réalisable et méprise ce qu'il peut réellement avoir. Non, ce que je veux dire est ceci : que la réalité recèle un désir absurde d'irréalité ! »

Il avait entraîné Diotime assez avant dans le petit val et un peu inconsidérément ; le sol, peut-être à cause de la neige qui suintait des versants, devenait plus humide à mesure qu'ils s'élevaient, il leur fallait sauter d'un coussinet d'herbe au suivant, ce qui articulait ses propos et permettait à Ulrich de les reprendre sans cesse, par saccades. Pour la même raison, il y avait tant d'objections faciles à ce qu'il disait que Diotime ne pouvait se décider pour aucune. Elle avait maintenant les pieds mouillés et s'arrêta sur une motte, perdue, anxieuse, les jupes un peu relevées.

Ulrich se retourna et rit : « Vous avez entrepris quelque chose d'extrêmement dangereux, grande cousine. Les hommes sont toujours infiniment heureux qu'on les laisse dans l'incapacité de réaliser leurs idées !

– Et que feriez-vous donc, dit Diotime irritée, si vous aviez pour un jour le gouvernement du monde ?

– Sans doute ne me resterait-il plus qu'à abolir la réalité !

– J'aimerais bien savoir comment vous vous y prendriez !

– Je ne le sais pas moi-même. Je ne sais même pas exactement ce que j'entends par là. Nous surestimons infiniment ce qui est présent, le sentiment du présent, ce qui est là ; je veux dire la façon dont nous sommes là, vous et moi, dans cette vallée, comme si on nous avait déposés au fond d'une corbeille et que le couvercle de l'instant nous fût retombé dessus. Nous surestimons cela. Nous nous le rappellerons. Dans une année d'ici, peut-être serons-nous encore capables de décrire comment nous nous sommes trouvés là. Mais ce qui nous émeut vraiment, moi du moins (je parle prudemment, et ne cherche aucune explication ni aucun nom à cela), s'oppose toujours d'une certaine manière à cette sorte d'expérience. Le présent l'évince, et ce n'est pas ainsi que ce qui m'émeut peut devenir présent. »

Ce qu'Ulrich disait sonna haut et confus dans le resserrement de la vallée. Diotime se sentit tout à coup mal à l'aise et voulut rejoindre la voiture. Ulrich la retint et lui montra le paysage : « Il y a quelques milliers d'années, c'était un glacier. La terre elle-même n'est pas de tout son cœur ce qu'elle se donne dans l'instant l'apparence d'être, expliqua-t-il. Cette ronde créature est un peu hystérique. Aujourd'hui, elle joue à la bonne bourgeoise, à la mère nourricière. Elle était alors frigide et glacée comme une fillette maligne. Quelques milliers d'années avant, elle se livrait à la luxure avec des forêts de fougères brûlantes, des marais ardents, des animaux démoniaques. On ne peut dire qu'elle ait lentement évolué vers la perfection, ni quel est son véritable état. Il en va de même pour sa fille, l'humanité. Imaginez seulement les vêtements des hommes qui se sont tenus, à cette même place où nous sommes, au long des siècles. Empruntant le langage des asiles d'aliénés, je dirai que tout cela ressemble à des obsessions persistantes avec début aigu de fuite des idées ; à la suite de quoi apparaît une nouvelle vision de la vie. Ainsi, vous voyez bien que la réalité s'abolit elle-même !

« Je voudrais encore vous dire ceci, reprit Ulrich un moment après. Le sentiment d'avoir quelque chose de solide sous les pieds et autour de mon corps, qui paraît aux autres si naturel, n'est pas très développé chez moi. Songez donc seulement à ce que vous étiez enfant : tout entière tendre ardeur ! Puis l'adolescente aux lèvres brûlées de nostalgie. En moi du moins, il y a quelque chose qui se refuse à ce que le prétendu âge mûr soit le sommet d'une telle évolution. Dans un certain sens oui et dans un certain sens non. Si j'étais la nymphe du fourmi-lion, pareille à une libellule, je serais horrifiée d'avoir été un an plus tôt cette grosse larve grise, marchant à reculons, qui vit enterrée à la lisière des forêts sous la pointe d'un entonnoir de sable et enlève les fourmis de sa pince invisible après les avoir épuisées par un mystérieux bombardement de grains de sable. Il m'arrive d'éprouver une horreur toute semblable pour ma jeunesse, même si je devais avoir été alors la libellule, et être maintenant le monstre. » Lui-même ne savait pas exactement à quoi il voulait en venir. Avec cette histoire des myrméco-léonides, il avait un peu singé l'omniscience élégante d'Arnheim. Mais il avait d'autres mots au bout de la langue : « Accordez-moi une étreinte, par pure gentillesse. Nous sommes parents ; pas tout à fait distincts, et cependant fort loin de ne faire qu'un ; en tout cas, tout le contraire d'une relation digne et austère… »

Mais Ulrich se trompait. Diotime était de ces gens qui sont satisfaits d'eux-mêmes et considèrent leurs âges successifs comme les degrés d'un escalier ascendant. Ce qu'Ulrich disait lui était donc parfaitement incompréhensible, d'autant plus qu'elle ignorait ce qu'il avait passé sous silence. Entre-temps ils avaient rejoint la voiture, de sorte qu'elle se sentit rassurée et accueillit ses propos comme elle accueillait d'ordinaire ce bavardage qu'elle connaissait bien, distrayant et agaçant tour à tour, et auquel elle n'accordait qu'un regard du coin de l'œil. En vérité, il n'avait d'autre influence sur elle en cet instant que celle du dégrisement. Un doux nuage de gêne, monté de quelque recoin de son cœur, s'était dissous dans la sécheresse du vide. Peut-être se rendait-elle clairement compte pour la première fois que ses relations avec Arnheim la conduiraient tôt ou tard devant une décision qui pourrait changer toute sa vie. On n'eût pu dire que cette éventualité la rendît heureuse ; mais elle était pesante comme une montagne réelle surgie sur son chemin. Un moment de faiblesse était passé. Ces mots « ne pas faire ce que l'on voudrait » avaient eu un instant pour elle un éclat parfaitement absurde, qu'elle ne comprenait plus.

« Arnheim est tout à fait le contraire de moi ; il surestime constamment le bonheur qu'ont l'espace et le temps de le rencontrer pour former l'instant présent ! » soupira Ulrich en souriant, avec le fort honnête besoin de donner une conclusion à ses propos ; mais il ne parla plus de l'enfance, et Diotime ne le connut pas sentimental.

70. *Clarisse vient voir Ulrich pour lui raconter une histoire.*

L'aménagement des vieux châteaux était la spécialité du célèbre peintre van Helmond, dont l'œuvre la plus géniale était sa fille Clarisse ; un beau jour, celle-ci survint à l'improviste chez Ulrich.

« C'est papa qui m'envoie, expliqua-t-elle, pour voir si tu ne pourrais pas le faire profiter un peu, lui aussi, de tes magnifiques relations aristocratiques ! » Elle examina la chambre avec curiosité, se jeta sur une chaise et lança son chapeau sur une autre. Puis elle tendit la main à Ulrich.

« Ton papa me surestime », voulut-il dire, mais elle lui coupa la parole.

« Sottises ! Tu sais bien que le vieux a toujours besoin d'argent. Les affaires ne marchent plus comme autrefois ! » Elle rit. « C'est élégant chez toi ! Charmant ! » Elle examina la pièce encore une fois, puis regarda Ulrich. Il y avait dans toute son attitude quelque chose de l'adorable hésitation d'un petit chien que démange sa mauvaise conscience. « Bon ! dit-elle. Tu le feras donc, si tu peux. Sinon tant pis.

Bien entendu, je le lui ai promis. Mais je suis venue pour un tout autre motif ; sa demande m'a donné une idée. Il y a eu quelque chose dans notre famille. J'aimerais bien savoir ce que tu en dis. » Un instant, sa bouche et ses yeux hésitèrent, vacillèrent, puis elle sauta d'un bond sur l'obstacle du commencement. « Médecin de beauté, est-ce que ça te dit quelque chose ? Un peintre est un médecin pour la beauté. »

Ulrich comprit ; il connaissait la maison des parents de Clarisse.

« Quelque chose de sombre, de distingué, de somptueux, de luxuriant, des coussins, des glands, des panaches ! poursuivit-elle. Papa est peintre, le peintre est une sorte de médecin pour la beauté, et la bonne société a toujours estimé notre fréquentation aussi "chic" que celle des eaux. Tu vois ça. Et une des grandes sources de revenus de papa a toujours été l'aménagement des hôtels particuliers et des maisons de campagne. Tu connais les Pachhofen ? »

C'était une famille patricienne, mais Ulrich ne la connaissait pas ; il se souvenait seulement d'avoir rencontré naguère en compagnie de Clarisse une demoiselle Pachhofen.

« C'était mon amie, expliqua Clarisse. Elle avait alors dix-sept ans et moi quinze, papa devait transformer et aménager le château.

– ?...

– Oui, quoi ! le château Pachhofen ! Nous étions tous invités. Walter était aussi avec nous, pour la première fois. Et Meingast.

– Meingast ? » Ulrich ne savait pas qui était Meingast.

« Mais oui, voyons ! tu le connais aussi. Meingast, celui qui plus tard est allé en Suisse. A cette époque, il n'était pas encore philosophe ; il paradait dans toutes les familles où il y avait des filles.

– Je ne l'ai jamais connu personnellement, dit Ulrich, mais je vois maintenant qui c'est.

– Bon ! (Clarisse se livra à un difficile calcul mental), attends un peu : Walter avait alors vingt-trois ans et Meingast un peu plus. Je crois que Walter, en secret, admirait terriblement papa. C'était la première fois qu'il était invité dans un château. Papa avait souvent l'air de porter au-dedans de lui un manteau royal. Je crois que Walter, au début, était plus amoureux de papa que de moi. Et Lucy…

– Pour l'amour de Dieu, Clarisse, pas si vite ! implora Ulrich. Je crois bien que j'ai perdu le fil.

– Lucy, dit Clarisse, mais c'est la demoiselle Pachhofen, la fille des Pachhofen chez qui nous étions tous invités. Tu comprends maintenant ? Tu comprends, bon ! Quand papa enroulait Lucy dans du velours ou du brocart et la posait avec une longue traîne sur un de ses chevaux, elle s'imaginait qu'il était Titien ou Tintoret. Ils étaient complètement fous l'un de l'autre.

– Papa de Lucy, donc, et Walter de papa ?

– Un peu de patience ! C'était l'époque de l'impressionnisme. Papa faisait une peinture musicale à l'ancienne mode, comme il continue à en faire, un jus brunâtre et des queues de paon. Walter était pour le plein air, pour les formes utiles, aux lignes claires, des Anglais, pour le Neuf et le Loyal. Au fond de lui, papa le trouvait aussi impossible qu'un prêche protestant ; d'ailleurs, il ne pouvait pas davantage sentir Meingast, mais il avait deux filles à marier, il avait toujours dépensé plus qu'il n'avait gagné et se montrait tolérant pour l'âme des deux jeunes hommes. Walter au contraire aimait secrètement papa, je l'ai déjà dit ; mais il était obligé de le mépriser en public, à cause de l'art moderne. Lucy ne comprenait strictement rien à l'art, mais elle avait peur de se rendre ridicule aux yeux de Walter, elle craignait que papa, si Walter avait raison, ne fût plus qu'un vieil homme grotesque. Tu vois le tableau ? »

Pour le mieux voir, Ulrich voulut savoir encore où était maman.

« Naturellement, maman était là aussi. Ils se disputaient tous les jours, comme d'ordinaire, ni plus ni moins. Tu comprends que ces circonstances aient donné à Walter une position privilégiée. Il devint en quelque sorte notre point d'intersection : papa en avait peur, maman l'aiguillonnait et je commençais à l'aimer. Mais Lucy le cajolait. Walter avait donc un certain pouvoir sur papa, et il commença à le savourer avec une volupté prudente. Je pense que c'est alors que sa propre importance lui est apparue ; sans papa et moi, il n'aurait jamais rien été. Tu comprends le système ? »

Ulrich crut pouvoir répondre oui à cette question.

« Mais je voulais te raconter autre chose », affirma Clarisse. Elle réfléchit et dit bientôt : « Attends ! Pense d'abord seulement à Lucy et moi : la complexité de nos rapports était singulièrement excitante ! Bien entendu, j'avais peur pour mon père dont la passion menaçait de ruiner toute la famille. En même temps, bien entendu, j'aurais aimé savoir comment ces choses-là se passent. Ils étaient complètement fous tous les deux. En Lucy, l'amitié pour moi se mêlait évidemment avec le sentiment d'avoir pour amant l'homme à qui je devais dire encore, docilement, papa. Elle n'en était pas peu fière, mais elle avait aussi terriblement honte devant moi. Je crois que le vieux château n'avait pas abrité de complications pareilles depuis sa construction ! Toute la journée, Lucy rôdait avec papa où elle pouvait, et la nuit elle venait se confesser à moi dans la tour. Je dormais en effet dans la tour, et nous avions la lumière presque toute la nuit.

– Jusqu'où Lucy est-elle allée avec ton père ?

– C'est la seule chose que je n'aie jamais pu savoir. Mais imagine ces nuits d'été ! Les chouettes gémissaient, la nuit geignait, et quand nous commencions à avoir trop peur, nous nous glissions toutes les deux dans mon lit pour continuer à parler. Nous ne pouvions imaginer qu'un homme en proie à une passion aussi maudite pût faire autre chose que se suicider. Et chaque jour, en vérité, nous l'attendions...

– J'ai pourtant l'impression, interrompit Ulrich, qu'il n'avait pas dû se passer grand-chose entre eux.

– Je le crois aussi : pas l'essentiel. Mais tout de même pas mal de choses. Tu vas le voir tout de suite. En effet, Lucy a dû brusquement quitter le château. Son père était arrivé à l'improviste et l'emmena faire un voyage en Espagne. Tu aurais dû voir papa, une fois seul ! Je crois qu'il s'en est fallu parfois de peu qu'il n'étranglât maman. Avec un chevalet portatif qu'il bouclait derrière sa selle, il rôdait à cheval du matin au soir sans donner un coup de pinceau, et lorsqu'il restait à la maison, c'était la même chose. Il faut te dire que d'habitude il peint comme une machine. A cette époque, je le trouvais souvent assis dans une des grandes salles vides avec un livre qu'il n'avait même pas ouvert. Il restait là parfois pendant des heures à ruminer, puis se levait, et cela recommençait dans une autre chambre, ou dans le parc ; quelquefois pendant toute la journée. Finalement, c'était un vieil homme, et la jeunesse l'avait laissé tomber ; on le comprend, non ? Et j'imagine que le tableau que nous formions Lucy et moi, ces deux amies qui se tenaient par la taille et bavardaient familièrement, devait s'être ouvert en lui comme une graine sauvage. Peut-être avait-il appris aussi que Lucy venait me voir dans la tour. Bref, une fois, vers les onze heures du soir, toutes les lumières étaient déjà éteintes dans le château, il arrive ! Eh bien ! c'était quelque chose ! » Clarisse, maintenant, était entraînée par l'importance de sa propre histoire. « Tu entends ces tâtonnements, ce bruit de pas glissant dans l'escalier, et tu ne sais pas ce que c'est ; puis tu entends qu'on pousse maladroitement le verrou, la porte aventureusement s'ouvre...

– Pourquoi n'as-tu pas appelé à l'aide ?

– C'est bien là le plus étrange. Au premier bruit, j'avais deviné qui c'était. Il doit être resté immobile dans l'encadrement de la porte, car pendant un long moment on n'entendit rien. Sans doute était-il aussi effrayé. Puis, prudemment, il referma ; il m'a appelée à voix basse. J'ai cru fuser de sphère en sphère. Je ne voulais nullement lui répondre, mais c'est là l'étrange : du fond de moi, comme si j'étais un espace profond, il est sorti un son, une espèce de vagissement. Tu connais cela ?

– Non. Continue.

– Comme ça... et l'instant d'après, avec un désespoir infini, il s'est accroché à moi ; il est presque tombé sur mon lit, sa tête était à côté de la mienne dans les coussins.

– Des larmes ?

– Une spasmodique sécheresse ! Un vieux corps abandonné ! J'ai compris tout de suite. Crois-moi, si l'on pouvait traduire plus tard en paroles ce que l'on a pensé dans de pareils instants, ce serait extraordinaire ! Je crois que ce qu'il n'avait pu faire l'avait rempli d'une fureur insensée contre toute espèce de morale. Donc, tout d'un coup, je m'aperçois qu'il se réveille, et devine aussitôt, bien qu'il fasse noir comme dans un four, qu'une implacable faim de moi maintenant le convulse. Je sais qu'il n'y aura plus maintenant ni égards ni pitié. Depuis mon geignement, le silence s'était prolongé ; mon corps était de sécheresse ardente, et le sien comme un papier qu'on pose au bord du feu. Il est devenu tout léger ; j'ai senti son bras se détacher de mon épaule et descendre le long de moi en sinuant. Et, à propos, je voulais te demander quelque chose. C'est pourquoi je suis venue... »

Clarisse s'interrompit.

« Eh bien quoi ? Tu ne m'as rien demandé, pour le moment ! » dit Ulrich pour lui venir en aide, après un bref silence.

« Non. D'abord il faut que je te dise encore autre chose : à l'idée que mon immobilité pourrait lui sembler un signe d'assentiment, je me suis détestée ; mais je suis restée tout à fait désemparée, l'angoisse pesait sur moi comme une pierre. Qu'en penses-tu ?

– Je ne puis rien dire du tout.

– D'une main il continuait à me caresser le visage, l'autre s'est mise en marche. Tremblante, avec l'air de n'y pas toucher, tu vois, elle a passé comme un baiser sur mes seins, puis on aurait dit qu'elle attendait, qu'elle épiait une réponse. Enfin elle voulut... tu m'as comprise, et en même temps son visage cherchait le mien. A ce moment-là je me suis quand même dégagée de toutes mes forces et retournée sur le côté ; et de nouveau, ce son que je ne me connais pas d'ordinaire, ce son entre la supplication et la plainte, est sorti de ma gorge. J'ai en effet, une envie, un médaillon noir...

– Et comment ton père s'est-il comporté ? » dit Ulrich en l'interrompant froidement.

Mais Clarisse ne se laissa pas interrompre. « Ici ! » Elle eut un sourire crispé et désigna un endroit à travers sa robe, à l'intérieur de la hanche. « Il a été jusque-là, c'est là que j'ai ce médaillon. Ce médaillon possède une force merveilleuse, ou bien il y a là quelque chose d'étrange. »

Tout à coup le sang lui monta au visage. Le silence d'Ulrich la dégrisa et déchira le filet de pensées qui la tenait prisonnière. Elle sourit, gênée, et conclut rapidement : « Mon père ? Il s'est immédiatement relevé. Je n'ai pas pu voir ce qu'il y avait sur son visage ; je pense que c'était de la confusion. Ou peut-être de la reconnaissance. Car enfin, je l'avais sauvé au dernier moment. Pense donc : c'était un vieil homme, et une jeune fille avait eu cette force ! Il doit m'avoir trouvé remarquable, car il m'a serré très tendrement la main et de l'autre il m'a caressé par deux fois les cheveux, puis il est parti, sans rien dire. Alors, tu feras ce que tu peux pour lui ? Mais, après tout, il fallait aussi que je t'explique ça. »

Stricte et correcte, dans un tailleur qu'elle ne portait que pour venir en ville, elle était là debout, prête à partir, et tendit la main pour prendre congé.

71. *Le « Comité pour l'Élaboration d'une Initiative en vue du soixante-dixième anniversaire de l'Avènement de Sa Majesté » commence à siéger.*

De sa lettre au comte Leinsdorf, de son désir qu'Ulrich sauvât Moosbrugger, Clarisse n'avait soufflé mot ; elle semblait avoir oublié tout cela. Ulrich lui-même n'eut pas de si tôt l'occasion de s'en souvenir. Les préparatifs de Diotime étaient enfin assez avancés pour que, dans le cadre de « l'Enquête pour l'élaboration d'une initiative et la détermination des désirs de tous les cercles de la population intéressée, en vue du soixante-dixième anniversaire de l'avènement de Sa Majesté », pût être convoqué le « Comité spécial pour l'élaboration d'une initiative en vue du soixante-dixième anniversaire de Sa Majesté », comité dont Diotime s'était réservé la présidence. Son Altesse avait conçu elle-même l'invitation, Tuzzi l'avait corrigée et, grâce à Diotime, Arnheim avait pu jeter un coup d'œil sur ces corrections avant qu'elles ne fussent ratifiées. Néanmoins, on y retrouvait toutes les préoccupations du comte Leinsdorf. « Ce qui motive cette réunion, pouvait-on lire, est notre unanimité sur le fait qu'une manifestation puissante, issue du cœur même du peuple, ne peut être laissée au hasard, mais qu'elle exige des organisateurs à qui leur situation permette de voir grand et de voir loin, donc haut placés. » Venaient ensuite « l'anniversaire exceptionnel de soixante-dix ans de règne, c'est-à-dire de bénédictions », les peuples « assemblés dans la gratitude », l'Empereur de la Paix, le manque de maturité politique, l'année austro-mondiale ; finalement, on exhortait « Capital et Culture » à faire de tout cela une brillante manifestation de la « vraie Autriche », sans pour autant abandonner une extrême et nécessaire prudence.

On avait tiré des listes de Diotime trois groupes : Art, Littérature et Sciences, qu'on avait soigneusement complétés par de longues et exhaustives recherches, alors que d'autre part, sur les personnalités admises à assister à l'événement sans qu'on en attendît de contribution précise, il n'était resté, après un très sévère filtrage, que très peu de monde ; cependant, le nombre des invités se révéla si élevé qu'il ne put être question d'une séance orthodoxe autour de la table verte et qu'il fallut choisir la solution moins rigoureuse des soirées avec buffet froid. On s'asseyait ou l'on restait debout selon les possibilités, et l'appartement de Diotime semblait le bivouac d'une armée intellectuelle qu'il fallait sustenter à coups de sandwiches, de gâteaux, de vin, de liqueurs et de thé, dans des proportions telles que seules avaient pu les rendre possibles des concessions budgétaires spéciales accordées à son épouse par M. Tuzzi ; sans aucune résistance, d'ailleurs, il faut l'ajouter, et en conclure qu'il s'était résigné à recourir à des méthodes diplomatiques nouvelles et plus intellectuelles.

Il fallait à Diotime de grands efforts mondains pour dominer de tels rassemblements, et beaucoup de choses l'auraient peut-être choquée, sa tête n'eût-elle ressemblé à une magnifique coupe de fruits si chargée que les mots ne cessaient d'en déborder ; ces mots dont la maîtresse de maison saluait chaque arrivant et le ravissait par une connaissance parfaite de son dernier ouvrage. Il y avait fallu des préparatifs extraordinaires dont elle n'eût pu venir à bout sans l'aide d'Arnheim ; celui-ci avait mis à sa disposition son secrétaire particulier pour classer le matériel et en extraire la substance. De ce zèle ardent étaient restées de merveilleuses scories : une grande bibliothèque, rassemblée à l'aide des fonds que le comte Leinsdorf avait alloués pour les débuts de l'Action parallèle, et qui forma, avec les livres personnels de Diotime, le seul ornement de la dernière des pièces qu'elle avait fait vider ; sa tapisserie à fleurs, dans la mesure où elle était encore visible, trahissait l'ancien boudoir, et ce contraste éveillait des idées flatteuses pour celle qui y avait vécu. Mais, d'une autre manière encore, cette bibliothèque se révéla un heureux investissement : chacun des invités, une fois qu'il avait accueilli le gracieux salut de Diotime, se mettait à louvoyer au hasard, de pièce en pièce ; louvoyant ainsi, il était immanquablement attiré, aussitôt qu'il l'apercevait, par le mur de livres qui terminait l'enfilade ; une troupe de dos ne cessait de s'élever et de s'abaisser devant lui pour l'examiner, comme des abeilles devant une haie fleurie. Bien que la seule cause en fût cette noble curiosité que tous les travailleurs de l'esprit nourrissent pour les collections de livres, celui qui regardait n'en ressentait pas moins une douce et profonde satisfaction lorsqu'il y découvrait enfin ses propres œuvres, et l'entreprise patriotique en retirait quelque avantage.

Diotime laissa d'abord régner dans la direction spirituelle de la réunion un assez beau désordre, bien qu'elle tînt à affirmer immédiatement, en particulier aux poètes, que toute vie se fondait, en fin de compte, sur un poème intérieur, même la vie des affaires, pour peu qu'on la jugeât avec « une certaine largeur de vues ». Personne ne s'en étonna ; il apparut seulement que la plupart de ceux que distinguaient de telles paroles étaient venus avec la conviction qu'on les avait invités pour qu'ils accordent brièvement, c'est-à-dire dans un délai de cinq à quarante-cinq minutes, à l'Action parallèle un conseil tel que, s'il était suivi, ladite action ne pourrait plus jamais s'égarer, même si des orateurs subséquents lui faisaient perdre son temps avec des propositions inutiles et erronées. Au début, Diotime fut bien près d'en pleurer et ne conserva sa sérénité qu'avec peine ; il lui semblait que chacun de ses invités venait lui dire quelque chose de différent, et il lui était impossible de leur trouver un dénominateur commun. Elle n'avait encore aucune expérience de ces grandes densités de bel esprit ; comme une aussi vaste réunion de grands hommes ne peut guère se retrouver deux fois, on ne pouvait la comprendre qu'en se livrant à des efforts méthodiques, et pas à pas. D'ailleurs, il y a dans le monde beaucoup de choses qui n'ont pas du tout le même sens pour l'homme si elles sont isolées ou en groupe ; l'eau, par exemple, est un moindre plaisir en grandes quantités qu'en petites dans l'exacte proportion qui sépare « boire un verre » de « boire une tasse » ; il en va de même pour les poisons, les plaisirs, l'oisiveté, l'idéal et la musique de piano, sans doute même pour toutes choses, de sorte que la nature d'une chose dépend entièrement de son degré de densité et de quelques autres circonstances. Il suffira donc d'ajouter que le génie n'y fait pas exception pour que l'on n'aille pas voir dans les impressions qui suivent une quelconque dépréciation des grandes personnalités qui s'étaient mises si généreusement à la disposition de Diotime.

On pouvait retirer tout de suite de cette première rencontre l'impression que le grand esprit perd toute assurance dès qu'il doit abandonner son nid d'aigle et se faire comprendre du commun. Les propos extraordinaires qui passaient au-dessus de la tête de Diotime comme des phénomènes célestes tant qu'elle se trouvait seule dans la conversation d'un Puissant, faisaient place, pour peu qu'un tiers survînt et que plusieurs propos entrassent alors en contradiction, à une douloureuse incapacité d'atteindre à l'harmonie ; et qui ne redoute pas de telles images pourrait songer à l'albatros se traînant sur le sol après avoir orgueilleusement volé. Mais, dès qu'on s'est familiarisé un peu avec ces choses, on les comprend aisément. La vie des grands esprits repose aujourd'hui sur ces mots : « A quoi bon ? » Les grands esprits jouissent d'une profonde vénération, laquelle se manifeste de leur cinquantième à leur centième anniversaire ou lors du jubilé d'une École d'agriculture qui tient à se parer de quelques docteurs *honoris causa* ; mais aussi bien, chaque fois qu'il faut parler du patrimoine spirituel allemand. Nous avons eu de grands hommes dans notre histoire, et nous en avons fait une institution nationale au même titre que l'armée et les prisons ; du moment qu'on les a, il faut bien y fourrer quelqu'un. Avec l'automatisme propre à ces besoins sociaux, on choisit immanquablement celui qui vient à son tour, et on lui accorde les honneurs disponibles à ce moment-là. Mais cette vénération n'est pas tout à fait réelle ; il s'y cache tout au fond la conviction assez générale que plus personne aujourd'hui ne la mérite vraiment, et quand la bouche s'ouvre, il est difficile de dire si c'est par enthousiasme, ou pour bâiller. Dire aujourd'hui d'un homme qu'il est génial, quand on ajoute à part soi qu'il n'y a plus de génies, cela fait songer au culte des morts ou à ces amours hystériques qui ne se donnent en spectacle que parce que tout sentiment réel leur fait défaut.

On comprend que cette situation ne soit pas agréable pour des esprits sensibles, et qu'ils cherchent chacun à sa manière à en sortir. De désespoir, les uns deviennent riches en apprenant à exploiter le besoin persistant, non seulement de grands esprits, mais encore de barbares, de romanciers brillants, de plantureux enfants de la nature, de maîtres des générations nouvelles ; les autres portent sur la tête une couronne royale invisible qu'aucune circonstance ne peut leur faire enlever, et affirment avec une amère modestie qu'ils ne permettront de juger de la valeur de leurs œuvres que dans trois ou dix siècles ; mais tous considèrent comme l'horrible tragédie du peuple allemand que les esprits réellement grands ne puissent jamais devenir son patrimoine vivant, parce qu'ils ont trop d'avance sur leur époque.

Il faut néanmoins préciser que l'on a parlé jusqu'ici des artistes et des écrivains, car il y a dans les rapports de l'esprit avec le monde d'assez singulières différences. Tandis que l'artiste désire être admiré comme Goethe et Michel-Ange, comme Napoléon et Luther, il n'est presque plus personne aujourd'hui qui connaisse encore le nom de l'homme qui a donné à ses semblables l'inappréciable bienfait de la narcose, personne ne va chercher dans la vie de Gauss, de Maxwell ou d'Euler les traces d'une Madame de Stein, et il est bien peu de gens qui se soucient de savoir où Lavoisier et Cardan sont nés, où ils sont morts. On apprend au contraire comment leurs pensées et leurs découvertes ont été développées par les pensées et les découvertes d'autres personnalités non moins inintéressantes, et l'on ne cesse de se pencher sur leurs travaux qui survivent en d'autres, alors même que le feu bref de leur personne s'est depuis longtemps consumé. Au premier moment, on s'étonne de voir avec quelle netteté cette différence sépare l'une de l'autre deux sortes d'attitude humaine, mais les exemples contraires surgissent bientôt, et l'on comprend que c'est la plus naturelle des frontières. Une habitude familière nous enseigne que c'est la frontière qui sépare la personne du travail, la grandeur de l'homme de celle d'une cause, la culture du savoir, l'humanité de la nature. Le travail, le génie industrieux n'accroissent pas la grandeur morale, le fait d'avoir été « un homme sous la voûte du ciel », cette indestructible leçon de la vie qui ne se transmet qu'à travers des exemples : hommes politiques, héros, saints, ténors et même acteurs de cinéma. C'est cette grande puissance irrationnelle à laquelle le poète se sent lui aussi participer aussi longtemps qu'il croit en sa parole et prétend que parle en lui, selon les circonstances de sa vie, la voix de l'âme, du sang, du cœur, de la nation, de l'Europe ou de l'humanité. C'est ce Tout mystérieux dont il se sent l'instrument, tandis que les autres se bornent à fouiller le Tangible ; et avant même que d'avoir pu la voir, il faut croire à cette vocation ! Ce qui nous en assure est sans doute une voix de la vérité, mais ne demeure-t-il pas quelque chose d'étrange dans cette vérité ? Là en effet où l'on s'attache moins à la personne qu'à la cause, il est remarquable qu'il se trouve toujours de nouvelles personnes pour embrasser la cause ; au contraire, là où l'on estime la personne, on éprouve le sentiment qu'à une certaine altitude il n'y a plus personne à la hauteur, et que la vraie grandeur appartient au passé !

Il ne s'était réuni chez Diotime que des Touts, et c'était beaucoup à la fois. La poésie et la pensée qui sont aussi naturelles à l'homme que la nage au jeune canard, ils en avaient fait un métier, et il est vrai de dire qu'ils y excellaient plus que d'autres. Mais à quoi bon ? Ce qu'ils faisaient était beau, était grand, était unique, mais tant d'unique créait une atmosphère de cimetière, exhalait le souffle de la caducité, sans véritable sens et sans véritable but, sans origine et sans avenir. D'innombrables souvenirs d'événements, des myriades d'oscillations intellectuelles entrecroisées étaient rassemblées dans ces têtes ; comme les aiguilles d'un tapissier, elles piquaient dans un canevas qui s'étendait autour d'elles, devant elles et derrière elles sans couture et sans lisière, dessinant ici ou là un motif qui se répétait ailleurs, identique ou tout de même légèrement différent. Mais est-ce vraiment faire un bon usage de soi que de coudre cette petite pièce à l'habit de l'éternité ?

Dire que Diotime comprenait cela serait probablement aller trop loin, mais elle sentait ce vent funèbre sur les champs de l'esprit. Plus ce premier jour approchait de sa fin, plus elle sombrait profondément dans le découragement. Par bonheur, elle se souvint alors d'un certain désespoir qu'avait exprimé Arnheim dans une autre occasion, alors obscure pour elle, lorsqu'il avait été question de problèmes semblables ; son ami était en voyage, mais elle se rappela qu'il l'avait prévenue de ne pas mettre de trop grands espoirs dans cette réunion. De sorte que ce fut cette mélancolie arnheimienne où elle sombrait qui lui donna finalement, malgré tout, une satisfaction merveilleuse, caressante et d'une tristesse presque sensuelle. « N'est-ce pas là finalement, dans les tréfonds, se demanda-t-elle en songeant à la prédiction d'Arnheim, ce pessimisme qu'éprouvent toujours les hommes de l'action quand ils entrent en contact avec les hommes de la parole ? »

72. *La science sourit dans sa barbe, ou : Première rencontre circonstanciée avec le Mal.*

Il nous faut maintenant ajouter quelques mots à propos d'un sourire, et qui plus est, d'un sourire d'hommes, accompagné de la barbe indispensable à cette activité d'homme qu'on appelle sourire-dans-sa-barbe : il s'agit du sourire des savants qui avaient donné suite à l'invitation de Diotime et écoutaient parler les illustres beaux esprits. Quoiqu'ils sourissent, gardons-nous bien de croire que ce fût avec ironie. Tout au contraire, c'était leur façon d'exprimer la vénération et l'incompétence dont on a déjà parlé. Mais gardons-nous aussi d'en être dupes. Dans leur conscience, c'était sans doute vrai, mais dans leur subconscient, pour user d'un terme devenu courant, ou, pour mieux dire, dans leur état général, c'étaient des hommes chez qui grondait, comme le feu sous le chaudron, une certaine tendance au Mal.

Bien entendu, cette remarque semble paradoxale, et un professeur d'Université en présence duquel on la risquerait répliquerait probablement qu'il se contente de servir la Vérité et le Progrès, et ne veut rien savoir d'autre : c'est là l'idéologie de sa profession. Toutes les idéologies de profession sont évidemment nobles ; les chasseurs, par exemple, bien loin de s'intituler « bouchers des forêts », se proclament très haut « Amis officiels des animaux et de la nature », de même que les commerçants défendent le principe du profit honorable et que les voleurs, à leur tour, adoptent le dieu des commerçants, à savoir le distingué promoteur de la concorde universelle, l'international Mercure. Il ne faut donc pas faire trop de cas de la forme que prend une activité quelconque dans la conscience de ceux qui l'exercent.

Si l'on se demande sans aucun parti pris comment la science a pu aboutir à sa forme actuelle (chose importante à tous points de vue, puisqu'elle nous domine et que l'analphabète lui-même n'en est pas préservé, qui apprend à vivre dans la compagnie d'innombrables objets produits scientifiquement), on obtient déjà une image fort différente. Selon des traditions dignes de foi, ce serait au cours du XVIe siècle, période d'intense animation spirituelle, que l'homme, renonçant à violer les secrets de la nature comme il l'avait tenté jusqu'alors pendant vingt siècles de spéculation religieuse et philosophique, se contenta, d'une façon que l'on ne peut qualifier que de « superficielle », d'en explorer la surface. Le grand Galilée, par exemple, qui est toujours le premier cité à ce propos, renonçant à savoir pour quelle raison intrinsèque la Nature avait horreur du vide au point qu'elle obligeait un corps en mouvement de chute à traverser et remplir espace après espace jusqu'à ce qu'il atteignît enfin le sol, se contenta d'une constatation beaucoup plus banale : il établit simplement à quelle vitesse ce corps tombe, quelle trajectoire il remplit, quel temps il emploie pour la remplir et quelle accélération il subit. L'Église catholique a commis une grave faute en forçant cet homme à se rétracter sous peine de mort au lieu de le supprimer sans plus de cérémonies : c'est parce que lui et ses frères spirituels ont considéré les choses sous cet angle que sont nés plus tard (et bien peu de temps après si l'on adopte les mesures de l'histoire) les indicateurs de chemin de fer, les machines, la psychologie physiologique et la corruption morale de notre temps, toutes choses à quoi elle ne peut plus tenir tête. Sans doute est-ce par excès d'intelligence qu'elle a commis cette faute, car Galilée n'était pas seulement l'homme qui avait découvert la loi de la chute des corps et le mouvement de la terre, mais un inventeur à qui le Grand capital, comme on dirait aujourd'hui, s'intéressait ; de plus, il n'était pas le seul à son époque qu'eût envahi l'esprit nouveau. Au contraire, les chroniques nous apprennent que la sobriété d'esprit dont il était animé se propageait avec la violence d'une épidémie ; si choquant qu'il soit aujourd'hui de dire de quelqu'un qu'il est animé de sobriété, quand nous penserions plutôt en être saturés, le pas que l'homme fit à cette époque hors du sommeil métaphysique vers la froide observation des faits dut entraîner, si l'on en croit quantité de témoignages, une véritable ardeur, une véritable ivresse de sobriété. Si l'on se demande comment l'humanité a pu penser à se transformer ainsi, il faut répondre qu'elle a agi comme tous les enfants raisonnables quand ils ont essayé trop tôt de marcher ; elle s'est assise par terre, elle a touché la terre avec une partie du corps peu noble sans doute, mais sur laquelle on peut se reposer. L'étrange est que la terre se soit montrée si sensible à ce procédé et qu'elle se soit laissé arracher, depuis cette prise de contact, une telle foison de découvertes, de commodités et de connaissances qu'on en crierait presque au miracle.

Cette préhistoire terminée, on serait en droit de penser que nous vivons maintenant dans le miracle de l'Antéchrist ; car l'image du contact à quoi l'on vient de recourir ne doit pas être interprétée seulement dans le sens du confort et de la sécurité, mais aussi dans celui de l'inconvenance et du défendu. En effet, avant que les intellectuels ne découvrissent la volupté des faits, seuls les guerriers, les chasseurs et les commerçants, c'est-à-dire précisément les natures rusées et violentes, l'avaient connue. Dans la lutte pour la vie, il n'y a pas de place pour le sentimentalisme de la pensée, il n'y a que le désir de supprimer l'adversaire de la façon la plus rapide et la plus effective ; tout le monde est positiviste ; tout de même, dans le commerce, la vertu n'est point de s'en laisser conter mais de s'en tenir au solide, le profit représentant somme toute une victoire psychologique remportée sur autrui et conditionnée par les circonstances. Si l'on considère d'autre part quelles vertus permettent les grandes découvertes, on trouve l'absence de tout scrupule traditionnel et de toute inhibition, le courage, le plaisir de détruire autant que celui d'entreprendre, l'exclusion de toute considération morale, le marchandage patient des moindres bénéfices, l'attente tenace, quand il le faut, sur le chemin qui mène au but, enfin un respect du nombre et de la mesure qui est l'expression la plus aiguë de la défiance à l'égard de toute espèce d'imprécision ; en d'autres termes, rien, précisément, que les vieux vices des chasseurs, soldats et marchands transposés dans le domaine intellectuel et métamorphosés en vertus. Sans doute ces vices sont-ils ainsi affranchis de la recherche d'un profit personnel et relativement bas, mais l'élément de Mal originel, comme on pourrait le nommer, survit à cette transformation, étant apparemment indestructible et éternel, tout au moins aussi éternel que les grands idéaux humains, puisqu'il n'est finalement rien de moins et rien de plus que le plaisir de tendre un croc-en-jambe aux idéaux pour les voir se casser le nez. Qui ne connaît la maligne tentation qui vous vient à l'esprit devant un beau grand vase de cristal, à l'idée qu'un seul coup de canne le briserait en mille morceaux ? Cette tentation, exaltée jusqu'à cet héroïsme amer né du fait que l'homme ne peut être sûr de rien, dans sa vie, sinon de ce qui tient à fer et à clou, est dans la sobriété spirituelle de la science un sentiment de base ; si les convenances s'opposent à ce qu'on l'identifie avec le Diable, on ne peut nier tout de même qu'elle ne sente un peu le soufre.

On peut rappeler dès l'abord la singulière prédilection de la pensée scientifique pour ces explications mécaniques, statistiques et matérielles auxquelles on dirait qu'on a enlevé le cœur. Ne voir dans la bonté qu'une forme particulière de l'égoïsme ; rapporter les mouvements du cœur à des sécrétions internes ; constater que l'homme se compose de huit ou neuf dixièmes d'eau ; expliquer la fameuse liberté morale du caractère comme un appendice automatique du libre-échange ; ramener la beauté à une bonne digestion et au bon état des tissus adipeux ; réduire la procréation et le suicide à des courbes annuelles qui révèlent le caractère forcé de ce que l'on croyait le résultat des décisions les plus libres ; sentir la parenté de l'extase avec l'aliénation mentale ; mettre sur le même plan la bouche et l'anus, puisqu'ils sont les extrémités orale et rectale d'une même chose... : de telles idées, qui dévoilent en effet dans une certaine mesure les trucs de l'illusionnisme humain, bénéficient toujours d'une sorte de préjugé favorable et passent pour particulièrement scientifiques. C'est sans doute la vérité qu'on aime en elles ; mais tout autour de cet amour nu, il y a un goût de la désillusion, de la contrainte, de l'inexorable, de la froide intimidation et des sèches remontrances, une maligne partialité ou tout au moins l'exhalaison involontaire de sentiments analogues.

En d'autres termes, la voix de la vérité est toujours accompagnée de parasites assez suspects, mais ceux qui y sont le plus intéressés n'en veulent rien savoir. Or, la psychologie moderne connaît un bon nombre de ces « parasites » refoulés et nous en offre le remède : les faire sortir et les rendre aussi clairs que possible à la conscience pour annuler leur néfaste influence. Qu'adviendrait-il donc si l'on se décidait à faire l'expérience et qu'on se sentît tenté de révéler publiquement ce goût équivoque de l'homme pour la vérité et ses parasites, misanthropie et satanisme, et qu'on allât même jusqu'à l'introduire avec confiance dans la vie ? Eh bien ! il en résulterait à peu près ce défaut d'idéalisme que l'on a déjà décrit sous le nom d'« utopie de la vie exacte », mode de pensée fondé sur la possibilité de l'essai et de la rétractation, mais soumis néanmoins à l'implacable loi martiale qui régit toute conquête intellectuelle. Cette manière de façonner sa vie n'est nullement faite, il est vrai, pour préserver ou apaiser celui qui l'adopte ; loin de considérer ce qui est digne de vie avec un respect absolu, il n'y verrait plus qu'une simple ligne de démarcation que la lutte pour la vérité intérieure ne cesse de déplacer. Il douterait du caractère sacré de chaque instant du monde, non point par scepticisme, mais dans l'esprit du grimpeur qui sait que le pied le plus sûr est aussi toujours le plus bas placé. Dans le feu de cette Église militante qui hait le dogme pour l'amour de ce qui demeure encore irrévélé et repousse les lois et la tradition au nom d'un amour exigeant de sa prochaine figure, le Diable retrouverait le chemin de Dieu, ou, pour parler plus simplement, la vérité redeviendrait la sœur de la vertu et ne serait plus tentée de lui jouer ces tours sournois qu'une jeune nièce réserve à une tante restée vieille fille.

Tout cela, un jeune homme l'enregistre plus ou moins consciemment dans les amphithéâtres du Savoir ; il y découvre aussi les éléments d'une vaste synthèse où des mondes aussi éloignés l'un de l'autre qu'une pierre qui tombe et un astre qui gravite se voient comme par jeu rapprochés, où un phénomène qui semblait absolument un et indivisible, comme la naissance d'un acte simple dans les centres de la conscience, se trouve divisé en courants dont les sources profondes sont séparées les unes des autres par des millénaires. Mais qu'il prenne envie à quelqu'un d'étendre la mentalité ainsi acquise au-delà des limites de certains problèmes spécialisés, on lui fera vite comprendre que les exigences de la vie ne sont pas celles de la pensée. Dans la vie, c'est presque toujours le contraire de ce dont un esprit cultivé est familier, qui se produit : les différences et les ressemblances naturelles acquièrent un prix infini ; tout ce qui dure, et de quelque façon que ce soit, est considéré jusqu'à un certain point comme naturel, de sorte qu'on n'y touche pas volontiers ; les transformations qui se révèlent nécessaires ne se font qu'avec hésitation et comme en louvoyant. Si donc quelqu'un s'avisait, poussé mettons par une mentalité végétarienne, de voussoyer une vache (parfaitement conscient du fait que l'on manque plus facilement d'égards à un être que l'on tutoie), on le traiterait aussitôt de sot ou même de fou ; non pas à cause de sa mentalité végétarienne ou zoophile, laquelle est jugée « profondément humaine », mais bien parce qu'il l'aurait transposée directement dans le réel. En un mot, il existe entre l'esprit et la vie un compromis assez complexe aux termes duquel l'esprit touche tout au plus 0,5 % de ses créances et y gagne le titre de créancier honoraire.

Si l'esprit, sous la forme puissante qu'il a fini par revêtir, est lui-même, comme on vient de l'admettre, un saint tout à fait viril, avec tous les défauts accessoires du guerrier et du chasseur, il faudrait conclure des circonstances évoquées ci-dessus que sa secrète tendance à la perversion ne peut s'épanouir nulle part dans sa totalité (assez grandiose après tout), ni trouver aucune occasion de se purifier au contact du réel ; on ne pourrait la rencontrer que sur des chemins tout à fait étranges, incontrôlés, où elle échappe enfin à sa stérile captivité. Reste à savoir si, jusqu'ici, tout a été jeu illusoire ou non ; toutefois, on ne peut nier que cette dernière supposition ne soit confirmée à sa manière. Il règne aujourd'hui chez beaucoup d'hommes un état d'esprit assez obscur : attente du pire, disposition à la révolte, défiance envers tout ce que l'on vénère. Il y a des hommes qui déplorent le manque d'idéalisme de la jeunesse, mais qui, dans le moment où il leur faut agir, se comportent spontanément comme celui qui, par une très saine défiance des idées, en appuie la trop courtoise puissance par l'action d'une quelconque matraque. Autrement dit, est-il un seul but pie qui ne doive se pourvoir d'un rien de corruption et compter un peu avec les qualités humaines inférieures, s'il veut passer dans ce monde pour sérieux et sincère ? Des expressions comme : « tenir », « forcer », « serrer la vis », « ne pas avoir peur de casser les vitres », « la manière forte », ont un agréable parfum de sérieux. L'idée que le plus grand esprit, fourré dans une cour de caserne, y apprend en huit jours à sauter au seul commandement d'un sous-off, celle qu'un lieutenant et huit hommes suffisent pour mettre en état d'arrestation tous les parlements du monde, n'ont, il est vrai, trouvé leur expression classique que plus tard, lorsqu'on a découvert qu'on pouvait, de quelques cuillerées d'huile de ricin administrées à un idéaliste, ridiculiser les convictions les mieux ancrées ; mais depuis longtemps déjà, bien qu'on les eût bannies avec indignation, elles avaient la même terrible force ascensionnelle que les plus étranges rêves. Le fait est là aujourd'hui que la deuxième pensée, quand ce n'est pas la première, de tout homme qui se trouve confronté à quelque phénomène imposant, fût-ce simplement par sa beauté, est inévitablement celle-ci : « Tu ne vas pas me la faire, je finirai bien par t'avoir ! » Et cette rage de tout abaisser, caractéristique d'une époque qui n'est pas seulement persécutée, mais persécutrice, ne peut plus être simplement confondue avec la distinction naturelle que la vie établit entre le sublime et le grossier ; c'est bien plutôt, dans notre esprit, un trait de masochisme, l'inexprimable joie de voir le bien humilié et même détruit avec une si merveilleuse aisance. On croirait à un désir passionné de se démentir, et peut-être n'est-il pas si désolant, après tout, de faire confiance à une époque qui est venue au monde par les pieds, et ne demande plus qu'à être remise à l'endroit par son Créateur.

Un sourire d'homme peut donc exprimer beaucoup de choses de cet ordre, même s'il échappe au contrôle de qui sourit ou s'il n'a pas encore effleuré sa conscience ; telle était la nature du sourire avec lequel la plupart des illustres spécialistes invités se résignaient au louable zèle de Diotime. Ce sourire leur montait comme un chatouillement le long des jambes, lesquelles ne savaient plus trop que faire, et il finissait par échouer sur le visage en forme d'étonnement bienveillant. On était soulagé d'apercevoir une connaissance ou un confrère, de pouvoir l'aborder et lui parler. On sentait qu'en rentrant chez soi, dès le portail franchi, il faudrait faire quelques pas sur la terre ferme pour s'assurer de son équilibre. L'organisation, pourtant, était magnifique. Les initiatives d'ordre général, il est vrai, sont de ces choses qui ne peuvent avoir de véritable contenu, comme d'ailleurs toutes les idées les plus générales et les plus sublimes ; l'idée de Chien est déjà quelque chose qu'on ne peut pas se figurer, ce n'est qu'une allusion à certains chiens, à certaines qualités canines ; quant au patriotisme ou à la plus belle des idées patriotiques, il vous est strictement impossible de vous les représenter vraiment. Mais si ces choses n'ont pas de contenu, elles doivent bien avoir un sens, et il vaut sûrement la peine de réveiller ce sens de temps en temps ! Voilà ce dont s'entretenaient la plupart des invités, encore que ce fût, il est vrai, dans le silence de l'inconscient ; mais Diotime, qui se tenait toujours dans le premier salon et honorait encore de quelques mots les derniers arrivants, constatait vaguement, non sans surprise, que des conversations animées qui se nouaient autour d'elle, venaient parfois jusqu'à ses oreilles, si tout ne la trompait pas, des discussions sur les qualités relatives de la bière de Bohême et de celle de Bavière, ou sur le problème des droits d'auteur.

Quel dommage, cependant, qu'elle ne pût voir sa soirée de la rue ! C'était merveilleux. La lumière étincelait derrière les rideaux de la haute façade, accrue encore par le halo d'autorité et d'élégance qu'y ajoutaient les voitures stationnées à ses pieds, et par les regards des badauds qui s'arrêtaient en passant et levaient un instant les yeux, sans savoir pourquoi. Diotime eût pris plaisir à voir cela. Il y avait toujours des gens arrêtés dans le demi-jour que la fête répandait dans la rue, et derrière leurs dos commençait la grande obscurité qui, un peu plus loin, devenait très rapidement impénétrable.

73. *Gerda Fischel.*

Dans toute cette agitation, Ulrich resta longtemps sans trouver l'occasion de remplir la promesse qu'il avait faite au directeur Fischel, et d'aller rendre visite à sa famille. Plus précisément, il n'en trouva pas le temps avant qu'un événement inattendu n'advînt : ce fut la visite de la femme de Fischel, Clémentine.

Elle s'était annoncée par téléphone, et Ulrich ne l'attendait pas sans appréhension. La dernière fois qu'il était allé chez eux, c'était trois ans auparavant, quand il avait passé quelques mois dans cette ville ; depuis son retour, il n'y était allé qu'une seule fois, parce qu'il ne voulait pas ranimer un ancien flirt et craignait la déception maternelle de

Mme Clémentine. Mais Clémentine Fischel était une femme « au grand cœur » ; ses escarmouches quotidiennes avec Léon son mari lui laissaient si peu d'occasions d'en faire usage qu'elle gardait en réserve pour les grandes circonstances, malheureusement trop rares, une magnanimité proprement héroïque. Néanmoins, cette femme maigre, au visage sévère et presque chagrin, se sentit un peu embarrassée quand elle se trouva devant Ulrich et lui demanda, bien qu'ils fussent déjà seuls, la faveur d'un entretien particulier.

Il était le seul dont Gerda écouterait les avis, dit-elle ; mais, ajouta-t-elle ensuite, il ne devait pas se méprendre sur le sens de sa demande.

Ulrich connaissait la situation de la famille Fischel. Non seulement le père et la mère étaient perpétuellement en guerre, mais Gerda, leur fille, âgée déjà de vingt-trois ans, avait encore imaginé de s'entourer d'une bande de jeunes originaux qui faisaient du papa Léon, contre son gré et pour sa plus grande fureur, le mécène et le patron de « l'esprit nouveau », pour l'excellente raison que sa demeure leur offrait le plus commode des lieux de réunion.

Gerda était si anémique, si nerveuse, elle s'emportait si affreusement dès qu'on essayait d'espacer un peu ces rencontres… racontait madame Clémentine. Ce n'étaient sans doute, en fin de compte, que de stupides petits jeunes gens sans éducation, mais l'antisémitisme mystique qu'ils affichaient si consciencieusement était, plus encore qu'un manque de tact, le signe d'une grossièreté profonde. Non, ajouta-t-elle, elle ne voulait pas s'en prendre à l'antisémitisme, c'était un signe des temps, et comme tel il fallait bien s'y résigner une fois pour toutes ; on pouvait même concéder qu'il avait, à plus d'un égard, ses raisons…

Clémentine fit une pause, et son mouchoir eût essuyé une larme, si elle n'avait porté une voilette ; elle renonça donc à cette larme et se contenta de tirer son blanc mouchoir de son sac à main.

« Vous savez comment est Gerda, dit-elle, une jeune fille charmante, douée, mais…

– Un peu brusque, compléta Ulrich.

– Oui, mon Dieu ! toujours si excessive !

– Et par conséquent, si je vous comprends bien, toujours aussi germanique ? »

Clémentine parla des sentiments des parents. Elle intitula, un peu pathétiquement, « la démarche d'une mère » cette visite dont le but secondaire était de reconquérir Ulrich, depuis qu'il avait eu de si grands succès, à ce qu'on disait, au sein de l'Action parallèle.

« Je m'en veux beaucoup, continua-t-elle, d'avoir favorisé ce commerce contre le gré de Léon, toutes ces dernières années. Je n'y trouvais rien à redire ; ces jeunes gens sont idéalistes à leur manière ; quand on est sans préjugé, on doit bien pouvoir supporter de temps en temps une parole blessante. Mais Léon, vous le connaissez, s'échauffe dès qu'on parle d'antisémitisme, que celui-ci soit purement mystique, symbolique, ou non.

– Et Gerda, à sa manière libertaire, blonde et germanique, ne veut pas admettre le problème ?

– Elle est en ccla tellc que je fus dans ma jeunesse. Croyez-vous d'ailleurs que Hans Sepp soit un garçon d'avenir ?

– Gerda est-elle fiancée avec lui ? demanda prudemment Ulrich.

– Mais ce garçon ne pourra jamais entretenir un foyer ! soupira Clémentine. Comment pourrait-on parler de fiançailles ? Quand Léon lui a interdit l'accès de la maison, Gerda est demeurée trois semaines à manger si peu qu'il ne lui reste plus que la peau et les os. » Tout à coup elle éclata : « Voyez-vous, j'ai parfois l'impression d'une hypnose, d'une infection intellectuelle ! Oui, Gerda me fait parfois l'impression d'être hypnotisée ! Chez nous, le garçon passe son temps à exposer sa philosophie, et Gerda ne s'aperçoit même pas que c'est une offense perpétuelle pour ses parents, bien qu'elle ait toujours été jusqu'ici une bonne et affectueuse enfant ! Si je lui dis quelque chose, elle répond : *Tu es vieux jeu, maman !* Je me disais (vous êtes le seul dont elle fasse encore quelque cas, et Léon vous estime tant !)... ne pourriez-vous pas venir un jour chez nous et faire comprendre à Gerda le manque de maturité de Hans et de ses amis ? »

Comme Clémentine était très correcte et que c'était là un

véritable coup de main, il fallait qu'elle eût de bien grands soucis. Dans cette situation, et malgré leur désaccord, elle sentait comme une responsabilité commune, une solidarité avec son mari. Ulrich leva les sourcils d'un air préoccupé.

« J'ai peur que Gerda ne me trouve aussi vieux jeu que vous. Ces jeunes gens d'aujourd'hui n'écoutent pas leurs aînés, c'est une question de principe.

– Je me disais que la meilleure manière de distraire Gerda serait peut-être que vous lui trouviez quelque chose à faire dans cette grande Action dont on parle tant », insinua Clémentine. Ulrich préféra lui promettre aussitôt sa visite, en lui assurant que l'Action parallèle était loin d'être mûre pour se prêter à ce rôle-là.

Lorsque Gerda le vit entrer, quelques jours plus tard, deux ronds rouges se peignirent sur ses joues, mais elle lui secoua énergiquement la main. C'était une de ces jeunes filles modernes, délicieusement sûres de leur but, qui se feraient sur l'heure receveuses d'autobus si quelque grande cause l'exigeait.

Ulrich ne s'était pas trompé en supposant qu'il la trouverait seule ; à cette heure-là, maman faisait ses courses et papa était encore au bureau. Il avait à peine fait quelques pas dans la chambre que tout lui rappela à s'y méprendre une de leurs précédentes rencontres.

L'année, il est vrai, était alors de quelques semaines plus avancée ; c'était le printemps, mais un de ces jours brûlants qui volent parfois au-devant de l'été comme des flocons de feu et que le corps non endurci supporte mal. Le visage de Gerda semblait maigre et fatigué. Elle était vêtue de blanc, son odeur était blanche comme des draps qui ont séché dans l'herbe. Dans toutes les chambres les stores étaient baissés, l'appartement était baigné d'un demi-jour indocile, des milliers de flèches de chaleur, la pointe brisée, traversaient l'écran des stores, gris comme un sac. Ulrich avait le sentiment que Gerda était faite tout entière d'enveloppes de toile fraîchement lavées comme sa robe. C'était un sentiment parfaitement objectif, et il eût pu lui retirer tranquillement ces enveloppes l'une après l'autre sans avoir nullement besoin pour cela d'un élan amoureux. Il retrouvait maintenant ce même sentiment. C'était une intimité apparemment toute naturelle, mais dépourvue de but, et ils en avaient peur tous les deux.

« Pourquoi êtes-vous resté si longtemps sans venir nous voir ? » dit Gerda.

Ulrich lui répondit franchement qu'il avait eu l'impression que ses parents n'approuvaient pas des relations aussi intimes sans idée de mariage.

« Ah ! maman ! dit Gerda, maman est ridicule ! Nous ne pouvons donc pas être amis sans qu'on pense aussitôt à ça ? Papa aimerait que vous veniez plus souvent ; n'êtes-vous pas devenu quelqu'un de très important dans cette grande affaire ? »

Ainsi parlait-elle, sans détours, répétant ces bêtises de gens âgés, persuadée de l'alliance naturelle qui les unissait tous deux contre cela.

« Je viendrai, répondit Ulrich, mais dites-moi, Gerda, où cela nous mènera-t-il ? »

Le fait était qu'ils ne s'aimaient pas. Souvent, autrefois, ils avaient joué ensemble au tennis, ou s'étaient rencontrés dans des soirées, ils étaient sortis ensemble, avaient pris de l'intérêt l'un à l'autre et franchi ainsi imperceptiblement la frontière qui sépare l'ami intime auquel on se montre dans le désordre de ses sentiments, de tous ceux pour lesquels on se fait beau. Sans y prendre garde, ils s'étaient trouvés aussi intimes que deux êtres qui s'aiment depuis longtemps, qui même bientôt ne s'aimeront plus ; mais ils s'étaient dispensés de l'amour. Ils se disputaient tant qu'on aurait pu croire qu'ils se détestaient, mais ces disputes étaient à la fois un obstacle et un lien. Ils savaient qu'il suffirait d'une petite étincelle pour mettre le feu à leurs rapports. Si la différence d'âge avait été moins grande ou si Gerda avait été une femme mariée, il est probable que l'occasion eût fait le larron et que le larcin, au moins rétrospectivement, eût fait la passion : car on se met en amour comme on se met en colère, rien qu'en en faisant les gestes. Mais justement parce qu'ils savaient cela, ils ne les faisaient pas. Gerda était restée jeune fille, et s'en irritait violemment.

Au lieu de répondre à la question d'Ulrich, elle s'affairait dans la chambre, et tout à coup il fut debout à côté d'elle. C'était très maladroit, car on ne peut pas, dans un moment pareil, être debout si près d'une jeune fille et commencer à lui parler de choses et d'autres. Ils suivaient la pente de la moindre résistance, comme un ruisseau qui descend un pré en évitant les obstacles ; Ulrich mit son bras autour des hanches de Gerda, la pointe des doigts sur la ligne qui suit, en descendant, le ruban de la jarretelle. Il se tourna vers le visage de Gerda, qui semblait hagard et en sueur, et l'embrassa sur les lèvres. Puis ils restèrent là sans pouvoir ni se dégager ni resserrer leur étreinte. Les pointes de ses doigts atteignirent le large élastique de la jarretelle et le firent doucement claquer une ou deux fois contre la jambe. Alors, il se dégagea et répéta sa question en haussant les épaules : « Où cela nous mènera-t-il, Gerda ? »

Gerda s'efforça de maîtriser son agitation et dit : « Faut-il donc qu'il en soit ainsi ? »

Elle sonna et fit apporter des rafraîchissements ; elle mettait la maison en branle.

« Parlez-moi un peu de Hans ! » demanda doucement Ulrich lorsqu'ils se furent assis et durent commencer une nouvelle conversation. Gerda, qui n'avait pas encore retrouvé son calme, commença par ne pas répondre ; au bout d'un moment, elle dit : « Vous êtes un homme vain, vous ne pourrez jamais nous comprendre, nous autres jeunes !

– N'essayez pas de me faire peur ! répliqua Ulrich en détournant la conversation. Gerda, je crois bien que je vais abandonner la science. Je passe donc à la nouvelle génération. Serez-vous satisfaite si je vous déclare solennellement que le Savoir est lié à l'avarice, qu'il est une sordide épargne, un prétentieux capitalisme intellectuel ? J'ai plus de cœur que vous ne croyez. Mais je voudrais vous mettre en garde contre toute phraséologie !

– Vous devez apprendre à mieux connaître Hans », répliqua Gerda d'une voix lasse ; puis tout à coup elle ajouta avec violence : « D'ailleurs vous ne comprendrez jamais que l'on puisse se fondre avec d'autres êtres en une communauté sans égoïsme !

– Hans vient-il encore souvent vous voir ? » dit Ulrich, obstinément et prudemment. Gerda haussa les épaules.

Ses parents avaient été assez intelligents pour ne pas lui

interdire leur porte ; ils lui avaient simplement accordé quelques jours par mois. En retour, l'étudiant Hans Sepp, qui n'était rien et n'avait pas encore la moindre perspective de devenir quelque chose, devait leur donner sa parole d'honneur qu'il n'induirait pas Gerda à mal faire et qu'il renoncerait à sa propagande pour la mystique allemande. Ils espéraient ainsi le priver des attraits du fruit défendu. Dans sa chasteté (car la sensualité seule veut la possession, mais la sensualité est « judéo-capitaliste »), Hans Sepp avait tranquillement donné sa parole, par quoi cependant il n'entendait pas qu'il dût renoncer aux visites clandestines, aux discours brûlants, aux pressions de main extatiques ni même aux baisers qui font partie de l'existence naturelle des âmes unies par l'amitié ; mais seulement à la propagande théorique qu'il avait faite jusqu'alors pour les unions sans maire et sans curé. Il avait donné sa parole d'autant plus volontiers qu'il estimait que ni Gerda ni lui-même n'avaient encore atteint la maturité intérieure nécessaire à la mise en action de leurs principes ; un obstacle aux insinuations de la nature inférieure lui agréait fort.

Les deux jeunes gens souffraient naturellement de cette contrainte qui leur imposait une limite de l'extérieur, alors qu'ils n'avaient pas encore trouvé leur limite personnelle, intérieure. Gerda surtout eût refusé cette intervention de ses parents, si elle n'avait été si peu sûre d'elle-même ; c'est pourquoi elle la ressentit d'autant plus amèrement. En vérité, elle n'aimait pas beaucoup son jeune ami ; l'attachement qu'elle lui marquait traduisait bien plutôt son opposition à ses parents. Si Gerda était née quelques années plus tard, son papa aurait été l'un des hommes les plus riches, sinon les mieux vus de la ville, sa mère l'aurait admiré de nouveau avant que Gerda n'en vînt à ressentir les disputes de ses parents comme une division à l'intérieur d'elle-même. Alors, probablement, elle se fût considérée avec fierté comme le produit d'un mélange de races ; telle qu'était en réalité la situation, elle se révolta contre ses parents et leurs problèmes, refusa la charge de leur hérédité et se fit blonde, libertaire, allemande et énergique comme si elle n'avait rien eu à faire avec eux. C'était fort bien ; avec l'inconvénient que Gerda n'avait jamais réussi à produire au jour le ver qui la rongeait. Dans son entourage familial, l'existence du nationalisme et du racisme était passée sous silence, bien qu'ils empoisonnassent déjà la moitié de l'Europe d'idées hystériques et fussent, précisément chez les Fischel, le centre de toutes les préoccupations. Ce que Gerda en savait lui était venu de l'extérieur sous forme de vagues rumeurs, d'allusions et d'exagérations. Une contradiction, cependant, s'était gravée très tôt dans son esprit : ses parents, qui accordaient d'ordinaire tant d'importance à l'opinion de la majorité, faisaient dans ce seul cas du racisme une exception bien singulière ; comme Gerda ne pouvait trouver dans cet effrayant problème le moindre sens précis et prosaïque, elle y rattacha, particulièrement dans sa prime adolescence, tout ce qui lui paraissait déplaisant ou inquiétant dans sa famille.

Un beau jour, elle découvrit le cercle de jeunes germano-chrétiens auquel Hans Sepp appartenait, et du coup crut avoir trouvé sa véritable patrie. Il serait difficile de dire à quoi ces jeunes gens croyaient ; ils formaient une de ces innombrables petites sectes libres et mal définies qui se sont mises à pulluler parmi la jeunesse allemande après l'écroulement de l'idéal humaniste. Ils n'étaient pas des antisémites racistes, mais des adversaires de la « mentalité juive », par quoi ils entendaient le capitalisme, le socialisme, le rationalisme, l'autorité et les prétentions des parents, le calcul, la psychologie et le scepticisme. Leur grand dogme était le « symbole » : pour autant qu'Ulrich pouvait suivre, et il avait quelque intelligence de ces choses, ils appelaient symboles les grandes créations de la Grâce, par quoi tout ce qu'il y a de confus et de ramifié dans la vie, disait Hans Sepp, se clarifiait et grandissait, par quoi le bruit des sens était étouffé et le front baigné dans les fleuves du surnaturel. Le retable d'Isenheim, les pyramides d'Égypte et Novalis étaient des symboles ; Beethoven et Stefan George étaient tolérés en tant qu'ébauches ; mais ce qu'était un symbole en termes prosaïques, ils ne le disaient pas, premièrement parce que les symboles ne peuvent être traduits en langage prosaïque, deuxièmement parce que les Aryens n'ont pas le droit d'être prosaïques (c'est pourquoi ils n'ont réussi à produire, au siècle dernier, que des ébauches de symboles), et troisièmement parce qu'il est des siècles qui ne suscitent qu'exceptionnellement, dans l'homme profondément solitaire, l'instant profondément solitaire de la Grâce.

Gerda, qui était une jeune fille intelligente, éprouvait à part soi beaucoup de méfiance à l'égard de ces vues exaltées, mais elle se méfiait aussi de cette méfiance où elle croyait reconnaître l'héritage du bon sens familial. Si indépendante qu'elle se prétendît, elle devait faire d'anxieux efforts pour ne pas obéir à ses parents, et la crainte que son origine pût l'empêcher d'adhérer aux idées de Hans la faisait beaucoup souffrir. Du plus profond d'elle-même, elle se révoltait contre les tabous moraux des prétendues bonnes familles, contre les interventions arrogantes et étouffantes de l'autorité paternelle, alors que Hans, qui n'avait « pas de famille du tout », comme disait Mme Clémentine, en souffrait beaucoup moins. De tout le cercle de ses amis, il s'était choisi pour être le « guide spirituel » de Gerda, il avait avec sa contemporaine des conversations passionnées et s'efforçait par de sublimes explications entrecoupées de baisers de l'enlever dans la « région de l'inconditionnel ». En pratique, il s'accommodait fort adroitement des conditions de la famille Fischel, dans la mesure où on lui permettait de les nier « par conviction », ce qui entraînait, il faut le dire, de perpétuelles disputes avec papa Léon.

« Chère Gerda, dit Ulrich au bout d'un moment, vos amis vous persécutent à travers votre père et sont les plus affreux maîtres chanteurs que je connaisse ! »

Gerda blêmit, puis rougit. « Vous-même n'êtes plus un jeune homme, répliqua-t-elle, vous pensez autrement que nous ! » Elle sut qu'elle avait piqué la vanité d'Ulrich, et ajouta pour se le concilier : « De toute façon, je ne pense pas que l'amour soit quelque chose de si extraordinaire. Il est possible que je perde mon temps avec Hans, comme vous dites ; il est possible que je doive renoncer tout à fait et que je n'aime jamais aucun homme suffisamment pour pouvoir lui révéler les moindres replis de mon âme, mes pensées, mes sentiments, mes travaux et mes rêves : je ne pense même pas que ce soit si terrible !

– Que vous êtes sentencieuse, Gerda, quand vous parlez comme vos amis ! » dit Ulrich en l'interrompant.

Gerda se fit violente. « Quand je parle avec mes amis, s'écria-t-elle, les pensées circulent de l'un à l'autre, nous savons que nous vivons et parlons à l'intérieur de notre peuple ; pouvez-vous seulement le comprendre ? Nous sommes au milieu d'une foule de compagnons et nous le sentons. C'est psycho-physique à un point que, certainement, vous ne pouvez imaginer, parce que vous avez toujours désiré l'individu seul : vous pensez comme un fauve ! »

Pourquoi, comme un fauve ? Cette phrase, telle qu'elle était là suspendue en l'air, traîtresse, parut sotte à Gerda elle-même, elle eut honte de ses yeux grands ouverts, anxieux, qui observaient Ulrich.

« Je ne veux pas répondre à cela, dit doucement Ulrich. Pour changer de sujet, je préfère vous raconter une histoire. Connaissez-vous », et de sa main, où le poignet de Gerda disparut comme un enfant dans une gorge, il l'attira plus près de lui, « l'histoire passionnante de la capture de la lune ? Vous savez sûrement que notre terre avait autrefois plusieurs satellites ? Il existe une théorie, qui ne manque pas de défenseurs, selon laquelle ces satellites ne sont pas ce que nous croyons qu'ils sont, des corps célestes refroidis pareils à la terre elle-même, mais de grandes boules de glace qui, s'étant trop approchées de la terre dans leur course à travers l'espace, ont été capturées par elle. Notre lune serait la dernière de ces boules. Venez donc la regarder ! » Gerda l'avait suivi et cherchait la lune pâle dans le ciel ensoleillé. « N'a-t-elle pas l'air d'un disque de glace ? demanda Ulrich. Ce n'est pas ce que nous appelons la lumière ! Vous êtes-vous jamais demandé comment il se fait que l'Homme de la lune tourne toujours vers nous le même côté de son visage ? C'est qu'elle ne tourne plus, notre dernière lune, c'est qu'elle est déjà arrêtée ! Et voyez : depuis que la lune est tombée au pouvoir de la terre, non seulement elle a cessé de tourner autour d'elle, mais la terre l'attire toujours plus près. Si nous ne le remarquons pas, c'est que cette approche en spirale dure des milliers de siècles ou davantage encore. Mais ce fait est incontestable, et il a dû y avoir dans l'histoire de la terre des périodes de plusieurs siècles où les lunes, attirées tout près de notre planète, tournaient autour d'elle à une vitesse insensée. De même qu'aujourd'hui la lune provoque une marée d'un ou deux mètres de haut, elle traînait alors autour de la terre, dans sa course chancelante, une masse d'eau et de boue aussi haute qu'une montagne. Il est vraiment presque impossible de se représenter l'angoisse dans laquelle des générations entières ont dû vivre en ces époques-là sur la terre démente…

– Il y avait donc déjà des hommes sur la terre ? demanda Gerda.

– Sans aucun doute. Cette lune de glace finit par éclater, elle s'abat, le flot que sa course avait accumulé en montagne s'écroule et recouvre le globe entier d'une lame monstrueuse, pour se rediviser enfin. Ce n'est pas autre chose que le Déluge, c'est-à-dire une grande inondation universelle ! Comment les légendes pourraient-elles être à ce point unanimes là-dessus, si les hommes n'avaient pas réellement vécu cela ? Et comme nous avons encore une lune, de tels siècles reviendront. C'est une singulière pensée… »

Gerda regardait la lune par la fenêtre, passionnément ; elle avait laissé sa main dans celle d'Ulrich, la lune était une affreuse tache blême sur le ciel, et c'était justement cette insignifiance qui donnait à la fantastique aventure cosmique dont Gerda, par quelque association de sentiments, se sentait elle-même la victime, la simplicité des vérités quotidiennes.

« Mais cette histoire n'est pas vraie le moins du monde, dit Ulrich. Les spécialistes disent que c'est une théorie de fous, et la lune, en réalité, loin de se rapprocher de la terre, s'en trouve à trente-deux kilomètres de plus que les calculs ne le voudraient, si je me souviens bien.

– Pourquoi donc m'avez-vous raconté cette histoire ? » demanda Gerda en essayant de dégager sa main. Son refus n'avait plus aucune force ; c'était toujours la même chose lorsqu'elle parlait avec un homme qui n'était nullement plus bête que Hans, mais dont les conceptions étaient sobres, les ongles nets et les cheveux bien peignés. Ulrich observait le fin duvet noir qui apparaissait comme une contradiction sur la peau blonde de Gerda ; l'extraordinaire hétérogénéité des malheureux modernes semblait sortir du corps avec ces poils. « Je n'en sais rien, répondit-il. Dois-je revenir ? »

Gerda calma l'agitation de sa main redevenue libre en déplaçant quelques menus objets, et ne répliqua rien.

« Ainsi, je reviendrai bientôt », promit Ulrich, bien qu'avant ce revoir il n'en eût pas eu l'intention.

74. *Le IVe siècle av. J.-C. contre l'an 1797. Ulrich reçoit une nouvelle lettre de son père.*

Rapidement, le bruit s'était répandu que les soirées chez Diotime étaient un extraordinaire succès. Dans ce même temps, Ulrich reçut de son père une lettre exceptionnellement longue à laquelle était jointe une épaisse liasse de brochures et de tirages à part. La lettre disait à peu près ceci :

« Mon cher fils ! Ton long silence... J'ai néanmoins eu le plaisir d'apprendre par des tiers que mes efforts pour toi... mon bienveillant ami le comte Stallburg... Son Altesse le comte Leinsdorf... Notre parente, la femme du sous-secrétaire Tuzzi... L'affaire pour laquelle je dois maintenant te prier d'user de toute ton influence parmi tes nouvelles relations est la suivante :

« Le monde irait à sa ruine si tout ce que l'on tient pour vrai pouvait être reconnu vrai, et toute intention licite, qui se juge telle. Aussi est-ce notre devoir à tous de définir la vérité et l'intention droite et, dans la mesure où nous y avons réussi, de veiller avec une conscience impitoyable à ce qu'elles soient consignées dans la forme sans équivoque de conceptions scientifiques. Cela dit, tu comprendras mieux l'importance revêtue par le fait que, dans les milieux profanes, mais malheureusement aussi, trop souvent, dans ceux des milieux scientifiques qui cèdent aux insinuations d'une époque troublée, se prépare depuis assez longtemps déjà une campagne extrêmement dangereuse pour obtenir, à l'occasion de sa révision, de prétendues améliorations et des adoucissements à notre Code pénal. Je dois préciser au préalable que le Ministre, il y a quelques années déjà, avait formé, en vue de cette révision, un comité de spécialistes connus dont j'ai l'honneur de faire partie, avec mon collègue de l'Université, le professeur Schwung, que tu te rappelleras peut-être avoir vu autrefois, en un temps où je ne l'avais pas encore percé à jour, si bien qu'il put passer pendant de longues années pour mon meilleur ami. En ce qui concerne les aménagements dont j'ai parlé, j'ai appris entre-temps, sous forme de rumeur (mais la chose n'est hélas ! en soi et pour soi, que trop vraisemblable), qu'il fallait s'attendre pour le Jubilé prochain de notre vénéré et gracieux Souverain, donc dans une sorte d'exploitation des mouvements de générosité qui se manifesteront alors, à des efforts particuliers pour introduire chez nous ce funeste amollissement de la justice. Il va de soi que le professeur Schwung et moi-même avons résolu aussitôt fermement d'y mettre ordre.

« Je n'oublie pas que tu n'as pas eu de formation juridique, mais tu n'ignores sans doute pas que le point d'infiltration favori de cet ennemi qui, sous le couvert d'un faux humanitarisme, menace la sûreté du droit, est cette notion d'irresponsabilité juridique qui permet de ne pas sanctionner l'acte en soi punissable : on l'étend, sous la forme assez vague de la responsabilité restreinte, à ces innombrables individus qui ne sont ni des malades mentaux ni des hommes moralement normaux et forment l'armée de ces insuffisants, de ces idiots moraux dont notre civilisation est malheureusement un peu plus infectée chaque jour. Tu te diras sans doute que cette notion d'une responsabilité restreinte (si l'on peut parler ici de notion, ce que je conteste !) doit dépendre très étroitement de la forme que nous donnons à notre idée de la responsabilité, ou plutôt de l'irresponsabilité complète, et j'en arrive ainsi à l'objet véritable de ma lettre.

« Me référant à des textes juridiques existants et considérant les circonstances mentionnées, j'ai donc proposé aux délibérations du comité précité de donner au § 318 du nouveau Code pénal la forme suivante :

« *Il n'y a ni crime ni délit lorsque, dans le temps de l'acte, l'auteur se trouvait dans un état d'inconscience ou de trouble de l'activité mentale tel que*..., et le professeur

Schwung soumit une proposition qui débutait exactement dans les mêmes termes.

« Mais elle se poursuivait ainsi : *... tel qu'il n'avait pas le libre exercice de sa volonté*, alors que la mienne devait être ainsi rédigée : *... tel qu'il n'avait pas la faculté d'apprécier le caractère illicite de son acte.*

« Je dois avouer que je n'avais pas remarqué tout de suite l'intention maligne cachée sous cette nuance. Personnellement, j'ai toujours soutenu l'opinion que la volonté, par le développement progressif de l'intelligence et de la raison, se soumet les désirs, c'est-à-dire l'instinct, par le moyen de la réflexion et de la décision qui s'ensuit. Donc, un acte voulu est toujours un acte commandé par la réflexion, et non pas instinctif. Dans la mesure où l'homme est maître de sa volonté, il est libre ; s'il a des désirs humains, c'est-à-dire des désirs relevant de son organisation sensuelle, et que sa pensée en est par conséquent troublée, il n'est pas libre. Le vouloir n'est pas un phénomène arbitraire, c'est une détermination qui découle nécessairement de notre moi ; la volonté est donc déterminée dans l'acte de penser. Quand la pensée est troublée, la volonté n'est plus volonté, et l'homme n'agit plus qu'en conformité avec ses désirs. Bien entendu, je n'ignore pas qu'on trouve défendue également, dans la littérature de cette question, la vue contraire, à savoir que la pensée est déterminée dans le vouloir. Mais c'est là une conception qui n'a trouvé de défenseurs parmi les juristes modernes que depuis l'an 1797, alors que celle que j'ai adoptée résiste depuis le IVe siècle av. J.-C. à tous les assauts. Mais je voulus me montrer conciliant et proposai un texte qui unissait nos deux propositions et se présentait comme suit :

« *Il n'y a ni crime ni délit lorsque, dans le temps de l'acte, l'auteur se trouvait dans un état d'inconscience ou de trouble de l'activité mentale tel qu'il n'avait pas la faculté d'apprécier le caractère illicite de son acte et qu'il n'avait pas le libre exercice de sa volonté.*

« C'est alors que le professeur Schwung se montra sous son véritable jour ! Dédaignant mon effort de conciliation, il prétendit avec suffisance qu'il fallait remplacer, dans cette dernière phrase, le *et* par un *ou*. Tu saisis l'intention. Ce qui distingue le penseur du profane est précisément qu'il voit un *ou* là où celui-ci eût mis tout bonnement un *et*. Schwung tentait donc de m'accuser de superficialité en laissant entendre que, dans mon effort de conciliation, qui se traduisait par ce *et* destiné à unir les deux propositions, je n'avais pas mesuré toute la portée de la contradiction à surmonter !

« Il va de soi que dès cet instant je l'ai combattu avec la dernière énergie.

« J'ai retiré ma proposition d'arrangement et me suis senti le devoir d'insister sur l'adoption sans aucun amendement de ma première proposition. Depuis lors, Schwung met de perfides raffinements à essayer de m'embarrasser. Ainsi, il a objecté que, d'après ma proposition, qui se fonde sur la faculté d'apprécier le caractère illicite d'un acte, une personne qui souffrirait, comme cela se voit, d'hallucinations, tout en étant saine d'ailleurs, ne pourrait être acquittée pour aliénation mentale que dans un seul cas : s'il était prouvé que lesdites hallucinations lui avaient fait croire à la présence de telle ou telle circonstance capable de justifier son acte ou d'en abolir le caractère illicite, de sorte qu'elle se serait finalement bien conduite, mais dans un monde imaginaire et faux. Or, c'est là une objection tout à fait nulle, car si la logique empirique connaît des personnes qui sont partiellement malades et partiellement saines, la logique du droit, elle, eu égard à un même fait, ne peut jamais admettre un mélange de deux états juridiques ; à ses yeux, les personnes sont responsables ou ne le sont pas, et nous pouvons admettre que même les personnes qui souffrent d'hallucinations possèdent en général la faculté de distinguer ce qui est juste de ce qui ne l'est pas. Si, dans tel ou tel cas précis, cette faculté leur est enlevée, il suffirait précisément d'un effort supplémentaire de leur intelligence pour rétablir l'accord avec le reste de leur moi, et il n'y a pas la moindre raison de chercher là une difficulté particulière.

« J'ai donc aussitôt répliqué au professeur Schwung que, si la logique ne peut admettre l'existence simultanée d'un état de responsabilité et d'un état d'irresponsabilité, pour ces individus, on est forcé d'admettre que ces états se succèdent en une rapide alternance, d'où s'ensuit, justement pour sa théorie, la difficulté de savoir, dans le cas d'un acte isolé, auquel de ces états alternatifs il ressortit ; car il faudrait à cet effet mentionner toutes les causes qui ont agi sur l'accusé depuis sa naissance et toutes celles qui ont agi sur ses devanciers, auxquels il doit ses qualités, bonnes et mauvaises. Tu ne me croiras pas : Schwung a eu le front de me répliquer que c'était tout à fait exact, que la logique du droit ne pouvait jamais admettre, à l'égard d'un seul et même acte, un mélange de deux états juridiques, et qu'il fallait par conséquent décider, pour chaque volonté particulière, s'il avait été possible à l'inculpé, selon son développement psychique, de maîtriser ou de ne pas maîtriser sa volonté. Nous avons une idée beaucoup plus claire, a-t-il jugé bon d'affirmer, de notre libre arbitre que du caractère causal de tout événement ; tant que nous sommes foncièrement libres, nous le sommes aussi dans les cas particuliers ; il faut par conséquent admettre qu'il suffit, en pareil cas, d'un effort supplémentaire de la volonté pour résister aux impulsions soumises à la causalité… »

A ce point, Ulrich renonça à examiner plus avant les projets de son père et soupesa pensivement dans sa main les nombreuses annexes citées en marge de la lettre. Il se contenta de jeter un coup d'œil sur la fin de la missive et y apprit que son père attendait de lui qu'il s'efforçât d'influencer « objectivement » les comtes Leinsdorf et Stallburg, et lui conseillait solennellement de rendre les comités compétents de l'Action parallèle attentifs, pendant qu'il en était temps encore, aux dangers qui menaçaient l'esprit même de l'État si une question aussi grave n'obtenait pas, au cours de l'Année jubilaire, une réponse exacte et exactement rédigée.

75. *Le général Stumm von Bordwehr considère qu'une visite à Diotime fait une fameuse diversion aux obligations du service.*

Le corpulent petit général était retourné présenter ses respects à Diotime. Encore que le soldat, dans la salle de conférences, dût savoir s'effacer, avait-il dit en guise d'exorde, il ne craignait pas de prophétiser que l'État n'était pas autre chose que la puissance de survivre au combat des nations, et que la puissance militaire déployée en temps de paix tenait la guerre en respect. Diotime l'avait aussitôt interrompu. « Général ! s'écria-t-elle frémissante de colère, toute vie est fondée sur les forces de paix ; la vie des affaires elle-même, pour qui sait l'apprécier à sa juste valeur, est poésie ! » Le petit général la regarda, un instant désarçonné ; mais il eut vite fait de se remettre en selle. « Excellence ! » accorda-t-il (pour comprendre ce titre, il est bon de rappeler que le mari de Diotime était sous-secrétaire, qu'un sous-secrétaire, en Cacanie, avait le même rang qu'un commandant de division, mais que seuls les divisionnaires avaient droit au titre d'Excellence, et encore exclusivement en période de service ; mais comme la carrière militaire est une carrière chevaleresque, on n'y eût pas fait un seul pas en avant si on n'avait gratifié les ayants droit de leur titre même en dehors du service. Conformément à l'esprit de la chevalerie, on étendait ce titre à leurs épouses, sans se demander plus longtemps quelles pouvaient être, pour celles-ci, les périodes de service). Le petit général eut refait assez rapidement le long chemin de ces déductions pour pouvoir dès le premier mot assurer Diotime de son approbation sans réserve et de son entier dévouement : « Votre Excellence m'a prévenu. Il va de soi que, pour des raisons politiques, il était exclu de faire entrer en ligne de compte, dans la formation des comités, le Ministère de la Guerre. Mais nous avons appris que le grand Mouvement devait avoir un but pacifique (on parle d'une Action internationale pour la Paix, ou de la donation au Palais de La Haye de fresques dues à un artiste du pays ?) et je puis assurer Votre Excellence que tout cela nous est infiniment sympathique. Il est certain qu'on se fait d'ordinaire de l'armée une idée entièrement fausse. Bien sûr, je ne prétends pas qu'un jeune lieutenant ne souhaite pas la guerre, mais tous les responsables ont la conviction profonde qu'il faut associer aux sphères de la force, que malheureusement nous représentons, tous les bienfaits de l'esprit, selon les termes mêmes que vient d'employer Votre Excellence ! »

De la poche de son pantalon, il tira une petite brosse dont il lustra discrètement sa courte barbe ; c'était une mauvaise habitude qu'il avait gardée de son temps de cadet, quand la barbe est l'objet des espoirs les plus impatients, et il ne s'en doutait pas. De ses grands yeux bruns, il scruta le visage de Diotime pour essayer d'y lire l'impression produite par ses paroles. Diotime se radoucit, encore qu'elle ne le fût jamais complètement en sa présence, et daigna donner au général quelques éclaircissements sur ce qui s'était passé depuis la grande séance. Le général se montra enthousiasmé notamment par l'idée du grand concile, proclama son admiration pour Arnheim et exprima la conviction qu'une telle rencontre ne pourrait être qu'éminemment bénéfique. « Tant de gens ignorent encore à quel point l'esprit manque d'ordre ! ajouta-t-il en guise de développement. Je suis même persuadé, avec la permission de Votre Excellence, que la plupart des gens s'imaginent vivre chaque jour un nouveau progrès de l'ordre universel. Ils voient l'ordre partout : dans les usines, les indicateurs de chemins de fer, les institutions scolaires (et je me permettrai de citer également, non sans fierté, nos casernes qui, malgré des moyens modestes, évoquent la discipline d'un excellent orchestre). De quelque côté que le regard se tourne, ce n'est qu'ordre, ordonnance, règle et règlement : règlements de transport, règlements de police, règlements des débits de boisson, etc. Aussi suis-je persuadé que tout le monde ou presque, de nos jours, considère notre époque comme la plus ordonnée qui fût jamais. Votre Excellence, tout au fond d'elle-même, n'en a-t-elle pas aussi le sentiment ? Moi du moins, je l'éprouve. Oui, pour peu que mon attention se relâche un instant, je crois trouver l'esprit même des temps modernes dans cet accroissement d'ordre, et que les empires de Ninive et de Rome ont dû leur chute à quelque gâchis. C'est là, je crois, le sentiment commun : chacun présume, tacitement, que si le passé est passé, c'est en punition de quelque manquement à l'ordre. Et pourtant, cette idée n'est sans doute qu'un leurre auquel des hommes cultivés ne devraient pas se laisser prendre ! D'où, hélas ! la nécessité de la force, et des vocations militaires ! »

Le général, de ces bavardages avec une spirituelle jeune femme, retirait un contentement profond ; ils faisaient une fameuse diversion à ses obligations professionnelles. Diotime ne savait quoi lui répondre ; à tout hasard, elle répéta : « Nous espérons vraiment, en effet, réunir les hommes les plus importants, mais la tâche n'en restera pas moins ardue. Vous n'avez aucune idée de la diversité des propositions qui nous sont faites, et l'on voudrait tout de même n'en prendre que le meilleur. Vous avez parlé ordre, général : ce ne sera jamais par l'ordre, ce ne sera pas par de froids sondages, soupèsements et comparaisons que nous atteindrons le but : la solution doit être éclair, feu, intuition, synthèse ! Considérez l'histoire de l'humanité : elle n'offre point une évolution logique, mais évoquerait plutôt, par ces inspirations soudaines dont le sens n'apparaît que plus tard, une création poétique !

– Que Votre Excellence me pardonne ! répliqua le général, le soldat n'entend pas grand-chose à la poésie. Mais si quelqu'un peut donner à un mouvement le feu et l'éclair, c'est lui, Excellence ! Voilà à quoi s'entend un vieil officier ! »

76. *Le comte Leinsdorf se montre réservé.*

Le gros général était fort civil, même s'il faisait ses visites sans y être invité, et Diotime lui avait fait plus de confidences qu'elle n'eût souhaité. Néanmoins, ce qui l'entourait de cette aura terrifiante et faisait regretter à Diotime après coup son excès d'amabilité, ce n'était pas le général lui-même, mais, du moins se l'expliquait-elle ainsi, son vieil ami le comte Leinsdorf. Son Altesse était-elle jalouse ? Et si oui, de qui ? Bien qu'il honorât chaque séance du concile d'une brève apparition, Leinsdorf ne s'y montrait pas aussi favorable que Diotime l'avait espéré. Son Excellence le comte Leinsdorf avait une aversion déclarée pour quelque chose qu'il appelait « pure littérature ». Cette notion était liée pour lui aux Juifs, aux journaux, aux éditeurs à sensation, enfin à cet esprit libéral, inutilement bavard et tourné vers le profit, qui était celui de la bourgeoisie ; le mot « pure littérature » en était simplement une nouvelle expression.

Chaque fois qu'Ulrich se disposait à lui lire les propositions que lui avait apportées le courrier et parmi lesquelles se trouvaient les éternels projets destinés à faire avancer ou reculer le monde, le comte l'en dissuadait dans les termes mêmes auxquels recourt chacun, lorsqu'il doit subir, outre ses propres intentions, celles de tous ses semblables : « Non, non, j'ai aujourd'hui des affaires importantes, et tout cela n'est jamais que pure littérature ! » Il pensait alors à des champs, à des paysans, à de petites églises de village, à cet ordre lié par Dieu aussi solidement que les gerbes sur un champ moissonné, cet ordre qui reste beau, sain et bénéfique même s'il tolère quelques distilleries sur les terres, pour tenir compte de l'évolution. Lorsqu'on fait preuve d'une ampleur de vues aussi sereine, les sociétés de tir et les coopératives laitières apparaissent, malgré leur caractère déplacé, comme un élément d'ordre et de cohérence ; que l'occasion soit donnée à ces associations de faire quelque réclamation à base philosophique, celle-ci aura, pourrait-on dire, sur la requête de n'importe quelle personne privée, la préséance due à une propriété intellectuelle inscrite au cadastre. C'est ainsi que le comte Leinsdorf, chaque fois que Diotime voulait s'entretenir sérieusement avec lui de ce qu'elle avait appris au contact des grands esprits, tenait à la main ou sortait de sa poche la pétition de cinq sots groupés en association, et affirmait que ce simple papier pesait plus lourd, dans le monde des soucis réels, que toutes les inspirations des hommes de génie.

C'était là un esprit semblable à celui que le sous-secrétaire Tuzzi vantait dans les archives de son ministère, pour lesquelles il était exclu de reconnaître officiellement l'existence du concile, alors qu'elles prenaient très au sérieux la moindre plaisanterie de la moindre feuille de la dernière des provinces. Dans de tels soucis, Diotime n'avait personne à qui se confier hors Arnheim. Mais c'était justement Arnheim qui prenait la défense de Son Altesse. C'était lui qui lui faisait comprendre la sereine ampleur de vues de ce grand seigneur quand elle déplorait la prédilection que le comte Leinsdorf avouait pour les sociétés de tir et les coopératives laitières. « Son Altesse sait que la Terre et le Temps sont nos guides véritables, déclara-t-il gravement. Croyez-moi, c'est un trait de grand propriétaire. La terre simplifie l'homme comme elle purifie l'eau. Moi-même, sur mon très modeste domaine, je devine à chaque séjour cette influence. La vie réelle rend simple. » Il ajouta, après avoir hésité un peu : « Avec cette ampleur de conceptions, Son Altesse se montre extraordinairement tolérante, pour ne pas dire témérairement indulgente… » Comme cet aspect de son illustre protecteur était nouveau pour Diotime, elle se fit très attentive. « Je ne pourrais affirmer en toute certitude, poursuivit Arnheim avec une solennité hésitante, que le comte Leinsdorf mesure à quel point votre cousin, dans ses fonctions de secrétaire, abuse de sa confiance (intellectuellement bien sûr, je m'empresse de l'ajouter), par son scepticisme à l'égard des grands projets et son sabotage ironique. Je craindrais même que son influence sur le comte Leinsdorf ne fût pas bonne, si ce véritable seigneur n'était assez profondément pénétré des grands sentiments et des grandes idées traditionnelles sur lesquelles repose la vie réelle, pour pouvoir vraisemblablement se permettre cette confiance. »

C'était là une attaque violente et méritée contre Ulrich, mais Diotime n'y prêta pas grande attention, impressionnée qu'elle était par l'autre partie des déclarations d'Arnheim, l'idée de ne pas considérer ses terres en propriétaire, mais comme un massage de l'âme ; elle jugea cela grandiose et ne craignit pas de s'imaginer en épouse au milieu d'un pareil domaine. « Je m'étonne parfois, dit-elle, de votre indulgence pour Son Altesse ! Après tout, n'est-ce pas là un monde révolu ?

– Sans doute ! repartit Arnheim, mais ces simples vertus, le courage, la chevalerie, la discipline personnelle, vertus que cette caste a développées exemplairement, garderont toujours leur prix. C'est, en un mot, le *seigneur* ! J'ai appris à donner à cet élément une valeur de plus en plus grande, jusque dans le monde des affaires !

– Le seigneur, ce serait donc en fin de compte l'équivalent, ou presque, du poème ? demanda Diotime pensive.

– Vous avez eu là un mot merveilleux ! répondit son ami. C'est le mystère de la vie puissante. L'intelligence seule ne permet ni la morale, ni la politique. L'intelligence ne suffit pas, l'essentiel s'accomplit au-delà. Les hommes qui ont atteint à la grandeur ont toujours aimé la musique, la poésie, la forme, la discipline, la religion et la chevalerie. J'irais même jusqu'à prétendre que seuls ces hommes-là ont de la chance ! Ce sont ces prétendus impondérables qui font le seigneur, qui font l'homme ; et ce qu'on sent vibrer dans l'admiration du peuple pour l'acteur en est un souvenir mal interprété. Mais, pour en revenir à votre cousin : on ne peut pas dire simplement qu'on commence à devenir conservateur quand on se sent trop paresseux pour les excès ; un beau jour, quoique nous soyons tous nés révolutionnaires, on s'aperçoit qu'un homme simplement brave, quelle que soit la valeur de son intelligence, un homme gai, courageux, fidèle, sur lequel on peut compter, est non seulement pour nous l'occasion d'une extraordinaire jouissance, mais encore l'humus même de la vie. C'est là, j'en conviens, une sagesse ancestrale, mais elle marque le passage décisif du goût du jeune homme, naturellement tourné vers l'exotisme, au goût de l'homme mûr. J'admire à maints égards votre cousin, ou tout au moins, si c'est aller un peu loin, car il est peu de choses dans ce qu'il dit que l'on puisse assumer, je dirais presque que je l'aime : à côté de beaucoup de raideur et d'extravagance, il y a en lui quelque chose d'extraordinairement libre et indépendant. C'est peut-être justement ce mélange de liberté et de raideur intérieure qui fait son charme. Mais c'est un homme dangereux, avec cet exotisme moral infantile et cette intelligence trop bien entraînée, toujours à chercher l'aventure sans même savoir ce qui l'y incite. »

77. *Arnheim en ami des journalistes.*

Diotime eut plus d'une fois l'occasion d'observer ces fameux impondérables dans l'attitude d'Arnheim.

C'est ainsi par exemple que sur son conseil, on invita parfois aux séances du « concile » (ainsi que le sous-secrétaire Tuzzi avait baptisé un peu railleusement le « Comité pour l'Élaboration d'une Initiative en vue du soixante-dixième anniversaire de l'Avènement de Sa Majesté ») les représentants de la grande presse, et Arnheim, bien qu'il ne fût lui-même qu'un hôte sans fonction officielle, bénéficiait de leur part d'une attention qui éclipsait toutes les autres célébrités.

Pour on ne sait quelle impondérable raison, les journaux ne sont pas ce qu'ils pourraient être à la satisfaction générale, les laboratoires et les stations d'essai de l'esprit, mais, le plus souvent, des bourses et des magasins. S'il vivait encore, Platon (prenons cet exemple, puisqu'on le considère, avec une douzaine d'autres, comme le plus grand de tous les penseurs) serait sans doute ravi par un lieu où chaque jour peut être créée, échangée, affinée une idée nouvelle, où les informations confluent de toutes les extrémités de la terre avec une rapidité qu'il n'a jamais connue, et où tout un état-major de démiurges est prêt à en mesurer dans l'instant la teneur en esprit et en réalité. Il aurait deviné dans une rédaction de journal ce *topos ouranios*, ce céleste lieu des idées dont il a évoqué l'existence si intensément qu'aujourd'hui encore tout honnête homme se sent idéaliste quand il parle à ses enfants ou à ses employés. S'il survenait brusquement aujourd'hui dans une salle de rédaction et réussissait à prouver qu'il est bien Platon, le grand écrivain mort il y a plus de deux mille ans, il ferait évidemment sensation et obtiendrait d'excellents contrats. S'il se révélait capable, ensuite, d'écrire en l'espace de trois semaines un volume d'impressions philosophiques de voyage et un ou deux milliers de ses célèbres nouvelles, peut-être même d'adapter pour le cinéma l'une ou l'autre de ses œuvres anciennes, on peut être assuré que ses affaires iraient le mieux du monde pendant quelque temps. Mais aussitôt que l'actualité de son retour serait passée, si monsieur Platon insistait pour mettre en pratique telle ou telle de ces célèbres idées qui n'ont jamais vraiment réussi à percer, le rédacteur en chef lui demanderait seulement de bien vouloir écrire sur ce thème un joli feuilleton pour la page récréative (léger et brillant, autant que possible, dans un style moins embarrassé, par égard pour ses lecteurs) ; et le rédacteur de ladite page ajouterait qu'il ne peut malheureusement pas accepter de collaboration de cet ordre plus d'une fois par mois, eu égard au grand nombre d'autres écrivains de talent. Ces deux messieurs auraient alors le sentiment d'avoir beaucoup fait pour un homme qui, pour être le Nestor des publicistes européens, n'en était pas moins un peu dépassé et, comme valeur d'actualité, ne pouvait être comparé disons à un Paul Arnheim.

Pour Arnheim, il n'en fût sans doute jamais convenu, parce que son respect de toute grandeur en eût été blessé. A plus d'un égard, pourtant, il eût trouvé cela très compréhensible. Aujourd'hui où l'on tient pêle-mêle tous les propos imaginables, où les prophètes et les charlatans usent des mêmes tournures à quelques nuances près, nuances qu'un homme occupé n'a pas le loisir d'éplucher, où les rédactions sont importunées quotidiennement par la découverte de nouveaux génies, il est très difficile de mesurer exactement la valeur d'un homme ou d'une idée. En vérité, on ne peut plus que se reposer sur son ouïe si on veut distinguer le moment précis où les murmures, les bruits de voix et de pieds devant la porte de la rédaction deviennent assez forts pour qu'on les tienne pour la voix du peuple et qu'on les laisse entrer. Dès cet instant, en vérité, le génie prend une nouvelle forme. Il n'est plus simplement le thème futile des critiques littéraires dont un lecteur tel que se les souhaite un journal ne prend pas les contradictions plus au sérieux qu'un bavardage d'enfants ; on lui accorde le rang d'un fait, avec toutes les conséquences que cela comporte.

D'insensés zélateurs ne voient pas le besoin désespéré d'idéalisme qui se cache là-derrière. Le monde de ceux qui écrivent et doivent écrire est plein de grands mots et de grandes notions qui ont perdu leur contenu. Les attributs des grands hommes et des grands enthousiasmes survivent à leurs prétextes, c'est pourquoi il y a toujours une quantité d'attributs de reste. Ils ont été créés un beau jour par un grand homme pour un autre grand homme, mais ces hommes sont morts depuis longtemps, et il faut utiliser ces notions survivantes. C'est pourquoi l'on passe son temps à chercher des hommes pour les épithètes. La « puissante plénitude » de Shakespeare, l'« universalité » de Goethe, la « profondeur psychologique » de Dostoïevski et toutes les autres images qu'une longue évolution littéraire nous a léguées flottent par centaines dans la tête de ceux qui écrivent, et s'ils écrivent aujourd'hui d'un stratège du tennis qu'il est « insondable », ou d'un poète à la mode qu'il est « grand », c'est simplement pour écouler ces stocks. On comprend donc qu'ils soient reconnaissants lorsqu'ils peuvent placer sans perte chez quelqu'un les mots de leur assortiment. Mais ce doit être un homme dont l'importance est déjà un fait établi, afin que l'on puisse comprendre que ces mots trouvent sur lui leur place, même s'il n'importe nullement de savoir où. Arnheim était un de ces hommes : car Arnheim était Arnheim, et sur Arnheim c'était encore Arnheim qu'on voyait ; étant l'héritier de son père, il était né événement, et il n'était pas question de mettre en doute l'actualité de ses propos. Il lui suffisait de faire le petit effort de dire n'importe quoi que l'on pût, avec un peu de bonne volonté, juger important. Et c'est encore Arnheim lui-même qui traduisit cela en un juste principe : « Savoir se faire comprendre de ses contemporains, de là dépend pour une grande part l'importance réelle d'un homme », aimait-il à dire.

Cette fois encore, il s'accommoda le mieux du monde des journaux qui s'emparèrent de lui. Il se contentait de sourire de ces financiers et politiques ambitieux qui voudraient acheter en bloc des foules de journaux ; cette tentative pour influencer l'opinion publique lui paraissait aussi timide et grossière que celle de l'homme qui offre de l'argent à une femme contre son amour, quand il pourrait l'avoir à bien meilleur marché en excitant son imagination. Aux journalistes qui l'interviewaient sur le concile, il avait répondu que le seul fait de cette rencontre suffisait à prouver sa profonde nécessité, parce qu'il ne se passait jamais rien de déraisonnable dans l'histoire du monde ; en disant cela, il avait si bien su trouver le chemin de leur cœur de journalistes que cette déclaration fut reproduite dans plusieurs organes. D'ailleurs, quand on l'examine de plus près, c'était réellement une bonne phrase. Les hommes qui prennent au sérieux tout ce qui se passe se sentiraient mal s'ils n'étaient pas persuadés que rien de déraisonnable ne se passe ; on sait bien d'autre part qu'ils préféreraient se mordre la langue à prendre quelque chose trop au sérieux, serait-ce le sérieux lui-même. La discrète touche de pessimisme qui assombrissait la déclaration d'Arnheim contribua beaucoup à donner à l'entreprise une dignité réelle, et le fait qu'il ne fût pas du pays pouvait désormais être traduit, journalistiquement, par « l'intérêt général de l'étranger pour les grands événements intellectuels de l'Autriche ».

Les autres célébrités présentes au concile n'avaient pas ce don inconscient de plaire à la presse, mais elles en observaient l'effet. Comme les célébrités en général se connaissent mal et que, dans le train de l'éternité qui les emporte toutes ensemble, elles ne se rencontrent guère qu'au wagon-restaurant, l'autorité dont jouissait publiquement Arnheim agissait également sur elles sans qu'elles en vérifiassent l'aloi ; bien qu'il continuât à se tenir à l'écart des séances des comités spéciaux, il devint tout naturellement comme le centre du concile. Plus cette réunion progressait, plus il était évident qu'il en était la véritable sensation, bien qu'il ne fît rien pour cela, sinon peut-être d'exprimer, dans ses rapports avec les célèbres participants, un jugement que l'on pouvait interpréter comme le témoignage d'un pessimisme heureux de se manifester, à savoir qu'il était presque impossible d'attendre quoi que ce fût de ce concile, mais qu'une tâche si noble méritait bien, en elle-même, qu'on y consacrât tout le dévouement et toute la confiance dont on disposait. Ce genre de pessimisme raffiné éveille la confiance même chez les grands esprits ; pour on ne sait quelle raison, on préfère penser que l'esprit, de nos jours, ne peut plus obtenir aucun succès, à admettre que l'esprit d'un collègue pourrait éventuellement en remporter un ; et le jugement réticent d'Arnheim sur le concile pouvait être entendu comme une conséquence de cette préférence.

78. *Métamorphose de Diotime.*

Les sentiments de Diotime ne suivaient pas la même courbe régulièrement ascendante que le succès d'Arnheim.

Il arrivait qu'en pleine soirée, au milieu de son appartement méconnaissable, dans ses pièces démeublées, elle crût se réveiller dans un pays de rêve. Elle se tenait debout, entourée d'espace et de gens, la lumière du lustre ruisselait sur ses cheveux, puis sur ses épaules et ses hanches, de sorte qu'elle s'imaginait en sentir les flots limpides ; elle était tout entière statue, elle eût pu être une figure de fontaine, au centre d'un des centres du monde, inondée d'une suprême grâce spirituelle. Cette situation lui semblait l'occasion unique de donner corps à tout ce qu'elle avait jugé le plus grand et le plus important au cours de sa vie, et elle ne se souciait plus guère de ne pouvoir traduire cela en termes précis. L'appartement tout entier, la présence des gens dedans, la soirée tout entière l'enveloppait comme une robe doublée de soie jaune ; elle sentait ce jaune sur sa peau, bien qu'elle ne le vît pas. De temps en temps son regard se tournait vers Arnheim qui était ordinairement ailleurs, au milieu d'un groupe d'hommes, et parlait ; elle s'apercevait alors que son regard n'avait cessé d'être posé sur lui, et que ce qui s'était tourné vers lui, c'était son éveil. Sans même qu'elle regardât dans sa direction, l'extrême pointe des ailes de son âme, si l'on peut ainsi parler, ne cessait d'être posée sur le visage d'Arnheim, et rapportait à Diotime ce qui s'y passait.

Puisque nous parlons plumes, ajoutons qu'il y avait aussi dans l'apparence d'Arnheim quelque chose d'irréel : peut-être était-ce un marchand avec des ailes d'ange, toutes dorées, qui était descendu parmi eux. Le frémissement des grands express et des trains de luxe, le ronronnement des voitures, le silence des pavillons de chasse, le claquement des voiles de yacht demeuraient dans ses ailes invisibles et repliées dont le cœur de Diotime le pourvoyait, et qui bruissaient doucement quand il accompagnait d'un geste ses explications. Arnheim était souvent en voyage, de sorte que sa présence semblait à chaque fois dépasser l'instant et les événements locaux, pourtant si importants déjà pour Diotime. Elle n'ignorait pas quelles allées et venues de télégrammes, de visiteurs et de délégués de sa maison se produisaient lorsqu'il était là. Elle avait réussi peu à peu à se faire une idée, peut-être même exagérée, de l'importance d'une maison mondiale, et de sa participation aux grands événements. Arnheim lui faisait parfois de passionnantes révélations sur les ramifications du capitalisme international, les affaires transcontinentales et leur arrière-plan politique ; pour la première fois, des horizons nouveaux, et même des horizons tout court, s'ouvraient devant Diotime ; il suffisait d'avoir entendu une seule fois Arnheim parler de l'antagonisme franco-allemand, dont Diotime ne savait pas grand-chose, sinon que presque tout le monde, dans son entourage, éprouvait une certaine aversion pour l'Allemagne mêlée à un désagréable sentiment de solidarité : dans la peinture qu'en faisait Arnheim, cela devenait un problème gallo-celto-thyrologique, lié à la question des mines de charbon lorraines et, plus lointainement, à celle des gisements de pétrole mexicains et à l'antagonisme entre l'Amérique saxonne et l'Amérique latine. Le sous-secrétaire Tuzzi n'avait pas la moindre idée de ces corrélations, ou du moins ne le montrait pas. Il se contentait de rappeler de temps en temps à Diotime que la présence d'Arnheim et la préférence qu'il marquait pour leur maison était incompréhensible à ses yeux à moins que l'on n'admît des intentions cachées ; de quelle nature elles pouvaient être, il n'en disait rien, et n'en savait pas davantage.

Son épouse éprouvait donc avec force la supériorité des

hommes nouveaux sur les méthodes d'une diplomatie dépassée. Elle n'avait pas oublié l'instant où elle avait décidé de mettre Arnheim à la tête de l'Action parallèle. Ç'avait été la première grande idée de sa vie, et l'état où elle s'était trouvée alors était étrange : il était descendu sur elle comme un état de rêve ou de fusion, l'idée avait envahi de surprenants espaces, et tout ce qui avait fait jusqu'alors le monde de Diotime avait fondu à son contact. Ce que les mots pouvaient exprimer était sans doute peu de chose : un scintillement, un flamboiement, un vide bizarre, une fuite des idées, et l'on pouvait carrément admettre (songeait Diotime) que le noyau même de l'idée, c'est-à-dire l'intention de porter Arnheim à la tête de la jeune Action, était irréalisable. Arnheim était étranger, cela demeurait exact. Aussi directement que Diotime l'avait proposée au comte Leinsdorf et à son mari, l'inspiration n'était donc pas réalisable. Néanmoins, tout s'était passé comme Diotime en avait eu la vision dans son exaltation. Tous les autres efforts pour donner à l'Action un contenu vraiment noble étaient eux aussi demeurés vains jusqu'ici ; la première grande séance, les travaux des comités, même ce congrès privé contre quoi Arnheim, obéissant à une remarquable ironie du sort, l'avait d'ailleurs mise en garde, tout cela n'avait encore rien produit sinon Arnheim, Arnheim autour duquel on se pressait, qui devait parler sans discontinuer et formait le centre secret de tous les espoirs. C'était le type de l'Homme nouveau appelé à relayer les anciennes Puissances dans l'orientation des destinées. Diotime pouvait être fière que ce fût elle qui l'eût découvert aussitôt, qui eût parlé avec lui de l'introduction de l'Homme nouveau dans les sphères du Pouvoir, et l'eût aidé à percer malgré la résistance générale. Ainsi donc, même si Arnheim avait vraiment une idée de derrière la tête comme le supposait le sous-secrétaire Tuzzi, Diotime n'en serait pas moins résolue, presque par avance, à le soutenir de tous ses moyens : les grands moments ne souffrent pas d'épreuves médiocres, et elle sentait bien que sa vie était sur une cime.

Hors les nés-coiffés et les éternels malchanceux, les hommes vivent tous également mal, mais à des étages différents. Pour l'homme d'aujourd'hui, qui n'a généralement que peu d'échappées sur le sens de sa vie, ce sentiment de l'étage est une consolation extrêmement appréciable. Dans certains cas grandioses, il peut devenir une véritable ivresse d'altitude et de puissance, de même qu'il y a des gens qui attrapent le vertige au dernier étage d'une maison, bien qu'ils se sachent au milieu de la pièce et toutes fenêtres fermées. Quand Diotime songeait qu'un des hommes les plus influents d'Europe travaillait avec elle à porter l'Esprit dans les sphères du Pouvoir, quand elle considérait comment ils avaient été réunis par une véritable intervention du destin, enfin tout ce qui se passait, même si au dernier étage de la grande entreprise humanitaire austro-mondiale, rien de particulier ne s'était produit ce jour-là : quand elle songeait ainsi, ses associations d'idées semblaient des nœuds devenus nœuds coulants, sa vitesse de réflexion augmentait, le cours en était facilité, un étrange sentiment de réussite et de bonheur accompagnait ses inspirations, un afflux général de pensées lui valait des lumières qui l'étonnaient elle-même. Sa conscience de soi était accrue ; des réussites auxquelles elle n'eût pas osé croire naguère étaient à portée de la main, elle se sentait plus gaie que d'ordinaire, parfois même des plaisanteries osées lui venaient à l'esprit, et quelque chose qu'elle n'avait connu de sa vie, des vagues d'enjouement, d'exubérance même, l'envahissaient. C'était comme quand on habite une chambre dans une tour, avec des fenêtres de tous les côtés. Mais cela n'allait pas non plus sans inquiétude. Elle était tourmentée par un bien-être vague, général, indicible, qui la pressait d'agir de quelque manière, d'agir partout à la fois, sans qu'elle pût savoir comment. On pourrait presque dire qu'elle avait brusquement pris conscience de la rotation du globe terrestre sous ses pieds, et qu'elle en était obsédée ; ou que ces événements violents sans contenu tangible étaient aussi gênants qu'un chien qui vous saute dans les jambes sans que personne ne l'ait vu arriver. C'est pourquoi Diotime s'effrayait parfois de la transformation qui s'était produite en elle sans son autorisation expresse ; en fin de compte, ce à quoi son état ressemblait le plus, c'était à ce gris clair et nerveux qui est la couleur du ciel subtil, délivré de tout poids, à l'heure lasse de l'extrême chaleur.

Les aspirations de Diotime à l'idéal subirent alors une importante transformation. Il n'avait jamais été possible de distinguer très nettement ces aspirations de l'admiration des gens corrects pour les grandes choses, c'était un idéalisme distingué, une élévation décente, et comme notre époque, plus brutale, en a déjà presque perdu le souvenir, nous en décrirons encore, brièvement, quelques traits.

Cet idéalisme n'avait rien de concret, parce que l'idée de concret est liée à celle de métier, et que les métiers sont toujours malpropres ; il évoquait plutôt la peinture de fleurs que pratiquaient les archiduchesses parce que tout autre sujet eût été inconvenant. Ce qui le caractérisait le mieux était l'idée de culture : il se jugeait profondément cultivé. On pouvait encore le qualifier d'harmonieux, parce qu'il avait toute dissonance en horreur et donnait pour tâche à l'éducation d'harmoniser les grossières contradictions qui règnent, malheureusement, dans le monde. En un mot, peut-être n'était-il pas si différent de ce que l'on entend aujourd'hui encore (mais seulement, il est vrai, là où l'on reste attaché à la grande tradition bourgeoise) sous le nom d'idéalisme : sentiment bien propre et bien honnête, qui fait une distinction très nette entre ce qui est digne et ce qui n'est pas digne de lui, et se refuse, pour des raisons d'humanité supérieure, à croire avec les saints (et les médecins et ingénieurs aussi bien), qu'il y ait jusque dans les déchets moraux de célestes calories inexploitées.

Si l'on avait tiré Diotime un peu plus tôt de son sommeil et qu'on lui eût demandé ce qu'elle cherchait, elle eût sans doute répondu, sans avoir besoin d'y réfléchir, que la puissance d'amour d'une âme vivante éprouvait le besoin de se communiquer au monde entier ; mais, une fois tout à fait éveillée, elle eût fait cette restriction que, dans un monde comme le nôtre, envahi par l'ivraie de l'intelligence et de la civilisation, on ne pouvait à la vérité parler, pour être prudent, même chez les natures les plus nobles, que d'une simple aspiration analogue à la puissance d'amour. Et Diotime eût réellement pensé ainsi. Il y a aujourd'hui encore des milliers d'êtres de ce genre, qui dispensent la puissance d'amour comme des vaporisateurs. Quand Diotime s'asseyait pour lire un de ses livres, elle écartait de son front ses beaux cheveux, ce qui lui donnait l'air « logique », et elle lisait avec le sentiment de sa responsabilité, en s'efforçant de trouver dans ce qu'elle appelait la culture le moyen de sortir de la situation sociale difficile où elle se trouvait. Or, comme elle lisait, elle vivait, se répartissant en fines gouttelettes d'amour sur tous les objets qui en étaient dignes, se condensant ensuite sur eux, à quelque distance d'elle-même, en un souffle ; il ne lui restait plus finalement que le flacon vide de son corps, qui appartenait au train de maison du sous-secrétaire Tuzzi. Avant qu'Arnheim n'entrât en scène, quand Diotime était encore seule entre son mari et l'Action parallèle, la plus grande source de lumière de sa vie, cette sorte d'exhalation de soi-même avait fini par entraîner chez elle de graves attaques de mélancolie ; depuis, son état s'était très naturellement regroupé d'une autre manière. Sa puissance d'amour s'était violemment contractée en réintégrant, pour ainsi dire, son corps, et l'aspiration « analogue » était devenue une aspiration fort égoïste et nullement équivoque. L'idée, suscitée d'abord par son cousin, qu'elle se trouvait au seuil d'un acte et que quelque chose qu'elle ne voulait pas encore se figurer était sur le point de se produire entre elle et Arnheim, avait un degré de concentration tellement plus élevé que toutes les idées qui l'avaient jusqu'alors préoccupée, qu'elle croyait vraiment être passée du rêve à l'état de veille. Elle ressentait aussi le vide propre aux premiers moments de cette transition, et savait, par le souvenir des descriptions qu'elle en avait lues, que cela signifiait le début d'une grande passion. Elle croyait pouvoir interpréter ainsi mainte parole qu'Arnheim avait prononcée dans les derniers temps. Les rapports qu'il lui faisait sur sa situation, sur les vertus et les devoirs inséparables de sa vie la préparaient à quelque chose d'inéluctable, et Diotime, considérant tout ce qui avait été jusque-là son idéal, éprouvait le pessimisme de l'esprit devant l'action, comme un homme dont les malles sont faites jette un dernier regard sur les pièces qui l'ont abrité pendant des années et déjà semblent privées d'âme. La conséquence inattendue en fut que l'âme de Diotime, échappant provisoirement au contrôle des forces supérieures, se comporta comme un écolier renvoyé qui folâtre jusqu'à ce que l'assaille la tristesse de son absurde liberté ; cette circonstance remarquable fit apparaître quelque temps dans ses relations avec son mari, en dépit d'une aliénation croissante, quelque chose qui ressemblait étrangement, sinon au printemps d'un amour tardif, du moins à un mélange de toutes les saisons de l'amour.

Le petit sous-secrétaire, avec sa peau brune et sèche au parfum si agréable, ne comprenait pas ce qui se passait. Il avait bien remarqué quelquefois que sa femme, en présence des hôtes, donnait l'impression d'être perdue dans un rêve, repliée sur elle-même, lointaine et frémissante, oui, nerveuse et en même temps perdue dans les hauteurs. Mais, lorsqu'ils étaient seuls et qu'il s'approchait d'elle, un peu intimidé et déconcerté, pour l'interroger, prise tout à coup d'une gaieté sans fondement, elle lui sautait au cou et pressait sur son front deux lèvres extraordinairement chaudes qui le faisaient penser au fer à friser du coiffeur, quand, au moment de vous friser la barbe, il l'approche trop de la peau. Cette tendresse inattendue était désagréable, et il en essuyait les traces en cachette dès que Diotime ne le regardait plus. Si c'était lui qui voulait la prendre dans ses bras, ou si, pis encore, il l'avait déjà prise, Diotime, surexcitée, lui reprochait de ne l'avoir jamais aimée et de l'assaillir comme une bête sauvage. Or, une certaine proportion de susceptibilité et de caprice était comprise dans l'image qu'il s'était formée depuis sa jeunesse d'une femme désirable et bien faite pour compléter une nature masculine ; et la grâce pénétrée d'intelligence avec laquelle Diotime tendait une tasse de thé, prenait un livre nouveau ou prononçait un jugement sur telle question dont son mari était persuadé qu'elle ne pouvait rien comprendre, l'avait toujours ravi par sa perfection formelle. Elle agissait sur lui comme une discrète musique de table, chose qu'il goûtait par-dessus tout ; Tuzzi pensait aussi, il est vrai, que la musique détachée de la table (ou des services religieux) et pratiquée pour elle-même, était déjà une prétention bourgeoise, encore qu'il sût fort bien que c'étaient là des choses à ne pas dire tout haut et qu'il n'approfondît jamais de telles réflexions.

Que pouvait-il donc faire quand Diotime tantôt l'embrassait, tantôt prétendait, irritée, que sa présence ne permettait pas à une nature supérieure de s'élever jusqu'à sa véritable essence ? Que fallait-il répliquer quand elle l'invitait à penser aux abîmes de la beauté intérieure plutôt qu'à se soucier de son corps de femme ? Tout à coup, il fallait qu'il comprît la différence entre l'érotisme, où l'esprit de l'amour flotte librement, déchargé du poids des désirs, et la pure sexualité. A vrai dire, ce n'était là qu'un savoir livresque dont on aurait pu rire ; mais quand il est débité par une femme en train de se déshabiller (avec ces leçons sur les lèvres !) se disait Tuzzi, il devient presque insultant. Il ne lui échappait pas en effet que les sous-vêtements de Diotime avaient fait quelque progrès dans le sens d'une certaine frivolité mondaine. Sans doute s'était-elle toujours habillée avec beaucoup de soin et de réflexion, parce que sa situation sociale exigeait qu'elle fût élégante sans faire aucune concurrence aux premières dames de la société. Mais dans les infinies nuances proposées par la lingerie, de l'honnête inusable à l'arachnéen lascif, elle faisait maintenant des concessions à la beauté qu'elle eût déclarées naguère indignes d'une femme intelligente. Que Giovanni cependant en fît la remarque (Tuzzi s'appelait Hans, mais pour des raisons de style on avait adapté son prénom à son patronyme), elle rougissait jusqu'aux épaules et parlait de Madame de Stein qui n'avait jamais fait de concessions, même à un homme comme Goethe !

Ainsi, le sous-secrétaire Tuzzi ne pouvait plus, quand il en jugeait le moment venu, se délasser du commerce des graves affaires de l'État, inaccessibles à la vie privée, dans le sein du foyer ; il se sentait livré à Diotime, et ce qui s'était si proprement dissocié, la tension de l'esprit et le bienfaisant abandon du corps, devait réintégrer la fatigante et un peu ridicule unité du temps des fiançailles, comme s'il avait été un coq de bruyère ou un adolescent poète.

On exagérerait à peine en affirmant qu'il en éprouvait parfois, tout au fond de lui-même, un véritable dégoût ; c'est aussi pourquoi les succès mondains que remportait sa femme à cette époque lui étaient presque physiquement pénibles. Diotime avait l'opinion pour elle, et l'opinion était quelque chose que le sous-secrétaire Tuzzi, en toutes circonstances, respectait tant qu'il craignait de paraître inintelligent s'il opposait l'autorité ou de trop mordantes railleries aux caprices, incompréhensibles pour lui, de Diotime. Il lui apparaissait peu à peu que le fait d'être le mari d'une femme importante était une souffrance mortifiante semblable même en un certain sens à l'émasculation accidentelle, et qu'il fallait soigneusement dissimuler. Il mettait le plus grand soin à n'en rien laisser paraître, circulait, comme à l'abri d'un nuage, voilé de souriante impénétrabilité officielle, sans bruit et sans éclat, quand il y avait des réceptions ou des conférences chez Diotime, faisait à l'occasion quelque remarque courtoisement pratique ou gentiment ironique, semblait passer son existence dans un univers voisin, inaccessible mais amical, paraissait être toujours d'accord avec Diotime, continuait même à la charger de loin en loin, quand ils se retrouvaient dans l'intimité, de quelque petite mission, favorisait officiellement la présence d'Arnheim chez lui et, dans les heures de liberté que lui laissaient ses graves préoccupations ministérielles, se plongeait dans les écrits d'Arnheim en haïssant tous ceux qui écrivent comme la source même de ses malheurs.

La question principale (connaître la raison de l'assiduité d'Arnheim) se réduisait parfois maintenant à cette autre question : pourquoi Arnheim écrivait-il ? Écrire est une manière de bavarder, et les hommes qui bavardent étaient insupportables à Tuzzi. Il ressentait devant eux un besoin violent de serrer les mâchoires et de cracher entre ses dents comme un marin. Il admettait cependant quelques exceptions. Il connaissait un ou deux hauts fonctionnaires qui, une fois à la retraite, avaient écrit leurs mémoires, et d'autres qui publiaient de temps en temps dans les journaux. Tuzzi l'expliquait en disant qu'un fonctionnaire n'écrit que s'il est insatisfait ou s'il est juif ; les Juifs, selon sa conviction intime, étaient tous des ambitieux et des insatisfaits. De grands hommes d'action avaient aussi écrit des livres sur leur expérience ; mais c'était au soir de leur vie, en Amérique ou, à l'extrême rigueur, en Angleterre. D'ailleurs, Tuzzi avait eu une éducation essentiellement littéraire et, comme tous les diplomates, adorait les Mémoires d'où l'on peut tirer de spirituelles maximes et une connaissance plus étendue des hommes ; mais le fait que l'on n'en écrive plus aujourd'hui devait bien vouloir dire quelque chose ; il s'agit là, sans doute, d'un besoin démodé, qui ne convient plus au temps de la nouvelle objectivité. Enfin, on écrit aussi parce que c'est une profession ; cela, Tuzzi l'admettait parfaitement, pour peu que la chose rapportât suffisamment ou que l'on tombât dans la catégorie, qui existe après tout, des poètes. Il se sentait même assez honoré de voir sous son toit les sommités de la profession à laquelle il avait rattaché jusque-là les écrivains à la solde de son ministère ; sans réfléchir davantage, il aurait aussi compté *l'Iliade* et le *Sermon sur la montagne*, qu'il vénérait pourtant, au nombre des œuvres dont la naissance s'explique par l'exercice d'un métier, dépendant ou indépendant. Mais comment un homme tel qu'Arnheim, qui n'en avait pas la moindre nécessité, pouvait en venir à écrire autant, c'était là quelque chose derrière quoi Tuzzi soupçonnait maintenant un grand secret qu'il était encore fort loin d'avoir percé.

79. *Soliman amoureux.*

Pendant ce temps, Soliman, le petit esclave (ou prince) nègre, avait réussi à convaincre Rachel, la petite bonne (ou amie) de Diotime, qu'il leur fallait surveiller ce qui se passait dans la maison pour prévenir, le moment venu, quelque sombre machination d'Arnheim. Pour parler plus précisément, il ne l'en avait pas du tout persuadée, mais ils n'en étaient pas moins tous les deux attentifs comme des conjurés, et chaque fois qu'il y avait visite, ils écoutaient aux portes. Soliman racontait de terribles histoires de courriers voyageant d'un pays à l'autre, de mystérieux personnages qui hantaient l'hôtel de son maître, et se déclarait prêt à jurer par un serment de prince africain qu'il en découvrirait la signification cachée ; le serment de prince africain consistait à ce que Rachel lui mît la main, entre les boutons de sa veste et de sa chemise, sur la poitrine nue, pendant qu'il prononcerait la formule et que sa propre main ferait à

Rachel ce qu'elle-même lui devait faire ; mais Rachel ne voulait pas. Pourtant, la petite Rachel, qui avait le droit d'habiller et de déshabiller sa maîtresse comme de répondre pour elle au téléphone, elle dans les mains de qui chaque matin et chaque soir ruisselait la noire chevelure de Diotime tandis qu'à ses oreilles ruisselaient des paroles d'or, cette petite ambitieuse qui vivait à la cime d'une colonne depuis la naissance dc l'Action parallèle et tremblait chaque jour dans les vagues d'adoration qui montaient de ses yeux vers cette femme divine, la petite Rachel trouvait depuis quelque temps son plaisir à en être purement et simplement l'espionne.

Par les portes d'une chambre voisine restées ouvertes, ou par l'entrebâillement hésitant d'une autre porte, ou même tout simplement en s'affairant innocemment dans leur voisinage, elle épiait Diotime et Arnheim, Ulrich et Tuzzi, prenant sous sa protection des regards, des soupirs, des baisemains, des paroles, des gestes et des rires qui étaient comme les morceaux d'un document déchiré qu'elle ne parvenait pas à reconstituer. Le petit œil du trou de serrure, surtout, avait un pouvoir qui, assez étrangement, rappelait à Rachel le temps depuis longtemps oublié où elle avait perdu son honneur. Le regard pénétrait profondément dans l'intérieur de la chambre ; les personnes y flottaient, réduites à des fragments de surfaces, et les voix, n'étant plus serties dans le mince cadre des mots, foisonnaient en sonorités privées de sens. La déférence, la vénération et l'admiration par quoi Rachel était liée à ces personnes se trouvaient alors sauvagement dissoutes, et c'était aussi excitant que lorsqu'un bien-aimé pénètre soudain de tout son être si profondément dans la bien-aimée que l'obscurité tombe sur les yeux et que derrière le rideau fermé de la peau la lumière s'allume. La petite Rachel était accroupie devant le trou de serrure, sa robe noire tendue sur les genoux, autour du cou et des épaules, Soliman était accroupi à côté d'elle en livrée comme du chocolat brûlant dans une tasse vert foncé. De temps en temps, quand il perdait l'équilibre, il se retenait à l'épaule, au genou ou à la robe de Rachel, d'un geste rapide, qui, un instant figé, s'attardait ensuite tendrement de la pointe des doigts, lesquels enfin s'en détachaient à leur tour.

Il ne pouvait s'empêcher de rire sous cape, et Rachel posait ses tendres petits doigts sur les fermes bourrelets de ses lèvres.

D'ailleurs, Soliman ne trouvait pas le concile intéressant, au contraire de Rachel, et évitait comme il pouvait de devoir servir les hôtes avec elle. Il préférait accompagner Arnheim quand celui-ci venait seul. Il est vrai qu'il devait alors s'installer à la cuisine et attendre que Rachel fût de nouveau libre ; et la cuisinière, qui s'était si bien amusée avec lui le premier jour, était dépitée de le voir depuis lors à peu près muet. Rachel n'avait jamais le temps de rester longtemps assise à la cuisine, et quand elle repartait, la cuisinière, qui était une jeune fille aux environs de la trentaine, témoignait à Soliman des attentions toutes maternelles. Il les tolérait un moment en donnant à sa face de chocolat l'air le plus hautain qu'il pût, puis il avait coutume de se lever et de faire comme s'il avait oublié ou s'il cherchait quelque chose ; il tournait pensivement ses yeux vers le plafond, se plaçait le dos à la porte et commençait à marcher à reculons, tout comme si cela l'eût aidé à mieux voir le plafond ; la cuisinière avait reconnu la maladroite comédie aussitôt qu'il s'était levé en roulant le blanc des yeux, mais par dépit et jalousie elle feignait de n'y pas faire attention, de sorte que Soliman finissait par ne plus se donner aucune peine pour sa scène, qui n'était déjà plus qu'une espèce de formule abrégée, jusqu'au moment où il atteignait le seuil de la cuisine et s'y attardait encore un instant, de l'air le plus innocent possible. Précisément, à ce moment-là, la cuisinière ne regardait pas. Soliman, le dos d'abord, glissait comme un noir reflet dans une eau noire, au fond du sombre vestibule, restait encore une seconde, par une précaution superflue, à épier, puis tout à coup se jetait sur les traces de Rachel, courant à travers la maison étrangère avec des bonds insensés.

Le sous-secrétaire Tuzzi n'était jamais là, et d'Arnheim et Diotime Soliman ne redoutait rien, parce qu'il savait qu'ils n'avaient d'oreilles que pour eux-mêmes. Il avait même quelquefois fait l'épreuve de renverser quelque chose, et n'avait pas été remarqué. Il était aussi libre dans tout l'appartement qu'un cerf dans la forêt. Le sang cherchait à lui sortir de la tête telle une ramure de dix-huit andouillers aigus comme des poignards. Les pointes de ces bois frôlaient les murs et les plafonds. La coutume de la maison voulait que les rideaux fussent tirés dans toutes les chambres qui demeuraient provisoirement inutilisées, afin que les couleurs des meubles ne souffrissent pas du soleil ; Soliman nageait dans la pénombre comme dans un fouillis de feuillage. Pour augmenter sa joie, il exagérait tous ses gestes. Il rêvait de violence. En réalité, ce garçon choyé par la curiosité féminine n'avait jamais connu de femme, mais seulement les vices des garçons européens, et ses appétits étaient encore si peu apaisés par l'expérience, si débridés, leur ardeur si multiple, que son désir ne savait plus, dès qu'il apercevait celle qu'il aimait, s'il se satisferait dans le sang de Rachel, dans ses baisers, ou dans un engourdissement général de son propre sang.

Où que Rachel se cachât, il émergeait soudain, souriant de la réussite de sa ruse. Il lui barrait la route, et ni le bureau du maître des lieux ni la chambre à coucher de Diotime n'étaient sacrés pour lui. Il surgissait de derrière les rideaux, le secrétaire, les armoires, les lits, et à la pensée de tant de hardiesse, de tant de risques conjurés, Rachel sentait son cœur près de se rompre chaque fois que la pénombre se condensait en ce visage noir où luisaient deux rangées de dents éclatantes. Mais aussitôt que Soliman se trouvait face à face avec la véritable Rachel, il redevenait l'esclave des conventions. Cette jeune fille était tellement plus âgée que lui, – aussi belle qu'une fine chemise d'homme qu'on n'oserait pas déchirer ou tacher, même avec la meilleure volonté du monde, quand elle sort fraîchement lavée de la blanchisserie – et surtout, tellement réelle que toutes les imaginations pâlissaient en sa présence. Elle lui reprochait de se mal conduire et célébrait Diotime, Arnheim et l'honneur de pouvoir participer à l'Action parallèle ; mais Soliman avait toujours sur lui de petits cadeaux et lui tendait tantôt une fleur subtilisée au bouquet que son maître envoyait à Diotime, tantôt une cigarette qu'il avait volée chez lui, ou encore une poignée de bonbons qu'il avait dérobés dans une coupe en passant ; alors, il se contentait de serrer les doigts de Rachel ; pendant qu'il lui tendait le cadeau, il portait la main de la jeune fille à son cœur qui brûlait dans son corps noir comme une torche rouge dans la nuit.

Un jour, Soliman avait même pénétré jusque dans la chambre de Rachel où celle-ci avait dû se retirer avec quelque ouvrage de couture sur l'ordre exprès de Diotime, dérangée la veille, en présence d'Arnheim, par quelque agitation dans l'antichambre. Elle l'avait vite cherché des yeux, avant de commencer ses arrêts, mais sans le trouver, et lorsqu'elle entra tristement dans sa petite chambre, il était assis sur son lit, rayonnant, et la regardait. Rachel hésita à fermer la porte, Soliman bondit et le fit lui-même. Puis il fouilla dans ses poches, en tira quelque chose sur quoi il souffla pour en retirer la poussière, et s'approcha de la jeune fille comme un fer à repasser brûlant.

« Donne ta main ! » dit-il.

Rachel la lui tendit. Il avait dans la sienne quelques boutons de chemise multicolores et essaya de les glisser dans la manche de Rachel. Rachel pensa que c'était du verre.

« Des pierres précieuses ! » déclara-t-il fièrement.

La jeune fille, pressentant à ce mot quelque diablerie, retira promptement sa main. Elle ne pensait rien de précis ; le fils d'un prince maure, même kidnappé, pouvait bien avoir sauvé quelques pierres précieuses cousues secrètement dans sa chemise, on ne peut jamais savoir ; mais elle avait une peur involontaire de ces boutons, comme si Soliman lui tendait du poison, et tout d'un coup, les fleurs et les bonbons dont il lui avait fait présent lui parurent bizarres. Elle serra ses mains contre son corps et considéra Soliman avec perplexité. Elle sentait qu'elle devait lui parler sérieusement ; elle était plus âgée que lui et ses maîtres étaient bons pour elle. Mais tout ce qui lui venait à l'esprit à ce moment était des sentences comme « L'honnêteté est la première des vertus », ou « Sois toujours fidèle et loyal ». Elle pâlit : cela lui paraissait trop simple. Elle tenait cette sagesse de la maison paternelle, c'était une sagesse sévère, belle et simple comme de vieux ustensiles de ménage, mais on ne pouvait pas en faire grand-chose, car ces sentences ne comportaient jamais qu'une seule phrase après quoi venait tout de suite le point final. A ce moment-là, elle eut honte de cette sagesse d'enfant comme on a honte de vieilles choses usées. Que le vieux bahut qu'on trouve chez les pauvres gens devienne cent ans plus tard l'ornement du salon des riches, elle ne le savait pas, et comme les simples honnêtes gens elle admirait plutôt une chaise cannée neuve. C'est pourquoi elle chercha dans sa mémoire les enseignements de sa nouvelle existence. Bien qu'elle se rappelât mille scènes merveilleuses d'amour ou de terreur qu'elle avait lues dans les livres que lui laissait Diotime, aucune n'était telle qu'elle eût pu maintenant en faire usage, tous ces beaux mots et ces beaux sentiments avaient leur situation personnelle et convenaient aussi mal à la sienne qu'une clef à une serrure différente. Il en allait de même des magnifiques sentences et exhortations que Diotime lui dispensait. Rachel sentit le tournoiement d'un brûlant brouillard et les larmes toutes proches. Enfin elle dit violemment : « Je ne vole pas mes maîtres !

– Pourquoi ? » Soliman montra les dents.

« Parce que !

– Je ne l'ai pas volé. C'est à moi ! » s'écria Soliman.

« Les bons maîtres prennent soin des pauvres domestiques », tel était le sentiment de Rachel. Ce qu'elle ressentait encore, c'était son amour pour Diotime. Un respect sans bornes pour Arnheim. Une horreur profonde de ces agitateurs et émeutiers qu'une bonne police appelle « éléments subversifs ». Mais les mots pour dire tout cela lui manquaient. Comme un char énorme chargé de fourrage et de fruit, dont lâchent les freins et les cales, tout ce fardeau de sentiments se mit à rouler en elle.

« C'est à moi ! Prends-le ! » répétait Soliman, qui s'empara de nouveau de la main de Rachel. Elle retira son bras avec violence, il voulut le retenir, une fureur grandissante l'envahit, et quand il fut au point de devoir le lâcher parce que sa force de garçon ne suffisait pas contre la résistance de Rachel qui cherchait à lui échapper de tout le poids de son corps, il se pencha sans plus savoir ce qu'il faisait et lui mordit le bras comme une bête.

Rachel voulut crier, dut retenir son cri et frappa Soliman au visage.

Mais il avait déjà les larmes aux yeux, il se jeta à genoux, pressa ses lèvres sur la robe de Rachel et pleura si passionnément que Rachel sentit l'humidité brûlante pénétrer jusqu'à sa cuisse.

Elle resta debout, impuissante, devant le garçon agenouillé qui s'agrippait à sa robe et enfouissait sa tête dans son corps. Jamais de sa vie elle n'avait connu pareille émotion, et doucement, elle lui passa les doigts dans sa toison de souple ligneul.

80. *Où l'on fait plus ample connaissance avec le général Stumm, lequel réussit une apparition inattendue au concile.*

Le concile, entre-temps, avait bénéficié d'un singulier enrichissement : un beau soir, en dépit du filtrage extrêmement minutieux auquel étaient soumis les invités, le général avait fait son apparition en témoignant à Diotime sa profonde reconnaissance pour une si flatteuse invitation. Dans une salle de conférences, certes, le soldat devait savoir s'effacer, déclara-t-il, mais pouvoir assister, ne fût-ce qu'en qualité d'auditeur muet, à une si éminente réunion, avait été dès sa jeunesse son plus secret désir. Diotime, sans répondre, regardait par-dessus la tête de Stumm en cherchant des yeux le coupable : Arnheim s'entretenait avec Son Altesse comme un homme d'État avec un autre, Ulrich regardait le buffet avec l'air d'en dénombrer les richesses et de s'ennuyer au-delà de toute expression ; la surface de la scène habituelle était parfaitement lisse et n'offrait pas la moindre faille par où un soupçon si peu habituel pût s'infiltrer. D'autre part, Diotime était on ne peut plus sûre de ne pas avoir invité le général, à moins d'admettre qu'elle fût somnambule ou souffrît d'absences passagères. Ce fut un instant désagréable. Le petit général était debout devant elle, portant sans aucun doute une invitation dans la poche intérieure de sa tunique couleur de ne-m'oubliez-pas ; il était impossible de soupçonner un homme dans sa situation d'une entreprise aussi impertinente que l'eût été sans cela sa venue. D'autre part, le gracieux secrétaire de Diotime était toujours là-bas, dans la bibliothèque, enfermant dans son tiroir tout le surplus des cartes d'invitation imprimées auquel presque personne, hormis Diotime, n'avait accès. Tuzzi ?... se demanda-t-elle un instant ; là encore, c'était peu vraisemblable. La coïncidence de l'invitation et du général était une sorte d'énigme spirite, et comme Diotime inclinait volontiers à voir dans ses affaires personnelles l'intervention de forces surnaturelles, elle se sentit frémir de la tête aux pieds. Il ne lui restait rien d'autre à faire qu'à souhaiter la bienvenue au général.

Lui-même, d'ailleurs, avait été un peu surpris par cette invitation ; son envoi tardif l'avait étonné, d'autant plus que Diotime, lors de ses deux visites, n'avait malheureusement rien laissé paraître d'une pareille intention ; et il n'avait pas été sans remarquer que l'adresse, écrite évidemment de seconde main, comportait des inexactitudes dans la formulation de son grade et de ses fonctions, inexactitudes qui ne pouvaient venir d'une dame dans la situation sociale de Diotime. Mais le général était un homme gai, qui n'en venait pas aussi aisément qu'elle à imaginer de l'extraordinaire, encore moins du surnaturel. Il admit la probabilité d'une légère erreur qui ne devait pas l'empêcher de savourer son succès.

Le général de brigade Stumm von Bordwehr, chef du Département de l'Éducation et de l'Enseignement militaire au Ministère de la Guerre, se réjouissait sincèrement de la mission qu'il avait décrochée. Lorsque, en son temps, la grande séance inaugurale de l'Action parallèle avait été annoncée, le chef de cabinet l'avait convoqué et lui avait dit : « Mon vieux Stumm, tu es comme qui dirait un savant, nous allons te donner une lettre d'introduction, et tu y vas. Tu ouvres l'œil et tu viens nous raconter ce qu'ils ont dans le ventre. » Dans la suite, il avait pu protester tant qu'il avait voulu ; le fait qu'il lui avait été impossible de prendre pied dans l'Action parallèle était sur la feuille de personnel une tache que ses visites à Diotime essayaient en vain d'effacer. C'est pourquoi, quand l'invitation était enfin arrivée, il avait filé à toute bride à l'administration et annoncé, après avoir croisé élégamment et presque insolemment ses jambes sous son ventre, mais hors d'haleine, que l'événement préparé et attendu par lui s'était enfin produit, comme il n'en avait d'ailleurs jamais douté.

« Bon, bon, dit le lieutenant-général Frost von Aufbruch, je m'y attendais aussi. » Il offrit à Stumm un siège et une cigarette, alluma devant sa porte le signal « Entrée interdite, importante conférence », et expliqua au général que sa mission était essentiellement d'observer et de faire rapport. « Nous n'avons pas d'intentions particulières, tu comprends ? Mais chaque fois que tu peux, tu y vas, histoire de montrer que nous sommes là aussi. Que nous ne fassions pas partie des comités, c'est peut-être plus ou moins régulier, mais que nous ne soyons pas présents quand on prépare pour l'anniversaire du Chef suprême de l'armée une espèce de cadeau intellectuel, ça ne se défend pas. Voilà pourquoi c'est toi, Stumm, et nul autre, que j'ai proposé à S. E. le Ministre, personne n'y trouvera à redire... Allez, bonne chance, et débrouille-toi ! » Le lieutenant-général Frost von Aufbruch fit une inclination de tête amicale, et le général Stumm von Bordwehr, oubliant que le soldat ne doit manifester aucune émotion, claqua des talons presque du fond du cœur, si l'on peut dire, et s'écria : « Merci, vieux ! A vos ordres, Excellence ! »

S'il est des civils belliqueux, pourquoi n'y aurait-il pas des officiers qui goûtent les arts de la paix ? La Cacanie en possédait une quantité. Ils peignaient, collectionnaient des coléoptères, remplissaient des albums de timbres-poste ou étudiaient l'histoire universelle. Le grand nombre de garnisons en miniature et le fait qu'il était interdit aux officiers de montrer au public, sans l'approbation des supérieurs, des travaux d'ordre intellectuel, donnaient ordinairement à leurs efforts une allure particulièrement personnelle, et le général Stumm lui-même avait sacrifié jadis à ces marottes. Il avait commencé son service dans la cavalerie, mais c'était un piètre cavalier ; ses petites mains, ses courtes jambes n'étaient pas faites pour étreindre et maîtriser une bête aussi extravagante que le cheval ; et il était à tel point dépourvu d'autorité que ses supérieurs d'alors prétendaient que, si on avait rangé un escadron dans la cour de la caserne avec la tête, et non la queue comme d'habitude, côté écurie, il eût été incapable de lui faire passer les grilles. Pour se venger, le petit Stumm s'était laissé pousser une grande barbe presque noire et taillée en rond ; il était le seul officier de toute la cavalerie impériale qui portât une barbe, mais rien ne l'interdisait expressément. Il s'était mis à collectionner scientifiquement des couteaux de poche : sa solde ne lui permettait pas de collectionner des armes. Il fut bientôt possesseur d'une quantité de couteaux, classés d'après leur type (avec ou sans tire-bouchon, avec ou sans lime à ongles), les aciers, l'origine, la matière des plaques, et ainsi de suite ; et il y avait dans sa chambre de hautes caisses avec d'innombrables tiroirs plats et des inscriptions sur des cartons qui lui valurent une réputation d'érudit. Il pouvait aussi écrire des poèmes, il avait toujours eu, déjà comme cadet, les meilleures notes de religion et de composition allemande, et un beau jour le colonel le fit venir dans son bureau. « Vous ne ferez jamais un officier de cavalerie utilisable, lui dit-il. Si je mettais un enfant en bas âge sur un cheval, face à l'escadron, il ne se comporterait pas autrement que vous. Mais il y a longtemps que le régiment n'a plus eu personne à l'École militaire, et tu pourrais t'annoncer, Stumm ! »

C'est ainsi que Stumm gagna deux magnifiques années dans la capitale, à l'École militaire. Là, son esprit aussi parut manquer de l'acuité qu'il faut pour monter à cheval, mais il ne manqua pas un concert militaire, visita les musées et collectionna les programmes de théâtre. Il conçut le projet de passer au civil, mais ne sut pas comment le mener à bien. Le résultat final fut qu'on ne le jugea ni apte, ni expressément inapte au service d'État-major ; il passa pour dépourvu d'adresse et d'ambition, mais fut tenu pour un philosophe ; on l'attribua pour deux nouvelles années, à l'essai, à l'État-major d'une division d'infanterie. Cette période terminée, devenu capitaine de cavalerie, il entra dans la nombreuse cohorte de ces officiers qui, formant la réserve de l'État-major, ne quittent plus l'uniforme à moins d'événements extraordinaires. Le capitaine de cavalerie Stumm servait maintenant dans un autre régiment, on admirait toujours ses connaissances théoriques, mais ses nouveaux chefs ne furent pas longs à ressortir l'histoire de l'enfant en bas âge et de ses capacités pratiques. Il poursuivit ainsi une véritable carrière de martyr jusqu'au rang de lieutenant-colonel ; mais, comme major déjà, il ne rêvait plus que d'un long congé en demi-solde pour atteindre le moment où il serait mis à la retraite comme colonel *ad honores*, c'est-à-dire avec le titre et l'uniforme, mais sans la pension. Il ne voulait plus rien savoir de l'avancement qui se faisait, dans les troupes de ligne, à l'ancienneté, avec une lenteur indicible ; ni de ces matinées où l'on revient de la place d'armes sali des pieds à la tête quand le soleil est déjà haut dans le ciel, et où l'on entre au mess avec des bottes poussiéreuses pour ajouter le vide des bouteilles au vide d'un jour qui est bien loin d'être achevé ; ni de la sociabilité officielle, des histoires de régiment et de ces Dianes qui passent leur vie au côté de leurs maris en reproduisant l'échelle de leurs grades sur une échelle musicale d'une précision d'argent, dont l'implacable subtilité est tout juste perceptible à l'oreille humaine ; il ne voulait plus rien savoir de ces nuits où la poussière, le vin, l'ennui, l'immensité des champs parcourus et l'obsession du cheval, éternel sujet de conversation, précipitaient les hommes, mariés ou non, dans ces réjouissances de derrière les rideaux où l'on met des femmes la tête en bas pour leur verser du champagne dans les jupes, ni de l'immanquable Juif universel des maudites petites garnisons galiciennes, qui était comme un bazar louche où l'on pouvait tout acheter, à crédit, avec intérêt, de l'amour au savon de selle, et chez qui l'on traînait des filles tremblantes de respect, de curiosité et d'angoisse. Son unique consolation à cette époque était la poursuite méthodique de sa collection de couteaux et de tire-bouchons ; le Juif tenait aussi cet article, il en apportait souvent au domicile du maboul ; les essuyant sur sa manche avant de les poser sur la table, avec une mine respectueuse, comme si ç'avait été des trouvailles préhistoriques.

La bifurcation inattendue s'était produite lorsqu'un camarade de l'École militaire s'était souvenu de Stumm et avait proposé son transfert au Ministère de la Guerre où l'on cherchait pour la direction du département culturel un auxiliaire qui possédât des dons civils éminents. Deux ans plus tard, on avait confié à Stumm, devenu entre-temps colonel, la direction de ce département. Depuis qu'il avait troqué l'animal sacré de la cavalerie pour un fauteuil, il se sentait un autre homme. Il devint général et pouvait même être à peu près assuré de passer lieutenant-général. Il y avait longtemps, naturellement, qu'il s'était fait couper la barbe, mais c'était maintenant un front qui lui poussait avec l'âge, et sa tendance à la rondeur donnait à son esprit les apparences d'une culture globale. Il devint, de plus, heureux, et rien n'accroît l'efficience davantage que le bonheur. Il était fait pour de grandes choses, et tout le lui disait. Dans les vêtements d'une femme extravagante, dans le mauvais goût hardi de l'architecture viennoise d'alors, dans le vaste bariolage d'un grand marché de légumes, dans l'air gris-brun des rues asphaltées, dans cette douce atmosphère d'asphalte pleine de miasmes, de parfums et d'odeurs, dans le vacarme qui éclatait l'espace d'une seconde pour faire place à un bruit isolé, dans la diversité innombrable des civils et même dans ces petites tables blanches des restaurants qui ont une individualité si marquée bien qu'on ne puisse nier qu'elles soient toutes semblables, dans tout cela il y avait un bonheur qui faisait dans sa tête comme un bruit d'éperons. C'était un bonheur que les civils n'éprouvent qu'en filant par le train à la campagne ; sans pouvoir se l'expliquer, on sent qu'on passera une journée verte, heureuse, sous on ne sait quels dômes. Ce sentiment incluait aussi bien sa propre importance que celle du Ministère de la Guerre, de la culture, de tous les autres hommes, et avec tant de force que Stumm, depuis qu'il occupait ce poste, n'avait pas songé une seule fois à entrer dans un musée ou un théâtre. C'était là un sentiment dont on a rarement conscience, mais qui imprègne toutes choses, des galons de général aux voix des cloches carillonnantes, une musique sans laquelle la danse de la vie s'interromprait sur-le-champ.

Tudieu, il avait fait son chemin ! Voilà ce que pensait Stumm de lui-même, maintenant que, pour comble de bonheur, il se trouvait au milieu de cet appartement, dans cette illustre société d'esprits. – Il y était ! Il était le seul uniforme dans ce lieu imprégné d'intelligence ! Autre chose encore l'émerveillait. Qu'on se figure le globe terrestre bleu ciel, mais d'un bleu tirant légèrement vers le ne-m'oubliez-pas de la tunique de Stumm, fait tout entier de bonheur, de fierté, et de ce mystérieux phosphore de l'illumination intérieure ; au centre de ce globe, le cœur du général, et sur ce cœur, comme Marie sur la tête du serpent, une femme divine dont le sourire, mêlé à toutes choses, est en même temps leur pesanteur secrète : on obtiendra à peu près l'impression que Diotime fit sur Stumm von Bordwehr dès la première heure où son image avait enchaîné les lents mouvements de ses yeux.

En réalité, le général Stumm n'aimait pas plus les femmes que les chevaux. Ses jambes rondes et un peu courtes s'étaient senties mal à l'aise en selle, et quand il lui fallait encore entendre parler chevaux en dehors du service, il rêvait la nuit qu'il s'était blessé jusqu'aux os à force de galoper et qu'il ne pouvait plus descendre de cheval. De la même façon, son indolence avait toujours désavoué les excès amoureux, et comme le service le fatiguait suffisamment, il n'avait pas besoin de ménager à ses forces des exutoires nocturnes. Sans doute avait-il su, de son temps, s'amuser comme les autres ; pourtant, quand il ne passait pas ses soirées en compagnie de ses couteaux, mais avec ses camarades, il recourait ordinairement à un sage expédient : le sens qu'il avait de l'harmonie physique lui avait bientôt appris que le vin peut vous faire passer rapidement du stade brûlant au stade assoupi, et cela lui convenait beaucoup mieux que les risques et les déceptions de l'amour. Plus tard, lorsqu'il se maria et se trouva dans l'obligation d'entretenir deux enfants et leur ambitieuse mère, il comprit combien ses habitudes avaient été raisonnables en attendant qu'il cédât à la tentation des habitudes matrimoniales, qui ne l'avaient sans doute séduit que par ce qu'il y a de peu militaire dans l'idée d'un soldat marié. Dès lors se développa en lui, avec beaucoup de vivacité, un idéal féminin extra-matrimonial qu'il avait certainement dû nourrir autrefois sans le savoir, et qui était fait d'une tendre exaltation pour les femmes qui l'intimidaient et par là même le dispensaient de tout effort. Quand il considérait les portraits de femme qu'il avait découpés au temps de son célibat dans les journaux illustrés (mais ce n'avait été là qu'une branche accessoire de son activité de collectionneur), il voyait qu'ils avaient tous ce même caractère ; mais il l'avait ignoré alors, et cette exaltation ne devint toute-puissante que lorsqu'il eut rencontré Diotime.

Sans parler du tout de l'impression que lui avait faite sa beauté, il avait dû, lorsqu'il avait entendu dire qu'elle était une seconde Diotime, commencer par recourir au dictionnaire pour savoir ce que signifiait ce mot ; il ne comprit pas parfaitement l'allusion, mais remarqua seulement qu'elle se rattachait à ce vaste domaine de la culture civile qu'il continuait, en dépit de sa situation, à ne connaître que fort mal, et le prestige du monde intellectuel se fondit alors avec la grâce physique de cette femme. Aujourd'hui que les rapports des deux sexes se sont considérablement simplifiés, on se voit obligé de souligner que c'est là l'expérience la plus haute qu'un homme puisse faire. Les bras du général Stumm se sentaient beaucoup trop courts intellectuellement pour embrasser la plénitude sublime de Diotime, cependant que son esprit éprouvait la même chose au même moment face au monde et à la culture, de sorte qu'un doux amour imprégnait tous les événements et qu'aux rondeurs du général quelque chose se mêlait qui ressemblait à la rondeur flottante du globe.

Ce fut cette exaltation qui, peu de temps après que Diotime se fut écartée de lui, ramena Stumm von Bordwehr dans son voisinage. Il alla se planter tout près de la femme admirée, d'autant qu'il ne connaissait personne d'autre, et suivit sa conversation. Il eût même volontiers pris des notes, jugeant sacrilège de jouer avec de tels trésors intellectuels comme avec un collier de perles, s'il n'avait été témoin auriculaire des propos par lesquels Diotime saluait les célébrités les plus diverses. Son seul regard, après qu'elle se fut détournée une ou deux fois avec irritation, lui fit comprendre ce qu'il y avait d'inconvenant pour un général dans cette sorte d'espionnage, et le fit fuir. Il parcourut une ou deux fois tout seul l'appartement surpeuplé, but un verre de vin, et il allait essayer de prendre une position décorative contre une des parois de la pièce lorsqu'il découvrit Ulrich, qu'il avait déjà vu à la première séance ; sa mémoire s'illumina aussitôt, car Ulrich avait été un lieutenant spirituel et turbulent dans l'un des deux escadrons que le général Stumm, du temps qu'il n'était encore que lieutenant-colonel, avait commandés sans rudesse. « Un homme dans mon genre, se dit Stumm, et si jeune, une situation pareille ! » Il mit le cap sur lui, et lorsqu'ils eurent confirmé leur reconnaissance et bavardé un peu sur les changements intervenus, Stumm désigna l'assemblée du regard et dit : « Voilà pour moi une occasion unique d'entrer en contact avec les problèmes capitaux du monde civil !

– Tu seras surpris, général ! » lui répondit Ulrich.

Le général, qui cherchait un allié, lui secoua chaleureusement la main : « Tu étais lieutenant au Neuvième Uhlans, dit-il gravement, et ce sera un jour un grand honneur pour nous deux, même si les autres ne le comprennent pas encore aussi clairement que moi ! »

81. *Le comte Leinsdorf se prononce sur la politique réaliste. Ulrich fonde des sociétés.*

Tandis que les travaux du concile ne laissaient pas entrevoir le moindre résultat concret, au palais du comte Leinsdorf l'Action parallèle faisait des progrès extraordinaires. C'était là que se nouaient les fils du réel ; Ulrich y passait deux fois par semaine.

Rien ne le surprenait davantage que le nombre de sociétés qu'il peut y avoir au monde. Il voyait s'annoncer des sociétés alpines et maritimes, des sociétés de tempérants et de buveurs, des sociétés tout court et des sociétés de chant. Ces sociétés encourageaient les aspirations de leurs adhérents et combattaient celles des autres. On en retirait l'impression que chaque homme devait faire partie d'une société au moins. « Altesse, dit Ulrich confondu, on ne peut plus tenir cela, comme on le fait d'ordinaire, pour une innocente manie ; nous découvrons ceci de monstrueux que tout homme, dans l'État organisé que nous avons inventé, fait encore partie d'une bande de brigands !... »

Mais le comte Leinsdorf avait un faible pour les sociétés. « Considérez, répliqua-t-il, que la politique idéologique n'a jamais conduit à de bons résultats ; nous devons faire une politique réaliste. Je n'hésite même pas à juger dangereuses, en un certain sens, les tentatives par trop intellectuelles qui se poursuivent dans l'entourage de votre cousine !

– Son Altesse voudrait-elle me donner quelques directives ? » demanda l'interlocuteur.

Le comte Leinsdorf le regarda. Il se demanda si ce qu'il voulait dire n'était pas trop hardi pour cet homme jeune et sans expérience. Il se décida néanmoins. « Hum ! voyez-vous, commença-t-il prudemment, ce que je vais vous dire, vous l'ignorez peut-être encore, parce que vous êtes jeune : faire une politique réaliste, c'est ne pas faire ce que justement l'on voudrait faire. En revanche, on peut gagner les gens en leur accordant de petites satisfactions ! »

L'auditeur, déconcerté, considéra le comte Leinsdorf avec de grands yeux ; celui-ci sourit, flatté.

« Donc, reprit-il, je viens de vous dire qu'une politique réaliste ne doit pas se laisser guider par la puissance de l'idée, mais bien par les besoins immédiats. Chacun, bien sûr, aimerait mettre en pratique ses belles idées, cela va de soi. Ainsi donc, ce qu'il ne faut pas faire, c'est précisément ce que l'on voudrait faire ! D'ailleurs, Kant l'a dit avant moi.

– C'est vrai ! s'écria non sans surprise celui qu'on édifiait ainsi. Mais il faut tout de même avoir un but ?

– Un but ? Bismarck voulait voir un roi de Prusse puissant : tel était son but. Il n'a pas su tout de suite qu'il lui faudrait pour cela faire la guerre à la France et à l'Autriche, et qu'il fonderait l'Empire allemand.

– Votre Altesse veut dire que nous devons souhaiter une Autriche grande et puissante, sans plus ?

– Nous avons encore quatre ans devant nous. Pendant ces quatre ans, toutes sortes de choses peuvent se produire. On peut mettre un peuple sur ses jambes, mais il faut qu'il marche seul. Vous me comprenez ? Le mettre sur ses jambes, voilà notre devoir ! Mais les jambes d'un peuple, ce sont ses institutions inébranlables, ses partis, ses sociétés, et ainsi de suite, non pas tous ces bavardages !

– Altesse ! C'est là, malgré les apparences, une pensée vraiment démocratique !

– Oui, oui ! peut-être est-elle aristocratique aussi bien, quoique mes pairs ne me comprennent pas. Le vieux Hennenstein et Turchkeim le majorataire m'ont répondu qu'il ne sortirait de tout cela que de la cochonnerie. Bâtissons donc avec prudence. Bâtissons en petit, et soyez indulgent pour tous ceux qui viennent à nous. »

C'est pourquoi Ulrich, dans les semaines qui suivirent, ne renvoya personne. Un homme vint le voir, qui lui parla longuement des collections de timbres-poste. Premièrement, c'était un élément de concorde internationale ; deuxièmement, cela répondait à ce besoin de propriété et de crédit personnel dont on ne peut nier qu'il soit le fondement de la société ; troisièmement, loin de n'être qu'une affaire d'érudition, il y fallait aussi un certain sens artistique. Ulrich observa son interlocuteur, son apparence était soucieuse et pauvre ; celui-ci parut avoir compris le sens de son regard, car il répliqua que les timbres étaient aussi une valeur marchande, qu'il ne fallait pas la sous-estimer, qu'il y avait là des placements de plusieurs millions ; que les grandes bourses de timbres voyaient accourir des marchands et des collectionneurs de tous les coins du monde. On pouvait devenir riche. Lui-même, personnellement, était un idéaliste ; il était en train d'achever une collection particulière à laquelle personne, pour le moment, ne s'intéressait. Il voulait simplement qu'une grande exposition de timbres-poste fût organisée pendant l'Année jubilaire, afin qu'il pût porter à la connaissance du monde sa petite spécialité !

Il fut suivi d'un autre homme, qui raconta l'histoire que voici : quand il marchait dans la rue (mais c'était encore plus passionnant quand on était en tramway), il comptait, depuis des années déjà, le nombre de jambages que comportaient les grandes majuscules romaines des enseignes de magasin (A, par exemple, en comportait trois, M quatre), puis divisait leur nombre par le nombre de lettres. Jusqu'ici, le résultat moyen avait été, invariablement, deux et demi ;

bien entendu, cela n'était nullement intangible et pouvait se modifier à chaque rue : ainsi était-on envahi d'inquiétude devant les variations, et rempli de joie par les concordances, expérience qui n'était pas sans rappeler les vertus purifiantes qu'on assigne à la tragédie. Que l'on comptât, au contraire, les lettres elles-mêmes, on s'apercevait, et Monsieur le secrétaire pourrait s'en convaincre lui-même, que la divisibilité par trois était une aubaine rare, raison pour laquelle la plupart des enseignes donnaient une impression d'insatisfaction très nette, sauf celles qui ne comportent que des lettres « nombreuses », c'est-à-dire faites de quatre jambages, comme par exemple WEM, lesquelles en toutes circonstances vous rendent particulièrement heureux. Quelle en était la conséquence ? demanda le visiteur. Simplement celle-ci, qu'il souhaitait voir le Ministère de la Santé publique édicter une ordonnance qui favorisât le choix des lettres à quatre jambages pour les raisons sociales des maisons de commerce, et réduisît le plus possible l'usage des lettres à un seul jambage comme O, S, I, C, dont la stérilité ne pouvait répandre que tristesse !

Ulrich considéra son interlocuteur et mit quelque distance entre eux. Pourtant, celui-ci ne faisait pas l'impression d'un aliéné ; c'était un homme d'une trentaine d'années, appartenant à la classe aisée, l'air aimable et intelligent. Il continua paisiblement à expliquer que le calcul mental était indispensable à toute profession, que donner à l'enseignement l'aspect du jeu était conforme à la pédagogie moderne, que les statistiques avaient déjà révélé plus d'une fois des connexions profondes avant même qu'on en eût l'explication, que les dégâts commis par une instruction purement livresque étaient bien connus et qu'enfin la profonde sensation que ses observations avaient fait naître jusqu'ici chez tous ceux qui s'étaient décidés à les répéter, parlait d'elle-même. Si le Ministère de la Santé publique était amené à se saisir de sa découverte, d'autres États l'imiteraient bientôt, et l'Année jubilaire se révélerait une bénédiction pour l'humanité.

Ulrich n'avait pour cette sorte de gens qu'un conseil : « Fondez une société ; vous avez encore près de quatre ans pour cela, et si vous réussissez, Son Altesse mettra certainement toute son influence à votre service ! »

Mais la plupart d'entre eux avaient déjà leur société, ce qui changeait tout. C'était encore relativement simple quand une association de football proposait que l'on décernât à son ailier droit le titre de professeur pour officialiser l'importance nouvelle de la culture physique dans le monde ; on pouvait toujours laisser entrevoir que la chose serait prise en considération. Cela devenait malaisé dans des cas comme le suivant : un homme d'une cinquantaine d'années se présentait comme un chef de bureau ; son front rayonnait de l'éclat du martyre, il déclara qu'il était le fondateur et le président de l'Association pour la sténographie Oehl, et se permettait d'attirer l'attention du secrétaire de la grande Action patriotique sur ledit système.

Le système sténographique Oehl, expliqua-t-il, était une invention autrichienne ; il n'avait donc pas besoin d'ajouter qu'il n'avait trouvé ni diffusion ni encouragement d'aucune sorte. Il demanda au secrétaire s'il était sténographe ; comme celui-ci répondait que non, les avantages intellectuels de la sténographie lui furent exposés tout au long. Économie de temps, économie d'énergie intellectuelle ; pouvait-il imaginer l'incroyable quantité de productivité cérébrale gaspillée quotidiennement dans ces crochets, ces redondances, ces imprécisions, ces déroutantes répétitions de fragments identiques, cette confusion d'éléments réellement expressifs et significatifs et d'éléments purement rhétoriques et arbitraires ? Ulrich, non sans étonnement, faisait la connaissance d'un homme qui poursuivait l'écriture ordinaire, si inoffensive apparemment, d'une haine implacable. Du point de vue de l'économie de travail intellectuel, la sténographie était une question de vie ou de mort pour une humanité qui évoluait sous le signe de la vitesse. Du point de vue de la morale aussi bien, la question du court ou du long se révélait d'une importance capitale. L'écriture longues-oreilles, selon l'amère expression du chef de bureau, expression que justifiaient amplement ses absurdes boucles, induisait à l'imprécision, à l'arbitraire, à la prodigalité et à l'indolence, alors que la sténographie enseignait la précision, l'énergie et la virilité. La sténographie apprenait à s'en tenir au nécessaire, à fuir le superflu. M. le secrétaire ne pensait-il pas qu'il y avait là un élément de morale pratique qui pouvait être d'une extrême importance, particulièrement pour les Autrichiens ? On pouvait aussi considérer la question du point de vue esthétique. La prolixité ne passait-elle pas à bon droit pour un attribut de la laideur ? Les grands classiques déjà n'avaient-ils pas tenu la convenance la plus stricte pour un des éléments du beau ? Mais (poursuivit le chef de bureau), du point de vue de la Santé publique également, il était de la plus haute importance d'abréger le temps que l'on passe courbé sur son pupitre. Après que le problème de la sténographie eut été analysé de la même manière à partir de quelques autres sciences, au grand étonnement de son hôte, le visiteur passa enfin à l'exposé de l'infinie supériorité du système Oehl sur tous les autres systèmes existants. Il lui démontra que tout autre système, jugé de chacun des points de vue précédents, n'était qu'une trahison de l'idée même de la sténographie. Alors, il déroula la longue histoire de ses souffrances. Il y avait les systèmes plus anciens, plus puissants, qui avaient déjà trouvé le temps de s'associer tous les intérêts matériels imaginables. Les Écoles de commerce enseignaient le système Vogelbauch et opposaient à tout changement une résistance à laquelle s'associait naturellement, selon le principe d'inertie, le monde commercial tout entier. Les journaux, qui gagnent visiblement un argent fou avec les annonces des Écoles de commerce, se refusaient à toute réforme. Et le Ministère de l'Instruction publique ? O dérision ! s'exclama Monsieur Oehl. Cinq ans auparavant, lorsqu'on avait décidé de rendre obligatoire l'enseignement de la sténographie dans les Écoles secondaires, le Ministère avait nommé une commission pour délibérer sur le choix du système, et, bien entendu, il y avait dans cette commission les représentants des Écoles de commerce, des commerçants eux-mêmes, des sténographes parlementaires qui sont comme cul et chemise avec les journalistes, et personne d'autre ! Dès lors, il était clair que l'on ne pouvait adopter que le système Vogelbauch ! L'association pour la sténographie Oehl avait mis l'opinion en garde contre cette atteinte à un précieux patrimoine national, puis protesté avec énergie. Mais le Ministère avait fermé sa porte à ses représentants !

Des cas de ce genre, Ulrich les signalait à Son Altesse. « Oehl, dites-vous ? demanda le comte Leinsdorf. Et c'est un fonctionnaire ? » Il se frotta longuement l'aile du nez, mais n'aboutit à aucune décision. « Peut-être devriez-vous voir le conseiller dont il dépend, pour savoir ce que vaut l'homme ? » dit-il un moment après ; mais il était d'humeur créatrice et se dédit à nouveau. « Non, écoutez-moi : faisons plutôt un rapport, et qu'ils s'expliquent ! » Et il ajouta cette confidence qui devait permettre à son interlocuteur de mieux pénétrer ces problèmes. « Dans des cas de ce genre, dit-il, on ne peut jamais savoir s'il n'y a que sottise. Mais voyez-vous, Monsieur de..., il suffit de les prendre au sérieux pour qu'il en sorte immanquablement un résultat concret ! J'en ai une nouvelle preuve avec ce Dr Arnheim, après qui tous les journaux courent. Les journaux pourraient pourtant s'occuper autrement. Mais dès qu'ils s'intéressent à lui, le Dr Arnheim prend de l'importance. Vous dites qu'Oehl a une association ? Bien entendu, cela ne prouve rien non plus. D'un autre côté, comme je vous le disais, il faut penser moderne ; et si beaucoup de gens sont pour quelque chose, on peut être déjà presque assuré qu'il en sortira quelque chose ! »

82. *Clarisse réclame une « Année Ulrich ».*

Si son ami rendait visite à Clarisse, c'était sans doute uniquement pour la raisonner un peu sur la lettre qu'elle avait écrite au comte Leinsdorf ; la dernière fois qu'il l'avait vue, il l'avait complètement oublié. Pendant le trajet, néanmoins, il lui vint à l'esprit que Walter était jaloux de lui, et que cette visite, aussitôt qu'il l'apprendrait, ranimerait sa jalousie. Walter ne pouvait absolument rien faire pour l'empêcher de venir, et cette situation, qui est celle de la plupart des hommes, était assez comique : ils ne peuvent surveiller leur femme, s'ils sont jaloux, qu'en dehors des heures de bureau.

L'heure à laquelle Ulrich s'était décidé à aller chez ses amis rendait improbable qu'il y trouvât Walter. C'était très tôt dans l'après-midi. Il s'était annoncé par téléphone. Les fenêtres semblaient n'avoir pas de rideaux, tant le blanc des taches de neige pénétrait avec force à travers les vitres. Dans cette lumière inexorable qui cernait tous les objets, Clarisse, debout au milieu de la pièce, regardait en riant son ami. Là où les courbes légères de son corps mince se ployaient dans la direction de la fenêtre, elles éclataient de couleurs intenses, tandis que la partie dans l'ombre était un brouillard bleu-noir où le front, le nez et le menton se détachaient comme une arête de neige dont le vent et le soleil brouillent le tranchant. Elle évoquait moins un être humain que la rencontre de la glace et de la lumière dans la fantomale solitude d'un hiver de haute montagne. Ulrich comprit un peu mieux le charme qu'elle devait exercer à de certains moments sur Walter, et les sentiments mélangés qu'il éprouvait pour son ami d'enfance s'effacèrent un instant pour lui laisser entrevoir le spectacle que s'offraient l'un à l'autre deux êtres dont il ne connaissait peut-être la vie, en fin de compte, que fort mal.

« Je ne sais si tu as parlé à Walter de la lettre que tu as écrite au comte Leinsdorf, commença-t-il, mais je suis venu pour te parler seul à seule et te prier de renoncer désormais à de telles initiatives. » Clarisse rapprocha deux chaises et le força à s'asseoir. « N'en parle pas à Walter, demanda-t-elle, mais dis-moi ce que tu as là contre. Tu veux parler sans doute de l'Année Nietzsche ? Qu'est-ce que ton comte en a dit ?

– Que veux-tu qu'il ait pu en dire ? Le rapprochement que tu as fait avec Moosbrugger était complètement insensé. De toute manière, sans doute, il eût mis la lettre au panier.

– Vraiment ? » Clarisse était très déçue. Puis elle déclara : « Heureusement que tu as tout de même ton mot à dire !

– Je t'ai déjà dit que tu étais folle ! »

Clarisse sourit, prenant la chose en compliment. Elle posa

sa main sur le bras d'Ulrich et lui dit : « Tu considères bien l'Année autrichienne comme une absurdité, n'est-ce pas ?
– Bien entendu.
– Une année Nietzsche, au contraire, serait une bonne chose ; pourquoi n'aurait-on pas le droit de vouloir une chose du seul fait qu'on la juge bonne ?
– Comment te représentes-tu exactement une année Nietzsche ? demanda-t-il.
– Ça, c'est ton affaire !
– Tu plaisantes !
– Pas du tout. Explique-moi donc pourquoi le désir de réaliser ce que notre esprit prend au sérieux te fait croire à une plaisanterie !
– Bien volontiers, repartit Ulrich en se dégageant. De toute façon, ça ne sera pas forcément Nietzsche, il pourrait s'agir aussi bien du Christ ou de Bouddha.
– Ou de toi. Imagine donc une année Ulrich ! » Elle dit cela aussi tranquillement qu'elle lui avait demandé de délivrer Moosbrugger. Mais cette fois-ci, il n'était pas distrait et, pendant qu'il écoutait ses paroles, il regarda son visage. Il n'y avait dans ce visage que le sourire habituel de Clarisse ; sans qu'elle le voulût, celui-ci semblait toujours une petite grimace joyeuse que sa crispation même faisait jaillir.
« Bon, pensa Ulrich, elle ne le dit pas méchamment. »
Mais Clarisse se rapprocha de lui. « Pourquoi n'organises-tu pas l'Année-Toi ? En ce moment, tu en aurais peut-être le pouvoir. Tu ne dois rien dire de tout cela à Walter, je te l'ai déjà dit, ni de la lettre Moosbrugger. Il ne doit même pas savoir que nous parlons de tout cela. Mais, crois-moi, cet assassin est musicien ; sauf qu'il est incapable de composer. N'as-tu jamais remarqué que tout homme se trouve au centre d'un globe céleste ? Lorsqu'il change de place, le globe le suit. C'est ainsi qu'on doit faire de la musique ; sans conscience, avec la simplicité de ce globe céleste dans lequel on se tient !...
– Et c'est un peu comme ça que je devrais me figurer mon année, penses-tu ?
– Non », repartit Clarisse à tout hasard. Ses lèvres minces voulurent dire quelque chose, mais se turent, et la flamme

jaillit de ses yeux sans un mot. Il était impossible de dire ce qui émanait d'elle dans ces moments-là. Du feu, comme quand on s'approche trop d'un objet brûlant. Maintenant elle souriait, mais ce sourire se recroquevilla sur ses lèvres comme un reste de cendres quand tout se fut éteint dans ses yeux.

« Or, c'est précisément quelque chose de ce genre que je pourrais à la rigueur m'imaginer, dit Ulrich. Mais je crains fort que tu ne veuilles me faire faire un coup d'État ! »

Clarisse réfléchit. « Disons donc une Année Bouddha, reprit-elle sans se soucier de son objection. Je ne sais pas ce que Bouddha demandait ; ou fort vaguement. Mais admettons-le : si nous tenons son exigence pour grave, pourquoi n'y répondons-nous pas ? En effet, ou bien une chose mérite qu'on y croie, ou elle ne le mérite pas.

– Très bien, mais attention : tu as parlé d'une Année Nietzsche. Qu'est-ce donc exactement que Nietzsche demandait ? »

Clarisse réfléchit. « Hé, bien sûr ! je ne pense pas à un monument, à une rue Nietzsche ! dit-elle embarrassée. Mais il faudrait amener les hommes à vivre comme…

– Comme il le demandait ? dit-il en l'interrompant. Mais que demandait-il ? »

Clarisse essaya de répondre, attendit, et finalement répliqua : « Allons donc, tu le sais bien toi-même…

– Je ne sais rien du tout, dit-il taquin. Mais je vais te dire une chose : on peut fort bien réaliser le vœu d'une Soupe-populaire-du-Jubilé, ou d'une Ligue-pour-la-protection-des-chats-domestiques, mais les grandes idées ne sont pas plus réalisables que la musique ! Ce que cela signifie ? Je l'ignore. Mais c'est ainsi. »

Il avait fini par trouver une place sur le petit divan, derrière la petite table ; il pourrait plus aisément s'y défendre que sur la petite chaise. Clarisse était toujours debout dans le centre vide de la pièce, comme sur l'autre rive d'un mirage prolongeant le plateau de la table, et elle parlait. Son corps mince parlait et pensait avec son cerveau ; en fait, elle ressentait d'abord de tout son corps ce qu'elle voulait dire, et éprouvait continuellement le besoin d'en faire quelque chose. Ulrich avait toujours tenu son corps pour un corps sans douceur d'adolescent, mais maintenant, avec cette tendre mobilité sur ses jambes serrées, Clarisse lui apparaissait tout à coup telle une danseuse javanaise. Soudain, il songea qu'il ne serait pas surpris de la voir entrer en transe. Ou était-il en transe lui-même ? Il tint un long discours. « Tu voudrais vivre conformément à ton idée, commença-t-il, et tu voudrais savoir comment cela serait possible. Mais une idée est ce qu'il y a de plus paradoxal au monde. La chair s'unit aux idées tel un fétiche. Qu'une idée s'attache à la chair, tout devient magie. Une simple gifle, par l'intermédiaire de l'idée d'honneur, de châtiment ou de toute autre idée analogue, peut devenir mortelle. Pourtant, les idées ne peuvent jamais se maintenir dans l'état où elles ont le plus de force ; elles ressemblent à ces substances qui, dès qu'elles entrent en contact avec l'air, se transforment en une autre substance, durable certes, mais corrompue. Tu en as souvent fait l'expérience. Car tu deviens toi-même idée, dans certains cas particuliers. Quelque chose, on ne sait quoi, te souffle contre ; comme quand la vibration de la corde produit soudain une note ; il y a devant toi comme un mirage ; la confusion de ton âme s'est faite interminable caravane, et toutes les beautés du monde paraissent défiler au bord de ta route. Tel est souvent l'effet d'une simple idée. Quelque temps après, cette idée commence à ressembler à toutes les autres idées que tu as déjà eues, elle se subordonne à elles, devient un élément de tes conceptions et de ton caractère, de tes principes ou de tes humeurs, elle a perdu ses ailes et gagné une mystérieuse solidité. »

Clarisse répliqua : « Walter est jaloux de toi. Pas tellement à mon propos. Mais parce que tu as un air à pouvoir réaliser ce que lui voudrait faire. Tu comprends ? Il y a quelque chose en toi qui le frustre de lui-même. Je ne sais comment exprimer cela. »

Elle le regarda d'un air interrogateur.

Leurs propos s'entrelaçaient.

Walter avait toujours été le tendre favori de la vie, il était assis sur ses genoux. Tout ce qui lui arrivait, il le transformait en délicate vitalité. Walter avait toujours été celui qui « vit plus » que les autres. « Mais cette capacité de *vivre plus* est un des premiers et plus subtils signes à quoi l'on reconnaît l'homme moyen, pensait Ulrich. En intégrant ce que l'on vit dans quelque chose de plus vaste, on enlève à l'émotion vécue sa douceur ou sa toxicité personnelles ! » C'était plus ou moins cela. Et cette assurance qu'il en était ainsi, c'était aussi une façon de s'intégrer dans un ensemble, on ne recevrait en échange ni baiser ni adieu. Walter, néanmoins, était jaloux de lui ? Cela lui fit plaisir.

« Je lui ai dit de te tuer, déclara Clarisse.

– Quoi ?

– De t'assassiner, si tu préfères ! Si jamais tu n'étais pas aussi extraordinaire que tu te l'imagines, ou s'il valait mieux que toi et ne pouvait trouver la paix du cœur qu'ainsi, le raisonnement ne serait-il pas juste ? D'ailleurs, tu peux te défendre.

– Eh bien ! tu n'y vas pas par quatre chemins, répondit Ulrich incertain.

– Oh ! nous n'avons fait qu'en parler. Qu'en penses-tu, somme toute ? Walter dit qu'une chose comme ça, on n'a même pas le droit de la penser.

– Tout de même, la penser, oui ! » repartit-il avec hésitation, en scrutant le visage de Clarisse. Elle avait un charme bien à elle. Comme si elle se tenait toujours à côté d'elle-même, si l'on peut dire. Elle était absente et présente, absence et présence étroitement mêlées.

Elle l'interrompit : « Penser, toujours penser ! » Elle parlait dans la direction de la paroi devant laquelle il était assis, comme si son œil regardait fixement un certain point entre les deux. « Tu es aussi passif que Walter ! » Cette parole, elle aussi, était entre deux distances ; elle prenait ses distances comme une insulte et néanmoins réconciliait, comme supposant une proximité familière. « Moi, je dis au contraire : quand on peut penser quelque chose, on doit aussi pouvoir le faire », répéta-t-elle sèchement.

Puis elle quitta sa place, gagna la fenêtre et mit ses mains au dos. Ulrich se leva promptement, la suivit et posa le bras sur son épaule. « Petite Clarisse, tu t'es montrée fort étrange. Mais laisse-moi glisser ici une bonne parole en ma faveur : en vérité, pourrais-je dire, je t'importe assez peu. »

Clarisse regardait fixement par la fenêtre. Mais cette fois, avec acuité ; elle considérait quelque chose au-dehors avec attention, pour y trouver un appui. Elle avait l'impression que ses pensées étaient sorties, puis revenues. Ce sentiment d'être une chambre où l'on sent encore que la porte vient d'être fermée ne lui était pas nouveau. Elle vivait parfois des jours et des semaines où tout ce qui l'entourait était plus clair et plus léger que d'habitude, comme si l'on avait pu sans grand effort s'y glisser, sortir de soi et se promener dans le monde. De la même façon suivaient des périodes noires dans lesquelles elle se sentait comme enfermée ; d'ordinaire, ces secondes périodes duraient peu, mais elle les redoutait comme un châtiment, parce que tout, alors, devenait triste et étriqué. Et dans le moment présent qui se définissait par sa sérénité claire et sans ivresse, elle se sentait peu sûre ; elle ne savait plus bien ce qu'elle avait voulu l'instant d'avant, et cette clarté plombée, cette maîtrise de soi si tranquille en apparence introduisaient souvent la période de châtiment. Clarisse fit un effort ; elle eut le sentiment que si elle pouvait poursuivre la conversation d'une manière assez persuasive, elle retrouverait sa sécurité. « Ne me dis pas *petite*, fit-elle boudeuse, ou c'est moi qui finirai par te tuer ! » Cette fois, la chose avait passé comme une plaisanterie : Clarisse avait réussi. Elle tourna prudemment la tête pour observer Ulrich. « Naturellement, c'était une façon de parler, poursuivit-elle, mais tu dois comprendre que ce n'était pas tout à fait sans raison. Où en étions-nous restés ? Tu disais qu'on ne peut pas vivre d'après une idée. C'est que vous n'avez pas l'énergie suffisante, ni toi ni Walter !

– Tu m'as traité, horriblement, de passif. Mais il y a deux espèces de passivité. Une passivité passive, celle de Walter ; et une passivité active !

– Qu'est-ce que c'est que ça, une passivité active ? demanda Clarisse avec curiosité.

– L'état d'un prisonnier qui attend l'occasion de s'évader.

– Bah ! dit Clarisse. Des échappatoires !

– Eh oui ! avoua-t-il, peut-être. »

Clarisse avait toujours les mains au dos, elle avait écarté les jambes comme si elle était en bottes de cheval. « Sais-tu ce que dit Nietzsche ? Vouloir savoir à coup sûr est aussi lâche que de vouloir s'avancer à coup sûr. Il faut commencer quelque part, faire son affaire, pas seulement en parler ! De toi justement, j'attendais que tu entreprennes quelque chose de particulier ! »

Elle avait attrapé tout à coup un bouton de son veston et le tournait, le visage renversé dans sa direction. Involontairement, il posa sa main sur celle de la jeune femme pour protéger son bouton.

« Il y a une chose à laquelle j'ai longtemps réfléchi, poursuivit-elle en hésitant. Les plus grandes vilenies d'aujourd'hui ne proviennent pas de ce qu'on les fait, mais de ce qu'on les laisse faire. Elles se développent dans le vide. » Sur cette déclaration, elle le regarda. Puis, violemment, elle poursuivit : « Il est dix fois plus dangereux de laisser faire que de faire ! Me comprends-tu ? » Elle lutta intérieurement pour savoir si elle devait préciser encore sa pensée. Mais elle ajouta : « N'est-ce pas que tu me comprends parfaitement, cher Ulrich ? Sans doute dis-tu toujours qu'il faut laisser aller les choses comme elles vont. Mais j'ai bien compris ce que tu veux dire par là ! J'ai déjà pensé quelquefois que tu devais être le Diable ! » De nouveau, cette phrase avait échappé à Clarisse comme un lézard. Elle eut peur. A l'origine, elle avait seulement pensé au désir de Walter d'avoir un enfant. Son ami remarqua un vacillement dans ses yeux qui le considéraient avec désir. Le visage de Clarisse tourné vers lui fut inondé par quelque chose. Non point par quelque chose de beau, mais plutôt par une sorte de pathétique laideur, pareille à ce que serait un violent accès de transpiration derrière lequel un visage se noie. Toutefois, c'était tout à fait immatériel, purement imaginaire. Il en sentit la contagion contre son gré et eut un bref moment de distraction. Il ne pouvait plus opposer aucune résistance réelle à ces propos absurdes ; finalement, il prit Clarisse par la main, et l'assit sur le divan, à côté de lui.

« Je vais donc te raconter pourquoi je ne fais rien », commença-t-il ; puis il se tut.

Clarisse, qui avait retrouvé son état normal dès qu'il l'avait touchée, l'encouragea.

« On ne peut rien faire, parce que… mais tu ne comprendras quand même pas », dit-il en voulant commencer par le commencement. Il tira une cigarette et s'occupa de l'allumer.

« Hein ? dit Clarisse pour l'aider. Que veux-tu dire ? »

Il continuait à se taire. Alors elle lui passa son bras derrière le dos et le secoua comme un garçon qui veut montrer sa force. C'était ce qu'elle avait de charmant, qu'on n'eût besoin de rien dire ; la seule apparence de l'exceptionnel suffisait à la jeter dans l'imaginaire. « Tu es un grand criminel ! » s'écria-t-elle, essayant en vain de lui faire mal.

A cet instant, ils furent désagréablement interrompus par le retour de Walter.

83. *Toujours la même histoire, ou : Pourquoi n'invente-t-on pas l'Histoire ?*

Qu'est-ce donc qu'Ulrich eût pu répondre à Clarisse, en vérité ?

Il s'était tu, parce qu'elle avait éveillé en lui un étrange désir de prononcer le mot « Dieu ». Il avait voulu dire à peu près ceci : que Dieu est fort loin de prendre le monde à la lettre ; que le monde est une image, une analogie, une figure dont telle ou telle raison l'oblige à se servir, sans qu'elles soient jamais, bien sûr, parfaitement adéquates ; que nous n'avons pas à prendre Dieu au mot, mais que nous devons découvrir nous-mêmes la solution qu'il nous propose. Il se demanda si Clarisse eût été d'accord de considérer cette tâche comme un jeu de Sioux ou de « gendarmes et voleurs ». Sans doute. Que quelqu'un fît seulement le premier pas, elle s'avancerait à son côté comme une louve, et aiguiserait son regard.

Mais il avait eu encore autre chose sur le bout de la langue : une allusion à ces problèmes mathématiques qui ne tolèrent pas de solution générale, mais bien des solutions particulières dont la combinaison permet d'approcher d'une solution générale. Il eût pu ajouter qu'il tenait le problème de la vie humaine pour un problème de ce genre. Ce que l'on appelle une époque (sans savoir s'il faut entendre par là des siècles, des millénaires, ou le court laps de temps qui sépare l'écolier du grand-père), ce large et libre fleuve de circonstances serait alors une sorte de succession désordonnée de solutions insuffisantes et individuellement fausses dont ne pourrait sortir une solution d'ensemble exacte que lorsque l'humanité serait capable de les envisager toutes.

Dans le tramway qui le ramenait chez lui, il y songea encore. Quelques personnes se dirigeaient avec lui vers la ville, et devant elles, il eut un peu honte de ses pensées. Rien qu'à les voir, on devinait qu'elles revenaient d'un travail déterminé ou se rendaient vers des plaisirs précis ; on voyait même à leurs seuls vêtements ce qu'elles venaient ou ce qu'elles projetaient de faire. Il observa sa voisine : c'était sans doute une femme mariée, une mère, dans la quarantaine, très probablement l'épouse d'un fonctionnaire de l'enseignement supérieur : elle avait des jumelles de théâtre sur les genoux. A côté d'elle, avec les pensées qu'il avait, Ulrich se fit l'effet d'un garçon qui s'amuse ; et même dont les amusements ne sont pas tout à fait convenables.

Car une pensée sans but pratique est sans doute une occupation clandestine pas très convenable. Cette espèce de pensées, surtout, qui, marchant sur des échasses, n'a qu'un minuscule point de contact avec l'expérience, est suspecte de naissance irrégulière. Sans doute parlait-on jadis du « vol des pensées » ; au temps de Schiller, un homme dont la poitrine eût abrité de si sublimes problèmes eût été très considéré. Aujourd'hui, en revanche, on aurait l'impression que cet homme est un peu détraqué, à moins que la pensée ne se trouve être par hasard sa profession et sa source de revenus. C'est la répartition des choses, évidemment, qui a changé. Certains problèmes ont été chassés du cœur de l'homme. Pour les pensées de haut vol, on a créé une sorte de basse-cour que l'on appelle théologie, philosophie et littérature ; là, elles peuvent se développer à leur manière, se multiplier à perte de vue, et la chose est fort bien ainsi. Devant un tel foisonnement, personne n'a plus à se reprocher de ne pas pouvoir se pencher personnellement sur elles. Ulrich, dans son respect de la technicité et de la spécialisation, était tout à fait résolu à ne rien objecter à cette division des tâches. Néanmoins, bien qu'il ne fût pas philosophe de métier, il continuait à s'accorder le droit de penser par lui-même ; tout à coup, il se représenta que cette conception devait fatalement conduire à la ruche. La reine pondra ses œufs, les faux bourdons dédieront leur vie à la volupté et à l'esprit, et les spécialistes travailleront. Une telle humanité n'est pas impensable non plus ; la productivité totale serait peut-être même accrue. Aujourd'hui, l'homme porte encore en lui, si l'on peut dire, l'ensemble de l'humanité ; mais c'est déjà, visiblement, une trop lourde charge, un effort inefficace ; de sorte que l'humanisme n'est plus guère qu'un attrape-nigaud. Pour réussir, il s'agirait peut-être de prendre de nouvelles mesures pour la répartition du travail, afin que dans chaque groupe particulier se fasse à nouveau une synthèse intellectuelle. Car sans l'esprit… ? Ulrich voulait dire que cette évolution ne le réjouirait pas. Mais c'était, bien entendu, un préjugé. On ne sait pas ce qui importe, au fond. Il se redressa et considéra son visage dans la vitre qui faisait face à son siège, pour se changer les idées. Sa tête, alors, se mit bientôt à flotter dans le verre fluide, avec une étrange insistance, entre le dehors et le dedans, exigeant un complément quelconque.

Y avait-il, oui ou non, une guerre des Balkans ? Une intervention quelconque avait eu lieu, cela était sûr ; mais il ne savait pas précisément si c'était la guerre. Tant de choses agitaient l'humanité. Le record d'altitude en avion avait été battu : un bel exploit. S'il ne se trompait pas, il était maintenant de 3 700 m, et l'homme s'appelait Jouhoux. Un boxeur noir avait battu le champion blanc et remporté le titre mondial : il s'appelait Johnson. Le Président de la République française se rendait en Russie : on disait que la paix était menacée. Un ténor nouvellement découvert gagnait en Amérique du Sud des sommes que l'Amérique du Nord elle-même n'avait jamais connues. Un terrible tremblement de terre avait endeuillé le Japon : pauvres Japonais. En un mot, il se passait beaucoup de choses, c'était une époque agitée, fin 1913, début 1914. Mais, deux ou cinq ans auparavant, l'époque avait aussi été une époque agitée, chaque jour avait eu ses émotions, et malgré tout, on ne se rappelait que vaguement, ou pas du tout, ce qui s'était passé alors. On pouvait en faire un compte rendu abrégé. Le nouveau remède contre la syphilis a eu… Les recherches sur le métabolisme végétal ont… La conquête du pôle Sud semble… Les expériences de Steinnach éveillent… : on pouvait supprimer ainsi la moitié des précisions, cela n'avait pas grande importance. Quelle drôle d'histoire que l'Histoire ! On pouvait affirmer avec certitude de tel ou tel événement qu'il avait trouvé, ou trouverait certainement sa place en elle ; mais que cet événement eût véritablement eu lieu, cela n'était pas sûr. Car, pour qu'un événement ait lieu, il faut bien aussi qu'il ait lieu dans une année précise et non pas dans une autre ou pas du tout ; et il faut encore que ce soit bien lui qui ait lieu, et non pas un événement analogue ou tout à fait identique. Or, c'est là précisément ce que personne ne peut prétendre de l'histoire, à moins qu'il ne l'ait écrit lui-même, comme le font les journaux, ou qu'il s'agisse de questions de métier ou de fortune : il est important, bien entendu, de savoir dans combien d'années on aura droit à la retraite ou à quel moment on possédera, à quel moment on a dépensé une certaine somme ; de ce point de vue, les guerres mêmes peuvent devenir mémorables. Notre histoire, vue de près, paraît bien douteuse, bien embrouillée, un marécage à demi solidifié, et finalement, si étrange que cela soit, un chemin passe quand même dessus, et c'est précisément ce « chemin de l'histoire » dont personne ne sait d'où il vient. L'idée de servir de matière première à l'histoire mettait Ulrich en fureur. La boîte brillante et brimbalante qui le transportait lui semblait une machine dans laquelle quelques centaines de kilos d'homme étaient ballottés pour être changés en avenir. Cent ans auparavant, ils étaient assis avec les mêmes visages dans une malle-poste, et dans cent ans Dieu sait ce qu'il en sera d'eux, mais ils seront assis de la même manière, hommes nouveaux dans de nouveaux appareils… Tel était son sentiment, et il s'irritait de cette soumission désarmée aux changements et aux circonstances, de cette collaboration chaotique avec les siècles, réellement indigne de l'homme. Il eût pu aussi bien se révolter soudain contre le chapeau, de forme suffisamment singulière, qu'il portait sur la tête.

Il se leva sans le vouloir et fit le reste de la route à pied.

Maintenant qu'il se trouvait dans un plus vaste réceptacle, la ville, son malaise se dissipait, la sérénité lui revenait. Quelle folle idée avait eue la petite Clarisse de vouloir faire une Année de l'Esprit ! Il concentra son attention sur ce point. Pourquoi donc était-ce si absurde ? On pouvait aussi bien se demander pourquoi l'Action patriotique de Diotime était absurde.

Réponse numéro un : Parce que l'Histoire universelle, indubitablement, ne naît pas autrement que les autres histoires. Les auteurs, incapables d'inventer du nouveau, se copient les uns les autres. C'est la raison pour laquelle tous les hommes politiques étudient l'histoire, et non la biologie ou toute autre science de ce genre. Voilà pour les auteurs.

Numéro deux : Toutefois, pour la plus grande part, l'Histoire naît sans auteurs. Elle ne vient pas d'un centre, mais de la périphérie, suscitée par des causes mineures. Il n'en faut probablement pas tant qu'on le croit pour faire de l'homme médiéval ou du Grec classique l'homme civilisé du XXe siècle. L'être humain, en effet, peut aussi aisément manger de l'homme qu'écrire la *Critique de la Raison pure* ; avec les mêmes convictions et les mêmes qualités, si les circonstances le permettent, il pourra faire l'un et l'autre, et de grandes différences extérieures en recouvrent de très minimes à l'intérieur.

Digression numéro un : Ulrich se souvint d'une expérience analogue, qui remontait à sa période militaire : l'escadron avance en rang de deux, et on s'exerce à transmettre les ordres ; c'est-à-dire qu'un ordre circule d'homme à homme à demi-voix ; et si cet ordre était au départ : « Le margis-chef en tête de colonne ! », il deviendra à l'arrivée : « Marchez en triple colonne ! » ou quelque chose d'équivalent. L'Histoire universelle ne se fait pas autrement.

Réponse numéro trois : Si donc l'on transplantait une génération d'Européens actuels, encore en bas âge, dans l'Égypte du sixième millénaire et qu'on l'y laissât, l'Histoire universelle recommencerait en l'an 5000, se répéterait d'abord pendant un certain temps, puis, pour des raisons insoupçonnées de tous, commencerait peu à peu à dévier.

Digression deux : Le principe de l'Histoire universelle, l'idée lui en venait tout à coup, n'était pas autre chose que le vieux principe politique du train-train en Cacanie. La Cacanie était un État supérieurement intelligent.

Digression trois (ou Réponse numéro quatre ?) : Par conséquent, la trajectoire de l'Histoire n'est pas celle d'une bille de billard qui, une fois découlée, parcourt un chemin défini ; elle ressemble plutôt au mouvement des nuages, au trajet d'un homme errant par les rues, dérouté ici par une ombre, là par un groupe de badauds ou une étrange combinaison de façades, et qui finit par échouer dans un endroit inconnu où il ne songeait pas à se rendre. La voie de l'Histoire est assez souvent fourvoiement. Le présent figure toujours la dernière maison d'une ville, celle qui d'une manière ou d'une autre ne fait déjà plus partie de l'agglomération. Chaque génération nouvelle, étonnée, se demande : qui suis-je ? qui étaient mes prédécesseurs ? Elle ferait mieux de demander : où suis-je ? et de supposer que ses prédécesseurs n'étaient pas autres qu'elle, mais simplement ailleurs ; ce serait déjà un pas de fait... songeait-il.

C'était Ulrich lui-même qui avait donné à ses réponses et à ses digressions ces numéros. Ce faisant, il regardait tantôt un visage qui passait, tantôt une vitrine, afin que ses pensées ne lui échappent pas complètement. Cela ne l'avait pas empêché de s'égarer un peu ; il fut obligé de s'arrêter un instant pour comprendre où il était et trouver le plus court chemin jusque chez lui. Avant de s'y engager, il s'efforça d'examiner de près, une nouvelle fois, son problème. La petite Clarisse, la folle Clarisse avait entièrement raison, on devait faire l'Histoire, on devait l'inventer, même s'il venait de contester cela en sa présence ; mais pourquoi ne le fait-on pas ? A ce moment, la seule réponse qui lui vint à l'esprit fut M. le directeur Fischel, de la Lloyd Bank, son ami Léon Fischel, avec qui de temps à autre, naguère, il s'était trouvé assis en été à la terrasse d'un café ; si ce monologue avait été un dialogue, Fischel lui aurait répondu à sa manière : « Je voudrais avoir vos soucis dans ma tête ! » Ulrich lui sut gré de la réponse rafraîchissante qu'il lui aurait faite. « Mon cher Fischel, répondit-il aussitôt en pensée, les choses ne sont pas aussi simples que vous le pensez. Je dis l'Histoire, mais je veux dire, si vous avez bonne mémoire, notre vie. Et dès le commencement, je vous ai concédé qu'il y a quelque chose de choquant à demander ainsi pourquoi l'homme ne fait pas l'Histoire, c'est-à-dire, pourquoi il ne s'y attaque que comme une bête, quand il est blessé, quand il a le feu à ses trousses, en un mot, pourquoi il ne fait l'Histoire qu'en cas d'extrême nécessité ? Pourquoi ces questions sont-elles malsonnantes ? Qu'avons-nous à leur reprocher, quand elles signifient simplement que l'homme ne devrait pas laisser aller la vie humaine comme elle va ?

– Tout le monde sait, eût répondu M. le directeur Fischel, comment ça se passe. Encore doit-on s'estimer heureux si les hommes politiques, les gens d'Église, les grosses nuques qui n'ont rien à faire et tous ceux qui rôdent avec des idées fixes, ne viennent pas se mêler de la vie quotidienne. D'ailleurs, on a toujours la culture. Si seulement les gens se montraient un peu moins barbares ! » M. le directeur Fischel a raison, naturellement. On doit s'estimer heureux si on comprend quelque chose aux actions et aux obligations, et si ceux qui prétendent comprendre quelque chose à l'Histoire ne s'en mêlent pas trop. On ne pourrait, grand Dieu ! vivre sans idées, mais la bonne solution est d'établir entre elles un certain équilibre, *a balance of power*, une paix armée d'où rien de grave ne puisse sortir nulle part. Pour calmant, Fischel avait la culture. C'est un des sentiments fondamentaux de la civilisation. Pourtant, le sentiment contraire existe aussi, et devient même de plus en plus vif : que le temps de l'Histoire héroï-politique, créée par le hasard et ses chevaliers, est partiellement passé, et qu'il faudra lui substituer une solution planifiée à laquelle participeront tous ceux qu'elle concerne.

Mais l'Année Ulrich entre-temps s'était achevée : Ulrich se retrouvait chez lui.

84. *Où l'on prétend que la vie ordinaire elle-même est d'ordre utopique.*

Il y trouva l'habituelle pile de courrier que lui adressait le comte Leinsdorf. Un industriel avait offert un prix d'un montant très élevé pour récompenser les meilleurs résultats obtenus dans l'éducation militaire des jeunes civils. L'Archevêché prenait position sur le projet de création d'un grand orphelinat et déclarait devoir attirer l'attention du Gouvernement sur les conséquences qui découleraient de toute promiscuité confessionnelle. Le Comité pour l'Instruction publique et les Cultes adressait un rapport sur le succès de la suggestion provisoirement définitive pour l'érection d'un grand monument, « L'Empereur de la Paix et les Peuples de l'Autriche », à proximité du Palais impérial ; après une prise de contact avec le Ministère impérial et royal de l'Instruction publique et des Cultes, et une enquête au sein des principales associations artistiques et sociétés d'ingénieurs et architectes, de telles divergences de vues s'étaient manifestées que le Comité se voyait dans l'obligation d'ouvrir, sans préjudice des besoins qui pourraient plus tard se faire jour au cas où le Comité central donnerait son approbation, un concours pour la meilleure idée de concours en vue de l'éventuelle érection dudit monument. La Chancellerie impériale renvoyait au Comité central, après examen, les propositions qu'on lui avait soumises trois semaines auparavant, et déclarait ne pouvoir faire état du bon plaisir de Sa Gracieuse Majesté à ce sujet, mais juger à propos, même en ces matières, de laisser tout d'abord l'opinion publique se prononcer. Le Ministère impérial et royal de l'Instruction publique et des Cultes, en réponse à la requête numéro tant et tant, déclarait ne pas être en mesure d'appuyer aucune démarche en faveur de l'Association pour la sténographie Oehl ; l'Association pour la Santé publique

« Lettre-et-jambages » annonçait sa formation et demandait une subvention.

Et cela continuait dans le même style. Ulrich repoussa le paquet de monde réel et resta un moment songeur. Soudain, il se leva, se fit donner son pardessus et son chapeau et annonça qu'il serait de retour dans une heure ou deux. Il héla une voiture et retourna chez Clarisse.

La nuit était tombée, seule une des fenêtres de la maison éclairait un peu la rue, les traces de pas avaient formé des trous à moitié gelés sur lesquels on butait, le portail était fermé et cette visite n'était pas attendue, de sorte que les appels, les coups, les battements de mains d'Ulrich restèrent très longtemps incompris. Quand enfin il se trouva dans la chambre, elle semblait n'être plus celle qu'il avait quittée si peu de temps auparavant, mais un monde étranger et surpris, avec une table servie pour un modeste tête-à-tête, des chaises sur chacune desquelles se trouvait quelque chose qui semblait s'y être mis à l'aise, et des parois qui ne s'ouvraient pas à l'intrus sans une certaine résistance.

Clarisse portait une simple robe de chambre en laine et riait. Walter, qui était allé chercher le tardif visiteur, clignait des yeux, et serra la grande clef de la maison dans un tiroir. Ulrich dit sans détours : « Je suis revenu parce que je devais une réponse à Clarisse. » Puis il reprit la conversation au point même où Walter l'avait interrompue. Un moment plus tard, la pièce, la maison, le sentiment du temps s'étaient effacés, la conversation flottait quelque part au-dessus de l'espace bleu dans le filet des étoiles. Ulrich exposait son programme : vivre l'histoire des idées, et non plus l'histoire du monde. La différence, fit-il remarquer au préalable, serait moins dans l'événement que dans la signification qu'on lui donnerait, l'intention qu'on y attacherait et le système où on l'inclurait. Le système actuellement en usage, celui de la réalité, ressemblait à une mauvaise pièce de théâtre. Ce n'était pas par hasard qu'on parlait du « théâtre du monde », car on retrouve toujours dans la vie les mêmes rôles, les mêmes fables et les mêmes péripéties. On aime parce que l'amour existe, et selon les formes de l'amour existant ; on est fier comme un Indien, un Espagnol, une vierge ou un lion ; et même l'on assassine, quatre-vingt-dix fois sur cent, parce que l'assassinat passe pour tragique et grandiose. Ajoutons que les plus heureux des modeleurs politiques de la réalité, hors les toutes grandes exceptions, ont beaucoup de traits communs avec les auteurs de pièces à succès ; les intrigues vivantes qu'ils suscitent ennuient par leur manque d'intelligence et de nouveauté, mais, pour cette raison même, nous plongent dans un état d'hébétude sans défense où nous nous accommodons de n'importe quoi, pourvu que cela nous change. Ainsi comprise, l'histoire naît de la routine des idées, de ce qu'il y a de plus indifférent en elles ; quant à la réalité, elle naît principalement de ce que l'on ne fait rien pour les idées.

Toutes ces considérations, affirma Ulrich, pouvaient se résumer ainsi : nous nous soucions trop peu de ce qui arrive, et beaucoup trop de savoir quand, où et à qui c'est arrivé, de telle sorte que nous donnons de l'importance non pas à l'esprit des événements, mais à leur fable, non pas à l'accession à une nouvelle vie, mais à la répartition de l'ancienne, reproduisant ainsi trait pour trait la différence qui existe entre les bonnes pièces et celles qui ont simplement réussi. La conclusion était qu'il fallait faire juste le contraire, c'est-à-dire, d'abord, renoncer à son avidité personnelle pour les événements. Il fallait considérer ceux-ci un peu moins comme quelque chose de personnel et de concret et un peu plus comme quelque chose de général et d'abstrait, ou encore avec le même détachement que si ces événements étaient simplement peints ou chantés. Il fallait non pas les ramener à soi, mais les diriger vers l'extérieur et vers le haut. Ces remarques valaient pour l'individu ; mais dans la collectivité aussi devait se produire quelque chose qu'Ulrich ne pouvait exactement définir, et qu'il comparait à une sorte de pressurage, suivi d'encavage et d'épaississement de la liqueur intellectuelle, à défaut de quoi l'individu ne pourrait évidemment que se sentir tout à fait impuissant et livré à son bon plaisir. Pendant qu'il parlait ainsi, il se souvint de l'instant où il avait dit à Diotime qu'on devrait abolir la réalité.

Que Walter commençât par juger l'affirmation banale allait presque de soi. Comme si le monde entier, la littérature, l'art, la science et la religion n'étaient pas de toute manière du pressurage et de l'encavage ! Comme s'il y avait un seul homme cultivé qui niât la valeur des idées et ne poursuivît l'esprit, la beauté et la bonté ! Comme si l'éducation pouvait être autre chose que l'insertion dans un système de l'esprit !

Ulrich précisa sa pensée en faisant remarquer que l'éducation n'était que l'insertion dans un système provisoirement en vigueur, issu de dispositions arbitraires ; de sorte que, pour atteindre au rayonnement de l'esprit, il fallait d'abord être bien persuadé de n'en point avoir ! C'était là, selon lui, une attitude absolument ouverte qui favorisait l'expérimentation et l'invention morale en grand.

Walter déclara cette affirmation irrecevable. « Quel que soit le charme de ton exposé, dit-il. Comme si nous avions le choix entre vivre nos idées et vivre notre vie ! Mais tu connais peut-être cette citation : *Je ne suis pas un livre très subtil, je suis un homme avec ses divisions* ? Pourquoi ne vas-tu pas plus loin encore ? Pourquoi ne demandes-tu pas, pendant que tu y es, que nous nous ôtions l'estomac pour l'amour des idées ? Mais je te rétorque, moi : *L'homme est fait d'une étoffe grossière* ! Que nous étendions le bras ou le retirions, que nous ne sachions pas si nous devons prendre à droite ou à gauche, que nous soyons faits d'habitudes, de préjugés et de terre, et que néanmoins, dans la mesure de nos forces, nous avancions : voilà le propre de l'homme ! Il suffit donc de mesurer tes propos à l'aune de la réalité pour voir qu'ils ne sont, au mieux, que de la littérature ! »

Ulrich se montra d'accord : « Si tu me permets d'entendre encore par ce mot tous les autres arts, et les doctrines, les religions, et cætera, je ne serai pas loin d'affirmer même que notre existence tout entière devrait être littérature !

– Comment ? Ainsi, pour toi, la bonté du Sauveur, la vie de Napoléon sont de la littérature ? » s'écria Walter. Mais une idée meilleure lui était venue, il se tourna vers son ami avec le calme que donne un bon atout, et déclara : « Tu es un de ces hommes qui considèrent les légumes en boîte comme l'essence des légumes frais !

– Tu as sûrement raison. Tu pourrais dire aussi que je suis quelqu'un qui ne veut cuisiner qu'avec du sel », admit calmement Ulrich. Il désirait ne plus parler sur ce sujet.

Cette fois, ce fut Clarisse qui intervint, tournée vers Walter. « Je ne sais pas pourquoi tu le contredis ! N'es-tu pas le premier à t'écrier, chaque fois qu'il nous arrive quelque chose d'exceptionnel : Il faudrait pouvoir jouer cela sur une scène pour le monde entier, afin qu'ils le voient et ne puissent pas ne pas comprendre !... En vérité, on devrait chanter, dit-elle à Ulrich pour l'approuver. On devrait *se* chanter ! »

Elle s'était levée et avait pénétré dans le petit cercle que formaient les chaises. Son attitude était la représentation un peu maladroite de ses désirs, comme si elle se préparait à danser. Ulrich, très sensible au mauvais goût de toute exhibition sentimentale, se souvint à ce moment-là que la plupart des hommes ou, pour parler franchement, les hommes moyens dont l'esprit est surexcité mais incapable de se libérer dans la création, éprouvent ce désir de se donner en spectacle. Ce sont les mêmes à qui il arrive si facilement des choses « inexprimables » : ce mot est leur mot favori, la brumeuse substructure sur laquelle ce qu'ils disent apparaît vaguement grossi, de sorte qu'ils n'en peuvent jamais apprécier la valeur exacte. Pour couper court, il précisa : « Ce n'est pas ce que je voulais dire. Mais Clarisse a raison : le théâtre prouve que des expériences individuelles intenses peuvent se mettre au service d'un but impersonnel, d'un ensemble de significations et d'images qui les détache à demi de la personne. »

Clarisse intervint de nouveau : « Je comprends parfaitement Ulrich ! Je ne puis me rappeler qu'aucune joie particulière me soit jamais venue du fait qu'un événement m'était personnellement arrivé : il suffisait qu'il se fût produit ! Et la musique, ajouta-t-elle en regardant son mari, tu ne cherches pas davantage à l'*avoir*, le seul bonheur est qu'elle soit là. On tire les événements à soi et en même temps on les développe, on se veut soi-même, mais on ne veut pas être l'épicier de soi-même ! »

Walter porta les mains à ses tempes ; par égard pour Clarisse, cependant, il n'entra pas dans une nouvelle réfutation. Il s'efforça que ses paroles fussent comme un rayon calme et glacé. « Si tu mets toute la valeur d'une conduite dans l'émission d'un pouvoir intellectuel, dit-il en s'adressant à Ulrich, il faut que je te pose une question : tu entends bien que la chose ne serait pas possible en dehors d'une vie dont l'unique but serait la production de la puissance et de l'énergie intellectuelle ?

– N'est-ce pas la vie à laquelle tous les États d'aujourd'hui prétendent aspirer ? rétorqua Ulrich.

– Dans de tels États, les hommes vivraient donc d'après des émotions et des idées, des systèmes philosophiques et des romans ? poursuivit Walter. En ce cas, nouvelle question : vivraient-ils de telle manière qu'il en *naîtrait* de grandes œuvres, philosophiques ou poétiques, ou au contraire, que toute leur vie *serait* déjà, dans sa chair pour ainsi dire, poésie et philosophie ? Je sais ce que tu me répondras, car la première hypothèse aboutirait simplement à ce que l'on entend aujourd'hui par État civilisé ; puisque c'est à la seconde que tu penses, je crains que tu ne voies pas que philosophie et poésie, alors, seraient tout à fait superflues. Sans parler du fait qu'il est absolument impossible de se représenter la vie sur le modèle de l'art, ou comme tu voudras l'appeler, on s'aperçoit donc qu'elle ne signifie rien de moins que la fin même de l'art ! » Telle fut sa conclusion ; c'était pour Clarisse qu'il avait gardé cet atout.

Il ne manqua pas son effet. Ulrich lui-même fut un moment à se ressaisir. Mais, quand ce fut fait, il éclata de rire et dit :

« Ignores-tu donc que toute vie parfaite serait la fin de l'art ? Je me suis laissé dire que tu étais toi-même sur le point de sacrifier l'art à la perfection de ta vie ! »

Il ne disait pas cela méchamment, mais Clarisse dressa l'oreille.

Ulrich continua : « Il y a dans tout grand livre une prédilection pour les individus dont le destin ne tolère pas les formes que la communauté veut leur imposer. Cela conduit à des décisions impossibles à prendre ; on ne peut que peindre ces vies. Que trouves-tu en dégageant le sens profond de toutes les grandes œuvres ? La négation, sans doute partielle, mais nourrie d'expérience et répartie sur une infinité de cas uniques, de tous les principes, règles et prescriptions sur quoi est bâtie la société dont ces œuvres font les délices ! Le poème, avec son mystère, tranche tous les fils qui rattachaient le sens du monde au vocabulaire quotidien : et le voilà qui s'envole tel un ballon ! Si on veut appeler cela, comme il est d'usage, la beauté, alors, celle-ci devrait être un bouleversement infiniment plus brutal et plus cruel qu'aucune révolution politique ne l'a jamais été ! »

Walter avait blêmi jusqu'aux lèvres. Cette conception de l'art négation de la vie, ennemi de la vie, lui était odieuse. A ses yeux, c'était de la bohème, le dernier sursaut d'un désir désuet d'épater le bourgeois. Que la beauté n'eût plus de place dans un monde parfait parce qu'elle y serait superflue, il remarquait bien cette évidence pleine d'ironie ; mais la question que son ami avait tue, il ne l'entendit pas. Ulrich lui-même voyait bien ce qu'il y avait de partial dans son affirmation. Au lieu de prétendre que l'art était négation, il eût pu affirmer aussi bien le contraire, car l'art est amour ; il embellit ce qu'il aime, et peut-être n'est-il pas au monde d'autre moyen de rendre une chose ou un être beau que de l'aimer. Et si la beauté tient de la gradation et du contraste, c'est uniquement parce que notre amour, lui aussi, est fait de pièces et de morceaux. Il n'est que dans l'océan de l'amour que l'idée de perfection, incapable d'aucune gradation, s'unisse à celle de beauté, fondée, elle, sur la gradation. Une fois de plus, les pensées d'Ulrich avaient frôlé le « Royaume », et il s'arrêta, mécontent. Walter, entre-temps, avait lui aussi rassemblé ses esprits et, après avoir déclaré d'abord que la suggestion de son ami, vivre à peu près comme on lit, était une idée banale, puis irrecevable, il se mit en devoir de prouver qu'elle était coupable et grossière.

« Si un être humain, commença-t-il sans se départir de sa retenue étudiée, voulait fonder sa vie sur ta proposition, il devrait donc (pour ne rien dire des autres impossibilités) sanctionner à peu près tout ce qu'une belle idée suscite en son esprit ; mieux encore, tout ce qui comporte la possibilité d'en devenir une. Cela signifierait évidemment la décadence générale, mais comme cet aspect de la question t'est probablement indifférent (ou peut-être penses-tu à ces vagues mesures d'ordre général dont tu n'as rien dit de précis), je voudrais simplement en envisager les conséquences individuelles. Or, la seule chose qui me paraisse possible est que cet homme, dans tous les cas où il ne sera pas expressément le poète de sa vie, se trouvera plus mal loti qu'une bête : si aucune idée ne lui vient, il ne pourra prendre aucune décision, il sera simplement, pour une grande part de son existence, à la merci de ses instincts, de ses humeurs, des passions de tout le monde, en un mot, de ce qu'il y a de plus impersonnel en nous ; et, aussi longtemps que ses fonctions supérieures seront paralysées, il devra se laisser mener, en quelque sorte, par la première idée venue.

– En ce cas, il n'aura qu'à se refuser d'agir ! répondit Clarisse pour Ulrich. C'est la passivité active dont on doit être capable en certaines circonstances ! »

Walter n'eut pas le courage de la regarder. La capacité de contredire jouait entre eux un grand rôle ; Clarisse, l'air d'un petit ange, dans une longue chemise de nuit qui lui descendait jusqu'aux pieds, bondit sur le lit et déclama, les dents luisantes, dans une libre imitation de Nietzsche : « Comme une sonde je laisse filer ma question dans ton âme ! Tu voudrais enfant et mariage, mais écoute-moi : es-tu quelqu'un qui ait le droit de désirer un enfant ? Es-tu le triomphant, et le maître de tes vertus ? Ou est-ce la bête et le besoin qui parlent en toi ? » Dans la pénombre de la chambre à coucher, ç'avait été un spectacle cruel, tandis que Walter essayait vainement de la ramener sous les couvertures. Ainsi, elle disposerait à l'avenir d'un nouveau slogan : cette « passivité active dont on devait être capable au moment voulu » sentait son « Homme sans qualités » ; se confiait-elle à lui, et l'encourageait-il, en fin de compte, dans sa singularité ? Ces questions se tordaient comme des vers dans la poitrine de Walter, et il fut près de se sentir mal. Il était maintenant couleur de cendre, toute tension s'effaça de son visage qui se creusa de rides lasses.

Ulrich s'en aperçut et lui demanda gentiment si quelque chose n'allait pas.

Walter, avec effort, répondit que non, et, souriant bravement, dit qu'il pouvait achever ses absurdités.

« Mon Dieu ! reconnut obligeamment Ulrich, tu n'as pas tout à fait tort. Mais il arrive très souvent que, par une sorte d'esprit sportif, nous montrions de l'indulgence pour des actions qui nous lèsent, parce que l'adversaire les a joliment accomplies ; la valeur de l'exécution rivalise alors avec la valeur du dommage. Très souvent aussi, nous avons une idée qui nous fait agir pendant un bout de temps, mais bientôt l'habitude, l'inertie, l'égoïsme, telle insinuation prennent sa place, parce qu'il ne peut en aller autrement. Peut-être ai-je donc décrit un état auquel il est impossible d'accéder définitivement ; mais il faut lui reconnaître une qualité : c'est qu'il n'est autre que l'état même dans lequel nous vivons. »

Walter avait retrouvé son calme. « Une fois qu'on a mis la vérité sens dessus dessous, on peut toujours trouver à dire des choses qui soient à la fois vraies et à rebours du bon sens », dit-il doucement, sans dissimuler qu'il ne voyait pas d'intérêt à prolonger la querelle. « Prétendre d'une chose qu'elle est impossible mais réelle est assez ton genre. »

Clarisse se frottait le nez énergiquement. « Tu ne m'empêcheras pas, dit-elle, de juger très important qu'il y ait en nous tous quelque chose d'impossible. Cela explique bien des choses. J'avais l'impression en vous écoutant que si l'on nous coupait par le milieu, notre vie apparaîtrait peut-être tout entière sous la forme d'un anneau : quelque chose, et un rond autour. » Un moment auparavant déjà, elle avait retiré son anneau de mariage, et maintenant, à travers le trou, elle lorgnait la paroi éclairée. « Il n'y a rien en son centre, et on dirait pourtant que ce centre est la seule chose qui lui importe. C'est une chose qu'Ulrich lui-même n'est pas capable de traduire exactement du premier coup ! »

De sorte que cette discussion ne s'acheva malheureusement pas sans une nouvelle souffrance pour Walter.

85. *Les efforts du général Stumm pour mettre de l'ordre dans l'esprit civil.*

Ulrich pouvait s'être absenté environ une heure de plus qu'il ne l'avait dit en partant ; lorsqu'il rentra, on lui annonça qu'un officier l'attendait depuis assez longtemps. A l'étage supérieur, il trouva, non sans surprise, le général von Stumm, qui le salua en vieux camarade de service. « Cher ami, s'écria-t-il à sa venue, tu m'excuseras de t'envahir à une heure si tardive, mais je n'ai pu me délier plus tôt de mes obligations et de plus, il y a bien deux heures que je campe ici au milieu de ta bibliothèque, qui est proprement à faire peur ! »

Après un échange de politesses, il apparut que Stumm avait été amené par une affaire pressante. Il avait hardiment posé une jambe sur l'autre, entreprise que sa taille rendait un peu pénible, et il tendit son bras court et sa petite main pour déclarer : « Pressante ? Je réponds d'ordinaire à mes rapporteurs, quand ils me présentent un document pressant : il n'y a de pressant au monde que certain besoin. Mais parlons sérieusement : ce qui m'amène est éminemment important. Je vois dans la maison de ta cousine, comme je te l'ai déjà dit, l'occasion idéale d'entrer en contact avec les grands problèmes du monde civil. Finalement, ça me change du bureau, et je puis t'assurer que ça m'impose terriblement. D'un autre côté, nous autres militaires, même si nous avons nos faiblesses, nous sommes loin d'être aussi bêtes qu'on le croit généralement. Tu m'accorderas, je l'espère, que lorsque nous nous décidons à faire quelque chose, nous le faisons consciencieusement. Tu me l'accordes, n'est-ce pas ? Je m'y attendais. Je puis donc te parler à cœur ouvert et t'avouer malgré tout que notre esprit militaire me fait honte ! Honte, je te dis ! En ce moment, je suis sans doute de toute l'armée, avec l'aumônier général, l'homme qui a le plus souvent affaire à l'esprit. Eh bien ! laisse-moi te le dire, quand on observe d'un peu près notre esprit militaire, si éminent soit-il, on constate qu'il a tout du rapport journalier. J'espère que tu n'as pas oublié ce que c'est ? Un rapport, donc, où l'officier inspecteur consigne tant d'hommes et de chevaux présents, tant d'hommes et de chevaux absents, malades ou ce que tu voudras, le Uhlan Leitomischl est rentré après la consigne, et ainsi de suite. Mais pourquoi tant d'hommes et de chevaux sont présents, ou malades, ou ce que tu voudras, ça, il ne le consigne jamais. Or, c'est précisément ce qu'il faudrait savoir quand on se trouve avoir affaire à ces messieurs de l'Administration civile. Le langage du soldat est bref, simple, objectif, mais j'ai souvent l'occasion de conférer avec ces messieurs des ministères, et il faut toujours qu'ils me demandent le pourquoi de mes propositions et qu'ils se réfèrent à des considérations et à des conjectures d'ordre supérieur. Aussi bien (mais donne-moi ta parole d'honneur que ce qui va suivre restera entre nous) ai-je proposé à mon chef, Son Excellence Frost, ou plus exactement, lui ferai-je la surprise de saisir l'occasion que m'en donne ta cousine, d'étudier de près ces considérations et ces conjectures d'ordre supérieur, et, si je puis ainsi parler sans immodestie, d'en faire profiter l'esprit militaire ! Après tout, nous avons à l'armée des médecins, des vétérinaires, des pharmaciens, des ecclésiastiques, des juges, des intendants, des ingénieurs et des musiciens : ce qui nous manque encore, c'est une centrale de l'Esprit civil ! »

Alors seulement, Ulrich remarqua que Stumm avait apporté avec lui un portefeuille officiel ; c'était, appuyée à l'un des pieds du secrétaire, une de ces grandes serviettes de cuir de vache faites pour être portées sur l'épaule au moyen d'une forte courroie, et qui servent à transporter les dossiers dans les vastes bâtiments des ministères et de département en département, d'un côté de la rue à l'autre. Évidemment, le général était venu avec une ordonnance qui attendait en bas sans qu'Ulrich s'en fût aperçu, car Stumm dut faire un gros effort pour amener sur ses genoux la lourde serviette dont il ouvrit la petite serrure, qui faisait très « matériel de guerre ».

« Je n'ai pas perdu mon temps depuis que j'assiste au développement de vos travaux », dit-il en souriant, tandis que sa tunique bleu clair, comme il se penchait, faisait des plis autour des boutons dorés, « mais tu comprends, il y a là des trucs dont je n'arrive plus à me sortir. » Il tira de la serviette une liasse de feuilles volantes couvertes d'inscriptions et de dessins bizarres. « Ta cousine... expliqua-t-il... j'en ai parlé un jour longuement avec ta cousine, elle voudrait, très naturellement, que ses efforts pour élever à notre gracieux Souverain une sorte de monument intellectuel, aboutissent à mettre en évidence une idée qui soit la plus sublime de toutes celles qui ont cours aujourd'hui. Il ne m'a pas fallu longtemps pour observer, quelle que puisse être mon admiration pour les gens qu'elle a invités à cette fin, que la chose présente d'infernales difficultés. Que l'un dise une chose, l'autre aussitôt dit le contraire (cela ne t'a sûrement pas échappé). Mais il y a, me semble-t-il, plus grave encore : l'Esprit civil me paraît être ce que l'on nomme chez les chevaux un mauvais mangeur. Tu vois ce que je veux dire ? Tu as beau donner à cette bête-là double ration, elle n'en devient pas plus grosse ! Ou disons plutôt, reprit-il pour tenir compte d'une brève objection du maître de maison, je veux bien, qu'elle devient un peu plus grosse chaque jour, mais que ses os ne se développent pas et que le pelage reste terne ; elle n'y gagne qu'une panse gonflée d'herbe. Eh bien ! tu comprends, ça m'intéresse, et je me suis proposé de chercher à savoir pourquoi on ne peut y mettre ordre. »

En souriant, Stumm tendit à son ex-lieutenant la première des feuilles. « On dira ce qu'on voudra sur nous, expliqua-t-il, nous autres militaires avons toujours su ce que c'est que l'ordre. Voici la consignation des idées maîtresses que j'ai recueillies chez les participants des soirées de ta cousine. Tu verras que si l'on interroge les gens entre quatre-z'yeux, chacun se fait une autre idée de l'essentiel. » Ulrich considéra la feuille avec stupeur. A la manière des déclarations d'étrangers ou précisément des rôles militaires, elle était divisée par des lignes horizontales et verticales en compartiments où étaient enregistrés des mots qui, d'une certaine façon, semblaient peu faits pour un tel placement : il put lire en effet, dans une belle calligraphie bureaucratique, les noms de Jésus-Christ ; Bouddha, Gautama, alias Siddharta ; Lao-tse ; Luther, Martin ; Goethe, Wolfgang ; Ganghofer, Ludwig ; Chamberlain et beaucoup d'autres, dont la suite devait évidemment se trouver sur un autre feuillet. Puis, dans une deuxième colonne, les mots Chrétienté, Impérialisme, Siècle des communications et ainsi de suite, auxquels s'adjoignaient dans d'autres colonnes d'autres séries de noms.

« Je pourrais aussi appeler cela le registre cadastral de la culture moderne, déclara Stumm. Nous l'avons en effet élargi par la suite, et il comporte maintenant, avec le nom de leurs auteurs, la liste de toutes les idées qui nous ont influencés durant ces vingt-cinq dernières années. Je ne me doutais pas que cela me donnerait tant de mal ! » Comme Ulrich voulait savoir de quelle manière il avait établi son catalogue, il lui expliqua volontiers quel système il avait adopté. « Il m'a fallu, pour terminer en un si bref délai, un capitaine, deux lieutenants et cinq sous-officiers ! Si nous avions pu être tout à fait modernes, nous aurions demandé à tous les régiments de répondre à la question : *Quel est, selon vous, le plus grand de tous les hommes ?* comme ça se fait aujourd'hui dans les enquêtes des journaux, tu vois ce que je veux dire, avec ordre d'annoncer le résultat du référendum en pourcentage ; mais pour le militaire une telle enquête était exclue, étant bien entendu qu'aucun corps de troupes ne pourrait annoncer quelqu'un d'autre que Sa Majesté l'Empereur. J'ai pensé alors à faire établir la liste des livres qu'on lit le plus et qui ont atteint les plus forts tirages ; mais il est aussitôt apparu que c'étaient, en dehors de la Bible, les calendriers des Postes (avec leurs tarifs et leurs plaisanteries éculées) que tous les abonnés reçoivent du facteur pour leurs étrennes : ainsi, une fois de plus, nous nous heurtions à la complexité de l'Esprit civil, puisque aussi bien sont généralement tenus pour les meilleurs les livres qui plaisent à chacun ; du moins m'a-t-on dit qu'un auteur, en Allemagne, devait rencontrer beaucoup de lecteurs qui partagent ses idées avant de pouvoir passer pour un esprit exceptionnel. Nous avons donc dû renoncer aussi à cette méthode. Comment nous nous y sommes pris pour finir, je ne puis te le dire pour le moment, c'était une trouvaille du caporal Hirsch et du lieutenant Melichar, mais enfin, nous avons réussi ! »

Le général Stumm mit le feuillet de côté et en prit un autre avec une mine qui annonçait de graves désillusions. Après un inventaire complet des stocks d'idées de l'Europe centrale, non seulement il avait constaté avec regret qu'ils étaient pourris de contradictions, mais encore il avait découvert, à sa grande surprise, que ces contradictions, examinées de plus près, tendaient à s'annuler réciproquement. « Que chacune des célébrités réunies chez ta cousine me réponde autre chose lorsque je la prie de m'éclairer, je m'en suis fait une raison, dit-il. Mais que je n'en aie pas moins le sentiment, lorsque j'ai parlé quelque temps avec elles, qu'elles ont toutes dit la même chose, voilà ce que je désespère de piger : peut-être est-ce simplement que mon cerveau de troupier n'y suffit pas ! »

Ce qui tracassait de la sorte le général Stumm n'était pas une bagatelle, et ce n'est pas seulement au Ministère de la Guerre qu'on eût dû transmettre ce problème (on pourrait montrer, il est vrai, que ce problème n'est pas sans rapports, sans très bons rapports avec la guerre...). L'époque contemporaine a été dotée d'un très grand nombre d'idées, et avec chaque idée, par une attention spéciale du Destin, de l'idée contraire. De sorte que l'individualisme et le collectivisme, le nationalisme et l'internationalisme, le socialisme et le capitalisme, l'impérialisme et le pacifisme, le rationalisme et la superstition, à quoi s'associent encore les déchets inutilisés d'innombrables autres contradictions plus ou moins actuelles, s'y trouvent tous également à l'aise. Déjà ce fait nous paraît aussi naturel que l'existence du jour et de la nuit, du chaud et du froid, de l'amour et de la haine et, dans le corps humain, de muscles fléchisseurs répondant à leurs contraires les extenseurs ; le général Stumm n'eût pas songé davantage qu'un autre à y voir quoi que ce fût d'extraordinaire, si son amour pour Diotime n'avait précipité son ambition dans cette aventure. Car l'amour ne se contente pas de voir l'unité de la nature fondée sur le contraste ; soucieux d'une pensée tendre, il veut une unité sans contradictions, et c'est ainsi que le général Stumm avait tout tenté pour instaurer cette unité.

« J'ai fait établir là-dessus, expliqua-t-il à Ulrich en lui indiquant aussitôt les feuillets qui s'y rapportaient, une liste des grands chefs d'idées, c'est à savoir les noms de tous ceux qui ont pour ainsi dire conduit à la victoire, ces dernières années, de grands corps d'armée d'idées. Cet autre feuillet est un ordre de bataille ; celui-ci un plan d'opérations ; celui-là, un essai de localisation de tous les dépôts et places d'armes d'où proviennent les renforts de pensées. Mais tu ne seras pas sans observer (je l'ai d'ailleurs fait apparaître clairement sur le dessin), si tu considères l'un des groupes de pensées actuellement en action, qu'il tire ses renforts en combattants et en matériel non seulement de ses propres dépôts, mais encore de ceux de son adversaire ; tu vois qu'il modifie continuellement son front et qu'il combat même tout à coup, sans aucune raison, à l'envers, le front tourné vers ses propres communications ; tu constates encore, ailleurs, que les idées ne cessent de déserter puis de rentrer dans le rang, si bien que tu les trouves tantôt dans un camp, tantôt dans l'autre. En un mot, il est impossible d'en tirer ni un plan de communications convenable, ni une ligne de démarcation, ni quoi que ce soit, et toute l'affaire se révèle, sauf respect (il est vrai d'autre part que je me refuse à le croire), ce que n'importe lequel de nos supérieurs appellerait un beau bordel ! »

Stumm fit glisser d'un seul coup dans les mains d'Ulrich quelques douzaines de feuillets. Ils étaient couverts de plans d'opérations, de lignes de chemins de fer, de réseaux routiers, de croquis de dispositif, de signes représentant des troupes ou des quartiers généraux, de cercles, de rectangles et de hachures ; comme un travail réglementaire d'État-major, il était sillonné de lignes rouges, vertes ou bleues, et on y voyait peints de ces petits drapeaux de forme et de signification diverses qui allaient devenir si populaires un an plus tard. « Tout cela est inutile ! soupira Stumm. J'ai modifié mon système de représentation et tenté d'attaquer la question non plus du point de vue stratégique, mais du point de vue de la géographie militaire, dans l'espoir d'obtenir au moins de la sorte un théâtre d'opérations bien dessiné, mais ça n'a pas été plus utile. Là, tu as mes essais de représentations orographique et hydrographique ! » Ulrich vit dessinés des sommets d'où partaient des embranchements qui, plus loin, reformaient d'autres massifs, des sources, des réseaux fluviaux et des lacs. « J'ai fait encore toutes les tentatives imaginables, dit le général dans l'œil vif et joyeux de qui brilla comme une colère ou une panique, pour découvrir une unité dans tout cela : mais sais-tu quoi ? C'est exactement comme quand on voyage en seconde en Galicie et qu'on attrape des morpions ! Je n'ai jamais éprouvé un sentiment d'impuissance aussi crasse. Quand on a fait un long séjour au milieu des idées, tout le corps vous démange, et on a beau se gratter jusqu'au sang, pas moyen de se calmer ! »

Ulrich ne put s'empêcher de rire de cette vigoureuse

peinture. Mais le général, suppliant, l'interrompit : « Non, ne ris pas ! Je me suis dit que tu étais devenu un civil éminent ; que ta position te permettrait de voir clair dans l'affaire, et que moi aussi, tu me comprendrais. Je suis venu te voir pour que tu m'aides. J'ai infiniment trop de respect pour tout ce qui touche à l'esprit pour oser croire que je sois dans le vrai !

– Tu prends la pensée trop au sérieux, mon colonel », dit Ulrich pour le consoler. Le « colonel » lui avait échappé, et il s'en excusa : « Tu m'as si agréablement reporté au passé, général Stumm, au temps où tu me commandais un quart d'heure de philosophie dans un coin du mess ! Mais, je te le répète, on ne doit pas prendre la pensée au sérieux, du moins autant que tu le fais.

– Ne pas la prendre au sérieux ? gémit Stumm. Mais je ne peux plus vivre sans avoir dans la tête un ordre supérieur ! Ne le comprends-tu pas ? C'est bien simple : quand je pense combien de temps j'ai pu vivre sans cela, sur la place d'exercice et en caserne, entre des plaisanteries de corps de garde et des histoires de femmes, je frémis ! »

Ils se mirent à table. Ulrich était touché des idées puériles que le général embrassait avec tant de mâle courage, et de l'imperturbable jeunesse que donne un passage opportun dans les petites garnisons. Il avait invité le compagnon de ces années lointaines à partager son souper, et le général était si obsédé par le désir d'entrer dans ses secrets qu'il était attentif à chaque rond de saucisse piqué sur sa fourchette. « Ta cousine, dit-il en levant son verre, est la femme la plus digne d'admiration que je connaisse. On a raison de dire qu'elle est une seconde Diotime, je n'ai jamais rien vu de pareil. Tu sais, ma femme, tu ne la connais pas, je n'ai pas à me plaindre, et puis il y a les enfants : mais une femme comme Diotime, c'est quand même tout autre chose ! Quand elle reçoit, il m'arrive de me mettre derrière elle : quelle majesté, quelle plénitude féminine ! Et pardevant, au même moment, elle s'entretient avec quelque civil éminent d'une manière si savante que je brûle de prendre des notes ! Et le sous-secrétaire avec qui elle est mariée ne se doute même pas de ce qu'il détient là ! Je te demande pardon, au cas où ce Tuzzi te serait particulièrement sympathique, mais je ne peux pas le sentir ! Il est là qui ne cesse de rôder et de sourire comme s'il savait le fin des choses et ne voulait pas trahir son secret. Qu'il n'essaie pas de me la faire, car malgré tout mon respect pour l'administration civile, les fonctionnaires du gouvernement n'y seront jamais qu'au dernier rang ; ils ne sont rien de plus qu'une sorte de militaires civils à qui chaque occasion est bonne pour nous disputer la préséance, avec cette politesse impudente des chats qui regardent un chien du haut d'un arbre. Le Dr Arnheim est tout de même d'un autre calibre, dit Stumm en poursuivant son bavardage ; peut-être présomptueux, lui aussi, mais c'est une supériorité qu'il faut reconnaître. » Il avait évidemment bu un peu vite (n'avait-il pas beaucoup parlé ?), car il se montrait de plus en plus à l'aise et familier. « Je ne sais ce qui m'arrive, poursuivit-il, et si je ne le comprends pas c'est sans doute que l'on finit soi-même, aujourd'hui, par avoir l'esprit trop compliqué, mais quoique j'admire ta cousine, comme si… avouons-le, comme si une trop grosse bouchée me restait dans le gosier ! je n'en éprouve pas moins un soulagement de la voir amoureuse du sieur Arnheim.

– Quoi ? Tu es sûr qu'il y a quelque chose entre eux ? » Ulrich avait posé cette question avec quelque vivacité, bien que la chose ne dût pas le toucher beaucoup. Stumm, de ses yeux myopes que l'excitation troublait encore davantage, le dévisagea avec méfiance et mit son pince-nez. « Je ne prétends pas qu'il l'ait eue », répliqua-t-il dans le style peu fleuri des officiers ; il remit son pince-nez dans l'étui et ajouta, sans aucune nuance soldatesque : « Mais je n'aurais rien contre. Le diable m'emporte ! je t'ai déjà dit que ce milieu vous entortille l'esprit ; je n'ai certes rien d'une tapette, mais quand j'imagine la tendresse que Diotime pourrait donner à cet homme, j'éprouve à mon tour de la tendresse pour lui ; et inversement, il me semble que ce sont mes propres baisers qu'il donne à Diotime…

– Il lui donne des baisers ?

– Eh ! est-ce que je sais ? Je ne les espionne pas ! Je m'imagine seulement le cas. Je ne me comprends pas moi-même. D'ailleurs je l'ai déjà vu une fois qui lui prenait la main, comme ils croyaient n'être vus de personne. Ils sont restés un moment aussi silencieux que si on avait commandé : *Enlevez les shakos, à genoux pour la prière !* puis elle lui a parlé à voix très basse et il lui a répondu. Je m'en suis souvenu mot pour mot parce que c'est difficilement compréhensible ; elle lui a donc dit : *Ah ! si seulement on trouvait la pensée rédemptrice !* et il lui a répondu : *Seule une pensée d'amour, mais intégrale et pure, peut nous apporter la rédemption !* Il avait visiblement compris la chose de façon trop personnelle, car elle pensait certainement à la pensée rédemptrice dont elle a besoin pour sa grande entreprise... Pourquoi ris-tu ? Ris tant que tu voudras, après tout, j'ai toujours eu ma petite originalité, et je me suis mis en tête maintenant d'aider Diotime ! Cela doit être possible ; il y a tant de pensées, comment ne trouverait-on pas finalement celle qui vous sauve ? Mais il faut que tu m'aides !

– Mon cher général, dit Ulrich, je ne puis que te répéter que tu prends la pensée trop au sérieux. Mais, puisque tu y accordes quelque prix, je veux bien essayer de t'expliquer de mon mieux comment pense un civil. » Ils en étaient au cigare, et il commença de la sorte : « Premièrement, général, tu fais fausse route ! On ne trouve pas l'esprit chez les civils et le corps chez les militaires comme tu le crois : c'est juste le contraire ! L'esprit est ordre, et où trouver plus d'ordre qu'à l'armée ? Là, tous les cols ont une hauteur exacte de quatre centimètres, le nombre des boutons est fixé avec précision, et les lits restent rigoureusement perpendiculaires aux murs jusque dans les nuits les plus troublées de rêves ! Le déploiement d'un escadron en ligne de bataille, le rassemblement d'un régiment, la position exacte de la boucle de mentonnière sont des biens spirituels d'une grande signification, ou il n'y a pas de biens spirituels du tout !

– Ne prends pas les enfants du bon Dieu pour des canards sauvages », grogna prudemment le général qui doutait s'il devait n'en pas croire ses oreilles ou le vin bu.

« Tu es trop pressé, poursuivit Ulrich. La science n'est possible que là où les faits se reproduisent fréquemment, ou du moins se laissent contrôler, et où y aurait-il plus de répétitions et de contrôles qu'à l'armée ? Un cube ne serait pas un cube s'il n'avait les angles aussi droits à neuf heures qu'à sept. Les lois des orbites planétaires ressemblent à des instructions de tir. Et il n'est rien dont nous pourrions nous faire une idée, rien que nous pourrions juger, si les choses ne faisaient que nous passer sous le nez une seule et unique fois. Tout ce qui doit prendre valeur et porter un jour un nom doit pouvoir se répéter, doit être présent en plusieurs exemplaires, et si tu n'avais jamais vu la lune, tu la prendrais sans doute pour une lampe de poche. Soit dit en passant, le meilleur tour que Dieu ait joué à la science consiste en ce qu'il ne se soit montré qu'une seule fois, et encore le jour de la Création, avant qu'on ne disposât d'observateurs entraînés. »

Il faut se mettre à la place de Stumm von Bordwehr : depuis l'École de cadet, tout lui avait été prescrit, de la forme de son couvre-chef aux conditions mises à son mariage, et il ne se sentait guère enclin à ouvrir son esprit à de telles explications. « Cher ami, repartit-il malicieusement, tout cela est bel et bon, mais ne me concerne pas. C'est une excellente plaisanterie que d'attribuer aux militaires l'invention de la science, mais je ne parle pas de la science ; je parle, comme dit ta cousine, de l'âme, et quand elle parle de l'âme, j'aurais envie de me mettre tout nu, tant l'âme fait mauvais ménage avec un uniforme !

– Mon cher Stumm, poursuivit Ulrich imperturbable, beaucoup d'hommes reprochent à la science d'être une mécanique sans âme et de rendre tel tout ce qu'elle touche. Cependant, chose étrange, ils ne remarquent pas qu'il règne dans les affaires du sentiment une régularité bien pire que dans celles de la raison ! Quand donc un sentiment est-il vraiment simple et naturel ? Quand on peut s'attendre à le voir apparaître quasi automatiquement chez tous les hommes dans une situation identique ! Comment pourrait-on exiger la vertu de tous les hommes si l'action vertueuse n'était pas telle qu'elle pût se reproduire aussi souvent qu'on le désire ? Je pourrais te citer encore bien des exemples ; et si, fuyant cette aride régularité, tu te réfugies au plus profond de ta nature, où règnent les mouvements incontrôlés, dans cet humide abîme qui permet que nous ne nous évaporions pas à la chaleur sèche de la raison, que trouves-tu ? Des excitants et des voies réflexes, l'induction des habitudes et des aptitudes, la répétition, la fixation, le frayage, la série et l'ennui ! Voilà les uniformes, la caserne, les règlements, mon cher Stumm, et l'âme civile a de curieuses affinités avec l'armée ! On pourrait dire qu'elle s'accroche où elle peut à ce modèle qu'elle n'arrive jamais à égaler. Quand elle ne le peut pas, elle est comme un enfant laissé seul. Pour exemple, prenons simplement la beauté d'une femme : ce qui t'étonne et te fascine en cette beauté, ce dont tu crois que tu l'aperçois pour la première fois de ta vie, il y a longtemps qu'intérieurement tu le cherchais et le connaissais, tu en avais toujours eu un reflet anticipé dans tes yeux : simplement, cette lueur est devenue maintenant plein jour ; au contraire, quand il s'agit vraiment du coup de foudre et vraiment de la beauté jamais vue, tu te trouves ne plus savoir qu'en faire, comment la prendre ; cet événement n'a jamais été précédé par un événement semblable, tu n'as pas de nom pour le nommer, tu n'as pas de sentiment pour y répondre, tu es simplement infiniment troublé, ébloui, saisi d'une stupeur aveugle, d'une hébétude confinant à l'idiotie, et qui semble n'avoir que peu de traits communs avec le bonheur… »

A ce point, le général interrompit avec vivacité son ami. Jusque-là, il avait mis à l'écouter cette dextérité que l'on acquiert sur la place d'exercice en subissant les blâmes et les instructions des officiers supérieurs, blâmes et instructions qu'il faut être capable de répéter le cas échéant mais que l'on ne doit pas enregistrer vraiment, ou l'on ferait tout aussi bien de rentrer chez soi sur un hérisson sans selle. Maintenant Ulrich l'avait touché, et il s'écria violemment : « Ma parole, ta description est éminemment juste ! Quand je me laisse absorber complètement par mon admiration pour ta cousine, tout se dissout en moi dans le néant. Et quand je me concentre de toutes mes forces pour qu'il me vienne enfin une idée qui puisse lui être utile, c'est en effet un vide extrêmement désagréable qui se fait en moi ; je n'irais pas jusqu'à parler d'idiotie, mais nous n'en sommes sûrement pas éloignés. Ainsi donc, tu es d'avis, si j'ai bien compris, que nous autres militaires sommes de très convenables penseurs (que nous devions servir de modèles à l'intelligence civile, je ne l'admettrai pas, c'est encore une de tes plaisanteries !). Mais que notre intelligence soit de même nature, il m'arrive de le penser aussi. Pour tout ce qui va au-delà, dis-tu, toutes ces choses qui nous paraissent, à nous soldats, si essentiellement civiles : l'âme, la vertu, la ferveur, le sentiment (ce diable d'Arnheim nage là-dedans comme un poisson dans l'eau), tu es donc d'avis que c'est aussi de l'esprit, que c'est même là, justement, ce qu'on appelle des "considérations d'ordre supérieur", mais tu ajoutes qu'elles vous rendent stupide. Tout cela est parfaitement juste, mais finalement l'esprit civil n'en garde pas moins sa supériorité, tu ne le contesteras pas ! Je te demande donc comment cela se fait.

– Il y a un instant, j'ai dit, *primo* (mais tu l'as oublié), que l'armée est la patrie de l'esprit ; je dis maintenant, *secundo*, que le civil est la patrie du corps...

– Mais enfin, c'est absurde ! » s'écria Stumm avec méfiance.

La supériorité physique du militaire était un dogme au même titre que la conviction que la caste des officiers était la plus proche du Trône. Même si Stumm ne s'était jamais pris pour un athlète, la certitude lui revint, au moment où on le mettait en doute, qu'un ventre de civil, avec la même présence que le sien, ne pouvait être néanmoins qu'un peu plus mou...

« Ni plus ni moins absurde que le reste, rétorqua Ulrich. Mais laisse-moi finir. Écoute-moi : il y a environ cent ans, les premiers cerveaux civils d'Allemagne croyaient que le citoyen pensant, assis à son secrétaire, pourrait extraire de sa tête les lois de l'univers comme on peut prouver le théorème d'Euclide ; le penseur d'alors était un homme en culottes de nankin qui rejetait sa chevelure en arrière et ne connaissait encore ni la lampe à pétrole, ni à plus forte raison l'électricité ou le gramophone. Depuis, on nous a fait passer définitivement cette prétention. Ces cent dernières années nous ont permis d'accroître infiniment notre connaissance de nous-mêmes, de la nature et de toutes choses ; mais de là s'ensuit que tout l'ordre que nous gagnons dans les détails, nous le reperdons dans l'ensemble, de sorte que nous disposons de toujours plus d'ordres (au pluriel), et de toujours moins d'ordre (au singulier).

– C'est en parfait accord avec mes investigations, dit Stumm.

– Sauf qu'on n'est pas aussi pressé que toi de chercher une synthèse, poursuivit Ulrich. Après cette période d'efforts, nous sommes tombés dans une période de régression. Tu n'as qu'à te représenter ce qui se produit de nos jours : lorsqu'un homme important met une idée au monde, elle est aussitôt la proie d'un processus de division, fait de sympathie et d'antipathie : les admirateurs, d'abord, en arrachent de grands morceaux à leur convenance et déchiquètent leur maître comme des renards une charogne ; ensuite, les adversaires anéantissent les passages faibles, et il ne reste plus bientôt de quelque œuvre que ce soit qu'une provision d'aphorismes où amis et ennemis puisent à leur gré. Il s'ensuit une ambiguïté générale. Il n'est pas de Oui qui n'entraîne son Non. Accomplis l'acte que tu voudras, tu trouveras toujours vingt nobles idées pour le défendre et, si cela te chante, vingt autres non moins nobles pour l'attaquer. On serait assez tenté de croire qu'il en va comme de l'amour, de la haine et de la faim, où les goûts doivent être différents pour que chacun puisse avoir son compte.

– Parfait ! s'écria Stumm reconquis. J'ai dit moi-même quelque chose d'analogue à Diotime ! Mais ne penses-tu pas qu'on devrait voir dans un tel désordre la justification de l'armée ? Et pourtant, j'aurais honte de le croire un seul instant !

– Voici le tuyau que je te conseille de glisser à Diotime, dit Ulrich : que Dieu, pour des raisons qui nous sont encore inconnues, semble vouloir inaugurer l'âge de la culture physique. La seule chose qui puisse prêter un peu de consistance aux idées, c'est le corps auquel elles appartiennent, et ton rang d'officier te donnerait de plus, sur ce point, un certain avantage. »

Le corpulent petit général recula brusquement. « Pour ce qui est de la culture physique, je ne suis pas plus beau qu'une pêche pelée, dit-il au bout d'un moment sur un ton d'amère satisfaction. Je dois d'ailleurs te dire, ajouta-t-il, que je n'ai pour Diotime que des pensées honnêtes, et que c'est honnêtement que je souhaite l'affronter !

– Dommage ! dit Ulrich, tes intentions seraient dignes

d'un Napoléon, mais le siècle que nous vivons n'est pas à la hauteur ! »

Le général encaissa la raillerie avec la dignité de celui qui souffre pour la dame de ses pensées, et répondit, après un instant de réflexion : « De toute façon, je te remercie pour tes précieux conseils. »

86. *Le roi-marchand et la fusion d'intérêts âme-commerce. Ou encore : tous les chemins de l'esprit partent de l'âme, mais aucun n'y ramène.*

En ce temps où la passion du général s'effaçait devant son admiration pour Diotime et Arnheim, il y avait longtemps que ce dernier eût dû se résoudre à ne plus revenir. Or, tout au contraire, il prenait ses dispositions pour un long séjour ; l'appartement qu'il occupait à l'hôtel lui était réservé à demeure, et sa vie mouvementée faisait l'effet d'être au point mort.

Toutes sortes d'événements ébranlaient alors le monde, et l'homme bien informé, vers la fin de l'année 1913, savait qu'il avait sous les yeux un volcan en pleine ébullition, même si les paisibles travaux des hommes répandaient un peu partout l'illusion qu'une nouvelle éruption était exclue. Cette illusion n'était pas partout également puissante. Souvent, les fenêtres du beau vieux palais de la Ballhausplatz où régnait le sous-secrétaire Tuzzi jetaient encore leur lumière à une heure avancée de la nuit sur les arbres dénudés du jardin qui lui faisait face, et les flâneurs cultivés qui passaient là de nuit, frissonnaient. En effet, de même que saint Joseph imprègne de son éclat Joseph le simple charpentier, le nom de « Ballhausplatz », en évoquant l'une des six ou sept mystérieuses cuisines où se mijote, derrière des rideaux fermés, le destin des hommes, imprégnait de sa magie le palais qui se dressait là. Le Dr Arnheim était très convenablement renseigné sur ces opérations. Il recevait des télégrammes chiffrés et, de temps en temps, la visite d'un de ses employés qui lui apportait de la Direction centrale quelques informations personnelles. Les fenêtres de son appartement, qui donnait sur la façade de l'hôtel, étaient, elles aussi, souvent illuminées, et un observateur doué d'imagination eût pu croire que veillait là un deuxième, un contre-gouvernement, poste de combat clandestin et moderne de la diplomatie économique.

D'ailleurs, Arnheim ne négligeait jamais de provoquer lui-même cette impression : privé des suggestions de l'apparence, l'homme n'est qu'un doux fruit aqueux et sans pelure. Dès le petit déjeuner, qu'il prenait pour cette raison même non pas dans sa chambre, mais dans la salle à manger commune, il transmettait ses ordres du jour à son secrétaire qui les enregistrait en sténo, avec le naturel de l'homme habitué à commander et la discrétion de celui qui se sait observé. Aucune de ces instructions n'eût suffi à elle seule à réjouir Arnheim ; mais, comme non seulement elles se classaient hiérarchiquement dans sa conscience, mais encore s'y trouvaient limitées par les charmes du petit déjeuner, elles y gagnaient en élévation. Il est probable que les dons de l'homme (c'était une de ses idées favorites) ont besoin d'une certaine coercition pour pouvoir se développer ; entre une liberté de pensée insolente et la crainte découragée de toute pensée, ceux qui connaissent la vie savent bien qu'il n'y a qu'une étroite bande de terre fertile. Arnheim était également persuadé qu'il importait beaucoup de savoir *qui* avait des pensées. On sait en effet que les pensées neuves et significatives n'ont que très rarement un seul auteur ; on sait aussi que le cerveau d'un homme habitué à penser produit continuellement des pensées, mais de valeur inégale : c'est pourquoi la forme définitive, efficace et florissante ne peut venir aux idées que de l'extérieur, et non seulement de la pensée des autres, mais de toutes les circonstances de la vie de leur auteur. Une question du secrétaire, un coup d'œil sur la table voisine, le salut d'un arrivant, n'importe quel détail de cet ordre rappelait toujours à Arnheim, au moment voulu, la nécessité d'impressionner, de faire figure, et cette unité de sa figure se reportait aussitôt sur sa pensée. Il avait traduit cette expérience par la conviction, fort bien adaptée à ses besoins, qu'un homme de pensée doit toujours être, en même temps, un homme d'action.

En dépit de cette conviction, il n'accordait que peu d'importance à son activité d'alors ; encore qu'il poursuivît à travers elle un but qui pourrait, le cas échéant, se révéler étonnamment profitable, il craignait de faire à son séjour à Vienne des sacrifices de temps difficiles à justifier. Souvent, il se remettait en mémoire le vieil et sévère adage : *Diviser pour régner*. Applicable à toutes nos relations avec les êtres et les choses, il nous oblige à une certaine dévaluation des relations particulières au profit de l'ensemble ; le secret de l'état d'esprit qui favorise la réussite est celui-là même de l'homme qui sait, lorsqu'il est aimé de plusieurs femmes, ne donner à aucune un privilège exclusif. Néanmoins, cette sagesse ne lui servait de rien ; sa mémoire avait beau lui représenter les exigences que le monde impose à un homme né pour une activité considérable, il ne pouvait, après avoir mille fois sondé son âme, se refuser à reconnaître qu'il aimait. C'était là une étrange affaire, car le cœur, à près de cinquante ans, est un muscle coriace qui ne se gonfle pas aussi aisément qu'à vingt, au printemps de l'amour, et cela lui valait de considérables ennuis.

Il constata d'abord avec inquiétude que ses intérêts internationaux se fanaient comme une fleur privée de sa racine, alors que d'insignifiantes impressions quotidiennes, jusqu'à un moineau sur la fenêtre ou l'amical sourire d'un garçon de restaurant, se mettaient au contraire à fleurir. Considérant ensuite ses notions morales qui, d'ordinaire, constituaient un vaste système, auquel rien n'échappait, pour avoir en toutes circonstancces raison, il observa qu'elles perdaient de leur étendue et prenaient quelque chose de physique. On pouvait appeler cela du dévouement, mais là encore c'était un mot qui avait d'ordinaire un sens beaucoup plus large, en tout cas différent. Sans le dévouement, en effet, on ne se tire d'affaire nulle part ; compris comme une vertu virile, le dévouement à une cause, à un supérieur ou à un maître, le dévouement aussi bien à la vie elle-même, dans sa richesse et sa diversité, avait toujours été pour Arnheim la quintessence d'une attitude morale pleine de fierté, très ouverte sans doute, mais comprenant néanmoins plus de réserve que d'abandon. On pouvait dire la même chose de la fidélité qui, limitée à une femme, sent un peu la mesquinerie ; de l'esprit chevaleresque et de la douceur de cœur, du désintéressement et de la délicatesse, toutes vertus qui, pour être ordinairement inséparables de l'idée de femme, n'en perdent pas moins dans cette association le plus clair de leur valeur ; de sorte qu'il est difficile de dire si l'expérience de l'amour elle-même s'écoule simplement vers la femme comme l'eau tend toujours au point le plus bas (et rarement le plus irréprochable), ou si cette expérience est le lieu volcanique dont la chaleur fait vivre tout ce qui fleurit à la surface du globe. C'est pourquoi un homme dont la vanité est poussée à un haut degré se sent plus à l'aise dans la société des hommes que dans celle des femmes. Quand Arnheim comparait le trésor de pensées qu'il apportait dans les sphères de la puissance avec l'état de béatitude que lui procurait Diotime, il lui était absolument impossible de se défendre d'un sentiment de régression.

Il éprouvait parfois un besoin d'étreintes et de baisers comme un jeune garçon qui, lorsque son désir n'est pas comblé, se jette aux pieds de celle qui le repousse ; ou bien il se surprenait à désirer sangloter, proférer des paroles qui défieraient l'univers, ou même procéder en personne à l'enlèvement de sa bien-aimée. Or, chacun sait que la frange irresponsable de notre personne consciente, d'où naissent légendes et poèmes, abrite aussi toute espèce de souvenirs puérils qui deviennent visibles lorsque la légère ivresse de la fatigue, le pouvoir libérateur de l'alcool ou tout autre ébranlement illuminent exceptionnellement ces régions : les velléités d'Arnheim n'avaient pas plus de corps que ces fantômes, de sorte qu'il n'aurait pas eu lieu de s'en émouvoir (et de les aggraver considérablement par cette émotion), si ces régressions infantiles n'avaient été assez fortes pour le persuader que sa vie psychique était encombrée de préparations morales éventées. L'universalité qu'il s'était toujours efforcé de donner à ses actions, en homme dont la vie se déroule aux yeux de tout un continent, manifestait brusquement son défaut d'intériorité. Peut-être est-ce là une chose assez naturelle si une action doit valoir pour tous ; mais plus étrange était le renversement de cette conclusion qui s'imposa également à Arnheim : si ce qui a une valeur universelle est privé d'intériorité, la vie intérieure de l'homme sera forcément privée de valeur universelle, de sorte qu'Arnheim n'était plus seulement poursuivi désormais par le besoin de commettre quelque injuste action d'éclat, quelque déraisonnable faute, mais encore par l'obsession harcelante que ce besoin était juste, du point de vue de quelque « sur-raison ». Depuis qu'il avait refait connaissance avec le feu qui lui séchait la langue, il se laissait envahir par le sentiment d'avoir oublié un chemin où il s'était engagé autrefois, et que toute l'idéologie du grand homme dont il était nourri n'était finalement que le succédané de quelque chose qu'il avait perdu.

De la sorte, il était assez naturel qu'il en vînt à se remémorer son enfance. Sur ses portraits d'alors, il avait de grands yeux noirs tout ronds, comme on peint l'enfant Jésus disputant dans le Temple avec les docteurs, et il voyait debout en cercle autour de lui toutes ses gouvernantes et tous ses précepteurs admirant ses dons intellectuels ; car il avait été un enfant intelligent et avait toujours eu d'intelligents éducateurs. Mais il s'était révélé aussi enfant sensible et ardent, détestant l'injustice ; comme il était lui-même beaucoup trop bien gardé pour en pouvoir souffrir, il allait dans la rue prendre sur lui les malheurs des autres et se battre pour eux. Cétait là un grand exploit, si l'on considère le soin que l'on mettait à l'en empêcher : il ne se passait jamais plus d'une minute sans que quelqu'un se précipitât pour le séparer de son adversaire. Ainsi ces combats duraient-ils juste assez pour réunir un certain nombre d'expériences douloureuses, et étaient-ils interrompus à temps pour lui laisser l'impression d'une indomptable bravoure. Arnheim pouvait y repenser maintenant encore avec satisfaction. Cette qualité seigneuriale, le courage qui ne recule devant rien, fut transmise plus tard à ses livres et à ses convictions, comme il sied à un homme dont la tâche est de dire à ses contemporains comment ils doivent se comporter pour être dignes et heureux.

Cet aspect-là de son enfance était donc resté relativement vivant en lui ; mais un autre aspect, qui s'était révélé un peu plus tard et avait été en partie la continuation et la transformation du premier, apparaissait à l'observateur mis en sommeil ou plus exactement pétrifié, s'il est permis de parler ainsi en pensant non aux simples pierres, mais aux pierres précieuses. C'était celui que le contact avec Diotime éveillait brusquement à une nouvelle vie : l'aspect de l'amour. Il était significatif qu'Arnheim jeune l'eût découvert d'abord tout à fait indépendamment du monde féminin et même de toute relation avec quelque être que ce fût : il y avait là un phénomène troublant qu'il n'avait pu de toute sa vie tirer au clair, encore qu'il s'instruisît peu à peu, au cours des ans, des plus modernes explications de ce mystère.

« Ce à quoi il pensait n'était peut-être que l'incompréhensible apparition de quelque chose d'encore absent, telles ces expressions exceptionnelles d'un visage qui n'ont aucun rapport avec lui, mais se rattachent à n'importe quel autre, à des visages devinés tout à coup au-delà du visible ; c'étaient de petites mélodies au milieu du bruit, des sentiments dans le cœur des hommes ; oui, il y avait en lui des sentiments qui, lorsqu'il cherchait des mots pour les exprimer, paraissaient n'être pas encore des sentiments, c'était simplement comme si quelque chose en lui s'était étiré, se plongeant, se baignant déjà en lui par ses extrémités, comme les choses parfois s'étirent, en ces journées de printemps éclairées par la fièvre, quand leurs ombres rampent au-delà d'elles, tranquilles et orientées toutes du même côté comme des reflets dans un ruisseau. » Telle était la traduction qu'avait donnée de cette expérience, mais plus tard il est vrai et sur un autre ton, un poète qu'Arnheim estimait parce que quiconque connaissait cet homme secret, préservé de l'indiscrétion du public, passait aussitôt pour un initié ; il ne l'en comprenait pas pour autant, puisqu'il associait ces allusions à tous les prêches, alors en vogue, sur l'éveil de l'âme nouvelle, ou à ces longs corps maigres de jeunes filles, la bouche pareille à un calice charnel, dont la peinture, à cette époque, raffolait.

A cette époque, c'était autour de dix-huit-cent-quatre-vingt-sept (« Grands dieux ! cela fait presque une génération ! » se disait Arnheim), ses photographies présentaient un homme moderne, « nouveau » comme on disait alors, c'est-à-dire portant une veste de satin noir, boutonnée très haut, et une large cravate de soie noire qui était à la mode à l'époque Biedermeyer mais prétendait rappeler Baudelaire, intention soulignée encore par la trouvaille d'une orchidée glissée dans la boutonnière avec un air de perversité magique lorsque Arnheim Jr. devait se rendre à table et imposer sa jeune personne dans un cercle de solides commerçants amis de son père. Les jours ouvrables, en revanche, les photographes aimaient à le représenter orné d'un mètre pliant sortant de la poche d'un souple vêtement de fatigue de coupe anglaise, à quoi s'associait non sans ridicule, mais en marquant l'importance de la tête, un col droit beaucoup trop haut.

Tel avait été Arnheim : maintenant encore, il ne pouvait refuser quelque bienveillance à ces images. Il jouait fort bien du tennis, que l'on pratiquait alors, en ses débuts, sur des pelouses, y vouant toute l'ardeur que l'on met à une passion encore peu commune ; il fréquentait, au grand étonnement de son père et au su de tous, les meetings d'ouvriers, parce qu'une année d'études à Zurich lui avait fait faire la peu recommandable connaissance des idées socialistes ; mais il ne craignait pas non plus, un autre jour, de foncer férocement à cheval à travers une cité ouvrière. Il y avait eu là, en un mot, un véritable tourbillon d'éléments intellectuels contradictoires, mais nouveaux, qui lui avaient donné l'illusion fascinante d'être né au bon moment, illusion si importante, même quand on en vient à reconnaître plus tard que sa valeur ne réside pas précisément dans sa rareté. Oui, Arnheim doutait même, lui qui plus tard avait sacrifié de plus en plus aux idées conservatrices, si ce sentiment perpétuellement renouvelé d'être le dernier venu ne correspondait pas à l'excessive prodigalité de la nature. Il ne l'en abandonna pas pour autant, parce qu'il n'abandonnait qu'à grand-peine ce qu'il avait une fois possédé, et que sa nature de collectionneur avait soigneusement conservé tout ce qu'il y avait eu alors en elle. Maintenant, si parfaitement ronde et si diverse que sa vie se présentât, il lui semblait que ce qui avait le plus profondément agi sur lui fût justement ce qu'il avait d'abord tenu pour le moins réel : c'est-à-dire ces moments de pressentiment romantique qui lui avaient suggéré qu'il n'appartenait pas seulement au monde de l'agitation, mais encore à un autre monde, flottant en l'autre comme un souffle qu'on retient.

Ces pressentiments exaltés que Diotime ressuscitait en lui dans leur fraîcheur originelle, imposaient le silence à toute activité, à toute agitation ; le tumulte des contradictions juvéniles, les perspectives changeantes et toujours chargées d'espoir cédaient la place à un rêve éveillé où toutes les paroles, tous les événements, toutes les exigences se confondaient dans la profondeur en se détournant de la diversité superficielle. En de tels instants, l'ambition elle-même se taisait, les événements du monde réel étaient aussi lointains que le bruit qu'on entend derrière le mur d'un jardin, il lui semblait que son âme eût débordé et fût enfin vraiment présente. On ne saurait affirmer avec assez de force que cela n'était pas de la philosophie, mais une expérience aussi physique que de voir la lune muette dans la lumière du matin, illuminée par le ciel diurne. Même exalté de la sorte, il est vrai, le jeune Paul Arnheim, parfaitement sûr de lui, mangeait dans quelque restaurant chic, fréquentait, vêtu avec grand soin, la meilleure société, et faisait partout ce qu'il y avait à faire ; mais on pouvait dire que la distance de lui-même à lui-même était alors aussi grande que de lui-même aux êtres ou aux objets, que le monde extérieur ne s'arrêtait pas à sa peau et que le monde intérieur ne rayonnait pas seulement à travers la fenêtre de sa réflexion, mais que ces deux mondes s'associaient en une présence et une absence indivises, aussi douces, paisibles et nobles qu'un sommeil sans rêves. L'indistinction et l'indifférence la plus grande apparaissaient alors dans le domaine moral ; il n'y avait rien de petit et rien de grand, un poème, un baiser posé sur une main de femme avaient autant de poids qu'une œuvre en plusieurs volumes ou un haut fait politique, tout mal était absurde, de même que tout bien, au sein de cette antique et tendre parenté de tous les êtres, devenait superflu. Arnheim se comportait donc exactement comme à l'ordinaire, sauf que les événements semblaient se charger d'une signification insaisissable ; et derrière sa tremblante flamme, l'homme intérieur demeurait immobile à considérer l'homme extérieur qui, devant elle, mangeait une pomme, ou se faisait prendre les mesures d'un complet par son tailleur.

Était-ce là une illusion, ou l'ombre d'une réalité que nous ne comprendrons jamais entièrement ? La seule réponse que l'on puisse faire est que toutes les religions, à un certain stade de leur évolution, l'ont tenu pour une réalité, de même que tous les amants, tous les romantiques et tous les hommes qui ont une tendresse particulière pour la lune, le printemps et la radieuse agonie des premiers jours d'automne. Mais ce sentiment se perd avec le temps ; on ne peut dire s'il s'évapore ou s'il s'assèche, mais on constate un beau jour qu'il y a autre chose à la place, et on l'oublie aussi rapidement que l'on oublie les événements irréels, les rêves et les rêveries. Comme cette expérience d'un amour cosmique originel se confond presque toujours avec le premier amour, on croit également savoir par la suite, non sans soulagement, quelle valeur il faut lui donner, et on la met au nombre des folies qu'il n'est permis de faire qu'avant l'obtention du droit de vote.

Telle était la nature de ce sentiment. Comme chez Arnheim, il ne s'était jamais trouvé lié à une femme, il ne pouvait pas disparaître naturellement de son cœur en même temps que la femme ; il fut donc en quelque sorte recouvert par les impressions qui marquèrent la personnalité d'Arnheim dès que celui-ci entra, son temps d'études et de voyages fini, dans les affaires de son père. Arnheim ne faisant rien à moitié, il ne tarda pas à découvrir qu'une vie féconde et bien entendue est un poème plus merveilleux que tous ceux que peuvent inventer les poètes dans le silence de leur cabinet : ce fut alors une tout autre affaire.

Dans cette nouvelle existence s'affirma pour la première fois son aptitude exceptionnelle à prêcher d'exemple. Le poème de la vie a sur tous les autres poèmes l'avantage d'être écrit, pour ainsi dire, en capitales, quel que puisse être son contenu. Autour du plus modeste apprenti travaillant dans une firme d'importance internationale, c'est le monde tout entier qui tourne, des continents lorgnent pardessus son épaule, au point que rien de ce qu'il fait ne demeure sans signification. Tandis que ce qui tourne autour de l'écrivain solitaire dans sa chambre, quelque mal qu'il se donne, c'est tout au plus un essaim de mouches. Cette découverte est si éclairante que pour beaucoup d'hommes, dès l'instant qu'ils commencent à travailler sur la matière vivante, tout ce qui les a émus auparavant semble n'être plus que « pure littérature », c'est-à-dire n'exercer plus, au mieux, qu'une action minime, confuse, le plus souvent contradictoire au point de s'abolir elle-même, sans proportion avec le bruit que l'on fait autour d'elle.

Bien entendu, les choses ne se passèrent pas tout à fait de la sorte chez Arnheim, qui ne pouvait renier les nobles émotions de l'art, ni tenir pour folie ou illusion ce qui l'avait un jour violemment touché. Dès qu'il reconnut la supériorité des conditions de l'âge mûr sur les rêves de la jeunesse, il entreprit d'opérer, sous la conduite de ses nouvelles connaissances d'homme, la fusion des deux groupes d'expérience. En fait, il ne fit pas autre chose que ce que fait la majorité des hommes cultivés qui, lorsqu'ils commencent à « gagner leur vie », ne veulent pas renier pour autant leurs intérêts antérieurs, et pensent au contraire n'avoir trouvé qu'alors une relation mûre et sereine avec les élans exaltés de leur jeunesse. La découverte du grand poème de la vie auquel ils se savent collaborer leur rend ce courage de dilettante qu'ils avaient perdu au moment où ils brûlaient leurs propres poèmes. Maintenant qu'ils sont devenus les poètes de la vie, ils se sentent le droit de se considérer vraiment comme des spécialistes-*nés* ; ils commencent à imprégner leur activité quotidienne de responsabilité spirituelle ; pour qu'elle soit morale et belle, ils affrontent sans cesse de nouveaux petits débats intérieurs ; ils prennent modèle sur l'idée que Goethe vécut de la sorte et déclarent qu'ils ne jouiraient pas de la vie s'ils n'avaient pas la musique, la nature, le spectacle des jeux innocents des enfants et des bêtes, ou un bon livre. En Allemagne, cette classe moyenne si spiritualisée demeure le principal consommateur d'art et de littérature « pas trop difficile », mais ses membres considèrent assez naturellement l'art et la littérature, qui leur étaient d'abord apparus comme le comble de leurs vœux, avec une certaine condescendance au moins dans un œil, comme une étape préliminaire (même si celle-ci est plus parfaite à sa manière qu'ils ne la connurent) ; ou ils n'en font pas plus de cas qu'un fabricant de tôle n'en ferait d'un figuriste, s'il avait la faiblesse de trouver ses œuvres belles.

Or, Arnheim ressemblait à cette classe moyenne de la culture comme un prestigieux œillet de jardin au pauvre œillet velu qui pousse au bord des sentiers. Jamais il n'était question pour lui de révolution intellectuelle ou de renouvellement foncier, mais toujours de combinaison du neuf et du vieux, d'annexion, de corrections légères ; sa morale donnait une vie nouvelle aux privilèges délavés des puissances en vigueur. Il n'était pas un snob idolâtrant la supériorité des gens chic. Introduit à la Cour et entré en contact aussi bien avec la haute noblesse qu'avec les grosses nuques de la bureaucratie, il s'efforçait de s'adapter à son entourage non pas en l'imitant, mais comme un homme qui garde le style de vie féodal et ne veut ni oublier, ni faire oublier son origine bourgeoise et quasiment francfortoise et goethéenne. Mais son pouvoir de contradiction s'arrêtait là, une opposition plus vive lui eût déjà semblé faire tort à la vie. Sans doute était-il intimement persuadé que les hommes d'action (et à leur tête, les regroupant pour instaurer une ère nouvelle, les hommes d'affaires qui orientent la vie) étaient destinés un jour ou l'autre à reprendre le pouvoir des mains des antiques puissances de l'Être, et cela lui donnait une sorte d'orgueil tranquille que le développement ultérieur des choses vint apparemment justifier. Mais, même si l'on considère comme évident le droit de l'argent à la puissance, encore s'agit-il de faire bon usage de la puissance à laquelle on aspire. Les prédécesseurs des directeurs de banque et des grands industriels avaient la tâche facile, ils étaient chevaliers et réduisaient leurs adversaires en bouillie, laissant aux clercs les armes de l'esprit ; l'homme contemporain, en revanche, s'il possède avec l'argent, tel qu'Arnheim l'entendait, le moyen actuellement le plus sûr pour tout traiter, n'en est pas moins forcé de constater que ce moyen, bien qu'il puisse être implacablement précis comme une guillotine, se révèle parfois sensible comme un rhumatisant (que l'on songe seulement aux fluctuations des cours, si influençables !), et se trouve dans la plus subtile dépendance à l'endroit de tout ce qu'il domine. Par cette subtile interdépendance de toutes les formes de la vie, que seul un aveugle orgueil d'idéologue peut oublier, Arnheim en vint à voir dans le « Roi-marchand » la synthèse de la révolution et de la tradition, de la puissance et de la civilisation bourgeoise, de l'audace téméraire et de la force de caractère, mais, plus profondément, le symbole même de la future démocratie. Par un travail sévère et incessant sur sa propre personnalité, par l'organisation intellectuelle des problèmes économiques et sociaux qui lui étaient accessibles et par la réflexion sur la conduite et l'édification de l'État, il voulait aider à instaurer une ère nouvelle où les forces sociales, que la nature et le destin font inégales, recevraient une organisation juste et féconde, et où l'idéal, loin de se briser sur les inévitables limitations du réel, s'en trouverait à la fois purifié et affermi. Pour exprimer cela en termes techniques, disons qu'il avait réalisé la fusion d'intérêts Ame-affaires sous le couvert de la notion de « Roi-marchand ». Le sentiment de l'amour que lui avait fait éprouver autrefois l'unité profonde de toutes choses formait maintenant le noyau de sa foi en l'harmonie de la culture et des intérêts humains.

C'est vers cette époque qu'Arnheim se mit à publier ses écrits, à la surface desquels le mot « âme » émergeait. On peut supposer qu'il s'en servait comme d'une méthode, d'un atout, en tant que vocable royal, car il est certain que ni les princes ni les généraux n'ont une âme, et que, des financiers, il était le premier à en avoir une. Il est également certain qu'y jouait aussi son rôle le besoin de se défendre, d'une manière inaccessible à l'intelligence commerciale, contre le rationalisme de son proche entourage et, en particulier, contre la supériorité et l'autorité en affaires de son père, auprès de qui il commençait à faire figure de dauphin vieillissant. Enfin, il n'est pas moins certain que l'ambition qu'il nourrissait de savoir tout ce qui méritait d'être su (tendance à la polymathie qui, dans les proportions que son besoin lui donnait, dépassait les forces d'un homme) trouvait dans l'âme le moyen de dévaluer tout ce qui échappait à sa raison. En cela, il n'était pas différent de son époque dont la forte tendance religieuse ne naît pas d'une véritable vocation religieuse, mais seulement, semble-t-il, de la révolte d'une sensibilité presque féminine contre l'argent, le savoir et les chiffres à quoi elle se donne avec passion. Mais on pouvait se demander si Arnheim, parlant de l'âme, y croyait vraiment, et s'il accordait à la possession d'une âme la même réalité qu'à la possession d'un compte en banque. Il recourait à ce mot pour traduire quelque chose pour quoi il n'avait pas d'autre mot. Entraîné par ce besoin (c'était un orateur peu enclin à laisser à d'autres la parole), il mettait la conversation sur l'âme comme si son existence devait être admise aussi communément qu'on présuppose celle de son propre dos, bien qu'on ne le voie pas ; et plus tard, quand il se fut rendu compte de l'impression qu'il était capable de faire sur les autres, ce fut toujours plus fréquent aussi dans ses livres. Une véritable passion le prenait d'évoquer ainsi une force incertaine et mystérieuse, étroitement mêlée au monde trop certain des affaires internationales comme un profond silence à de vives paroles. Il ne niait pas l'utilité du savoir, puisque tout au contraire il impressionnait par une ardeur compilatrice qui n'est possible qu'à ceux qui en ont tous les moyens à disposition. Mais, une fois cette impression faite, il déclarait qu'au-dessus du domaine de la clairvoyance et de la précision se trouvait un royaume de sagesse qui ne se révélait qu'aux visionnaires ; il décrivait la volonté qui fonde les États et les firmes mondiales de manière à laisser entendre qu'il n'était, malgré son importance, qu'un simple bras et que, pour le mouvoir, il fallait le cœur qui bat dans l'Invisible ; il expliquait à ses auditeurs les progrès de la technique ou la valeur des vertus de la façon la plus simple, ainsi que se les peut représenter l'homme de la rue, mais pour ajouter aussitôt qu'une pareille dépense de forces spirituelles demeurait ignorance fatale tant qu'on ne devinait pas que ces forces sont les émotions superficielles d'un océan profond qu'elles troublent à peine. Il faisait ces déclarations dans le style d'un régent parlant au nom d'une reine exilée, et qui ordonne le monde selon les instructions qu'elle lui a personnellement transmises.

Cette mise en ordre était peut-être la véritable, la première passion d'Arnheim, un désir de puissance qui allait bien au-delà de ce que pouvait se permettre même un homme dans sa situation, et qui eut pour conséquence immédiate de contraindre cet homme, si puissant dans l'empire du réel, à se retirer une fois l'an au moins sur ses terres de la Marche pour y dicter un livre à son secrétaire. Ces étranges pressentiments qui avaient fait leur première et leur plus éclatante apparition dans ses heures d'exaltation juvénile, avaient trouvé cet exutoire ; ils le visitaient parfois plus brusquement, mais avec une intensité diminuée. Au beau milieu de ses préoccupations internationales, une douce paralysie, une nostalgie de cloître le prenait, lui soufflait à l'oreille que toutes les contradictions, toutes les grandes idées, toutes les expériences et entreprises mondiales ne formaient pas une unité seulement dans le sens qu'évoquent assez vaguement les mots humanisme et culture, mais encore dans un sens sauvagement littéral de scintillante oisiveté, comme il est des journées d'une beauté languide où on aimerait se croiser les bras, le regard perdu au-delà des fleuves et des prés, et ne plus jamais s'en aller.

En ce sens, son travail d'écrivain était un compromis. Et comme il n'y a qu'une âme, laquelle, de plus, n'est point tangible, mais exilée, avec une seule façon, curieusement vague et ambiguë, de se manifester, alors qu'il y a d'innombrables problèmes au monde auxquels on peut appliquer son royal message, Arnheim connut avec les années le grand embarras où tombent tous les légitimistes et tous les prophètes quand les choses traînent en longueur. Il suffisait qu'il s'assît à sa table de travail solitaire pour que sa plume, prise d'une fécondité quasi diabolique, fît passer ses pensées de l'âme aux problèmes de l'esprit, des vertus, de l'économie et de la politique qui, par une source invisible illuminés, apparaissaient alors sous un éclairage éblouissant et d'une cohérence presque magique. Ce besoin d'expansion avait quelque chose d'enivrant, mais impliquait en retour cette division de la conscience qui est chez beaucoup la condition préalable de la création littéraire : l'esprit écartant ou négligeant tout ce qui ne convient pas à son projet. Face à face avec un interlocuteur relié par sa présence aux contingences terrestres, Arnheim n'eût jamais osé aller aussi loin ; courbé sur une feuille de papier docilement prête à refléter ses vues, il se satisfaisait béatement de l'expression métaphorique de convictions dont seule une très petite partie était solide, tout le reste n'étant qu'un brouillard de mots dont le seul titre, point négligeable il est vrai, à la réalité, était d'apparaître involontairement toujours aux mêmes endroits.

Que celui qui désirerait l'en blâmer veuille bien songer seulement que la possession d'une double personnalité intellectuelle n'est plus depuis longtemps un tour de force réservé aux fous, mais que, dans le rythme actuel, la possibilité d'un tour d'horizon politique, la capacité d'écrire un article de journal, la force de croire aux nouvelles directions de l'art et de la littérature, et bien d'autres choses encore, reposent entièrement sur le talent d'être convaincu, certaines heures, contre sa conviction, de découper une partie du contenu total de la conscience, et de la développer pour en faire une nouvelle « entière conviction ». De la sorte, c'était encore un avantage pour Arnheim qu'il ne fût jamais sincèrement convaincu de ce qu'il disait. Lorsqu'il atteignit l'*acmè* de sa vie, il s'était prononcé sur tous les thèmes imaginables, il disposait de convictions étendues et ne voyait aucune limite qui pût l'empêcher de se faire encore à l'avenir de nouvelles convictions, harmonieusement déduites des précédentes, s'il continuait en si bon chemin. Il ne pouvait échapper à un penseur si efficace qui, en d'autres états de conscience, contrôlait des bilans et des calculs de rendement, que c'était là une activité insuffisamment réglée et contrôlée, bien qu'elle se déployât comme inépuisablement ; elle trouvait son unique limite dans l'unité de sa personnalité. Bien qu'Arnheim tolérât de grandes marges de prétention, ce n'en était pas moins pour sa raison une situation peu satisfaisante. Il essayait bien d'en rejeter la faute sur ce reste d'irrationalité que la vie révèle toujours à l'observateur qualifié ; il tentait aussi de se tranquilliser en haussant les épaules à la pensée que toutes choses, de nos jours, se perdent dans l'illimité ; et comme personne n'est jamais assez fort pour échapper entièrement aux faiblesses de son époque, il devinait même dans cette circonstance une occasion précieuse d'exercer la vertu de modestie propre à tous les grands hommes en situant au-dessus de lui, sans la moindre jalousie, des personnalités comme Homère ou Bouddha, qui ont vécu en des époques plus favorables. Mais au moment où ses succès littéraires atteignaient à leur comble sans qu'il se fût produit aucun changement décisif dans sa vie de dauphin, ce reste d'irrationalité, le défaut de résultats tangibles et le sentiment désagréable d'avoir manqué son but et trahi sa première ambition devinrent proprement oppressants. Il revoyait l'ensemble de son œuvre et, bien qu'il pût en être satisfait, il avait de plus en plus souvent le sentiment que toutes ces pensées, tel un mur de diamants chaque jour plus épais, ne faisaient que le séparer d'une origine dont il subissait rétrospectivement l'attrait sous forme de nostalgie.

Dans cet ordre d'idées, une aventure déplaisante, et qui l'avait profondément atteint, s'était produite récemment. Il avait consacré les loisirs qu'il s'accordait maintenant plus souvent que d'habitude, à dicter sur la machine, à son secrétaire, un essai sur l'Harmonie entre l'Architecture et la Pensée officielles. Il avait interrompu une phrase : « Nous voyons le silence des murs, lorsque nous considérons ce bâtiment... » après le mot silence, afin de pouvoir jouir un instant de l'image de la Chancellerie de Rome qui venait d'apparaître à l'improviste devant son regard intérieur ; mais lorsqu'il examina le manuscrit dicté, il remarqua que le secrétaire, habitué à le prévenir, avait déjà écrit : « Nous voyons le silence de l'âme, lorsque... » Ce jour-là, Arnheim n'en dicta pas davantage, et le lendemain, il fit biffer la phrase.

Que pouvait donc peser, en face d'expériences d'une telle étendue et aux arrière-plans si profonds, celle, un peu bien ordinaire, de l'amour lié physiquement à une femme ? Arnheim devait malheureusement s'avouer qu'il pesait exactement le même poids qu'une constatation qui résumait toute sa vie : que tous les chemins de l'esprit partent de l'âme, mais qu'aucun n'y ramène ! Certes, bien des femmes pouvaient déjà se flatter d'avoir eu avec lui des relations intimes, mais quand ce n'étaient pas des parasites, c'étaient des femmes actives, instruites, ou des artistes. Avec l'espèce des femmes entretenues ou celle des femmes qui gagnent leur vie, on pouvait en effet s'entendre sur des bases nettes et précises ; les exigences morales de sa nature l'avaient toujours conduit à des liaisons où l'instinct et les inévitables conflits qu'il entraîne avec les femmes étaient restés dans des limites raisonnables. Diotime était la première qui pénétrait plus intimement en lui, au-delà de sa vie morale, c'est pourquoi il la considérait parfois avec une sorte d'envie. Après tout, ce n'était qu'une femme de fonctionnaire, fort présentable sans doute, mais privée néanmoins de cette culture supérieure que le pouvoir est seul à conférer, et il aurait eu le droit de prétendre à la fille d'un magnat américain ou d'un des premiers nobles d'Angleterre s'il avait voulu vraiment faire une fin. Il y avait des moments où il sentait remonter en lui la vieille rivalité des chambres de jeux, l'orgueil naïvement cruel des enfants ou l'effroi de l'enfant gâté que l'on mène pour la première fois à l'école communale, de sorte que sa passion grandissante lui semblait une menaçante flétrissure. Alors, quand il se replongeait dans ses affaires avec la supériorité glacée dont ne peut faire preuve qu'un esprit mort, puis revenu à la vie, la froide raison de l'argent, que rien ne pouvait souiller, lui semblait, comparée à l'amour, une puissance merveilleusement pure.

Mais cela signifiait simplement que le temps était venu pour lui où le prisonnier ne comprend pas comment il a pu se laisser ravir sa liberté sans se défendre à mort. Quand Diotime disait : « Que sont donc les événements du monde ? *Un peu de bruit autour de notre âme !...* [1] », il sentait vaciller tout l'édifice de sa vie.

87. *Moosbrugger danse.*

Cependant, Moosbrugger était toujours en détention préventive dans une cellule du *Landgericht.* Son défenseur avait le vent en poupe et s'efforçait de retarder auprès des autorités la conclusion de l'affaire.

Moosbrugger en souriait. Il souriait d'ennui.

1. En français dans le texte.

L'ennui berçait ses pensées. D'ordinaire il les éteint ; les siennes, cette fois-là, en étaient bercées : c'était comme quand un acteur est assis dans sa loge et attend le moment d'entrer en scène.

Si Moosbrugger avait eu un grand sabre, il l'aurait empoigné pour couper la tête à la chaise. Il aurait coupé la tête à la table et à la fenêtre, à la tinette et à la porte. Puis, à toutes les choses auxquelles il aurait coupé la tête, il aurait mis la sienne à la place, car il n'y avait que sa tête dans cette cellule, et c'était beau. Il pouvait se l'imaginer telle qu'elle serait sur les choses, avec le crâne large, les cheveux retombant en toison sur le front. Alors, les choses lui plaisaient.

Si seulement la pièce avait été plus grande et la pitance meilleure !

Il était parfaitement heureux de n'avoir droit à aucune visite. Il avait peine à supporter les hommes. Ils avaient souvent une façon de cracher ou de hausser les épaules telle qu'on en devenait tout à fait désespéré et qu'on avait envie de leur donner des coups de poing dans le dos comme pour faire un trou dans le mur. Moosbrugger ne croyait pas en Dieu, mais en sa raison personnelle. Chez lui, les vérités éternelles portaient ces noms méprisés : le juge, le curé, le flic. Il devait faire seul ses affaires, et dans ces conditions on croirait parfois que tout le monde veut vous barrer la route ! Il voyait devant lui ce qu'il avait vu si souvent : les encriers, le tapis vert, les crayons, et puis le portrait de l'Empereur au mur, et comment ils étaient tous assis là ; dans sa manière de voir, cela lui faisait l'effet d'un piège qui, au lieu d'être recouvert d'herbe et de feuilles, l'eût été d'un sentiment de fatalité. Puis, d'ordinaire, il pensait à un taillis près du coude d'une rivière, au grincement d'un puits à poulie ; des fragments de contrées mises sens dessus dessous, toute une provision de souvenirs dont il ne s'était pas douté qu'ils lui avaient fait plaisir en leur temps. Il rêvait : « Je pourrais vous raconter quelque chose !... » Comme un jeune homme rêve. Et ce jeune homme, on l'avait enfermé si souvent qu'il ne pouvait plus vieillir. « La prochaine fois, il faudra que je fasse un peu plus attention, pensait Moosbrugger, sinon ils ne me comprendront toujours pas. » Puis il souriait avec sévérité et parlait de lui-même avec ses juges comme un père qui dit de son fils : c'est un vaurien, coffrez-le soigneusement, peut-être qu'il se calmera !

Bien entendu, il lui arrivait aussi de s'irriter des règlements de la prison. Ou bien quelque chose lui faisait mal. Toutefois, dans ce cas, il pouvait se faire conduire chez le médecin de la prison ou chez le directeur, de sorte que toutes choses rentraient plus ou moins dans l'ordre, comme l'eau se referme sur un rat noyé. A vrai dire, il ne se figurait pas la chose exactement ainsi ; mais l'impression d'être étalé comme une vaste étendue d'eau miroitante que rien ne peut troubler, il l'avait maintenant presque sans cesse, même s'il lui manquait les mots pour l'exprimer.

Les mots dont il disposait, c'était : hm, hm, tiens ! tiens !

La table était Moosbrugger.

La chaise était Moosbrugger.

La fenêtre grillagée et la porte verrouillée étaient lui-même.

Ce n'étaient nullement là des pensées folles ou extraordinaires. Simplement, les élastiques n'étaient plus là. Derrière chaque chose et chaque créature, quand elles voudraient se rapprocher vraiment d'une autre, il y a un élastique qui se tend. Sinon, les choses pourraient bien finir par s'embrouiller un peu trop. Et il y a dans chaque geste un élastique qui vous empêche de faire pleinement ce qu'on voudrait. Maintenant, tout à coup, il n'y avait plus d'élastique. Ou bien était-ce seulement ce sentiment d'être entravé comme par des élastiques qui n'existait plus ?

C'est une chose qu'il est difficile de distinguer nettement. « Par exemple, les femmes font tenir leurs bas avec des élastiques. C'est bien ça ! pensait Moosbrugger. Elles portent des élastiques autour de la jambe comme une amulette. Sous leurs jupes. Comme ces anneaux dont on enduit le tronc des arbres fruitiers pour que les vers n'y montent pas. »

Cela soit dit en passant. Afin qu'on n'aille pas croire que Moosbrugger éprouvait le besoin de tutoyer toutes choses. Ce n'était pas du tout son genre. Il était simplement dedans et dehors à la fois.

Maintenant, il était maître de toutes choses, et à toutes

choses parlait en maître. Il mettait toutes choses en ordre avant d'être tué. Il pouvait penser à ce qu'il voulait, c'était tout de suite docile comme un chien bien dressé à qui l'on dit : « Couché ! » Bien qu'il fût enfermé, il éprouvait un extraordinaire sentiment de puissance.

A point nommé, la soupe arrivait. A point nommé, on le réveillait et on le conduisait à la promenade. Tout, dans sa cellule, était ponctuellement strict et immuable. Parfois, cela lui semblait tout à fait incroyable. Par un curieux renversement, il avait l'impression que cet ordre dépendait de lui, tout en sachant fort bien qu'il lui était imposé.

Cette impression, d'autres gens l'ont quand ils sont couchés l'été à l'ombre d'une haie : les abeilles bourdonnent, le soleil, petit et dur, s'élève dans le ciel couleur de lait ; le monde tourne autour de ces gens-là comme un jouet mécanique. Pour Moosbrugger, le seul aspect géométrique de sa cellule y suffisait.

Il s'aperçut aussi qu'il éprouvait un désir presque insensé de bien manger ; il en rêvait et, pendant la journée, les contours d'une bonne assiettée de rôti de porc mettaient une insistance presque effrayante à lui apparaître dès que son esprit quittait ses autres occupations. « Double ration ! commandait alors Moosbrugger. Non, triple ! » Il y pensait si fortement, son avidité grossissant l'image, qu'en peu d'instants il se sentait rassasié et quasi malade : il se bourrait en pensée. Alors, dodelinant de la tête, il se mettait à réfléchir : « Pourquoi faut-il qu'à peine a-t-on eu envie de manger, déjà on pense éclater ? » Entre les deux, manger et éclater, il y a place pour toutes les jouissances du monde ; mais quel monde ! cent exemples nous prouveraient combien cet espace est étroit ! Un seul suffira : une femme qu'on n'a pas, c'est comme quand la lune, la nuit, monte de plus en plus haut et vous tire, tire le cœur ; mais quand on l'a eue, on voudrait lui piétiner le visage à coups de bottes. Pourquoi cela ? Il se rappelait qu'on le lui avait souvent demandé. Eh bien ! on pouvait répondre que les femmes sont femme et homme ; puisque les hommes leur courent après. Mais cela non plus, les gens qui le questionnaient ne voulaient jamais le comprendre. Ils voulaient savoir pourquoi il se figurait que les gens étaient ligués contre lui.

Comme si son propre corps n'avait pas conspiré avec eux ! Avec les femmes c'est bien clair. Mais même avec les hommes, son corps s'entendait mieux que lui-même ne le pouvait ; une parole entraîne l'autre, on sait ce qu'il faut faire, on tourne toute la journée les uns autour des autres, et tout à coup, on se trouve avoir passé l'étroite bande où les relations qu'on a ne sont pas dangereuses : mais si son corps lui avait attiré ces ennuis, son corps n'avait qu'à l'en délivrer maintenant ! Pour autant que Moosbrugger se souvenait, il s'était irrité, ou bien il avait eu peur, et sa poitrine avec les deux bras se ruait en avant comme un grand chien qui en a reçu l'ordre. Moosbrugger n'en savait pas davantage ; l'espace qui sépare l'amabilité de la satiété est très mince, et quand les choses tournent comme ça, il devient vite effroyablement étroit.

Il se rappelait très bien que les gens qui peuvent s'exprimer avec des mots étrangers et qui étaient toujours assis au-dessus de lui au tribunal lui avaient souvent fait ce reproche : « Mais, ce n'est tout de même pas une raison pour tuer un homme ! » Moosbrugger haussait les épaules. On a déjà vu des gens tués pour quelques sous ou même pour rien, simplement parce qu'un autre s'était mis à penser comme ça. Mais lui se respectait, lui n'était pas comme ça. Avec le temps, ce reproche lui avait fait impression ; il aurait bien voulu savoir pourquoi de temps en temps, tout lui devenait si étroit (ou comme on voudra l'expliquer), qu'il était obligé de recourir à la violence pour se faire de la place, afin que le sang pût lui redescendre de la tête. Il réfléchissait. Mais n'en allait-il pas de même avec la réflexion ? Quand une bonne période commençait pour cela, il ne savait plus que sourire de plaisir. Alors, les pensées cessaient de le démanger sous le crâne, tout à coup il n'en restait plus qu'une seule. La différence était aussi grande qu'entre le dandinement d'un petit enfant et la danse d'une belle fille. C'était comme un ensorcellement. Quelqu'un joue de l'accordéon, il y a une lampe sur la table, les papillons accourent du fond de la nuit d'été : ainsi toutes ces idées s'abattaient maintenant sur la lampe d'une seule idée, ou bien Moosbrugger les prenait dans ses gros doigts quand elles s'approchaient, les y écrasait, et pendant un instant, étrangement, on aurait dit, dans ses doigts, de petits dragons. Une goutte de sang de Moosbrugger était tombée dans le monde. On ne pouvait pas le voir, parce qu'il faisait sombre, mais il pressentait ce qui se passait dans l'invisible. Dehors, les choses embrouillées s'organisaient. Les choses plissées redevenaient unies. Une danse silencieuse relayait l'intolérable bourdonnement dont le monde le persécutait si souvent d'ordinaire. Maintenant, tout ce qui se passait était beau ; de même qu'une fille laide devient belle quand elle ne reste plus seule, mais que les autres la prenant par la main l'entraînent dans une ronde, et que son visage, en se relevant, dresse comme un escalier du haut duquel d'autres visages, déjà, regardent. C'était étrange, et quand Moosbrugger ouvrait les yeux et regardait les gens qui se trouvaient près de lui dans ces instants où toutes choses lui obéissaient en dansant, eux aussi lui paraissaient beaux. Alors, ils n'étaient plus ligués contre lui, ils ne formaient plus de mur, et il apparaissait que seul l'effort fait pour le duper déformait comme un fardeau le visage des hommes et des choses. Alors, Moosbrugger dansait devant eux. Il dansait dignement invisible, lui qui n'avait dansé de sa vie avec personne, entraîné par une musique qui se confondait de plus en plus avec le recueillement et le sommeil, le sein de la Mère de Dieu et le repos de Dieu lui-même, état merveilleusement incroyable et mortellement nébuleux ; il dansait pendant des jours entiers sans que personne le vît, jusqu'à ce que tout fût sorti, jusqu'à ce que tout fût hors de lui, trame raide et subtile suspendue aux choses comme une toile d'araignée que le gel a mise hors d'usage.

Quand on n'a pas vécu cela, comment pourrait-on juger du reste ? Après ces jours et ces semaines légères où Moosbrugger pouvait presque se glisser hors de sa peau, revenaient toujours les longues périodes d'emprisonnement. Les prisons de l'État n'étaient rien à côté. Alors, quand il voulait penser, tout se contractait dans sa tête en un vide amer. Il haïssait les foyers du travailleur et les cours du soir où on voulait lui apprendre à penser ; lui qui se rappelait encore quelles enjambées les pensées pouvaient faire dans sa tête ! Alors, il se traînait sur des semelles de plomb par le monde, dans l'espoir de trouver un lieu où les choses changeraient.

Aujourd'hui, il ne pouvait plus avoir pour cette espérance qu'un sourire condescendant. Il n'avait jamais réussi à trouver le milieu entre ses deux états, milieu où il aurait pu peut-être subsister. Il en avait assez. Il souriait magnifiquement à la mort.

D'ailleurs, il avait vu des tas de choses. La Bavière, l'Autriche, jusqu'à la Turquie. Et des tas de choses s'étaient produites, qu'il avait lues dans les journaux, pendant qu'il vivait. Dans l'ensemble, c'était une époque mouvementée. Il était secrètement fier d'avoir vécu dans un tel moment. Quand on l'examinait de près, on voyait que c'était une chose plutôt embrouillée et aride dans les détails, mais finalement il s'y était fait son chemin, on pouvait très bien voir ce chemin là-derrière, de la naissance à la mort. Moosbrugger n'avait nullement le sentiment qu'on allait l'exécuter ; c'était lui-même qui se condamnait, avec l'aide des autres gens : ainsi voyait-il ce qui l'attendait. De toute façon, tout ça finissait quand même par faire un tout : les routes, les villes, les gendarmes et les oiseaux, les morts et sa mort. Lui-même ne le comprenait pas parfaitement, et les autres moins encore, bien qu'ils fussent en état d'en parler davantage.

Il cracha et pensa au ciel, qui a l'air d'une souricière peinte en bleu. « Ils en font en Slovaquie, de ces hautes souricières rondes », pensa-t-il.

88. *De l'association avec les Grandes Choses.*

Il y a déjà longtemps que nous aurions dû faire mention d'une circonstance effleurée par nous en plus d'une occasion, et qui pourrait se traduire par cette formule : il n'est rien de plus dangereux pour l'esprit que son association avec les Grandes Choses.

Un homme se promène dans une forêt, gravit une montagne et voit le monde étendu à ses pieds ; ou il considère son enfant qu'on lui a donné à tenir pour la première fois, ou encore il savoure le bonheur d'obtenir une situation enviée. Nous demandons ce qui se passe en lui. Sans aucun doute, lui semble-t-il, beaucoup de choses, profondes et graves ; le malheur est qu'il n'a pas la présence d'esprit de les prendre pour ainsi dire au mot. Tout ce qu'il y a d'admirable devant lui, hors de lui, et qui l'enferme comme l'habitacle d'une boussole, tire ses pensées hors de lui. Ses regards s'attachent à mille détails, mais il a le sentiment secret d'avoir épuisé ses munitions. Dehors, la grande heure, l'heure profonde, imprégnée d'âme, imprégnée de soleil, recouvre le monde entier, jusqu'en ses moindres feuilles et veinules, d'une couche d'argent galvanique ; mais à l'autre extrémité, à l'extrémité personnelle du monde se fait bientôt sentir un certain manque intime de substance, on dirait qu'il s'y forme un immense O rond et vide. Ce phénomène est le symptôme classique du contact avec les Grandes Choses Éternelles et du séjour dans les hauts lieux de la Nature et de l'Humanité. Chez les personnes qui recherchent la société des Grandes Choses (au nombre desquelles il faut évidemment compter aussi les grandes âmes, pour qui nulle chose ne peut être petite), l'intériorité se voit involontairement déployée en une vaste superficialité.

C'est pourquoi l'on pourrait définir le danger de l'association avec les Grandes Choses comme l'une des lois de la conservation de la matière intellectuelle, loi qui semble avoir une valeur assez générale. Les propos des personnalités haut placées et de grande influence sont ordinairement plus creux que les nôtres. Les pensées qui sont en relation particulièrement étroite avec des sujets particulièrement respectables sont telles ordinairement que, sans ce privilège, elles passeraient pour tout à fait arriérées. Nos devoirs les plus précieux, la patrie, la paix, l'humanité, la vertu, et d'autres également précieux, portent sur leur dos la plus médiocre flore intellectuelle. Voilà donc le monde renversé ! Mais si l'on admet que le traitement d'un thème peut être d'autant plus insignifiant que le thème lui-même est plus chargé de sens, l'ordre n'est-il pas rétabli ?

Il se trouve seulement que cette loi, qui aide tant à l'intelligence de la vie intellectuelle européenne, n'est pas toujours également visible. Dans les périodes de transition d'un groupe de Grandes Choses à un autre, l'esprit qui cherche à se mettre à leur service peut même passer pour révolutionnaire alors qu'il ne fait que changer d'uniforme. On pouvait déjà constater une transition de ce genre à l'époque où les personnages dont il est ici question vivaient leurs soucis et leurs triomphes. Ainsi, par exemple, il y avait des livres (pour commencer par un sujet qui importait fort à Arnheim) qui, pour être tirés à de très nombreux exemplaires, n'en étaient pas moins encore loin d'être suffisamment respectés, bien que les temps eussent déjà commencé où l'on ne respectait plus les livres qu'à partir d'un certain tirage. On connaissait déjà ces industries influentes que sont le football et le tennis, mais on hésitait encore à leur créer des chaires dans les Écoles polytechniques. En fin de compte, que les pommes de terre aient été importées d'Amérique, supprimant ainsi les famines périodiques de l'Europe, par le regretté ferrailleur et amiral sir Francis Drake ou par le non moins regretté, fort cultivé et non moins batailleur amiral Raleigh, que ç'ait été le fait d'anonymes soldats espagnols ou même du brave filou et marchand d'esclaves Hawkins... pendant longtemps, personne n'aurait eu l'idée d'accorder à ces hommes, à cause des pommes de terre, plus d'importance que, mettons, au physicien Al Schîrasî dont on disait seulement qu'il a donné de l'arc-en-ciel une explication exacte. Avec la période bourgeoise, des modifications apparurent dans l'évaluation de ces mérites. Au temps d'Arnheim, cette évolution était déjà très avancée, et seuls de vieux préjugés l'entravaient encore. La quantité de l'effet, et l'effet de la quantité, objet nouveau et frappant du respect universel, devait encore lutter avec un respect aristocratique, démodé et d'ailleurs décroissant, de la grande qualité. Mais, dans le monde des notions, on avait déjà pu voir en découler les compromis les plus insensés : en particulier, la notion de grand esprit qui, telle que nous l'avons connue dans la dernière génération, devait être une synthèse de l'importance personnelle et de l'importance pommes-de-terre : on attendait un homme qui connût la solitude du génie et n'en fût pas moins compréhensible à tous comme le rossignol.

Il était difficile de prédire ce qu'il en adviendrait, parce qu'on ne reconnaît ordinairement le danger de l'association avec les Grandes Choses que lorsque la Grandeur de ces Choses est déjà à demi détrônée. Rien n'est plus aisé que de sourire de l'huissier qui, au nom de Sa Majesté, a traité avec condescendance les parties comparues ; mais si l'homme qui, au nom du Lendemain, traite avec respect l'Aujourd'hui, est un huissier ou non, on ne le sait d'ordinaire que le surlendemain. Le danger de l'association avec les Grandes Choses présente cette particularité désagréable que si les choses changent, le danger, lui, demeure le même.

89. *Il faut vivre avec son temps.*

Le Dr Arnheim avait reçu la visite attendue de deux responsables de sa maison et longuement conféré avec eux ; au matin, les documents et les comptes traînaient en désordre dans le salon, attendant l'intervention du secrétaire. Arnheim devait prendre des décisions, les délégués devaient rentrer par un train de l'après-midi et, aujourd'hui comme d'ordinaire, il savourait ces circonstances qui donnaient à toutes choses une certaine tension. « Dans dix ans, méditait-il, la technique aura tellement progressé que la maison aura ses avions particuliers. Alors, villégiaturant dans l'Himalaya, je dirigerai de là mes affaires. » Comme il avait déjà pris ses décisions au cours de la nuit et qu'il ne lui restait plus qu'à les examiner une fois encore au grand jour pour les ratifier, cet instant le trouvait libre ; il s'était fait monter le petit déjeuner dans sa chambre et relaxait ses esprits dans la fumée du premier cigare en songeant à la soirée chez Diotime, qu'il avait été contraint de quitter un peu rapidement la veille.

Ç'avait été cette fois une soirée fort divertissante, la plupart des invités ayant moins de trente ans, trente-cinq ans au plus, avec encore un pied dans la bohème et un autre déjà dans les journaux et la célébrité ; outre les indigènes, quantité d'invités du monde entier, attirés par la nouvelle qu'une femme de la plus haute société cacanienne était en train de frayer à l'Esprit un chemin dans le monde. On se serait cru parfois dans un café, et Arnheim souriait en pensant à Diotime qui semblait ne plus se sentir en sécurité entre ses quatre murs. Mais, dans l'ensemble, la chose avait été très passionnante ; c'était en tout cas, lui semblait-il, une expérience extraordinaire. Son amie, déçue par les stériles rencontres des « tout grands hommes », avait énergiquement résolu d'essayer d'orienter vers l'Action parallèle l'extrême pointe de l'avant-garde, et avait recouru pour ce faire aux nombreuses relations d'Arnheim. Il se contentait de hocher la tête en se remémorant les conversations qu'il avait dû subir ; il les jugeait complètement insensées, mais « il faut être indulgent envers la jeunesse, se disait-il, on devient quelqu'un de tout à fait impossible quand on se borne à la nier ». Tout cela l'avait donc « gravement diverti », si l'on peut ainsi parler, car ç'avait été un peu beaucoup à la fois.

Qu'était-ce donc que le diable devait emporter ? L'expérience vécue. Ils voulaient dire par là cette expérience personnelle dont la chaleur terrestre et la réalité avaient été exaltées quinze ans auparavant par l'impressionnisme comme une plante miraculeuse. Ils disaient maintenant que l'impressionnisme était efféminé et frivole. Ils voulaient la maîtrise de la sensualité, la synthèse intellectuelle !

La synthèse, c'était sans doute, en gros, le contraire du scepticisme, de la psychologie, des recherches analytiques et des goûts littéraires de leurs pères ?

Pour autant qu'on les pouvait comprendre, ils ne parlaient pas en philosophes ; ce qu'ils entendaient par synthèse, c'était plutôt le besoin qu'éprouve un corps jeune de se mouvoir librement, de sauter et de danser, sans qu'aucune critique vienne le troubler. Quand ça leur convenait, ils n'hésitaient pas à envoyer aussi la synthèse au diable, avec l'analyse et toutes les formes de la réflexion. Alors, ils affirmaient que l'esprit devait être exalté par la sève de l'expérience vécue. D'ordinaire, bien entendu, c'étaient les membres d'un autre groupe qui prétendaient cela ; mais parfois, c'étaient les mêmes, emportés par leur ardeur.

Quel merveilleux jargon ils avaient ! Ils prônaient le tempérament intellectuel ; un style de pensée rapide, qui saute à la gorge du monde ; le cerveau affiné de l'homme cosmique... Qu'avait-il encore dû entendre ?

La reconstruction de l'homme sur les bases d'un programme mondial à l'américaine, par l'intermédiaire de l'énergie mécanique.

Le lyrisme associé au plus intense « dramatisme » vital.

Le « technicisme », esprit digne de l'ère des machines.

Blériot, s'était écrié quelqu'un, volait au moment même au-dessus de la Manche à la vitesse de cinquante kilomètres-heure ! Il fallait écrire ce poème des Cinquante kilomètres-heure et jeter au fumier tout le reste, cette littérature vermoulue !

Ils prônaient « l'accélérisme », c'est-à-dire l'intensification maximum de la vitesse de l'expérience vécue fondée sur la bio-mécanique du sport et la précision du trapéziste !

La régénération photogénique par le cinéma.

Alors quelqu'un avait dit que, l'homme étant un mystérieux espace intérieur, il fallait le rattacher au cosmos par le cône, la sphère, le cylindre et le cube. Mais le contraire, à savoir que la conception individualiste de l'art sur laquelle se fondait cette opinion était en passe de disparaître, fut proclamé à son tour : il fallait donner à l'homme à venir, par une architecture et des résidences communautaires, un nouveau sens de l'habitation. Pendant que s'étaient formés de la sorte un parti individualiste et un parti social, un troisième parti objecta que seuls les artistes religieux étaient véritablement sociaux. Là-dessus, un groupe d'architectes nouveaux réclama le premier rôle, parce que le but de l'architecture était précisément la religion ; avec pour effet secondaire le sens patriotique et national. Le groupe religieux, renforcé par le groupe cubiste, objecta que l'art n'était pas une activité accessoire, mais essentielle, l'obéissance à des lois cosmiques. Dans la suite cependant, le groupe religieux fut de nouveau lâché par le groupe cubiste qui s'associa avec les architectes pour affirmer que le meilleur moyen de rattacher l'homme au cosmos était encore les formes spatiales qui donnent à l'individu valeur typologique. Il fallait (ce fut une phrase qu'on entendit alors) pénétrer par le regard dans l'âme de l'homme, puis l'hypnotiser dans les trois dimensions. Ensuite, quelqu'un qui cherchait la contradiction et ne manqua pas son effet, demanda : D'une œuvre d'art ou de dix mille hommes affamés, que jugeait-on le plus important ? En fait, comme ils étaient presque tous, d'une manière ou d'une autre, des artistes, ils défendirent l'opinion que la guérison spirituelle de l'humanité ne pouvait être recherchée en dehors de l'art ; mais ils n'avaient pu se mettre d'accord sur la nature de cette guérison et les revendications que l'on pouvait présenter à cette fin à l'Action parallèle. Cependant, le groupe social primitif reprit le dessus et gagna quelques voix nouvelles. A la question de savoir ce qui était le plus important d'une œuvre d'art ou de la misère de dix mille hommes, succéda celle de savoir si dix mille œuvres d'art compensaient la misère d'un seul être humain. Des artistes qui ne semblaient pas manquer de santé exigèrent que l'artiste cessât de se donner trop d'importance ; qu'il renonçât à sa propre apothéose, qu'il souffrît de la faim, qu'il devînt un être social, tel était leur programme ! Quelqu'un dit que la vie était la plus grande, la seule véritable œuvre d'art. Une voix autoritaire objecta que ce n'était pas l'art, mais la faim qui unissait les hommes ! Une voix de compromis rappela que le meilleur moyen d'éviter qu'un artiste ne se surestimât était de donner à son art une solide base artisanale. Sur cette intervention conciliante, quelqu'un profita de la pause due à l'épuisement ou au dégoût mutuel pour demander calmement si l'on croyait vraiment pouvoir faire quoi que ce fût avant que fût rétabli le contact entre l'homme et l'espace. Ce fut le signal qu'attendaient sans doute le « technicisme », « l'accélérisme » et les autres « ismes » pour demander à nouveau la parole, et les débats se poursuivirent encore longtemps en zigzag. On finit cependant par tomber d'accord, parce qu'on voulait rentrer chez soi et aboutir quand même à un résultat. On s'accorda donc sur une affirmation qui se présentait à peu près de la sorte : que les temps actuels étaient une période d'attente, d'impatience, de révolte et de malheur ; mais que le Messie qu'ils espéraient et attendaient n'était pas encore en vue.

Arnheim réfléchit un instant.

Il y avait eu sans cesse autour de lui un cercle d'invités. Quand des gens qui n'entendaient pas bien ou n'arrivaient pas à se faire valoir, le quittaient, d'autres les remplaçaient immédiatement ; sans équivoque possible, il avait aussi été le centre de cette soirée, même si cela n'était pas toujours ressorti clairement d'un débat un peu relâché. Il faut dire qu'il était depuis longtemps au courant de ce qui les préoccupait. Il connaissait les problèmes du cube ; il avait fait bâtir des cités-jardins pour ses employés ; les machines, avec leur raison et leur rythme propres, lui étaient familières ; il n'était pas embarrassé pour parler de l'introspection, et il avait fait des placements dans l'industrie cinématographique. En repensant aux thèmes de ces discussions, il se souvint aussi qu'ils avaient été fort loin de se développer avec autant d'ordre que sa mémoire leur en avait prêté. Ces conversations ont leur démarche particulière : c'est comme si l'on enfermait les parties adverses les yeux bandés dans un polyèdre et qu'on leur ordonnât de s'avancer droit devant elles, un bâton à la main : spectacle désordonné, fatigant et dépourvu de logique. Mais n'est-ce pas l'image même de la démarche des choses en général ? Celle-ci non plus ne dépend pas des interdictions et des principes de la logique, auxquels ne répond tout au plus que l'efficacité des polices, mais bien des élans désordonnés de l'esprit. Telles étaient les questions que se posait Arnheim en pensant à l'attention dont il avait été l'objet. On pourrait dire aussi, jugea-t-il, que ce nouveau mode de pensée ressemble aux libres associations d'idées qui se produisent quand le contrôle de la raison se relâche, et dont on ne peut nier l'attrait.

Exceptionnellement, bien qu'il ne se permît pas d'ordinaire ces faiblesses des sens, il alluma un deuxième cigare. Tandis qu'il tenait encore l'allumette entre ses doigts et que les muscles de sa face procédaient aux premiers mouvements de succion, tout à coup, en pensant au petit général qui l'avait abordé au cours de la soirée, il ne put s'empêcher de sourire. Comme les Arnheim possédaient une fabrique de canons et de plaques de blindage et pouvaient même s'organiser, si les choses tournaient mal, pour produire des munitions en quantités considérables, il avait parfaitement compris ce quelque peu comique, mais sympathique général (il ne parlait pas du tout comme les généraux prussiens ;

plus mollement, bien sûr, mais aussi, on pouvait le dire, comme auréolé par une culture très ancienne, encore que, ne l'oublions pas ! décadente), lorsqu'il lui avait familièrement exprimé (avec un soupir quasi philosophique) son opinion sur les conversations qui s'élevaient autour d'eux ce soir-là et dont le caractère, du moins en partie, était, il faut le concéder, radicalement pacifiste.

Le général, étant le seul officier de l'assemblée, ne se sentait évidemment pas tout à fait à sa place et se plaignait de la versatilité de l'opinion publique, parce qu'on avait applaudi à quelques déclarations sur le caractère sacré de la vie humaine. « Je ne comprends pas ces gens », c'était avec ces mots qu'il s'était tourné vers Arnheim : esprit universellement connu, celui-ci devait pouvoir lui donner une explication. « Je ne comprends pas comment ces esprits nouveaux osent parler avec une telle ignorance de *généraux sanguinaires*. J'ai le sentiment de comprendre fort bien leurs aînés qui viennent ici d'habitude, quoiqu'ils ne soient pas non plus militaires le moins du monde. Par exemple quand ce célèbre poète (je ne sais comment il s'appelle, ce grand monsieur déjà d'un certain âge, avec du ventre, dont on dit qu'il a écrit des vers sur les dieux grecs, les étoiles et les grands sentiments éternels ; notre hôtesse m'a dit que c'était réellement un poète, dans cette époque où l'on ne voit guère tout au plus, que des intellectuels)... eh bien ! comme je vous le disais, je n'ai rien lu de lui, mais je le comprendrais certainement, si son importance vient réellement du fait qu'il ne perd pas son temps dans les petites choses : n'est-ce pas en effet ce que nous appelons, nous autres militaires, un stratège ? Un sergent-major, si vous me permettez cet exemple subordonné, doit naturellement se soucier du bien-être de chacun des hommes de sa compagnie ; pour un stratège, en revanche, la plus petite unité de calcul est le millier d'hommes, et il doit pouvoir aussi bien sacrifier dix unités de cet ordre, si des considérations supérieures l'exigent. Je trouve parfaitement illogique de parler dans un cas de *généraux sanguinaires* et dans l'autre de *sens de l'éternité*, et je vous prie de m'éclairer, si la chose est possible ! »

La situation particulière d'Arnheim dans cette ville et ces

milieux avait éveillé en lui un certain goût de la raillerie qu'il tenait d'ordinaire soigneusement caché. Il savait à qui pensait le petit monsieur, bien qu'il ne le montrât pas ; de toute façon, l'important n'était pas là, lui-même aurait pu lui citer bien d'autres variétés de cette vaste espèce. Ils avaient fait ce soir-là mauvaise figure, on ne pouvait le nier.

Arnheim, poursuivant un instant des réflexions désagréables, retint la fumée du cigare entre ses lèvres ouvertes. Lui-même n'avait pas eu un rôle tout à fait facile dans ce cercle. Malgré tout son prestige, il avait surpris quelques remarques agressives qui semblaient dirigées contre lui, et ce qu'on critiquait n'était souvent rien de moins que ce qu'il avait aimé dans sa jeunesse, exactement comme ces jeunes gens aimaient maintenant les idées de leur génération. Il éprouvait un sentiment très étrange, presque inquiétant même, à être respecté par des jeunes gens qui, dans le même instant, reniaient impitoyablement un passé auquel il avait lui-même secrètement collaboré. Arnheim sentait alors en lui de l'élasticité, un sens de l'adaptation, un esprit d'entreprise et même jusqu'à l'audacieuse brutalité d'une mauvaise conscience bien dissimulée. En un éclair, il considéra ce qui le séparait de cette nouvelle génération. Ces jeunes gens se contredisaient sur tous les points, et ne se retrouvaient vraiment que pour s'attaquer à l'objectivité, à la responsabilité intellectuelle et à l'harmonie de la personnalité.

Une circonstance particulière permit à Arnheim d'en retirer un plaisir presque sadique. De toute façon, la surestimation de certains de ses contemporains, chez qui l'élément personnel était particulièrement évident, lui avait toujours déplu. Bien entendu, un adversaire aussi distingué que lui ne citait aucun nom, fût-ce en pensée, mais il savait fort bien à qui il en avait. « Un sobre et modeste jeune homme, convoitant les voluptés de la gloire », pour reprendre les termes de Heine qu'Arnheim aimait en cachette et citait en cet instant à part soi. « Il faut louer ses efforts et son zèle poétique… l'amère peine, l'indicible obstination, les forcenés efforts avec lesquels il élabore ses vers… » « Les Muses ne lui sont pas favorables, mais il possède le génie de la langue », « L'effort angoissant qu'il doit s'imposer est qualifié par lui d'exploit verbal »… Arnheim avait une excellente mémoire et pouvait citer par cœur des pages entières. Il lâcha la bride à ses pensées. Il fut émerveillé que Heine, en combattant un de ses contemporains, eût anticipé sur des phénomènes qui ne devaient atteindre leur vrai rayonnement que plus tard, et il se sentit encouragé à travailler lui-même lorsqu'il se tourna ensuite vers le second représentant du grand idéalisme allemand, le poète du général. Après la race maigre, c'était la race grasse. Son idéalisme solennel correspondait à ces grands et profonds instruments à vent des orchestres qui ressemblent à des chaudières de locomotive dressées et qui produisent de rébarbatifs grognements et grondements. D'une seule note, ils recouvrent mille possibilités. Ils éternuent de gros paquets de sentiments éternels. Celui qui est capable de souffler ainsi en vers (pensait Arnheim non sans quelque amertume) passe aujourd'hui, chez nous, pour un poète par opposition au « littérateur ». Pourquoi donc ne passerait-il pas tout de suite pour un général ? Ces gens-là n'entretiennent-ils pas les meilleures relations avec la mort, ne leur faut-il pas continuellement quelques milliers de défunts pour jouir dignement de l'éphémère existence ?

Quelqu'un avait affirmé, alors, que même le chien du général, hurlant à la lune par une nuit parfumée de roses, eût répondu, si on l'interpellait : Que voulez-vous que j'y fasse, c'est tout de même la lune, et ce sont là les sentiments éternels de ma race ! Tout juste ce qu'eût dit un de ces messieurs que ce genre d'activité avait rendu célèbres ! Il pouvait même carrément ajouter que son sentiment avait sans aucun doute la force du vécu, que son expression était richement modulée et cependant assez simple pour être comprise du public et qu'enfin, en ce qui concernait ses pensées, si ses sentiments prenaient alors le pas sur elles, cela répondait parfaitement aux exigences en cours et n'avait jamais passé pour un obstacle dans le domaine littéraire.

Arnheim, désagréablement surpris, retint une deuxième fois la fumée de son cigare entre ses lèvres qui restèrent un moment ouvertes, comme les frontières entrebâillées de la personne et du monde extérieur. Comme cela se fait, il avait en toute occasion loué, et en quelques occasions soutenu financièrement l'un ou l'autre de ces très purs poètes ; au fond, il s'en apercevait maintenant, il ne pouvait pas les sentir, eux et leurs vers soufflés. « Ces seigneurs héraldiques, incapables de subsister par eux-mêmes, songeait-il, leur place n'est-elle pas finalement au fond de quelque réserve nationale, avec les derniers aigles et les derniers bisons ? » Ainsi donc, puisqu'il était inactuel de les soutenir, la soirée précédente l'avait prouvé, la méditation d'Arnheim ne s'acheva pas sans quelque profit pour lui.

90. *L'idéocratie détrônée.*

Ce n'est probablement pas sans raison que dans les époques dont l'esprit ressemble à un champ de foire, le rôle d'antithèse soit dévolu à des poètes qui n'ont rien à voir avec leur époque. Ils ne se salissent pas avec les pensées de leur temps, produisent une sorte de poésie pure et parlent à leurs fidèles dans le dialecte mort de la grandeur, comme s'ils n'avaient quitté l'éternité que pour un bref séjour sur terre, ainsi qu'on voit un homme, parti trois ans auparavant pour l'Amérique, écorcher déjà sa langue maternelle lorsqu'il revient faire un séjour au pays. C'est un peu comme si l'on posait au-dessus d'un trou vide, par compensation, une coupole vide ; comme la viduité sublime n'est que l'agrandissement de la viduité ordinaire, il est en fin de compte bien naturel qu'à une époque où l'on vénère les personnalités succède une époque où l'on tourne carrément le dos à tout ce qui sent la grandeur et la responsabilité.

Dans un esprit d'expérimentation prudente, et avec le sentiment confortable qu'il était, quant à lui, assuré contre tous risques, Arnheim essayait de s'adapter à une évolution qu'il devinait imminente. Et certes, ce n'était pas une petite affaire ! Ce faisant, il songeait à tout ce qu'il avait vu les années précédentes en Europe et en Amérique ; à cette passion nouvelle pour la danse, qu'il s'agît de « danser Beethoven en profondeur » ou d'exprimer le sensualisme nouveau par le rythme ; à la peinture, où le maximum de relations intellectuelles devait être exprimé par le minimum de lignes et de couleurs ; au film, où un geste dont tout le monde connaissait la signification pouvait, par la seule grâce d'un détail nouveau de présentation, ravir tout le monde en extase ; enfin, simplement, à l'homme de la rue qui, converti par le sport, croyait pouvoir s'emparer de la grande mère Nature en gigotant comme un enfant. Ce qui frappait dans tous ces phénomènes, c'était une certaine tendance à l'allégorie, si l'on entend par là une relation intellectuelle où toutes les choses prennent plus de significations qu'il ne leur en revient honnêtement. En effet, de même qu'un heaume et deux épées en croix rappelaient à la société de l'époque baroque l'empire et les histoires de tous les dieux, et que ce n'était pas le prince Jean qui épousait la princesse Jeanne, mais le dieu de la guerre la déesse de la pudeur, de même aujourd'hui Jean et Jeanne, quand ils se chiffonnent, vivent le « rythme de l'époque » ou toute autre image tirée de la collection de ces nouvelles images types qui ne représentent plus, il est vrai, quelque Olympe flottant au-dessus d'allées d'ifs, mais le tohu-bohu moderne en personne. Au cinéma, au théâtre, au dancing et au concert, en auto et en avion, dans l'eau et au soleil, dans les ateliers des tailleurs et les bureaux des entreprises commerciales se forme sans relâche une surface infiniment vaste faite d'impressions et d'expressions, de gestes, d'attitudes et d'expérience vécue. Ce processus, dont l'aspect extérieur est façonné jusque dans les plus petits détails, ressemble à un corps tournoyant à grande vitesse, où tout se presse vers la surface et s'y organise, tandis que l'intérieur reste informe, tumultueux et bouillonnant. Et si le regard d'Arnheim avait pu anticiper sur quelques années, il aurait déjà pu constater que mille neuf cent vingt années de morale chrétienne, une guerre catastrophique avec des millions de morts et toute une forêt de poésies allemandes dont les feuilles avaient murmuré la pudeur de la femme, n'avaient pas pu retarder, ne fût-ce que d'une heure, le jour où les robes et les cheveux des femmes commencèrent à raccourcir et où les jeunes filles européennes, laissant tomber des interdits millénaires, apparurent un instant nues comme des bananes pelées. Il aurait vu encore bien d'autres changements qu'il eût à peine cru possibles. L'important n'est pas de savoir ce qu'il en restera ou non, pour peu que l'on se figure les efforts considérables et probablement vains qu'il eût fallu pour provoquer de pareilles révolutions dans les circonstances de la vie par la voie consciente du développement intellectuel, celle qui passe par les philosophes, les peintres et les poètes, au lieu de suivre le chemin des tailleurs, de la mode et du hasard ; on peut mesurer à cela l'immense pouvoir créateur de la surface, comparé à l'entêtement stérile du cerveau.

Ainsi l'idéocratie est détrônée, le cerveau déconsidéré, l'esprit rejeté à la périphérie ; c'était, selon Arnheim, le problème dernier. Sans doute la vie a-t-elle toujours suivi ce chemin, et perpétuellement reconstruit l'homme de l'extérieur vers l'intérieur ; mais avec cette différence, jadis, que l'on se sentait obligé de produire aussi dans l'autre sens, c'est-à-dire de l'intérieur vers l'extérieur. Le chien du général lui-même, auquel Arnheim adressait maintenant une pensée amicale, n'eût jamais été en mesure de comprendre une autre évolution, car l'homme stable et docile du siècle passé a formé ce fidèle compagnon à son image ; mais son cousin, le sauvage syrrhapte, qui passe des heures à danser, comprendrait tout. Quand il hérisse ses plumes et gratte la terre de ses griffes, il naît probablement davantage d'âme que lorsqu'un savant assis à son bureau joint une pensée à la suivante. En fin de compte, toutes les pensées proviennent des articulations, des muscles, des glandes, des yeux, des oreilles et des confuses impressions d'ensemble que le sac de chair dont elles font partie éprouve à son propre sujet. Les siècles passés ont peut-être commis une grande erreur en donnant trop de valeur à l'intelligence et à la raison, aux convictions, aux caractères et aux concepts ; c'est comme si on voyait dans le greffe et les archives l'essentiel d'un ministère, sous prétexte qu'ils ont leurs bureaux dans le bâtiment principal, alors qu'ils ne sont que des offices secondaires, recevant toutes leurs instructions de l'extérieur.

Et soudain, enfiévré peut-être par les légers symptômes de dissolution que l'amour suscitait en lui, Arnheim découvrit dans quels parages il fallait chercher la pensée rédemptrice qui débrouillerait ces complications. Elle était liée, comme par un courant de sympathie, à l'idée de la « circulation accrue ». On ne pouvait dénier à cette époque nouvelle une circulation accrue de pensées et d'expériences : d'ailleurs, la seule économie de temps due à l'abandon de toute élaboration de ces pensées devait fatalement l'entraîner. Arnheim imaginait le cerveau de l'époque remplacé par le système de l'offre et de la demande, le penseur laborieux par le commerçant souverain ; il savourait involontairement le spectacle saisissant d'une énorme production d'expériences vécues, s'associant et se dissociant en toute liberté, d'une sorte de pouding nerveux dont chaque partie tremblait à la moindre secousse d'un tam-tam géant qu'il suffisait d'effleurer pour en tirer d'infinies résonances. Si ces images s'accordaient assez mal, cela provenait de l'état de rêverie dans lequel elles jetaient Arnheim ; il lui semblait qu'on pouvait aussi comparer ce genre de vie à un rêve où l'on se trouve à la fois assister de l'extérieur à toutes sortes d'événements extraordinaires, et demeurer silencieux en plein centre, avec un moi raréfié dans le vide duquel tous les sentiments brillent en bleu comme dans des tubes incandescents. La vie pense, pour ainsi dire, « autour » de l'homme et, rien qu'en dansant, lui crée des associations qu'il doit péniblement glaner, sans obtenir ce merveilleux effet de kaléidoscope, lorsqu'il recourt à la raison. Ainsi donc, tout en vibrant jusqu'aux vingt extrémités de ses doigts et orteils, Arnheim méditait en homme d'affaires sur la libre circulation intellectuelle et physique des temps à venir. Il ne lui semblait pas exclu qu'un monde collectif, pan-logique, fût sur le point de naître et que, renonçant à un individualisme démodé, on se trouvât, grâce à la supériorité et à l'ingéniosité de la race blanche, sur le chemin d'une réforme du Paradis qui imposerait aux campagnes arriérées de l'Éden un programme vraiment moderne et révolutionnaire.

Il n'y avait qu'un ennui. Sans doute dispose-t-on, à l'état de veille comme en rêve, de la facuté d'imprégner une série d'événements d'une émotion inexplicable et bouleversante : mais c'est seulement quand on a quinze ou seize ans et qu'on va encore à l'école. A cet âge-là, il y a aussi en l'homme, chacun le sait, de grands bouillonnements, des tumultes stimulants, d'informes expériences ; les émotions sont vives, mais encore confuses ; l'amour et la colère, le bonheur et le mépris, toutes les abstractions morales en un mot, sont des événements vibrants qui tantôt s'éploient jusqu'aux confins du monde, tantôt se ratatinent et se réduisent à rien ; la tristesse, la tendresse, la grandeur, la magnanimité sont les hautes voûtes d'un ciel vide. Que se passe-t-il alors ? Du dehors, du monde articulé surgit une forme toute faite (un mot, un vers, un rire satanique ; ou encore Napoléon, César, le Christ ; ou peut-être simplement les pleurs versés sur la tombe des parents) : alors, dans une rencontre foudroyante, « l'œuvre » naît. Cette œuvre d'élève de première est trait pour trait, on l'oublie trop souvent, l'expression du sentiment éprouvé, la coïncidence parfaite de l'intention et de la réalisation, la parfaite insertion des expériences d'un jeune homme dans la vie du grand Napoléon. Pourtant, cette association du grand au petit semble n'être pas réversible. On en fait l'expérience dans le rêve comme dans la jeunesse, quand on a prononcé en dormant un grand discours et qu'on réussit par malheur à en saisir les derniers mots au réveil : ceux-ci sont fort loin de se révéler aussi extraordinaires qu'ils étaient d'abord apparus. Alors, on n'est plus le syrrhapte dansant qui scintille, délivré de toute pesanteur ; on n'a guère fait que hurler pathétiquement à la lune, comme le chien qui eut déjà plusieurs fois ici les honneurs de la citation, le fox-terrier du général.

Ainsi donc, il y avait quand même là quelque chose qui clochait, réfléchit Arnheim en reprenant courage. Il est vrai qu'il faut vivre pleinement avec son temps, ajouta-t-il en homme vigilant : rien ne lui était plus naturel en effet que d'appliquer ce vieux principe industriel à la fabrication de la vie.

91. *Spéculations à la baisse et à la hausse sur le marché de l'esprit.*

Les soirées chez les Tuzzi suivaient maintenant leur cours rapide et régulier.

Lors d'une réunion du « concile », le sous-secrétaire Tuzzi interpella son « cousin » : « Savez-vous que tout cela s'est déjà vu une fois ? »

Du regard, il lui désignait la substance humaine qui bouillonnait dans un appartement qu'il ne reconnaissait pas. « Dans les commencements du christianisme, dans les siècles qui précédèrent et suivirent immédiatement la naissance du Christ. Dans ce chaudron judéo-levantino-gréco-chrétien, d'innombrables sectes s'étaient formées. » Et il énuméra : « Les Adamites, les Caïnites, les Ébionites, les Collyridiens, les Archontiques, les Eucratites, les Ophites… » Avec une curieuse lenteur hâtive, comme quand quelqu'un veut dissimuler en la modérant l'extrême dextérité de ses gestes, il cita une longue liste d'associations religieuses préchrétiennes, ou remontant aux premiers siècles de notre ère ; on avait impression qu'il voulait prudemment laisser entendre au cousin de sa femme qu'il était mieux renseigné sur ce qui se passait chez lui qu'il n'avait accoutumé, pour de bonnes raisons, de le montrer.

Puis, sous prétexte de commenter les noms qu'il avait cités, il poursuivit en racontant qu'une de ces sectes prenait position contre le mariage, parce qu'elle prônait la chasteté, tandis que l'autre prônait la chasteté, mais souhaitait atteindre ce but, assez comiquement, par des débauches rituelles. Les membres de l'une se châtraient, parce qu'ils tenaient la chair de la femme pour une invention du diable, et chez d'autres l'homme et la femme se retrouvaient entièrement nus dans les assemblées religieuses. Des théologiens spéculateurs qui aboutissaient à la conclusion que le serpent séducteur d'Ève était une personne divine, pratiquaient la sodomie ; d'autres ne toléraient pas les vierges, parce qu'il leur paraissait scientifiquement établi que la Mère de Dieu avait eu d'autres enfants que Jésus, de sorte que la virginité n'était qu'une erreur dangereuse. De toute manière, les uns faisaient une chose et les autres le contraire, mais les uns et les autres à peu près pour les mêmes raisons et convictions. Tuzzi racontait cela avec le sérieux qui convient aux faits historiques, même lorsqu'ils sont bizarres, et avec une légère nuance de grivoiserie. Ils étaient debout contre la paroi. Avec un petit sourire ennuyé, le sous-secrétaire jeta le mégot de sa cigarette dans un cendrier, continua à regarder distraitement la cohue et conclut, comme s'il n'avait voulu en dire que juste ce qu'il fallait pour la durée d'une cigarette : « Je trouve que les divergences d'opinion et la subjectivité des conceptions qui régnaient alors ne rappellent pas peu les controverses de nos littérateurs. Autant en emporte le vent. S'il ne s'était pas créé au bon moment, grâce à certaines circonstances historiques, une bureaucratie ecclésiastique et politiquement efficace, c'est à peine s'il nous resterait aujourd'hui quelques traces du christianisme… »

Ulrich approuva. « Les fonctionnaires de la foi régulièrement payés par la communauté ne permettent pas qu'on badine avec les règlements. Somme toute, je suis d'avis que nous sommes injustes envers nos qualités ordinaires ; si elles inspiraient moins de confiance, aucune histoire ne pourrait naître : les efforts de l'esprit demeureront éternellement litigieux et futiles. »

Le sous-secrétaire leva des yeux méfiants et aussitôt les détourna. Des affirmations de ce genre étaient un peu libres pour lui. Il affichait pourtant, envers ce cousin de sa femme, et bien qu'il ne le connût que depuis peu, une attitude amicale et familière. Il allait et venait en donnant l'impression de vivre, au milieu des événements de sa maison, dans un autre monde, un monde fermé dont il dissimulait soigneusement à chacun la signification supérieure. Parfois, il semblait ne pas pouvoir résister plus longtemps au besoin de se confier à quelqu'un pour un instant, ne fût-ce que vaguement ; c'était toujours avec son cousin qu'il liait alors conversation. C'était là une très humaine conséquence du manque d'approbation dont il souffrait dans ses relations avec sa femme, en dépit de quelques accès de tendresse. Alors, Diotime l'embrassait à la manière d'une toute jeune fille ; d'une fillette de quatorze ans peut-être, quand elle couvre de baisers, par Dieu sait quelle affectation, un garçon encore plus jeune qu'elle. Involontairement, sous la moustache frisée, la lèvre supérieure de Tuzzi se retroussait pudiquement. Leurs nouvelles conditions de vie les mettaient, sa femme et lui, dans des situations impossibles. Il n'avait nullement oublié les plaintes de Diotime sur ses ronflements. Entre-temps, il avait lu les écrits d'Arnheim ; il était prêt à en parler ; il y avait là une ou deux choses qu'il pouvait approuver, beaucoup de choses qu'il jugeait inexactes et quelques-unes qu'il ne comprenait pas, avec cette sérénité qui présuppose que c'est la faute de l'auteur. Mais il avait toujours été habitué à trancher de tels problèmes en homme d'expérience que l'on écoute et approuve. Maintenant, l'idée que Diotime le contredirait à tout coup, la nécessité, par conséquent, de s'engager avec elle dans une discussion peu virile, lui semblait une modification si injuste de sa vie privée qu'il ne pouvait se résoudre à une explication et eût même préféré, dans ses désirs à demi inconscients, un duel au pistolet avec Arnheim.

Soudain, Tuzzi ferma ses beaux yeux bruns dans un sentiment d'agacement, et se dit qu'il devait surveiller de plus près ses humeurs. Son cousin à côté de lui (qui n'était nullement, à son avis, un homme avec qui l'on pût vraiment se lier !) lui rappelait sa femme par la seule pensée, bien vaguement fondée il est vrai, de leur parenté. De plus, il avait depuis longtemps observé qu'Arnheim semblait choyer, non sans prudence, cet homme plus jeune que lui, alors que ce dernier ne cachait pas une antipathie marquée à son égard : c'était là, il est vrai, deux observations assez maigres ; elles suffisaient pourtant à donner à Tuzzi le souci d'une inclination inexplicable. Il rouvrit ses yeux bruns et resta un moment à regarder fixement la salle comme un hibou, sans chercher à rien voir.

D'ailleurs, le cousin de sa femme avait comme lui le regard perdu dans le vague, avec cet air d'ennui qu'autorise une certaine familiarité, et n'avait même pas remarqué l'interruption de leur dialogue. Tuzzi eut le sentiment qu'il fallait dire quelque chose ; il se sentait peu sûr, comme si le silence pouvait trahir chez un homme quelque trouble de l'imagination. « Vous aimez à penser du mal de tout », remarqua-t-il en souriant, comme si la phrase d'Ulrich sur les fonctionnaires de la foi avait dû attendre jusque-là d'être introduite dans son oreille, « et ma femme n'a sans doute pas tort de redouter un peu, en dépit de ses sentiments familiaux, votre collaboration. Si je puis ainsi parler, quand vous pensez à votre prochain, vous tendez plutôt à jouer à la baisse.

– C'est une excellente formule, repartit Ulrich ravi, bien que je craigne de ne pas la mériter ! C'est l'histoire universelle qui a toujours joué à la baisse ou à la hausse sur le marché de l'homme ; à la baisse par la ruse et la violence, et à la hausse un peu comme Madame votre femme le tente ici, par la foi dans le pouvoir des idées. Le Dr Arnheim lui aussi, pour autant qu'on peut se fier à ce qu'il dit, est un haussier. Vous-même, en revanche, qui êtes baissier par profession, devez éprouver dans ce chœur angélique des sensations que j'aimerais bien connaître. »

Il observa le sous-secrétaire avec sympathie. Tuzzi tira de sa poche un étui à cigarettes et haussa les épaules. « Pourquoi croyez-vous que je doive nourrir là-dessus d'autres opinions que ma femme ? » répondit-il. Il voulait atténuer le tour personnel que prenait la conversation, mais sa réponse ne fit que l'aggraver. L'autre heureusement ne le remarqua pas et poursuivit : « Nous sommes une matière qui épouse toujours la forme du premier monde venu.

– Cela me dépasse », répliqua Tuzzi évasivement.

Ulrich en fut ravi. Il avait trouvé son antithèse. Il savourait intensément le plaisir de parler avec un homme qui ne répondait pas aux incitations intellectuelles, qui ne pouvait ou ne voulait se défendre autrement qu'en se retranchant aussitôt derrière toute sa personne. Son antipathie première pour Tuzzi, sous la pression de l'aversion bien plus grande qu'il éprouvait à l'égard de l'agitation dont sa demeure était le théâtre, s'était depuis longtemps changée en sympathie. Ce qu'il ne comprenait pas, c'était pourquoi Tuzzi la tolérait ; il faisait à ce sujet mille suppositions diverses. Ce n'est que très lentement, et de l'extérieur, un peu comme on observe un animal, qu'il arrivait à le connaître, sans qu'il y fût aidé par cette lumière que jette la parole sur le secret d'un homme, lorsqu'il parle par nécessité profonde. La première chose qui lui avait plu, c'était l'aspect comme torréfié de cet homme d'une taille tout juste moyenne, et cet œil sombre, intense, trahissant l'incertitude intérieure, qui n'était pas le moins du monde un œil de fonctionnaire, mais ne correspondait pas davantage à la personne présente de Tuzzi telle qu'elle apparaissait dans la conversation ; à moins que l'on n'admît que c'était là, chose assez fréquente, l'œil d'un jeune garçon s'ouvrant dans un visage d'homme entièrement différent, comme une fenêtre qui donne sur une partie inutilisée, condamnée et depuis longtemps oubliée, de l'être intime. La seconde chose qui avait frappé le cousin était l'odeur corporelle de Tuzzi ; il y avait sur lui une odeur comme chinoise, une odeur de caissettes de bois bien sec ou celle des apports mêlés du soleil, de la mer, de l'exotisme, de la constipation et des souvenirs discrets du coiffeur. Cette odeur rendait Ulrich pensif. Il n'avait parmi ses connaissances que deux personnes qui eussent une odeur personnelle, c'était Tuzzi et Moosbrugger ; quand il se rappelait l'arôme à la fois aigu et subtil de Tuzzi et pensait en même temps à Diotime, sur la vaste surface de qui flottait un mince parfum de poudre qui semblait ne rien recouvrir, il était amené à se représenter des formes contradictoires de la passion auxquelles la vie commune réelle, et quelque peu comique de deux êtres, paraissait ne correspondre en rien. Ulrich dut rameuter ses pensées jusqu'à ce qu'elles eussent repris à l'égard de leur objet cette distance que l'on juge permise, avant de pouvoir répondre à l'échappatoire de Tuzzi.

« Il est présomptueux de ma part », reprit-il sur ce ton légèrement ennuyé, mais résolu, qui doit exprimer en société le regret où l'on est de se voir obligé d'ennuyer aussi son interlocuteur, parce que la situation dans laquelle on se trouve alors ne permet pas de faire mieux, « il est sûrement présomptueux d'essayer de définir devant vous ce qu'est la diplomatie ; mais j'espère être corrigé. Je me risquerai donc à dire ceci : la diplomatie admet qu'un ordre sûr ne peut être atteint qu'en utilisant le goût du mensonge, la lâcheté, le cannibalisme, en un mot les solides bassesses humaines ; c'est de l'idéalisme à la baisse, pour reprendre encore une fois votre merveilleuse formule. J'y trouve une fascinante mélancolie, parce que cela présuppose que l'incertitude de nos pouvoirs supérieurs nous ouvre aussi bien le chemin du cannibalisme que celui de la *Critique de la Raison pure*.

– Malheureusement, protesta le sous-secrétaire, vous avez de la diplomatie une conception romantique et, comme beaucoup de gens, vous confondez la politique avec l'intrigue. Cela pouvait à la rigueur se justifier au temps où elle était pratiquée par des amateurs princiers ; ce n'est plus du tout exact dans un temps où toutes choses dépendent de considérations bourgeoises. Nous ne sommes pas mélancoliques. Nous sommes des optimistes. Nous sommes obligés de croire à un avenir meilleur, sinon nous n'oserions plus affronter notre conscience, qui n'est pas faite autrement que celle des autres hommes. Si vous tenez à tout prix à parler de cannibalisme, tout ce que je puis dire est que le mérite de la diplomatie est précisément d'en préserver le monde ; pour pouvoir le faire, il faut croire en quelque chose de plus élevé.

– En quoi croyez-vous ? demanda le cousin, l'interrompant sans ambages.

– Voyons ! dit Tuzzi. Je ne suis plus un enfant pour pouvoir vous répondre ainsi, tout de go ! J'ai simplement voulu dire que plus un diplomate sait s'identifier avec les courants intellectuels de son temps, plus il se facilitera la tâche. Inversement, ces dernières décennies ont montré que la diplomatie était d'autant plus nécessaire que les progrès de l'esprit sont plus grands sur tous les fronts. N'est-ce pas naturel, après tout ?

– Si c'est naturel ? Mais vous dites en cela la même chose que moi ! » s'écria Ulrich avec autant de vivacité que le permettait l'impression qu'ils souhaitaient donner de deux messieurs s'entretenant plus ou moins ennuyeusement. « Je vous ai fait remarquer à regret que l'esprit et le bien ne peuvent avoir d'existence durable sans la collaboration de la matière et du mal, et vous me répondez à peu près que plus il y a d'esprit, plus il faut de prudence. Disons donc ceci : si l'on traite l'homme comme un type quelconque, on peut presque tout lui faire faire. C'est pourquoi nous hésitons toujours entre ces deux méthodes, ou nous les mêlons : tout est là. Il me semble que je puis me féliciter d'une entente beaucoup plus profonde avec vous que vous ne voulez l'admettre. »

Le sous-secrétaire Tuzzi se tourna vers l'indiscret questionneur, un léger sourire souleva sa petite moustache, ses yeux brillants regardèrent Ulrich avec une indulgence railleuse. Il souhaitait mettre fin à cette conversation, incertaine comme du verglas, inutilement puérile comme des glissades d'écoliers sur le verglas. « Sans doute allez-vous me prendre pour un barbare, repartit-il, mais je m'expliquerai : seuls les professeurs devraient être autorisés à philosopher ! J'excepte bien entendu nos grands philosophes traditionnels, que je place très haut ; je les ai tous lus ; mais pour eux, comme qui dirait, l'affaire est réglée. Pour nos professeurs, c'est leur métier, ils sont nommés pour philosopher, la chose ne tire pas à conséquence ; finalement, il faut bien qu'il y ait des maîtres pour que tout cela ne sombre pas définitivement. Sinon, il y a une vieille maxime autrichienne que je trouve fort juste : le citoyen n'a pas à réfléchir sur tout. Les résultats sont rarement bons, et cela vous mène vite à la présomption. »

Le sous-secrétaire se roula une cigarette et ne dit plus mot ; il n'éprouvait pas le besoin d'excuser plus longuement sa « barbarie ». Ulrich considéra ses doigts bruns et minces, ravi de l'insolente demi-sottise dont Tuzzi l'avait régalé. « Ce que vous venez de dire est un principe très moderne que les Églises appliquent depuis plusieurs siècles, et le socialisme depuis peu, à l'égard de leurs adhérents », fit-il observer poliment. Tuzzi lui jeta un rapide coup d'œil pour découvrir le but de ce rapprochement. Puis il craignit que le « cousin » ne repartît dans ses interminables réflexions, et son éternelle indiscrétion intellectuelle l'agaça par avance. Mais le « cousin » se contenta d'observer tout à son aise l'homme pré-quarante-huitard qui se tenait à côté de lui. Il supposait depuis longtemps déjà que Tuzzi devait avoir ses raisons pour tolérer, dans certaines limites, les relations de sa femme avec Arnheim, et il eût bien aimé savoir ce qu'il en attendait. La chose restait obscure. Peut-être Tuzzi se comportait-il simplement comme les banques à l'égard de l'Action parallèle, dont elles s'étaient jusqu'ici tenues autant que possible à l'écart, sans renoncer complètement pourtant à y mettre au moins le petit doigt ; peut-être, ce faisant, Tuzzi ne remarquait-il pas, bien que ce fût si visible, le deuxième printemps de Diotime. La chose était à peine croyable. Ulrich prenait plaisir à observer les plis profonds, les ravines du visage de son voisin, et à considérer le puissant modelé des muscles de la mâchoire quand il mordait le bout de sa cigarette. Il était un peu las de ses éternels soliloques, et le plaisir de se dépeindre un homme taciturne était pour lui considérable. Il s'imaginait que le jeune Tuzzi avait dû détester les garçons qui parlaient beaucoup ; ce sont eux qui donnent plus tard les beaux esprits, alors que les garçons qui aiment mieux cracher entre leurs dents qu'ouvrir la bouche deviennent des hommes qui répugnent à perdre leur temps en pensées inutiles et cherchent dans l'action, l'intrigue, ou simplement dans la patience et la réserve, une excuse à l'intervention parfois inévitable des pensées et des sentiments, pensées et sentiments dont ils ont toujours si grande honte qu'ils préfèrent ne s'en servir que pour tromper les autres. Il va de soi que Tuzzi, si on avait fait en sa présence une remarque pareille, ne l'aurait pas plus acceptée qu'une remarque excessivement sentimentale : son principe était de n'admettre ni exagérations ni extravagances dans un sens comme dans l'autre. En somme, il ne fallait pas davantage lui parler de ce que sa personne représentait si parfaitement, que l'on ne doit demander à un musicien, un acteur ou un danseur ce qu'ils veulent dire vraiment ; et Ulrich, à ce moment-là, aurait encore préféré taper sur l'épaule du sous-secrétaire ou lui passer doucement la main dans les cheveux, afin que leur accord se traduisît sans parole à la manière d'une pantomime.

Ulrich n'oubliait qu'une chose dans son tableau : Tuzzi n'avait pas éprouvé enfant seulement, il éprouvait encore, et précisément en ce moment, le besoin de cracher entre ses dents un jet de salive bien viril. Il devinait confusément cette vague bienveillance à son côté, et se sentait mal à l'aise. Il comprenait bien lui-même qu'il y avait, dans sa déclaration sur la philosophie, toutes sortes de choses qui n'étaient peut-être pas faites pour un interlocuteur qui ne le connaissait pas, et ce devait être le diable qui l'avait poussé à donner à son « cousin » (puisqu'il ne pouvait, on ne sait pour quelles raisons, nommer Ulrich autrement) une preuve aussi gamine de confiance. Il ne pouvait souffrir les bavards, et il se demanda stupéfait s'il ne cherchait pas finalement, sans le savoir, à se faire un allié dans l'affaire de sa femme. A cette pensée, la honte assombrit encore son teint ; il ne voulait pas d'une pareille aide et, sans le vouloir, en s'excusant sur un mauvais prétexte, il s'éloigna de quelques pas d'Ulrich.

Là-dessus, cependant, il changea d'idée, revint sur ses pas et dit : « Vous êtes-vous jamais demandé pourquoi le Dr Arnheim fait un si long séjour chez nous ? » Il s'était imaginé soudain qu'une telle question serait la meilleure preuve qu'il tenait pour exclue toute relation d'Arnheim avec sa femme.

Le cousin le considéra avec une surprise effrontée. La bonne réponse était si patente qu'il était difficile d'en trouver une autre. « Pensez-vous, demanda-t-il en hésitant, qu'il y ait vraiment à cela quelque raison particulière ? Il s'agirait alors évidemment, d'une raison commerciale ?

– Je ne suis en mesure de rien affirmer, répondit Tuzzi, redevenu diplomate. Mais peut-il y avoir une autre raison ?

– Il va de soi qu'il ne peut y en avoir d'autre, dit poliment Ulrich. Votre remarque est très juste. Je dois avouer que je n'y prêtais, pour ma part, aucune attention particulière ; j'ai simplement supposé que cela devait dépendre plus ou moins de ses tendances littéraires. D'ailleurs, ce serait encore très possible. »

Le sous-secrétaire ne put donner à cette hypothèse qu'un sourire absent. « Il faudrait alors que vous m'expliquiez pour quelle raison un homme comme Arnheim a des tendances littéraires », demanda-t-il. Mais il regretta immédiatement sa question, car le cousin repartait déjà dans une réponse circonstanciée. « N'avez-vous jamais été frappé, dit-il, de voir le nombre de gens, dans la rue, qui parlent tout seuls ? »

Tuzzi haussa les épaules avec indifférence.

« Il y a chez eux quelque chose qui cloche. Sans doute ne peuvent-ils pas vivre entièrement leur vie, assimiler leurs expériences, et doivent-ils en rendre les restes. C'est ainsi, à mon idée, que naît un besoin exagéré d'écrire. Peut-être le phénomène n'apparaît-il pas tellement chez l'écrivain, parce qu'il se produit chez lui, selon son talent ou son habileté, quelque chose qui dépasse de beaucoup le prétexte, mais l'opération est sans équivoque chez le lecteur ; il n'est presque plus personne aujourd'hui qui lise vraiment ; chacun ne fait qu'utiliser l'écrivain pour se débarrasser perversement sur lui, sous la forme de l'assentiment ou de la désapprobation, de son propre superflu.

– Vous pensez donc qu'il y a dans la vie d'Arnheim quelque chose qui cloche ? demanda Tuzzi, redevenu attentif malgré tout. Ces derniers temps, je me suis mis à lire ses livres, par simple curiosité, et parce que beaucoup de gens lui accordent de si grandes chances politiques ; mais je dois avouer que je ne vois ni leur nécessité, ni leur propos.

– On pourrait poser la question sous une forme beaucoup plus générale, dit le "cousin". Quand un homme est si riche d'argent et d'influence qu'il peut réellement tout avoir, pourquoi écrit-il encore ? Je pourrais même demander tout naïvement pourquoi écrivent les écrivains de métier. Ils racontent quelque chose qui ne s'est pas produit comme si cela s'était produit. La chose est bien claire. Admireraient-ils donc la vie comme les gueux l'homme riche dont ils ne se lassent jamais de raconter combien ils s'en soucient peu ? Seraient-ils des ruminants ? Ou des voleurs de bonheur qui créent dans imaginaire ce qu'ils ne peuvent atteindre ou supporter dans la réalité ?

– Vous-même, n'avez-vous jamais écrit ? dit Tuzzi en l'interrompant.

– A ma grande inquiétude, jamais. Car je suis fort loin d'être si heureux que je puisse m'en sentir dispensé. Je me suis proposé, au cas où je resterais encore quelque temps sans en éprouver le besoin, de me tuer pour cause de constitution anormale ! »

Il dit cela sur un ton d'amabilité si grave que cette plaisanterie, sans qu'il le voulût, se détacha du flux de la conversation comme une pierre recouverte par l'eau et qui émerge tout à coup.

Tuzzi s'en aperçut, et son tact lui permit de rétablir rapidement l'équilibre. « Somme toute, constata-t-il, vous dites la même chose que moi quand je prétends que les fonctionnaires ne commencent à écrire qu'à partir de la retraite. Mais Arnheim dans tout cela ? »

Le cousin ne dit mot.

« Savez-vous qu'Arnheim juge en parfait pessimiste, et nullement en "haussier", l'entreprise à laquelle il prend si généreusement part ? » dit soudain Tuzzi en baissant la voix. Il s'était souvenu tout à coup d'une des toutes premières conversations d'Arnheim avec sa femme et lui, et du scepticisme dont l'autre avait fait preuve devant les perspectives de l'Action parallèle ; et que cela lui revînt à l'esprit si longtemps après, en ce moment précis, lui apparut, il ne savait trop comment, comme un succès de sa diplomatie, encore que ce qu'il avait pu apprendre jusqu'ici touchant les raisons du séjour d'Arnheim fût moins que rien.

En fait, le cousin ne put dissimuler sa surprise.

Peut-être n'était-ce d'ailleurs que par amabilité, parce qu'il souhaitait continuer à se taire. Quoi qu'il en fût, les deux messieurs conservèrent ainsi, lorsqu'ils furent séparés par des hôtes qui s'étaient approchés, l'impression d'avoir eu une conversation stimulante.

92. *Quelques règles de conduite des gens riches.*

Toute cette attention, cette admiration dont Arnheim jouissait eût peut-être rendu un autre homme méfiant et incertain ; il eût pu s'imaginer qu'il la devait à son argent. Mais Arnheim considérait la méfiance comme le signe d'une mentalité vulgaire ; il tenait qu'un homme dans sa situation ne pouvait se la permettre que s'il s'agissait d'obtenir des renseignements commerciaux précis, et de plus, il était convaincu que la richesse est une qualité personnelle. Tous les hommes riches considèrent la richesse comme une qualité personnelle. Tous les pauvres de même. Tout le monde en est tacitement convaincu. La logique seule fait quelque difficulté à l'admettre en affirmant que la possession de l'argent peut à la rigueur donner certaines qualités, mais jamais devenir une qualité humaine en elle-même. Le mensonge saute aux yeux. Il n'est pas un nez d'homme qui ne flaire immédiatement, immanquablement, le subtil parfum d'indépendance, d'habitude de commander, d'habitude de choisir partout ce qu'il y a de mieux, de légère misanthropie, de responsabilité consciente, qui s'exhale d'un revenu solide et considérable. A sa seule apparence, on devine le riche alimenté et quotidiennement renouvelé par un choix des meilleures substances cosmiques. L'argent circule sous sa peau comme la sève dans une fleur ; il n'y a là ni qualités empruntées, ni habitudes acquises, rien qui soit indirect ou de seconde main : supprimez compte en banque et crédit, et l'homme riche non seulement n'a plus d'argent, mais n'est plus, du jour où il l'a compris, qu'une fleur fanée. Aussi frappante qu'auparavant la qualité de richesse, apparaît maintenant en lui l'indescriptible qualité de néant, avec l'odeur de roussi de l'insécurité, de la caducité, de l'inactivité et de la misère. La richesse est donc une qualité simple, personnelle, qu'on ne peut analyser sans la détruire.

Mais les conséquences et les fonctions de cette rare qualité sont extraordinairement complexes, et seule une grande force d'âme peut les dominer. Seuls les gens qui n'ont pas de fortune s'imaginent qu'il est merveilleux d'en avoir ; les gens qui en ont profitent de toutes les occasions où ils rencontrent des gens qui n'en ont pas pour protester que rien n'est plus embarrassant. Arnheim, par exemple, avait souvent réfléchi au fait que n'importe quel directeur technique ou commercial de sa firme témoignait, dans sa spécialité, de capacités bien supérieures aux siennes, et chaque fois, il devait se répéter que les idées, le savoir, la fidélité, le talent, la prudence et autres mérites, lorsqu'on les considère d'assez haut, se révèlent susceptibles d'être achetés, parce qu'on les trouve en abondance, alors que la capacité de s'en servir présuppose des qualités que possèdent seuls ceux qui, dès leur naissance, appartenaient aux hautes sphères. Une autre difficulté, au moins égale à la précédente, pour les gens riches, est que tout le monde les tape. L'argent ne joue aucun rôle, c'est bien évident, et quelques milliers ou dizaines de milliers de francs sont une chose dont un homme riche ne ressent pas plus la présence que l'absence. Les gens riches affirment aussi, en toute occasion, avec une sorte de prédilection, que l'argent ne fait rien à la valeur de l'homme ; ils veulent dire par là que, même ruinés, ils garderaient leur valeur, et sont toujours offensés que l'autre le comprenne mal. Par malheur, cela leur arrive assez souvent, et précisément dans leurs rapports avec les intellectuels. Chose curieuse, il est fréquent que ces derniers n'aient pas d'argent, seulement des projets et des dons ; ils n'en sentent pas leur valeur amoindrie pour autant et jugent tout naturel de demander à quelque ami riche, pour lequel l'argent ne joue aucun rôle, de les aider de son superflu dans quelque noble entreprise. Ils ne comprennent pas que l'homme riche aimerait les aider de ses idées, de ses capacités, de sa séduction personnelle. D'autre part, on l'oblige ainsi à entrer en contradiction avec la nature même de l'argent, qui est de multiplier, comme celle de l'animal est de continuer l'espèce. On peut faire de mauvais placements d'argent : celui-ci périt alors au champ d'honneur de l'argent ; on peut s'en servir pour acheter une nouvelle voiture, bien que l'ancienne soit encore comme neuve, descendre dans les plus grands hôtels des villes d'eaux internationales escorté de son écurie de polo, fonder des prix hippiques ou littéraires ou dépenser pour cent invités, en une seule soirée, de quoi nourrir cent familles pendant un an : on jette ainsi l'argent par les fenêtres comme un semeur, et il rentre multiplié par la porte. Mais le dispenser secrètement pour des causes ou des hommes qui ne lui servent à rien ne peut se comparer qu'à un assassinat d'argent. Il se peut que ces causes soient bonnes et ces hommes incomparables ; il faut alors les encourager par tous les moyens, excepté les moyens financiers. C'était là un des principes d'Arnheim, et son application persévérante lui avait valu la réputation de prendre une part active et véritablement créatrice aux progrès intellectuels de son époque.

Arnheim pouvait dire aussi de lui-même qu'il pensait en socialiste, et beaucoup de riches pensent en socialistes. Ils admettent volontiers devoir leur capital à une loi naturelle de la société, et sont fermement persuadés que c'est l'homme qui donne son sens à la propriété, et non l'inverse. Ils discutent paisiblement l'hypothèse d'une suppression future de la propriété, quand ils ne seront plus de ce monde, et l'opinion qu'ils ont d'avoir un caractère social est renforcée par le fait que des socialistes pleins de caractère, convaincus que la révolution se fera de toute manière, préfèrent en attendant, bien souvent, la société des riches à celle des pauvres. On pourrait continuer longtemps de la sorte, si l'on voulait décrire tous les aspects de l'argent qu'Arnheim dominait. L'activité commerciale n'est pas une activité que l'on puisse séparer des autres activités intellectuelles, et il était parfaitement naturel qu'il donnât à ses amis intellcctuels ou artistes, quand ils l'en priaient instamment, non seulement des conseils, mais de l'argent ; mais il ne leur en donnait pas régulièrement, et jamais beaucoup. Ils l'assuraient qu'il était le seul homme au monde à qui ils pussent le demander, parce qu'il était aussi le seul à posséder les qualités intellectuelles nécessaires ; il le croyait, parce qu'il était persuadé que le besoin d'argent imprègne toutes les relations humaines et n'est pas moins naturel que le besoin d'oxygène ; il approuvait aussi leur idée de l'argent considéré comme une puissance intellectuelle, en ne l'appliquant jamais qu'avec une réserve pleine de tact.

Pourquoi donc, finalement, se voit-on aimé et admiré ? N'est-ce pas là un mystère difficile à sonder, fragile et rond comme un œuf ? L'amour qu'on vous porte est-il plus vrai quand il naît d'une moustache que d'une automobile ? L'amour que l'on éveille parce qu'on est un enfant hâlé du Midi est-il plus personnel que celui que l'on suscite parce qu'on est le fils d'un des premiers hommes d'affaires du monde ? En cette époque où presque tous les hommes à la mode étaient glabres, Arnheim continuait à porter, exactement comme autrefois, une petite barbe en pointe et une courte moustache : lorsqu'il parlait d'une manière par trop désintéressée devant un auditoire fervent, cette petite nuance, à la fois étrangère et personnelle, sur son visage lui rappelait, pour des raisons que lui-même voyait mal, mais non sans agrément, sa fortune.

93. *Il n'est pas aisé, même par le biais de la culture physique, d'avoir prise sur l'esprit civil.*

Le général, depuis longtemps déjà, était assis sur l'une des chaises que l'on avait repoussées le long des parois tout autour de la lice intellectuelle, son « protecteur », ainsi qu'il aimait à nommer Ulrich, à côté de lui ; il y avait entre eux une chaise libre sur laquelle étaient posées deux rafraîchissantes coupes dérobées au buffet. La position assise avait fait se relever la tunique bleu clair du général, qui formait des rides sur son ventre comme un front préoccupé. Les deux hommes ne disaient rien, ils écoutaient une conversation qui se déroulait devant eux. « Le jeu de Beaupré, dit quelqu'un, mérite d'être qualifié de génial : je l'ai vu jouer ici cet été et l'hiver dernier sur la Riviera. Quand il fait une faute, sa chance lui vient en aide. Il fait même d'assez nombreuses fautes, et son jeu, dans sa structure, contredit la science tennistique objective ; mais cet homme béni de Dieu n'est pas soumis aux lois ordinaires du tennis.

– Je préfère le tennis scientifique à l'intuitif, objecta quelqu'un, Braddock, par exemple. Peut-être n'y a-t-il pas de perfection absolue, mais Braddock n'en est pas loin. »

Le premier orateur répliqua : « Le génie de Beaupré, son chaos génial et désordonné atteint son plus haut point là où la science renonce ! »

Un troisième intervint alors : « Génie est peut-être un peu beaucoup dire.

– Et comment appellerez-vous ça ? Qu'est-ce donc qui inspire à un homme, au moment le plus inattendu, le juste maniement de la balle, sinon le génie ?

– Moi-même, je dirais volontiers, dit le braddockien en venant à son secours, que la personnalité est aussi nécessaire à celui qui a en main une raquette qu'à celui qui a en main les destinées du monde.

– Non, non et non ! Le mot génie est excessif ! » protesta le troisième.

Le quatrième était un musicien. Il dit : « Vous avez tout à fait tort. Vous ne voyez pas ce qu'il y a dans le sport de pensée objective, évidemment parce que vous êtes encore habitués à surestimer la pensée logico-systématique. C'est à peu près aussi démodé que le préjugé selon lequel la musique serait un enrichissement du cœur et le sport une école de la volonté. En réalité, le mouvement pur est si magique que l'homme ne peut le supporter sans en être protégé ; vous voyez ça au cinéma, quand il n'y a pas de musique. Et la musique est mouvement intérieur, elle éveille l'imagination cinétique. Quand on a saisi le côté magique de la musique, on n'hésite plus une seconde à voir du génie dans le sport ; la science seule en est privée, qui n'est qu'acrobatie cérébrale !

– J'ai donc raison, dit le disciple de Beaupré, quand je refuse tout génie au jeu scientifique de Braddock.

– Vous oubliez, dit celui qui défendait Braddock, qu'il faut partir là d'une réanimation du concept de science !

– Et finalement, lequel des deux est le plus fort ? » demanda quelqu'un.

Personne ne le savait ; chacun des deux avait fréquemment battu l'autre, mais personne n'avait en tête les chiffres exacts.

« Demandons à Arnheim », proposa quelqu'un.

Le groupe se dispersa. Le silence sur les trois chaises se prolongeait. Enfin, le général Stumm dit pensivement : « Tu m'excuseras, je n'ai pas perdu une parole, mais ne pourrait-on pas dire tout cela d'un général vainqueur, la musique exceptée ? Pourquoi donc appellent-ils génial chez un joueur de tennis ce qu'ils qualifient de barbare chez un général ? » Depuis que son protecteur lui avait conseillé de tenter d'approcher Diotime par le biais de la culture physique, il s'était demandé plus d'une fois comment il pourrait utiliser cet accès prometteur aux idées civiles, en dépit de sa première aversion. Il fut malheureusement obligé de constater chaque fois que, dans cette direction aussi, les difficultés étaient extraordinairement grandes.

94. *Les nuits de Diotime.*

Diotime s'émerveillait qu'Arnheim supportât tous ces gens avec un si évident plaisir, alors que l'état de son propre cœur correspondait un peu trop à ce qu'elle avait exprimé plus d'une fois en disant que les événements du monde n'étaient qu'*un peu de bruit autour de notre âme*[1].

Parfois, quand elle jetait les yeux autour d'elle et voyait la noblesse du monde et de l'esprit emplir sa demeure, il lui semblait que la tête lui tournait. De toute l'histoire de sa vie, il ne restait plus que le violent contraste entre la bassesse et la hauteur, entre sa situation de jeune fille, dans l'inquiète captivité des classes moyennes, et ce succès dont son âme était éblouie. Et, bien qu'elle fût déjà sur une marche étroite à en avoir le vertige, elle sentait le besoin de lever le pied encore une fois dans l'espoir de monter plus haut encore. L'incertitude l'attirait. Elle luttait avec elle-même pour savoir si elle se déciderait à s'engager dans une vie où l'activité, l'esprit, l'âme et le rêve ne font plus qu'un. Au fond, elle ne se souciait plus guère de ne voir apparaître aucune idée culminante pour l'Action parallèle ; l'Autriche universelle, aussi, l'intéressait un peu moins ; savoir même que tous les grands projets de l'esprit humain avaient leur contre-projet ne l'épouvantait plus. Quand les choses sont importantes, leur cours ne peut être logique ; il évoque plutôt le feu et l'éclair, et Diotime s'était habituée à ne pouvoir rien penser de la grandeur dont elle se sentait environnée. Ce qui lui eût plu davantage, c'eût été de laisser tomber l'Action et d'épouser Arnheim, de même que pour une petite fille toutes les difficultés sont bonnes quand elle les laisse tomber et se jette dans les bras de son père. Mais

1. En français dans le texte.

l'extraordinaire développement extérieur de son activité la retenait. Elle ne trouvait pas le temps de se décider. L'enchaînement extérieur et l'enchaînement intérieur des événements se développaient côte à côte en deux lignes indépendantes, qu'elle essayait en vain de réunir. C'était comme dans son mariage, dont le cours paraissait plus heureux que naguère, alors que son contenu psychique se dissolvait.

Avec son caractère, Diotime aurait dû parler ouvertement à son mari ; mais il n'y avait rien qu'elle pût lui dire. Aimait-elle Arnheim ? On pouvait donner tant de noms à leurs relations que cette très triviale expression lui venait aussi, quelquefois, à l'esprit. Ils ne s'étaient même pas embrassés une seule fois, et Tuzzi n'eût rien compris aux étreintes passionnées des âmes, même si elle les lui avait confessées. Diotime elle-même s'étonnait parfois qu'il n'y eût rien de plus à raconter sur ce qui se passait entre elle et Arnheim. Mais elle n'avait jamais perdu tout à fait l'habitude de la tendre jeune fille qui rêve de l'homme plus âgé, et elle aurait pu imaginer encore plus facilement quelque chose, sinon de tangible, du moins d'exprimable, entre elle et son cousin (qui lui semblait plus jeune qu'elle, et un peu méprisable), qu'entre elle et l'être aimé qui savait si bien apprécier les moments où elle transformait ses émotions en de sublimes considérations générales.

Diotime savait qu'on doit plonger dans le bouleversement des circonstances de sa vie et se réveiller entre ses quatre murs renouvelés sans pouvoir se rappeler comment la chose s'est produite ; mais elle sentait des influences qui la tenaient sur ses gardes. Elle n'était pas entièrement dégagée de l'antipathie que l'Autrichien moyen éprouvait alors à l'égard de son frère allemand. Cette aversion, sous sa forme classique, devenue entre-temps plus rare, pouvait être figurée grosso modo par les deux têtes vénérées de Schiller et de Goethe posées ingénument sur un corps nourri de sauces et de gluants poudings, et qui en eût gardé l'inhumaine intimité. Si grand que fût le succès d'Arnheim dans son cercle, il n'échappait pas à Diotime qu'après le premier moment de surprise, des résistances s'étaient fait sentir, qui restaient toujours confuses et cachées, mais ne l'ébranlaient pas moins comme des murmures. Elles lui faisaient apparaître la différence qu'il y avait entre sa propre attitude et la réserve de beaucoup de personnes sur qui elle calquait d'ordinaire son comportement. Or, les antipathies nationales ne sont ordinairement que des antipathies à l'égard de soi-même, qui surgissent du trouble abîme des contradictions personnelles et s'attachent à une victime désignée : procédé qui a survécu depuis les temps primitifs où le sorcier tirait la maladie du corps du malade à l'aide d'un bâtonnet qu'il déclarait être le siège du démon. Que celui qu'elle aimait fût prussien ajoutait donc encore au trouble de Diotime des terreurs dont elle ne pouvait se faire aucune représentation précise, et ce n'était sans doute pas tout à fait sans raison qu'elle appelait passion cet état d'irrésolution si différent du gros-grain de la vie conjugale.

Diotime passait des nuits blanches. Dans ces nuits, elle oscillait entre un magnat de l'industrie prussienne et un sous-secrétaire autrichien. Dans la transfiguration du demi-sommeil, la grande vie éblouissante d'Arnheim passait devant ses yeux. Au côté de l'homme qu'elle aimait, elle volait dans un ciel constellé de nouvelles victoires, mais ce ciel était désagréablement bleu de Prusse. Entre-temps, dans la nuit noire, le corps jaune du sous-secrétaire Tuzzi était toujours à côté du sien. Elle le devinait seulement, symbole jaune et noir de la vieille culture cacanienne, encore qu'il n'en eût qu'un vernis. Il y avait, derrière lui, la façade baroque du palais du comte Leinsdorf, son illustre ami ; la présence de Beethoven, de Mozart, de Haydn, du prince Eugène flottait tout autour comme un mal du pays qui s'éveille avant même qu'on ne soit parti. Diotime ne pouvait se résoudre sans plus de façons à fuir ce monde, bien que, pour cette raison même, elle en vînt presque à haïr son mari. Dans son beau et grand corps, l'âme siégeait perplexe comme dans une vaste plaine fleurie.

« Je n'ai pas le droit d'être injuste, se disait Diotime. Le fonctionnaire, l'homme de métier n'est sans doute plus aussi vif, aussi ouvert, aussi réceptif, mais peut-être en aurait-il eu les moyens dans sa jeunesse. » Elle se rappelait certains moments de leurs fiançailles, bien que le sous-secrétaire, à cette époque déjà, ne fût plus un jeune homme. « Il a conquis sa situation et sa personnalité à force de zèle et de conscience, pensa-t-elle débonnaire. Lui-même ne devine pas que cela s'est produit aux dépens de la vie intérieure. »

Depuis son triomphe social, elle était plus indulgente pour son mari. C'est pourquoi, en pensée, elle lui fit encore une concession. « Personne n'est uniquement un être de raison ou de profit ; chacun a commencé par vivre avec une âme vivante, réfléchit-elle. Mais le quotidien l'enlise, les passions ordinaires passent sur lui comme un incendie, et le monde froid provoque en lui ce gel qui consume l'âme. » Peut-être avait-elle été trop modeste pour le lui représenter avec sévérité au moment voulu. Comme c'était triste ! Il lui semblait qu'elle ne trouverait jamais le courage de mêler le sous-secrétaire Tuzzi au scandale d'un divorce qui ne pourrait que le bouleverser, inséparable de sa fonction comme il l'était.

« Alors, autant l'adultère ! » se dit-elle soudain.

L'adultère, Diotime en caressait l'image depuis quelque temps.

L'idée qu'il faut faire son devoir là où le destin vous a placé est une idée inféconde ; on gaspille de l'énergie inutilement ; le véritable devoir consiste à choisir sa place et à modeler consciemment sa situation ! Si elle s'accusait déjà de s'entêter au côté de son mari, Diotime savait qu'il existait un malheur inutile et un malheur fécond, et son devoir était de choisir. A vrai dire, Diotime n'avait encore jamais réussi à passer sur l'aspect cocotte et bassement frivole de toutes les descriptions d'adultère qu'elle connaissait. Elle ne pouvait s'imaginer vraiment elle-même dans une telle situation. Toucher au verrou d'un pied-à-terre signifiait pour elle s'enfoncer dans un bourbier. Grimper un escalier inconnu dans un froissement de jupes : une certaine placidité morale de son corps s'y refusait. Les baisers hâtifs étaient aussi contraires à sa nature que des paroles d'amour furtives. Elle tenait plutôt pour les catastrophes. Les ultimes promenades, les mots d'adieu qui s'étranglent dans la gorge, les profonds conflits entre l'amoureuse et la mère, voilà qui convenait à son tempérament. Mais, son mari ayant le sens de l'économie, elle n'avait pas d'enfants, et il fallait justement éviter la tragédie. Elle choisit donc, pour le cas où les choses iraient aussi loin, des modèles Renaissance. Une passion au cœur poignardé. Elle ne s'en faisait pas non plus une image très précise, mais elle y sentait comme une indubitable loyauté, avec, à l'arrière-plan, des colonnes brisées et, plus haut, des nuages. La faute et le triomphe sur le sentiment de la faute, le plaisir expié par la douleur palpitaient dans ce tableau et emplissaient Diotime d'une exaltation, d'une dévotion inouïes. « Là où un être trouve ses possibilités les plus hautes, là où il connaît le plus grand déploiement de ses forces, là est sa place, songeait-elle, car c'est là qu'il concourt le plus intensément à l'exaltation de la vie universelle ! »

Pour autant que l'obscurité le permettait, elle considéra son mari. De même que l'œil ne perçoit pas les rayons ultraviolets du spectre, ce rationaliste eût été incapable, sans doute, de pressentir certaines réalités intérieures !

Le sous-secrétaire Tuzzi respirait tranquillement, sans aucun pressentiment, bercé par la pensée que rien d'important ne pouvait se produire en Europe pendant sa vacance, bien méritée, de huit heures. Cette paix ne manqua pas de faire impression sur Diotime elle-même qui, plus d'une fois, songea à renoncer. Séparation d'avec Arnheim, nobles et grandes paroles de douleur, titanesque résignation, adieux beethoveniens : ces sollicitations bandaient le robuste muscle de son cœur. Des conversations frémissantes, dans l'éclat de l'automne, tout imprégnées de la mélancolie des alpes bleues au loin, emplissaient l'avenir. Mais renoncer et faire chambre séparée ?... Diotime se redressa sur les coussins, sa chevelure noire s'annela sauvagement. Le sommeil du sous-secrétaire Tuzzi n'était plus maintenant celui de l'innocence, mais du serpent qui vient d'avaler un lièvre. Il s'en fallait de peu que Diotime ne le réveillât et ne lui criât au visage, devant ce nouveau problème, qu'elle devait, qu'elle voulait le quitter ! Cette façon de se réfugier dans une scène hystérique eût été bien compréhensible chez un être aussi divisé ; mais son corps avait trop de santé, elle sentait bien qu'il était incapable de répondre par une extrême épouvante à la présence de Tuzzi. De ce manque d'épouvante, elle ressentit une horreur sèche. Puis des larmes essayèrent vainement de couler sur ses joues. Or, chose digne d'attention, c'est justement dans cet état que la pensée d'Ulrich lui apporta quelque consolation. En ce temps-là, elle ne pensait jamais à lui d'ordinaire ; mais ces déclarations étranges où il prétendait souhaiter abolir la réalité et assurait qu'Arnheim la surestimait, comportaient une nuance cachée, incompréhensible, qui flottait autour d'elles et que Diotime, en son temps, n'avait pas perçue ; elle lui revenait dans ses nuits. « Qu'est-ce que cela signifie, sinon qu'on ne doit pas trop se soucier de ce qui va se produire, se dit-elle avec irritation. On n'imagine rien de plus banal ! » Et tandis qu'elle traduisait si mal, et si grossièrement, cette pensée, elle savait qu'il y avait en celle-ci quelque chose qu'elle ne comprenait pas. C'est de là justement que lui vint cet apaisement, pareil à un somnifère, qui paralysa son désespoir en même temps que sa conscience. Le temps se sauva comme une ligne d'ombre, elle eut le sentiment consolant qu'il devait y avoir moyen de trouver des mérites à son incapacité de persévérer dans le désespoir, mais déjà ses pensées s'obscurcissaient.

La nuit, les pensées coulent tantôt en pleine lumière, tantôt à travers le sommeil, comme les eaux dans le Karst, et lorsqu'elles réapparaissaient au bout d'un moment parfaitement paisibles, Diotime avait le sentiment d'avoir seulement rêvé les bouillonnements précédents. Le petit torrent tourbillonnant qui ruisselait derrière l'obscure masse de la montagne n'était pas le fleuve tranquille dans lequel elle finissait par sombrer. La colère, l'horreur, le courage et l'angoisse s'étaient écoulés, de tels sentiments ne devaient pas exister, n'existaient pas ; dans les combats spirituels nul n'est coupable ! Ulrich aussi était de nouveau oublié. Il ne restait plus en effet que les mystères derniers, l'éternelle nostalgie de l'âme. La moralité ne réside pas dans ce qu'on fait. Elle ne réside pas dans les mouvements de la conscience ni dans ceux de la passion. Les passions elles-mêmes ne sont qu'*un peu de bruit autour de notre âme.* On peut gagner ou perdre des royaumes, l'âme ne bouge pas et l'on ne peut rien faire pour atteindre son destin ; parfois, seulement, il monte des profondeurs de l'être, paisible, quotidien, pareil au chant des sphères. Diotime était alors plus éveillée que jamais, mais pleine de confiance. Ces pensées, dont le point final se dérobait à la vue, avaient l'avantage de l'endormir très rapidement, même dans ses pires nuits d'insomnie. Comme une vision veloutée, elle sentait son amour s'enfoncer dans les ténèbres infinies qui s'élèvent au-delà des étoiles, inséparable d'elle-même, inséparable de Paul Arnheim, pur de toute intention et de tout dessein. Elle trouvait encore tout juste le temps de saisir le verre d'eau sucrée qu'elle avait toujours à sa disposition sur la table de nuit pour combattre ses insomnies, mais qu'elle n'utilisait jamais qu'en cet ultime instant, parce que dans ses instants d'agitation elle n'y pensait pas. Le doux bruit qu'elle fit en buvant perla comme le murmure de deux amants derrière une cloison à côté du sommeil de son mari qui n'entendait rien ; puis Diotime, dévotement, se renfonça dans son oreiller et sombra dans le silence de l'Être.

95. *Le Grand-écrivain, vu de dos.*

La chose est presque trop notoire pour qu'on en parle : depuis que ses illustres hôtes s'étaient persuadés que le sérieux de l'entreprise ne leur demandait pas de grands efforts, ils se conduisaient comme de simples mortels, et Diotime, qui voyait sa maison pleine d'esprit et de vacarme, était déçue. Ame sublime, elle ignorait ce principe de prudence qui veut que le comportement de l'homme privé soit juste le contraire de son comportement professionnel. Elle ne savait pas que les hommes politiques qui viennent de se traiter d'imposteurs et de fripouilles dans la salle des séances, se retrouvent en voisinage amical pour prendre leur petit déjeuner au buffet. Que des juges qui, en tant que représentants de la loi, ont condamné un malheureux à une lourde peine, viennent lui serrer la main avec sympathie à la fin du procès, elle le savait bien, mais n'y avait jamais rien trouvé à redire. Que des danseuses, en dehors de leur équivoque profession, mènent assez souvent une vie irréprochable de mère de famille, elle l'avait parfois entendu dire et trouvait même cela touchant. Que des princes déposent parfois leur couronne pour n'être plus que des hommes lui semblait aussi un assez beau symbole. Mais lorsqu'elle s'aperçut que les princes de l'esprit aussi se promènent incognito, elle s'étonna de cette duplicité d'attitude. De quelle passion s'agit-il donc, et comment expliquer cette tendance générale des hommes à refuser, en dehors de leur profession, tout rapport avec l'homme qu'ils sont à l'intérieur de celle-ci ? Quand ils ont fini leur travail, débarrassés de leurs soucis professionnels, ils ressemblent à un bureau débarrassé de son désordre, où les fournitures sont serrées dans les tiroirs et les chaises posées sur les tables. Ils sont faits de deux hommes, et l'on ne sait pas si c'est le soir ou le matin qu'ils se retrouvent vraiment eux-mêmes.

Si flattée qu'elle fût de voir le bien-aimé de son âme plaire à tous les hommes qu'elle avait réunis autour d'elle, et s'entretenir particulièrement avec les plus jeunes, elle se sentait parfois découragée de le trouver mêlé à toute cette agitation et pensait qu'un prince de l'esprit ne devrait pas accorder tant de prix à ses relations avec la petite noblesse intellectuelle, ni se montrer si accessible au trafic changeant des idées.

L'explication en est qu'Arnheim n'était pas un prince de l'esprit, mais un Grand-écrivain.

Dans le monde intellectuel, le Grand-écrivain a succédé au prince de l'esprit comme les riches aux princes dans le monde politique. De même que le prince de l'esprit appartient au temps des princes, le Grand-écrivain appartient au temps des Grandes-guerres et des Grandes-maisons de commerce. C'est un des aspects particuliers de l'association avec les Grandes-choses. Le moins que l'on exige d'un Grand-écrivain est donc qu'il possède une voiture. Il doit voyager beaucoup, être reçu par les ministres, faire des conférences, donner aux maîtres de l'opinion publique l'impression qu'il représente une force de la conscience à ne pas sous-estimer ; il est le chargé d'affaires de l'intelligence nationale, lorsqu'il s'agit d'exporter de l'humanisme à l'étranger ; quand il est chez lui, il reçoit des hôtes de marque et n'en doit pas moins penser sans cesse à ses affaires, qu'il lui faut traiter avec la dextérité d'un artiste de cirque dont les efforts doivent passer inaperçus. Le Grand-écrivain, en effet, n'est pas simplement un écrivain qui gagne beaucoup d'argent. Il n'est pas du tout nécessaire que ce soit lui qui ait écrit le « livre le plus lu de l'année », ou du mois ; il suffit qu'il ne trouve rien à redire à cette sorte d'évaluation. Il siège dans tous les jurys, signe tous les manifestes, écrit toutes les préfaces, prononce tous les discours d'anniversaire, donne son opinion sur tous les événements importants et se voit appelé partout où il s'agit de célébrer les résultats obtenus dans tel ou tel domaine. Le Grand-écrivain, en effet, dans toutes ses activités, ne représente jamais l'ensemble de la Nation, mais seulement sa section la plus avancée, la grande élite au moment précis où elle va devenir la majorité, et cela l'entoure d'une excitation intellectuelle durable. Bien entendu, c'est l'évolution actuelle de la vie qui conduit à la grande industrie de l'esprit, de même qu'inversement l'industrie tend à l'esprit, à la politique et à la maîtrise de la conscience publique ; ces deux phénomènes se rencontrent à mi-chemin. C'est pourquoi le rôle du Grand-écrivain ne renvoie pas tant à une personne définie qu'il ne représente une figure sur l'échiquier social, soumise à la règle du jeu et aux obligations que l'époque a créées. Les mieux-pensants de nos contemporains estiment que l'existence des Grands-esprits leur est de peu d'avantage (il y a déjà tant d'esprit dans le monde qu'une petite différence en plus ou en moins n'y sera pas sensible, et, de toute façon, chacun pense n'en pas manquer), mais que ce qu'il faut, c'est combattre son absence, c'est-à-dire le montrer, l'afficher, le mettre en valeur ; et comme un Grand-écrivain s'entend mieux à cela qu'un écrivain tout court, fût-il plus grand (parce que ce dernier serait peut-être compris d'un moins grand nombre de lecteurs), on fait son possible pour que la grandeur soit enfin produite en gros.

Les choses ainsi comprises, on ne pouvait sérieusement reprocher à Arnheim d'être l'une des premières incarnations, encore expérimentale il est vrai et pourtant déjà très parfaite, de cet état de choses. Il faut dire qu'il devait y être plus ou moins merveilleusement disposé. La plupart des écrivains voudraient bien devenir des Grands-écrivains, s'ils le pouvaient, mais c'est comme avec les montagnes : entre

Gratz et Saint-Pölten, il y en a beaucoup qu'on pourrait prendre pour le mont Rose, n'était qu'elles sont un peu trop basses. Ainsi donc, la condition indispensable pour devenir un Grand-écrivain reste d'écrire des livres ou des pièces de théâtre qui se puissent mesurer au mètre. Il faut avoir de l'influence tout court avant de pouvoir en avoir une bonne ; ce principe est à la base de toutes les existences de Grands-écrivains. Et c'est là un principe merveilleux, dirigé contre toutes les tentations de la solitude, le principe goethéen de l'efficacité qui dit que dans ce monde amical, il suffit d'un mouvement pour que le reste se fasse tout seul.

Dès qu'un écrivain commence à avoir de l'influence, il s'opère dans sa vie un changement important. Son éditeur renonce à laisser entendre qu'un commerçant qui se fait éditeur ressemble à un idéaliste tragique, puisqu'il pourrait gagner bien davantage en vendant du drap ou du papier non maculé. La critique découvre en lui un objet digne de son intérêt ; les critiques, très souvent, ne sont pas de mauvaises gens, mais, à cause des circonstances défavorables de l'époque, d'ex-poètes qui doivent accrocher leur cœur à quelque chose pour pouvoir s'exprimer ; ce sont des poètes guerriers, ou amoureux, selon les revenus intérieurs qu'ils peuvent placer favorablement, et il est compréhensible qu'ils choisissent pour cela le livre d'un Grand-écrivain de préférence à celui d'un écrivain ordinaire. Il se trouve, bien entendu, que tout homme a des capacités de travail limitées, dont les meilleurs résultats se répartissent rapidement sur les dernières publications annuelles des Grands-écrivains ; ceux-ci deviennent donc les caisses d'épargne de la prospérité intellectuelle de la nation en attirant à eux toutes les interprétations critiques que l'on fait de leur œuvre, interprétations qui ne sont nullement de simples explications, mais bien plutôt des placements, de sorte que pour tous les autres il ne reste plus grand-chose. Tout cela ne prend ses véritables proportions qu'avec les essayistes, les biographes et les historiens-express qui se soulagent sur un grand homme. Révérence parler, les chiens ne préfèrent-ils pas toujours, pour leurs très communs desseins, un coin de rue animé à un rocher isolé ? Comment donc des hommes qui éprouvent ce plus noble désir de laisser leur nom à la postérité choisiraient-ils un rocher notoirement solitaire ? Ainsi, avant même qu'il ait eu le temps de s'en apercevoir, le Grand-écrivain n'est plus un être pour soi seul, mais une symbiose, le produit, au sens le plus délicat, de la communauté nationale du travail, et il reçoit la plus belle assurance que la vie lui puisse donner, à savoir que sa réussite est intimement liée à la réussite d'innombrables autres hommes.

C'est probablement la raison pour laquelle on retrouve presque immanquablement dans le caractère des Grands-écrivains un sentiment très net de bonne conduite. Les Grands-écrivains ne recourent aux pouvoirs polémiques de l'écriture que s'ils sentent leur prestige menacé ; dans tous les autres cas, leur attitude se signale par sa sérénité et sa bienveillance. Ils sont parfaitement indulgents à l'égard des bagatelles que l'on écrit à leur louange. Ils ne s'abaissent pas volontiers à discuter les autres auteurs ; quand ils le font, c'est rarement pour honorer un homme supérieur : ils préfèrent encourager l'un de ces jeunes talents discrets qui se composent de 49 % de talent et de 51 % d'absence de talent, et que ce mélange, partout où l'on a besoin d'une force et où un homme fort gênerait, rend si utiles que chacun d'eux, tôt ou tard, finit par occuper une position influente dans la littérature.

Mais cette description n'a-t-elle pas déjà dépassé, ainsi, les limites de ce qui est propre au Grand-écrivain ? Un excellent proverbe dit : « Qui chapon mange, chapon lui vient » ! On aurait peine à se faire une idée de l'animation qui règne de nos jours autour d'un écrivain ordinaire, longtemps déjà avant qu'il ne soit passé Grand-écrivain, quand il n'est encore que chroniqueur littéraire, feuilletoniste, producteur de radio, scénariste ou éditeur d'un « orphéon » ; nombre de ces écrivains ordinaires ressemblent à ces petits ânes ou cochons de baudruche avec un trou derrière pour le gonflage. Quand on voit les Grands-écrivains peser avec soin ces diverses circonstances et s'efforcer d'en tirer l'image d'un peuple laborieux qui sait honorer ses grands hommes, ne doit-on pas leur en être reconnaissant ? La part qu'ils y veulent bien prendre ennoblit la réalité de la vie. Qu'on essaie donc de se représenter le contraire, un homme qui n'écrirait et ne ferait rien de tout cela. Il devrait refuser des invitations cordiales, rebuter des gens, juger des louanges non point en loué, mais en juge, bousculer les données naturelles, considérer les grandes possibilités d'action comme suspectes simplement parce qu'elles sont grandes ; en échange, il n'aurait rien à offrir que les opérations difficiles à exprimer, difficiles à évaluer, de son cerveau, et le travail d'un auteur auquel une époque déjà fournie en Grands-écrivains n'a vraiment pas besoin d'accorder beaucoup de prix ! Un tel homme ne resterait-il pas en dehors de la communauté et ne devrait-il pas se dérober à la réalité, avec toutes les conséquences que cela comporte ? Telle était, en tout cas, l'opinion d'Arnheim.

96. *Le Grand-écrivain, vu de face.*

La véritable difficulté de la vie d'un Grand-écrivain tient au fait que, si l'on peut, dans la vie intellectuelle, agir en commerçant, une vieille tradition vous oblige encore à y parler en idéaliste. Cette association du commerce et de l'idéalisme occupait dans les efforts d'Arnheim une place privilégiée.

De nos jours, on trouve de ces associations inactuelles un peu partout. Quand les morts, par exemple, sont conduits au cimetière au trot des chevaux-vapeur, on ne renonce pas pour autant, dans un beau convoi, à poser sur le toit de la voiture un casque avec deux épées en croix. Il en va de même dans tous les domaines : l'évolution de l'humanité est un cortège qui s'étire interminablement, et de même que l'on ornait encore les lettres d'affaires d'il y a environ deux générations, de toutes les fleurs bleues de la rhétorique, on pourrait, aujourd'hui, exprimer toutes les relations intellectuelles, de l'amour à la logique pure, dans le langage de l'offre et de la demande, de l'escompte et de la provision, au moins aussi bien qu'on le fait en termes psychologiques ou religieux ; mais on ne le fait pas. La raison en est que ce nouveau langage est encore trop incertain. De nos jours, le financier ambitieux se trouve dans une situation difficile. S'il veut être sur un pied d'égalité avec les antiques puissances de l'Être, il lui faut rattacher son activité à de grandes idées. Mais de grandes idées auxquelles on croirait sans réserve, il n'en existe plus : notre sceptique présent ne croit plus ni en Dieu, ni en l'Humanité, il n'a plus de respect pour les couronnes ni pour la morale ; ou il croit en tout cela à la fois, ce qui revient au même. C'est ainsi que le commerçant à qui la grandeur est aussi indispensable qu'une boussole, a dû recourir à ce tour de passe-passe démocratique qui consiste à remplacer l'efficacité non mesurable de la grandeur par la grandeur mesurable de l'efficacité. N'est grand désormais que ce qui passe pour tel ; cela signifie aussi qu'en fin de compte sera grand tout ce qu'une publicité bien entendue proclame tel, et il n'est pas donné à tout le monde d'avaler sans difficulté ce noyau des noyaux de notre temps. Arnheim avait dû faire de nombreuses tentatives avant d'y réussir.

Un homme cultivé peut, par exemple, penser aux rapports de la recherche scientifique et de l'Église au Moyen Age. Alors, le philosophe était bien obligé de s'entendre avec l'Église s'il voulait avoir du succès et influencer la pensée de ses contemporains. Un libre penseur médiocre pourrait croire que ces liens auraient entravé sa marche vers la grandeur ; c'était le contraire qui se produisait. De l'avis même des connaisseurs, il en est résulté pour la pensée une beauté toute gothique ; si donc l'on pouvait tenir un tel compte de l'Église sans dommage pour l'esprit, pourquoi ne pourrait-on pas tenir compte aussi bien de la publicité ? Celui qui cherche à être efficace ne pourra-t-il pas l'être même à cette condition ? Arnheim était persuadé que ne pas se montrer trop critique à l'égard de son époque était un signe de grandeur. Le meilleur cavalier, disposant du meilleur cheval, s'il le querelle, passera moins bien l'obstacle qu'un cavalier qui s'adapte aux mouvements d'une rosse.

Autre exemple : Goethe ! C'était un génie tel que le monde n'en produira pas aisément un second, mais c'était aussi le fils, anobli, d'une famille de commerçants allemands et, comme Arnheim le voyait, le premier Grand-écrivain que sa nation eût vu naître. En plus d'un point, Arnheim se modelait sur lui. Mais son histoire préférée était cette affaire bien connue où Goethe, bien qu'il sympathisât secrètement avec lui, laissa tomber le pauvre Johann Gottlieb Fichte quand celui-ci, professeur de philosophie à Iéna, s'était vu rappeler à l'ordre pour avoir parlé « avec grandeur, mais d'une manière peut-être un peu déplacée », de Dieu et des choses divines, et s'était montré passionné dans sa défense au lieu de « chercher à s'en tirer par la douceur », ainsi que le très civil maître-poète le note dans ses mémoires. Or, Arnheim non seulement se serait comporté comme Goethe, mais encore aurait tenté, en se référant à lui, de prouver au monde que c'était là la seule attitude spécifiquement goethéenne et significative. Loin de se satisfaire de cette vérité que l'on éprouve, assez curieusement, une beaucoup plus réelle sympathie pour un grand homme qui fait quelque chose de mal que pour un moins grand homme qui se conduit bien, il se serait empressé d'affirmer que la défense intransigeante de ses convictions est non seulement stérile, mais encore dépourvue de profondeur et d'ironie historique ; pour celle-ci, il l'eût aussi bien appelée l'ironie goethéenne, c'est-à-dire l'ironie de celui qui sait s'accommoder des circonstances avec un humour productif, auquel la perspective temporelle finit par donner raison. Si l'on considère en effet qu'aujourd'hui, juste deux générations plus tard, l'injustice dont souffrit le brave, loyal et quelque peu excessif Fichte n'est plus depuis longtemps qu'une affaire privée qui n'ajoute rien à son importance, et que celle de Goethe, au contraire, bien qu'il se soit mal conduit, n'y a rien perdu d'essentiel, il faut avouer que la sagesse du siècle coïncide effectivement avec celle d'Arnheim.

Et un troisième exemple, qui révèle du même coup (Arnheim vivait entouré de bons exemples) le sens profond des deux premiers : Napoléon. Dans ses *Reisebilder*, Heine le dépeint d'une manière qui s'accorde si parfaitement avec les idées d'Arnheim que le mieux sera sans doute de reproduire ses propres paroles, qu'Arnheim savait par cœur. « C'est à un esprit de cette sorte », dit Heine, parlant donc de Napoléon, mais il aurait pu tout aussi bien penser à Goethe, dont il ne cessa de défendre la nature de diplomate avec la lucidité d'un amoureux qui se sait secrètement en désaccord avec l'objet de son admiration, « c'est à un esprit de cette sorte que Kant fait allusion lorsqu'il dit que nous pouvons nous imaginer une intelligence qui ne soit pas pareille à la nôtre, mais purement intuitive. Ce que nous reconnaissons par une lente réflexion analytique et de longues déductions, cet esprit, dans le même moment, l'avait considéré et compris dans sa profondeur. D'où le don qu'il eut de comprendre son siècle, de flatter son esprit, de ne le blesser jamais et de l'utiliser toujours. Comme l'esprit de ce temps n'était pas simplement révolutionnaire, qu'il avait été formé par la confluence de deux points de vue, révolutionnaire et contre-révolutionnaire, Napoléon sut n'agir jamais en révolutionnaire absolu et jamais en contre-révolutionnaire intégral, mais toujours dans le sens de ces deux points de vue, de ces deux principes, de ces deux aspirations qui trouvaient en lui leur unité ; c'est pourquoi il agit toujours naturellement, avec simplicité et grandeur, jamais quinteux, toujours doux et serein. C'est pourquoi aussi il n'intrigua jamais en petit ; tous ses coups, il les dut à son art de comprendre et de diriger les masses. Aux intrigues lentes et embrouillées inclinent les petits esprits analytiques, tandis que les esprits intuitifs et synthétiques, par le miracle du génie, savent combiner si habilement tous les moyens que leur offre le présent qu'ils peuvent rapidement les faire servir à leurs desseins. »

Il se peut que Heine entendît tout cela un peu autrement que son admirateur Paul Arnheim, mais celui-ci ne pouvait s'empêcher de retrouver, dans ce portrait, sa propre image.

97. *Mystérieuses tâches, mystérieux pouvoirs de Clarisse.*

Clarisse dans la chambre : elle n'a plus Walter, mais seulement une pomme et sa robe de chambre. Ce sont là, cette pomme et cette robe de chambre, les deux sources d'où un mince filet de réalité coule inaperçu dans sa conscience. Pourquoi Moosbrugger lui paraît-il musicien ? Elle ne le sait pas. Peut-être tous les criminels sont-ils musiciens. Elle sait qu'elle a écrit une lettre à Son Altesse le comte Leinsdorf, à ce sujet ; elle se souvient vaguement de son contenu, mais ne peut y accéder.

Mais l'Homme sans qualités, lui, ne serait pas musicien ?

Comme elle ne trouvait pas de réponse satisfaisante, elle laissa tomber cette pensée et poursuivit.

Un peu plus tard, pourtant, elle se dit : Ulrich est l'Homme sans qualités. Évidemment, un Homme sans qualités ne peut pas être musicien. Mais peut-il davantage être non-musicien ?

Elle poursuivit.

D'elle, il avait dit une fois : Tu es à la fois héros et jeune fille.

Elle répéta : héros et jeune fille ! Une chaleur lui monta aux joues. De ces mots découlait un devoir encore mal défini.

Les pensées de Clarisse poussaient dans deux directions opposées, comme dans un corps à corps. Elle se sentait attirée et repoussée, mais ne savait ni où ni par quoi ; enfin une légère tendresse, qui était restée en elle sans qu'elle sût comment, l'induisit à chercher Walter. Elle se leva et posa la pomme.

Cela lui faisait de la peine de tourmenter sans cesse Walter. Elle n'avait encore que quinze ans quand elle s'était aperçue pour la première fois qu'elle avait le pouvoir de le tourmenter. Il lui suffisait de s'exclamer avec résolution que quelque chose n'était pas vraiment comme il le disait pour qu'il tressaillît, même quand ce qu'il avait dit était parfaitement vrai ! Elle savait qu'il avait peur d'elle. Il avait peur qu'elle ne devînt folle. Il avait laissé échapper cette crainte, une fois, puis s'était vite repris ; mais, depuis, elle savait qu'il y pensait. Elle trouvait cela très beau. Nietzsche dit : « Y a-t-il un pessimisme de la force ? Une prédilection de l'intelligence pour ce qui est rude, effrayant, mauvais ? Un abîme de tendances amorales ? Un désir du terrible considéré comme le seul ennemi digne de nous ? » De tels mots, quand elle y pensait, lui mettaient dans la bouche une excitation sensuelle douce et puissante comme du lait ; elle pouvait à peine avaler.

Elle pensa à l'enfant que Walter désirait avoir d'elle. De cela aussi il avait peur. C'était compréhensible, s'il croyait qu'elle pouvait devenir folle un jour. Cela lui inspirait de la tendresse pour Walter, bien qu'elle se refusât à lui violemment. Elle avait oublié qu'elle voulait aller à sa recherche. Maintenant, quelque chose se produisait dans son corps. Ses seins se gonflèrent, un sang plus épais roula dans les veines de ses bras et de ses jambes, elle perçut une vague pression du côté de la vessie et de l'intestin. Son corps mince s'approfondit vers l'intérieur, devint sensible, vivant, étrange, et tout cela successivement ; un enfant était couché, clair et souriant, dans ses bras ; la robe d'or de la Mère de Dieu rayonnait de ses épaules jusqu'au sol, la communauté chantait. C'était enfin sorti, elle avait donné au monde son Seigneur !

Mais à peine tout cela s'était-il produit que son corps se referma brusquement sur ce tableau béant, comme le bois rejette la hache ; elle était de nouveau mince, de nouveau elle-même, pleine de dégoût, pleine de gaie cruauté. Non, elle ne faciliterait pas ainsi les choses à Walter. « Je veux que ta victoire et ta liberté aient la nostalgie d'un enfant ! déclama-t-elle. Tu dois bâtir des monuments vivants en dehors de toi-même, au-delà de toi-même ! Mais, d'abord, je veux que ton corps et ton âme soient bâtis ! » Clarisse sourit ; c'était son sourire, fusant en longues flammes minces comme un feu qu'une grosse pierre écrase.

Elle se souvint ensuite que son père avait eu peur de Walter. Elle remonta des années en arrière. Elle en avait l'habitude ; Walter et elle se disaient souvent l'un à l'autre : « Te souviens-tu ? » Alors la lumière évanouie retraversait magiquement la distance et venait inonder le présent. C'était une chose très belle, et qu'ils aimaient. Peut-être était-ce comme lorsqu'on s'est promené maussadement pendant des heures et qu'on se retourne : tout le vide que l'on a traversé se transforme en horizon et devient une belle récompense ; mais jamais ils ne l'entendirent ainsi, car ils prenaient leurs souvenirs très au sérieux. C'est aussi pourquoi il parut à

Clarisse extraordinairement excitant et mystérieux que son père, le peintre vieillissant, qui représentait pour elle l'autorité, eût eu peur de Walter qui introduisait chez lui les Temps modernes, alors que Walter lui-même avait peur d'elle. C'était un peu comme quand elle prenait son amie Lucy Pachhofen par la taille et devait parler de son « papa », tout en sachant fort bien que papa était l'amant de Lucy ; car cela se passait à la même époque.

De nouveau, une bouffée de chaleur lui monta aux joues. Elle brûlait de se représenter ce vagissement bizarre, étranger à elle-même, dont elle avait parlé à son ami. Elle prit un miroir et chercha à retrouver le visage aux lèvres anxieusement pincées qu'elle avait dû avoir la nuit où son père était venu auprès de son lit. Elle ne parvint pas à reproduire le son que la tentation lui avait arraché. Elle réfléchit que ce son devait se loger, aujourd'hui comme alors, à l'intérieur de sa poitrine. C'était un son sans pitié ni égards ; jamais, depuis lors, il n'était revenu à la surface. Elle posa le miroir et regarda prudemment autour d'elle pour confirmer d'un regard tâtonnant la conscience qu'elle avait d'être seule. Puis, tâtant sa robe du bout des doigts, elle chercha le médaillon de velours noir si mystérieux. Dans la région du pli de l'aine, à moitié cachée par la cuisse, au bord de la toison qui, plus irrégulière en cet endroit, semblait lui faire place, elle le trouva ; elle laissa la main posée dessus, chassa toute espèce de pensée et attendit la transformation qui devait se produire. Elle la perçut aussitôt. Ce n'était pas le souple ruissellement de la volupté, mais son bras devint raide et gourd comme un bras d'homme ; elle eut l'impression que si elle parvenait à le lever comme il faut, elle pourrait d'un coup anéantir l'univers ! Elle nommait ce point de son corps « l'œil du diable ». C'est en ce point que son père avait rebroussé chemin. L'œil du diable avait un regard qui traversait ses vêtements ; ce regard « tenait à l'œil les hommes », les attirait en les fascinant, mais leur interdisait de faire un mouvement aussi longtemps que Clarisse le voulait. Clarisse pensait beaucoup de mots entre guillemets, les mettant ainsi en valeur, de même que dans ses lettres elle en soulignait souvent de gros traits d'encre ; ces mots soulignés prenaient une signification tendue, tendue exactement comme l'était maintenant son bras ; qui donc avait jamais pensé que l'on pût vraiment « tenir » quelque chose à l'œil ? Elle était le premier humain qui portât ce mot dans la main comme une pierre, une pierre qu'on pouvait lancer pour en frapper ce qu'on voulait. Il était une partie de la force fracassante de son bras. Avec tout cela, elle avait oublié le vagissement sur lequel elle voulait réfléchir, et sa pensée se tourna vers Marion, sa sœur cadette. A l'âge de quatre ans, on avait dû lui attacher les mains pendant la nuit parce que, autrement, sans même y penser, par simple goût de l'agréable, elles se glissaient sous la couverture comme deux jeunes ours dans un arbre à miel. Et plus tard, une fois, elle, Clarisse, avait dû séparer de force Walter de Marion. La sensualité circulait dans sa famille comme le vin chez les vignerons. C'était une forme de destin. Clarisse portait un lourd fardeau. Néanmoins, ses pensées continuèrent à se promener dans le passé, la tension de son bras fit place à un état plus naturel, elle oublia sa main sur ses genoux. A cette époque, elle voussoyait encore Walter. Réellement, elle lui devait beaucoup. Il venait proclamer qu'il existait des hommes nouveaux, qui ne supportaient que des meubles clairs et frais, et accrochaient à leur mur des tableaux sur lesquels la vérité était peinte. Il lui faisait la lecture : Peter Altenberg, de petites histoires de petites filles jouant au cerceau entre des parterres de tulipes folles d'amour, et dont les yeux sont d'une innocence à la fois claire et sucrée, comme des marrons glacés ; et Clarisse sut, dès ce moment, que ses jambes minces, qui lui avaient semblé si puériles jusqu'alors, avaient autant d'importance que le scherzo de « Je ne sais plus qui ».

Tous étaient alors en vacances, tout un cercle de gens ; plusieurs familles de leur connaissance avaient loué des villas au bord d'un lac, et toutes les chambres à coucher étaient occupées par des couples d'amis et d'amies que l'on avait invités. Clarisse dormait avec Marion. Parfois, vers onze heures, dans sa mystérieuse ronde lunaire, le Dr Meingast venait dans leur chambre bavarder un peu avec elles. C'était maintenant un homme célèbre en Suisse ; alors il jouait le rôle de maître des plaisirs, idolâtré par toutes les mères. Quel âge avait-elle donc, à ce moment-là ? Quinze ou seize ans, ou entre quatorze et quinze, le jour où il amena avec lui son élève Georges Gröschl, qui était à peine plus âgé que Clarisse et Marion ? Ce soir-là, le Dr Meingast avait paru distrait ; il s'était contenté de leur tenir un petit discours sur le clair de lune, le sommeil inconscient des parents et l'Homme nouveau ; puis il avait disparu tout à coup, comme s'il n'était venu que pour laisser auprès des jeunes filles son grand admirateur, le solide petit Georges. Georges maintenant ne disait rien, probablement se sentait-il intimidé, et les deux jeunes filles, qui avaient répondu à Meingast, se taisaient aussi. Ensuite, Georges dut serrer les dents dans l'ombre, et s'approcha du lit de Marion. La chambre était vaguement éclairée par l'extérieur, mais dans les angles où se trouvaient les lits se dressaient d'impénétrables masses d'ombre. Clarisse ne put rien voir de ce qui se passait ; elle remarqua seulement que Georges semblait se tenir debout à côté du lit et regarder Marion, mais il tournait le dos à Clarisse, et Marion ne donnait pas le moindre signe de vie, comme si elle n'était pas dans la chambre. Cela dura très longtemps. Georges enfin, tandis que Marion continuait à ne pas faire le moindre mouvement, sortit de l'ombre comme un meurtrier, son épaule et son flanc furent un instant pâlement visibles au centre de la pièce que la lune éclairait, puis il vint vers Clarisse qui s'était rapidement recouchée et avait remonté sa couverture jusqu'au menton. Elle savait qu'allait se répéter maintenant l'étrange chose qui s'était passée du côté de Marion ; elle était tout engourdie par l'attente, cependant que Georges demeurait debout sans rien dire à côté de son lit et, semblait-il, tenait ses lèvres pincées avec une extraordinaire violence. Enfin sa main sortit, comme un serpent, et s'affaira sur Clarisse. Ce qu'il faisait d'autre lui demeurait obscur ; elle n'en avait aucune idée et n'arrivait pas à reconstituer le peu qu'elle devinait de ses mouvements à travers son excitation. Elle-même n'éprouvait pas le moindre plaisir, celui-ci ne vint que plus tard, sur l'instant il n'y eut qu'une agitation puissante, indicible, angoissée ; elle resta tranquille comme une pierre tremblante dans le milieu d'un pont sur lequel roule, avec une lenteur infinie, un camion noir ; elle ne pouvait rien dire, elle se laissa tout faire. Après que Georges l'eut laissée, il disparut sans prendre congé, et aucune des deux sœurs ne savait exactement s'il était arrivé la même chose à l'autre ; elles ne s'étaient pas davantage appelées à l'aide qu'invitées à la complicité ; et des années passèrent avant qu'elles échangeassent le premier mot sur l'événement.

Clarisse avait retrouvé sa pomme, la rongeait et en mâchait de petits morceaux. Georges ne s'était jamais trahi, jamais confessé, sauf peut-être qu'il avait eu de loin en loin, dans les tout premiers temps, un regard significatif dans son immobilité de pierre ; c'était aujourd'hui un homme élégant, un homme d'avenir, haut fonctionnaire de la Justice ; et Marion était mariée. Le Dr Meingast, lui, ne s'était pas arrêté en si bon chemin ; ayant laissé tomber son cynisme en partant pour l'étranger, il devint ce que l'on appelle en dehors des universités un philosophe célèbre, constamment entouré d'une troupe de disciples, hommes et femmes. Peu de temps auparavant, il avait écrit à Walter et Clarisse une lettre où il annonçait qu'il allait prochainement revenir au pays afin d'y pouvoir travailler quelque temps sans être dérangé par ses fidèles ; il leur avait également demandé s'ils pourraient l'accueillir chez eux, puisqu'il avait appris qu'ils vivaient « aux confins de la nature et de la grande ville ». Peut-être était-ce là, en fin de compte, le point de départ de toutes les rêveries auxquelles Clarisse s'était laissée aller ce jour-là. « Dieu, que ce temps était étrange ! » songea-t-elle. Maintenant elle se rappelait autre chose encore : l'été avant celui de Lucy, Meingast l'embrassait quand ça lui chantait. « Vous permettez que je vous embrasse ! » disait-il poliment avant de le faire, et il embrassait aussi bien toutes ses amies. Clarisse s'en rappelait même une dont, par la suite, elle ne pouvait plus voir les jupes sans penser à des yeux hypocritement baissés. Meingast lui-même le lui avait raconté, et Clarisse (qui n'avait pourtant que quinze ans alors !) disait au Dr Meingast, adulte lui, lorsqu'il lui racontait ses aventures avec ses amies : « Vous n'êtes qu'un cochon ! » Employer ce mot vulgaire et l'insulter ainsi lui était aussi agréable que si elle avait porté des bottes et des éperons ; néanmoins, elle avait peur de finir par ne pouvoir lui résister, et quand il lui demandait un baiser, elle n'osait pas le contredire, parce qu'elle craignait de paraître sotte.

Mais quand Walter, pour la première fois, lui donna un baiser, elle dit très sérieusement : « J'ai promis à maman de ne jamais rien faire de tel. » C'était toute la différence : Walter parlait comme les saintes Écritures, parlait beaucoup, l'art et la philosophie l'enveloppaient comme un grand troupeau de nuages auréole la lune. Il lui faisait la lecture. Mais pour l'essentiel, il se contentait de la dévisager sans relâche, parmi ses amies. C'est en quoi consistèrent d'abord toutes leurs relations, et, précisément, c'était comme quand la lune surgit, on ne peut que joindre les mains. En fait, leurs relations continuèrent plus tard par des pressions de mains ; pressions de mains paisibles, sans paroles cette fois, dans lesquelles il y avait une singulière puissance d'union. Clarisse sentait son corps entier purifié par la main de Walter ; quand celui-ci, par hasard, la lui offrait sans chaleur, l'esprit distrait, elle se trouvait très malheureuse. « Tu ne peux pas savoir ce que c'est pour moi ! » lui disait-elle, suppliante. Déjà, ils se disaient tu en cachette. Il développait en elle la sensibilité aux montagnes et aux coléoptères, alors qu'elle n'avait vu jusque-là dans la nature qu'un paysage que papa, ou l'un de ses collègues, peignait et vendait. D'un seul coup s'éveilla en elle le besoin de critiquer sa famille ; elle se sentit neuve, différente. Maintenant, Clarisse se rappelait exactement comment s'était passée l'histoire du scherzo : « Vos jambes, Mademoiselle Clarisse, dit Walter, sont plus proches de l'art réel que tous les tableaux que peint Monsieur votre papa ! » Il y avait un piano dans la maison de vacances, ils jouaient à quatre mains. Clarisse apprenait avec lui ; elle voulait arriver plus loin que ses amies ou sa famille. Personne ne comprenait comment on pouvait jouer du piano dans ces beaux jours d'été au lieu d'aller ramer ou se baigner, mais elle avait attaché toute son espérance à Walter, elle s'était immédiatement proposé de devenir « sa femme », de l'épouser ; quand il la gourmandait pour une note fausse, elle se sentait bouillir, mais le plaisir l'emportait. Walter, réellement, la gourmandait quelquefois, parce que l'esprit ne tolère pas de concessions ; mais seulement devant le piano. En dehors de la musique, il arrivait encore qu'elle fût embrassée par Meingast, et lors d'une promenade en bateau au clair de lune, comme Walter ramait, elle posa de son propre gré sa tête sur la poitrine de Meingast, assis à côté d'elle au gouvernail. Meingast était terriblement habile dans ce genre de choses, elle ne savait pas ce qui en adviendrait ; lorsque Walter, pour la seconde fois, à la fin de la leçon de piano, au tout dernier moment, comme ils étaient déjà sur le seuil, la saisit par-derrière et la couvrit de baisers, elle n'éprouva guère que le sentiment désagréable de manquer d'air, et se dégagea violemment ; néanmoins, la chose était bien établie dans son cœur, quoi qu'il pût arriver avec l'autre, celui-là, elle ne devait pas l'abandonner !

Ces histoires sont bien étranges : l'haleine du Dr Meingast avait le pouvoir de faire fondre toute résistance, comme un air pur et léger dans lequel on se sent heureux sans même l'avoir remarqué, alors que Walter, qui avait toujours souffert, comme Clarisse le savait depuis longtemps, d'embarras de digestion, de même qu'il était lent à se décider, avait dans l'haleine quelque chose de bloqué ; elle était à la fois trop brûlante et comme roussie, paralysante. Ces éléments pycho-physiques avaient joué leur rôle dès le début, et Clarisse était loin de s'en étonner, car rien ne lui paraissait plus naturel que cette pensée de Nietzsche, que le corps d'un homme est son âme. Ses jambes n'avaient pas plus de génie que sa tête, mais elles en avaient autant, elles se confondaient avec son génie ; sa main, au contact de Walter, déclenchait instantanément un flux de projets et de protestations qui circulait dans tout son corps, mais sans entraîner la moindre parole ; et si sa jeunesse, dès qu'elle eut pris conscience d'elle-même, se révolta contre les convictions et autres folies de ses parents, ce fut simplement avec la fraîcheur d'un corps dur qui méprise tous les sentiments qui pourraient lui rappeler, fût-ce de très loin, les somptueux lits conjugaux et les riches tapis d'Orient, tels que les mœurs austères de la génération les aimaient. C'est pourquoi le physique continua plus tard à jouer chez elle un rôle qu'elle comprenait autrement que d'autres, peut-être, ne le feraient.

A ce point de sa rêverie, Clarisse refréna ses souvenirs,

c'est-à-dire, plus exactement, que ses souvenirs la déposèrent tout à coup, sans heurts, dans la réalité. Tout cela, et tout ce qui va suivre, elle avait voulu le confier à son ami sans qualités. Peut-être Meingast prenait-il à ce moment-là trop de place, car c'était juste après cet été mouvementé qu'il était parti pour l'étranger, qu'il avait disparu et qu'avait commencé en lui l'extraordinaire transformation qui avait fait d'un viveur frivole un célèbre penseur ; depuis, Clarisse ne l'avait revu que brièvement, et sans qu'ils évoquassent le passé. Mais, en réfléchissant ainsi, elle voyait bien la part qu'elle avait prise à sa transformation. Beaucoup de choses s'étaient encore passées entre eux deux avant qu'il ne disparût ; sans Walter ou avec la participation jalouse de Walter, évinçant, piquant, stimulant Walter ; des orages spirituels, et ces heures plus folles encore que vivent avant un orage un homme et une femme égarés ; et des heures apaisées, où toute passion s'est écartée, étendues dans l'air pur de l'amitié comme des prairies après la pluie. Clarisse avait dû subir bien des choses, et les avait subies non sans consentement, mais l'enfant curieuse s'était défendue à sa manière en parlant franchement à l'ami effréné ; comme Meingast s'était déjà montré, dans les derniers temps qui précédèrent son départ, plus grave dans son amitié, et presque magnanime et mélancolique dans sa rivalité avec Walter, elle était maintenant fermement convaincue qu'elle avait pris sur elle, avant qu'il partît pour la Suisse, tout ce qui troublait sa nature, lui permettant ainsi une transformation surprenante. Elle était confirmée dans cette idée par ce qui s'était passé entre elle et Walter immédiatement après. Clarisse n'arrivait plus à se remémorer exactement l'ordre de ces longs mois, de ces longues années, mais il importait peu, finalement, de savoir à quelle date une chose ou l'autre s'était passée. Il y avait eu, en gros, après un temps où elle s'était peu à peu rapprochée de Walter, non sans résistance d'ailleurs, une époque exaltée, avec des promenades, des aveux, une prise de possession spirituelle, et ces mille petites débauches infiniment douloureuses et délicieuses de deux amants à qui il manque encore exactement autant de hardiesse qu'ils ont déjà perdu de pudeur. On aurait pu croire que Meingast leur avait légué ses péchés afin qu'ils les revécussent à un degré plus élevé, et les épuisent au plus haut degré de l'expérience, et c'est ainsi que tous deux le comprenaient. Maintenant que Clarisse se souciait si peu de l'amour de Walter qu'elle en était parfois dégoûtée, elle comprenait encore plus clairement que l'ivresse de la soif amoureuse qui les avait jetés dans de si grandes folies n'avait rien été d'autre que l'incarnation d'un pouvoir non charnel, d'un sens, d'un devoir, d'un destin, tels qu'on en élabore pour les élus parmi les astres.

Elle n'avait pas honte, mais elle aurait plutôt voulu pleurer quand elle comparait Hier et Aujourd'hui. Mais Clarisse ne pouvait jamais pleurer, elle pinçait les lèvres et cela donnait quelque chose qui ressemblait à son sourire. Son bras, baisé sur toute sa longueur jusqu'à l'aisselle, sa jambe, surveillée par l'œil du Diable, son corps souple, mille fois déroulé par la langueur de l'amant et s'enroulant de nouveau comme une corde, gardaient ce sentiment merveilleux, inséparable de l'amour, qui est d'avoir, dans les moindres gestes, une importance mystérieuse. Clarisse était assise là et se faisait l'effet d'une actrice à l'entracte. A vrai dire, elle ne savait pas ce qui devait se passer, mais elle était convaincue que la tâche perpétuelle des amants était de se maintenir tels qu'ils avaient été l'un pour l'autre dans les moments les plus sublimes de leur amour. Et son bras était là, ses jambes étaient là, elle avait la tête sur les épaules, étrangement prête à percevoir la première le signe qui ne pouvait manquer de se produire. Peut-être est-il difficile de comprendre ce que Clarisse voulait dire, mais pour elle, c'était très simple. Elle a écrit une lettre au comte Leinsdorf, en réclamant une Année Nietzsche en même temps que la mise en liberté de l'assassin de la prostituée et peut-être son exposition en public pour rappeler le calvaire de ceux qui doivent faire converger sur eux toutes les passions dispersées des autres ; maintenant, elle sait pourquoi elle l'a fait. Il faut que quelqu'un fasse le premier pas. Sans doute ne s'est-elle pas très bien exprimée, mais n'importe ; l'essentiel est que l'on commence une fois, que l'on cesse de tolérer et de laisser faire. L'histoire a prouvé que le monde a besoin de temps en temps (et l'expression « d'éons en éons » sonnait derrière ces mots comme deux cloches que l'on ne voit pas, bien qu'elles soient tout près), de ces êtres qui ne peuvent pas mentir ni hurler avec les loups, de sorte qu'ils font scandale. Jusque-là, la chose était claire.

Il est non moins clair que les êtres qui font scandale apprennent à connaître le poids du monde. Clarisse sait que les grands génies qu'a produits l'humanité ont presque toujours dû souffrir, et elle ne s'étonne pas de ce que bien des jours et des semaines de sa vie soient oppressés comme si l'on avait tiré sur eux une dalle pesante. Pourtant, cela finissait toujours par passer, et c'est pour tout le monde la même chose. Dans sa sagesse, l'Église a même institué des temps de deuil afin de rallier tous les deuils et d'empêcher que des demi-siècles entiers soient inondés par le découragement et l'insensibilité, comme cela s'est déjà trouvé. Il y a d'autres moments dans la vie de Clarisse plus difficiles à saisir, des moments par trop libres, privés de contrepoids, où il suffit d'un seul mot pour la faire immédiatement dérailler. Alors, elle est hors d'elle-même ; elle ne peut pas dire où ; elle n'est nullement absente, au contraire, on pourrait dire plutôt qu'elle est présente à l'intérieur d'un plus profond espace, inséré d'une manière incompréhensible à l'imagination ordinaire dans l'espace que son corps occupe dans le monde. Mais à quoi bon chercher des mots pour quelque chose qui ne se trouve pas sur le chemin des mots ? Elle finit toujours par atterrir de nouveau chez les autres, avec juste un picotement clair dans la tête, comme à la suite d'un saignement de nez. Clarisse comprend que ces moments qu'elle vit parfois sont périlleux. Ce sont évidemment des préparations et des épreuves. De toute façon, elle avait l'habitude de penser plusieurs choses à la fois, comme un éventail s'ouvre et se ferme : une chose est à moitié à côté, à moitié en dessous de l'autre, et quand le désordre devient excessif, il est compréhensible qu'on éprouve le besoin de s'enfuir d'un seul bond ; besoin qu'éprouvent beaucoup de gens, mais justement ils ne font rien.

Ainsi, Clarisse vivait des préparatifs et des présages comme d'autres gens se vantent de leur mémoire ou de leur estomac de fer : ils pourraient manger des bris de verre, disent-ils. Clarisse a déjà prouvé une ou deux fois qu'elle peut vraiment prendre quelque chose sur elle ; elle a montré sa force contre son père, contre Meingast, contre Georges Gröschl. Quant à Walter des efforts étaient encore nécessaires ; là, les choses, bien qu'empêchées, suivaient leur cours. Mais depuis quelque temps, Clarisse avait l'intention d'éprouver sa force sur l'Homme sans qualités. Elle n'aurait pas pu préciser exactement depuis quand ; cela se rattachait à ce nom que Walter avait inventé et Ulrich approuvé. Auparavant, elle devait l'avouer, dans les années précédentes, elle n'avait jamais fait grande attention à Ulrich, bien qu'ils fussent d'excellents camarades. « Homme sans qualités », ces mots lui rappelaient par exemple le piano, c'est-à-dire ces mélancolies, ces sauts de joie, ces accès de colère que l'on traverse en toute hâte sans que ce soient des passions tout à fait réelles. Autant de choses qui lui étaient familières. Puis, sans le moindre détour, elle en vint à cette affirmation que l'on devait s'interdire de faire tout ce en quoi l'âme n'est pas tout entière engagée : avec ces mots, elle fut transportée au beau milieu de la réalité profonde et chaotique de son mariage. Un Homme sans qualités ne dit pas « Non ! » à la vie, mais « Pas encore ! » Il s'économise ; elle avait compris cela de tout son corps. Peut-être le sens de tous les instants où elle sortait d'elle-même était-il qu'elle allait devenir Mère de Dieu. Elle se souvint de la vision qu'elle avait eue à peine un quart d'heure plus tôt. « Peut-être toute mère peut-elle devenir Mère de Dieu, songeait-elle, si elle ne laisse pas faire, si elle ne ment ni n'agit avec les autres, mais fait surgir d'elle-même, sous la forme d'un enfant, ce qu'il y a de plus profond en elle ! A condition qu'elle ne cherche rien pour elle-même ! » ajouta-t-elle tristement. Cette pensée, en effet, était loin de ne lui donner que du plaisir : elle éprouvait le sentiment, mêlé de tourment et de béatitude, qu'elle allait être sacrifiée à quelque chose. Sa vision avait été pareille à cette image apparaissant dans les branches d'un arbre, entre les feuilles qui vacillent tout à coup comme des chandelles, et le bois tout de suite après se referme sur elle ; son humeur n'en resta pas moins durablement altérée. L'instant d'après, un hasard lui valut de découvrir un fait qui n'aurait eu d'importance pour personne d'autre : dans le mot « marque de naissance », il y a le mot « naissance ». Pour elle, ce fut comme si son destin, soudain, avait été écrit dans les astres. La merveilleuse pensée que la femme, mère ou amante, devait accueillir l'homme dans son corps, l'amollit et l'excita tout ensemble. Clarisse ne sut pas d'où cette pensée lui était venue, qui faisait fondre sa résistance tout en lui donnant de la force.

Pourtant, elle était loin de se fier encore à cet Homme sans qualités. Il y avait beaucoup de choses qu'il ne pensait pas comme il les disait. Quand il prétendait qu'on ne peut pas donner réalité à ses idées ou qu'il ne prenait absolument rien au sérieux, ce n'était qu'une dérobade, elle le comprenait bien ; ils s'étaient flairés l'un l'autre et se reconnaissaient à des signes. Pendant ce temps, Walter pensait que Clarisse avait des moments de folie ! Et néanmoins, il y avait en Ulrich quelque chose d'amèrement mauvais, une soumission diabolique à la démarche nonchalante du monde. Il fallait le délivrer. Il fallait qu'elle aille le chercher.

Elle avait dit à Walter : Tue-le ! Cela ne signifiait pas grand-chose, elle ne savait pas très bien ce qu'elle avait voulu dire ; cela devait signifier à peu près qu'il fallait agir pour l'arracher à lui-même, sans se laisser arrêter par aucun obstacle.

Il fallait qu'elle lutte avec lui.

Elle rit, elle se frotta le nez. Elle arpenta la chambre dans l'obscurité. Il devait se produire quelque chose avec l'Action parallèle. Quoi, elle l'ignorait.

98. *Sur un État qui périt faute de nom.*

Le train des jours est un train qui déroule ses rails devant soi à mesure qu'il arrive. Le fleuve du temps est un fleuve qui emporte avec soi ses rives. Celui qui voyage se meut entre des parois fixes, sur un sol fixe ; mais parois et sol, de manière imperceptible, sont très étroitement associés aux mouvements des voyageurs. C'était une chance inappréciable pour la paix de son âme que cette pensée ne fût pas encore apparue à Clarisse entre ses autres pensées.

Le comte Leinsdorf lui aussi en était protégé. Il en était protégé par la conviction de faire une politique réaliste.

Les jours ballottaient et formaient des semaines. Les semaines ne restaient pas immobiles, mais se tressaient en longues chaînes. Il se produisait perpétuellement quelque chose. Quand perpétuellement quelque chose se produit, on a vite l'impression d'être réellement efficace. C'est ainsi que les salons du palais Leinsdorf devaient être ouverts au public à l'occasion d'une grande fête en faveur des enfants tuberculeux. Cet événement fut précédé de longs entretiens entre Son Altesse et son majordome, entretiens au cours desquels étaient citées des dates déterminées, auxquelles des travaux déterminés devaient être faits. Dans le même temps, la police organisa une grande Exposition du Jubilé à l'ouverture de laquelle toute la haute société assista. Le Préfet de Police s'était rendu auprès de Son Altesse pour lui remettre en personne son invitation, et lorsque, le comte Leinsdorf entrant, il s'avança pour l'accueillir, le Préfet reconnut à ses côtés le « Secrétaire d'honneur et collaborateur volontaire » qui lui fut présenté une seconde fois, bien que ce fût superflu, ce qui lui donna l'occasion de faire briller sa légendaire mémoire des visages : il avait la réputation de connaître personnellement un citoyen sur dix, ou tout au moins d'avoir quelques renseignements sur lui. Diotime vint aussi, en compagnie de son mari, et tous ceux qui étaient apparus attendaient un membre de la famille impériale, auquel un certain nombre d'entre eux furent présentés ; tout le monde s'accorda pour dire que l'exposition était passionnante et parfaitement réussie. Elle combinait des images accrochées aux murs et des souvenirs de grands crimes en montre dans des armoires ou des pupitres vitrés. Parmi ces souvenirs, l'on voyait du matériel de fric-frac, des ateliers de faussaires, des boutons perdus qui avaient servi d'indices, et tout le tragique outillage des assassins célèbres accompagnés de légendes, tandis que les images aux murs, contrastant avec cet arsenal d'épouvante, représentaient des sujets édifiants tirés de la vie du policier. On pouvait voir là le brave agent qui aide une petite vieille à traverser la chaussée, le grave agent debout auprès du cadavre retiré de la rivière, le courageux agent qui se jette au-devant d'un attelage emballé, une « Allégorie de la Police protégeant la Cité », l'enfant perdu au poste, encadré par deux paternels représentants de la loi, l'agent brûlant qui porte dans ses bras une jeune fille arrachée au brasier, à quoi s'ajoutaient nombre d'autres images du genre « Premier secours », « En faction solitaire », à côté des photographies des fidèles agents, remontant jusqu'à l'année de service 1869, avec l'évocation de leur carrière et des poèmes encadrés qui magnifiaient leur activité.

Le plus haut fonctionnaire de la police, le chef de ce ministère qui portait, en Cacanie, le titre psychologique de Ministère « des affaires intérieures », fit allusion, dans son discours d'ouverture, à ces tableaux qui montraient le caractère véritablement populaire de la police, et déclara que l'admiration que l'on devait éprouver pour son esprit de rigueur et de secourisme était une véritable fontaine de Jouvence de la morale, en un temps où l'art et la vie ne sont que trop tentés par un lâche culte de l'insouciance et de la sensualité. Diotime, qui était debout à côté du comte Leinsdorf, vit ses efforts pour le développement de l'art moderne battus en brèche et mit tous ses soins à regarder en l'air avec un visage à la fois tendre et implacable, pour faire sentir à cet élément conciliant qu'il y avait en Cacanie d'autres cerveaux que celui de ce ministre. Son cousin qui, pendant le discours, l'observait à quelque distance avec les pensées toutes respectables d'un secrétaire d'honneur, sentit soudain, dans la presse, une main d'une prudente légèreté se poser sur son bras et, à sa grande surprise, reconnut à côté de lui Bonadea, venue à la journée d'ouverture avec son mari, le haut fonctionnaire de la Justice, et qui profitait de l'instant où tout le monde tendait le cou vers le ministre et l'archiduc debout devant lui, pour s'approcher de son infidèle ami.

Cette attaque téméraire avait été précédée de minutieux préparatifs. Désagréablement touchée par l'abandon de son amant dans un moment où l'avait envahie le mélancolique besoin d'attacher aussi à son extrémité libre, métaphoriquement parlant, la bannière flottante de son plaisir, Bonadea n'avait plus été préoccupée, au cours de ces dernières semaines, que de sa reconquête. Ulrich l'évitait, et les explications forcées ne faisaient que la mettre dans la posture désavantageuse de celle qui implore vis-à-vis de celui qui aimerait mieux rester seul. C'est ainsi qu'elle s'était proposé de pénétrer de force dans le cercle où celui qu'elle aimait passait son temps. Cette première intention en couvait une seconde, celle d'utiliser les relations professionnelles de son mari avec l'odieux assassin Moosbrugger en même temps que le désir de son ami d'alléger d'une façon ou d'une autre le destin de cet assassin ; d'utiliser, donc, ces relations et ce désir en sa faveur, et de s'attacher ainsi des deux côtés à la fois. C'est pourquoi elle n'avait cessé de rappeler à son mari l'intérêt que des cercles influents prenaient à la protection des fous criminels ; quand le projet de l'Exposition de la Police et la date de l'inauguration officielle furent connus, elle le pressa de l'emmener avec lui, parce que son instinct lui disait que c'était là la manifestation de bienfaisance si longtemps espérée qui lui permettrait d'être présentée à Diotime.

Lorsque le ministre eut terminé son discours et que l'assistance se dispersa, elle se garda bien de lâcher d'une semelle son amant consterné, et malgré l'horreur presque insurmontable qu'elle en éprouvait, se mit à examiner en sa compagnie les affreux instruments tachés de sang. « Tu disais qu'on pourrait empêcher tout cela, qu'il suffirait de le vouloir », murmura-t-elle, lui rappelant ainsi, comme un enfant sage qui veut prouver son attention, la dernière conversation approfondie qu'ils avaient eue sur ce sujet. Un moment après elle sourit, se laissa porter tout contre lui par la cohue et en profita pour lui souffler à l'oreille : « Tu as dit un jour que tout homme, dans les circonstances voulues, est capable de toutes les faiblesses. » Ulrich se trouva fort embarrassé par cette manière ostentatoire de marcher à côté de lui, et comme sa maîtresse, malgré toutes ses tentatives de diversion, mettait le cap sur les parages immédiats de Diotime et qu'il lui était difficile, en présence de tout le monde, de lui représenter encore sérieusement son tort, il comprit qu'il ne lui resterait pas autre chose à faire ce jour-là qu'à présenter l'une à l'autre les deux femmes, épreuve à quoi il s'était jusqu'alors refusé. Ils étaient déjà tout près d'un groupe dont Diotime et Son Altesse formaient le centre, lorsque Bonadea s'écria à voix haute devant une vitrine : « Venez voir, il y a le couteau de Moosbrugger ! » Il était là en effet, et Bonadea le contemplait avec enthousiasme, comme si elle avait découvert dans un tiroir le premier cotillon de sa grand-mère. C'est alors que son ami prit une résolution rapide et pria sa cousine, sous un adroit prétexte, de bien vouloir lui permettre de lui présenter une dame qui le souhaitait fort et qu'il connaissait pour une adoratrice passionnée de toutes les bonnes, vraies et belles aspirations.

Ainsi, l'on ne pouvait vraiment pas dire qu'il se passât peu de choses dans le ballottement des jours et des semaines ; et l'Exposition de la Police, avec tout ce qui s'y rattachait, n'en était encore que la moindre partie. En Angleterre, par exemple, on avait quelque chose d'autrement grandiose, dont la société d'ici parlait beaucoup : une maison de poupées qui avait été offerte à la reine et conçue par un célèbre architecte, avec une salle à manger longue d'un mètre où étaient accrochés des portraits en miniature dus à de célèbres peintres modernes, des chambres où l'eau chaude et l'eau froide coulaient de vrais robinets, et une bibliothèque avec un petit livre entièrement en or où la reine pouvait coller les photographies de la famille royale, un indicateur des chemins de fer et des bateaux d'une typographie microscopique et environ deux cents minuscules volumes dans lesquels de célèbres auteurs avaient écrit pour la reine, de leur propre main, des poèmes ou des récits. Diotime possédait le luxueux ouvrage anglais en deux volumes qui venait de paraître à ce sujet et qui donnait d'excellentes reproductions de tout ce qui en valait la peine ; elle devait à cette édition une fréquentation plus assidue de ses soirées par le « gratin ».

Mais, même en dehors de cela, il ne cessait de se passer des choses qu'on mettait toujours quelque temps à définir, de sorte que tous ces événements, comme un roulement de tambour, semblaient précéder au fond des âmes quelque chose d'encore invisible. Pour la première fois, les télégraphistes des postes royales-impériales firent la grève, sous une forme extraordinairement inquiétante qui fut intitulée « résistance passive » et consistait simplement en ceci qu'ils observèrent tous avec la plus stricte exactitude les consignes de service : il apparut que l'exacte observance des règlements paralysait le travail plus rapidement que l'anarchie la plus effrénée ne l'eût jamais pu. Comme l'histoire (dont on se souvient aujourd'hui encore) de ce capitaine de Köpenick, en Prusse, qui, ayant acheté un uniforme chez le fripier, s'était fait passer pour un officier supérieur, avait arrêté une patrouille dans la rue et subtilisé la caisse municipale avec l'aide de ladite patrouille et de la discipline prussienne, la Résistance passive était quelque chose qui excitait le rire, mais qui en même temps, souterrainement, sapait toutes les idées sur lesquelles se fondait la réprobation dont on souhaitait se faire l'écho. On lisait dans les nouvelles que le gouvernement de Sa Majesté avait conclu avec le gouvernement d'une autre Majesté un traité qui avait pour but le maintien de la paix, le relèvement de l'économie, la collaboration sincère et le respect des droits de chacun, mais qui comportait aussi des mesures pour le cas où ceux-ci seraient, ou pourraient être menacés. Quelques jours après, le ministre sous les ordres de qui Tuzzi travaillait avait prononcé un discours où il prouvait l'urgence d'une étroite collaboration entre les trois Empires continentaux, ceux-ci ne pouvant se désintéresser de l'évolution de la société, mais devant faire front, dans l'intérêt général des dynasties, contre toute innovation d'ordre social. L'Italie était embarquée dans une campagne en Libye ; l'Allemagne et l'Angleterre étudiaient le problème de Bagdad ; la Cacanie faisait quelques démonstrations militaires dans le sud pour avertir le monde qu'elle n'accorderait pas à la Serbie l'accès à la mer, mais seulement l'établissement d'une voie ferrée ; dans le même temps, Mlle Vogelsang, l'illustre actrice suédoise, avouait qu'elle n'avait jamais mieux dormi que la nuit qui avait suivi son arrivée en Cacanie, et qu'elle avait été ravie de voir l'agent de police qui la protégeait de l'enthousiasme de la foule lui demander ensuite la permission de serrer sa main dans les siennes en signe de gratitude.

Ainsi, nos pensées reviendraient tout naturellement à

l'Exposition de la Police. Il se passait beaucoup de choses, et l'on ne manquait pas de s'en apercevoir. On les trouvait bonnes quand on en était l'auteur, suspectes quand elles étaient dues aux autres. Dans le détail, le premier écolier venu pouvait comprendre ce qui se produisait ; dans l'ensemble, nul ne le savait exactement, hormis quelques personnes qui n'en étaient même pas très sûres. Un peu plus tard, toutes ces choses auraient pu arriver dans une succession modifiée ou inverse sans qu'on y vît nulle différence, à l'exception de ces quelques changements qui résistent au temps sans qu'on sache pourquoi et forment le sillon baveux de l'escargot historique.

On comprendra qu'une ambassade étrangère, en de telles circonstances, se trouve devant une tâche difficile lorsqu'elle veut réussir à savoir ce qui réellement se passe. Les représentants diplomatiques auraient volontiers tiré leur science du comte Leinsdorf, mais Son Altesse leur créait quelques difficultés. Chaque jour, elle retrouvait dans son action cette satisfaction que peut seul donner le sentiment de l'inébranble, et son visage ne montrait aux observateurs étrangers que la sérénité rayonnante d'opérations conduites dans un ordre parfait. Le premier Bureau écrivait, le deuxième Bureau répondait ; quand le deuxième Bureau avait répondu, on devait en faire part au premier Bureau, et le mieux était de proposer une discussion ; quand le premier Bureau et le deuxième Bureau s'étaient mis d'accord, on constatait qu'aucun engagement ne pouvait être pris : de sorte qu'il y avait continuellement quelque chose à faire. De plus, il existait une quantité d'éléments secondaires à prendre en considération. On travaillait en parfait accord avec les autres ministères ; on ne voulait pas blesser l'Église ; on devait tenir compte de certaines personnes et de certaines conjonctures sociales ; en bref, même les jours où l'on ne faisait rien de particulier, il y avait tant de choses à ne pas faire qu'on avait l'impression d'une activité très intense.

Son Altesse le comte Leinsdorf appréciait cela comme il fallait. « Plus haute est la situation où le Destin place un homme, aimait-il à dire, plus clairement il reconnaît que ce qui compte, ce sont quelques principes simples et peu nombreux, une volonté ferme et une activité planifiée. » Un jour même, il fit à son « jeune ami » quelques confidences plus précises sur cette expérience. Il commença en évoquant les efforts de l'Allemagne en vue de l'unité nationale et reconnut qu'entre 1848 et 1866 quantité d'hommes intelligents s'étaient mêlés de politique ; « mais ensuite, poursuivit-il, est venu ce monsieur Bismarck qui aura eu au moins ceci de bon d'avoir montré comment se fait la politique : ni par les discours, ni par l'intelligence ! Malgré ses mauvais côtés, il aura au moins obtenu qu'après lui, tout homme, partout où atteint la langue allemande, sache que la politique n'a rien à espérer de l'intelligence ni des discours, mais qu'elle ne doit compter que sur la réflexion silencieuse et l'action ! »

Le comte Leinsdorf faisait des déclarations analogues au concile même, et les représentants des puissances étrangères qui y avaient parfois des observateurs, jugeaient malaisé de se faire une idée exacte de ses intentions. Accordant quelque importance tant à la participation d'Arnheim qu'à la situation de Tuzzi, on en concluait généralement qu'il devait exister entre ces deux hommes et le comte Leinsdorf une entente secrète dont le but politique demeurait pour le moment caché, la femme du sous-secrétaire réussissant à en détourner l'attention par ses aspirations panculturelles. Si l'on considère ce succès du comte Leinsdorf réussissant à tromper la curiosité même des plus sagaces observateurs, et cela sans le moindre effort, il semble difficile de lui refuser ces dons de politicien réaliste qu'il prétendait posséder.

Mais les Messieurs qui portent des broderies d'or sur leur habit dans les grandes occasions, s'en tenaient eux aussi aux préjugés « réalistes » de leur métier ; comme leurs recherches dans les coulisses de l'Action parallèle n'aboutissaient à aucun résultat tangible, ils eurent bientôt fait de diriger leurs regards vers ce qui servait d'explication à la plupart des événements mystérieux de la Cacanie, et que l'on appelait « les Nations captives ».

De nos jours, on fait comme si le nationalisme n'était qu'une invention des fabricants d'armes, mais cela ne devrait pas nous empêcher de risquer une fois une explication plus large : et la Cacanie fournirait à une telle tentation une contribution importante. Les habitants de cette double monarchie, impériale-et-royale et impériale-royale, se trouvaient devant une tâche difficile : ils devaient se considérer comme des patriotes impérialement et royalement austro-hongrois, mais en même temps comme des patriotes royalement hongrois ou impérialement-royalement autrichiens. Devant de telles difficultés, on comprendra que leur devise fût : « Toutes forces unies ! » Autrement dit : *Viribus unitis*. Mais, pour cela, les Autrichiens avaient besoin de forces beaucoup plus grandes que les Hongrois. Car les Hongrois, une fois pour toutes, n'étaient que hongrois, et ce n'est qu'accessoirement qu'ils passaient aussi, aux yeux de ceux qui ne comprenaient pas leur langue, pour des Austro-Hongrois ; les Autrichiens, en revanche, n'étaient, à l'origine, rien du tout, et leurs autorités voulaient qu'ils se sentissent également austro-hongrois ou autrichiens-hongrois (il n'y avait même pas de mot exact pour dire la chose). D'ailleurs, il n'y avait pas d'Autriche du tout. Les deux parties, Autriche et Hongrie, s'accordaient entre elles comme une veste rouge-blanc-vert et un pantalon jaune et noir ; la veste était une pièce en soi, mais le pantalon n'était que le reste d'un costume jaune et noir qui n'existait plus depuis 1876. Depuis lors, le pantalon Autriche se nommait, dans le langage officiel, « les royaumes et pays représentés à l'Assemblée », ce qui bien entendu n'était plus qu'une formule creuse, un ensemble de noms : car ces royaumes aussi, par exemple ceux, tout shakespeariens, de Lodomérie et d'Illyrie, il y avait longtemps qu'ils n'existaient plus ; même au temps où l'habit jaune et noir était encore complet, ils avaient déjà cessé d'exister. C'est pourquoi, si l'on demandait à un Autrichien ce qu'il était, il ne pouvait évidemment pas répondre : Je suis un membre des « royaumes et pays représentés à l'Assemblée », et qui n'existent pas ; il préférait dire, ne fût-ce que pour cette raison : Je suis polonais, tchèque, italien, frioulien, ladin, slovène, croate, serbe, slovaque, ruthène ou valaque : le prétendu nationalisme, c'était ça. Qu'on se figure un chat-huant qui ne sait pas s'il est un chat ou un hibou, un être qui n'a aucune idée de soi-même, et l'on comprendra que ses propres ailes, en certaines circonstances, puissent lui inspirer une angoisse sans remède. C'était là les relations des Caçaniens entre eux : ils se considéraient les uns les autres avec la peur panique de fragments qui, toutes forces unies, s'empêchent réciproquement d'être quelque chose. Depuis que le monde est monde, il n'est pas un seul être qui soit mort faute de nom ; on n'en a pas moins le droit d'ajouter que c'est ce qui arriva à la double monarchie autrichienne et hongroise et austro-hongroise : elle périt d'être inexprimable.

Pour l'étranger, il n'est pas sans intérêt d'apprendre de quelle manière un Cacanien haut placé et compétent comme le comte Leinsdorf s'accommodait de ces difficultés. Il commençait par isoler avec soin, dans son esprit vigilant, la Hongrie, dont cet habile diplomate ne parlait jamais, pas plus qu'on ne parle d'un fils qui s'est établi contre le gré de ses parents, bien qu'on espère encore que les choses tourneront mal pour lui ; mais pour tout le reste, il avait trouvé un nom : les « nationalités », ou encore les « groupes ethniques autrichiens ». L'invention était subtile. Son Altesse avait étudié le droit constitutionnel ; elle y avait appris que dans le monde presque entier, un peuple n'avait le droit d'être appelé nation que s'il possédait une forme de gouvernement personnelle ; elle en avait déduit que les nations cacaniennes ne pouvaient être, au mieux, que des nationalités. Le comte Leinsdorf savait d'autre part qu'un homme ne peut trouver sa vocation véritable et totale que dans la vie communautaire d'une nation à laquelle il est subordonné. Comme il n'aimait pas à penser que personne fût privé de ce bien, il en concluait à la nécessité de subordonner les nationalités et les groupes ethniques à un État. De plus, il croyait à un ordre divin, même si celui-ci n'était pas en tous temps visible à nos regards ; dans les moments révolutionnairement modernes qu'il avait parfois, il allait même jusqu'à penser que l'idée de l'État qui s'imposait depuis quelque temps avec tant de force, n'était peut-être pas autre chose que l'idée, toute divine, de la Majesté, sous la forme nouvelle qui commençait à se manifester. Quoi qu'il en fût (son goût de la politique réaliste lui interdisait de pousser la réflexion trop loin, et il se fût aussi bien accommodé des conceptions de Diotime, qui pensait que l'idée de l'État cacanien se confondait avec celle de la Paix universelle), l'essentiel était qu'un État cacanien existait, même s'il n'avait pas de nom exact, et qu'il fallait donc de toute nécessité lui découvrir un peuple. Pour rendre la chose plus claire, il aimait à répéter, à titre d'exemple, que l'on ne pouvait être un écolier si l'on n'allait pas à l'école, mais que l'école, même vide, restait toujours une école. Plus les populations se rebellaient contre l'école cacanienne qui devait faire d'elles un seul peuple, plus nécessaire lui apparaissait ladite école. Les populations affirmaient énergiquement qu'elles étaient de véritables nations, réclamaient la restitution de droits historiques perdus, lorgnaient, par-delà les frontières, du côté de leurs frères ou de leurs cousins de race et déclaraient publiquement que le royaume était une prison dont elles voulaient être délivrées. Le comte Leinsdorf, au contraire, persistait, plus apaisant que jamais, à les appeler « groupes ethniques » ; il insistait autant qu'elles-mêmes sur leur caractère incomplet, mais voulait les compléter en en faisant surgir le véritable peuple autrichien ; tout ce qui résistait à son plan ou se montrait par trop séditieux, il se l'expliquait de la manière que nous savons comme les conséquences d'une inexpérience prolongée, et jugeait que le meilleur moyen de lutter contre elle était un habile mélange d'intelligente tolérance et de tranquille répression.

C'est pourquoi l'Action parallèle, quand le comte Leinsdorf l'eut créée, passa aussitôt aux yeux des nationalités pour un mystérieux complot pangermanique ; l'intérêt que Son Altesse manifesta pour l'Exposition de la Police fut mis en relation avec la police politique et interprété comme une confirmation de leurs liens. Tout cela, les observateurs étrangers le savaient, et ils avaient appris sur l'Action parallèle autant d'horribles révélations qu'ils pouvaient le souhaiter. Ils les avaient toutes à l'esprit pendant qu'on leur parlait de la réception faite à l'actrice Vogelsang, de la maison de poupées de la reine et de la grève des employés des Postes, ou quand on les interrogeait sur leur interprétation des derniers traités internationaux ; et, bien que l'expression « esprit d'austérité » dont le ministre s'était servi dans son discours pût être éventuellement interprétée comme un avertissement, ils avaient l'impression assez nette que si l'on considérait sans parti pris l'ouverture de cette Exposition qui avait tant fait parler d'elle, on n'y remarquerait pas la moindre chose qui fût digne de remarque. Cependant, comme tous les autres, ils avaient aussi l'impression que quelque chose de général et d'incertain se produisait, qui échappait encore, provisoirement, à l'analyse.

99. *De la demi-intelligence et de sa fertile seconde moitié ; de l'analogie de deux époques, de l'aimable nature de tante Jane et de ce monstre qu'on appelle les Temps nouveaux.*

Cependant, il n'était pas davantage possible de se faire une idée claire sur le déroulement des séances du concile. A cette époque, parmi les gens à la page, on était généralement pour « l'esprit actif » ; on avait reconnu que le devoir de « l'homme-cerveau » était de prendre le pas sur « l'homme-ventre ». De plus, il y avait quelque chose que l'on appelait l'expressionnisme ; on ne pouvait pas expliquer avec précision ce que c'était, mais, le mot lui-même le disait, c'était une manière de faire sortir quelque chose au-dehors ; peut-être des visions constructives, si celles-ci, comparées avec la tradition artistique, n'avaient pas été aussi bien destructives, de sorte qu'on pouvait les appeler tout simplement « structives », cela n'engageait à rien : « une conception du monde structive », la formule ne sonne pas mal.

Ce n'est pourtant pas tout. On était alors généralement tourné vers le monde et vers l'actualité, dans un mouvement de l'intérieur à l'extérieur ; mais le mouvement contraire, de l'extérieur à l'intérieur, existait déjà ; déjà l'intellectualisme et l'individualisme passaient pour égocentriques et démodés, l'amour, une fois de plus, avait le dessous, et l'on était en passe de redécouvrir l'heureuse influence du *kitsch* [1] sur

1. Le *kitsch*, expression courante en Allemagne pour désigner l'art de mauvais goût. Voir à ce propos, de Musil, *Nachlass zu Lebzeiten*, p. 75 ss.

les masses, quand elle s'exerce sur l'âme purifiée des hommes d'action. « Ce qu'on est » change aussi vite, semble-t-il, que « ce qu'on porte » ; dans un cas comme dans l'autre, personne, même pas sans doute les commerçants intéressés à la mode, ne connaît le véritable secret de cet « on ». Néanmoins, celui qui se révolterait là contre ferait immanquablement l'effet légèrement ridicule d'un homme tombé entre les deux pôles d'une machine de faradisation, tressaillant et vacillant sans que l'on puisse apercevoir son adversaire. Car l'adversaire n'est pas constitué par l'ensemble des gens qui savent exploiter avec une prompte adresse la situation commerciale présente, c'est la fluide, l'aérienne instabilité de l'état général au confluent d'innombrables domaines, sa capacité illimitée d'association et de transformation, à quoi vient s'ajouter encore, chez le sujet, le défaut ou l'écroulement de tout principe valable qui puisse leur donner ordre et consistance.

Chercher un point fixe dans un tel flux de phénomènes est aussi difficile que de planter un clou dans un jet d'eau ; pourtant, il semble y avoir quelque chose, dans ce mouvement, qui demeure égal à soi-même. Que se passe-t-il, par exemple, lorsque cette espèce mobile qu'est l'homme qualifie de génial un joueur de tennis ? Elle omet quelque chose. Et lorsqu'elle qualifie de génial un cheval de course ? Elle omet davantage encore. Qu'elle dise d'un footballeur qu'il est scientifique, d'un escrimeur qu'il est spirituel, ou qu'elle parle de la tragique défaite d'un boxeur, elle omet quelque chose ; de toute manière, elle omet toujours quelque chose. Elle exagère ; c'est l'imprécision qui est la cause de l'exagération, de même que dans une petite ville c'est l'imprécision des conceptions qui fait que le fils d'un petit commerçant passe pour un homme du grand monde. Il doit bien y avoir là-dedans quelque chose de juste : pourquoi les improvisations d'un champion n'évoqueraient-elles pas aussi celles d'un génie, et ses réflexions celles d'un chercheur expérimenté ? Mais quelque chose d'autre, naturellement, et de bien plus considérable, ne marche pas ; à l'usage, ce reste n'est ressenti qu'à peine, ou de mauvais gré. Il passe pour peu sûr ; il est négligé et omis, et c'est probablement moins sa conception du génie que notre époque exprime quand elle qualifie de génial un joueur de tennis ou un cheval de course, que sa méfiance pour les hautes sphères dans leur ensemble.

Ce serait ici le lieu de parler de tante Jane, dont Ulrich se souvenait maintenant parce qu'il feuilletait de vieux albums de famille que Diotime lui avait prêtés et comparait les visages qu'il y trouvait avec ceux qu'il voyait chez les Tuzzi. Jeune garçon, Ulrich avait fait souvent de longs séjours chez une grand-tante dont tante Jane était l'amie depuis des temps immémoriaux. En réalité, cette tante Jane n'était la tante de personne ; elle était entrée dans la maison comme professeur de piano des enfants et, si elle n'en avait pas récolté beaucoup de gloire, elle y avait gagné beaucoup d'amour, son principe étant qu'il était absurde de faire faire des gammes à qui n'est pas « né musicien », comme elle disait. Elle était beaucoup plus heureuse de voir les enfants grimper aux arbres, et c'est ainsi qu'elle devint aussi bien la tante de deux générations successives que, par la force rétroactive des années, l'amie d'enfance de sa patronne déçue.

« Ah ! ce Moucki ! » disait-elle par exemple, insensible aux années, avec tant d'indulgence et d'admiration pour le petit oncle Népomucène alors âgé, déjà, de quarante ans, que sa voix demeurait vivante encore aujourd'hui pour celui qui l'avait alors entendue. Cette voix de tante Jane était comme poudrée de farine ; exactement comme quand on plonge son bras nu dans de la très fine farine. Une voix voilée, doucement pannée ; cela venait de ce qu'elle buvait beaucoup de café très noir et fumait de longs, minces et forts cigares de Virginie qui, avec l'âge, avaient noirci et amenuisé ses dents. La regardait-on au visage, on pouvait également trouver le son de sa voix en rapport avec les innombrables et fines petites lignes dont sa peau était sillonnée, comme une gravure. Son visage était long et doux, et les générations suivantes ne l'avaient pas vu changer davantage que quoi que ce fût d'autre en elle. Elle n'avait jamais porté de toute sa vie qu'un seul vêtement, bien qu'il dût être reproduit, probablement du moins, à quelques exemplaires : c'était un étroit fourreau de soie noire cannelée qui descendait jusqu'aux pieds, n'autorisait aucune espèce de luxuriance physique et se fermait par d'innombrables petits boutons noirs comme la soutane d'un prêtre. Il en sortait par le haut un collet droit fort strict, aux angles rabattus, entre lesquels, à chaque bouffée de cigare, la pomme d'Adam dessinait dans la peau décharnée du cou d'actives cannelures ; les manches étroites se terminaient par de raides manchettes blanches, et la cime consistait en une perruque d'homme d'un blond roux, légèrement frisée, portant la raie au milieu. Cette raie, avec les années, laissa voir un peu de la toile, mais plus touchantes encore étaient les deux places où l'on apercevait les tempes grises, à côté des cheveux teints, unique signe que tante Jane n'avait pas été toute sa vie également vieille.

On pourrait croire qu'elle avait anticipé de quelques décennies sur le type de femme masculine devenu plus tard à la mode ; il n'en était pas ainsi : dans sa virile poitrine battait le cœur le plus féminin du monde. On pouvait imaginer aussi qu'elle avait été un jour une pianiste illustre, dépassée plus tard par son époque, car elle en avait toute l'apparence ; là encore on se trompait : elle n'avait jamais été plus qu'un professeur de piano. La tête d'homme et la soutane provenaient simplement du fait que tante Jane, jeune fille, s'était enthousiasmée pour Franz Liszt qu'elle avait rencontré quelquefois, pendant un certain temps, dans le monde ; et c'est alors que son nom avait pris, on ne sait trop comment, sa forme anglaise. Elle restait fidèle à cette rencontre comme un chevalier amoureux porte jusque dans sa vieillesse les couleurs de sa dame, sans avoir jamais désiré davantage ; et c'était plus touchant, chez tante Jane, que si elle avait continué à porter dans sa retraite l'uniforme de ses propres triomphes.

Le secret même de sa vie était d'une nature analogue : dans la famille d'Ulrich, on ne le communiquait aux enfants devenus grands qu'après de graves exhortations, comme dans une initiation d'adolescents. Jane n'était plus toute jeune (car une âme exigeante met longtemps à choisir) lorsqu'elle rencontra l'homme qu'elle aima, qu'elle épousa contre le gré de sa famille ; cet homme était bien entendu un artiste, encore que l'inique malchance des villes de province voulût qu'il ne fût que photographe. Néanmoins, en vrai génie, il n'attendit pas longtemps pour accumuler les dettes et boire plus que de raison. Tante Jane se priva pour lui, alla le chercher au café pour le ramener à son Olympe, pleura en cachette et en sa présence, à ses pieds. Il avait toute l'apparence d'un génie, une bouche puissante et des cheveux fous, et si tante Jane avait eu le pouvoir de transférer sur lui l'intensité de son désespoir, le malheur de ses vices l'eût fait aussi grand que lord Byron. Mais le photographe se prêtait mal au transfert des sentiments ; il abandonna Jane au bout d'un an avec leur bonne, une petite paysanne qu'il avait engrossée, et, bientôt après, il mourait quasiment sur la paille. Jane coupa une boucle sur sa tête puissante et la conserva ; elle recueillit l'enfant illégitime qu'il laissait et l'éleva au prix de lourds sacrifices. Elle parlait rarement du passé, car on ne peut exiger de la vie, lorsqu'elle est intense, qu'elle soit encore facile.

Il y avait ainsi, dans la vie de tante Jane, une certaine dose de monstruosité romantique. Mais plus tard, lorsque le photographe, dans sa terrestre imperfection, eut cessé depuis longtemps d'exercer sur elle le moindre charme, la substance imparfaite de son amour pour lui pourrit elle aussi en une certaine mesure, et il ne resta plus que la forme éternelle de l'amour et de l'enthousiasme ; à distance, cette expérience agit à peine autrement qu'une expérience réellement intense ne l'eût fait. Tante Jane était ainsi. Il est probable que son contenu spirituel n'était pas bien lourd, mais la forme de son âme était si belle ! Son attitude était héroïque, et ces attitudes-là ne sont gênantes que lorsque leur contenu est faux ; quand elles sont absolument vides, elles redeviennent une foi et un brasier. Tante Jane ne vivait que de thé, de café noir et de deux tasses de bouillon par jour, mais dans les rues de la petite ville les gens ne s'arrêtaient ni ne se retournaient quand elle passait dans sa soutane noire, parce qu'on savait que c'était une personne convenable ; bien mieux, on éprouvait pour elle une certaine vénération, parce qu'elle était une personne convenable et n'en avait pas moins gardé le pouvoir de se donner l'air qui lui plaisait, encore que personne ne sût exactement ce qu'il en était d'elle.

Telle avait été donc l'histoire de tante Jane. Il y a longtemps maintenant qu'elle est morte, à un âge avancé, et la grand-tante est morte, et l'oncle Népomucène est mort, et pourquoi donc, enfin, ont-ils vécu ? se demandait Ulrich. En ce moment, il aurait donné cher pour pouvoir parler une fois encore avec tante Jane. Il feuilletait les gros vieux albums de photographies des siens qui avaient fini par échouer chez Diotime, et plus il se rapprochait, en feuilletant, des débuts de cet art nouveau, plus les êtres qui s'y étaient prêtés lui semblaient l'avoir fait fièrement. On les voyait poser le pied sur des rochers de carton enguirlandés de lierre en papier ; s'ils étaient officiers, ils écartaient les jambes et posaient le sabre entre deux ; si c'étaient des jeunes filles, elles mettaient leurs mains dans leur giron et ouvraient des yeux immenses ; si c'étaient de libres citoyens, on voyait leur pantalon, hardiment romantique, s'élever de terre sans aucun pli, comme une fumée bouclée, et leur jaquette avait cette rondeur dans l'élan, cette violence tempétueuse qui avaient évincé la dignité et la raideur de la redingote bourgeoise. Cela devait se passer entre 1860 et 1870, quand le procédé n'en était plus à ses premiers commencements. Il y avait longtemps que la révolution des années 40 était devenue du passé, et un triste passé : la vie avait trouvé de nouveaux contenus, mais on ne sait plus bien lesquels aujourd'hui. De même, les larmes, les étreintes, les aveux où la bourgeoisie nouvelle, au début de son règne, avait cherché son âme, étaient passés de mode ; mais, comme une vague va mourir dans le sable, cette noblesse d'âme avait abouti dans les vêtements et dans une certaine ferveur privée, ferveur pour laquelle il doit bien exister un meilleur mot, mais dont nous n'avons provisoirement que ces photographies. C'était le temps où les photographes portaient des vestes de velours et des impériales et ressemblaient à des peintres, où les peintres esquissaient d'immenses cartons sur lesquels ils emmenaient à l'exercice, compagnie par compagnie, des personnages représentatifs ; c'était encore le temps où les personnes privées jugeaient qu'il était grand temps de trouver, pour elles aussi, un processus d'immortalisation. Ajoutons enfin qu'il est peu d'époques où les hommes se soient sentis aussi géniaux et sublimes, peu d'époques, cependant, où il y ait eu moins d'hommes exceptionnels, ou si peu qui réussirent à sortir du lot.

Souvent Ulrich se demandait s'il y avait un rapport entre cette époque où un photographe pouvait se croire génial parce qu'il buvait, portait un col ouvert, manifestait sa noblesse d'âme, à l'aide des procédés les plus modernes, sur tous les contemporains qui posaient devant son objectif, et une certaine autre époque où le génie n'est plus sincèrement reconnu qu'aux chevaux de course pour le don insurpassable qu'ils ont de contracter et d'étirer tour à tour leurs quatre membres. Ces deux époques paraissent très différentes ; le présent considère le passé de haut, et si le passé était venu par hasard après le présent, il l'aurait aussi regardé de haut ; mais, pour l'essentiel, elles se ressemblent beaucoup : ici comme là, l'imprécision et l'omission des différences décisives jouent le plus grand rôle. Une partie d'un grand ensemble est prise pour le tout, une vague analogie pour l'accomplissement de la vérité, et les modes passagères bourrent à leur guise les mannequins vidés des grands mots. L'effet, même s'il ne dure pas, est grandiose. Les hommes qui discouraient dans les salons de Diotime n'avaient jamais tout à fait tort en rien, parce que leurs concepts étaient aussi indistincts que des silhouettes dans une buanderie. « Ces concepts auxquels la vie est suspendue comme l'aigle dans ses ailes !... songeait Ulrich. Ces innombrables concepts esthétiques et moraux qui, de nature, sont aussi délicats que de massives montagnes dans la confusion des lointains ! » A force de les tourner et de les retourner sur leurs langues, les invités de Diotime les multipliaient, et ils n'exprimaient pas une seule idée dont on pût parler un instant sans glisser déjà par mégarde sur la voisine.

De tous temps, cette espèce d'hommes a prétendu incarner les « Temps nouveaux ». Expression pareille à l'outre où l'on pouvait garder captifs les vents d'Éole ; excuse sempiternelle que ces hommes se donnent pour ne pas imposer au monde son ordre propre, objectif, mais la structure illusoire d'une chimère. Il y avait là pourtant, de leur part, une profession de foi. La conviction qu'ils avaient pour tâche de mettre de l'ordre dans le monde était étrangement forte en eux. Si on voulait appeler « demi-intelligence » tout ce qu'ils entreprenaient dans ce sens, on remarquerait alors que l'autre moitié de cette demi-intelligence, la moitié jamais inexacte, jamais juste, la moitié innommée ou, pour la nommer enfin, la moitié bête, possédait une fécondité et une puissance de renouvellement inépuisables. Il y avait en elle de la vie, de la mobilité, de l'agitation, de perpétuels changements de points de vue. Mais eux-mêmes devinaient bien ce qu'il en était. Cela les secouait, cela leur soufflait dans la tête, ils vivaient une époque nerveuse et quelque chose clochait : chacun se jugeait intelligent, mais tous ensemble, ils se sentaient inféconds. S'ils avaient encore, par-dessus le marché, du talent (ce que leur imprécision n'excluait nullement), c'était alors dans leur tête comme si l'on apercevait le temps et les nuages, les chemins de fer, les fils télégraphiques, les arbres, les bêtes et tout l'immense tableau mouvant de notre bien-aimé monde à travers une étroite fenêtre empoussiérée ; nul d'entre eux, d'ailleurs, n'en prenait conscience en regardant par sa propre fenêtre, mais toujours en se postant devant celle des autres.

Par plaisanterie, Ulrich se permit une fois de leur demander des précisions sur leurs idées ; ils le considérèrent d'un air réprobateur, l'accusèrent d'être un esprit sceptique et mécaniste, et affirmèrent solennellement que l'extrême complication ne pouvait être résolue que par l'extrême simplicité, si bien que les Temps nouveaux, une fois délivrés du présent, prendraient une physionomie parfaitement simple. Contrairement à Arnheim, Ulrich ne faisait sur eux aucune impression ; et tante Jane lui aurait dit, en lui caressant le visage : « Je les comprends fort bien : ton sérieux les gêne... »

100. *Le général Stumm envahit la Bibliothèque nationale et rassemble quelques expériences sur les bibliothécaires, les aides-bibliothécaires et l'ordre intellectuel.*

Le général Stumm avait remarqué l'insuccès de son « camarade » et se mit en devoir de le consoler. « Peut-on imaginer plus inutiles parlotes ! » s'écria-t-il, irrité, à l'adresse des membres du concile. Puis, au bout d'un instant, bien qu'il n'eût pas recueilli le moindre encouragement, il commença ses confidences, avec une excitation mêlée de plaisir : « Tu te souviens que je me suis mis en tête de déposer aux pieds de Diotime la pensée rédemptrice qu'elle cherche. Il semble évidemment qu'il y ait un grand nombre de pensées importantes, mais il faut bien, finalement, qu'il y en ait une plus importante que toutes les autres : la simple logique l'exige ! Il ne s'agit donc que d'y mettre de l'ordre. Tu m'as dit toi-même que cette résolution était digne d'un Napoléon. Tu t'en souviens, non ? Là-dessus, comme on pouvait s'y attendre de ta part, tu m'as donné toute une série d'excellents conseils ; mais je n'ai pas eu l'occasion de m'en servir. Enfin bref ! j'ai pris moi-même la chose en main ! »

Il portait des lunettes d'écaille qu'il tirait maintenant de sa poche, à la place du lorgnon, et posait sur son nez lorsqu'il voulait examiner attentivement quelqu'un ou quelque chose.

L'un des principes essentiels de l'art de la guerre est d'être renseigné sur les forces de l'adversaire. « Ainsi donc, racontait le général, je me suis procuré une carte de lecteur pour notre très illustre Bibliothèque impériale et, sous la conduite d'un bibliothécaire qui, fort aimablement, s'est mis à ma disposition quand je lui eus dit qui j'étais, j'ai pénétré dans les lignes ennemies. Nous avons parcouru les rangs de ce colossal magasin et, je puis te le dire, ça ne m'a pas autrement frappé : ces rangées de livres ne sont pas plus impressionnantes qu'une parade de garnison. Mais, au bout d'un moment, j'ai commencé à faire des calculs dans ma tête, avec un résultat assez inattendu. Je m'étais dit avant d'entrer, vois-tu, que si je me mettais à lire un livre par jour, ce qui serait évidemment très astreignant, je finirais bien tout de même par en venir à bout un jour ou l'autre, et pourrais alors prétendre à une certaine situation dans la vie intellectuelle, même si j'en sautais un de temps en temps. Mais que penses-tu que me réponde le bibliothécaire quand je vois que notre promenade s'éternise et lui demande combien de volumes contenait exactement cette absurde bibliothèque ? Trois millions et demi, me répondit-il ! Au moment où il me dit cela, nous en étions à peu près au sept cent millième : dès ce moment, je n'ai plus cessé de calculer. Je t'en épargne le détail ; de retour au Ministère, j'ai repris encore une fois le calcul avec un crayon et du papier : de la manière que j'avais envisagée, il m'aurait fallu dix mille ans pour venir à bout de mon projet !

« A ce moment, j'ai senti mes jambes comme paralysées, le monde entier réduit à un vaste maelström ! Aujourd'hui que j'ai retrouvé mon calme, permets-moi de te le dire, il y a là quelque chose d'essentiel qui cloche !

« Tu peux me repartir qu'on n'a pas besoin de lire tous les livres. Je te répondrai : à la guerre non plus on n'a pas besoin de tuer tous les soldats, cela n'empêche pas que chacun d'eux soit nécessaire ! Tu me diras : les livres aussi sont tous nécessaires. Mais regarde : déjà là, il y a quelque chose qui cloche, car ce n'est pas vrai : j'ai demandé au bibliothécaire !

« Voici, mon cher, ce que tout bonnement j'imaginais : cet homme passe sa vie entre ces millions de livres, il les connaît tous, il connaît la place de chacun : il devrait donc pouvoir m'aider. Bien entendu, je n'ai pas voulu lui demander carrément tout de go : comment pourrais-je trouver la plus belle pensée du monde ? On aurait cru à un commencement de conte de fées, je suis assez malin pour m'en apercevoir, et de toute façon, même enfant, je ne pouvais pas souffrir les contes de fées ; mais quoi faire ? Il fallait bien finalement lui poser une question de ce genre ! D'autre part, mon tact naturel m'empêchait également de lui dire la vérité, par exemple de faire précéder ma question de quelques renseignements sur notre Action et de prier cet homme de m'orienter vers un but digne d'elle ; je ne m'y sentais pas autorisé. Aussi ai-je fini par user d'un petit stratagème. “Ah ! ai-je commencé tout innocemment, ah ! j'oubliais de vous demander comment vous vous y prenez pour trouver toujours dans une telle foule de livres, celui qu'il vous faut ?” J'ai dit ça, tu sais, exactement comme j'imagine que Diotime l'aurait dit, avec une petite nuance admirative à son égard pour qu'il tombe mieux dans le panneau.

« Et en effet, le voilà qui demande, tout empressé et mielleux, ce que "mon général" désire savoir. Ma foi, je me trouvai bien un peu embarrassé. "Oh ! beaucoup de choses, dis-je en traînant sur les mots.

– Je veux dire, de quelle question, ou de quel auteur vous occupez-vous ? Histoire de la guerre ? dit-il.

– Non, non, surtout pas. Plutôt histoire de la paix.

– Dans le passé ? Ou littérature pacifiste contemporaine ?"

« Non, lui ai-je dit, ce n'est pas si simple. Plutôt, par exemple, un résumé de toutes les grandes pensées de l'humanité, si ça existe, lui ai-je demandé sournoisement ; tu te souviens, n'est-ce pas, de ce que j'avais déjà fait dans ce domaine ?

« Il ne répond rien. "Ou bien un livre sur la réalisation de l'essentiel ? dis-je.

– Une éthique théologique, alors ?

– Une éthique théologique si vous voulez, mais il faut qu'il y ait dedans quelque chose sur la vieille culture autrichienne et sur Grillparzer", insisté-je. Crois-moi : le gaillard a dû voir briller dans mes yeux unc telle soif de connaissance qu'il a craint tout à coup d'être complètement tari. J'ajoute encore quelques mots sur quelque chose comme des indicateurs de chemin de fer qui doivent permettre d'établir entre les pensées toutes les communications et toutes les correspondances désirées : sa politesse se fait carrément inquiétante, il m'offre de me conduire à la salle des catalogues et de m'y laisser seul, bien que ce soit en principe interdit, les bibliothécaires seuls ayant le droit d'y travailler. Ainsi, je me trouvai réellement dans le Saint des Saints de la bibliothèque. J'avais l'impression, je t'assure, d'être entré à l'intérieur d'un crâne. Il n'y avait rien autour de moi que des rayons avec leurs cellules de livres, partout des échelles pour monter, et sur les tables et les pupitres rien que des catalogues et des bibliographies, toute la quintessence du savoir, nulle part un livre sensé, lisible, rien que des livres sur des livres : ça sentait diablement la matière grise, et je ne me flatte pas en disant que j'avais l'impression d'être arrivé à quelque chose ! Mais aussi bien, naturellement, quand le type a voulu me laisser seul, je me suis senti tout drôle, pas tranquille, pour tout dire : recueilli et pas tranquille. Il grimpe comme un singe sur une échelle, fonce sur un volume évidemment visé d'en bas, tombe juste dessus, me le descend et dit : "J'ai là pour vous, mon général, une bibliographie des bibliographies (tu vois ce que c'est ?), c'est-à-dire la liste alphabétique des listes alphabétiques des titres de tous les livres et travaux qui ont été consacrés durant ces cinq dernières années aux progrès des sciences éthiques, à l'exclusion de la théologie morale et des belles-lettres..." Du moins est-ce à peu près ce qu'il m'explique, après quoi il veut s'enfuir. J'ai juste le temps de l'accrocher par son veston, et me cramponne à lui. "Monsieur le bibliothécaire, m'écrié-je, vous ne pouvez pas m'abandonner sans m'avoir révélé le secret grâce auquel vous arrivez à vous retrouver dans ce... (oui, j'ai employé imprudemment le mot de cabanon, parce que c'est l'impression que j'avais eue tout à coup) dans ce cabanon de livres !" Il a dû mal me comprendre : dans la suite, je me suis souvenu de ce qu'on prétend, que les fous aiment toujours à reprocher leur folie aux autres ; en tout cas, il ne quittait pas mon sabre des yeux et ne tenait plus en place. Là-dessus, je puis dire qu'il m'a fait une sacrée frousse. Comme je le tenais toujours par son veston, le voilà qui tout à coup se redresse, comme s'il devenait trop grand pour son pantalon flottant, et me dit d'une voix qui s'attardait significativement sur chaque mot, comme s'il allait maintenant révéler le secret de ces murs : "Mon général ! Vous voulez savoir comment je puis connaître chacun de ces livres ? Rien ne m'empêche de vous le dire : c'est parce que je n'en lis aucun !"

« Là, vraiment, c'en était trop ! Devant ma stupeur, il a bien voulu s'expliquer. Le secret de tout bon bibliothécaire est de ne jamais lire, de toute la littérature qui lui est confiée, que les titres et la table des matières. "Celui qui met le nez dans le contenu est perdu pour la bibliothèque ! m'apprit-il. Jamais il ne pourra avoir une vue d'ensemble !"

« Le souffle coupé, je lui demande : "Ainsi, vous ne lisez jamais un seul de ces livres ?

– Jamais. A l'exception des catalogues.

– Mais vous êtes bien docteur, n'est-ce pas ?

– Je pense bien. Et même privatdocent de l'Université pour le bibliothécariat. La science bibliothécaire est une science en soi, m'expliqua-t-il. Combien croyez-vous qu'il existe de systèmes, mon général, pour ranger et conserver les livres, classer les titres, corriger les fautes d'impression, les indications erronées des pages de titre, etc. ?"

« Eh bien ! veux-tu que je te le dise ? Quand il m'a eu laissé seul, il n'y avait que deux choses que j'aurais aimé faire : ou éclater en sanglots, ou m'allumer une cigarette : et, là où j'étais, je ne pouvais m'accorder ni l'une ni l'autre ! Et que penses-tu qu'il soit arrivé ? poursuivit le général avec ravissement. Comme j'étais là complètement démonté, un vieil employé qui probablement nous avait déjà observés s'approche de moi, commence par traîner les pieds une ou deux fois poliment dans mes parages puis s'arrête, me regarde et se met à parler, d'une voix que la poussière des livres ou le goût des pourboires avait faite toute douceur. "Qu'y a-t-il pour votre service, mon général ?" commence-t-il. Je fais un geste de dénégation, mais le vieux insiste : "Nous recevons souvent des messieurs de l'École militaire : que mon général me dise simplement à quel thème il s'intéresse actuellement ! Jules César, le prince Eugène, le comte Daun ? Ou serait-ce quelque chose de moderne ? Le règlement militaire ? La discussion du budget ?" Crois-moi, ce vieux parlait si sensément, semblait si renseigné sur ce qu'il y a dans les livres que je lui ai donné un pourboire et demandé comment il s'y prenait. Et que crois-tu qu'il m'ait répondu ? Il continue à me raconter que les élèves de l'École de guerre, quand ils ont un devoir écrit, viennent parfois lui demander des livres ; "quand je les leur apporte, continue-t-il, il arrive qu'ils se plaignent un peu des absurdités qu'on leur fait apprendre, et c'est comme ça que nous nous instruisons petit à petit. Un autre jour, c'est Monsieur le député chargé de rédiger le rapport sur le budget scolaire qui me demande quelles sources le député qui avait rédigé le rapport l'année précédente avait utilisées. Un autre jour c'est Monsieur l'évêque qui, depuis une quinzaine d'années déjà, publie des travaux sur certains coléoptères, ou un de ces messieurs les professeurs de l'Université qui se plaint de demander depuis trois semaines le même livre sans jamais pouvoir l'obtenir : nous voilà pour examiner tous les rayons voisins dans l'éventualité qu'il aurait été mal classé, jusqu'à ce qu'on découvre que le professeur l'a depuis deux ans chez lui et ne l'a jamais rendu. Et voilà bientôt quarante ans que ça dure : on finit par deviner tout seul ce que les gens veulent, et ce qu'ils lisent à cet effet.

– N'empêche, mon ami, lui dis-je, qu'il n'est pas commode de vous expliquer ce que je cherche à lire !"

« Et que penses-tu qu'il m'ait répondu ? Il me regarde avec modestie, hoche la tête et dit : "Avec votre permission, mon général, cela peut arriver. Il n'y a pas si longtemps, une dame me parlait qui m'a dit exactement la même chose ; peut-être la connaissez-vous, mon général, cette dame est la femme de M. le sous-secrétaire Tuzzi, du Ministère des Affaires étrangères."

« Hein, qu'est-ce que tu en dis ? Je te promets que j'ai accusé le coup ! Et comme le vieux s'en aperçoit, ne faut-il pas qu'il m'amène tous les livres que Diotime se fait réserver là-bas ! Maintenant, quand je vais à la Bibliothèque, c'est positivement comme un mariage spirituel clandestin : ici ou là, prudemment, je note un signe ou un mot au crayon dans la marge, sachant qu'elle le trouvera un jour prochain sans soupçonner le moins du monde qui s'est ainsi glissé dans ses pensées au moment où elle se demande ce que cela peut vouloir dire ! »

Le général fit une pause radieuse. Mais il ne tarda pas à se ressaisir, une amère gravité envahit son visage, et il poursuivit : « Maintenant, essaie donc, autant que possible, de te concentrer un moment ! j'ai quelque chose à te demander. Nous sommes tous bien convaincus, n'est-ce pas, que notre époque est la plus soucieuse d'ordre qui fût jamais. Il est vrai que j'ai présenté cela un jour à Diotime comme un préjugé, mais c'est un préjugé, bien entendu, que je partage. Or, j'ai été forcé de constater que les seuls êtres qui disposent d'un ordre intellectuel réellement digne de confiance sont les bibliothécaires, et je te demande… Mais non, je ne te le demande pas : nous en avons déjà parlé en son temps, et mes dernières expériences m'ont amené naturellement à y réfléchir encore, de sorte que je te dis, tout simplement, ceci : Imagine que tu bois du schnaps : excellent dans certaines situations. Mais que tu bois encore, et encore, et encore du schnaps : tu me suis ? Tu commences par attraper une cuite, ensuite le delirium tremens, enfin les honneurs militaires, et le curé bredouille quelque chose sur ta tombe à propos du devoir accompli. La chose t'est bien claire ? Bon, si la chose t'est claire (et ce n'est pas bien compliqué), imagine maintenant de l'eau. Et imagine que tu doives en boire toujours davantage : tu finiras par te noyer. Et imagine un type qui mange jusqu'à l'occlusion intestinale ! Et imagine maintenant les remèdes : la quinine, l'arsenic, l'opium. Et pourquoi ? me diras-tu. Patience ! J'en arrive maintenant, mon vieux, à la plus éminente de mes propositions : imagine l'ordre. Ou plutôt, imagine d'abord une grande idée, puis une plus grande, puis une plus grande encore, et ainsi de suite ; et sur ce modèle, imagine toujours plus d'ordre dans ta tête ! D'abord, c'est aussi plaisant qu'une chambre de vieille demoiselle et aussi net qu'une écurie militaire ; puis grandiose, comme une brigade en formation de bataille ; puis enfin tout à fait fou, comme quand on rentre du mess en pleine nuit et qu'on commande aux étoiles : "Univers, attention : à droite, droite !" Ou encore, disons, l'ordre est d'abord comme quand une recrue cafouille des jambes et que tu l'aides à marcher au pas ; ensuite, comme quand tu rêves que tu es nommé Ministre de la Guerre par-dessus la tête de quelqu'un. Mais imagine-toi maintenant un ordre humain total, universel, en un mot, l'ordre civil parfait : parole d'honneur ! c'est la mort par le froid, la rigidité cadavérique, un paysage lunaire, une épidémie géométrique !

« J'en ai parlé un peu avec mon bibliothécaire. Il m'a suggéré de lire Kant ou quelque chose de ce genre sur les limites des concepts et de la connaissance. Mais je ne veux plus rien lire du tout. Il y a dans mon sentiment quelque chose d'assez comique, comme si je comprenais tout à coup pourquoi nous autres militaires, qui bénéficions du maximum d'ordre, devons en même temps être prêts à donner notre vie à tout instant. Je ne peux pas t'expliquer pourquoi. D'une manière ou d'une autre, l'ordre se transforme en désir de tuer. Et j'ai bien peur maintenant que ta cousine, avec tous ses efforts, ne finisse par s'attirer des malheurs en un moment où je puis l'aider moins que jamais ! Tu me suis ? Quant à toutes les belles et grandes idées que suscitent l'art et la science, respect pour elles, bien sûr ! Je m'en voudrais d'avoir rien dit là contre ! »

101. *Les parents ennemis.*

En ce temps-là, Diotime eut elle aussi une nouvelle conversation avec son cousin. Un soir, derrière les tourbillons qui tournoyaient tenaces, infatigables à travers la demeure, une lagune de silence s'était formée contre une cloison, à l'endroit où Ulrich était assis, sur une banquette ; Diotime s'approcha comme une danseuse et s'assit à côté de lui. Cela ne s'était pas produit depuis longtemps. Depuis leurs promenades, et comme si c'en avait été la conséquence, elle avait évité tout contact « non officiel » avec lui.

Le visage de Diotime était légèrement marqué par la chaleur, ou la fatigue.

Elle appuya les mains sur la banquette, dit : « Comment allez-vous ? » sans plus, bien qu'elle eût absolument dû dire autre chose, et regarda droit devant elle, baissant un peu la tête. Cela donnait l'impression qu'elle avait été sérieusement « sonnée », s'il est permis d'employer cette expression de boxeur. Elle ne prit même pas la peine de contrôler si sa robe tombait bien, affalée qu'elle était, plutôt qu'assise.

Son cousin imagina une chevelure en désordre, une blouse de paysanne, des jambes nues. Quand on retirait à Diotime toutes ses fausses parures, il restait un beau brin de fille, éclatante et robuste, et il dut se retenir pour ne pas emprisonner sa main dans la sienne, comme font les paysans.

« Ainsi, Arnheim ne vous rend pas heureuse », constatat-il calmement.

Peut-être aurait-elle dû récuser cette affirmation, mais elle se sentit curieusement émue et se tut ; ce ne fut qu'après un moment qu'elle répliqua : « Son amitié me rend très heureuse.

– J'avais l'impression que son amitié vous tourmentait quelque peu.

– Qu'allez-vous donc penser ? » Diotime se redressa, redevint une dame. « Savez-vous qui me tourmente ? dit-elle en s'efforçant de retrouver le ton badin. Votre ami le général ! Que veut donc cet homme ? Pourquoi vient-il ici ? Pourquoi me dévisage-t-il ainsi ?

– Il vous aime ! » repartit son cousin.

Diotime eut un rire nerveux. Elle poursuivit : « Savez-vous que je ne puis le voir sans frémir des pieds à la tête ? Il me fait penser à la Mort !

– Une mort singulièrement bien disposée pour la vie, si on la considère sans parti pris !

– Évidemment, je ne suis pas sans parti pris. Je n'arrive pas à me l'expliquer, mais je suis prise de panique quand il m'adresse la parole et me déclare que je suscite des idées "éminentes" dans une occasion "éminente" ! Une peur indescriptible, incompréhensible, cauchemardesque m'envahit !

– Peur de lui ?

– De qui d'autre voudriez-vous ? C'est une hyène ! »

Ulrich ne put s'empêcher de rire. Diotime poursuivit ses doléances, comme un enfant que rien n'arrête. « Il rôde autour de nous en attendant que nos beaux efforts s'écroulent, s'anéantissent !

– C'est là, probablement, ce que vous redoutez. Grande cousine, vous souvenez-vous que je vous ai prédit cet écroulement il y a longtemps ? Il est inévitable : vous devez vous y préparer. »

Diotime toisa Ulrich avec majesté. Elle se souvenait très bien ; mieux que cela, elle se souvenait en cet instant des paroles qu'elle lui avait dites lorsqu'il lui avait rendu visite pour la première fois, et ces paroles étaient bien propres maintenant à la faire souffrir. Elle lui avait exposé quel privilège c'était de pouvoir exhorter une nation, le monde même, à reporter ses pensées du tourbillon de la matière sur l'immobilité de l'esprit. Elle n'avait pas visé un but démodé, quelque retour au passé ; néanmoins, le regard dont elle enveloppait maintenant son cousin semblait déjà plutôt débordé par son ambition que débordant d'ardeur... Elle avait médité sur une Année universelle, cherché une résurrection, une pensée suprême ; elle en avait été tantôt tout près, tantôt très loin ; elle avait beaucoup balancé, beaucoup souffert ; les derniers mois lui apparaissaient comme une longue traversée au cours de laquelle les vagues perpétuellement vous enlèvent et vous relâchent. C'était d'une telle monotonie qu'on ne pouvait plus guère distinguer ce qui avait précédé de ce qui avait suivi. Maintenant, elle était assise là comme quelqu'un qui s'installe, après d'immenses efforts, sur un banc (Dieu merci !) immobile, n'ayant plus provisoirement d'autre idée en tête que de suivre des yeux, peut-être, la fumée de sa pipe ; ce sentiment était même si intense en Diotime que ce fut elle qui choisit cet exemple, qui faisait penser à un vieil homme dans la lumière du soleil couchant. Elle se faisait l'effet de quelqu'un qui a derrière lui de grands et passionnés combats. D'une voix lasse, elle dit à son cousin : « J'ai eu de rudes moments ; j'ai beaucoup changé.

– En profiterai-je ? » dit-il.

Diotime secoua la tête et sourit sans le regarder.

« Alors, je veux vous faire une révélation, dit-il brusquement. C'est Arnheim, et non moi, qui se cache derrière le général. Cependant, vous n'avez cessé de rejeter sur moi la responsabilité de sa présence ! Mais vous rappelez-vous ce que je vous ai répondu quand vous m'en avez demandé raison ? »

Diotime se souvenait. Tenez-le à distance, avait dit son cousin. Mais Arnheim, alors, qui lui avait conseillé de l'accueillir aimablement ? Elle éprouva en cet instant quelque chose d'indescriptible ; un peu comme si elle était assise à l'intérieur d'un nuage qui lui montait rapidement devant les yeux. Mais la banquette eut vite fait de retrouver sous elle sa consistance et sa fixité ; elle dit : « Je ne sais pas comment ce général s'est introduit ici, personnellement je ne l'ai jamais invité. Et le Dr Arnheim, que j'ai interrogé, n'en sait, il va de soi, rien non plus. Il doit y avoir eu quelque malentendu. »

Le cousin ne se radoucit que fort peu. « Je connais le

général depuis longtemps, mais c'est chez vous que nous nous sommes revus pour la première fois, expliqua-t-il. Naturellement, il est très probable que le Ministère de la Guerre l'a chargé de nous espionner un peu, mais je sais qu'il voudrait sincèrement vous aider. Et je tiens de sa propre bouche qu'Arnheim en est aux petits soins avec lui !

– Parce que Arnheim s'intéresse à tout ! repartit Diotime. Il m'a conseillé de ne pas rebuter le général parce qu'il croit à sa bonne volonté et voit dans sa position influente une occasion de servir nos aspirations. »

Ulrich secoua vigoureusement la tête. « Écoutez donc ce caquetage autour de lui ! » dit-il si brutalement que les invités qui étaient près d'eux pouvaient l'entendre, et que la maîtresse de maison se trouva gênée. « Il le supporte, parce qu'il est riche. Il a de l'argent, il donne raison à chacun parce qu'il sait qu'ainsi chacun fera volontairement sa publicité !

– Et pourquoi devrait-il le faire ? protesta Diotime.

– Parce qu'il est vain ! poursuivit Ulrich. Démesurément vain ! Je ne sais comment vous faire comprendre tout ce que signifie cette affirmation. Il y a une vanité au sens biblique : on fait du vide un grelot ! Un homme est vain s'il a l'impression d'être digne d'envie quand à sa gauche la lune se lève sur l'Asie et qu'à sa droite l'Europe s'éteint dans le couchant ; c'est ainsi qu'il m'a décrit un jour un voyage sur la mer de Marmara ! Or, il est probable que le lever de la lune est plus beau derrière le pot de fleurs d'une petite fille amoureuse que sur l'Asie ! »

Diotime cherchait un endroit d'où l'on pût ne pas être entendu par les gens qui circulaient autour d'eux. Elle dit à mi-voix : « Son succès vous irrite », et le guida de pièce en pièce. Alors, d'un mouvement subtil, elle s'arrangea pour qu'ils franchissent la porte sans être aperçus et arrivassent dans l'antichambre. Toutes les autres pièces étaient envahies par les hôtes. « Pourquoi, reprit-elle alors, pourquoi lui êtes-vous hostile ? Vous me mettez dans une situation difficile.

– Dans une situation difficile ? demanda Ulrich surpris.

– Et si j'avais le désir de m'expliquer avec vous ? Aussi

longtemps que vous persisterez dans cette attitude, je ne pourrai rien vous confier ! »

Elle s'était arrêtée au milieu de l'antichambre. « Je vous en prie, ne craignez pas de me confier ce que vous avez à me dire, demanda-t-il. Vous êtes tombés amoureux l'un de l'autre, je le sais. Vous épousera-t-il ?

– Il me l'a proposé », répondit Diotime, sans se soucier de l'insécurité du lieu où ils se trouvaient. Elle était débordée par ses propres sentiments et ne se choquait plus de l'impertinente franchise de son cousin.

« Et vous ? » demanda-t-il encore.

Elle rougit comme une écolière qu'on presse de questions.

« Oh ! c'est un problème où les responsabilités sont lourdes ! repartit-elle en hésitant. On ne doit pas se laisser induire à quelque injustice que ce soit. Dans les événements vraiment grands, ce qui compte n'est pas tellement ce que l'on fait ! »

Ulrich ne pouvait comprendre ces paroles, puisqu'il ne connaissait pas les nuits où Diotime surmontait la voix de la passion et atteignait à cette justice immobile des âmes dont l'amour s'équilibre, comme le fléau d'une balance, entre deux directions contraires. C'est pourquoi il eut l'impression qu'il valait mieux abandonner pour le moment le chemin trop direct de l'explication, et dit : « J'aurais plaisir à m'entretenir avec vous de mes rapports avec Arnheim, parce qu'il m'est pénible que vous ayez une impression d'hostilité dans les circonstances présentes. Je crois comprendre Arnheim assez bien. Il faut que vous conceviez une chose : ce qui s'accomplit chez vous, et que j'appellerai selon votre désir une synthèse, il en a déjà fait d'innombrables fois l'expérience. Un mouvement intellectuel, lorsqu'il se manifeste sous la forme de convictions, se manifeste aussi sans tarder sous la forme des convictions opposées. Et lorsqu'il s'incarne dans ce que l'on appelle une grande personnalité intellectuelle, il se sent aussi mal à l'aise que dans un carton jeté à l'eau tant que cette personnalité ne jouit pas d'une admiration aussi volontaire que générale. Nous sommes, du moins en Allemagne, émus d'amour par toutes les personnalités reconnues pour telles, à la façon des gens ivres qui sautent au cou d'un inconnu et un instant après le renversent, pour des raisons également obscures. Je puis donc me représenter assez vivement ce qu'Arnheim éprouve : ce doit être une sorte de mal de mer. Et quand, dans un tel entourage, il se rappelle soudain ce que l'on peut faire avec l'argent quand on sait s'en servir, c'est comme si, après une longue traversée, il retrouvait pour la première fois sous ses pieds la terre ferme. Il remarquera que les propositions, les suggestions, les souhaits, les bonnes volontés, les œuvres aspirent toutes au voisinage de la richesse, ce qui est une parfaite image de l'esprit. Car les idées qui veulent conquérir la puissance s'attachent elles aussi à celles qui l'ont déjà. Je ne sais comment exprimer cela : la différence entre une idée ambitieuse et une idée arriviste est à peine perceptible. Mais aussitôt qu'est apparue une fois, à la place de la pauvreté et de la pureté séculières, cette fausse relation avec la grandeur, alors apparaissent également, et sans doute à bon droit, la pseudo-grandeur, et enfin tout ce que la publicité et l'habileté commerciale font passer pour grand. Voilà Arnheim dans toute son innocence, et dans toute sa culpabilité !

– Vous avez des pensées fort saintes, aujourd'hui ! repartit aigrement Diotime.

– Je reconnais que ce n'est guère mon affaire ; mais la façon dont il supporte les effets combinés de la grandeur intérieure et de la grandeur extérieure afin d'en tirer un humanisme exemplaire suffirait à m'inspirer une fureur de sainteté !

– Comme vous vous trompez ! dit Diotime en l'interrompant avec véhémence. Vous vous représentez un riche blasé. Mais, pour Arnheim, la richesse est une responsabilité incroyablement grave, qui imprègne toutes ses actions ! Il prend soin de ses affaires comme un autre le ferait d'un être humain qui lui serait confié. Être efficace, pour lui, est une nécessité profonde ; il va au-devant des autres avec aménité, parce qu'il faut se mouvoir, comme il dit, pour être ému ! Ou est-ce Goethe qui l'a dit ? Il me l'a expliqué très longuement un jour. Son point de vue est qu'on ne peut commencer à faire du bien que si l'on a d'abord commencé à *faire* tout court. J'avoue que j'avais eu parfois, moi aussi, le sentiment qu'il se commettait un peu trop avec tout le monde. »

Tout en parlant ainsi, ils avaient arpenté l'antichambre vide où il n'y avait que des miroirs et des vêtements accrochés aux murs. Puis Diotime s'arrêta et posa la main sur le bras d'Ulrich. « Cet homme que le destin a distingué de cent façons, dit-elle, est assez modeste pour poser en principe que l'homme seul n'est pas plus fort qu'un malade abandonné ! Ne lui donnerez-vous pas raison sur ce point ? Quand un homme est seul, il tombe dans mille exagérations ! » Elle regardait le parquet comme pour y chercher quelque chose, tandis qu'elle sentait le regard de son cousin posé sur ses paupières baissées. « Oh ! je pourrais parler de moi, j'ai été très seule ces derniers temps, poursuivit-elle, mais vous aussi, je le vois sur vous. Vous êtes aigri, vous n'êtes pas heureux. Vous êtes en mauvais termes avec votre entourage, chacune de vos opinions le marque assez. D'un naturel jaloux, vous prenez de toute chose le contre-pied. Je vous avouerai ouvertement qu'Arnheim s'est plaint auprès de moi que vous repoussiez son amitié.

– Il vous a raconté qu'il souhaite mon amitié ? Alors, il ment ! »

Diotime leva les yeux et rit. « Voyez ! Tout de suite vous exagérez ! Tous les deux, nous désirons votre amitié. Peut-être justement parce que vous êtes ainsi. Mais il faut que je remonte un peu plus haut. Arnheim a recouru aux exemples suivants : ... » Elle hésita un instant, puis se reprit : « Non, cela nous mènerait trop loin. En un mot, Arnheim dit qu'on doit se servir des moyens que l'époque vous met entre les mains ; on doit même toujours agir dans deux sens à la fois, jamais en pur révolutionnaire et jamais en pur contre-révolutionnaire, jamais avec une haine ou un amour absolus, jamais en cédant à une inclination, mais toujours en développant tout ce que l'on possède. Ce n'est pas de l'habileté, comme vous le prétendez ; c'est le signe, tout au contraire, d'une nature universelle, synthétiquement simple, qui sait dépasser les différences superficielles, une nature de seigneur !

– Et quel rapport, grands dieux ! avec moi ? » demanda Ulrich.

Cette objection eut pour effet de dissiper le souvenir d'une conversation sur l'Église, la scolastique, Napoléon et Goethe ainsi que le brouillard de culture qui s'était accumulé sur la tête de Diotime. Très nettement, tout à coup, elle se vit assise à côté de son cousin sur le long coffre à souliers où elle s'était laissée tomber dans son trouble ; son dos évitait obstinément les manteaux étrangers accrochés derrière lui, tandis que ses cheveux s'y étaient défaits et durent être remis en ordre. Comme elle s'y occupait, elle répondit : « Mais vous êtes tout le contraire ! Vous voudriez refaire le monde à votre image ! Vous faites toujours, plus ou moins, de la résistance passive, pour employer cet affreux mot ! » Elle était ravie de pouvoir lui donner si généreusement son opinion. Mais ils ne pouvaient pas rester assis où ils étaient, réfléchit-elle entre-temps, à tout moment des invités pouvaient s'en aller ou entrer dans l'antichambre pour quelque autre raison. « Vous êtes avant tout un critique, je ne me souviens pas que vous ayez jamais approuvé quelque chose, poursuivit-elle. Par goût de l'opposition, vous célébrez tout ce qu'il y a d'intolérable dans notre époque. Quand, face au désert mort de notre époque sans dieux, on souhaiterait sauver un peu de sentiment, un atome d'intuition, on peut être assuré que vous allez défendre passionnément la spécialisation, le désordre et l'aspect négatif de l'Être ! » Disant cela, elle se leva en souriant et lui laissa entendre qu'ils devaient chercher un autre refuge. Ils pouvaient seulement retourner dans les pièces envahies ou, s'ils désiraient poursuivre leur conversation, se cacher des autres. Une porte dérobée leur eût bien permis d'atteindre, même de ce côté, la chambre à coucher des Tuzzi, mais y conduire Ulrich parut tout de même un peu trop intime à Diotime, d'autant qu'un désordre considérable s'accumulait dans cette pièce à chacun des déménagements que provoquaient les réceptions ; pour tout refuge, il ne restait donc plus que les deux chambres de bonne. La pensée qu'elle mêlerait gaiement le goût de l'aventure et le devoir de la maîtresse en visitant une fois à l'improviste la chambre de Rachel, où elle n'entrait jamais, la décida. En s'y rendant, tandis qu'elle excusait sa proposition, puis dans la chambre même, elle continua de harceler Ulrich : « On a l'impression que vous voulez contre-miner Arnheim à chaque occasion. Votre opposition le peine. C'est un remarquable type d'homme moderne. C'est pourquoi il a besoin du contact avec le réel, et il l'a. Vous, en revanche, vous êtes toujours pour le saut dans l'Impossible. Il est affirmation et harmonie ; vous êtes profondément asocial. Il aspire à l'unité, et jusqu'au bout des ongles il est celui qui cherche la décision ; vous lui opposez une mentalité informe. Il a le sens de ce qui est devenu ; mais vous ? Que faites-vous ? Vous faites comme si le monde ne devait commencer que demain. N'est-ce pas ainsi que vous vous exprimez ? Dès le premier jour, à peine vous avais-je dit que l'occasion nous était donnée de faire de grandes choses, vous avez adopté cette attitude. Quand on considère cette occasion comme un destin, qu'on se trouve réunis au moment décisif et qu'on attend pour ainsi dire la réponse, d'un œil muettement interrogateur, vous vous conduisez, tout bonnement, comme un méchant garçon qui cherche à nuire ! »

Elle éprouvait le besoin d'atténuer par une conversation intelligente le scabreux de la situation, et, en exagérant un peu ses reproches, s'encourageait à l'accepter.

« Et si je suis ce que vous dites, à quoi donc puis-je vous être utile ? » demanda Ulrich. Il était assis sur le petit lit de fer de Rachel, la petite femme de chambre, et Diotime sur la petite chaise de paille, la longueur d'un bras entre eux. Diotime lui fit alors une réponse digne d'admiration. « Si je pouvais une fois me conduire tout à fait mal, tout à fait grossièrement devant vous, dit-elle brusquement, je suis sûre que vous seriez aussitôt merveilleux comme un archange ! » Elle-même s'effraya de ce qu'elle avait dit. Elle avait simplement voulu évoquer son goût de la contradiction et dire plaisamment qu'il se montrerait aimable et bon dès le moment qu'on ne le mériterait pas ; mais, inconsciemment, une source avait jailli en elle, suscitant des mots qui, sitôt prononcés, lui apparurent un peu absurdes et semblaient néanmoins, chose surprenante, liés à elle et à ses relations avec son cousin.

Ce dernier le sentit ; il la regarda sans rien dire, puis, après un silence, lui répondit par une question : « Êtes-vous très… êtes-vous passionnément amoureuse de lui ? »

Diotime baissa les yeux. « Quelles expressions inconvenantes ! Suis-je une backfish qui s'amourache de son professeur ? »

Mais son cousin insista. « La raison pour laquelle je vous pose cette question est à peu près celle-ci : je voudrais savoir si vous avez déjà éprouvé le désir que tous les êtres humains (je n'en excepte même pas les plus affreux des monstres qui se trouvent à côté d'ici dans votre salon) se mettent nus, s'entourent les épaules de leurs bras et commencent à chanter au lieu de parler ; quant à vous, vous devriez aller de l'un à l'autre et les baiser fraternellement sur les lèvres. Si vous jugez la chose par trop choquante, je vous accorderai peut-être des chemises de nuit. »

Diotime répondit à tout hasard : « Vous avez de charmantes idées !

– Et pourtant, voyez-vous, j'ai connu ce désir, moi, encore qu'il y ait fort longtemps ! Il y a eu des gens tout à fait respectables pour prétendre que les choses, ici-bas, devraient toujours se passer ainsi !

– Alors, si vous ne le faites pas, c'est votre faute ! dit Diotime en lui coupant la parole. De toute façon, on ne doit pas ridiculiser ces choses ! » Elle s'était rappelé que son aventure avec Arnheim était impossible à décrire, qu'elle éveillait la nostalgie d'une vie où les différences sociales devaient disparaître et l'activité, l'âme, l'esprit et le rêve se confondre.

Ulrich ne répliqua rien. Il offrit à sa cousine une cigarette. Elle la prit. Comme les nuages de fumée emplissaient la « modeste chambrette », Diotime se demanda ce que Rachel penserait quand elle découvrirait dans l'air les traces de cette visite. Fallait-il aérer ? Ou s'expliquer le lendemain matin avec la petite ? Chose curieuse, ce fut précisément la pensée de Rachel qui la poussa à rester ; elle avait été tout près de mettre fin à ce tête-à-tête qui devenait par trop singulier, mais les privilèges de la supériorité intellectuelle et les traces parfumées au tabac d'une mystérieuse visite, inexplicable pour sa femme de chambre, se confondirent on ne sait comment et la ravirent.

Le cousin l'observait. Il s'émerveillait de lui avoir ainsi parlé, mais il poursuivit ; il avait besoin de compagnie. « Je vais vous dire, ainsi reprit-il la parole, dans quelles conditions je pourrais être pareillement séraphique : le mot séraphique n'est sans doute pas trop gros pour exprimer le fait que l'on supporte son prochain non seulement physiquement, mais encore que l'on puisse, si j'ose ainsi parler, le tâter à travers son pagne psychologique sans frémir !

– A moins qu'il ne s'agisse d'une femme ! » intervint Diotime en pensant à la mauvaise réputation dont son cousin jouissait dans la famille.

« Non, même dans ce cas !

– Vous avez raison ! Ce que j'appelle "aimer l'être humain dans la femme" ne se voit que très rarement ! » De l'avis de Diotime, Ulrich avait depuis quelque temps cette particularité que ses conceptions se rapprochaient des siennes propres ; mais ce qu'il disait n'en restait pas moins toujours à côté, c'était toujours un peu insuffisant.

« Je veux vous expliquer cela sérieusement », dit-il, avec obstination cette fois. Il était penché en avant, les avant-bras posés sur ses cuisses musclées, fixant le sol d'un œil sombre. « Aujourd'hui encore, nous disons : j'aime cette femme, je hais cet être, au lieu de dire : ils m'attirent, ou ils me repoussent. Pour être encore un peu plus exact, on devrait ajouter : et c'est moi qui suscite en eux la capacité de m'attirer ou de me repousser. Pour être encore un peu plus exact, on devrait ajouter qu'ils font naître en moi les qualités nécessaires pour cela. Et ainsi de suite ; on ne peut pas dire, dans ces occasions, où se fait le premier pas, car il s'agit d'une dépendance réciproque, fonctionnelle, comme il en existe entre deux balles élastiques ou deux circuits électriques. Bien entendu, nous savons depuis longtemps que nous devrions sentir les choses de cette manière ; cependant nous continuons à préférer de beaucoup être la cause, la cause première, dans les champs magnétiques du sentiment qui nous entourent ; même lorsque l'un de nous reconnaît qu'il en imite un autre, il en parle comme s'il s'agissait d'un travail actif ! C'est pourquoi je vous ai demandé et vous demande encore s'il vous est déjà arrivé d'être passionnément amoureuse, ou irritée, ou désespérée. Alors en effet, pour peu qu'on soit observateur, on conçoit fort clairement qu'il n'en va pas autrement pour un homme en état d'extrême agitation intérieure que pour une abeille contre une vitre ou une infusoire dans de l'eau empoisonnée : on subit une tempête émotionnelle, on court de tous côtés à l'aveuglette, on se heurte cent fois contre l'impénétrable et brusquement, si l'on a de la chance, on se trouve dehors ; bien entendu, après coup, la conscience à nouveau pétrifiée, on qualifie cela d'action calculée.

– Je suis forcée de vous objecter, fit observer Diotime, que ce serait là une conception basse et désespérée de sentiments capables de décider de la vie d'un être humain.

– Peut-être avez-vous dans l'esprit cette sempiternelle question de savoir si l'homme est maître de lui-même ou non, repartit Ulrich en levant un instant les yeux. Si toute chose a une cause, on n'est responsable de rien, et ainsi de suite ? Je dois vous avouer que cette question, de toute ma vie, ne m'a pas préoccupé un quart d'heure. C'est le genre de questions que posait une époque qui s'est démodée sans que personne ne s'en aperçût ; elles proviennent de la théologie, et à part les juristes, qui ont encore beaucoup de théologie dans la tête et dans le nez l'odeur des bûchers d'hérétiques, il n'y a plus aujourd'hui pour rechercher les causes que les membres de la famille, qui disent : tu es la cause de mes nuits blanches, ou bien : la chute du prix du blé fut la cause de son malheur. Mais demandez à un criminel, après avoir bien secoué sa conscience, comment il en est venu à tuer ! Il ne le sait pas ; et il ne le sait pas davantage quand sa conscience n'aurait pas été absente de son acte un seul instant ! »

Diotime se redressa. « Pourquoi parlez-vous toujours de criminels ? Vous paraissez avoir un grand goût pour le crime. Cela doit signifier quelque chose, non ?

– Non, repartit le cousin. Cela ne signifie rien. Tout au plus une certaine agitation intérieure. La vie ordinaire est la moyenne de tous nos crimes possibles. Mais, puisque nous avons déjà eu recours à la théologie, j'aimerais vous demander quelque chose.

– Sans doute encore une fois, si j'ai déjà été passionnément amoureuse ou jalouse ?

– Non. Réfléchissez seulement à ceci : si Dieu détermine et connaît toutes choses à l'avance, comment l'homme peut-il pécher ? Telle fut la question que l'on posa jadis, et celle-là, voyez-vous, est restée actuelle. Dieu, dans cette conception, devenait un intrigant extraordinaire. On l'offense avec son propre accord, il oblige l'homme à une erreur qu'il va lui reprocher ensuite ; non seulement il le sait d'avance (nous ne manquerions pas d'exemples d'une telle résignation dans l'amour), mais encore il le provoque ! C'est dans une situation semblable les uns vis-à-vis des autres que nous nous trouvons tous aujourd'hui. Le Moi n'est plus ce qu'il était jusqu'ici : un souverain qui promulgue des édits. Nous apprenons à connaître les lois de son devenir, l'influence que son entourage a sur lui, ses différents types de structure, son effacement aux moments de la plus grande activité, en un mot, les lois qui régissent sa formation et son comportement. Songez-y, ma cousine : les lois de la personnalité ! C'est comme si l'on parlait d'un Syndicat des serpents venimeux ou d'une Chambre de Commerce des voleurs ! En effet, comme les lois sont ce qu'il y a de plus impersonnel au monde, la personnalité ne sera bientôt plus que le point de rencontre imaginaire de l'impersonnel, et il sera difficile de lui garder cette position honorable dont vous ne pouvez vous priver... »

Ainsi parla le cousin de Diotime. Celle-ci glissa, en passant : « Mais, cher ami, ne doit-on pas toujours agir d'une manière aussi personnelle que possible ? » Et pour conclure, elle dit : « Vraiment, vous êtes terriblement théologique aujourd'hui : je ne vous connaissais pas sous ce jour ! » De nouveau, elle était assise là comme une danseuse fatiguée. Un beau brin de fille ; elle-même, d'une certaine façon, devait le sentir dans son corps. Elle avait évité son cousin pendant des semaines, peut-être même cela faisait-il des mois. Mais elle ne détestait pas ce contemporain. Il était un peu comique, en frac, dans la chambre noirement éclairée, noir et blanc comme un chevalier de l'ordre ; et ce noir et blanc faisait songer à la violence d'une croix. Elle regardait tout autour d'elle dans la modeste chambre, l'Action parallèle oubliée, de grands combats passionnés loin derrière elle ; cette chambre était simple comme le devoir, adoucie seulement par des chatons et des cartes postales en couleur, non utilisées, aux quatre angles du miroir ; c'était donc au milieu d'elles qu'apparaissait, couronné par la magnificence de la grande ville, le visage de Rachel quand la petite se regardait dans le miroir. Où donc se lavait-elle ? Il devait y avoir dans cet étroit coffret, quand on rabattait le couvercle, une cuvette de fer blanc... Diotime se le rappelait ; puis elle pensa : cet homme veut, sans vouloir.

Elle le regarda calmement, en aimable interlocutrice. « Arnheim veut-il réellement m'épouser ? » se demanda-t-elle. Il l'a dit. Mais ensuite, il n'a pas beaucoup insisté. Il y a tant d'autres choses dont il faut qu'il parle. Mais le cousin aussi, au lieu de parler à Diotime de choses impossibles, aurait dû lui demander : Alors, où en sommes-nous ? Pourquoi ne demandait-il pas ? N'aurait-il pas dû la comprendre quand elle lui racontait si longuement ses débats intérieurs ? « En retirerai-je quelque avantage ? » avait-il très classiquement demandé lorsqu'elle lui avait dit qu'elle avait changé. L'insolent ! Diotime sourit.

Au fond, ces deux hommes ensemble étaient bien étranges. Pourquoi Ulrich ne pouvait-il s'empêcher de médire d'Arnheim ? Elle savait qu'Arnheim recherchait son amitié ; mais Ulrich lui-même, à en juger d'après la violence de ses propos, était préoccupé par Arnheim. « Et comme il le comprend mal ! se redit-elle encore, c'est quelque chose contre quoi il n'y a rien à faire ! » D'ailleurs, maintenant, ce n'était plus seulement son âme qui se révoltait contre un corps marié au sous-secrétaire Tuzzi, mais parfois aussi son corps qui se révoltait contre une âme que l'amour hésitant et enchérissant d'Arnheim faisait languir sur le seuil d'un désert où ne tremblait peut-être que le mirage d'une nostalgie. Elle aurait aimé partager avec son cousin sa souffrance et sa faiblesse ; la partialité résolue dont il faisait preuve d'ordinaire lui plaisait. Sans aucun doute, l'impartialité harmonieuse d'Arnheim devait être placée plus haut, mais Ulrich, devant une décision à prendre, eût hésité moins longtemps, quand bien même ses théories eussent tout dissipé dans un brouillard. Elle le sentait sans savoir à quoi imputer ce sentiment ; cela faisait probablement partie de ce qu'elle avait éprouvé pour lui dès le début de leurs relations. Si Arnheim lui apparaissait en cet instant comme un immense effort, comme un fardeau royal pour son âme, fardeau qui d'ailleurs débordait son âme de tous les côtés, tout ce qu'Ulrich disait semblait toujours aboutir à une telle variété, à une telle multitude de sens que celui de la responsabilité s'y perdait au profit d'une assez suspecte liberté. Elle ressentit soudain le besoin de se faire plus lourde qu'elle n'était. Sans bien savoir comment, elle se souvint en même temps que, toute jeune fille, elle avait arraché un petit garçon à un danger en l'emportant dans ses bras, et qu'il n'avait cessé de lui donner obstinément des coups de genoux dans le ventre pour lui échapper. L'intensité de ce souvenir qui lui était revenu aussi brusquement que s'il était entré par la cheminée dans la petite chambre solitaire lui fit perdre complètement son équilibre. « Passionnément ? » songea-t-elle. Pourquoi Ulrich lui demandait-il toujours cela ? Comme si elle ne pouvait pas être passionnée… Elle avait oublié d'écouter ce qu'il disait, elle ne savait pas si c'était ou non déplacé, simplement elle l'interrompit, écarta ce qu'il disait et lui donna une fois pour toutes, à toutes ses questions, et en riant (seul le fait qu'elle rît, dans sa brusque et irréfléchie excitation, n'était pas tout à fait rassurant) cette réponse : « Mais je suis passionnément amoureuse ! »

Ulrich la regarda en face et lui sourit. « Vous en êtes tout à fait incapable », dit-il.

Elle s'était levée, les mains à ses cheveux, et le considérait avec des yeux immobilisés par la surprise.

« Pour être passionné, expliqua-t-il calmement, il faut être parfaitement précis, parfaitement objectif. Deux Moi qui savent à quel point le Moi est aujourd'hui précaire s'accrochent l'un à l'autre : voilà du moins comment je me figure la chose, s'il faut absolument qu'il s'agisse d'amour, et non d'une quelconque activité ; ils s'enchaînent à tel point que l'un est la cause de l'autre lorsqu'ils se sentent changer et grandir, et ils flottent comme un voile. Dans un tel état, il est extraordinairement difficile de ne pas faire de faux mouvements, même quand on a déjà su en faire de justes un certain temps. De toute façon, nous vivons dans un monde où il est difficile de sentir ce qui est juste et ce qui ne l'est pas. Contrairement à un préjugé répandu, cela exige presque du pédantisme. C'était d'ailleurs justement cela que je voulais vous dire. Vous m'avez beaucoup flatté, Diotime, en m'attribuant des possibilités d'archange ; en toute modestie d'ailleurs, comme vous allez le voir. En effet, c'est seulement si les hommes étaient absolument objectifs (autant dire impersonnels, ou presque), qu'ils pourraient être aussi tout amour. Parce qu'ils seraient alors tout entiers sensation, sentiment, pensée. Tous les éléments qui composent l'homme sont tendres, puisqu'ils se poursuivent les uns les autres, l'homme seul ne l'est pas. Être passionnément amoureuse est donc quelque chose qui ne vous plairait, peut-être, que fort peu ! »

Il s'était efforcé de mettre dans ses paroles aussi peu de solennité que possible ; il alluma même, pour discipliner l'expression de son visage, une nouvelle cigarette, et Diotime, par gêne, accepta celle qu'il lui offrait. Elle prit un air de défi plaisant et souffla la fumée dans l'air pour montrer son indépendance, car elle ne l'avait pas très bien compris. Mais, considérant la chose dans son ensemble, en tant qu'événement, elle fut assez frappée par le fait que son cousin eût choisi de lui dire cela dans cette chambre où ils étaient seuls, et qu'il ne fît pas le moindre effort, rituel pourtant, pour lui prendre la main ou lui caresser les cheveux, encore qu'ils ressentissent l'attrait que leurs corps, dans cet étroit espace, exerçaient l'un sur l'autre, comme un courant magnétique. Et si maintenant ?... songea-t-elle. Mais que pouvait-on faire dans cette chambre ? Elle jeta les yeux autour d'elle. Se conduire comme une garce ? Mais comment s'y prend-on ? Et si elle allait chialer ? Chialer, c'était un mot d'écolière, pour pleurer, qui lui revenait tout à coup. Et si elle faisait brusquement ce qu'il demandait : se déshabiller, mettre son bras autour de ses épaules et chanter, que chanterait-elle ? Jouerait-elle de la harpe ? Elle le regarda en souriant. Elle crut voir en lui un frère mal élevé en compagnie de qui on pourrait faire ce qu'on voudrait. Ulrich aussi sourit. Mais son sourire était comme une fenêtre aveugle ; il s'était laissé aller d'abord au plaisir de poursuivre cette conversation avec Diotime, mais maintenant il ne lui en restait plus que de la honte. Néanmoins, Diotime sentait en tout cela une vague possibilité d'aimer cet homme ; elle comparait cela à ce qu'était, selon elle, la musique moderne : pas du tout satisfaisante, mais d'une excitante étrangeté. Et quoiqu'elle tînt pour certain qu'elle sentait cela mieux que lui, ses jambes, comme elle se tenait là debout devant lui, commencèrent à brûler en secret, de sorte qu'elle dit un peu soudainement à son cousin, d'un air que ce dialogue n'avait que trop duré : « Cher ami, ce que nous faisons est tout à fait impossible. Restez ici encore un instant, seul, je vous précéderai pour réapparaître parmi mes hôtes. »

102. *Guerre et amour dans la famille Fischel.*

Gerda attendait vainement la visite d'Ulrich. La vérité était qu'il avait oublié sa promesse ou ne s'en souvenait qu'au moment où il avait autre chose à faire.

« Laisse-le ! disait Mme Clémentine quand le directeur Fischel marmonnait. Auparavant, nous étions assez bien pour lui, mais il a dû devenir prétentieux. Si tu vas le voir, tu aggraveras encore les choses : tu es si maladroit ! »

Gerda s'ennuyait de cet ami plus âgé. Elle désirait qu'il fût là et savait qu'elle le souhaiterait à cent lieues quand il viendrait. En dépit de ses vingt-trois ans, elle n'avait fait encore aucune expérience, hormis un certain monsieur Glanz qui, soutenu par son père, lui avait fait une cour prudente, et ses amis germano-chrétiens qui lui semblaient parfois moins des hommes que des potaches. « Pourquoi ne vient-il jamais ? » se demandait-elle quand elle pensait à Ulrich. Dans le cercle de ses amis, on ne doutait pas un instant que l'Action parallèle ne fût le point de départ d'un anéantissement spirituel du peuple allemand, et la part qu'Ulrich y prenait faisait honte à Gerda. Elle aurait aimé savoir ce que lui-même en pensait et souhaitait qu'il pût se disculper avec de bonnes raisons.

Sa mère disait à son père : « Tu as raté le coche. Ç'aurait été excellent pour Gerda, ça lui aurait changé les idées : un tas de gens fréquentent les Tuzzi. » Il était apparu qu'il avait oublié de répondre à l'invitation de Son Altesse. Il le payait.

Les jeunes gens que Gerda appelait ses « frères en esprit » s'étaient établis dans sa maison comme les prétendants de Pénélope et y délibéraient sur ce qu'un homme jeune et allemand devait faire à l'égard de l'Action parallèle. « Dans certaines circonstances, un financier doit savoir jouer au mécène ! » disait, exigeante, Mme Clémentine à son mari, lorsqu'il protestait avec violence qu'il n'avait pas payé en son temps Hans Sepp, le « directeur spirituel » de Gerda, comme précepteur, pour en arriver là ! Car c'est ainsi que les choses s'étaient passées : Hans Sepp, l'étudiant « qui n'offrait pas la moindre garantie de pouvoir jamais entretenir une famille », était entré chez lui comme précepteur et ne s'y était posé en tyran que par l'effet des contradictions qui y régnaient. Maintenant, chez les Fischel, il discutait avec ses amis, devenus les amis de Gerda, comment sauver la noblesse allemande qui, chez Diotime (dont on disait qu'elle ne faisait aucune différence entre les gens de la race et les autres), était tombée dans les filets de l'esprit juif. Même si ces déclarations, en présence de Léon Fischel, étaient atténuées par un semblant d'objectivité, il restait suffisamment de termes et de principes pour lui porter sur les nerfs. On s'inquiétait que, dans un siècle incapable de susciter de grands symboles, une telle tentative fût faite, qui conduirait immanquablement à la catastrophe, et les expressions « hautement significatif », « exaltation de l'humain », « libre harmonisation » suffisaient à faire trembler les lorgnons sur le nez de Léon Fischel chaque fois qu'il les entendait. Il voyait se développer dans sa maison des notions telles que « l'esthétique vitale », la « courbe de croissance de l'esprit », la « vibration de l'acte ». Il découvrit qu'on observait chez lui, tous les quinze jours, une « heure de purification ». Il exigea une explication. Il apparut alors qu'il s'agissait de lectures en commun de Stefan George. Léon Fischel chercha ce nom dans son vieux dictionnaire, et ne le trouva pas. Mais ce qui irritait le plus en lui le vieux libéral, c'était que ces blancs-becs, quand ils parlaient de l'Action parallèle, qualifiaient tous les hauts fonctionnaires, directeurs de banque et savants qui y participaient, d'« homuncules gonflés » ; qu'ils affirmaient d'un air blasé qu'il n'y avait plus de grandes idées à notre époque, ou du moins, plus personne pour les comprendre ; qu'ils allaient même jusqu'à déclarer que l'humanité était un mot creux, que seule la nation, ou, comme ils disaient, « le peuple et la tradition », étaient une réalité.

« L'humanité, cela ne peut absolument rien signifier pour moi, papa, répliquait Gerda quand il lui en faisait le reproche, c'est un mot qui n'a plus aujourd'hui de contenu ; ma nation, c'est quelque chose de physique !

– Ta nation ! » commençait alors Léon Fischel qui avait envie de lui parler des grands prophètes et de son propre père, avocat à Trieste.

« Je sais, l'interrompait Gerda. Mais je parle de ma nation spirituelle : c'est celle-là qui est la mienne.

– Je t'enfermerai dans ta chambre jusqu'à ce que tu reviennes à la raison ! disait alors papa Léon. Et j'interdirai ma porte à tes amis. Ce sont des êtres sans discipline, qui aiment mieux s'occuper interminablement de leur conscience que travailler !

– Je sais ce que tu penses, papa, répliquait Gerda. Vous les aînés, vous croyez avoir le droit de nous déshonorer parce que vous nous nourrissez. Vous êtes des capitalistes paternalistes. »

La sollicitude paternelle faisait que de telles conversations n'étaient pas rares.

« Et de quoi vivrais-tu, si je n'étais pas un capitaliste ? demandait le maître de maison.

– Je ne peux pas tout savoir, telle était d'ordinaire la façon dont Gerda coupait court à ce genre de développements. Mais je sais que des scientifiques, des éducateurs, des directeurs de conscience, des politiques et d'autres hommes d'action travaillent déjà à créer de nouvelles valeurs ! »

Peut-être le directeur Fischel s'efforçait-il encore de demander, avec quelque ironie : « Ces directeurs de conscience et ces politiques, c'est vous, sans doute ? », mais il ne le faisait que pour avoir le dernier mot ; finalement, il était toujours heureux que Gerda ne remarquât pas à quel point quelque chose de déraisonnable, ne fût-ce que par la répétition, l'exposait à la crainte de devoir céder. Cela allait si loin qu'il s'était mis parfois, à la fin de telles conversations, à louer prudemment l'ordre de l'Action parallèle qui contrastait avec le caractère forcené des efforts adverses qui s'accomplissaient chez lui ; mais la chose ne se produisait que lorsque Clémentine n'était pas à portée de sa voix.

Ce qui prêtait à la résistance de Gerda aux exhortations de son père la calme obstination des martyrs, et troublait même Léon et Clémentine, c'était un souffle d'innocente volupté qui flottait dans leur maison. Il y avait beaucoup de choses dans les conversations des jeunes gens sur quoi les parents gardaient un silence amer. Même ce qu'ils appelaient le sentiment national, cette fusion de leurs personnes, continuellement en état de guerre, en une unité chimérique qu'ils intitulaient « communauté germano-chrétienne », évoquait, par opposition aux rongeantes amours des aînés, les ailes d'Éros. Sentencieusement, ils méprisaient la « concupiscence », « la duperie enflée des grossières jouissances », comme ils disaient, mais ils parlaient si souvent du pur amour et des corps glorieux que s'éveillait involontairement et par contraste, dans l'âme de celui qui les écoutait surpris, la tendre pensée du corps et de l'amour tout court ; et Léon Fischel lui-même devait avouer que l'ardeur brutale avec laquelle ils parlaient faisait parfois sentir jusque dans les jambes, aux assistants, les racines de leurs idées ; chose qu'il n'en blâmait pas moins, exigeant que toute grande idée vous fît lever les yeux au ciel.

Clémentine disait, au contraire : « Tu ne devrais pas dire ainsi non à tout, Léon, c'est trop simple !

– Comment peuvent-ils prétendre que la possession soit la mort de l'esprit ? commença-t-il à la quereller. Mon esprit est-il mort ? Je croirais plutôt que c'est le tien qui est malade, pour prendre leurs bavardages au sérieux !

– Tu ne comprends pas cela, Léon : ils l'entendent en vrais chrétiens, ils veulent dépasser cette vie pour s'élever dès cette terre, à une vie plus haute !

– Ce n'est pas chrétien, c'est absurde ! protesta Léon.

– Finalement, ce ne sont peut-être pas les réalistes qui voient la vraie réalité, mais ceux qui ont les yeux tournés vers l'intérieur, opina Clémentine.

– Tu me fais rire ! » affirma Fischel. Mais il se trompait, il pleurait, intérieurement, de son impuissance à maîtriser les changements spirituels de son entourage.

M. le directeur Fischel éprouvait maintenant plus souvent que jadis un besoin d'air pur. Son travail terminé, il ne se sentait pas pressé de rentrer chez lui et, s'il faisait encore jour lorsqu'il quittait le bureau, il aimait à flâner un peu dans l'un des jardins publics de la ville, bien qu'on fût en hiver. Il avait gardé de son temps de surnuméraire une prédilection pour ces jardins. Pour une raison qu'il ne voyait pas, la municipalité, à la fin de l'automne, y avait fait repeindre les chaises pliantes ; elles étaient maintenant d'un vert tout frais, appuyées les unes contre les autres sur les chemins blanchis par la neige, et leurs couleurs printanières flattaient l'imagination. Léon Fischel s'installait quelquefois sur l'une d'elles, seul et emmitouflé au bord d'un terrain de jeu ou d'une promenade, et regardait les bonnes qui se donnaient une apparence d'hygiène hivernale en s'exposant au soleil avec leurs protégés. Ils jouaient au diabolo ou jetaient de petites boules de neige, et les petites filles avaient de grands yeux de femme. Ah ! (songeait Fischel) ce sont précisément ces yeux-là qui, dans le visage d'une belle femme adulte, donnent l'impression merveilleuse qu'elle a des yeux d'enfant. Cela lui faisait du bien de regarder jouer ces petites filles dans les yeux de qui l'amour flottait encore sur l'étang des légendes d'où plus tard l'emporterait la cigogne ; parfois aussi, de regarder les gouvernantes. Dans ses jeunes années, il avait souvent joui de ce spectacle, lorsqu'il était encore devant la vitrine de la vie, sans argent pour entrer, et qu'il pouvait seulement se demander ce que le sort, plus tard, lui réserverait. Les choses avaient plutôt mal tourné, pensait-il, et il crut un instant se retrouver assis parmi les crocus blancs et l'herbe verte, avec toute la tension de la jeunesse. Mais si la conscience de la réalité lui revenait avec la considération de la neige et du vernis vert, chaque fois, chose curieuse, il pensait à son revenu. L'argent procure l'indépendance, mais à ce moment-là, tout ce qu'il gagnait allait à couvrir les besoins de sa famille et à alimenter les réserves que la raison exigeait ; on devrait toujours (réfléchissait-il) faire quelque chose à côté de son travail officiel pour se rendre indépendant, par exemple exploiter les connaissances que l'on a de la Bourse, comme les grands directeurs. Mais ces pensées ne tentaient Léon que lorsqu'il regardait jouer les petites filles, et il les repoussait, parce qu'il ne se sentait pas le tempérament d'un spéculateur. Il était fondé de pouvoir, directeur seulement en titre, il n'avait aucune perspective d'avancement, et tout de suite, consciencieusement, il s'apeurait à l'idée qu'un pauvre dos de travailleur comme le sien était déjà trop voûté pour pouvoir se redresser dans l'indépendance. Il ne savait pas qu'il pensait cela uniquement pour mettre un obstacle insurmontable entre lui et les beaux enfants, les belles gouvernantes qui représentaient pour lui, dans ces instants de verdure, toutes les tentations de la vie ; même dans l'humeur découragée qui le retenait de rentrer chez lui, Fischel restait un incorrigible amoureux de la vie de famille, et il aurait tout donné simplement pour pouvoir transformer le cercle de l'Enfer que sa maison était devenue en un cercle d'anges planant autour de Dieu le père, Monsieur le directeur en titre.

Comme lui, Ulrich aimait les jardins et les traversait volontiers, quand son trajet lui en donnait l'occasion. Ainsi s'explique qu'il tomba une nouvelle fois, un de ces jours-là, sur Fischel, qui revit immédiatement tout ce qu'il avait déjà souffert dans sa famille par la faute de l'Action parallèle. Fischel exprima son mécontentement de ce que son jeune ami n'appréciât pas davantage les invitations de ses vieux amis, regret qu'il pouvait exprimer d'autant plus sincèrement que les amitiés occasionnelles peuvent devenir avec le temps, aussi bien que les plus intenses, de vieilles amitiés.

Le vieux jeune ami affirma qu'il éprouvait vraiment le plus grand plaisir à revoir Fischel, et déplora l'activité dérisoire qui l'en avait jusqu'alors empêché.

Fischel déplora la mauvaise tournure que prenaient les choses et le poids des affaires. La morale partout se relâchait. Tout n'était que matérialisme et précipitation.

« Et moi qui pensais pouvoir vous envier ! répondit Ulrich. La profession d'homme d'affaires n'est-elle pas un vrai sanatorium des âmes ? En tout cas, c'est la seule qui ait une base conceptuelle un peu propre !

– C'est exact ! approuva Fischel. L'homme d'affaires sert le progrès humain et se contente d'un profit licite. Cela dit, il a autant de mal que les autres ! » ajouta-t-il avec une sombre mélancolie.

Ulrich s'était déclaré prêt à l'accompagner chez lui.

Lorsqu'ils pénétrèrent dans la maison, ils trouvèrent l'atmosphère déjà passablement tendue.

Tous les amis étaient là, et une grande bataille verbale était en cours. Ces jeunes gens étaient encore au gymnase, quelques-uns en étaient à leurs premiers semestres d'université, d'autres encore avaient une place dans le commerce. Eux-mêmes ne savaient plus comment leur cercle s'était constitué. D'homme à homme, sans doute. Les uns avaient fait connaissance dans les sociétés nationales d'étudiants, d'autres dans des groupes socialistes ou au mouvement des Jeunesses catholiques, d'autres enfin chez les scouts.

On ne se trompera pas complètement si l'on admet que la seule chose qu'ils eussent réellement en commun était Léon Fischel. Si un mouvement intellectuel veut durer, il lui faut un corps, et c'était, ici, la maison Fischel, y compris la subsistance et une certaine réglementation de leur commerce dues à madame Clémentine. A cette maison appartenait Gerda, à Gerda appartenait Hans Sepp, et Hans Sepp, l'étudiant dont l'âme était d'autant plus pure que son teint l'était moins, était, sinon le chef (car ces jeunes gens ne reconnaissaient aucun chef), du moins l'élément le plus passionné d'eux tous. A l'occasion, bien sûr, il leur arrivait de se réunir ailleurs, et d'autres femmes que Gerda leur donnaient l'hospitalité ; mais le centre du mouvement était bien tel que décrit.

Malgré tout, l'origine de ce mouvement était aussi curieuse que l'apparition d'une nouvelle maladie ou celle d'une longue série de gains dans un jeu de hasard. Lorsque le soleil du vieil idéalisme européen commença de baisser, lorsque l'esprit blanc s'obscurcit, beaucoup de flambeaux – flambeaux d'idées, et Dieu sait où ils avaient été volés ou découverts ! – passèrent de main en main, dessinant ici ou là l'instable lac de feu des petites communautés spirituelles. Ainsi, dans les dernières années qui précèdent cette histoire, avant que la Grande Guerre n'en eût tiré les conséquences, il fut beaucoup question, parmi les jeunes gens, d'amour et de communauté ; les jeunes antisémites du directeur Fischel, en particulier, s'étaient réunis à l'enseigne de l'amour et de la communauté universelle. Une vraie communauté est le produit d'une loi intérieure, et la plus profonde, la plus simple, la plus parfaite et la première de ces lois est celle de l'amour. Comme on l'a déjà remarqué, il ne s'agissait pas de l'amour au sens vulgaire, physique ; la possession du corps est une invention de Mammon qui ne fait que diviser les êtres et les vider de leur sens. Naturellement, on ne peut pas non plus aimer tous les hommes. Mais on doit respecter le caractère de chacun dans la mesure où ses efforts sont d'un homme vrai, en en prenant soi-même la responsabilité la plus stricte. C'est ainsi qu'au nom de l'amour, ils se querellaient sur tout et sur rien.

Ce jour-là, un front commun s'était formé contre Madame Clémentine qui aimait tant à retrouver sa jeunesse et reconnaissait intérieurement que l'amour conjugal ressemblait beaucoup au calcul des intérêts d'un capital, mais se refusait absolument à permettre que l'on condamnât l'Action parallèle sous prétexte que les Aryens ne peuvent créer des symboles que lorsqu'ils sont entre eux. Madame Clémentine ne se contenait plus qu'à grand-peine ; Gerda, furieuse contre sa mère à qui il n'y avait pas moyen de faire quitter la chambre, avait un rond rouge sur chaque joue. Lorsque Léon Fischel était entré dans l'appartement avec Ulrich, elle faisait à Hans Sepp des signes secrètement implorants pour qu'il se tût, et le jeune homme conciliant, disait : « De toute façon, les hommes de notre temps ne réussissent pas à créer quelque chose de grand ! », croyant ainsi avoir réduit l'affaire à une formule impersonnelle à laquelle on était déjà habitué.

A ce moment, Ulrich se mêla fort malheureusement à la conversation et demanda à Hans, avec quelque malignité à l'égard de Fischel, s'il refusait absolument toute idée de progrès.

« Le progrès ? répondit Hans Sepp de haut. Pensez seulement aux hommes qu'on avait il y a cent ans, avant le progrès : Beethoven ! Goethe ! Napoléon ! Hebbel !

– Hum, dit Ulrich, il y a cent ans, le dernier était encore à la mamelle.

– Ces jeunes messieurs méprisent les chiffres exacts ! » expliqua le directeur Fischel ravi. Ulrich ne se prêta pas au jeu ; il savait que Hans Sepp le méprisait par jalousie, mais lui-même ne manquait pas de sympathie pour les étranges amis de Gerda. C'est pourquoi il s'assit dans le cercle et poursuivit : « Nous faisons incontestablement de tels progrès dans chaque domaine particulier du travail humain que nous avons le sentiment de ne plus pouvoir les suivre. Ne serait-il pas possible qu'il en naisse également le sentiment qu'aucun progrès réel ne s'accomplit ? Finalement, le progrès n'est pas autre chose que le produit de tous les efforts communs, et l'on peut dire d'avance que le véritable progrès sera toujours ce que personne, en particulier, n'avait voulu. »

Le noir toupet de Hans Sepp pointa vers lui comme une corne frémissante. « Je ne vous le fais pas dire : ce que personne n'avait voulu ! Une divagation caquetante ! Cent chemins, et aucun chemin ! Des pensées, mais pas d'âme ! Pas de caractère ! La phrase jaillit de la page, le mot de la phrase, le tout n'est plus un tout... Nietzsche le disait déjà : sans parler de l'égocentrisme de Nietzsche, qui n'est lui aussi qu'une non-valeur ! Indiquez-moi donc une seule valeur solide, une valeur dernière, sur laquelle, par exemple, vous orienteriez votre vie !

– Comme ça, de but en blanc ! » protesta le directeur Fischel. Mais Ulrich demanda à Hans : « N'êtes-vous vraiment jamais en état de vivre sans valeur dernière ?

– Non, jamais, dit Hans. Mais je vous accorde que cela m'oblige à être malheureux.

– Le diable vous emporte ! dit Ulrich en riant. Tout ce que nous pouvons repose sur le fait que nous ne sommes pas trop stricts et que nous attendons la connaissance suprême ; le Moyen Age agit ainsi et demeura dans l'ignorance.

– Voilà bien la question, répondit Hans Sepp. J'affirme que nous sommes dans l'ignorance.

– Mais vous devez reconnaître que notre ignorance apparaît extrêmement riche et variée ! »

Une voix tranquille marmonna à l'arrière-plan : « Variée ! La science ! Le progrès relatif ! Ce sont là des notions empruntées à la pensée mécanisée d'une époque pourrie par le capitalisme ! Je n'ai rien de plus à vous dire… »

Léon Fischel marmonna aussi. Pour autant qu'on pouvait comprendre, il tenait qu'Ulrich se compromettait beaucoup trop avec des jeunes gens aussi peu respectueux ; il se retrancha derrière un journal qu'il avait tiré de sa poche.

Ulrich s'était pris au jeu. « La maison bourgeoise, avec son appartement de six pièces, chambre de bain pour les domestiques, Vacuum Cleaner, etc., comparée avec les vieilles maisons qui ont de hautes pièces, des murs épais et de belles voûtes, est-elle un progrès ou non ? demanda-t-il.

– Non ! s'écria Hans Sepp.

– L'avion est-il un progrès sur le coche ?

– Oui ! cria le directeur Fischel.

– Le travail mécanique sur la manufacture ?

– Manufacture ! cria Hans, et Léon : Mécanique !

– Je pense, dit Ulrich, que tout progrès est en même temps une régression. Il n'y a jamais de progrès que dans un sens déterminé. Et comme notre vie, dans son ensemble, n'a aucun sens, elle ne connaît pas davantage, dans son ensemble, de vrai progrès. »

Léon Fischel laissa tomber son journal : « Que jugez-vous préférable : de traverser l'Atlantique en six jours, ou en six semaines ?

– Je dirais probablement que le progrès incontestable est de pouvoir faire l'un ou l'autre. Pourtant, nos jeunes chrétiens contestent aussi cela. »

Le cercle demeura immobile comme un arc tendu. Ulrich avait paralysé la conversation, mais non l'agressivité. Il poursuivit tranquillement : « On peut dire aussi l'inverse : si notre vie fait des progrès en détail, elle a un sens en détail. Mais alors, s'il y eut un jour un sens, par exemple à sacrifier des hommes aux dieux, ou à brûler des sorcières, ou à se poudrer les cheveux, il faut que cela reste un sentiment plein de sens, même si des mœurs plus hygiéniques et plus humaines sont des progrès. L'erreur est que le progrès veuille toujours en finir avec le sens ancien.

– Peut-être allez-vous prétendre, demanda Fischel, que nous devrions revenir aux sacrifices humains, quand nous avons si heureusement surmonté ces horribles ténèbres ?

– Ténèbres est bien vite dit ! répondit Hans Sepp en se rangeant au côté d'Ulrich. Si vous dévorez un lièvre innocent, cela est noir ; mais si un cannibale, dans une cérémonie religieuse, mange avec révérence un homme étranger à sa tribu, nous ne savons pas ce qui se passe en lui !

– Il doit vraiment y avoir eu quelque chose dans les époques passées, dit Ulrich en s'associant à lui, sinon il n'eût pas été possible que tant de gens convenables fussent d'accord avec elles. Peut-être pourrions-nous exploiter cela sans faire de grands sacrifices ? Et peut-être ne sacrifions-nous aujourd'hui encore tant d'humains que parce que nous n'avons jamais posé clairement la question du véritable dépassement des idées primitives de l'homme ? Ce sont là des problèmes obscurs et difficiles à exprimer.

– Avec votre manière de penser, le but souhaité n'en reste pas moins toujours une somme, ou un bilan ! éclata Hans Sepp, cette fois contre Ulrich. Vous croyez au progrès bourgeois tout autant que le directeur Fischel, mais vous le dites d'une manière aussi embrouillée et perverse que possible afin qu'on ne puisse pas vous attaquer là-dessus ! » Hans avait exprimé l'opinion de ses amis. Ulrich chercha le visage de Gerda. Il voulait rassembler une fois encore tranquillement ses pensées, sans considérer que Fischel et les jeunes gens étaient aussi près de se jeter sur lui que les uns sur les autres.

« Vous visez tout de même un but, Hans ? reprit-il.

– On vise. En moi. A travers moi, répliqua brièvement Hans Sepp.

– Et l'atteindra-t-on ? » Léon Fischel n'avait pu retenir cette ironique question et se rangeait ainsi, comme chacun le comprit hors lui, au côté d'Ulrich.

« Je ne le sais pas ! répondit sombrement Hans Sepp.

– Vous devriez passer vos examens : voilà qui serait un progrès ! » Léon n'avait pu s'empêcher de faire encore cette remarque, tant il était exaspéré ; mais pas moins par son ami que par ces blancs-becs.

A cet instant, la chambre explosa. Madame Clémentine

jeta à son époux un regard implorant ; Gerda voulut prévenir Hans, Hans lutta pour trouver ses mots, qui finalement se déchargèrent une fois de plus sur Ulrich : « N'en doutez pas ! s'écria-t-il à son adresse, au fond, vous ne pensez pas une seule pensée que le directeur Fischel ne soit capable d'avoir lui aussi ! »

Là-dessus, il se précipita au-dehors, et ses amis, après une inclination furibonde, se ruèrent à sa suite. Le directeur Fischel, que Clémentine fusillait du regard, fit comme s'il se rappelait tout à coup son devoir de maître de maison, et disparut en marmonnant dans l'antichambre pour lancer aux jeunes gens une parole d'apaisement. Dans la pièce n'étaient demeurés que Gerda, Ulrich et madame Clémentine, laquelle, voyant l'air enfin purifié, laissa échapper quelques soupirs de soulagement. Puis elle se leva, et Ulrich, à sa grande surprise, se trouva seul avec Gerda.

103. *La tentation.*

Lorsqu'ils se retrouvèrent seuls, il vit que Gerda était très excitée. Il lui prit la main ; son bras commença à trembler, elle se dégagea. « Vous ne savez pas, dit-elle, ce que le mot *but* signifie pour Hans ! Vous en plaisantez : c'est un peu trop facile. Je crois que vos pensées sont devenues plus obscènes encore ! » Elle avait cherché le mot le plus fort possible, et maintenant s'en effrayait. Ulrich essaya de lui reprendre la main ; elle ramena son bras contre elle. « Justement, c'est cela que nous ne voulons pas ! » s'écria-t-elle. Elle proféra ces mots avec un véhément mépris, mais son corps hésitait.

« Je le sais, dit Ulrich moqueur. Tout ce qui se passe entre vous doit satisfaire aux plus hautes exigences. C'est précisément ce qui me dicte une conduite que vous qualifiez en termes si aimables. Vous ne voulez pas croire combien j'aimais parler différemment avec vous, naguère !

– Vous n'avez jamais été différent, répliqua vite Gerda.

– J'ai toujours été incertain, dit Ulrich avec simplicité en interrogeant son visage. Cela vous amuserait-il que je vous parle un peu de ce qui se passe chez ma cousine ? »

On put voir dans les yeux de Gerda une lueur qui se distinguait nettement de l'incertitude où la plongeait la proximité d'Ulrich ; elle attendait passionnément ces révélations pour les répéter à Hans, et s'efforçait de ne pas le montrer. Son ami le nota avec une certaine satisfaction, et comme une bête qui flaire un danger double d'instinct la voie, il commença par parler d'autre chose. « Vous rappelez-vous encore l'histoire que je vous avais racontée à propos de la lune ? lui demanda-t-il. Je voudrais, pour commencer, vous en confier une autre du même genre.

– Vous allez de nouveau me débiter des mensonges ! repartit Gerda.

– Autant qu'il me sera possible, non ! Vous vous souvenez sans doute, par les cours que vous avez suivis, comment les choses se passent quand on aimerait savoir si un phénomène relève ou non d'une loi ? Ou bien on a d'avance ses raisons de le croire, comme par exemple en physique et en chimie, et même si les observations ne donnent jamais la valeur cherchée, elles n'en restent pas moins, de quelque manière, dans les parages, de sorte qu'on peut calculer cette valeur à partir d'elles. Ou bien on n'a pas ces raisons, comme c'est souvent le cas dans la vie, et on se trouve devant un phénomène dont on ne sait pas exactement s'il relève de la loi ou du hasard : alors, le problème humain devient passionnant. On commence par transformer sa pile d'observations en pile de chiffres ; on établit des classes (quels nombres se situent-ils entre telle ou telle valeur, entre telle valeur et la suivante, et ainsi de suite ?) et l'on en tire des lois de répartition : on constate alors que la fréquence du phénomène présente, ou ne présente pas, des variations systématiques ; on obtient une distribution stationnaire, ou loi de distribution, on calcule l'écart moyen, la déviation par rapport à une valeur quelconque, l'écart médian, l'écart moyen quadratique, l'écart type, la fluctuation, et ainsi de suite, et c'est à l'aide de toutes ces notions que l'on examine le phénomène donné. »

Ulrich débita cela sur un ton d'explication tranquille, et il eût été malaisé de dire s'il voulait ainsi se donner le temps de réfléchir d'abord ou si l'amusait d'hypnotiser Gerda par sa science. Gerda s'était éloignée de lui ; elle était assise dans un fauteuil, inclinée en avant, les yeux à terre : son effort d'attention lui dessinait une ride entre les sourcils. Quand quelqu'un parlait avec cette objectivité et faisait appel à l'ambition de son intelligence, sa mauvaise humeur était effarouchée ; elle sentait fondre l'assurance que celle-ci lui avait donnée un instant. Elle avait fréquenté le *Real-gymnasium* et aussi passé quelques semestres à l'Université ; elle avait effleuré toutes sortes de connaissances nouvelles qui débordaient les vieux cadres du classicisme et de l'humanisme traditionnels ; une telle éducation semble à beaucoup de jeunes gens d'aujourd'hui tout à fait impuissante, alors que les Temps nouveaux sont devant eux comme un nouveau monde dont le sol ne peut pas être travaillé avec les anciens outils. Elle ne savait pas à quoi tendait ce que disait Ulrich ; elle le croyait parce qu'elle l'aimait, et ne le croyait pas parce qu'elle avait dix ans de moins que lui et appartenait à une autre génération, qui se jugeait encore intacte ; ces deux sentiments se mêlaient d'une manière extrêmement confuse, tandis qu'il continuait à parler. « Maintenant, poursuivit-il, il y a aussi des observations qui ont toutes les apparences d'une loi naturelle sans se fonder pourtant sur quoi que ce soit que l'on puisse considérer comme telle. La régularité des séries statistiques est quelquefois aussi grande que celle des lois. Vous connaissez sûrement ces exemples pour les avoir entendus à quelque cours de sociologie. Par exemple la statistique des divorces en Amérique. Ou le rapport entre les naissances de garçons et celles de filles, qui est, de toutes les proportions, l'une des plus constantes. Vous savez aussi qu'un nombre sensiblement constant de conscrits tente chaque année d'échapper au service par la mutilation volontaire. Ou encore, qu'une fraction à peu près invariable de l'humanité européenne se suicide annuellement. De même, le vol, le viol et, autant que je sache, la faillite, présentent chaque année à peu près la même fréquence... »

Là, l'opposition de Gerda tenta de se manifester. « Vous voulez sans doute m'expliquer le progrès ? » s'écria-t-elle en s'efforçant de rendre sa question aussi sarcastique que possible.

« Mais naturellement ! repartit Ulrich sans se laisser démonter. On appelle ça, un peu obscurément, la loi des grands nombres. Par quoi l'on peut dire à peu près que, si un homme se tue pour telle raison et un autre pour telle autre, dès qu'on a affaire à un très grand nombre, le caractère arbitraire et personnel de ces motifs disparaît, et il ne demeure… précisément, qu'est-ce qui demeure ? Voilà ce que j'aimerais vous entendre dire. Ce qui reste, en effet, vous le voyez vous-même, c'est ce que nous autres profanes appelons tout bonnement la moyenne, c'est-à-dire quelque chose dont on ne sait absolument pas ce que c'est. Permettez-moi d'ajouter que l'on a tenté d'expliquer logiquement cette loi des grands nombres en la considérant comme une sorte d'évidence. On a prétendu, au contraire, que cette régularité dans des phénomènes qu'aucune causalité ne régit ne pouvait s'expliquer dans le cadre de la pensée traditionnelle ; sans parler de mainte autre analyse, on a aussi défendu l'idée qu'il ne s'agissait pas seulement d'événements isolés, mais de lois, encore inconnues, régissant la totalité. Je ne veux pas vous ennuyer avec les détails, d'autant que je ne les ai plus présents à l'esprit, mais personnellement, il m'importerait beaucoup de savoir s'il faut chercher là-derrière quelque mystérieuse loi de la totalité ou si tout simplement, par une ironie de la Nature, l'exceptionnel provient de ce qu'il ne se produit rien d'exceptionnel, et si le sens ultime du monde peut être découvert en faisant la moyenne de tout ce qui n'a pas de sens ! L'une ou l'autre de ces deux conceptions ne devrait-elle pas avoir une influence décisive sur notre sentiment de la vie ? Quoi qu'il en soit, en effet, la possibilité d'une vie ordonnée repose tout entière sur cette loi des grands nombres ; si cette loi de compensation n'existait pas, il y aurait des années où il ne se produirait rien, et d'autres où plus rien ne serait sûr ; les famines alterneraient avec l'abondance, les enfants seraient en défaut ou en excès et l'humanité voletterait de côté et d'autre entre ses possibilités célestes et ses possibilités infernales comme les petits oiseaux quand on s'approche de leur cage.

– Tout cela est-il vrai ? demanda Gerda hésitante.

– Vous devez le savoir vous-même, non ?

– Bien sûr ; du moins en ai-je quelques vagues notions de détail. Mais si vous pensiez à cela il y a un instant, quand tout le monde se disputait, je n'en sais rien. Ce que vous disiez du progrès semblait n'être destiné qu'à les irriter tous.

– C'est ce que vous imaginez toujours. Mais que savons-nous de notre progrès ? Rien du tout ! Il y a tant de possibilités d'être pour les choses, et je viens de vous en citer encore une.

– *Possibilités* ! C'est ainsi que vous pensez toujours. Jamais vous n'essaierez de vous demander comment les choses *devraient* être !

– Vous êtes si pressés ! Vous voulez toujours avoir un but, un idéal, un programme, un absolu. Et ce qui en résulte pour finir n'est jamais qu'un compromis, une moyenne ! Ne reconnaîtrez-vous pas qu'il est ridicule et pénible à la longue de toujours poursuivre ou réaliser des desseins extrêmes pour n'aboutir jamais qu'à du médiocre ? »

Au fond, c'était la même conversation qu'avec Diotime. L'extérieur seul était différent ; derrière cette apparence on aurait pu passer naturellement de l'une à l'autre. Et comme la personnalité de la femme assise là était étrangère au débat ! Simple corps qui, une fois introduit dans un champ intellectuel donné, déclenchait certains processus ! Ulrich observait Gerda, qui ne répondait pas à sa dernière question. Elle était assise là, très maigre, un pli de mauvaise humeur entre les deux yeux. Et la naissance de la gorge, elle aussi, qu'on devinait dans le décolleté de la blouse, formait un profond pli vertical. Les jambes et les bras étaient longs et délicats. Un printemps flasque, embrasé par l'austérité précoce de l'été : telle était l'impression qu'il ressentait, en même temps que le choc de l'obstination qu'il y a toujours dans ces jeunes corps. Un curieux mélange d'aversion et de sang-froid l'envahit, car il eut tout à coup l'impression d'être plus près d'une décision qu'il ne l'avait pensé, et que cette jeune fille était destinée à y jouer un rôle. Alors, sans le vouloir, il se mit réellement à lui parler de l'impression que la prétendue jeunesse engagée dans l'Action parallèle lui avait faite, et conclut par ces mots, qui étonnèrent

Gerda : « Là aussi, ils sont extrêmement radicaux, là non plus ils ne m'aiment pas. Je le leur revaux bien, d'ailleurs, car je suis moi aussi très radical, à ma manière, et il n'est pas de désordre que je déteste plus que le désordre intellectuel. Je voudrais voir les idées non seulement élaborées, mais encore organisées. Je voudrais non seulement l'oscillation, mais la densité de l'idée. C'est ce que vous me reprochez, indispensable amie, en disant que je parle toujours de ce qui pourrait être, au lieu de parler de ce qui devrait être. Je ne confonds pas ces deux choses. Et c'est là, probablement, la qualité la plus inactuelle qu'on puisse avoir, car rien n'est aussi étranger l'une à l'autre, aujourd'hui, que la vie affective et la rigueur, et notre précision dans la mécanique est allée si loin que l'on a malheureusement cru devoir la compléter par l'imprécision de la vie. Pourquoi ne voulez-vous pas me comprendre ? Vous en êtes probablement tout à fait incapable, et il est vicieux de ma part de me donner tant de peine pour troubler votre si actuel cerveau. En vérité, Gerda, je me demande parfois si je n'ai pas tort. Peut-être ces gens que je ne puis souffrir font-ils exactement ce que je voulais autrefois. Peut-être le font-ils à faux, le font-ils sans cervelle, l'un courant ici, l'autre ailleurs, chacun avec son idée au bec, qu'il tient pour unique au monde ; chacun d'eux se croit terriblement intelligent, et tous ensemble jugent que l'époque est condamnée à la stérilité. Mais peut-être est-ce l'inverse ? C'est-à-dire que chacun d'eux serait bête, mais qu'ils seraient, tous ensemble, féconds ? Il semble que toute vérité, aujourd'hui, vienne au monde divisée en deux contre-vérités opposées, et peut-être est-ce là aussi une manière d'aboutir à un résultat suprapersonnel ! La moyenne, la somme des tentatives ne se fait plus, dès lors, chez l'individu, qui devient intolérablement exclusif, mais l'ensemble prend la forme d'une communauté expérimentale. En un mot, soyez prudente avec un vieil homme que sa solitude entraîne parfois à des excès !

– Que de choses ne m'avez-vous pas déjà racontées ! répondit Gerda sombrement. Pourquoi n'écrivez-vous pas un livre sur vos conceptions, vous pourriez peut-être vous venir en aide à vous-même, et à nous en même temps ?

– Mais comment voulez-vous que j'écrive un livre ? dit Ulrich. Je suis né d'une femme, non d'un encrier ! »

Gerda se demanda si un livre d'Ulrich pourrait vraiment venir en aide à quelqu'un. Comme tous les jeunes gens de ses amis, elle surestimait la puissance du livre. Le silence était devenu total dans l'appartement depuis qu'ils ne parlaient plus ; il semblait que les époux Fischel eussent quitté la maison à la suite de leurs hôtes furieux. Gerda devinait la pression de la proximité de ce corps d'homme plus puissant que le sien, elle la devinait toujours, contre toutes ses convictions, quand ils étaient seuls ; elle se raidit pour y résister et se mit à trembler. Ulrich s'en aperçut, se leva, posa sa main sur la frêle épaule de Gerda et lui dit : « Je vous fais une proposition, Gerda. Admettons que les choses se passent dans le domaine moral comme dans la théorie cinétique des gaz : tout se confond en désordre, chaque élément fait ce qu'il veut, mais quand on calcule ce qui n'a pour ainsi dire aucune raison d'en résulter, on découvre que c'est précisément cela qui en résulte réellement ! Il y a d'étranges coïncidences ! Admettons aussi qu'une certaine quantité d'idées se mélange dans le temps présent : elle produit une quelconque valeur moyenne probable ; celle-ci se déplace automatiquement et très lentement, c'est ce que nous appelons le progrès ou la situation historique. Mais l'essentiel est que, dans tout cela, notre mouvement personnel, isolé, n'importe pas ; nous pouvons penser et agir à droite ou à gauche, en haut ou en bas, en modernes ou en anciens, à la légère ou avec prudence : c'est absolument indifférent pour la valeur moyenne, et c'est elle seule qui compte aux yeux du monde et de Dieu, non pas nous ! »

En disant cela, il fit mine de la serrer dans ses bras, bien qu'il sentît que cela lui coûtait un effort sur lui-même.

Gerda fut prise de rage. « Vous commencez toujours en philosophe, s'écria-t-elle, puis, immanquablement, la parade du coq recommence ! » Son visage était brûlant, avec des taches rondes, ses lèvres paraissaient transpirer, mais il y avait une beauté dans son emportement. « C'est précisément ce que vous en faites que nous ne voulons pas ! » Alors, Ulrich ne put résister à la tentation de lui demander à voix basse : « La possession tue ?

– De cela, je ne parlerai pas avec vous ! répliqua Gerda également à voix basse.

– Qu'il s'agisse de la possession d'un être ou d'une chose, c'est tout un, poursuivit Ulrich. Je le sais aussi. Gerda, je vous comprends, Hans et vous, mieux que vous ne le croyez. Que voulez-vous donc, tous les deux ? Dites-le-moi.

– Eh bien : rien ! s'écria Gerda triomphante. On ne peut pas l'expliquer. Papa aussi me dit toujours : *Tâche donc de savoir ce que tu veux. Tu verras que c'est un non-sens.* Tout est non-sens, quand on l'explique ! Si nous sommes raisonnables, nous ne sortirons jamais des lieux communs ! Et vous allez de nouveau faire une objection, avec votre rationalisme ! »

Ulrich secoua la tête. « Et qu'en est-il réellement de la manifestation contre le comte Leinsdorf ? demanda-t-il doucement, comme si cette question se rattachait aux autres.

– Ah ! vous espionnez ! s'exclama Gerda.

– Admettons que j'espionne, mais dites-le-moi, Gerda. Pour ce qui est de moi, je vous laisse admettre cela encore. »

Gerda se trouva gênée. « Oh ! rien de particulier. Une manifestation de la jeunesse allemande, je crois. Peut-être un défilé, quelques invectives. L'Action parallèle est une infamie !

– Pourquoi ? »

Gerda haussa les épaules.

« Rasseyez-vous donc ! dit Ulrich. Vous surestimez tout cela. Laissez-nous donc parler tranquillement une bonne fois. »

Gerda obéit. « Écoutez-moi, et voyez si je comprends ou non votre position, poursuivit Ulrich. Vous dites que la possession tue. En disant cela, vous pensez d'abord à l'argent et à vos parents. Ce sont, bien entendu, des âmes mortes… »

Gerda eut un mouvement hautain.

« Plutôt que d'argent, parlons donc tout de suite de la possession en général. L'homme qui se possède ; l'homme qui possède des convictions ; l'homme qui se laisse posséder, par un autre homme ou par ses propres passions, ou même simplement par ses habitudes et ses succès ; l'homme qui veut conquérir quelque chose ; l'homme qui, tout simplement, veut quelque chose : refusez-vous tout cela ? Vous voulez être des pèlerins. Des pèlerins errants, c'est ainsi que Hans vous a qualifiés une fois, si je ne fais erreur. Pèlerins poursuivant un nouveau sens, un nouvel être ? Est-ce bien cela ?

– Tout ce que vous dites est effroyablement juste : l'intelligence peut donc singer l'âme !

– Et l'intelligence est rattachée au groupe de la possession ? Elle mesure, elle pèse, elle divise, elle amasse comme un vieux banquier ? Ne vous ai-je donc pas raconté aujourd'hui une quantité d'histoires où notre âme joue un rôle étrangement grand ?

– Mais cette âme est froide !

– Vous avez entièrement raison, Gerda. Il ne me reste donc plus qu'à vous expliquer pourquoi je me range aux côtés des âmes froides, et même des banquiers.

– Parce que vous êtes lâche ! » Ulrich observa qu'elle découvrait ses dents, en parlant, comme un petit animal terrorisé.

« Au nom de Dieu, oui, répliqua-t-il. Mais accordez-moi au moins ceci, à défaut d'autre chose, que je serais assez homme pour me sauver par le fil du paratonnerre ou même par la plus étroite corniche, si je n'étais pas convaincu que toutes les tentatives d'évasion ramènent toujours, finalement, au papa ! »

Gerda se refusait à cette conversation avec Ulrich depuis qu'il y en avait eu une toute semblable entre eux ; les sentiments qu'elle évoquait n'appartenaient qu'à elle et à Hans, et plus encore que sa raillerie, elle redoutait une approbation d'Ulrich qui l'aurait livrée à lui sans défense, avant même qu'elle pût savoir s'il avait la foi ou s'il blasphémait. Depuis le moment où elle avait été surprise par ses paroles mélancoliques, dont elle devait maintenant supporter les conséquences, on pouvait voir clairement combien grandes étaient ses hésitations intérieures. Les choses n'étaient pas tellement différentes pour Ulrich lui-même. Il était fort éloigné de savourer sadiquement sa puissance sur la jeune fille ; il ne prenait pas Gerda au sérieux, et comme cela supposait une certaine aversion intellectuelle, il avait pris l'habitude de lui dire des choses désagréables. Mais depuis quelque temps, plus passionnément il se faisait devant elle l'avocat du monde, plus étrangement il se sentait attiré par le désir de se confier à elle et de lui montrer son être intérieur sans malice et sans beauté, ou de considérer le sien comme s'il était aussi nu qu'une limace. C'est pourquoi, rêveusement, il regarda son visage et dit : « Je pourrais laisser mes yeux reposer entre vos deux joues comme les nuages reposent dans le ciel. Je ne sais pas si les nuages en retirent du plaisir, mais en fin de compte, j'en sais autant que tous les Hans du monde sur les instants où Dieu nous empoigne comme un gant et très lentement nous retrousse sur ses doigts ! Vous vous facilitez un peu trop les choses : vous devinez l'existence d'un élément contraire au monde positif dans lequel nous vivons, et affirmez tout bonnement que le monde positif est celui des parents et des aînés, et que le monde des ombres négatives est celui de la jeunesse nouvelle. Je ne tiens nullement à être l'espion de vos parents, ma chère Gerda, mais je vous prie de songer que s'il faut choisir entre un ange et un banquier, la nature plus réaliste du métier de banquier a elle aussi son importance !

– Voulez-vous du thé ? dit Gerda d'un ton mordant. Dois-je vous faire les honneurs de la maison ? Il faut que vous ayez devant vous l'irréprochable fille de mes parents. » Elle s'était de nouveau ressaisie.

« Admettons que vous épousiez Hans.

– Mais je ne veux pas l'épouser !

– Il faut bien avoir un but ; vous ne pourrez pas toujours vivre de l'opposition à vos parents.

– Je quitterai un jour la maison, je serai indépendante, et nous resterons amis !

– Ma chère Gerda, je vous en prie, admettons néanmoins que vous soyez mariée avec Hans, ou quelque chose d'approchant ; vous ne pourrez certainement pas l'éviter, si les choses continuent de ce train. Et représentez-vous maintenant comment, dans cet état de refus du monde, vous pourrez vous laver les dents chaque matin, comment Hans accueillera une feuille d'impôts.

– Dois-je vraiment le savoir ?

– Votre papa, s'il avait la moindre idée de ce que peut être le refus du monde, répondrait sûrement Oui. Malheureusement, les hommes ordinaires savent si bien enfouir dans la cale de leur bateau les événements extraordinaires qu'ils ne les aperçoivent jamais. Mais prenons un problème plus simple : exigerez-vous de Hans qu'il vous soit fidèle ? La fidélité relève du groupe de la possession ! Vous devriez être heureuse que Hans exalte son âme à travers une autre femme. Vous devriez même y voir, d'après les principes que vous pressentez, un enrichissement de votre propre état !

– N'allez pas croire, surtout, répondit Gerda, que nous ne nous posions pas de telles questions ! On ne peut pas être un homme nouveau en un seul jour. Mais vouloir en tirer des arguments contre nous est bien bourgeois !

– En fait, votre père exige de vous tout autre chose que ce que vous croyez. Il ne prétend même pas qu'il soit mieux renseigné que vous ou Hans sur ces problèmes ; il dit simplement qu'il ne comprend pas ce que vous faites. Mais il sait que la violence est chose raisonnable ; il croit qu'elle a plus de raison que vous et lui et Hans à la fois. Et s'il offrait de l'argent à Hans pour qu'il puisse enfin terminer ses études sans autres soucis ? S'il lui promettait, après un temps d'épreuve, sinon déjà le mariage, du moins l'abandon de son opposition de principe ? Et s'il y mettait pour seule condition que vous renonciez, durant ce temps d'épreuve, à tout rapport entre vous, quel qu'il soit, c'est-à-dire même aux rapports que vous avez en ce moment ?

– Voilà à quoi vous vous êtes prêté !

– J'ai voulu vous expliquer votre papa. C'est une sombre divinité, d'une supériorité inquiétante. Il croit que l'argent mènerait Hans où il le souhaiterait, c'est-à-dire à la raison qu'enseigne la réalité. A son avis, un Hans dont le revenu mensuel serait bien délimité échapperait nécessairement à ses folies illimitées. Mais peut-être votre papa est-il un rêveur. Je l'admire, comme j'admire les compromis, la moyenne, la sécheresse, les chiffres morts. Je ne crois pas au diable, mais si j'y croyais, je me le représenterais comme l'entraîneur qui excite le ciel à battre ses propres records. Et j'ai promis à votre père d'insister auprès de vous jusqu'à ce qu'il ne reste plus rien de vos imaginations, sinon, précisément… la réalité. »

Ulrich, en disant cela, était loin d'avoir bonne conscience. Gerda était debout devant lui, brûlante, les larmes et la fureur étagées l'une derrière les autres dans ses yeux. D'un coup, la route était libre devant elle et Hans. Mais Ulrich les avait-il trahis, ou voulait-il les aider ? Elle ne le savait pas ; l'un et l'autre pouvaient les rendre heureux ou malheureux. Dans son trouble, elle se méfiait de lui et découvrait avec passion que cet homme, dans ce qu'elle avait de plus sacré, lui était un allié, mais qu'il se refusait seulement à le montrer.

Il ajouta : « Naturellement, votre père souhaite secrètement que je me mette à vous faire la cour, et vous change un peu les idées.

– Cela est tout à fait exclu ! dit Gerda, avec peine.

– Sans doute est-ce tout à fait exclu entre nous, répéta doucement Ulrich. Mais cela ne peut pas non plus continuer comme avant. Je suis allé déjà trop loin. » Il essaya de sourire ; en ce moment, il se répugnait profondément. En vérité, il ne cherchait pas tout cela. Il sentait l'irrésolution de cette âme et se méprisait de ce qu'elle éveillât sa cruauté.

A la même seconde, Gerda tourna vers lui des yeux épouvantés. Elle fut soudain belle comme un feu dont on s'est trop approché ; presque sans figure, réduite à une ardeur qui paralysait la volonté.

« Vous devriez venir une fois chez moi ! proposa-t-il. Ici, on ne peut pas parler comme on veut. » Le vide de la brutalité virile ruisselait dans ses yeux.

« Non », protesta Gerda. Mais elle détourna son regard, et Ulrich, avec tristesse (comme si c'était seulement en détournant les yeux qu'elle lui était enfin réapparue) vit devant lui, qui respirait péniblement, la figure ni belle ni laide de la jeune fille. Il poussa un soupir profond, qui était tout à fait sincère.

104. *Rachel et Soliman sur le sentier de la guerre.*

Parmi les sublimes tâches de la maison Tuzzi et la foule des pensées qui s'y rassemblaient, une créature fuyante, mobile, enthousiaste et non allemande poursuivait son action. Pourtant, cette petite femme de chambre (on aura reconnu Rachel) était comme la musique que Mozart eût écrite pour une femme de chambre. Elle ouvrait la porte et se tenait prête, les bras tendus, à recevoir le pardessus. Parfois, Ulrich aurait aimé savoir si elle avait jamais eu vent de ses liens avec les Tuzzi. Il essayait de la regarder dans les yeux, mais les yeux de Rachel, quand ils ne se détournaient pas, n'opposaient à son regard que deux petites pièces de velours opaque. Il croyait se rappeler que ce regard, la première fois qu'il l'avait croisé, n'était pas le même, et remarquait parfois en ces occasions qu'une autre paire d'yeux, d'un angle obscur de l'antichambre, s'avançait vers Rachel comme deux gros escargots blancs ; c'étaient les yeux de Soliman. Mais la question de savoir si ce jeune homme pouvait être la cause de la réserve de Rachel restait en suspens du fait que Rachel ne répondait pas davantage à ce regard, et se retirait silencieusement dès que le visiteur était annoncé.

La vérité était plus romantique qu'aucune curiosité ne pouvait le pressentir. Depuis que Soliman avait réussi, par ses insistantes insinuations, à compromettre dans d'obscures machinations la rayonnante figure d'Arnheim, et que même la puérile admiration de Rachel pour Diotime avait souffert de ces changements, tout ce que Rachel portait en elle de passion pour la bonne conduite et l'amour de serviteur à maître s'était reporté sur Ulrich. Comme, persuadée par Soliman qu'il fallait surveiller ce qui se passait dans la maison, elle écoutait consciencieusement aux portes et ouvrait l'oreille pendant son travail, comme elle avait épié aussi mainte conversation entre le sous-secrétaire et son épouse, la situation qu'occupait Ulrich entre Arnheim et Diotime, mi-redouté, mi-aimé, ne lui avait pas échappé et correspondait parfaitement à ses propres sentiments, hésitant entre la révolte et le repentir, pour sa maîtresse, laquelle ne se doutait de rien. Rachel se rappelait d'ailleurs fort bien, elle aussi, avoir remarqué très vite qu'Ulrich semblait attendre d'elle quelque chose. Il ne lui venait pas à l'esprit qu'elle pût lui plaire. Sans doute espérait-elle constamment (depuis qu'elle avait été chassée de chez elle et voulait montrer à ses Galiciens que cela ne l'empêcherait pas d'aller loin) un gros lot, un héritage inattendu, la découverte qu'elle était l'enfant abandonnée d'un couple élégant, l'occasion de sauver la vie à un prince... Jamais elle n'avait songé à la simple éventualité de plaire à un des messieurs qui fréquentaient la maison de Diotime, de devenir sa maîtresse ou même d'être épousée par lui. C'est pourquoi, elle se tenait simplement prête à rendre à Ulrich quelque grand service. C'était elle et Soliman qui avaient envoyé une invitation au général, lorsqu'ils avaient appris qu'il était l'ami d'Ulrich ; mais aussi, à vrai dire, parce qu'il fallait mettre l'affaire en branle et qu'un général apparaissait, à en croire le passé, comme tout désigné pour cela. Comme Rachel agissait dans une connivence secrète et quasi télépathique avec Ulrich, il était inévitable que naquit entre elle et cet homme dont elle surveillait avec curiosité le moindre geste, cette entente toute-puissante par laquelle tous les mouvements, épiés en cachette, de ses lèvres, de ses yeux et de ses doigts devenaient des acteurs auxquels elle s'attachait avec la passion de celui qui voit représentée sur une grande scène sa très médiocre existence. Plus intensément elle remarquait que cet échange oppressait sa poitrine comme une robe étroite quand on s'accroupit devant un trou de serrure, plus elle se jugeait coupable de ne pas résister mieux à la sombre cour que Soliman lui faisait dans le même temps. C'était là la raison, ignorée d'Ulrich, pour laquelle elle répondait à sa curiosité avec le respectueux et passionné désir de se montrer une servante bien élevée et même exemplaire.

Ulrich se demandait en vain pourquoi cette créature si naturellement formée pour les jeux de l'amour était si chaste que l'on était tenté de lui attribuer la frigidité capricieuse qui n'est pas rare chez les jolies femmes. Il est vrai qu'il changea d'opinion et fut même un peu déçu le jour où il fut le témoin d'une scène assez surprenante. Arnheim venait d'arriver, Soliman s'était accroupi dans l'antichambre et Rachel se retira aussi rapidement que d'habitude. Ulrich mit à profit l'instant d'agitation créé par l'entrée d'Arnheim pour revenir sur ses pas et prendre un mouchoir dans son pardessus. La lumière avait été éteinte, mais Soliman était encore là et ne remarqua pas qu'Ulrich, dissimulé dans l'ombre du chambranle, n'avait fait que feindre d'ouvrir puis de refermer la porte, comme s'il avait déjà quitté à nouveau l'antichambre. Le Maure se leva prudemment et tira de sa veste, avec mille précautions, une seule grande fleur. C'était un bel iris blanc. Soliman le contempla, puis s'ébranla, sur la pointe des pieds, en passant devant la cuisine. Ulrich, qui savait bien où se trouvait la chambre de Rachel, le suivit discrètement et vit ce qui se passa. Soliman s'arrêta devant la porte, pressa la fleur sur ses lèvres et la déposa sur la poignée en se hâtant d'enrouler par deux fois la tige tout autour, puis d'en glisser l'extrémité dans le trou de la serrure.

Dérober cet iris en passant devant le bouquet sans être découvert, puis le garder caché pour Rachel n'avait pas été chose facile, et Rachel savait apprécier de telles attentions. Être prise sur le fait et chassée eût signifié pour elle mort et Jugement dernier : c'est sans doute pourquoi il lui était pénible de devoir toujours, où qu'elle fût ou allât, se garder de Soliman, et peu agréable que, surgissant soudain de quelque cachette, il lui pinçât la jambe sans qu'elle pût crier. Néanmoins, elle n'était pas complètement insensible au fait que quelqu'un courait des dangers pour lui plaire, espionnait chacun de ses pas avec le plus grand dévouement et mettait sa force de caractère à l'épreuve dans ces situations épineuses. Ce petit singe de Soliman donnait aux choses un mouvement accéléré qui semblait à Rachel absurde et dangereux ; parfois, contre tous ses principes, au milieu des espérances désordonnées qui emplissaient sa tête, elle éprouvait le coupable désir, quoi qu'il pût arriver de grave dans la suite, de profiter une bonne fois largement des grosses lèvres du fils du roi maure, de ces lèvres qui l'attendaient partout et semblaient faites pour se mettre à leur tour au service de la petite servante qu'elle était.

Un beau jour, Soliman lui demanda si elle avait du courage. Arnheim passait deux jours à la montagne en compagnie de Diotime et de quelques amis, et ne l'avait pas emmené. La cuisinière avait un congé de vingt-quatre heures et le sous-secrétaire Tuzzi mangeait au restaurant. Rachel avait parlé à Soliman des traces de cigarettes qu'elle avait découvertes dans sa chambre, et à la question de Diotime sur ce que la petite en pourrait bien penser, celle-ci et le jeune Maure répondirent d'un seul cœur en supposant que quelque chose se préparait au concile, qui allait exiger d'eux aussi un redoublement quelconque d'activité. Lorsque Soliman lui demanda si elle se sentait du courage, il avait déclaré qu'il voulait dérober à son maître les documents qui devaient prouver sa haute naissance. Rachel ne croyait pas à l'existence de ces preuves, mais toutes les complications insidieuses qui l'entouraient avaient éveillé en elle le désir irrésistible qu'il se passât quelque chose. Il fut convenu entre eux qu'elle garderait son bonnet et son tablier blanc quand Soliman viendrait la chercher et l'accompagnerait à l'hôtel, afin qu'elle eût l'air d'y porter un message de ses maîtres. Lorsqu'ils arrivèrent dans la rue, une si lourde chaleur monta d'abord derrière le plastron de dentelles du petit tablier qu'une sorte de fumée empêcha les yeux de Rachel de rien voir. Soliman, cependant, plein de témérité, hélait une voiture. Depuis quelque temps, si fréquentes étaient les distractions d'Arnheim qu'il avait tout l'argent qu'il voulait. Rachel prit courage à son tour et monta au vu de chacun dans la voiture, comme si sa tâche et sa profession étaient de se promener avec un jeune nègre. Étincelantes, les rues d'après-midi filaient devant leurs yeux, emportant les élégants oisifs auxquels elles appartiennent de droit, tandis que Rachel se sentait tout excitée comme avant un cambriolage. Elle essaya de trouver une attitude aussi juste que celle qu'elle avait observée chez Diotime dans les voitures ; mais en haut et en bas, là où elle était en contact avec les coussins, un confus mouvement de balancement entrait en elle. La voiture était fermée, et Soliman profita de ce que

Rachel était ainsi appuyée pour lui poser sur les lèvres les larges tampons de sa bouche. Sans doute pouvait-on les observer par les portières, mais la voiture allait bon train et une sensation qui rappelait la cuisson à petit feu d'un liquide parfumé se transmit des coussins oscillants au dos de Rachel.

Le Maure ne se priva pas non plus de faire arrêter devant l'hôtel. Les garçons en manches de taffetas noir et tabliers verts ricanèrent quand Rachel descendit de la voiture, le portier épia par la porte vitrée tandis que Soliman payait, et Rachel crut que le sol cédait sous ses pieds. Il lui parut ensuite que Soliman devait avoir dans l'hôtel une grande influence, car personne ne les arrêta tandis qu'ils traversaient l'immense vestibule à colonnes. Des messieurs seuls étaient assis là et suivaient des yeux, du fond de leurs fauteuils-club, la petite bonne ; elle recommençait à avoir honte, mais ensuite, s'étant engagée dans l'escalier, elle remarqua les nombreuses femmes de chambres, noires comme elle et comme elle coiffées de blanc, mais seulement un peu moins coquettement vêtues ; dès lors, elle éprouva le même sentiment qu'un explorateur qui, rôdant dans une île inconnue et peut-être dangereuse, tombe enfin sur des êtres humains.

Puis, pour la première fois de sa vie, Rachel découvrit les appartements d'un hôtel de luxe. Soliman commença par fermer toutes les portes ; alors, il se crut obligé d'embrasser de nouveau son amie. Ces baisers qui s'échangeaient depuis quelque temps entre Rachel et lui évoquaient un peu l'ardeur des baisers enfantins ; ils étaient plutôt des confirmations que de périlleux assauts, et même maintenant qu'ils se trouvaient pour la première fois seuls dans une chambre fermée, rien ne parut plus urgent à Soliman que de la fermer plus romantiquement encore. Il déroula les persiennes et boucha les trous de serrure qui donnaient sur le corridor. Rachel elle-même était trop excitée par ces préparatifs pour penser à autre chose qu'à son courage et à la honte d'une possible découverte.

Soliman la conduisit alors devant les armoires et les malles d'Arnheim : toutes étaient ouvertes, sauf une. Il était clair que les secrets étaient cachés dans celle-là. Le Maure retira les clefs des malles ouvertes et les essaya. Aucune n'allait. Soliman, cependant, ne cessait de bavarder ; il déballait toute sa provision de chameaux, princes, messagers secrets et insinuations contre Arnheim. Il emprunta à Rachel une épingle à cheveux pour essayer d'en faire un crochet. Comme cela non plus ne donnait rien, il retira toutes les clefs des armoires et des commodes, les étala sur le tapis, s'accroupit pensivement devant elles et fit une petite pause à l'effet de trouver une nouvelle résolution. « Tu vois comme il se cache de moi ! dit-il à Rachel en se frottant le front. Mais je peux aussi bien commencer par te montrer le reste. »

Aussi étala-t-il tout bonnement devant Rachel les stupéfiants trésors que recélaient les malles et les armoires d'Arnheim. Elle était accroupie sur le tapis et, les mains serrées entre ses genoux, contemplait avec curiosité tous ces objets. Jamais encore elle n'avait vu la garde-robe intime d'un homme habitué aux plus subtiles jouissances. Sans doute « Monsieur » n'était-il pas mal vêtu, mais il n'avait pas plus d'argent que de goût pour les plus raffinées inventions des tailleurs, chemisiers et autres fabricants de luxe, et même « Madame » était loin de posséder des choses aussi rares, aussi fémininement délicates et compliquées d'usage que cet homme démesurément riche. Rachel sentit se ranimer un peu de son respect effrayé pour le nabab, et Soliman se rengorgea en voyant l'impression qu'il faisait grâce aux trésors de son maître. Il sortit absolument tout, fit fonctionner tous les appareils et expliqua consciencieusement tous les secrets. Rachel commençait à se sentir fatiguée lorsqu'elle fit, tout à coup, une constatation singulière. Elle se souvint très précisément que des choses assez semblables étaient apparues malgré tout depuis quelque temps dans la lingerie et les affaires de Diotime. Elles n'étaient ni aussi nombreuses, ni aussi précieuses que celles qu'elle voyait ici, mais si on les comparait avec la simplicité austère qui avait précédé, elles étaient plus proches, sans nul doute, du spectacle qu'elle avait sous les yeux que du sévère passé. Alors, Rachel s'ouvrit à l'abominable supposition que les rapports qui unissaient Arnheim et sa maîtresse étaient peut-être un peu moins intellectuels qu'elle ne l'avait cru.

Elle rougit jusqu'à la racine des cheveux.

Ses pensées n'avaient pas effleuré ce domaine depuis qu'elle était en service chez Diotime. Ses yeux avaient absorbé la magnificence du corps de sa maîtresse comme un comprimé dans son papier, sans y associer aucune réflexion sur l'usage de cette magnificence. Le contentement qu'elle éprouvait à vivre dans la société d'esprits supérieurs était si grand que, de tout ce temps, cette petite fille si facile à séduire n'avait jamais pensé à l'homme comme à un être d'un autre sexe, mais toujours comme à un personnage à la fois romantique et romanesque. La noblesse de son cœur l'avait rejetée dans cet âge qui précède la puberté et où l'on s'enflamme si généreusement pour la grandeur des autres. On ne pouvait s'expliquer autrement que les fariboles de Soliman, qui n'excitaient chez une cuisinière que des rires méprisants, trouvassent chez Rachel tant d'indulgence et de faiblesse ravie. Mais quand Rachel, agenouillée par terre, vit comme exposée devant elle au grand jour la pensée de relations adultères entre Arnheim et Diotime, le bouleversement qui se préparait depuis longtemps s'accomplit enfin en elle. Elle s'éveilla ; délaissant un état d'âme qui n'était plus naturel, elle réintégra le monde unifiant de la chair.

Elle se retrouva d'un coup, débarrassée de tout romantisme, légèrement morose, avec un corps bien décidé qui estimait que même une femme de chambre pouvait un jour avoir sa part. Soliman, accroupi à côté d'elle devant son bazar, avait rassemblé tout ce qu'elle avait particulièrement admiré et tentait de glisser dans la poche de son tablier tout ce qui n'était pas trop gros. Puis il bondit et s'attaqua encore une fois, à l'aide d'un couteau de poche, à la malle verrouillée. Il déclara sauvagement qu'il allait prélever un important viatique sur le carnet de chèques de son maître avant que celui-ci ne revînt (car cet extravagant diable était rien moins que puéril sur les questions d'argent), et qu'il fuirait avec Rachel ; mais il lui fallait d'abord retrouver ses papiers.

Rachel, qui était à genoux, se leva, vida résolument ses poches de tous les présents qui les bourraient et dit : « Cesse de bavarder ! Je n'ai plus le temps. Quelle heure est-il ? » Sa voix était devenue plus grave. Elle lissa son tablier et remit son bonnet d'aplomb ; Soliman sentit aussitôt qu'elle refusait de poursuivre le jeu et qu'elle était brusquement devenue plus âgée que lui. Avant qu'il eût pu se défendre, Rachel lui donna le baiser d'adieu. Ses lèvres ne tremblaient plus comme d'habitude, mais s'enfoncèrent dans le fruit juteux de son visage, tandis qu'elle tenait la tête de Soliman, plus petit qu'elle, en arrière, l'étreignant si longuement qu'il faillit en perdre le souffle. Soliman se débattit, et lorsqu'il se fût dégagé, il eut l'impression qu'un garçon plus robuste lui avait mis la tête sous l'eau ; d'abord, il ne songea qu'à se venger sur Rachel de cette désagréable violence. Mais Rachel s'était déjà glissée dans l'embrasure de la porte, et le regard, la seule chose de lui qui la rattrapât, s'il fut d'abord furieux comme une flèche à la pointe enflammée, finit par se consumer tout entier en cendre tendre. Soliman ramassa les biens de son maître pour les ranger ; il était devenu un jeune homme qui souhaitait de conquérir quelque chose, et ce quelque chose n'était nullement inaccessible.

105. *Le pur amour n'est pas une plaisanterie.*

A la suite de l'excursion en montagne, Arnheim était resté en voyage plus longtemps que d'ordinaire. Cet usage de l'expression « partir en voyage » qu'il avait lui-même involontairement adopté, était assez étrange, quand il eût fallu dire pour être exact « rentrer chez soi ». Pour toutes sortes de raisons du même ordre, Arnheim sentait qu'il devenait urgent de prendre une décision. Il était hanté par de pénibles rêves éveillés, comme son esprit austère n'en avait jamais connu. L'un de ces rêves surtout était tenace : Arnheim se voyait avec Diotime sur un haut clocher, à leurs pieds le pays apparaissait un instant parfaitement vert, puis ils sautaient dans le vide. Pénétrer un soir, au mépris de toute chevalerie, dans la chambre à coucher des Tuzzi et abattre le sous-secrétaire était évidemment du même ordre.

Il aurait pu aussi le tuer en duel, mais cela lui semblait moins naturel : cette rêverie s'entachait déjà de trop de cérémonies réelles, et, plus Arnheim s'approchait de la réalité, plus les obstacles devenaient désagréables. Finalement on aurait pu aussi demander à Tuzzi, en toute franchise pour ainsi dire, la main de sa femme. Mais qu'en aurait-il dit ? C'était déjà se mettre dans une situation où les possibilités de ridicule abondaient. En admettant même que Tuzzi se montrât humain et que le scandale fût réduit au minimum (ou encore qu'il n'y eût pas de scandale du tout, puisque les divorces commençaient déjà à être tolérés jusque dans le grand monde), il n'en resterait pas moins qu'un vieux célibataire se rend toujours légèrement ridicule en se mariant sur le tard, un peu comme un vieux couple qui voit naître un enfant pour ses noces d'argent. Si Arnheim, néanmoins, s'obstinait dans cette idée, ses responsabilités dans la firme eussent exigé au moins qu'il épousât une riche veuve américaine ou une noble touchant de près à la Cour, et non la femme divorcée d'un fonctionnaire bourgeois.

Pour lui, tout acte, et même l'acte charnel, était lourd de responsabilité. Dans un temps comme le nôtre, où l'on prend si rarement la responsabilité de ses actes et de ses paroles, ce n'était nullement la simple ambition personnelle qui soulevait en lui ces objections, mais le besoin, vraiment suprapersonnel, d'harmoniser la puissance grandie entre les mains des Arnheim (organisme né du besoin d'argent mais qui l'avait ensuite dépassé, qui avait sa raison et sa volonté propres, qui devait croître et se fortifier, qui pouvait dépérir et s'ankyloserait s'il restait inactif !), d'harmoniser cette puissance avec les puissances et les hiérarchies du monde ; et cela, autant qu'il le sût, il ne l'avait jamais dissimulé à Diotime. Il est vrai qu'un Arnheim pouvait se permettre d'épouser une gardeuse de chèvres ; mais il ne le pouvait qu'en son nom personnel, et cela n'en demeurait pas moins, au fond, une trahison de la cause au profit d'une faiblesse privée.

Néanmoins, il était exact qu'il avait proposé à Diotime de l'épouser. Il l'avait fait d'abord ne fût-ce que pour prévenir les complications de l'adultère, incompatibles avec un mode de vie grandiose et consciencieux. Diotime lui avait serré la main avec reconnaissance et, dans un sourire qui évoquait les meilleurs modèles de l'histoire de l'Art, avait répondu à son offre : « Ce n'est jamais ceux que nous étreignons que nous aimons le plus profondément... » Après cette réponse, aussi équivoque que l'attirante tache jaune au cœur du sévère lys, Arnheim avait manqué de résolution pour réitérer sa demande. Celle-ci fut remplacée par des conversations de nature générale où les mots divorce, mariage, adultère, etc., marquaient une singulière insistance à surgir. C'est ainsi qu'Arnheim et Diotime eurent à plusieurs reprises une conversation très profonde sur l'adultère dans la littérature contemporaine : Diotime estima que ce problème était traité sans aucun égard aux grands sentiments de discipline, de renoncement et d'ascèse héroïque qu'il supposait, mais d'une manière purement sensualiste ; c'était aussi, malheureusement, l'avis d'Arnheim, de sorte qu'il ne lui resta plus rien à ajouter, sinon que le sens du profond mystère moral de la personne humaine s'était aujourd'hui presque universellement perdu. Ce mystère consiste en ceci que l'on ne peut pas tout se permettre. Les époques où tout est permis ont toujours fait le malheur de ceux qui y ont vécu. La discipline, la chasteté, la chevalerie, la musique, la coutume, le poème, la forme, les interdits, tout cela n'a pas de justification plus profonde que de donner à la vie une figure définie et limitée. Il n'y a pas de bonheur sans limites. Il n'y a pas de grand bonheur sans grands interdits. Même dans les affaires, on ne doit pas courir après n'importe quel avantage, sinon l'on n'arrive à rien. La limite est le secret du non-phénoménal, le secret de la force, du bonheur, de la foi et de ce devoir que nous avons, nous autres misérables hommes, de nous affirmer au sein de l'univers. Telle fut l'explication d'Arnheim, et Diotime ne put que l'approuver. La conséquence regrettable de ces découvertes était, en un certain sens, qu'elles donnaient à la notion de légitimité une plénitude de sens que les êtres ordinaires ne lui reconnaissent généralement plus. Cependant, les grandes âmes ont soif de légitimité. Dans les heures d'extase, on pressent la rigueur perpendiculaire du Tout. Et le commerçant, bien qu'il domine le monde, respecte dans la royauté, la noblesse et l'Église, les représentants de l'Irrationnel. Ce qui est légitime est toujours simple, comme toute grandeur est simple et dédaigne l'intelligence pure. Homère était simple. Le Christ était simple. Les grands esprits aboutissent toujours à des principes simples et même, ayons le courage de le dire, à des lieux communs de la morale. C'est pourquoi, tout bien considéré, les âmes vraiment libres ont plus de peine que les autres à agir contre la tradition.

De telles constatations, si vraies soient-elles, ne sont guère favorables à l'idée de troubler un ménage. Ainsi ces deux êtres étaient-ils dans la même situation que des hommes reliés par un magnifique pont au milieu duquel un trou de quelques mètres empêche toute jonction. Arnheim regrettait intensément de ne pas posséder une étincelle de ce désir qui est également répandu dans toutes les choses et peut entraîner un homme aussi bien dans une affaire dangereuse que dans un amour irréfléchi ; c'est dans ce regret qu'il se mit à parler longuement du désir. S'il faut l'en croire, le désir est exactement le sentiment qui correspond à la culture rationnelle caractéristique de notre époque. Aucun sentiment n'est orienté aussi exclusivement vers sa fin que celui-là. Il s'obstine comme une flèche profondément enfoncée dans la cible au lieu de pénétrer en vibrant, telle une bande d'oiseaux, dans des espaces toujours renouvelés. Il appauvrit l'âme comme l'appauvrissent le calcul, la mécanique et la brutalité. Ainsi Arnheim critiquait-il le désir ; il ne l'en sentait pas moins qui grondait dans les sous-sols comme un esclave aveuglé.

Diotime fit une autre tentative. Elle tendit la main à son ami et lui fit cette prière : « Laissez-nous ne rien dire ! La parole peut faire de grandes choses, mais il est des choses encore plus grandes ! La vraie vérité qui unit deux êtres ne peut pas être exprimée. Dès que nous parlons, des portes se ferment ; la parole est plutôt faite pour les communications irréelles, on parle dans les heures où l'on ne vit pas... »

Arnheim approuva. « Vous avez raison. La parole consciente d'elle-même donne aux mouvements invisibles de notre être intérieur une forme arbitraire et médiocre !

– Ne parlez pas ! répéta Diotime en posant la main sur son bras. Quand nous nous taisons, c'est pour moi comme si nous nous faisions mutuellement présent d'un instant de vie. » Au bout d'un moment, elle retira sa main et soupira : « Il y a des minutes où toutes les pierres précieuses de l'âme sortent de l'ombre !

– Peut-être un temps viendra-t-il, dit Arnheim complétant sa pensée, et beaucoup de symptômes nous l'annoncent pour bientôt, où les âmes se verront sans l'intermédiaire des sens. Les âmes s'unissent quand les lèvres se séparent ! »

Les lèvres de Diotime se retroussèrent et dessinèrent l'ébauche d'une de ces petites trompes que les papillons font pénétrer dans les fleurs. Son esprit était sérieusement ivre. L'une des caractéristiques de l'amour comme de tous les états d'exaltation est probablement un certain délire d'interprétation : chaque fois qu'une parole tombait, une signification profonde s'illuminait, s'avançait comme un dieu voilé et se défaisait dans le silence. Diotime connaissait ce phénomène pour l'avoir vécu dans certaines heures d'élévation solitaire, mais jamais encore elle ne s'était ainsi élevée jusqu'aux limites du bonheur spirituel tolérable ; il régnait en elle une véritable anarchie de la surabondance, le divin se déplaçait avec l'aisance d'un patineur, elle eut plus d'une fois le sentiment qu'elle allait s'abattre sans connaissance.

Arnheim la rattrapait avec de grandes phrases. Il créait des délais, des points d'orgue. Puis, le filet des profondes pensées oscillait de nouveau au-dessous d'eux.

L'ennui, dans un bonheur aussi vaste, était qu'il n'autorisât aucune concentration. Il ne cessait de produire de nouvelles ondes tremblantes qui s'élargissaient en cercles sans jamais se condenser dans le courant d'un acte. Diotime, cependant, s'était déjà aventurée si loin qu'elle considérait parfois comme délicat et noble, au moins en esprit, de préférer les dangers de l'adultère à la grossière catastrophe qu'eût été l'anéantissement de deux carrières, et Arnheim, moralement, s'était depuis longtemps décidé à refuser ce sacrifice et à l'épouser ; d'une manière ou d'une autre, ils pouvaient donc à tout moment prendre possession l'un de l'autre, tous deux le savaient, mais ils ne savaient pas comment le vouloir, parce que le bonheur entraînait leurs âmes prédestinées à de si solennelles hauteurs qu'ils y éprouvaient, à la seule idée d'un geste vulgaire, une véritable angoisse, bien naturelle il est vrai chez des êtres qui ont un nuage sous les pieds.

Ainsi leur esprit à tous deux n'avait-il jamais laissé sans la humer une quelconque parcelle de la grandeur et de la beauté que la vie avait répandues devant eux ; mais, au moment de la plus haute exaltation, ils se trouvèrent étrangement frustrés. Les désirs et les vanités qui avaient jusqu'alors rempli leur existence étaient maintenant au-dessous d'eux comme des maisons et des fermes de jeu de construction au fond de la vallée, englouties par le silence avec leurs caquètements, leurs aboiements et leur tumulte. Il ne restait plus que le silence, la profondeur, le vide.

« Serions-nous donc élus ?... » songea Diotime en jetant les yeux autour d'elle du haut de cette extrême cime de l'émotion, et pressentant quelque événement indicible et torturant. Des expériences analogues, non seulement elle en avait elle-même vécu à un degré moins élevé, mais même un homme suspect comme son cousin était capable d'en parler, et elles avaient fait couler beaucoup d'encre dans les derniers temps. S'il fallait en croire les revues, il y avait, tous les mille ans, des époques où l'âme était plus proche de l'éveil que d'ordinaire et renaissait à la Réalité, à travers certains individus auxquels de bien autres épreuves que la simple lecture ou la parole étaient imposées. Ces pensées rappelèrent brusquement à Diotime la mystérieuse apparition du général qui n'avait pas été invité. Et, d'une voix presque imperceptible, elle dit à son ami qui cherchait encore de nouvelles phrases, tandis que l'excitation jetait entre eux une arche frémissante : « L'intelligence n'est pas le seul moyen de s'entendre entre deux êtres ! »

Et Arnheim répondit : « Non. » Son regard, horizontal comme un rayon de soleil couchant, pénétra dans les yeux de Diotime. « Vous venez de le dire : la vraie vérité entre deux êtres ne peut pas être exprimée ; tout effort dans ce sens lui devient un obstacle !... »

106. *Quel est l'objet de la foi de l'homme moderne : Dieu, ou le Directeur de la firme Univers ? Arnheim hésite à répondre.*

Arnheim seul, à l'hôtel. Il est debout, pensif, à la fenêtre de son appartement et considère à ses pieds les couronnes défeuillées des arbres, grillage noir au-dessous duquel les passants, multicolores ou sombres, composent deux longs serpents se frottant l'un contre l'autre : le carnaval qui vient de commencer. Un sourire irrité entrouvre les lèvres du grand homme.

Jusque-là, il n'avait jamais eu de peine à définir ce qu'il jugeait privé d'âme. Qu'est-ce qui n'est pas privé d'âme, aujourd'hui ? Il était facile de reconnaître les rares exceptions. Arnheim percevait, dans la distance du souvenir, une soirée de musique de chambre : il avait des amis dans son château de la Marche, les tilleuls prussiens embaumaient, les amis étaient de jeunes musiciens dont la vie était très dure, mais ils n'en répandaient pas moins leur exaltation dans le soir ; c'était un moment plein d'âme. Ou un autre cas : peu de temps auparavant, il s'était refusé à payer plus longtemps un subside qu'il avait alloué pendant un temps à un certain artiste. Il s'était attendu que cet artiste se fâchât contre lui et eût l'impression qu'on l'avait laissé tomber avant qu'il eût réussi à percer ; Arnheim aurait dû lui dire qu'il y avait d'autres artistes dans le besoin, ou quelque chose d'analogue, ce qui est toujours désagréable. Tout au contraire, lorsque cet homme avait rencontré Arnheim dans un de ses derniers voyages, il s'était contenté de le regarder dans les yeux, lui avait saisi la main et dit : « Vous m'avez mis dans une situation difficile, mais je suis persuadé qu'un homme comme vous ne fait rien sans raison profonde ! » C'était là une âme virile, et Arnheim n'était pas absolument opposé à l'idée de refaire un effort, quelque jour, pour cet homme.

C'est ainsi que l'âme, même aujourd'hui, perdure encore en quelques éléments isolés ; ce fait avait toujours semblé important à Arnheim. Mais quand il faut entrer immédiatement, sans conditions, en contact avec l'âme, celle-ci constitue un sérieux danger pour la sincérité. Une époque allait-elle vraiment venir où les âmes entreraient en contact sans l'intermédiaire des sens ? Et y avait-il, à entretenir les rapports qu'une nécessité intérieure leur avait imposés ces derniers temps, à lui et à sa merveilleuse amie, une raison comparable, en valeur et en importance, aux raisons de la vie réelle ? Quand sa conscience était en éveil, il n'y croyait pas le moins du monde ; il voyait bien cependant qu'il aidait Diotime à y croire.

Arnheim se trouvait étrangement divisé. La richesse morale est proche parente de la richesse financière ; il le savait, et il est facile de comprendre pourquoi il en est ainsi. La morale, en effet, remplace l'âme par la logique : quand une âme a de la morale, il n'y a plus pour elle aucun problème moral mais seulement des problèmes logiques ; elle se demande simplement si ce qu'elle veut faire tombe sous le coup de tel ou tel commandement, si son intention doit être interprétée de telle ou telle manière, et ainsi de suite ; c'est alors comme quand une troupe de soldats, surgissant dans le plus grand désordre, se voit tout à coup disciplinée par un moniteur de gymnastique et sur un simple signe s'exerce à la station avancée, à l'extension des bras et à la flexion des jambes. Mais la logique présuppose des événements réitérables. Il est clair que si les événements changeaient comme dans un tourbillon où rien ne se répète, nous n'aurions jamais pu aboutir à cette profonde découverte que A est A, que ce qui est plus grand n'est pas en même temps plus petit : simplement, nous rêverions ; situation détestable pour le penseur. On peut dire la même chose de la morale, et s'il n'y avait rien qui se pût répéter, on ne pourrait rien nous prescrire ; si l'on ne pouvait rien nous prescrire, la morale n'aurait plus aucun agrément. Mais cette qualité d'être réitérable, propre à la morale et à la raison, est bien moins séparable encore de l'argent ; elle se confond presque avec lui ; tant qu'il ne se dévalue pas, l'argent divise tous les plaisirs du monde en petits blocs de pouvoir d'achat à partir desquels on peut se construire tous les édifices que l'on veut. C'est pourquoi l'argent est moral et raisonnable ; comme chacun sait que l'inverse n'est pas forcément vrai, c'est-à-dire que les hommes moraux et raisonnables n'ont pas tous de l'argent, on peut conclure que ces qualités résident à l'origine dans l'argent, ou tout au moins que l'argent est le couronnement d'une existence raisonnable et morale.

Sans doute, Arnheim ne pensait-il pas exactement que la culture et la religion fussent les conséquences naturelles du capital ; il admettait cependant que le capital en faisait un véritable devoir. Mais que les pouvoirs spirituels ne comprissent pas toujours suffisamment bien les pouvoirs actifs de l'Être et fussent presque toujours entachés de quelque mépris de la vie, il aimait à le relever ; et lui, l'homme des vues d'ensemble, aboutissait sur ce point à de tout autres découvertes. Car toute pesée, tout calcul, toute mesure présupposent que l'objet à mesurer ne se modifie pas durant la réflexion ; quand la chose néanmoins se produit, il faut mettre toute son acuité d'esprit à trouver jusque dans le changement quelque chose d'inaltérable. Ainsi l'argent, par sa nature, est apparenté à toutes les forces spirituelles, et c'est sur son modèle que les savants divisent le monde en atomes, lois, hypothèses et signes bizarres ; et, à partir de ces fictions, les techniciens recréent un monde d'objets nouveaux. Pour ce propriétaire d'énormes industries si parfaitement renseigné sur les forces mises à son service, ces remarques étaient aussi familières qu'à un Allemand moyen lecteur de romans les représentations morales de la Bible.

Ce besoin d'évidence, de réitération, de solidité qui est indispensable au succès de toute pensée et de tout plan (ainsi continuait à songer Arnheim en considérant la rue) se trouve toujours satisfait, dans le domaine de l'âme, par une forme ou l'autre de violence. Celui qui veut, dans l'homme, bâtir sur le roc, ne peut se servir que de ses qualités et de ses passions les plus basses, car seul ce qui se rattache étroitement à l'égoïsme a quelque consistance et peut toujours être porté en compte ; les intentions sublimes sont douteuses, contradictoires et fugaces comme le vent.

L'homme qui savait que l'on devrait tôt ou tard gouverner les empires comme des usines, regardait au-dessous de lui le grouillement des uniformes et des visages fiers, pas plus gros qu'un œuf de pou, avec un sourire où se mêlaient la supériorité et la mélancolie. Il ne pouvait subsister aucun doute là-dessus : si Dieu revenait de nos jours instaurer parmi nous le Règne millénaire, il n'y aurait pas un seul homme pratique et expérimenté qui lui fasse confiance, tant que ne seraient pas prises, à côté du Jugement dernier, des mesures propres à assurer un régime pénitentiaire, de solides prisons, une police, une gendarmerie, des forces armées, des articles de loi relatifs à la haute trahison, des départements d'État et tout ce dont il est encore besoin pour ramener les insaisissables travaux de l'âme à un fait essentiel : à savoir que le futur habitant du Ciel ne saurait être amené à faire ce que l'on exigerait de lui que par l'intimidation, le « serrage de vis » ou la corruption, en un mot, par la « méthode forte ».

Mais Paul Arnheim s'avancerait alors et dirait au Seigneur : « Seigneur, à quoi bon ? L'égoïsme est la plus sûre qualité de la vie humaine. Avec son aide, l'homme politique, le soldat et le roi ont ordonné ton monde par la ruse et la contrainte. C'est la mélodie même de l'homme : Toi et moi devons l'avouer. Abolir la contrainte, ce serait affaiblir l'ordre ; rendre l'homme capable de grandes choses bien qu'il soit un bâtard, tel est notre premier devoir ! » En disant cela, Arnheim eût souri modestement à son Seigneur, dans une attitude pleine de calme, afin que l'on n'oubliât pas combien il est important pour tout homme de reconnaître avec humilité les grands mystères. Puis, il aurait poursuivi son discours : « Mais l'argent n'est-il pas un moyen de traiter les relations humaines aussi sûr que la violence, et ne nous permet-il pas de renoncer au trop naïf usage de celle-ci ? Il est de la violence spiritualisée ; une forme particulière, souple, raffinée, créatrice, de la violence. Les affaires ne se fondent-elles pas sur la duperie et l'exploitation, la ruse et la contrainte, mais civilisées, transférées entièrement à l'intérieur de l'homme, travesties en liberté ? Le capitalisme, en tant qu'organisation de l'égoïsme selon la hiérarchie des capacités de s'enrichir est l'ordre le plus parfait et cependant le plus humain que nous ayons pu constituer à Ta gloire ; l'activité humaine ne comporte pas de mesure plus précise ! » Et Arnheim aurait conseillé au Seigneur d'organiser le Règne millénaire sur des principes commerciaux et d'en confier l'administration à un grand homme d'affaires, à condition, bien entendu, qu'il disposât d'une vaste culture philosophique. Pour ce qui est enfin de la religiosité pure, il faut avouer qu'elle a toujours eu à souffrir et qu'une direction commerciale, si l'on songe à l'incertitude des années héroïques, lui offrirait toujours de grands avantages.

Ainsi aurait parlé Arnheim, car une voix profonde lui disait clairement qu'on pouvait aussi peu renoncer à l'argent qu'à la raison et à la morale. Mais une autre voix, également profonde, lui disait non moins clairement que l'on devait hardiment renoncer à la raison, à la morale et à tout le rationalisme de l'existence. C'était précisément dans les instants de vertige où il n'éprouvait plus d'autre besoin que celui de se précipiter, satellite errant, dans la masse solitaire de Diotime, que cette voix l'emportait presque. Alors, la croissance des pensées lui semblait aussi étrangère à lui-même, aussi peu intérieure que celle des ongles et des cheveux. Une vie morale lui semblait une vie morte, et une aversion cachée pour l'ordre et la morale le faisait rougir. Il en allait d'Arnheim comme de sa propre époque. Celle-ci adore l'argent, l'ordre, le savoir, le calcul, les mesures et les pesées, c'est-à-dire, somme toute, l'esprit de l'argent et de sa famille, en même temps qu'elle les déplore. Tandis que nos contemporains manient le marteau et la règle à calcul pendant les heures de travail et se conduisent en dehors d'elles comme une horde de gamins entraînés d'une extravagance dans l'autre sous la pression du « Et maintenant, qu'est-ce qu'on fait ? » qui n'est au fond que l'expression d'un amer dégoût, ils ne peuvent se délivrer d'une voix persistante et secrète qui les exhorte à la conversion. A cette voix, ils appliquent le principe de la division du travail en entretenant des intellectuels spécialisés dans ce genre de pressentiments et de jérémiades intérieures : pénitents et confesseurs de leur temps, absolveurs de profession, prophètes et prédicateurs de carême en littérature, qu'il est toujours précieux de savoir là quand on n'a pas la possibilité, personnellement, de vivre selon leurs principes ; et c'est à peu près le même genre de rançon morale que représentent les phrases et les subventions que l'État engloutit chaque année dans des institutions culturelles sans fond.

On retrouvait cette division du travail jusque chez Arnheim lui-même. Lorsqu'il était assis dans son bureau directorial à contrôler un calcul de rendement, il eût rougi de penser autrement qu'en technicien et en homme d'affaires ; mais aussitôt que l'argent de sa firme n'était plus en jeu, il eût rougi de ne plus penser de la façon contraire, et de ne pas proclamer qu'il fallait donner à l'homme la possibilité de s'élever autrement que par les chemins sans issue de la régularité, des prescriptions, des normes et autres choses semblables, dont les résultats sont parfaitement dépourvus d'intériorité et profondément superficiels. Il n'y a pas de doute que cet autre chemin est ce que l'on nomme la religion. Arnheim avait écrit plusieurs livres sur ce thème. Dans ces livres, il avait nommé également cet autre chemin : le mythe, le retour à la simplicité, le royaume de l'âme, la spiritualisation de l'économie, l'essence de l'acte et autres formules analogues, car le problème avait de multiples aspects ; pour parler précisément, il avait exactement autant de faces qu'Arnheim s'en découvrait lorsqu'il s'examinait avec désintéressement, comme doit le faire un homme qui a devant lui de grands devoirs. Mais c'était évidemment son destin qui voulait que cette division du travail, à l'heure de la décision, fît faillite. Dans l'instant où il rêvait de se jeter dans le brasier de ses sentiments ou éprouvait le besoin d'être aussi grand, aussi entier que les figures des premiers âges, aussi insouciant que seuls peuvent l'être les vrais aristocrates, aussi intégralement religieux que l'exige, quand on la comprend profondément, l'essence de l'amour, dans l'instant où, sans aucun égard pour son pantalon et son avenir, il voulait se jeter aux pieds de Diotime, une voix le retenait. C'était, réveillée au mauvais moment, la voix de la raison, ou, comme il se le disait avec irritation, celle du calcul et de l'avidité qui s'oppose constamment, aujourd'hui, à l'édification d'une vie haute, au mystère du sentiment. Il haïssait cette voix, mais il savait en même temps qu'elle n'avait pas tort. En admettant qu'on pût parler de lune de miel : la lune de miel écoulée, quelle forme pourrait bien prendre sa vie avec Diotime ? Il retournerait à ses affaires et réglerait les autres problèmes de l'existence en accord avec elle. L'année se partagerait entre les opérations financières et la relaxation dans la nature, dans la partie animale et végétale de son être. Peut-être une alliance noble, véritablement humaine, de l'activité et du repos, de nos pauvres besoins et de la beauté, serait-elle possible. Tout cela était parfait sans doute, il voyait parfois cette image flotter devant ses yeux comme un but possible, et l'avis d'Arnheim était que nul ne peut mener à bien de vastes opérations financières, qui ne connaîtrait pas aussi la détente et l'abandon le plus complets, ce sommeil sans désirs, loin de tout, si l'on peut dire, en simple pagne : mais une satisfaction muette et violente se déchaînait en Arnheim, car tout cela était en contradiction avec le sentiment cosmique que Diotime éveillait en lui.

Chaque jour, lorsqu'il la revoyait, statue antique heureusement potelée à la moderne, il sombrait dans la confusion, sentait ses forces lui manquer et l'impossibilité de trouver dans son être intérieur aucune place pour cette créature fermée, équilibrée, circulant si harmonieusement dans son orbite. Ce n'était plus du tout un sentiment noblement humain, même pas un sentiment humain du tout. Il y avait, dans cet état, tout le vide de l'éternité. Il contemplait la beauté de sa bien-aimée d'un regard qui semblait l'avoir cherchée depuis mille ans et se voyait tout à coup, maintenant qu'il l'avait trouvée, désoccupé ; ce qui entraînait une impuissance incontestablement assez proche de la stupeur, d'un étonnement presque imbécile. Le sentiment ne pouvait plus donner aucune réponse à cette exigence excessive, comparable seulement au désir d'être projetés ensemble par le même canon dans l'univers !

Diotime, toujours pleine de tact, avait trouvé là encore le mot juste. Elle s'était rappelé, en l'un de ces instants, que le grand Dostoïevski déjà avait constaté un rapport entre l'amour, l'idiotie et la sainteté intérieure. Mais les hommes d'aujourd'hui, n'ayant pas derrière eux la foi de la Russie, auraient sans doute besoin d'abord, pour pouvoir donner à cette pensée une quelconque réalité, d'une rédemption spéciale.

Ces paroles traduisaient la plus secrète pensée d'Arnheim.

L'instant où elles avaient été prononcées fut de ceux qui s'élèvent à la fois au-dessus de la subjectivité et de l'objectivité et vous font monter le sang à la tête comme une trompette bouchée de laquelle on ne peut tirer aucun son. Dans cet instant-là, tout avait son importance, de la plus petite tasse sur une étagère s'imposant dans l'espace comme un objet peint par Van Gogh, aux corps humains qui, gonflés et aiguisés à la fois par l'ineffable, semblaient s'y insérer de force.

Effrayée, Diotime s'était exclamée : « Je rêverais, en ce moment, de plaisanter : l'humour est une chose si merveilleuse qui flotte, libre de toute convoitise, au-dessus des phénomènes !… »

Arnheim avait souri. Il s'était levé et s'était donné de l'exercice en arpentant la chambre. « Si je la mettais en pièces, si j'allais rugir et danser ; si je me prenais à la gorge pour m'arracher le cœur et le lui offrir : peut-être un miracle se produirait-il ? » avait-il songé. Mais il s'était interrompu, se sentant refroidir.

Cette scène lui était maintenant revenue avec intensité à l'esprit. Son regard, un regard de glace, s'abaissa à nouveau vers la rue à ses pieds. « Il faudrait vraiment le miracle d'une rédemption, se dit-il, et que d'autres hommes peuplent la terre, pour que l'on puisse songer à la réalisation de tels desseins. » Il ne se donnait plus la peine de deviner comment et de quoi l'on devrait sauver le monde : de toute façon, il aurait fallu que tout changeât. Il retourna à sa table de travail qu'il avait abandonnée une demi-heure auparavant, à ses lettres et à ses dépêches, et sonna Soliman pour qu'il allât chercher son secrétaire.

Tandis qu'il l'attendait et que ses pensées polissaient déjà les premières phrases d'une lettre d'affaires, ce qu'il venait de vivre cristallisa en lui sous une forme morale à la fois belle et signifiante : « Un homme conscient de ses responsabilités, se dit-il avec conviction, même lorsqu'il donne son âme, ne doit jamais sacrifier que les intérêts, en aucun cas le capital !... »

107. *Le comte Leinsdorf obtient un succès politique inattendu.*

Quand Son Altesse le comte Leinsdorf parlait de la famille d'États européens qui devait se grouper avec joie autour du vieil Empereur patriarche, il en exceptait toujours, tacitement, la Prusse. Peut-être même y mettait-il, maintenant, plus de passion que naguère, car il ne pouvait se dissimuler l'impression troublante que le docteur Paul Arnheim faisait sur lui. Aussi souvent qu'il se rendît chez son amie Diotime, il était sûr de rencontrer cet homme ou, du moins, les traces de son passage, et, pas plus que le sous-secrétaire Tuzzi, il ne savait qu'en penser. Chaque fois qu'elle le considérait avec son regard inspiré, Diotime remarquait maintenant, au cou et aux mains de Son Altesse, ce qu'elle n'avait jamais fait auparavant, l'enflure des veines et la peau couleur de tabac blond, sentant la vieillesse ; et si sa déférence envers ce grand seigneur n'avait pas diminué, il y avait cependant quelque chose de changé dans les rayons de sa faveur, comme d'un soleil d'été à un soleil d'hiver. Le comte Leinsdorf n'avait pas plus de goût pour les rêveries que pour la musique, mais, depuis qu'il devait subir le Dr Arnheim, il lui arrivait de percevoir dans ses oreilles, avec une fréquence bizarre, un léger tintement de cymbales et de grosses caisses exécutant une marche militaire autrichienne, ou, lorsqu'il fermait les yeux, de voir les ténèbres agitées par un vaste ondoiement de drapeaux jaune et noir. Des visions patriotiques du même ordre paraissaient assaillir d'autres amis de la famille Tuzzi. Du moins avait-il pu observer ceci : si l'on continuait, dans les conversations, à parler de l'Allemagne avec la plus grande révérence, lorsqu'il laissait entendre que la grande Action patriotique pourrait bien réserver au frère teuton, avec le temps, quelque surprise, cette révérence s'illuminait d'un large sourire…

Son Altesse s'était heurtée là, dans son propre domaine, à un phénomène important. Il est des sentiments de famille particulièrement violents, parmi lesquels il faut ranger l'aversion à l'égard de l'Allemagne qui s'était répandue un peu partout, avant 1914, dans la famille des États européens. Peut-être l'Allemagne était-elle, intellectuellement, le pays le moins homogène de tous, celui où chacun pouvait trouver quelque chose qui justifiât son aversion ; c'était le premier pays où la vieille civilisation fût tombée sous les roues des Temps nouveaux, le premier où elle eût été déchiquetée et transformée en grands mots au service du commerce et du simili. De plus, l'Allemagne était querelleuse, avide, fanfaronne et dangereusement irresponsable comme toute grande masse en état d'agitation. Mais tout cela, finalement, était purement européen, et les Européens n'eussent dû y voir, au plus, qu'un excès d'européanisme. Il faut simplement penser qu'on a besoin de certaines entités, de « têtes de Turc » sur lesquelles vont s'accumuler le malaise, la mésintelligence et ce résidu d'une mauvaise combustion que la vie laisse aujourd'hui derrière elle. A la surprise infinie de tous ceux qui y ont pris part, la possibilité devient brusquement réalité ; il semble que tout ce qui, dans cette opération extrêmement désordonnée, tombe, cloche, se révèle superflu ou peu satisfaisant pour l'esprit, compose alors et dilue dans l'atmosphère, pour la faire vibrer d'un être à l'autre, cette haine si caractéristique de la civilisation contemporaine qui remplace la satisfaction que l'on n'a pas obtenue dans son travail par l'insatisfaction, plus aisée à obtenir, de celui des autres. L'opération qui consiste à rapporter ce malaise à des entités particulières relève des plus anciennes méthodes psychotechniques. Le sorcier n'agissait pas autrement, qui retirait du corps du malade le fétiche soigneusement préparé, ni le bon chrétien qui transfère ses défauts sur le bon Juif et prétend que c'est la faute de celui-ci s'il a découvert la publicité, l'usure, les journaux et autres monstruosités. Ainsi la responsabilité fut-elle rejetée tour à tour, dans le cours de l'histoire, sur le tonnerre, les sorcières, les socialistes, les intellectuels et les généraux ; et dans les dernières années qui ont précédé la guerre, pour des raisons particulières qui s'effacent devant l'importance du principe lui-même, l'un des remèdes les plus grandioses et les plus usités dans cette bizarre opération fut l'Allemagne prussienne. En perdant Dieu, le monde a aussi perdu le Diable. De même qu'il transfère le mal sur des « têtes de Turc », il transfère le bien sur des sortes d'idoles qu'il ne vénère que parce qu'elles font ce qu'on se juge incapable de faire soi-même. On laisse d'autres gens transpirer tandis qu'on reste assis à les regarder : c'est le sport. On laisse des gens se lancer dans les discours les plus extravagants et les plus partiaux : c'est l'idéalisme. On secoue le mal, et ceux qui en sont éclaboussés deviennent des « têtes de Turc ». Ainsi, toutes choses en ce monde trouvent leur place et leur ordre ; mais cette technique du culte des saints et de l'engraissement des boucs émissaires par l'aliénation n'est pas sans danger, car elle emplit le monde de la tension provoquée par cette multitude de combats intérieurs inachevés. On se tue, on fraternise sans jamais savoir si on le fait sérieusement, parce qu'on a une partie de son être en dehors de soi, et tous les événements semblent se dérouler pour moitié devant ou derrière la réalité, comme le mime d'un combat de l'amour ou de la haine. La vieille croyance aux démons, qui rendait des esprits infernaux ou célestes responsables de tout le bien et de tout le mal que l'on devinait autour de soi, accomplissait un travail infiniment plus utile et plus propre. On espère seulement que les progrès de la psychotechnique nous permettront un jour d'y revenir.

La Cacanie était le pays rêvé pour y cultiver « têtes de Turc » et idoles. De toute façon, la vie y avait quelque chose d'irréel. Les Cacaniens d'élite, qui se vantaient d'être les héritiers et les continuateurs de la civilisation cacanienne (de Bach à l'opérette), jugeaient tout naturel que l'on fût allié ou même apparenté avec les Allemands de l'Empire tout en ne pouvant les sentir. On leur permettait de se faire parfois discrètement remettre à leur place ; mais, devant leurs succès, on éprouvait toujours quelque souci pour la conjoncture nationale. Cette conjoncture nationale consistait essentiellement en ceci que l'État cacanien, apparu d'abord aussi bon que les autres et même meilleur que certains, avait perdu au cours des siècles un peu de sa foi en lui-même. On a déjà pu constater à plusieurs reprises, dans le déroulement de l'Action parallèle, que l'Histoire universelle ne se fait pas autrement que les histoires tout court ; c'est-à-dire que les auteurs ont rarement des idées neuves et que, pour l'intrigue et la pensée, ils se plagient assez volontiers. Mais cela suppose un autre élément, pas encore mentionné jusqu'ici, et qui n'est autre que le plaisir de raconter : cette conviction, si fréquente chez les auteurs, qu'on raconte une bonne histoire, cette passion qui met à leurs oreilles tant de feu que toute critique immédiatement s'y fond.

Le comte Leinsdorf possédait cette conviction et cette passion, et on la retrouvait dans le cercle de ses amis. Mais au-delà, dans toute la Cacanie, elle s'était perdue bel et bien, et il y avait longtemps qu'on lui cherchait un succédané. Alors était entrée en scène, à la place de l'histoire de la Cacanie, celle de la Nation, qu'on écrivait et arrangeait en obéissant docilement au goût très européen des romans historiques et des reconstitutions. Ainsi se produisit un phénomène digne de remarque et cependant point encore assez remarqué peut-être : des hommes chargés de régler entre eux quelque affaire toute banale comme la construction d'une école ou la nomination d'un chef de gare, en venaient à parler de l'année 1600 ou même 400 ap. J.-C., se disputaient sur le choix du candidat en rendant compte de la colonisation des Préalpes au temps des grandes migrations et des batailles de la Contre-Réforme, et embellissaient leurs commentaires de notions telles que la Magnanimité, la Filouterie, la Patrie, la Fidélité, la Virilité, notions qui correspondent à peu près au genre de culture universellement répandu. Le comte Leinsdorf, qui méprisait la littérature, ne pouvait revenir de sa surprise, et plus encore quand il considérait la prospérité de tous les paysans, ouvriers et citadins, Allemands ou Tchèques, qu'il avait eu l'occasion de voir au cours de voyages dans ses terres de Bohême ; c'est pourquoi il recourait à l'idée d'un virus, d'une agitation détestable, pour s'expliquer que leur mécontentement explosât de temps en temps en les dressant les uns contre les autres, ou tous ensemble, contre la sagesse du Gouvernement, chose d'autant moins compréhensible que, dans les longs intervalles entre ces crises, et quand on ne leur rappelait pas leurs idéaux, ils s'entendaient parfaitement et paisiblement avec tout le monde.

La politique à laquelle l'État recourait pour se défendre, la fameuse politique cacanienne des nationalités, aboutissait en fait à ceci que le gouvernement, tous les six mois à peu près, tantôt réprimait l'insubordination d'une nationalité, tantôt reculait sagement devant elle ; l'attitude adoptée à l'égard de la « nationalité » allemande répondait à ce mouvement d'alternance, comme, dans un tube en U, une moitié monte lorsque l'autre descend. Cette nationalité jouait en Cacanie un rôle particulier : étant donné son importance, elle n'avait jamais rien revendiqué, sinon que l'État fût fort. Plus longtemps qu'aucune autre, elle avait persisté à croire que l'histoire cacanienne avait un sens ; mais peu à peu, lorsqu'elle comprit qu'on pouvait dans ce pays, non seulement commencer par la haute trahison et finir au ministère, mais encore inversement, poursuivre sa carrière de ministre dans la haute trahison, elle se considéra à son tour comme une nation opprimée. Peut-être des phénomènes de ce genre ne sont-ils pas particuliers à la Cacanie, mais la caractéristique de cet État était qu'ils n'y exigeassent ni bouleversements ni révolutions, parce que tout s'y développait naturellement avec le temps selon un tranquille mouvement pendulaire, par la seule vertu de l'incertitude des concepts. Finalement, il n'y eut plus en Cacanie que des nations opprimées et une élite d'oppresseurs qui se jugeaient péniblement moqués et persécutés par les opprimés. Dans ce milieu, on était profondément inquiet de ce que rien ne se passât, d'une sorte de manque d'histoire, si l'on peut dire, et fermement persuadé que quelque chose finirait bien par se produire. Et quand ce quelque chose semblait être dirigé contre l'Allemagne, comme on pouvait le présumer de l'Action parallèle, on n'en était même pas choqué ; d'abord parce que l'on se sentait toujours un peu humilié par les frères teutons, ensuite parce que les cercles influents pensaient allemand malgré tout. Aussi ne pouvait-on mieux souligner que par ce désintéressement la mission suprapartisane de la Cacanie.

Il était parfaitement compréhensible, dans ces circonstances, que Son Altesse ne songeât jamais le moins du monde à considérer son entreprise comme « pangermanique ». Mais que celle-ci passât pour telle ressortit du fait que parmi les « parties respectives de la population » dont les vœux devaient être recueillis par les comités de l'Action parallèle, les groupes slaves disparurent l'un après l'autre ; et les ambassadeurs étrangers apprenaient peu à peu sur Arnheim, le sous-secrétaire Tuzzi et le complot allemand contre les minorités slaves, des nouvelles si effrayantes qu'il finit bien par en parvenir des échos, sous la forme atténuée de rumeurs, aux oreilles du comte Leinsdorf. Cela le confirma dans la crainte que, même aux jours où rien de particulier ne se produirait, on ne se trouvât pris, du fait même qu'il y aurait tant de choses à ne pas faire, dans une activité bien difficile. Comme il se piquait de faire une politique réaliste, il n'hésita pas à choisir une parade ; malheureusement, il lui échappa, ce faisant, des calculs si grandioses qu'ils prirent d'abord l'aspect d'une erreur politique.

Le poste de président du Comité de propagande (ce comité dont le devoir était de rendre l'Action populaire) était encore vacant, et le comte Leinsdorf prit la résolution d'y nommer le baron Wisnietzky. Sa réflexion se fondait expressément sur le fait que Wisnietzky, qui avait été ministre quelques années auparavant, avait fait partie d'un cabinet renversé par les partis allemands et passait pour avoir mené une politique sournoisement hostile à l'Allemagne. Son Altesse avait son plan. Dès le début de l'Action parallèle, l'une de ses idées avait été de lui gagner précisément ces Cacaniens de race allemande qui se sentaient moins attachés à leur patrie qu'à la nation allemande. Que les autres « groupes ethniques » traitassent, comme c'était le cas, la Cacanie de prison et exprimassent ouvertement leur amour pour la France, l'Italie ou la Russie, cela restait, somme toute, des rêveries encore lointaines. Aucun homme politique sérieux ne pouvait les mettre sur le même plan que l'enthousiasme de certains Allemands pour l'Empire allemand qui encerclait, géographiquement, la Cacanie et n'avait fait qu'un avec elle jusqu'à la génération précédente. C'était à ces renégats allemands, dont l'activité provoquait chez le comte Leinsdorf, parce qu'il était allemand lui-même, les sentiments les plus douloureux, que s'adressait sa célèbre déclaration : « Ils y viendront d'eux-mêmes ! » Cette déclaration s'était élevée entre-temps au rang de prophétie politique ; les membres de l'Action parallèle bâtissaient là-dessus, et sa signification était à peu près qu'il fallait commencer par gagner les « autres groupes ethniques autrichiens » au patriotisme : ce ne serait qu'après la réussite de cette opération que les cercles allemands se verraient contraints de suivre, car chacun sait qu'il est beaucoup plus difficile de s'exclure d'une entreprise à laquelle tout le monde participe que de se refuser à faire le premier pas. Ainsi donc, pour aller aux Allemands, il fallait d'abord marcher contre eux et favoriser les autres nations. Le comte Leinsdorf l'avait depuis longtemps compris ; mais, lorsque sonna l'heure de l'action, il alla jusqu'aux actes. C'est précisément ce qui le détermina à placer à la tête du Comité de propagande Son Excellence le baron Wisnietzky qui, de l'avis de Leinsdorf, était polonais de naissance, mais cacanien de mentalité.

Il serait difficile de décider si Son Altesse se rendait compte que ce choix était dirigé contre l'idée allemande, ainsi qu'on le lui reprocha dans la suite ; il est néanmoins probable qu'elle aura pensé servir ainsi la « vraie idée allemande ». La conséquence en fut que dans l'instant, tous les cercles allemands se déployèrent à leur tour contre l'Action parallèle, de sorte que celle-ci, finalement, fut considérée d'un côté comme un complot antiallemand et ouvertement combattue, et de l'autre côté comme une machination pangermanique que l'on éluda dès le début sous de prudents prétextes. Un succès aussi inattendu n'échappa pas à Son Altesse elle-même et suscita un peu partout de vives inquiétudes. Néanmoins, le comte Leinsdorf se sentit extraordinairement fortifié par cette épreuve ; interrogé anxieusement à plusieurs reprises aussi bien par Diotime que par d'autres responsables, il opposa aux pusillanimes un visage impénétrable, mais inébranlable, et leur répliqua ce qui suit : « Sans doute cette tentative ne nous a-t-elle pas réussi parfaitement du premier coup, mais celui qui poursuit une fin lointaine ne doit pas faire tout dépendre du succès immédiat. De toute manière, l'intérêt pour l'Action parallèle s'est accru, et le reste, pour peu que nous persévérions, coulera de source ! »

108. *Les « nations non rédimées » et les réflexions du général Stumm sur les mots de la famille de « rédemption*[1] *».*

Si nombreux que soient les mots prononcés à chaque instant dans une grande ville pour exprimer les vœux personnels de ses habitants, il en est un qui n'y paraît jamais, c'est le mot « rédimer ». On peut admettre que tous les autres, les mots les plus passionnés, l'expression des relations les plus compliquées et de celles même qui sont tenues pour d'incontestables exceptions, se trouvent criés ou murmurés au même moment à un grand nombre d'exemplaires, ainsi : « Vous êtes le plus grand escroc que j'aie jamais rencontré », ou « Il n'y a pas de femme dont la beauté soit aussi bouleversante que la vôtre » ; de sorte que ces événements extrêmement personnels pourraient être représentés, dans leur répartition sur la ville entière, par de belles courbes statistiques. Mais jamais un homme vivant n'ira dire à un autre : « Tu peux me rédimer ! » ou « Sois mon rédempteur ! » On peut l'attacher à un arbre et le laisser crever de faim ; on peut le déposer dans une île déserte en compagnie de la femme qu'il a vainement poursuivie pendant des mois ; on peut lui faire signer des chèques sans provision et trouver quelqu'un qui le tire d'affaire : tous les mots du monde viendront se bousculer dans sa bouche, mais il est certain qu'il ne dira jamais, tant qu'il sera vraiment ému, « rédimer », « rédempteur » ou « rédemption », bien

1. Le verbe allemand « erlösen », de la famille de « lösen » (délier, résoudre), signifie à la fois délivrer, sauver, rédimer. Il était malheureusement impossible de donner une interprétation française satisfaisante des remarques de Musil à cet égard. *N. d. T.*

qu'absolument rien ne s'y oppose du point de vue linguistique.

Et pourtant, les peuples réunis sous la couronne cacanienne se qualifiaient de « nations non rédimées » !

Le général Stumm von Bordwehr réfléchissait. Par sa situation au Ministère de la Guerre, il connaissait assez les difficultés dont souffrait la Cacanie. L'armée était en effet la première à ressentir, lors de la discussion du bugdet, les effets de la politique hésitante, influencée par une multitude de considérations diverses, qui résultait de ces difficultés. Récemment encore, à la grande irritation du ministre, on avait dû retirer une demande de crédits tout à fait urgente, parce qu'une nation « non rédimée » avait exigé, pour voter ces crédits, des concessions nationales que le gouvernement ne pouvait accorder sans exciter la soif de rédemption des autres nations. Ainsi la Cacanie restait désarmée devant l'ennemi extérieur. Il s'agissait en effet d'un gros achat pour l'artillerie. Les canons de l'armée, complètement démodés, étaient aux canons étrangers, pour la puissance de tir, ce que sont les couteaux aux lances ; il fallait les remplacer par de nouveaux canons qui seraient cette fois à ceux des autres ce que les lances sont aux couteaux. Cet achat se trouvait une fois de plus renvoyé aux calendes grecques. On ne saurait dire que cela eût inspiré au général von Stumm des idées de suicide ; mais de violents déséquilibres peuvent parfois s'exprimer d'abord par de petits détails apparemment dispersés. Il est certain qu'il y avait un rapport entre le pitoyable état de l'armée cacanienne qu'entraînaient les intolérables divisions intérieures du pays, et le fait que Stumm réfléchissait sur les « non-rédimés » et la « rédemption » ; d'autant plus que même dans son activité semi-civile auprès de Diotime, il avait entendu ces mots, depuis quelque temps, jusqu'à en avoir la nausée.

Sa première idée fut simplement que ces termes faisaient partie de ce que l'on appelle les « grands mots », groupe sémantique que la linguistique n'a pas encore parfaitement élucidé. C'était ce que lui disait son bon sens de soldat. Certes, ce bon sens avait été troublé par Diotime : Stumm avait entendu le mot « rédimer » pour la première fois de sa bouche, il en avait été ravi, et maintenant encore, de ce côté-là, malgré les crédits refusés à l'artillerie, le mot avait gardé une magie gracieuse ; la première idée du général était donc, en fait, la deuxième de sa vie ! Mais il y avait une autre raison pour laquelle la théorie des « grands mots » ne semblait pas devoir le justifier : il suffisait de colorer les membres individuels de la famille du mot « rédimer » d'une légère nuance de plaisanterie et ils vous venaient tout de suite, comme en se jouant, sur la langue. « Vraiment, tu m'as rédimé ! » ou quelque expression analogue : qui n'aurait pas recouru à ces mots dès qu'il aurait dû subir dix minutes d'attente impatiente ou quelque autre désagrément non moins minime ? Le général comprit alors que ce n'était pas tant les mots eux-mêmes qui choquaient le bon sens que le peu vraisemblable sérieux qu'ils prétendaient donner à la situation. En effet, quand Stumm se demanda où il avait entendu parler de « rédemption », en dehors de la politique et des soirées chez Diotime, il découvrit que c'était dans les églises et les cafés, dans les revues d'art et les livres d'Arnheim, qu'il avait lus avec admiration. Il lui apparut clairement que ces mots n'exprimaient pas un événement humain, simple, naturel, mais quelque complication abstraite et générale ; de toute façon, « rédimer » ou « aspirer à la rédemption » semblaient de ces choses réservées au commerce des purs esprits.

Le général, étonné par les découvertes fascinantes auxquelles le conduisait sa mission officielle, hocha la tête. Il mit le petit voyant rond au-dessus de la porte de son bureau sur le rouge, signifiant par là qu'il avait une importante conférence, et tandis que ses officiers, les bras chargés de dossiers, faisaient demi-tour sur le seuil en soupirant, il poursuivit sa méditation.

Les représentants de l'Esprit qu'il rencontrait maintenant partout sur sa route n'étaient pas satisfaits. Ils avaient toujours quelque critique à faire, partout un excès ou un défaut à déplorer, jamais rien ne marchait à leurs yeux comme il eût fallu. A la longue, ils lui étaient devenus insupportables. Ils ressemblaient à ces malheureux hypersensibles qui vont immanquablement s'asseoir aux courants d'air. Ils déploraient l'excès de science et l'ignorance, la grossièreté et le raffinement, l'agressivité et l'indifférence :

où qu'ils jetassent les yeux, ils découvraient quelque fêlure ! Leurs pensées ne trouvaient jamais le repos, parce qu'elles s'attachaient à cette part irréductible des choses qui erre éternellement sans pouvoir jamais rentrer dans l'ordre. Ainsi s'étaient-ils finalement persuadés que l'époque dans laquelle ils vivaient était vouée à la stérilité intellectuelle, et ne pouvait en être sauvée que par un événement ou un homme tout à fait exceptionnels. C'est alors que naquit, parmi ceux qu'on appelle les intellectuels, le goût du mot « rédimer ». On était persuadé que la vie s'arrêterait si un messie n'arrivait pas bientôt. C'était, selon les cas, un messie de la médecine, qui devait « sauver » l'art d'Esculape des recherches de laboratoire pendant lesquelles les hommes souffrent ou meurent sans être soignés ; ou un messie de la poésie qui devait être en mesure d'écrire un drame qui attirerait des millions d'hommes dans les théâtres et serait cependant parfaitement original dans sa noblesse spirituelle. En dehors de cette conviction qu'il n'était pas une seule activité humaine qui pût être sauvée sans l'intervention d'un messie particulier, existait encore, bien entendu, le rêve banal et absolument brut d'un messie à la manière forte pour rédimer le tout. Ce fut donc une période réellement messianique que celle qui précéda la Grande Guerre, et même quand des nations entières demandaient à être rédimées, cela n'avait rien de bien extraordinaire.

A la vérité, le général se disait qu'il ne fallait pas prendre ces histoires à la lettre, pas davantage, du moins, que tout le reste de ce qu'on racontait. « Si le Rédempteur revenait, aujourd'hui, se disait-il, ils renverseraient Son gouvernement comme les autres ! » Son expérience personnelle lui disait que tout cela provenait du fait que les gens lisent trop de livres et de journaux. « Quelle sagesse dans le règlement militaire, pensa-t-il, qui interdit aux officiers d'écrire des livres sans l'autorisation expresse de leurs supérieurs ! » Il s'effraya un peu : il y avait bien longtemps qu'il n'avait pas eu un tel accès de loyalisme. Sans aucun doute, il pensait trop ! Cela venait de ces contacts avec l'esprit civil : l'esprit civil, évidemment, n'avait même plus l'avantage d'une conception du monde solide. Le général le reconnut avec force, et toutes ces histoires de rédemption lui apparurent alors sous un autre aspect. L'esprit du général Stumm partit en quête de ses souvenirs d'école, des leçons d'histoire et de religion, pour éclairer ce nouvel aspect du problème.

Il est difficile de dire quelles furent alors ses pensées, mais si on avait pu les sortir de sa tête et les polir avec soin, elles auraient eu sans doute à peu près l'allure suivante : pour commencer par le côté église, ces quelques mots : tant qu'on croyait à la religion, on pouvait précipiter un bon chrétien ou un pieux juif de n'importe quel étage de l'espérance ou du bien-être, il retomberait toujours, pour ainsi dire, sur les pieds de son âme. Toutes les religions avaient prévu en effet, dans l'explication de la vie qu'elles offraient aux hommes, un reste irrationnel, incalculable, qu'elles nommaient l'impénétrabilité des desseins de Dieu ; si le mortel n'aboutissait pas à un calcul exact, il n'avait qu'à se rappeler ce reste, et son esprit pouvait se frotter les mains avec satisfaction. Cette façon de retomber sur ses pieds et de se frotter les mains s'appelle une « conception du monde » ; c'est une chose que l'homme contemporain ne connaît plus. Ou bien il lui faut renoncer à toute réflexion sur sa vie, ce dont beaucoup se satisfont, ou bien il tombe dans cette étrange contradiction qu'il lui faut penser sans jamais pouvoir, apparemment, aboutir à la satisfaction complète. Au cours de l'histoire, cette contradiction a pris aussi bien la forme d'une incroyance totale que d'une nouvelle et totale soumission à la croyance. Aujourd'hui, elle se traduit le plus souvent par l'idée qu'il ne pourrait pas y avoir de vie humaine véritable sans la participation active de l'esprit, mais qu'il n'y en aurait pas davantage si cette participation se faisait trop active. Toute notre civilisation est fondée sur cette conviction. Elle prend grand soin de subventionner les établissements d'instruction et de recherches, mais en veillant à ce que les subventions ne soient pas trop considérables et gardent une modestie décente par rapport aux sommes qu'elle dépense pour ses plaisirs, ses automobiles et ses armements. Partout, elle laisse la voie libre à l'homme capable, mais en veillant toujours à ce que sa capacité soit de celles qui rapportent. Après quelque résistance, elle reconnaît et admet toutes les idées, mais cette reconnaissance profite automatiquement, dans la suite, à l'idée contraire. On pourrait croire de sa part à de la faiblesse, à une monstrueuse indolence ; c'est aussi, sans doute, un effort tout à fait conscient pour faire comprendre à l'esprit que l'esprit n'est pas tout. Il suffirait qu'on prît vraiment au sérieux l'une quelconque des idées qui influencent notre vie, de telle sorte qu'il ne subsistât absolument rien de son contraire, pour que notre civilisation ne fût plus notre civilisation !

Le général avait un gras petit poing d'enfant ; il le serra et en frappa comme d'un gant fourré le plateau de son secrétaire, tandis que son sentiment lui confirmait l'urgence d'une poigne de fer. Comme officier, il avait, lui, sa « conception du monde » ! Le reste irrationnel s'y appelait Honneur, Obéissance, Chef suprême des Forces armées, Règlement de service IIIe partie ; cet ensemble se résumait dans la conviction que la guerre n'était que la continuation de la paix en plus violent, une espèce particulièrement énergique d'ordre, sans laquelle le monde ne saurait subsister. Le geste avec lequel le général avait tapé sur la table eût été légèrement ridicule si un poing était quelque chose de purement athlétique et ne comportait pas également une signification intellectuelle, comme une sorte de complément indispensable de l'esprit. Stumm von Bordwehr commençait à en avoir par-dessus la tête du monde civil. Il avait découvert que les aides-bibliothécaires étaient les seuls hommes à posséder une vue d'ensemble un peu sérieuse de l'esprit civil. Il avait entrevu ce paradoxe de l'excès d'ordre qui veut que la perfection de l'ordre entraîne inévitablement l'inactivité. Il éprouvait un sentiment assez comique, comme s'il s'expliquait tout à coup qu'on trouvât tout ensemble à l'armée le maximum d'ordre et la résignation au sacrifice suprême. Il avait deviné que, par une conjonction inexprimable, l'ordre menait au goût du sang. Soucieux, il se dit qu'il ne pouvait plus continuer à travailler à ce rythme. « Et qu'est-ce donc finalement que l'esprit ? se dit le général dans un mouvement de rébellion. Ce n'est tout de même pas ce qui se promène à la minuit en chemise blanche. Que serait-ce donc, sinon un certain ordre que nous imposons à nos impressions et à nos expériences ? Mais alors, conclut-il résolument dans une heureuse inspiration, si l'esprit n'est pas autre chose qu'une expérience mise en ordre, dans un monde bien ordonné on n'en aura que faire ! »

Avec un soupir de soulagement, Stumm von Bordwehr remit le signal sur « Entrez », s'avança devant le miroir et lissa ses cheveux, afin qu'aucune trace d'émotion ne fût plus visible aux yeux de ses subordonnés.

109. *Bonadea, la Cacanie : systèmes de bonheur et d'équilibre.*

S'il y avait quelqu'un en Cacanie qui ne comprît ni ne voulût rien comprendre à la politique, c'était bien Bonadea. Pourtant, il y avait entre elle et les nations « non rédimées » un rapport certain : Bonadea (à ne pas confondre avec Diotime ; Bonadea, la bonne déesse, déesse de la chasteté dont le temple était devenu, par un enchaînement fatal, le théâtre des pires orgies, Bonadea, femme d'un président de tribunal ou quelque chose comme ça, maîtresse malheureuse d'un homme qui n'était ni digne ni suffisamment assoiffé d'elle) possédait un système, et la politique cacanienne n'en possédait pas.

Le système de Bonadea avait consisté jusqu'alors en une double vie. Elle contentait son ambition dans une vie de famille que l'on pouvait qualifier d'édifiante et savourait, dans la vie mondaine, la satisfaction de passer pour une dame distinguée et très cultivée ; quant à certaines tentations auxquelles était exposé son esprit, elle y cédait en prétendant qu'elle était victime d'une hypersensibilité constitutionnelle, ou encore qu'elle avait un cœur à faire des folies, parce que les folies du cœur sont aussi honorables que les crimes romantico-politiques, même si les circonstances accessoires ne sont pas tout à fait irréprochables. Le cœur jouait là le même rôle que l'Honneur, l'Obéissance et le Règlement de service IIIe partie dans la vie du général, ou que, dans toute vie bien organisée, ce « reste irrationnel » qui finit toujours par faire rentrer dans l'ordre ce dont la raison n'a pu venir à bout.

Mais ce système avait un défaut de fonctionnement : comme il divisait la vie de Bonadea en deux états, la transition de l'un à l'autre n'allait pas sans entraîner de lourdes pertes. Le cœur se montrait aussi découragé après la faute qu'il s'était révélé persuasif avant, la maîtresse de ce cœur oscillait perpétuellement entre une effervescence quasi maniaque et des dépressions noires comme l'encre, états d'âme qui pouvaient rarement s'équilibrer. Néanmoins, c'était toujours un système, c'est-à-dire mieux qu'un simple jeu d'instincts abandonnés à eux-mêmes (un peu comme autrefois on ne voulait voir dans la vie qu'un compte automatique de plaisir et de déplaisir, avec un certain bénéfice de plaisir en fin de bilan) ; le système comportait d'importantes dispositions mentales destinées à truquer les comptes.

Tout homme dispose d'une méthode de ce genre pour interpréter le bilan de ses impressions en sa faveur, afin que s'en dégage, si l'on peut ainsi parler, le minimum vital de plaisir quotidien considéré généralement comme tel. Le plaisir de vivre peut même consister en déplaisir ; ces différences de matériau n'ont aucune importance. On sait bien qu'il est des mélancoliques heureux comme il est des marches funèbres flottant aussi légèrement dans leur élément qu'une danse dans le sien. Sans doute peut-on même affirmer, inversement, que nombre d'hommes joyeux ne sont pas du tout plus heureux que les tristes, parce que le bonheur est un effort comme le malheur ; ces deux états correspondent à peu près aux deux principes du plus lourd et du plus léger que l'air. Mais une autre objection vient tout naturellement à l'esprit : les riches n'auraient-ils pas raison, de qui l'immémoriale sagesse veut que les pauvres n'aient rien à leur envier, puisque l'idée que l'argent des riches les rendrait plus heureux n'est qu'une illusion ? Cet argent leur imposerait simplement l'obligation de choisir un nouveau système de vie dont les comptes de plaisir ne boucleraient jamais, au mieux, qu'avec le même petit bénéfice de bonheur dont ils jouissaient déjà. Théoriquement, cela signifie qu'une famille de sans-logis, si la plus froide des nuits d'hiver ne l'a pas glacée, se trouvera aussi heureuse aux premiers rayons du soleil, que l'homme riche obligé de quitter son lit chaud ; et pratiquement, cela revient à dire que tout homme porte avec patience, comme un âne, la charge qu'on lui a mise sur le dos ; car un âne est heureux qui est plus fort que sa charge, ne fût-ce que de très peu. C'est là, en réalité, la définition la plus solide qu'on puisse donner du bonheur personnel, du moins aussi longtemps que l'on considère l'âne isolément. Mais en vérité, le bonheur personnel (l'équilibre, le contentement ou quelque nom que l'on voudra donner à ce qui est automatiquement notre premier but) n'est pas plus autonome qu'une pierre dans un mur ou une goutte d'eau dans un liquide à travers lesquelles passent toutes les forces et toutes les tensions de l'ensemble. Ce qu'un homme fait, ce qu'un homme éprouve pour lui-même est insignifiant par rapport à ce qu'il doit supposer que d'autres font ou éprouvent comme il faut pour lui. Aucun homme ne vit seulement son propre équilibre ; chacun s'appuie sur celui des couches qui l'entourent, et c'est ainsi qu'intervient dans la petite fabrique de plaisir de la personne un système de crédit moral extrêmement compliqué sur lequel il nous faudra revenir, parce qu'il n'appartient pas moins au bilan psychique de la communauté qu'à celui de l'individu.

Depuis que les efforts de Bonadea pour reconquérir son amant avaient échoué et l'amenaient à croire que c'était l'énergie et l'intelligence de Diotime qui lui avaient enlevé Ulrich, elle était démesurément jalouse de celle-ci ; elle avait cependant trouvé dans son admiration pour elle, comme il arrive souvent aux êtres faibles, une certaine explication et une certaine compensation à ce malheur, qui l'en consolaient partiellement. Elle se trouvait donc dans cet état depuis assez longtemps et elle avait réussi, sous prétexte de modestes contributions à l'Action parallèle, à être reçue une ou deux fois par Diotime, mais sans pouvoir néanmoins pénétrer dans les milieux qu'elle fréquentait ; et, s'imaginant qu'il devait y avoir une certaine entente sur ce point entre Ulrich et Diotime, elle souffrait de leur cruauté à tous deux. Comme elle les aimait cependant, elle s'imagina que ses sentiments étaient d'une pureté et d'une gratuité incomparables. Souvent, le matin, quand son mari avait quitté l'appartement, moment qu'elle attendait avec impatience, elle s'asseyait devant son miroir comme un oiseau qui lisse ses plumes. Elle frisait ses cheveux au fer, les tordait, les nouait jusqu'à ce qu'ils prissent une forme qui n'était pas sans ressemblance avec le chignon grec de Diotime. Elle les brossait, les disposait en petites boucles et, quoique l'ensemble fût un peu ridicule, elle ne le remarquait pas, parce que dans son miroir lui souriait un visage qui, par son architecture générale, rappelait de loin la Divine. L'assurance et la beauté d'une créature qu'elle admirait, son bonheur aussi, montaient alors en elle comme les petites vagues basses et brûlantes d'un mystérieux mais point encore parfait accord, comme quand on est assis au bord de l'immense mer et qu'on pose ses pieds dans l'eau. Cette attitude, analogue à la vénération religieuse (car des masques de dieux dans lesquels l'homme primitif se glissait tout entier aux cérémonies de la civilisation, le bonheur proprement charnel de l'imitation dévote n'a pas encore perdu tout son sens !), prenait encore plus d'empire sur Bonadea du fait qu'elle aimait les vêtements et les atours avec une sorte de frénésie. Quand Bonadea se regardait dans le miroir avec une nouvelle robe, elle n'aurait jamais pu imaginer qu'un temps viendrait où l'on porterait, par exemple, des cheveux à la garçonne et des jupes jusqu'aux genoux au lieu de manches-gigot, de bouclettes sur le front et de longues jupes-cloche. Elle n'en aurait pas même discuté la possibilité, son cerveau étant tout à fait incapable d'enregistrer pareille image. Elle s'était toujours habillée comme le devait une femme distinguée, et ressentait tous les six mois pour la mode nouvelle la même vénération que pour l'éternité. Si l'on avait contraint sa capacité de réflexion à reconnaître le caractère passager de certaines choses, sa vénération n'en eût pas diminué pour autant. Elle absorbait toute pure la tyrannie du monde. L'époque où l'on cornait ses cartes de visite, où l'on envoyait ses vœux de bonne année à ses amis, où l'on enlevait ses gants pour danser lui paraissait aussi éloignée du moment où on ne le faisait plus qu'à n'importe lequel de ses contemporains le siècle précédent : c'est-à-dire un monde parfaitement impossible, inimaginable et démodé. C'est pourquoi il était si extraordinairement drôle de voir Bonadea dévêtue : dépouillée aussi de toute espèce de protection idéale, elle était la proie nue d'une contrainte implacable qui l'assaillait avec l'inhumanité d'un tremblement de terre.

Ce naufrage périodique de sa personne civilisée dans les vicissitudes de la matière opaque avait cessé maintenant de la menacer. Depuis que Bonadea donnait à son apparence de si mystérieux soins, elle vivait la moitié illégitime de sa vie en veuve, ce qui ne lui était plus arrivé depuis sa vingtième année. On peut d'ailleurs considérer comme une règle générale que les femmes qui soignent à l'excès leur apparence sont relativement vertueuses, le moyen usurpant la fin ; tout de même que de grands champions sportifs donnent de médiocres amants, des officiers d'allure particulièrement martiale de mauvais soldats, et que des têtes aux traits particulièrement intellectualisés se révèlent vides comme des cruches. Chez Bonadea, cependant, il ne s'agissait pas seulement de ce problème de la répartition de l'énergie ; elle s'était donnée à sa nouvelle vie avec un surprenant excès de dévouement. Elle fardait ses sourcils avec une attention de peintre, s'émaillait légèrement le front et les joues qui, s'éloignant ainsi du naturel, atteignaient à cette exagération légère, à ce refus de la réalité caractéristiques du style sacré ; un souple corset tyrannisa son corps, et pour les gros seins qui lui étaient toujours apparus un peu gênants, parce que trop féminins, elle se prit tout à coup d'un amour quasi fraternel. Son époux n'était pas peu surpris lorsque, lui chatouillant le cou d'un doigt, il s'entendait répondre : « Fais attention à ma permanente ! », ou lorsqu'il lui demandait : « Tu ne veux donc pas me donner la main ? » elle lui répondait : « Impossible, j'ai ma nouvelle robe ! » Mais, en même temps, la force du péché était sortie du cadre où le corps la tient prisonnière ; elle circulait comme un astre printanier dans le monde transfiguré de Bonadea qui, sous ce rayonnement inhabituel et doucement tamisé, se sentait libérée de son hypersensibilité comme d'une sorte d'escarre. Pour la première fois depuis qu'ils étaient mariés, son époux se demanda avec méfiance si quelque tiers ne troublait pas la paix de son foyer.

Ce qui s'était produit là relevait encore du domaine des

systèmes de vie. Les vêtements, retirés de la fluidité du présent et considérés en eux-mêmes, comme une forme, dans leur monstrueuse existence sur la personne humaine, sont de bizarres fourreaux, d'étranges végétations, bien dignes de la compagnie d'un ornement nasal ou d'un anneau à travers les lèvres. Mais qu'ils deviennent fascinants quand on les considère dans l'ensemble des qualités qu'ils prêtent à leur possesseur ! Il se passe alors un phénomène aussi remarquable que lorsque dans un lacis de traits d'encre sur une feuille de papier surgit la signification de quelque grande parole. Imaginons un instant que la bonté et la sainteté invisibles d'un homme apparaissent soudain au sommet de son crâne sous la forme d'une auréole dorée comme un jaune d'œuf et grosse comme une pleine lune, telle qu'on en voit sur les vieilles images pieuses, pendant qu'il se promène sur le boulevard ou que, prenant le thé, il pose des sandwiches sur son assiette : ce serait sans aucun doute l'un des événements les plus extraordinaires et les plus bouleversants qu'on puisse vivre. Ce pouvoir de rendre l'invisible, et même l'inexistant, visible, un vêtement bien coupé nous en fait tous les jours la démonstration !

Ces objets ressemblent à des débiteurs qui nous rendraient la valeur que nous leur prêtons assortie d'intérêts fantastiques ; et à la vérité, il n'existe pas d'objets qui ne soient ainsi débiteurs. Cette qualité propre aux vêtements ne l'est pas moins aux convictions, aux préjugés, théories, espérances, croyances et pensées ; l'absence de pensées elle-même la possède dans la mesure où elle réussit à tirer d'elle seule la conviction de son bien-fondé. Toutes ces choses, en nous prêtant le pouvoir dont nous leur faisons crédit, servent à situer le monde dans une lumière qui émane de nous ; et ce n'est pas à une autre fin, somme toute, que chaque homme adopte son système particulier. Avec un art divers et considérable, nous fabriquons un aveuglement qui nous permet de vivre à côté des choses les plus monstrueuses sans en être ébranlés, parce que nous reconnaissons dans ces grimaces pétrifiées de l'univers ici une chaise, là une table, ici un cri ou un bras tendu, là une vitesse ou un poulet rôti. Entre l'abîme du ciel au-dessus de nos têtes et un autre abîme céleste, facile à camoufler, sous nos pieds, nous parvenons à nous sentir aussi tranquilles sur terre que dans une chambre fermée. Nous savons que la vie va se perdre aussi bien dans les étendues inhumaines de l'espace que dans les inhumaines petitesses de l'atome, mais entre deux, nous ne craignons pas d'appeler « objets » une simple couche d'illusions, alors qu'il ne s'agit en fait que d'une préférence accordée aux impressions qui nous viennent d'une certaine distance moyenne. Une telle attitude est très au-dessous du niveau de notre intelligence ; cela seul suffit à prouver que notre sentiment y a une grande part. En effet, les dispositions intellectuelles les plus importantes que prenne l'homme servent toutes à maintenir une humeur à peu près constante, et tous les sentiments, toutes les passions du monde ne sont rien à côté de l'effort énorme, mais parfaitement inconscient, qu'il fait pour préserver sa parfaite sérénité intérieure ! C'est là une chose, apparemment, dont il ne vaut presque pas la peine de parler, tant elle fonctionne irréprochablement. Quand on y regarde de plus près, on voit que c'est un état de conscience extrêmement artificiel qui donne à l'homme une démarche sûre entre les orbites des astres et lui permet, au milieu de l'obscurité presque infinie du monde, de glisser dignement sa main entre le deuxième et le troisième bouton de son veston. Pour y parvenir, il faut non seulement que chaque homme, l'idiot comme le sage, ait ses trucs personnels, mais encore que ces systèmes individuels de trucs s'insèrent artistement dans les dispositions d'équilibres, morales et intellectuelles, de la société et de la communauté, qui servent, en plus grand, au même usage. Cet engrènement est analogue à celui de la grande Nature où tous les champs magnétiques de l'univers agissent sur celui de la terre sans qu'on s'en aperçoive, parce que l'histoire terrestre en est précisément le produit ; et le soulagement intellectuel que cela entraîne est si grand que les plus sages des hommes, exactement comme les petites filles qui ne savent rien, demeurant sans aucune inquiétude, se croient intelligents et bons.

Mais de temps en temps, après ces états de satisfaction que l'on pourrait aussi nommer, dans un certain sens, des états obsessionnels du sentiment et de la volonté, il semble que le contraire nous envahisse, ou qu'il se produise brusquement sur terre, pour recourir à la terminologie des asiles d'aliénés, une violente fuite des idées, à la suite de quoi toute la vie humaine s'organise autour de nouveaux centres et de nouveaux axes. La cause de toutes les grandes révolutions, cause plus profonde que leur prétexte, n'est pas dans l'accumulation de circonstances intolérables, mais dans l'usure de la cohésion qui favorisait la satisfaction artificielle des âmes. On pourrait citer à ce propos la formule d'un des plus fameux d'entre les premiers philosophes scolastiques, en latin « Credo ut intelligam », qui pourrait se traduire, un peu librement, en langage contemporain : « Seigneur mon Dieu ! accorde à mon esprit un crédit à la production ! » Les credos humains ne sont probablement que des cas particuliers du crédit. En amour comme dans les affaires, dans les sciences comme dans le saut en longueur, on doit croire avant de pouvoir gagner ou atteindre son but ; comment cela ne serait-il pas vrai de la vie en général ? Son ordre peut être fondé sur ce qu'on voudra, il n'y en a pas moins toujours, par-dessous, un commencement de croyance en cet ordre, définissant, comme dans une plante, l'endroit où la croissance a commencé. Quand cette croyance est épuisée, pour laquelle il n'y a ni justificatifs ni couverture, la banqueroute ne tarde pas ; les âges et les empires s'écroulent comme les affaires quand leur crédit est épuisé.

De la sorte, cette considération des principes de l'équilibre psychique, partie du bel exemple de Bonadea, aboutirait au triste exemple de la Cacanie. La Cacanie était, dans l'actuel chapitre de l'évolution, le premier pays auquel Dieu eût retiré son crédit, le goût de vivre, la foi en soi et la capacité qu'ont tous les États civilisés de propager au loin l'avantageuse illusion qu'ils ont une mission à accomplir. C'était un pays intelligent, qui abritait des hommes civilisés. Comme tous les hommes civilisés de tous les pays du monde, ils erraient, l'âme irrésolue, dans un monstrueux tourbillon de bruit, de vitesse, de nouveautés, de litiges, enfin de tout ce qui fait le paysage optique et acoustique de notre vie. Comme tous les autres hommes, ils lisaient ou entendaient quotidiennement une douzaine de nouvelles qui leur faisaient dresser les cheveux sur la tête ; ils étaient prêts à en être troublés, à intervenir même, mais rien ne se passait, parce que quelques instants plus tard le trouble était déjà supplanté dans leur conscience par d'autres troubles. Comme tous les autres, ils se sentaient environnés de meurtres, de violences, de passions, de sacrifices, de grandeur, événements qui se déroulaient d'une façon ou d'une autre dans la pelote embrouillée autour d'eux ; mais ils ne pouvaient pas aller jusqu'à ces aventures, enfermés qu'ils étaient dans un bureau ou quelque autre établissement professionnel, et le soir, quand ils se trouvaient libres, la tension dont ils ne savaient plus que faire explosait en divertissements qui ne les divertissaient pas. A cela venait encore s'ajouter, chez les gens cultivés, quand ils ne s'adonnaient pas entièrement, comme Bonadea, à l'amour, une autre chose : ils n'avaient plus le don du crédit et pas encore celui de la duperie. Ils ne savaient plus où aboutissaient leurs sourires, leurs soupirs, leurs pensées. A quoi avaient-ils souri ou pensé ? Leurs opinions étaient arbitraires, leurs penchants existaient depuis longtemps, pour toutes choses il y avait déjà, flottant dans l'air, un schéma préfabriqué dans lequel on se ruait, et ils ne pouvaient rien faire ou rien omettre de grand cœur, parce qu'il n'y avait pas de loi pour leur donner une unité. Ainsi l'homme cultivé était-il un homme qui sentait on ne sait quelle dette s'accroître sans cesse, qu'il ne pourrait plus jamais acquitter. Il était celui qui voyait venir la faillite inéluctable : ou bien il accusait l'époque dans laquelle il était condamné à vivre, encore qu'il prît autant de plaisir à y vivre que quiconque, ou bien il se jetait, avec le courage de qui n'a rien à perdre, sur la première idée qui lui promettait un changement.

Sans doute était-ce la même chose dans le monde entier, mais lorsque Dieu retira son crédit à la Cacanie, il fit encore ceci de particulier qu'il révéla à des nationalités entières les difficultés de la civilisation. Ces nationalités s'étaient installées sur le terrain cacanien comme des bactéries, sans se soucier autrement de la courbure du ciel ou des problèmes analogues, mais tout d'un coup elles se trouvèrent à l'étroit. Ordinairement, l'homme ne sait pas qu'il doit se croire plus qu'il n'est pour pouvoir être ce qu'il est ; mais il faut au moins qu'il sente ce « plus » d'une manière ou d'une autre au-dessus et autour de lui ; et parfois, tout à coup, il peut en être privé. Alors, quelque chose d'imaginaire lui manque.

Il ne s'était strictement rien passé en Cacanie, et l'on eût pensé naguère que ce rien, c'était la discrétion même de la vieille culture cacanienne ; mais maintenant, ce rien était aussi inquiétant que le fait de ne pas pouvoir dormir ou de ne pas réussir à comprendre. C'est pourquoi les intellectuels, une fois qu'ils se furent convaincus que les choses se passeraient autrement dans une culture « nationale », n'eurent pas de peine à en convaincre les minorités cacaniennes. C'était une sorte de succédané de religion, d'ersatz pour « le bon Empereur de Vienne » ou, tout simplement, l'explication de ce fait incompréhensible que la semaine comporte sept jours et non huit. Il y a beaucoup de choses incompréhensibles, mais il suffit de chanter son hymne national pour ne plus les sentir. Bien sûr, ç'aurait été le moment où un bon Cacanien, si on lui eût demandé ce qu'il était, eût pu aussi répondre avec enthousiasme : « Je ne suis rien ! » Car ce « rien » signifiait en fait « quelque chose » qui pouvait faire d'un Cacanien tout ce qui jusqu'alors n'avait pas existé. Mais les Cacaniens n'étaient pas gens si provocants et se contentaient de la moitié, chaque nationalité s'efforçant simplement de faire de l'autre ce que bon lui semblait. Dans ces circonstances, naturellement, il est difficile de concevoir des souffrances que l'on n'éprouve pas soi-même. Deux mille ans d'éducation altruiste vous ont rendu si désintéressé que l'on prend le parti de l'autre même si l'on doit en souffrir. Néanmoins, il ne faut pas s'imaginer le célèbre nationalisme cacanien comme quelque chose de particulièrement féroce. C'était un processus plus historique que réel. Les gens s'aimaient bien ; sans doute se tapaient-ils sur la tête et se crachaient-ils au visage, mais c'étaient là des considérations de haute culture, de même qu'un homme qui, dans son privé, ne ferait pas de mal à une mouche, peut, sous le crucifix de la salle du Tribunal, condamner un autre homme à mort. On peut bien le dire : chaque fois que leurs individualités supérieures s'accordaient une pause, les Cacaniens respiraient et se trouvaient fort étonnés, braves instruments à manger qu'ils étaient comme tout le monde, de se voir devenir les instruments de l'Histoire.

110. *Dissolution et conservation de Moosbrugger.*

Moosbrugger était toujours dans sa cellule, attendant les psychiatres pour un nouvel examen de son état mental. Cela donnait une masse compacte de journées. Chaque journée isolée en ressortait, bien sûr, quand elle était là, mais dès le soir elle retombait dans la masse. Moosbrugger entrait bien en contact avec des condamnés, des gardiens, des corridors, avec un petit morceau de ciel bleu, avec quelques nuages qui traversaient ce morceau, avec des aliments, de l'eau et de temps en temps avec un directeur qui se penchait sur son cas, mais ces impressions étaient trop faibles pour s'imposer durablement. Il n'avait ni montre ni soleil, ni travail ni temps. Il avait toujours faim. Il était toujours fatigué de ces marches sur six mètres carrés, plus exténuantes que sur des kilomètres. Tout ce qu'il faisait l'ennuyait comme s'il avait dû remuer sans cesse un pot de glu. Mais quand il considérait l'ensemble de ces choses, il lui semblait que le jour et la nuit, les repas sempiternels, les visites et les contrôles filaient sans relâche en bourdonnant les uns derrière les autres, et ce mouvement l'amusait. La montre de sa vie ne marchait plus ; on pouvait la faire tourner en avant ou en arrière. Cela lui plaisait, lui convenait. Les événements lointains et les événements tout frais n'étaient plus artificiellement séparés, mais, lorsqu'ils étaient identiques, la différence de date cessait de s'attacher à eux comme le fil rouge que l'on est obligé de passer autour du cou d'un nouveau-né que l'on ne distingue pas de son jumeau. Tout ce qui n'était pas essentiel disparaissait de sa vie. Quand il méditait sur cette vie, il poursuivait intérieurement une lente conversation avec lui-même, mettant le même accent sur les longues et sur les brèves ; ainsi le chant de cette vie était-il fort différent de celui qu'on entend tous les jours. Souvent, il s'arrêtait longuement sur un mot, et quand il l'abandonnait enfin, sans trop savoir comment, le mot lui réapparaissait soudain un moment après, encore différent. Il riait de plaisir, parce que personne ne savait ce qui lui arrivait. Il est difficile d'exprimer l'unité intérieure à laquelle il atteignait souvent. Sans doute peut-on se représenter aisément que la vie d'un homme s'écoule comme un ruisseau ; mais le mouvement que Moosbrugger percevait dans la sienne était plutôt celui d'un ruisseau à travers une grande étendue d'eau immobile. Dirigé vers l'avant, il était cependant emmêlé avec l'arrière, et le véritable cours de sa vie y disparaissait presque. Lui-même eut une fois l'impression, au cours d'un rêve à moitié éveillé, qu'il avait porté le Moosbrugger de sa vie sur son corps comme un mauvais vêtement dont apparaissait maintenant, quand parfois il l'entrouvrait, la superbe doublure, ruisselant en vagues de soie aussi hautes que des forêts.

Il ne voulait plus savoir ce qui se passait au-dehors. Il y avait la guerre quelque part. Il y avait quelque part un grand mariage. Le roi du Béloutchistan arrive maintenant, songeait-il. Partout les soldats faisaient l'exercice, les putains rôdaient, les charpentiers travaillaient dans les combles. Dans les cafés de Stuttgart, la bière coulait des mêmes robinets jaunes recourbés qu'à Belgrade. Quand on marche sur les grandes routes, il y a partout des gendarmes pour vous demander vos papiers. Partout ils vous y mettent un cachet. Partout il y a des punaises, ou pas de punaises. Du travail, ou pas de travail. Les femmes sont toutes les mêmes. Les médecins des hôpitaux sont tous les mêmes. Le soir, quand on revient du travail, les gens sont dans les rues et ne font rien. Partout et toujours c'est la même chose ; les gens n'ont jamais aucune idée. Lorsque le premier aéroplane traversa le ciel bleu au-dessus de la tête de Moosbrugger, ç'avait été une belle chose ; plus tard un avion suivit l'autre, et ils étaient tous pareils. Autre genre de monotonie : le miracle de ses pensées. Il ne le comprenait pas, mais toujours il s'y était heurté ! Il secoua la tête. « Le diable emporte ce monde ! » pensa-t-il. Le diable ou le bourreau, il n'y perdrait pas grand-chose.

Néanmoins, de temps en temps, comme perdu dans ses

pensées, il se dirigeait vers la porte et essayait de tâter doucement l'endroit où, de l'autre côté, se trouvait la serrure. Alors, un œil apparaissait dans le judas, suivi d'une voix rogue qui l'insultait. Moosbrugger, pour éviter ces insultes, se retirait rapidement au fond de sa cellule ; c'est alors qu'il se sentait frustré et enfermé. Quatre murs et une porte de fer, ce n'est pas grand-chose quand on entre et sort comme on veut. Un grillage devant une fenêtre inconnue, ce n'est pas bien extraordinaire non plus, et qu'un grabat et une table de bois aient leur place fixe, cela est dans l'ordre. Mais du moment qu'on ne peut plus les traiter comme on veut, il se produit quelque chose de tout à fait absurde. Ces objets fabriqués par les hommes, ces domestiques, ces esclaves dont on ne sait même pas ce qu'ils sont, deviennent impudents. Ils vous tiennent en échec. Quand Moosbrugger remarquait que les choses autour de lui commençaient à lui donner des ordres, il éprouvait une sacrée envie de les démolir, et devait faire un grand effort pour se persuader qu'un combat avec ces serviteurs de la Justice ne serait pas digne de lui. Mais le tremblement de ses mains était si fort qu'il craignait de tomber malade.

Dans le vaste monde, six mètres carrés avaient été spécialement choisis pour Moosbrugger, et Moosbrugger les arpentait. Le mode de pensée des hommes sains, des hommes en liberté, ressemblait d'ailleurs beaucoup au sien. Bien qu'ils se fussent passionnément intéressés à lui quelque temps auparavant, ils auront eu vite fait de l'oublier. Il avait été mis à sa place comme un clou qu'on enfonce dans un mur ; une fois qu'il y est, plus personne n'y fait attention. D'autres Moosbrugger avaient leur tour ; ils n'étaient pas lui, ils ne lui étaient pas identiques, mais ils remplissaient la même fonction. Il y avait eu un meurtre sadique, une sombre histoire, un crime monstrueux, l'acte d'un fou, l'acte d'un être seulement à moitié responsable, une de ces rencontres dont tout homme devrait se préserver, une intervention hautement satisfaisante de la police criminelle et de la Justice… : ces notions vides de contenu, ces futurs souvenirs insèrent l'événement, vidé de sa substance, en quelque endroit de leur vaste filet. On oublia le nom de Moosbrugger, on oublia les détails. Il était devenu « un chat-huant, un chat ou un hibou » ; une distinction plus précise avait perdu toute valeur. La conscience publique ne conservait de lui aucune idée précise, rien que les vastes champs pâles que forme le mélange des notions générales, semblables à la grisaille qui apparaît dans une longue-vue quand on la règle mal. Cette incapacité de rapprochement dans les rapports, la cruauté d'une pensée qui dispose des notions qui lui conviennent sans se soucier du poids de douleur et de vie qui rend toute décision difficile : voilà ce que l'âme de la communauté avait en commun avec la sienne. Mais ce qui était dans son cerveau de fou, rêve, légende, endroit défectueux ou étrange du miroir de la conscience qui ne renvoie plus l'image du monde mais laisse passer la lumière, cela manquait à l'âme de la communauté, ou ne subsistait tout au plus que çà et là, dans le trouble confus d'un individu isolé.

Ce qui se rapportait précisément à Moosbrugger, à ce Moosbrugger-là et à aucun autre, que l'on avait entreposé une fois sur six mètres carrés bien délimités du monde, sa nourriture, sa surveillance, son traitement réglementaire, son transfert dans un pénitencier ou dans la mort, tout cela était confié à un groupe relativement restreint d'hommes, qui se comportaient tout autrement. Là, dans l'exercice de leurs fonctions, des yeux épiaient avec méfiance, des voix reprenaient ses moindres fautes. Jamais il n'entrait moins de deux gardiens dans sa cellule. On lui mettait des chaînes quand il devait passer dans les corridors. On agissait là sous l'influence d'une angoisse et d'une prudence qui s'attachaient au Moosbrugger bien défini vivant dans cet étroit domaine, mais se trouvaient étrangement en contradiction avec le traitement qu'il subissait en général. Souvent il se plaignait de cette prudence. Le geôlier, le directeur, le médecin, l'aumônier, quiconque entendait ses protestations, prenait une mine impénétrable et lui répondait qu'on le traitait conformément au règlement. Le règlement était donc le succédané de l'intérêt que le monde avait cessé de lui porter, et Moosbrugger pensait : « Tu as une longue corde au cou et tu ne peux pas voir qui la tient. » C'était comme si le coin d'une maison lui cachait le monde extérieur auquel il était attaché. Des gens dont la plupart ne pensaient nullement à lui, ne savaient même pas qui il était, et pour lesquels il avait tout au plus l'importance d'une quelconque poule dans une quelconque rue de village pour un professeur de zoologie à l'Université, agissaient de concert et préparaient le destin qu'il sentait travailler sur lui comme une ombre sans corps. Une employée de bureau dactylographiait un complément à son dossier. Un greffier y appliquait les plus subtiles méthodes mnémotechniques. Un conseiller ministériel donnait les dernières instructions pour l'exécution de la peine. Quelques psychiatres engageaient une conversation sur la distinction à faire entre la simple disposition psychopathique de certains cas d'épilepsie et sa combinaison avec d'autres syndromes. Des juristes écrivaient des pages sur les rapports entre les circonstances atténuantes et les raisons mitigeantes. Un évêque s'élevait contre le relâchement général des mœurs et un fermier, en se plaignant auprès du juste époux de Bonadea de la prolifération des renards, fortifiait encore ce haut fonctionnaire dans sa prise de position en faveur de l'inflexibilité du droit.

C'est à partir de ces événements impersonnels que se construit, d'une manière encore impossible à décrire, l'événement personnel. Si l'on dépouillait le cas de Moosbrugger de tout le romantisme individuel qui ne concernait que lui et les quelques personnes qu'il avait tuées, il ne restait plus guère que ce qui s'exprimait dans la liste des références que le père d'Ulrich avait jointe à l'une de ses dernières missives. Ces références ont l'aspect suivant : AH. – AMP. – AAC. – AKA. – AP. – ASZ. – BKL. – BGK. – BUD. – CN. – DTJ. – DJZ. – FBgM. – GA. – GS. – JKV. – KESA. – MMW. – NG. – PNW. – R. – VSgM. – WMW. – ZGS. – ZMB. – ZP. – ZSS. – Addickes ibid. – Aschaffenburg, ibid. – Beling, ibid. etc., etc. – autrement dit : Annales d'Hygiène publique et de Médecine légale, éd. Brouardel, Paris ; Annales Médico-Psychologiques, éd. Ritti... etc., etc., le tout abrégé au maximum une page durant. La vérité n'est pas un cristal de roche que l'on puisse glisser dans sa poche, mais un liquide sans limites dans lequel on tombe. Que l'on imagine, pour chacune de ces abréviations, quelques centaines ou douzaines de pages imprimées, pour chaque page un homme avec dix doigts qui les écrit, pour chaque doigt dix disciples et dix adversaires, pour chaque disciple et chaque adversaire dix doigts, pour chaque doigt la dixième partie d'une idée personnelle, et l'on se fera une petite représentation de la vérité. Sans elle, même le fameux passereau ne peut pas tomber du toit. Le soleil, le vent, la nourriture l'y ont conduit, la maladie, la faim, le froid ou un chat l'ont tué ; mais tout cela n'aurait pu se produire sans l'existence de lois biologiques, psychologiques, météorologiques, physiques, chimiques, sociales, etc. Il est bien plus apaisant de simplement chercher ces lois que de devoir les créer soi-même, comme c'est le cas pour la morale et la jurisprudence. D'autre part, en ce qui concerne personnellement Moosbrugger, on sait qu'il avait le plus grand respect pour le savoir humain dont il ne possédait, malheureusement, qu'une part infime ; mais même s'il avait connu sa situation, il n'eût jamais pu la comprendre parfaitement. Il la pressentait obscurément. Son état lui apparaissait branlant. Son puissant corps se lézardait. Parfois, le ciel visitait l'intérieur de son crâne, comme cela s'était souvent produit naguère, dans ses tournées. Et plus jamais ne le quittait, bien qu'elle fût devenue maintenant, de loin en loin, vraiment désagréable, une certaine solennité, un sentiment d'importance qui lui venait, à travers les murs de son cachot, du monde entier. Possibilité sauvage, mais bien gardée, d'un acte redouté, il était là comme une île de corail inhabitée au milieu de l'immense océan des ouvrages scientifiques qui l'entourait, invisible.

111. *Pour les juristes, il n'y a pas de demi-fous.*

Quoi qu'il en soit, quand on songe à l'énorme travail de réflexion qu'il impose aux savants, un criminel ne se complique pas l'existence. L'inculpé profite tout simplement de l'incertitude des limites qui séparent, dans la nature, la maladie de la santé, alors que le juriste est obligé de soutenir, dans ces cas-là, que « les raisons d'affirmer et de nier la libre détermination ou la possibilité de connaître le caractère illicite d'un acte se contrarient de telle sorte que la décision qui s'ensuit, quel que soit le point de vue adopté, ne peut être que problématique ». Pour la bonne logique, en effet, le juriste doit toujours garder présent à l'esprit que « à l'égard d'un seul et même acte, on ne peut jamais admettre le mélange de deux états mentaux », et ne pas permettre que « le principe de la liberté morale, en relation avec ces états mentaux conditionnés par l'état physique, se dissolve dans l'imprécision nuageuse de la pensée expérimentale ». Il n'emprunte pas ses concepts à la nature, mais pénètre la nature par la flamme de la pensée et par l'épée de la loi morale. C'est là ce qui avait motivé une querelle au sein du comité institué par le Ministère de la Justice pour la réforme du Code pénal, comité dont le père d'Ulrich, on le sait, faisait partie. Il avait fallu quelque temps et bien des exhortations à l'accomplissement du devoir filial, pour qu'Ulrich envisageât vraiment dans son ensemble, avec toutes les annexes, l'exposé paternel.

Son « père affectionné » (car il signait ainsi même les lettres les plus amères) avait argué, et c'était en même temps un vœu, qu'une personne partiellement malade ne pouvait être acquittée si l'on pouvait prouver qu'il y avait eu parmi ses hallucinations des hallucinations qui, si elles n'en étaient pas, justifieraient son acte ou aboliraient sa culpabilité. Le professeur Schwung, au contraire (peut-être parce qu'il était depuis quarante ans l'ami et le collègue du vieux juriste, ce qui ne peut pas ne pas entraîner finalement un violent désaccord), avait rétorqué, et c'était en même temps un vœu, qu'un individu chez qui les états de responsabilité et d'irresponsabilité, ne pouvant juridiquement coexister, doivent se succéder en une rapide alternance, ne peut être acquitté que s'il est possible de prouver, eu égard à la volonté criminelle, que l'inculpé, au moment où cette volonté s'exerçait, n'était pas en mesure de la maîtriser. Tel était le point de départ de la controverse. Un profane comprendra rapidement qu'il ne sera pas moins malaisé au criminel de contrôler dans la seconde de l'acte chaque instant de volonté saine, que de ne laisser passer aucune des représentations qui pourraient éventuellement entraîner sa culpabilité ; mais le devoir de la jurisprudence n'a jamais été d'offrir un lit de roses à la pensée et à l'action morales ! Comme les deux savants étaient également pénétrés de la dignité du droit et qu'aucun ne réussissait à gagner à sa cause la majorité du comité, ils se reprochèrent d'abord des erreurs, ensuite, en un rapide crescendo, de l'illogisme, une incompréhension volontaire, un défaut d'idéalisme. Ils le firent d'abord au sein du comité qui persistait dans son irrésolution ; mais ensuite, lorsque les séances consacrées à ce débat commencèrent à languir, durent être ajournées et enfin tout à fait suspendues pour un assez long temps, le père d'Ulrich publia deux brochures : *Le* § 318 *du Code pénal et le véritable esprit du droit*, et *Le* § 318 *du Code pénal et la pollution des sources de la jurisprudence*, brochures critiquées par le professeur Schwung dans la revue *Le Monde juridique* qu'Ulrich trouva également au nombre des annexes.

Ces brochures polémiques étaient émaillées de *et* et de *ou*, car il fallait « tirer au clair » la question de savoir si l'on pouvait unir ces deux conceptions par un *et* ou si l'on devait les séparer par un *ou*. Lorsqu'on put à nouveau parler, après une longue interruption, d'un sein-du-comité, il s'y était déjà formé un parti *Et* contre un parti *Ou*. Un troisième parti proposait simplement d'assimiler le degré de responsabilité à la plus ou moins grande dépense de force psychique qu'exigerait, dans les circonstances pathologiques données, la maîtrise de soi. A ce parti s'en opposa un quatrième qui insista sur la nécessité de décider en tout premier lieu si l'auteur d'un acte était ou non responsable de cet acte ; car la diminution de la responsabilité présupposait évidemment l'existence de cette responsabilité, et si l'auteur de l'acte était en partie responsable, il devait être entièrement puni, faute de quoi l'on ne pourrait concevoir juridiquement ladite partie. Un nouveau parti s'éleva là contre, admettant le principe mais soulignant que la nature ne s'y tenait pas, qui produisait des demi-fous ; ce pour quoi l'on ne pouvait les faire profiter des bienfaits du droit que si, faisant abstraction de toute atténuation de leur culpabilité, on n'en tenait pas moins compte des circonstances en mitigeant la peine. Alors se formèrent encore un parti de la responsabilité et un parti de l'imputation, et quand ceux-ci, à leur tour, se furent suffisamment fractionnés, les principes se dégagèrent enfin, sur l'application desquels on ne s'était pas encore divisé. Bien entendu, il n'est pas un spécialiste aujourd'hui qui fasse encore dépendre ses controverses de celles de la théologie et de la philosophie, mais sous forme de perspectives, c'est-à-dire vides comme l'espace et comme lui néanmoins télescopant les objets, ces deux rivales dans la course aux vérités dernières s'immiscent partout dans l'optique des spécialistes. C'est ainsi qu'en fin de compte, ici encore, la question, que l'on élude en général prudemment, de savoir si l'on peut considérer tout homme comme moralement libre, en un mot la bonne vieille question du libre arbitre, formait une fois de plus le point de fuite de toutes les divergences d'opinion, bien qu'elle se situât en dehors de leur explication. En effet, si l'homme est moralement libre, il faut exercer sur lui, par le moyen de la peine, une pression pratique à laquelle théoriquement on ne croit pas ; si au contraire on ne le tient pas pour libre, mais qu'on le considère comme le rendez-vous de processus naturels aux enchaînements intangibles, alors, bien qu'on puisse provoquer en lui, par le moyen de la peine, un malaise efficace, on ne peut le rendre moralement responsable de ce qu'il fait. Ce problème suscita la formation d'un nouveau parti qui proposa de diviser en deux parties l'auteur de l'acte : une partie zoologico-psychologique, qui ne concernait pas le juge, et une partie juridique, sans doute imaginaire, mais légalement libre. Par bonheur, cette proposition ne dépassa pas le plan théorique.

Il est difficile de rendre justice à la justice en quelques mots. La commission se composait d'une vingtaine de savants environ auxquels il était loisible d'adopter les uns à l'égard des autres quelques milliers de points de vue, ainsi qu'il est facile d'en faire le calcul. Les lois qui devaient être améliorées étaient en vigueur depuis 1852. Il s'agissait donc, par-dessus le marché, d'une chose très durable, qu'on n'allait pas remplacer à la légère. Surtout, le caractère essentiellement statique du droit lui interdit de suivre tous les caprices de la mode intellectuelle, comme un participant en fit la juste remarque. On comprendra mieux avec quelle conscience il fallait travailler quand on saura que, d'après des rapports statistiques, environ 70 % des hommes qui commettent des crimes à nos dépens ont l'assurance d'échapper aux dispositions de notre justice ; il est naturel qu'il faille méditer d'autant plus scrupuleusement sur le quart que l'on incarcère ! Peut-être tout cela s'est-il amélioré depuis ; en outre, il serait faux de croire que l'intention de cette étude soit de railler les fleurs de givre que la raison fait s'épanouir dans les têtes des juristes en splendides floraisons, de quoi bien des hommes, d'esprit plus printanier, se sont déjà moqués abondamment. Au contraire : ce qui empêchait les savants participants d'exploiter sans préjugé leurs moyens intellectuels, c'était la rigueur virile, l'orgueil, la santé morale, l'imperturbabilité, la complaisance, c'est-à-dire uniquement des dispositions de l'âme et, pour une grande part, de ces vertus dont on espère, comme on dit, qu'elles ne se perdront jamais. Ils traitaient « l'Homme », à la manière des vieux instituteurs, comme un gamin confié à leur tutelle, qui n'a besoin que d'être attentif et zélé pour obtenir de bonnes notes. Ils produisaient ainsi ce sentiment politique pré-quarante-huitard qui avait caractérisé la génération précédente. Sans doute les connaissances psychologiques de ces juristes étaient-elles de cinquante ans en retard, mais ce sont des choses qui arrivent quand on doit travailler une partie du champ de ses connaissances avec les outils du voisin ; si l'occasion est favorable, ces retards sont vite rattrapés ; ce qui reste constamment en retard sur son temps, d'autant qu'il se glorifie encore de cette constance, c'est le cœur de l'homme, et particulièrement de l'homme scrupuleux. Jamais l'intelligence n'est si sèche, si dure, si épineuse que lorsqu'elle a de vieilles faiblesses de cœur !

Ces faiblesses aboutirent à une explosion passionnée. Lorsque les combats eurent suffisamment affaibli tous les participants et empêché tout progrès des travaux, de nombreuses voix s'élevèrent pour proposer un compromis : celui-ci aurait eu à peu près l'aspect de ces formules auxquelles on recourt chaque fois qu'une controverse demeurée ouverte doit être calfatée d'une belle phrase. On inclinait à s'entendre sur cette célèbre définition d'après laquelle on considère comme responsables les criminels que leurs qualités intellectuelles et morales rendent, précisément, capables de commettre un crime ; et non pas, en aucun cas, ceux qui sont dépourvus de telles qualités. Définition extraordinaire qui présente l'avantage de rendre le travail des criminels extrêmement difficile, et leur permettrait même d'associer le titre de docteur à leurs droits sur l'uniforme pénitentiaire. C'est à ce moment-là que le père d'Ulrich, considérant l'indulgence menaçante de l'Année jubilaire et une définition ronde comme un œuf qu'il tenait pour une grenade à main dirigée contre lui, réalisa ce qu'il appelait sa « retentissante conversion à l'école sociale ».

La conception sociale nous apprend que le « dégénéré » criminel ne peut jamais être jugé selon des considérations morales, mais seulement sur le danger qu'il représente pour la société. Il s'ensuit qu'il sera d'autant plus responsable qu'il se sera révélé plus nuisible ; et il s'ensuit encore, avec une irrésistible logique, que les criminels apparemment les plus innocents, à savoir les débiles mentaux qui, de par leur nature, sont moins accessibles que quiconque à l'influence bénéfique de la peine, doivent être menacés des peines les plus sévères, en tout cas de peines plus sévères que les criminels sains d'esprit, afin que l'effet d'intimidation soit équivalent. On pouvait raisonnablement s'attendre que le collègue Schwung ne trouvât nulle part la moindre objection à opposer à cette conception sociale. Il sembla bien, en effet, que ce fût le cas, mais pour cette raison même, il recourut à des moyens qui furent pour le père d'Ulrich l'occasion d'abandonner à son tour la voie du droit, laquelle menaçait de se perdre dans le désert infini des querelles de comité, et de se tourner vers son fils afin d'utiliser pour la bonne cause les hautes relations qu'il lui avait lui-même procurées. Qu'avait donc fait son collègue Schwung ? Au lieu de tenter une réfutation objective, il s'était aussitôt sournoisement accroché au mot « social » pour le suspecter, dans un récent article, de relever d'une conception « matérialiste » et « prussienne ».

« Mon cher fils, écrivait le père d'Ulrich, sans doute ai-je immédiatement relevé l'origine romaine, c'est-à-dire nullement prussienne, des conceptions de l'école sociale ; mais cela demeurera probablement inutile en face d'une dénonciation et d'une diffamation qui spéculent avec une infernale bassesse sur l'impression fatalement choquante qu'entraînent trop aisément en haut lieu l'idée du matérialisme et celle de la Prusse. Ce ne sont plus des reproches contre lesquels on peut se défendre, c'est la propagation d'un bruit si inqualifiable qu'on ne voudra même pas le vérifier en haut lieu et que la nécessité de s'en occuper peut faire à elle seule autant de mal à l'innocente victime qu'au peu scrupuleux dénonciateur. Ayant honni toute ma vie les escaliers de service, je me vois dans l'obligation de te prier… » Et ainsi de suite.

112. *Arnheim range son père Samuel au nombre des dieux et décide de conquérir Ulrich. Soliman voudrait en savoir davantage sur son royal père.*

Arnheim avait sonné et fait chercher Soliman. Il y avait longtemps qu'il n'avait pas éprouvé le besoin de s'entretenir avec lui, et le drôle, à cette heure, rôdait quelque part dans l'hôtel.

La résistance d'Ulrich avait enfin réussi à blesser Arnheim.

Bien entendu, il n'avait jamais échappé à Arnheim qu'Ulrich travaillait contre lui. Ulrich travaillait gratuitement ; il agissait comme l'eau sur le feu, le sel sur le sucre ; il cherchait, presque sans le vouloir, à saper l'influence d'Arnheim. Arnheim était même sûr qu'Ulrich abusait de la confiance de Diotime pour faire secrètement des remarques moqueuses ou défavorables à son sujet.

Il dut s'avouer qu'il ne lui était rien arrivé de semblable depuis longtemps. La méthode dont il usait ordinairement pour réussir échouait sur cet obstacle. Car l'effet produit par un grand homme intégral est comme celui de la beauté : il ne supporte pas plus un déni que l'on ne peut crever un ballon sans dommage ou mettre un chapeau sur la tête d'une statue. Une belle femme devient laide, quand elle ne plaît pas, et un grand homme, quand on ne fait pas attention à lui, devient peut-être quelque chose de plus grand, mais cesse sûrement d'être un grand homme. Sans doute Arnheim ne le reconnaissait-il pas dans ces propres termes, mais il se disait : « Je ne supporte aucune contradiction, parce que la contradiction n'est que la servante de l'intellect ; et je méprise les intellectuels ! »

Arnheim admettait qu'il ne lui serait pas difficile de désarmer, d'une manière ou d'une autre, son adversaire. Mais il voulait gagner Ulrich, l'influencer, l'éduquer, forcer son admiration. Pour se faciliter cette tâche, il s'était persuadé qu'il l'aimait d'une affection profonde et contradictoire ; mais il n'aurait pas su comment la justifier. Il n'avait rien à craindre et rien à attendre d'Ulrich ; il savait très bien que ni le comte Leinsdorf ni le sous-secrétaire Tuzzi n'étaient pour lui des amis, et d'ailleurs, les choses, bien qu'un peu lentement, allaient dans le sens qu'il désirait. La réaction d'Ulrich s'annulait devant l'action d'Arnheim et demeurait une protestation tout abstraite ; la seule chose dont elle parût capable était peut-être de retarder la décision de Diotime en paralysant très légèrement la résolution de cette admirable femme. Arnheim avait prudemment décelé cela et il ne put se retenir d'en sourire. Était-ce par malice, par mélancolie ? De telles nuances, en ces cas-là, n'ont aucune importance. Il jugeait normal que l'esprit critique et l'opposition de son adversaire dussent travailler, sans le savoir, en sa faveur ; c'était une victoire de la cause profonde, l'une de ces complications miraculeusement claires de la vie, qui se résolvent d'elles-mêmes. Arnheim sentait que c'était le nœud du destin qui l'attachait à ce cadet et l'induisait à des concessions que celui-ci ne comprenait pas. Car Ulrich était inaccessible à ses avances ; il était aussi insensible aux avantages sociaux qu'un imbécile et paraissait ne pas remarquer, ou ne pas apprécier du moins, ses offres d'amitié.

Il y avait quelque chose en Ulrich qu'Arnheim nommait son « witz[1] ». Il voulait qualifier entre autres par là cette incapacité d'un homme plein d'esprit à reconnaître les

1. *Witz*, en allemand, signifie à la fois « esprit » et « trait d'esprit », « saillie », « calembour ». *N. d. T.*

avantages que la vie lui offre et à adapter son esprit aux grands objets, aux grandes occasions qui lui donneraient à la fois dignité et stabilité. Ulrich défendait l'opinion opposée et parfaitement ridicule que la vie devait s'adapter à l'esprit. Arnheim le revoyait devant lui : aussi grand que lui-même, plus jeune, sans aucune trace de ces avachissements qu'Arnheim ne pouvait se dissimuler dans son propre corps ; quelque chose d'intransigeant dans le visage ; il l'attribuait, non sans quelque envie, à l'ascétisme d'une race de savants, puisque telle était l'image qu'il se faisait des ascendants d'Ulrich. Ce visage était plus dédaigneux de l'argent et de l'apparence qu'une ambitieuse dynastie de spécialistes de la récupération des ordures ne le permet à ses descendants ! Mais, dans ce visage, quelque chose manquait. C'était la vie : toute trace de vie en était affreusement absente ! Ce fut là, dans l'instant où Arnheim, avec une extraordinaire lucidité, le comprit, une impression si apaisante qu'il y reconnut toute son affection pour Ulrich ; à un tel visage on aurait presque pu prédire à coup sûr un malheur. Il interrogea minutieusement ce sentiment ambigu d'envie et de sollicitude : c'était une satisfaction triste analogue à celle que peut éprouver quelqu'un qui s'est mis lâchement à l'abri. Tout à coup, une violente poussée d'envie et de réprobation entraîna avec elle la pensée qu'il avait inconsciemment poursuivie et évitée. Il lui était venu à l'esprit qu'Ulrich était homme à sacrifier non seulement les intérêts, mais le capital de son âme, quand les circonstances l'exigeraient de lui ! C'était là aussi, assez curieusement, ce qu'Arnheim entendait par son « witz ». A l'instant où il se souvint des mots qu'il avait lui-même créés, la chose lui devint parfaitement claire : l'idée qu'un homme pourrait se laisser emporter par sa passion au-dessus de l'air respirable lui faisait l'effet d'un « witz » !

Lorsque Soliman se glissa dans la pièce et s'arrêta devant son maître, celui-ci avait presque complètement oublié pourquoi il l'avait fait venir ; mais il sentit l'apaisement qui émanait de la présence d'une créature vivante et dévouée. Il arpenta la pièce, l'air grave et fermé, et le disque noir du visage le suivait des yeux en tournant. « Assieds-toi », dit Arnheim qui, pivotant sur ses talons, demeura dans l'angle où il se trouvait et commença : « Dans un passage de son *Wilhelm Meister*, le grand Goethe expose non sans passion un précepte de vie juste qui dit : *Penser pour agir ; agir pour penser !* Comprends-tu cela ? Non, bien entendu, tu ne peux pas le comprendre... » répondit-il lui-même ; puis il retomba dans son silence. « C'est une recette qui renferme toute la sagesse de la vie, se dit-il, et celui qui voudrait être mon adversaire n'en connaît que la première moitié : la pensée ! » Cela aussi, songea-t-il soudain, pouvait s'expliquer par le « witz ». Il reconnaissait la faiblesse d'Ulrich. « Witz » vient de « wissen », « savoir », c'est la sagesse même de la langue qui définit l'origine purement intellectuelle de cette qualité, sa nature spectrale et aride ; l'homme « witzig », spirituel, est toujours « vorwitzig », impertinent ; il dépasse les limites auxquelles un homme d'une plus large sensibilité sait se tenir. Ainsi, l'histoire de Diotime et du capital d'âme apparaissait-elle sous un jour plus plaisant, et Arnheim dit à Soliman, tout en y pensant : « C'est un précepte qui renferme toute la sagesse de la vie, et c'est pour lui obéir que je t'ai retiré tes livres et fait travailler ! »

Soliman ne répliqua rien et prit un air extrêmement sérieux.

« Tu as vu quelquefois mon père, demanda brusquement Arnheim, te souviens-tu de lui ? »

Soliman jugea indiqué de rouler de grands yeux blancs. Arnheim dit, songeur : « Vois-tu, mon père n'ouvre presque jamais un livre. Quel âge penses-tu qu'il ait ? » De nouveau, sans attendre la réponse, il poursuivit : « Il a déjà soixante-dix ans passés, et il garde encore la main partout où les intérêts de l'affaire sont en jeu ! » Puis, Arnheim arpenta la pièce sans mot dire. Il éprouvait un irrésistible besoin de parler de son père, mais il ne pouvait pas dire tout ce qu'il pensait. Personne ne savait mieux que lui qu'à son père, aussi, il arrivait de rater une affaire ; mais personne ne l'aurait cru, car dès que quelqu'un a la réputation d'être un Napoléon, même ses batailles perdues sont encore des victoires. C'est pourquoi Arnheim n'avait jamais eu d'autre moyen de s'affirmer à côté de son père que celui qu'il avait choisi : mettre l'esprit, la politique et la société au service de l'affaire. D'ailleurs, le vieil Arnheim semblait heureux qu'Arnheim junior fût si savant et si capable ; mais, lorsqu'il s'agissait de prendre une décision sur une question importante et qu'on avait passé des jours à l'analyser et à l'examiner de tous les points de vue imaginables : productivité, technique financière, politique intellectuelle et économique, il remerciait, ordonnait assez souvent le contraire de ce qu'on lui proposait et ne répondait à toutes les objections qu'on pouvait lui faire que par un sourire irrémédiablement entêté. Souvent même, les directeurs hochaient la tête, mais il apparaissait tôt ou tard que d'une manière ou de l'autre, le vieux avait eu raison. C'était à peu près comme si un vieux chasseur ou un vieux guide de montagne devait assister à une conférence de météorologues et finissait quand même par écouter ses rhumatismes. La chose, au fond, n'était pas bien surprenante : il y a bien des questions où le rhumatisme est un guide plus sûr que la science, et l'exactitude de la prédiction n'est pas seule en cause, parce que les choses arrivent toujours autrement qu'on ne se l'était figuré ; l'essentiel est d'opposer la ruse et la ténacité à leurs caprices. Arnheim aurait donc dû comprendre sans peine qu'un vieux routier sait et peut une quantité de choses que la théorie ne permet pas de prévoir ; néanmoins, le jour où il découvrit que le vieux Samuel Arnheim avait de l'intuition fut un jour gros de conséquences.

« Sais-tu ce que c'est que l'intuition ? » demanda Arnheim en suivant le fil de ses pensées, comme s'il cherchait l'ombre d'une excuse à son désir de parler ainsi. Soliman cligna des yeux avec effort, comme il le faisait lorsqu'il était interrogé sur une commission qu'il avait oublié de faire, et Arnheim eut vite fait de se reprendre encore. « Je suis très nerveux aujourd'hui, dit-il, tu ne peux évidemment pas le savoir ! Mais fais attention à ce que je vais te dire maintenant : gagner de l'argent nous met, comme tu peux le penser, dans des situations qui ne sont pas toujours élégantes. Ces éternels efforts et ces calculs pour faire argent de tout s'opposent à l'édification d'une vie grande telle que des périodes plus heureuses en ont connues. On a pu tirer du vulgaire meurtre l'aristocratique vertu de courage, mais je doute que l'on puisse réussir quelque chose d'analogue avec le calcul. On n'y trouvera pas de vraie bonté, de dignité, de profondeur. L'argent change tout en concepts, l'argent est désagréablement rationnel. Quand je vois de l'argent, je pense fatalement, peu importe que tu me comprennes ou non, à des doigts méfiants, à beaucoup de criailleries et de raisonnements, images qui me sont toutes également insupportables. » Il s'interrompit et retomba dans sa solitude. Il se rappelait comment les membres de sa famille, lorsqu'il était enfant, lui caressaient les cheveux en disant qu'il avait une bonne petite tête. Une petite tête à calcul. Il haïssait cette mentalité ! Dans l'éclat des pièces d'or, il voyait se refléter le rationalisme d'une famille qui avait « bien fait son chemin » ! Il eût jugé méprisable d'avoir honte de sa famille ; tout au contraire, c'était précisément dans les sphères les plus hautes qu'il insistait, avec une élégante modestie, sur sa médiocre origine, mais il craignait le rationalisme de sa famille comme si ç'avait été, à l'instar d'un langage trop vif ou de gestes incertains, une faiblesse congénitale qui l'eût gêné sur les sommets de l'humanité.

C'était là, probablement, l'origine de sa vénération pour l'irrationnel. La noblesse était irrationnelle : cette phrase semblait presque une plaisanterie sur la déraison des nobles, mais Arnheim savait comment il l'entendait. Il lui suffisait de se rappeler qu'il n'avait pu être officier de réserve, parce que Juif. Comme un Arnheim ne pouvait pas davantage jouer le rôle médiocre d'un sous-officier, on l'avait tout simplement déclaré inapte au service ; aujourd'hui encore, il se refusait à ne voir là qu'une absurdité, sensible comme il l'était au sens de l'honneur qui s'y joignait. Ce souvenir lui donna l'occasion d'enrichir de quelques nouvelles phrases son discours à Soliman. « Il est possible », poursuivit-il là où il en était resté, car, malgré toute son horreur pour la méthode, il était méthodique jusque dans ses digressions, « il est possible, et même probable que le mot noblesse n'ait pas toujours désigné ce que nous appelons aujourd'hui une mentalité noble. Pour rassembler les territoires sur lesquels se fonda plus tard sa supériorité, la noblesse n'aura pas été sans doute moins calculatrice, moins appliquée que ne l'est aujourd'hui le commerçant. Il se peut même que les affaires du commerçant soient encore plus honorables. Mais il y a une force dans la terre, comprends-tu, je veux dire dans la glèbe, dans la chasse aussi, dans la guerre, dans la foi en un Dieu, dans la paysannerie, en un mot dans la vie physique de ces hommes qui faisaient moins travailler leur tête que leurs bras et leurs jambes ; dans la proximité de la nature gisait la force qui en a fait finalement des hommes dignes, des êtres supérieurs, et les a préservés de toute vulgarité. »

Il se demanda s'il ne s'était pas laissé entraîner trop loin par son humeur. Si Soliman ne comprenait pas le sens de ces paroles, il était capable de les laisser diminuer la vénération qu'il avait pour la noblesse. Mais il se produisit alors quelque chose d'inattendu. Depuis un moment déjà, Soliman s'agitait sur sa chaise ; brusquement, il interrompit son maître par une question. « S'il vous plaît, dit-il, mon père est-il un roi ? »

Arnheim, déconcerté, le regarda. « Je n'en sais rien », répondit-il, mi-sévère, mi-amusé. Mais, tandis qu'il considérait le visage grave, presque courroucé de Soliman, quelque chose qui ressemblait à de l'émotion l'envahit. Il aimait que ce garçon prît tout au sérieux : « Il est tout à fait dépourvu de *witz*, se dit-il, et réellement proche du tragique. » D'une certaine façon, l'absence de « witz » lui paraissait s'identifier avec le poids et la plénitude de la vie. Sur un ton gentiment instructif, il poursuivit sa réponse : « Il y a peu de chances pour que ton père soit un roi ; je croirais plutôt qu'il exerçait quelque métier subalterne, car je t'ai découvert au milieu d'une troupe de bateleurs, dans une ville du bord de la mer.

– Que vous ai-je coûté ? interrompit Soliman plein de curiosité.

– Mais, mon cher, comment pourrais-je m'en souvenir ? En tout cas pas grand-chose, je pense. Sûrement pas grand-chose ! Qu'est-ce que cela peut te faire ? Nous sommes nés pour nous créer nous-mêmes notre royaume ! Peut-être te ferai-je suivre dès l'an prochain un cours commercial, après quoi tu pourrais commencer comme apprenti dans quelqu'un de nos bureaux. Ta réussite dépendra évidemment de ton travail, mais j'aurai un œil sur toi. Plus tard, tu pourrais, par exemple, représenter nos intérêts là où les gens de couleur ont déjà leur mot à dire. Il faudrait évidemment y aller très prudemment. Néanmoins, le fait que tu sois un Noir pourrait te valoir plus d'un avantage. Ce n'est que dans ton activité que tu pourras reconnaître le profit que t'auront valu les années passées sous ma surveillance immédiate. Mais il y a une chose que je puis te dire dès maintenant : tu appartiens à une race qui a gardé quelque chose de la noblesse de la nature. Dans les légendes chevaleresques du Moyen Age, les rois nègres ont toujours joué un rôle honorable. Si tu cultives ce qu'il y a en toi de noblesse d'esprit, de dignité, ta bonté, ta franchise, le courage de la vérité et le courage plus grand encore qu'il faut pour se garder de l'intolérance, de la jalousie, de l'envie et de cette mesquine agressivité nerveuse qui caractérisent aujourd'hui la plupart des humains, si tu y réussis, tu feras sûrement ton chemin comme commerçant, car c'est notre devoir d'apporter au monde non seulement des marchandises, mais une meilleure forme de vie. »

Comme il y avait longtemps qu'Arnheim n'avait pas parlé aussi familièrement avec Soliman, il sentit qu'un tiers l'eût jugé ridicule, mais ce tiers n'était pas là ; de plus, ce qu'il disait n'était que la surface d'associations d'idées plus profondes qu'il gardait pour lui. C'est ainsi que ce qu'il avait déclaré sur la mentalité aristocratique et le devenir de la noblesse se développa en son for intérieur dans la direction exactement opposée à celle qu'avaient prise ses paroles. Il ne put s'empêcher de penser que rien, depuis que le monde est monde, n'était jamais sorti de la seule pureté intellectuelle, de la seule bonne mentalité, mais au contraire, que tout sortait de la grossièreté, d'une grossièreté qui s'affine avec le temps. C'était de cette grossièreté même que naissaient finalement la pureté et la grandeur ! Il est évident, songeait-il, que ni le devenir des générations nobles ni la transformation d'une affaire de récupération d'ordures en firme mondiale ne reposent simplement sur des circonstances dont on puisse certifier les attaches avec un humanisme supérieur ; pourtant, le premier a produit l'Age d'argent du XVIIIe siècle, et la seconde, Arnheim. Ainsi, la vie lui imposait clairement une tâche qu'il pensait ne pas pouvoir mieux définir que par cette question profondément ambiguë : quel degré de grossièreté est-il nécessaire et suffisant pour engendrer une mentalité supérieure ?

A un autre étage de son esprit, les pensées avaient développé entre-temps, de loin en loin, ce qu'il avait dit à Soliman de l'intuition et du rationalisme, et c'est avec une grande intensité qu'Arnheim se rappela soudain comment il avait expliqué pour la première fois à son père qu'il faisait ses affaires par intuition. Avoir de l'intuition était alors à la mode chez tous ceux qui n'arrivaient pas à justifier entièrement leur activité par la raison. Cela jouait à peu près le même rôle qu'en ce moment le fait d'être « dynamique ». Tout ce que l'on faisait faux, tout ce qui ne vous donnait pas entière et profonde satisfaction, était justifié sous prétexte d'être fait pour ou par l'intuition. On recourait à l'intuition pour cuire un plat comme pour écrire un livre. Le vieil Arnheim ne savait rien de tout cela, et se laissa réellement entraîner à lever sur son fils un regard surpris. Ç'avait été pour celui-ci un grand triomphe. « Gagner de l'argent, dit-il, nous contraint à un mode de penser qui n'est pas toujours noble. Avec cela, il est probable que nous autres, grands hommes d'affaires, sommes destinés, au premier tournant de l'histoire, à prendre la direction des masses, sans même savoir si nous en sommes psychiquement capables ! Mais s'il y a quelque chose au monde qui puisse m'encourager dans ce sens, c'est bien toi, car le don de vision et de volonté que tu possèdes est de ceux qui distinguaient, dans les grandes époques primitives, les rois et les prophètes que Dieu guidait encore. La façon dont tu attaques une affaire demeure un mystère, et je dirais volontiers que tous les mystères qui se dérobent au calcul sont du même rang, que ce soit le mystère du courage, celui de l'invention ou celui des astres ! » Arnheim se rappelait, avec une blessante intensité, le regard du vieil Arnheim qui s'était levé vers lui pour se replonger dès ses premières phrases dans un journal, d'où il ne ressortirait plus, aussi souvent que son fils lui parlerait d'affaires et d'intuition.

Il y avait toujours eu ces mêmes relations entre le père et le fils. Dans une troisième couche de ses pensées, comme dans la toile même de ces tableaux-souvenirs, Arnheim, maintenant, les dominait aussi. Il voyait dans la supériorité de son père en affaires, supériorité qui l'oppressait continuellement, une sorte de force élémentaire qui devait rester fatalement inaccessible à l'esprit plus complexe du fils. Ainsi reléguait-il son modèle dans un royaume où il serait tout à fait vain de s'efforcer de le rejoindre, et se procurait-il du même coup des lettres de noblesse pour ses ascendants. Par ce double tour de passe-passe, il arrangeait assez bien les choses. L'argent devenait une puissance suprapersonnelle, mythique, pour laquelle seuls les êtres vraiment élémentaires étaient faits. Et Arnheim rangeait son progéniteur au nombre des dieux exactement comme l'avaient fait les anciens guerriers auxquels leur mythique prédécesseur, en dépit de tous leurs effrois, avait dû paraître aussi quelque peu primitif comparé à eux-mêmes. Mais, dans une quatrième couche, il oubliait le sourire qui flottait sur la troisième. Il reprenait la même pensée, sur le mode sérieux cette fois, en réfléchissant au rôle qu'il espérait encore jouer sur terre. Bien entendu, il ne faut pas prendre ces couches à la lettre comme s'il s'agissait de différentes profondeurs, de différents sols entassés les uns sur les autres ; elles sont simplement l'expression du mouvement poreux et changeant de la pensée lorsqu'elle se trouve sous l'influence d'émotions très contrastées. Toute sa vie, Arnheim avait éprouvé une aversion presque maladivement sensible pour le « witz » et l'ironie, aversion dont l'origine probable était une assez forte disposition héréditaire pour l'un et l'autre. Il l'avait étouffée parce qu'il l'avait toujours considérée comme la quintessence de la vulgarité et de la canaillerie intellectuelle. Maintenant, au moment précis où ses sentiments atteignaient leur maximum de noblesse et d'hostilité à l'intelligence, elle réapparaissait dans ses relations avec Diotime : ses sensations marchaient déjà, si l'on peut dire, sur la pointe des pieds. Mais la possibilité diabolique d'échapper à la sublimité de son émotion par quelqu'une de ces efficaces plaisanteries sur l'amour qu'il avait souvent entendues de la bouche de personnes subordonnées ou vulgaires n'était pas sans le séduire souvent. Émergeant enfin à travers toutes ces couches, il jeta un regard étonné sur le visage sombrement attentif de Soliman qui ressemblait à un punching-ball noir malmené par les poings d'une sagesse incompréhensible. « A quel ridicule ne vais-je pas m'exposer ! » se dit alors Arnheim.

Le corps de Soliman semblait s'être endormi, les yeux ouverts, sur sa chaise lorsque son maître acheva cette conversation unilatérale. Les yeux se mirent en mouvement, mais le corps ne voulait pas bouger, comme s'il attendait encore le mot qui le réveillerait. Arnheim le remarqua, et découvrit dans le regard du Noir le désir avide d'apprendre avec plus de précision par quelles intrigues le fils d'un roi devient un domestique. Ce regard qui semblait muni de véritables griffes lui rappela dans le même instant cet aide-jardinier qui avait volé ses collections, et il se dit avec un soupir qu'il ne connaîtrait jamais le simple goût du gain. Soudain, il lui apparut que cette idée pouvait définir également d'un seul mot ses relations avec Diotime. Douloureusement ému à la cime de sa vie, il se sentit retranché par une ombre glacée de tout ce à quoi il avait touché. Ce n'était pas là une pensée banale pour un homme qui venait de rappeler le principe « Penser pour agir » et s'était toujours efforcé de s'approprier les grandes choses et d'imprimer aux petites son importance propre. Cette ombre s'était interposée entre lui et les objets de son désir en dépit de la volonté dont il ne s'était jamais départi ; Arnheim ne fut pas peu surpris de découvrir qu'elle dépendait, indubitablement, des délicates et tremblantes lueurs qui avaient enveloppé sa jeunesse, exactement comme si le mauvais usage de ces lueurs les avait changées en une très mince couche de glace. La seule question à laquelle il ne pût répondre était pourquoi celle-ci n'avait pas fondu même devant le noble cœur de Diotime. A ce moment-là, comme une souffrance très désagréable qui n'attendait qu'un attouchement pour resurgir, Ulrich lui revint à l'esprit. Arnheim comprit soudain qu'il y avait sur la vie de cet homme la même ombre que sur la sienne, mais qu'elle y exerçait une tout autre influence !

Parmi les passions qui agitent les humains, on met rarement à la place que sa violence lui mérite celle d'un homme que la nature d'un autre homme irrite et emplit de jalousie. La découverte que son irritation impuissante à l'égard d'Ulrich ressemblait, plus profondément, à la rencontre hostile de deux frères qui ne se sont pas reconnus, était un sentiment à la fois très intense et bienfaisant. Dans cette comparaison, Arnheim examina avec curiosité leurs deux natures. Le goût du gain grossier, le souci des avantages de la vie faisait défaut à Ulrich plus encore qu'à lui-même, et le goût du gain noble, le désir de s'approprier les dignités et les grandeurs de l'existence lui manquait d'une façon presque révoltante. Cet homme semblait dédaigner le poids et la substance de la vie. Son ardeur objective, incontestable, n'était pas tournée vers la possession de l'objet. Arnheim aurait été tenté de penser à ses employés, si le désintéressement de leur attitude professionnelle n'avait pris chez Ulrich une forme incroyablement plus orgueilleuse. On aurait pu parler, plutôt, d'un possédé qui se refuse à devenir un possédant, ou penser à un homme qui combat sous l'étendard de la pauvreté volontaire. Il semblait également possible de parler d'un homme entièrement et purement théorique ; mais cela non plus n'était pas exact, parce qu'il n'était pas question de qualifier Ulrich d'homme théorique. Arnheim se souvint de lui avoir expliqué un jour que ses capacités réflexives étaient inférieures à ses capacités pratiques. Pourtant, considéré du point de vue pratique, l'homme était parfaitement impossible. Ainsi flottaient les pensées d'Arnheim. Ce n'était pas la première fois. Mais, en dépit des doutes qu'il éprouvait ce jour-là sur soi-même, il ne parvenait pas à accorder la préséance à Ulrich sur quelque point que ce fût. Il en conclut que la différence décisive entre eux était qu'il manquait quelque chose à Ulrich. Néanmoins, il y avait chez cet homme, considéré dans son ensemble, quelque chose de frais, de neuf et de libre, et Arnheim s'avouait non sans hésitation que cela lui rappelait ce « Mystère du Tout » dont il était lui-même familier et qu'il sentait mis en question par cet homme. D'ailleurs, s'il ne s'était agi que d'un élément accessible aux mesures de la raison, comment eût-on pu appliquer à cet homme de l'irréalité le même sentiment désagréable de « witz » qu'Arnheim avait appris à redouter chez ce connaisseur trop précis de la réalité qu'était son père ? « Ainsi donc, dans l'ensemble, il manque à cet homme quelque chose ! » se disait Arnheim ; mais comme si ce n'était que l'envers de cette certitude, presque au même instant, tout indépendamment de sa volonté, une autre phrase lui vint à l'esprit : « Cet homme a de l'âme !... »

Cet homme possédait une âme encore fraîche. Comme il s'agissait d'une inspiration tout intuitive, Arnheim n'aurait pas pu préciser ce qu'il voulait dire par là, sinon, à peu près, que tout homme, avec le temps (il le savait bien), dissout son âme en raisonnement, en morale, en grandes idées, selon un processus irréversible : chez son meilleur ennemi, ce processus n'était pas complètement terminé, de sorte qu'il demeurait en lui quelque chose dont le charme équivoque, difficile à définir, se manifestait dans les relations peu ordinaires que ce quelque chose entretenait avec des éléments du monde rationnel, mécanique et sans âme qui ne pouvaient guère passer pour des valeurs de civilisation. Tandis qu'il réfléchissait ainsi et modelait ces réflexions sur le style de ses œuvres philosophiques, Arnheim n'avait pas trouvé un instant pour donner à Ulrich le mérite (n'eût-il que celui-là) d'un de ces traits, si forte était son impression d'avoir fait une grande découverte. C'était lui-même qui créait ces images, il se croyait un maître de chant qui découvre l'éclat virtuel d'une voix encore informe. Ses pensées ne se refroidirent qu'à la vue de Soliman qui devait l'observer depuis un long moment déjà et jugeait maintenant l'occasion venue de poser une nouvelle question. La conscience qu'il n'était pas donné à tout le monde de former des réflexions avec l'aide de ce petit muet à demi sauvage, exaltait le bonheur d'Arnheim à être le seul qui connût le secret de son adversaire, bien qu'il y eût là encore beaucoup de choses à tirer au clair jusque dans les conséquences qu'elles pourraient avoir. Il éprouvait simplement l'affection de l'usurier pour la victime chez qui il a placé son capital. Peut-être fut-ce la vue de Soliman qui lui inspira brusquement le projet d'attirer à lui, à n'importe quel prix, cet homme qui semblait être sa propre aventure dans un autre corps, et cela, même s'il fallait l'adopter pour son fils ! Il sourit de cette confirmation précipitée d'une intention qui demandait encore à mûrir. En même temps, il coupa la parole à Soliman dont le visage tressaillait d'une pathétique soif de savoir, et déclara : « En voilà assez. Tu dois porter chez Mme Tuzzi les fleurs que j'ai commandées. Si tu as encore une question à me poser, nous pourrons y penser une autre fois. »

113. *Ulrich, s'entretenant avec Hans Sepp et Gerda, adopte le sabir de la zone frontière entre la surrationalité et la sous-rationalité.*

Ulrich ne savait vraiment pas que faire pour accéder aux désirs de son père qui attendait qu'il lui ménageât, par pur enthousiasme pour « l'école sociale », un entretien personnel avec Son Altesse et d'autres patriotes haut placés ; pour être sûr de n'y penser plus du tout, il rendit donc visite à Gerda. Il trouva auprès d'elle Hans Sepp, qui passa aussitôt à l'attaque. « Vous avez pris le directeur Fischel sous votre protection ? »

Ulrich éluda la question en lui demandant si Gerda lui en avait parlé.

Oui, Gerda lui avait raconté.

« Et alors ? Vous aimeriez savoir pourquoi ?

– Je vous en prie ! demanda Hans.

– Ce n'est pas si simple, mon cher Hans.

– Je ne suis pas "votre cher Hans" !

– Eh bien ! ma chère Gerda, dit-il en se tournant vers elle, ce n'est pas si simple. J'ai déjà si abondamment parlé de tout cela que je croyais avoir été compris.

– Sans doute, je vous comprends, mais je ne vous crois pas », répondit Gerda, en s'efforçant toutefois, par la manière dont elle dit ces mots et le regarda, d'atténuer un peu sa prise de position polémique au côté de Hans.

« Nous ne croyons pas, dit Hans en coupant court à cet effort de conciliation, que vous puissiez sérieusement penser ainsi ; vous avez dû pêcher ça quelque part !

– Quoi ? Vous voulez dire ce qu'on ne peut... ce qu'on ne peut traduire précisément en paroles ? » demanda Ulrich, qui comprit aussitôt que l'insolence de Hans se rapportait à la conversation qu'il avait eue dans l'intimité avec Gerda.

« Oh ! on peut parfaitement le traduire en paroles, quand on le prend au sérieux !

– Moi, je n'y parviens pas. Mais je puis vous raconter une histoire.

– Encore une histoire ! Il semble que vous enfiliez les histoires comme le vieil Homère ! » s'écria Hans, plus insolent et plus sûr de lui que jamais. Gerda le regarda d'un air suppliant. Mais Ulrich ne se laissa pas démonter et poursuivit : « J'ai été une fois très amoureux ; je devais avoir à peu près le même âge que vous. En vérité, j'étais amoureux de mon amour, de mon nouvel état, et un peu moins de la femme qui s'y rattachait ; alors, j'ai découvert tout ce dont vous, vos amis et Gerda faites vos grands mystères. Voilà l'histoire que je voulais vous raconter. »

Les deux jeunes gens furent surpris que l'histoire tournât si court. Gerda demanda en hésitant : « Vous avez été une fois très amoureux ?... » et s'irrita aussitôt d'avoir montré devant Hans la frémissante curiosité d'une très jeune fille.

Mais Hans l'interrompit. « Qu'avons-nous à parler de ces choses ? Racontez-nous plutôt ce que fait votre cousine depuis qu'elle est tombée entre les mains de ces banqueroutiers intellectuels !

– Elle cherche une idée à travers laquelle l'esprit de notre patrie puisse s'imposer avec splendeur au monde. Ne voulez-vous pas l'aider de quelque proposition ? Je suis tout prêt à faire l'entremetteur », repartit Ulrich.

Hans eut un rire sarcastique. « Pourquoi feignez-vous d'ignorer que nous allons saper cette entreprise ?

– Et pourquoi donc y êtes-vous pareillement hostile ?

– Parce qu'elle représente un grave complot, fomenté dans ce pays même contre l'esprit allemand ! dit Hans. Ne savez-vous vraiment pas qu'un important mouvement se prépare pour lutter contre elle ? On a attiré l'attention de la Ligue nationale allemande sur les intentions de votre comte Leinsdorf. Les Sociétés de Gymnastique ont déjà protesté contre l'outrage fait à l'esprit allemand. La Fédération des Fraternités armées auprès des Universités autrichiennes prendra position ces jours-ci sur la menace slave, et la Ligue de la Jeunesse allemande, à laquelle j'appartiens, ne restera pas en arrière, même si nous devons descendre dans la rue ! » Hans s'était levé et parlait avec une certaine fierté. Il ajouta néanmoins : « Mais à la vérité, ce n'est pas cela qui importe ! Ces gens surestiment les conditions extérieures. L'essentiel est qu'aucune réussite n'est possible dans ce pays ! »

Ulrich lui en demanda la raison. Toutes les grandes races, dès le début, s'étaient créé leur mythe : y avait-il un mythe autrichien ? Une épopée autrichienne ? Ni la religion catholique ni la réformée n'étaient nées ici ; l'art de l'imprimerie et les traditions picturales étaient venus d'Allemagne ; la famille royale avait été fournie par la Suisse, l'Espagne et le Luxembourg ; la technique par l'Angleterre et l'Allemagne ; les plus belles villes, Prague, Vienne, Salzbourg avaient été bâties par des Italiens et des Allemands, l'armée organisée sur le modèle napoléonien. Un tel État ne pouvait rien entreprendre en propre ; il n'y avait réellement pour lui qu'un seul salut, le rattachement à l'Allemagne. « Maintenant, vous savez tout ce que vous vouliez savoir ! » conclut Hans.

Gerda doutait si elle devait être fière ou avoir honte de lui. Son inclination pour Ulrich s'était fortement ravivée dans les derniers temps, encore que le désir si humain de jouer son rôle fût beaucoup mieux servi par le cadet de ses deux amis. L'étrange était que cette jeune fille fût troublée par deux inclinations contraires, devenir une vieille fille ou se donner à Ulrich. Cette seconde inclination était la conséquence naturelle de l'amour qu'elle ressentait depuis des années, un amour, il est vrai, qui ne s'enflammait pas, mais couvait sans courage en elle ; ses sensations étaient celles de quelqu'un qui aime un être indigne, et dont l'âme blessée est tourmentée par un méprisable besoin de soumission physique. Par une étrange contradiction avec ce sentiment, mais néanmoins peut-être en relation toute naturelle avec lui sous forme d'un désir de tranquillité, elle pressentait aussi qu'elle ne se marierait jamais, et qu'au bout de tous les rêves, elle mènerait une vie active, dans le calme et la solitude. Ce n'était pas là un désir nourri de convictions certaines, car Gerda ne voyait pas clairement ce qui la concernait ; plutôt un de ces pressentiments qui viennent à notre corps plus vite qu'à notre raison. L'influence que Hans exerçait sur elle y avait aussi sa part. Hans était un jeune homme sans apparence, osseux sans être grand ni fort ; il s'essuyait les mains dans ses cheveux ou à ses vêtements et sortait à tout moment de sa poche un petit miroir rond serti de fer blanc, parce qu'il y avait toujours, sur sa peau mal soignée, quelque bouton qui le gênait. C'était exactement ainsi que Gerda se figurait les premiers Chrétiens de Rome qui, défiant les persécutions, se réunissaient sous la terre, dans les Catacombes ; le miroir de poche excepté, probablement. « Exactement ainsi » ne signifiait pas, d'ailleurs, une ressemblance dans les moindres détails, mais bien dans un sentiment fondamental de terreur inséparable de l'idée qu'elle se faisait du christianisme ; les païens baignés et huilés lui avaient toujours plu davantage, mais confesser la foi chrétienne était un sacrifice indispensable pour prouver son caractère. C'est ainsi que les hautes exigences avaient pris pour Gerda un léger parfum de moisi, une nuance de répulsion bien faits pour s'allier à la mentalité mystique dont Hans ouvrait les portes devant elle.

Ulrich connaissait fort bien cette mentalité. Peut-être faut-il savoir gré au spiritisme de ce qu'il satisfasse par ses message de l'Au-delà, si grotesques qu'on les croirait émis par l'esprit d'une cuisinière défunte, le grossier besoin métaphysique de ceux qui voudraient absorber sinon Dieu, du moins les esprits, comme on avale à la cuillère un de ces mets qui, dans l'obscurité, vous coulent glacés au fond de la gorge. Dans des époques plus reculées, ce besoin d'un contact personnel avec Dieu ou ses compagnons (contact qui se produisait prétendument dans l'extase) constituait toujours, en dépit des formes délicates et en partie miraculeuses qu'il prenait, un mélange de terrestre grossièreté et d'expériences plus hautes, relevant d'un état d'hypersensibilité tout à fait exceptionnel et indéfinissable. Le métaphysique n'était alors que le physique transposé dans cet état, un reflet des désirs terrestres, car on croyait voir en lui ce dont les représentations contemporaines vous faisaient vivement espérer qu'on pourrait le voir. Or, ce sont précisément les représentations nées de l'intelligence qui changent et deviennent à la longue incroyables ; si quelqu'un, aujourd'hui, voulait raconter que Dieu lui a parlé, l'a empoigné violemment par les cheveux et attiré à Lui, qu'Il s'est insinué dans sa poitrine avec une infinie mais incompréhensible douceur, personne n'ajouterait foi à ces images précises à l'aide desquelles il tenterait de traduire son expérience ; surtout pas, bien entendu, les hommes de Dieu patentés : enfants d'une époque raisonnable, ils ont une peur tout humaine d'être compromis par des disciples exaltés ou hystériques. La conséquence en est qu'il faut, ou bien considérer des expériences qui furent pourtant fréquentes et parfaitement nettes au Moyen Age et dans le paganisme antique comme des rêveries ou des phénomènes morbides, ou bien supposer qu'elles recèlent un élément indépendant du contexte mythique dans lequel on les a toujours enfermées jusqu'ici : pur noyau d'expérience que même les principes empiriques les plus stricts ne pourraient mettre en doute et qui représenterait dès lors, cela va de soi, quelque chose d'extrêmement important, bien avant même que l'on n'en arrive à se demander quelles conclusions en tirer pour nos relations avec l'Autre monde. Et tandis que la foi organisée par la raison des théologiens doit mener partout un rude combat contre le doute et l'opposition de la raison de notre temps, il semble que l'événement fondamental du ravissement mystique, l'expérience nue, dépouillée de tous les voiles de la foi conceptuelle et traditionnelle comme des vieilles images religieuses, cette expérience qu'il n'est peut-être plus possible de juger exclusivement religieuse, se soit en fait extraordinairement répandue, et qu'elle forme l'âme de ce mouvement multiforme d'irrationalisme qui hante notre temps comme un oiseau de nuit égaré en plein jour.

Le cercle, le tourbillon dans lequel Hans Sepp jouait son rôle était une toute petite et grotesque partie de ce vaste mouvement. Si l'on avait fait le compte des idées qui se relayaient dans ce milieu (chose qu'on n'avait d'ailleurs pas le droit de faire si l'on obéissait aux principes fondamentaux en vigueur dans le groupe, puisqu'on y reniait le nombre et la mesure), on y aurait trouvé la première prise de position, encore timide et parfaitement platonique, en faveur du mariage à l'essai, de l'union libre, même de la polygamie et de la polyandrie ; puis, dans les problèmes d'esthétique, la mentalité inobjective, orientée vers le général et l'éternel, qui à cette époque, sous le nom d'expressionnisme, se détournait avec mépris de la grossièreté du phénomène et de la surface, de la « banale vision extérieure » dont la reproduction fidèle, chose incompréhensible, avait passé pour révolutionnaire une génération plus tôt. En parfaite harmonie avec cette intention abstraite de représenter directement, sans l'aide des circonstances extérieures, une « vision essentielle » de l'esprit et du monde, on trouvait l'intention la plus concrète et la plus particularisée, celle de défendre l'art national et folklorique à quoi ces jeunes gens se croyaient tenus par le loyalisme empressé de leur âme allemande. En continuant à chercher, on aurait pu trouver ainsi pêle-mêle dans leur cerveau les plus merveilleux brins d'herbe ou de paille que l'esprit puisse glaner sur les chemins du temps pour se bâtir un nid. Dans le tas, cependant, des représentations particulièrement abondantes du droit, des devoirs et de la force créatrice de la jeunesse jouaient un si grand rôle qu'il faut nous y attarder un peu plus longtemps.

Les temps présents, disaient-ils, ne reconnaissaient à la jeunesse aucun droit, puisque l'homme, jusqu'à sa majorité était à peu près totalement dépourvu de droits légaux. Le père, la mère, le tuteur pouvaient le vêtir, l'héberger, le nourrir comme ils le voulaient, le dresser et, selon Hans Sepp, le perdre, à condition de ne pas dépasser une lointaine limite juridique qui n'accordait guère plus à l'enfant que la protection reconnue aux animaux. L'enfant appartenait à ses parents comme l'esclave au maître et devenait, par sa dépendance, propriété, objet du capitalisme. Ce « capitalisme de l'enfant », Hans en avait trouvé la description Dieu sait où, puis il l'avait développée lui-même. Ce fut la première chose qu'il inculqua à Gerda, disciple d'autant plus déconcertée qu'elle s'était trouvée fort bien chez elle jusque-là. Le christianisme avait allégé le joug de la femme, non celui de la fille ; la fille végétait, tenue de force à l'écart de la vie. Après cette introduction, Hans enseigna à Gerda le droit de l'enfant à édifier son éducation sur les principes de sa nature propre. L'enfant était créateur parce qu'il était croissance et se faisait lui-même. Il était royal parce qu'il imposait au monde ses images, ses sentiments et ses rêves. Il ne voulait rien savoir d'un monde de confection, tout arbitraire, il bâtissait son univers idéal. Il avait sa sexualité propre. Les adultes commettaient un péché barbare en détruisant l'esprit créateur de l'enfant par le rapt de son univers, en l'étouffant sous le poids d'un savoir mort et d'ailleurs emprunté, et en l'orientant vers des buts précis qui lui étaient étrangers. L'enfant était dépourvu de but, sa création était un jeu, une délicate croissance ; il n'adoptait rien que ce qu'il absorbait réellement en lui, à moins qu'on ne le dérangeât de force ; tout ce qu'il touchait redevenait vivant, l'enfant était un monde, un cosmos, il voyait les fins dernières, l'absolu, même s'il ne pouvait pas l'exprimer ; mais on tuait l'enfant en lui inculquant des buts et en l'attachant à cette répétition grossière qu'on appelle, hypocritement, le réel !

Tels étaient les propos de Hans. Lorsqu'il commença d'implanter cette doctrine dans la famille Fischel, il avait déjà vingt et un ans, et Gerda n'était pas plus jeune. En outre, Hans n'avait plus de père depuis longtemps et se soulageait en rudoyant continuellement sa mère (laquelle tenait un petit commerce qui lui permettait de le nourrir ainsi que ses frères et sœurs), de sorte qu'il n'y avait réellement aucun motif immédiat à cette philosophie de l'enfance opprimée.

Gerda elle-même, en l'absorbant, hésitait encore entre l'incliner suivant une douce tendance pédagogique vers l'éducation des hommes futurs, et l'exploiter dès maintenant dans la polémique contre Léon et Clémentine. Hans Sepp, en revanche, se montrait beaucoup plus intransigeant, et son slogan était : « Soyons tous des enfants ! » Un tel entêtement à défendre l'enfant provenait peut-être d'un besoin précoce d'indépendance ; mais aussi, pour l'essentiel, de ce que le jargon du Mouvement de Jeunesse, alors en plein essor, était le premier langage qui aidât son âme à s'exprimer et le fît passer d'un mot à l'autre, comme c'est le devoir d'un vrai langage, en y mettant chaque fois plus de choses qu'il n'en savait. C'est ainsi que le slogan « Soyons tous des enfants ! » entraîna de très importantes découvertes. L'enfant, en effet, ne doit ni pervertir ni renoncer son être en devenant père ou mère ; car il devient alors un « bourgeois », esclave du monde, enchaîné et « finalisé ». Être un bourgeois, c'est vieillir ; l'enfant se défend donc contre l'embourgeoisement ; grâce à quoi la difficulté qui provenait du fait que l'on ne peut pas se conduire à vingt et un ans comme un enfant s'évanouissait : ce combat, en effet, dure de la naissance à la vieillesse et ne peut s'achever que dans la destruction du monde bourgeois par le monde de l'amour. C'était là, en quelque sorte, le degré le plus haut de la doctrine de Hans Sepp ; et tout cela, Ulrich l'avait appris peu à peu par Gerda.

C'était lui qui avait découvert une relation entre ce que les jeunes gens appelaient leur amour ou encore « la communauté », et les conséquences d'un état singulier, sauvagement religieux, mythique sans être mythologique et peut-être, somme toute, simplement amoureux ; état qui le touchait de près, mais, parce que Ulrich se bornait à ridiculiser les traces que cet état laissait en eux, ils ne s'en doutaient pas. C'est ainsi qu'il s'en prit une fois de plus à Hans en lui demandant carrément pourquoi il ne voulait pas essayer d'utiliser l'Action parallèle pour susciter une « communauté des parfaits altruistes ».

« Parce que ça ne se peut pas ! » répliqua Hans.

Il s'ensuivit entre eux une conversation qui aurait fait sur un tiers une impression bizarre, assez semblable à celle d'une conversation en langue verte, bien que le langage utilisé ici ne fût autre que le sabir de l'amour spirituel laïque. C'est pourquoi nous préférons rendre l'esprit plutôt que la lettre de ce dialogue.

La « communauté des parfaits altruistes », c'était une formule découverte par Hans ; elle était cependant compréhensible : plus un homme se sent altruiste, plus les choses du monde deviennent claires et fortes, plus il se fait léger, plus il se sent exalté. Chacun connaît ce genre d'expériences ; mais il ne faut pas les confondre avec le contentement, la gaieté, l'insouciance et cætera, car ne ce sont là que des succédanés pour un usage vulgaire, sinon même corrompu. Peut-être même devrait-on réserver à l'état authentique non pas le terme d'élévation, mais celui de « décuirassement », « décuirassement du Moi », expliquait Hans. Il fallait distinguer entre les deux remparts de l'homme. L'un est déjà franchi chaque fois qu'il fait un acte bon ou gratuit, mais ce n'est là que le plus petit des deux murs. Le plus grand est bâti de l'égoïsme de l'homme même le plus altruiste ; c'est, tout bonnement, le Péché originel. Toute impression sensuelle, tout sentiment, même celui de l'abandon, est davantage, dans notre manière d'agir, une prise qu'un don, et il est presque impossible d'échapper à cette cuirasse bardée d'égoïsme. Hans énumérait : le savoir n'est que l'appropriation d'un objet étranger ; on le tue ; on le déchiquète, on le dévore comme une bête. Le concept, cadavre figé. La conviction, relation pétrifiée à jamais immuable. La recherche, affirmation. Le caractère, refus des métamorphoses. La connaissance d'un être, indifférence à son égard. L'introspection, inspection. La vérité, tentative réussie pour penser objectivement et inhumainement. Il y a dans tout cela un goût de meurtre et de gel, un désir de possession et de rigidité, un mélange d'égoïsme et de désintéressement objectif, c'est-à-dire lâche, sournois, inauthentique ! « Et quand donc l'amour lui-même, demanda Hans bien qu'il ne connût que l'innocente Gerda, sera-t-il autre chose que le désir de possession, ou d'abandon dans l'attente d'une contrepartie ? »

Ulrich approuvait prudemment, amendant parfois ces affirmations souvent incohérentes. Il était exact que même la souffrance et le dessaisissement de soi nous laissent toujours quelque argent de côté ; une pâle ombre d'égoïsme, une ombre grammaticale pour ainsi dire, resterait attachée à tout acte tant qu'il n'y aurait pas d'attribut sans sujet.

Mais Hans protesta violemment. Lui et ses amis luttaient pour savoir comment on doit vivre. Parfois ils admettaient que chacun dût commencer par vivre pour soi, et ensuite pour tous ; un autre jour, ils étaient convaincus que chaque homme ne pouvait réellement avoir qu'un ami, mais que celui-ci à son tour en avait besoin d'un autre, de sorte que la communauté se dessinait à leurs yeux comme une union des âmes en forme de cercle, à la manière du spectre solaire ou d'autres enchaînements du même ordre ; mais de préférence, ils croyaient qu'il existait une loi psychique du sens communautaire que l'égoïsme ne faisait qu'obombrer, une énorme source de vie intérieure, inutilisée encore, à laquelle ils attribuaient des possibilités fantastiques. L'arbre qui lutte dans la forêt et que la forêt protège ne peut pas avoir une plus vague conscience de lui-même, que les hommes sensibles d'aujourd'hui de l'obscure chaleur de la masse, de sa puissance dynamique, des processus moléculaires imperceptibles qui assurent sa cohérence inconsciente et lui rappellent à chaque respiration que le plus grand, comme le plus petit, n'est jamais seul. Il en allait de même pour Ulrich. Sans doute voyait-il clairement que l'égoïsme discipliné, maîtrisé, sur lequel se fonde la vie, produit une structure organisée, alors que le souffle de la communauté demeure le point d'intersection de relations fort vagues ; personnellement, il se sentait plutôt attiré par l'isolement, mais il n'en était pas moins touché lorsque les jeunes amis de Gerda exposaient leur extravagante idée du grand mur qu'il fallait à tout prix franchir.

Hans, tantôt psalmodiant, tantôt percutant, dévidait les articles de sa foi, en regardant fixement droit devant lui, sans rien voir. Une fêlure anormale divisait la création et la partageait comme une pomme dont les deux moitiés aussitôt se dessèchent ; c'est pourquoi l'on était contraint, aujourd'hui, de s'approprier d'une manière artificielle et contre nature ce avec quoi l'on n'avait formé jadis qu'un seul être. Mais on pouvait abolir cette division par une sorte d'ouverture de soi-même, un changement d'attitude. Plus un homme pouvait s'oublier, s'effacer, se retirer de lui-même, plus il libérerait de force en lui pour la communauté, comme s'il la délivrait d'une fausse relation ; et en même temps, plus il se rapprocherait de la communauté, plus il deviendrait, inévitablement, lui-même. Si l'on suivait Hans, on apprenait aussi que la véritable originalité ne se mesurait pas à la simple et vaine singularité, mais naissait de l'ouverture de soi-même et, passant par des degrés ascendants de participation et de dévouement, atteindrait peut-être au degré suprême, à la communauté des altruistes parfaits, totalement absorbés par le monde, degré que l'on pouvait atteindre par cette voie !

En écoutant ces phrases que rien ne semblait pouvoir remplir, Ulrich se demandait comment on pourrait leur donner un contenu réel ; mais il se contenta de demander froidement à Hans comment il pensait mettre en pratique « l'ouverture de soi-même » et les autres points de son programme.

Pour lui répondre, Hans disposait de mots démesurés : le

Moi transcendant remplaçant le Moi sensuel, le Moi gothique évinçant le Moi naturaliste, le Royaume de l'Essence succédant à celui des Phénomènes, l'Expérience absolue et autres substantifs puissants dont il étayait son résumé d'expériences indescriptibles, ainsi que cela ne se produit que trop souvent dans l'idée d'accroître la dignité de la Cause, et, en fait, à son plus grand dam. Et parce que l'état qu'il entrevoyait parfois (et peut-être même souvent) ne se laissait jamais prolonger au-delà de quelques instants d'anéantissement, il lui fallut encore affirmer que l'Au-delà ne se révélait plus aujourd'hui que par éclairs, dans une contemplation supracorporelle évidemment difficile à prolonger, et dont les œuvres d'art n'étaient au mieux que le précipité. Pour exprimer ces signes de vie surnaturels, il recourut une fois de plus à son idée favorite de « symbole », et rappela finalement que le droit de créer et de contempler ces signes était réservé aux hommes de sang germain. De cette manière, en une variante sublime de l'air du « Bon vieux temps », il réussit à expliquer tout à son aise que la saisie durable de l'Essence était réservée au passé et refusée au présent : ainsi son exposé revenait à son point de départ.

Ce bavardage superstitieux exaspérait Ulrich. Celui-ci s'était longtemps demandé par quoi Hans pouvait bien attirer Gerda. Elle était assise à côté de lui, très pâle, sans prendre une part active à la conversation. Hans Sepp avait une grande théorie de l'amour. Il est probable qu'elle y trouvait le sens profond de sa vie. Ulrich relança la conversation en affirmant (après avoir précisé qu'on ne devrait jamais s'engager dans de tels sujets !) que la plus haute exaltation que pût ressentir un être humain ne se produisait ni dans l'attitude égoïste ordinaire où l'on s'approprie tout ce qui vient à vous, ni, comme le déclaraient les amis de Hans, dans ce qu'on pourrait appeler l'exaltation du Moi par l'ouverture et le don de soi ; et que c'était en fait un état de calme où jamais rien se ne modifiait, comme une eau stagnante.

Gerda s'anima et voulut savoir comment il l'entendait.

Ulrich lui répondit que Hans n'avait cessé, même s'il n'avait pas craint quelques travestissements abusifs, de parler de l'amour, et de rien que l'amour ; de l'amour des saints, de l'amour des ermites, de l'amour qui déborde les rives du désir, que l'on a toujours décrit comme un relâchement, une dissolution, même un renversement de toutes les relations cosmiques, de l'amour qui n'est en tout cas pas un simple sentiment, mais une métamorphose de la pensée et de la perception.

Gerda le regarda d'un air interrogateur comme si elle voulait découvrir si cet homme, dont le savoir surpassait tant le sien, avait aussi fait l'expérience, d'une manière ou d'une autre, de ce dont il parlait, ou si de celui qu'elle aimait secrètement, assis là à côté d'elle sans trahir une quelconque émotion, émanait cet étrange rayonnement qui unit deux êtres malgré leurs corps séparés.

Ulrich devina l'interrogation. Il avait l'impression de se servir d'une langue étrangère qu'il pouvait certes parler couramment, mais de l'extérieur, sans que les mots eussent leurs racines en lui. « Dans cet état où l'on franchit les frontières imposées à notre conduite, dit-il, on comprend tout, parce que l'âme n'accueille que ce qui lui appartient ; en un certain sens, elle sait déjà d'avance ce qu'elle est près d'apprendre. Les amants ne peuvent rien se dire de nouveau ; il n'y a pas non plus pour eux de reconnaissance. L'amant ne reconnaît rien de l'être qu'il aime, sinon que celui-ci suscite en lui, par des voies indescriptibles, une intense activité intérieure. Reconnaître un être qu'il n'aime pas, c'est pour lui l'attirer dans l'amour comme un mur mort sur lequel se pose la lumière du soleil. Et reconnaître un objet inanimé, ce n'est pas épier ses qualités l'une après l'autre, c'est voir tomber un voile, s'effacer une frontière qui n'appartiennent pas à l'univers de la perception. Ainsi le monde inanimé, tout inconnu qu'il est, entre avec confiance dans le compagnonnage des amants. L'esprit des amants et la Nature se regardent l'un l'autre dans les yeux ; ce sont deux directions d'une même action, un fleuve qui coule dans les deux sens, un feu qui brûle par les deux bouts. Reconnaître un être ou un objet sans du tout le ramener à soi est alors chose parfaitement impossible ; car "prendre connaissance" des objets, c'est leur " prendre" quelque chose. Ils conservent leur forme, mais paraissent tomber en cendres à l'intérieur ; quelque chose d'eux s'évapore et il ne reste plus que leurs momies. C'est pourquoi il n'est pas non plus de vérité pour les amants. Elle serait une rue sans issue, une fin, la mort de la pensée qui, tant qu'elle demeure vivante, ressemble à la frange d'une flamme où s'enlacent la lumière et l'ombre. Comment un objet isolé pourrait-il s'allumer là où tout brille ? A quoi bon l'aumône de l'assurance et de l'évidence là où tout surabonde ? Et comment peut-on encore désirer quelque chose pour soi seul, serait-ce même ce que l'on aime, quand on a éprouvé que les amants ne s'appartiennent plus l'un à l'autre, mais doivent s'offrir à tout ce qui vient à eux, entrelacés par leurs regards ? »

Quand on possède parfaitement cette langue, on peut continuer à parler à l'infini sans aucun effort. On s'avance comme avec une lumière à la main, dont le rayon délicat tombe sur un aspect de la vie après l'autre, et l'on dirait que tous ces aspects, sous la forme ordinaire qu'ils avaient dans la lumière quotidienne, n'ont été que de grossiers malentendus. Comme la fonction du mot « posséder », par exemple, paraît insoutenable lorsqu'on l'applique à des amants ! Mais cela trahit-il de plus nobles désirs de vouloir posséder des principes ? le respect des enfants ? des connaissances ? soi-même ? Ce geste agressif et brutal de quelque énorme bête écrasant sa proie de tout le poids de son corps est pourtant, à bon droit, l'expression préférée et fondamentale du capitalisme ; ainsi apparaît le rapport entre les possédants du monde bourgeois et ces possesseurs de connaissances toutes faites en qui la bourgeoisie a transformé ses penseurs et ses artistes, alors que l'amour et l'ascèse se tiennent à l'écart, frère et sœur. Et ce frère et cette sœur, lorsqu'ils se réunissent, ne sont-ils pas sans but, opposés aux buts de la vie ? Mais le terme de « but » est emprunté au langage des tireurs : être sans but ne signifierait-il donc pas, à l'origine, se refuser à tuer ? Ainsi, en suivant simplement les traces de la langue (traces brouillées, mais révélatrices), on comprend mieux déjà comment une grossière altération du sens a usurpé partout la place de relations plus circonspectes qui se sont perdues définitivement. C'est là une situation partout sensible, nulle part tangible.

Ulrich renonça à poursuivre la conversation dans ce sens,

mais on ne pouvait reprocher à Hans de croire qu'il suffisait de tirer à un certain endroit du tissu pour qu'il se retournât complètement, le seul ennui étant que l'intuition de cet endroit se fût perdue. Il avait interrompu ou complété Ulrich à plusieurs reprises. « Si vous voulez considérer ces expériences en homme de science, vous n'y trouverez rien de plus que ce qu'y verrait un employé de banque ! Toutes les explications empiriques sont illusoires et ne sortent pas du cercle des connaissances vulgaires, perceptibles aux sens ! Votre désir de savoir voudrait réduire le monde au mécanisme monotone des prétendues forces naturelles ! » Telles étaient ses objections : des protestations. Il était tantôt grossier, tantôt enflammé. Il sentait qu'il avait mal exposé son affaire et en rejetait la faute sur la présence de cet intrus qui l'empêchait d'être seul avec Gerda. En tête à tête avec elle, les mêmes mots eussent agi différemment, se fussent élevés dans les hauteurs comme des eaux miroitantes, des faucons tournoyants, il le savait. Il sentait que c'était un grand jour pour lui. En même temps, il était très surpris et fâché d'entendre Ulrich parler si aisément et si longuement à sa place. En fait, Ulrich ne parlait nullement en représentant d'une science exacte ; il en disait beaucoup plus qu'il n'eût voulu et il n'avait pas, néanmoins, l'impression de dire quelque chose à quoi il ne crût pas. Cela suscitait en lui une fureur contenue qui lui donnait des ailes. Il faut se sentir exalté d'une certaine manière et légèrement fiévreux pour parler ainsi. L'humeur d'Ulrich oscillait entre cet état et celui où le mettait la vue de Hans, avec sa grasse chevelure hérissée, sa peau négligée, ses mouvements désagréablement insistants, ce déluge baveux de paroles où flottait cependant le voile de quelque chose de très profond, telle la peau d'un cœur dépouillé. Mais, à strictement parler, Ulrich s'était trouvé toute sa vie hésitant entre les deux aspects de ce monde. Il avait toujours été en mesure d'en parler aussi couramment qu'il le faisait aujourd'hui et d'y croire à moitié ; jamais il n'avait dépassé cette facilité d'amateur parce qu'il ne croyait pas à son contenu, et c'est ainsi que, maintenant encore, il éprouvait autant de plaisir que de déplaisir à cette conversation.

Gerda ne faisait pas attention aux objections railleuses

qu'il y mêlait parfois, pour cette raison même, dans un esprit de parodie ; elle était tout entière sous l'impression qu'il s'était enfin révélé. Elle le regarda presque avec angoisse. « Il est beaucoup plus tendre qu'il ne veut l'avouer », songea-t-elle tandis qu'il parlait, et le sentiment de voir un petit enfant cherchant le sein la désarma. Ulrich soutint son regard. Il savait presque tout ce qui se passait entre elle et Hans, parce qu'elle en était angoissée et éprouvait le besoin de s'en délivrer par des récits au moins allusifs qu'Ulrich n'avait aucune peine à compléter. Ils voyaient dans la prise de possession qui est d'ordinaire le but des jeunes amoureux le commencement du capitalisme spirituel qu'ils abhorraient, et ils croyaient mépriser la passion des corps ; mais ils méprisaient aussi la maîtrise de soi qu'ils tenaient pour suspecte parce qu'elle est un idéal bourgeois. Ainsi s'établissait entre eux une sorte d'emmêlement incorporel, ou semi-corporel. Ils cherchaient à « s'affirmer » l'un l'autre, comme ils disaient, et vivaient cette union frémissante des êtres qui se contemplent l'un l'autre, se laissent glisser dans l'invisible vibration du cœur et du cerveau de l'autre, et sentent, dans l'instant où ils croient se comprendre, qu'ils se portent mutuellement et qu'ils ne font plus qu'un seul être. Dans les heures moins résolument sublimes, ils se satisfaisaient aussi d'une banale admiration réciproque. Ils se contentaient alors d'évoquer des tableaux ou des scènes célèbres et s'étonnaient, lorsqu'ils s'embrassaient, de sentir (pour reprendre une fière parole) que des siècles les contemplaient.

Car ils s'embrassaient. Sans doute proclamaient-ils la grossière crispation du Moi au fond du corps, dans l'amour, aussi méprisable qu'une crampe d'estomac ; mais leurs membres ne tenaient pas grand compte des conceptions de leur âme, et se pressaient l'un contre l'autre de leur propre gré. Après, chaque fois, tous deux se sentaient bouleversés. Leur délicate philosophie ne résistait pas à la conscience qu'il n'y avait personne dans le voisinage, à l'obscurcissement des chambres, à l'affolant accroissement de l'attraction qu'exercent l'un sur l'autre deux corps enlacés. Gerda, surtout, plus mûre que Hans parce que femme, éprouvait alors le désir d'une étreinte complète avec la force innocente d'un arbre qu'on voudrait empêcher de fleurir au printemps. Ces demi-étreintes, aussi fades que des baisers d'enfants, aussi vagues que des caresses de vieillards, la laissaient chaque fois anéantie. Hans s'en accommodait mieux. Il les considérait, dès qu'elles étaient passées, comme une épreuve imposée à ses opinions. « Il ne nous est pas donné d'être des possédants, disait-il, doctrinaire, nous sommes des pèlerins qui allons de degré en degré. » Quand il remarquait que l'insatisfaction faisait trembler Gerda de tout son corps, il ne pouvait se retenir de le lui imputer à faiblesse, sinon même à un reste d'origine non aryenne. Il s'imaginait être l'Adam agréable à Dieu dont le cœur viril devait être ravi à sa foi par ce qui avait été une côte de sa poitrine. Alors, Gerda le méprisait. C'était là, probablement, la raison pour laquelle, auparavant du moins, elle avait fait à Ulrich autant de confidences que possible. Elle devinait qu'un homme ferait à la fois plus ou moins que ce Hans qui, après l'avoir insultée, cachait son visage inondé de larmes dans ses jambes, comme un enfant. Fière autant que lasse de ses expériences, elle en donnait connaissance à Ulrich dans l'espoir inquiet qu'il détruirait, par ses paroles, cette bourrelante beauté.

Ulrich lui parlait rarement comme elle l'eût désiré. D'ordinaire, il la refroidissait par ses railleries. Bien que Gerda lui refusât sa confiance à cause de cela, il savait qu'elle se trouvait dans un perpétuel désir d'abandon et que ni Hans ni personne d'autre n'avait sur elle autant de pouvoir qu'il en pourrait avoir lui-même. Il s'en excusait en pensant que n'importe quel homme réel, à sa place, eût fait sur elle l'effet d'une délivrance après le personnage nébuleux et pouilleux qu'était Hans. Tandis qu'Ulrich réfléchissait à tout cela et en sentait soudain la massive présence en lui, Hans s'était repris et cherchait à repasser à l'attaque. « Tout bien considéré, dit-il, vous avez commis la plus grande faute que l'on puisse faire en essayant de traduire en concepts ce qui élève parfois une pensée d'un degré au-dessus des concepts ; c'est bien là ce qui nous sépare d'un universitaire. Il faut d'abord apprendre à vivre, et ensuite, peut-être, on apprend à penser ! » ajouta-t-il fièrement. Et comme Ulrich souriait, une phrase lui échappa, telle la foudre du châtiment : « Jésus était voyant à douze ans et n'avait pas fait son doctorat ! »

Alors, oubliant la discrétion de rigueur, Ulrich se laissa entraîner à donner un conseil trahissant des renseignements qu'il ne pouvait tenir que de Gerda seule. Il répliqua en effet : « Si vraiment vous voulez vivre cette expérience, je ne sais pourquoi vous n'allez pas jusqu'au bout. J'écarterais toutes les objections de ma raison, je prendrais Gerda dans mes bras et je la garderais contre moi jusqu'à ce que nos corps se consument en cendres, obéissent à la transfiguration du sens du monde ou encore se retournent en eux-mêmes : tout ce que justement nous ne pouvons nous représenter ! »

Hans, piqué par la jalousie, ne le regarda pas, mais se tourna vers Gerda. Gerda pâlit, gênée. Les mots « Je prendrais Gerda dans mes bras et je la garderais » lui avaient fait l'impression d'une promesse secrète. En ce moment, il lui était complètement indifférent de savoir comment se représenter le plus exactement « l'autre vie », mais une chose était sûre : si Ulrich le voulait, il ferait tout ce qu'il fallait comme il le faudrait. Hans, furieux de la trahison qu'il pressentait, contesta que ce dont Ulrich parlait pût réussir. L'époque n'était pas favorable. Les premières âmes, exactement comme les premiers avions, devaient partir d'une montagne, non d'une basse époque. Peut-être fallait-il, avant que l'Acte suprême pût réussir, qu'un homme vînt délivrer les autres de leur captivité ! Il ne lui semblait pas exclu que ce Sauveur pût être lui, mais c'était là son affaire et, cette éventualité mise à part, il contestait que la dépression actuelle fût en mesure d'en produire aucun.

Alors, Ulrich fit allusion au grand nombre de sauveurs qui existaient déjà. N'importe quel président de société passait pour tel ! Il était persuadé que si le Christ lui-même revenait il réussirait moins bien que la première fois ; les rédacteurs de journaux et les éditeurs moralisants jugeraient son style insuffisamment sentimental, et la grande presse mondiale hésiterait à lui ouvrir ses portes !

Ainsi, tout revenait au point de départ. La conversation reprenait à zéro. Gerda s'affaissa sur elle-même.

Une chose cependant avait changé : Ulrich, sans le montrer, s'était un peu égaré. Ses pensées étaient loin de ses propos. Il regarda Gerda : son corps était anguleux, sa peau lasse et trouble. Le parfum de célibat prolongé qui flottait sur elle lui devint soudain sensible ; pourtant, c'était ce parfum qui avait dû jouer le rôle principal dans l'inhibition qui l'empêchait de ne faire plus qu'un avec cette jeune fille qui l'aimait. Sans doute l'influence de Hans jouait-elle également, avec le caractère quasi corporel de ses intuitions « communautaires » qui pouvaient, elles aussi, n'être pas sans rapport avec le style « vieille fille ». Gerda déplaisait à Ulrich, et pourtant il désirait poursuivre la conversation avec elle. Cela lui rappela qu'il l'avait invitée à venir le voir. Rien ne révélait en elle qu'elle eût oublié cette proposition ou y pensât encore. Il n'eut plus l'occasion, ce jour-là, de le lui demander discrètement. Cela lui laissa de l'inquiétude, du regret et en même temps une sorte de soulagement, comme quand on sent passer à côté de soi un danger reconnu trop tard.

114. *Une crise menace. Arnheim courtise le général Stumm. Diotime prend des mesures pour se rendre dans l'Illimité. Ulrich brode sur la possibilité de vivre comme on lit.*

Son Altesse avait instamment souhaité que Diotime se renseignât sur le fameux cortège de Makart[1] qui, dans les années 70, avait uni toute l'Autriche dans un élan d'enthousiasme. Le comte avait gardé un souvenir très précis des chars ornés de tapis, des chevaux lourdement caparaçonnés, des trompettes, de la fierté inspirée aux participants par le costume médiéval qui les arrachait à l'existence quotidienne. On s'expliquera ainsi que Diotime, Arnheim et Ulrich sortissent de la Bibliothèque nationale où ils avaient

1. Hans Makart, peintre autrichien du XIXe, si populaire qu'il se permettait de n'exposer qu'un seul tableau à la fois. *N. d. T.*

cherché des documents de l'époque. Comme Diotime l'avait prédit, avec une moue de dédain, à Son Altesse, le projet ne se défendait pas ; aujourd'hui, ce n'était pas avec des carnavals qu'on pouvait arracher les gens à l'existence quotidienne. Et la superbe créature proclama devant ses compagnons la nécessité de savourer le beau soleil et l'année 1914, qui avait commencé quelques semaines plus tôt, à cent lieues de cette époque empoussiérée.

Encore sur l'escalier, Diotime avait déclaré qu'elle désirait rentrer chez elle à pied ; mais à peine étaient-ils dehors qu'ils se heurtaient au général, qui s'apprêtait à passer le porche de la Bibliothèque. Aussitôt, parce qu'il n'était pas peu fier d'être surpris dans une activité aussi érudite, il se déclara prêt à revenir sur ses pas et à joindre sa personne à l'escorte de Diotime. Ainsi Diotime, bientôt après, découvrit-elle qu'elle était lasse, et réclama-t-elle une voiture. Il n'en passa pas immédiatement une libre, de sorte qu'ils restèrent tous devant la Bibliothèque, sur la place qui formait un rectangle en forme de bassin, limité sur trois côtés par de merveilleuses façades anciennes et sur le quatrième par un palais oblong ; au pied de ce palais filait la rue asphaltée, miroitante comme une patinoire, avec des autos et des attelages dont aucun n'obéissait aux appels et aux signaux qu'ils leur lançaient comme des naufragés, jusqu'à tant que, de guerre lasse, ils y renoncèrent, ou ne le firent plus que de loin en loin avec une conviction décroissante.

Arnheim, quant à lui, portait un gros livre sous le bras. C'était un geste qu'il aimait : à la fois condescendant et respectueux pour l'esprit. Il engagea une conversation animée avec le général. « Je suis heureux de voir que vous êtes aussi un habitué des bibliothèques ; on doit de temps en temps aller trouver l'esprit chez lui, déclara-t-il, mais de nos jours, c'est devenu bien rare chez les hommes responsables ! »

Le général Stumm répondit qu'il connaissait fort bien cette bibliothèque.

Arnheim jugeait le fait louable. « Aujourd'hui, tout le monde est écrivain et plus personne ne lit, poursuivit-il. Vous êtes-vous jamais demandé, mon général, combien de livres on imprime chaque année ? Je crois me souvenir que l'on compte plus de cent livres par jour, rien qu'en Allemagne ! Et l'on fonde chaque année plus de mille périodiques ! Chacun écrit ; chacun se sert des pensées, pour peu qu'elles lui agréent, comme si elles étaient siennes ; personne ne pense à prendre la responsabilité de l'ensemble ! Depuis que l'Église a perdu son influence, il n'y a plus d'autorité suprême dans le chaos où nous vivons. Il n'y a plus ni modèles, ni principes d'éducation. Dans ces conditions, il est tout naturel que les sentiments et la morale aillent à la dérive et que l'homme le plus stable commence à chanceler ! »

Le général se sentit la bouche sèche. On ne pouvait pas dire que le Dr Arnheim parlât réellement avec lui ; c'était un homme debout sur une place et pensant à haute voix. Le général se rappela que beaucoup d'hommes parlent tout seuls dans les rues, tout en courant à leurs occupations ; plus exactement, beaucoup de civils, car un soldat, on l'enfermerait, et un officier, on l'enverrait chez le psychiatre. Stumm ressentait une impression pénible à philosopher publiquement, au beau milieu, pour ainsi dire, de la capitale de l'Empire. Outre ces deux hommes, il n'y avait dans le soleil qui baignait la place qu'un seul personnage, muet, mais il était de bronze et debout sur un piédestal ; le général ne se rappelait pas qui ce pouvait être, c'était la première fois qu'il y faisait attention. Arnheim, qui avait suivi son regard, demanda qui c'était. Le général s'excusa de l'ignorer. « Et on l'a mis ici pour que nous l'honorions ! remarqua le grand homme. Mais c'est bien ça ! Nous nous déplacons à tout instant au milieu d'institutions, de problèmes et d'exigences dont nous ne connaissons que le dernier chaînon, de sorte que le présent empiète continuellement sur le passé ; nous enfonçons jusqu'aux genoux, si vous me permettez cette expression, dans les sous-sols du temps, et nous nous croyons au faîte du présent ! »

Arnheim souriait, il faisait la conversation. Ses lèvres ne cessaient de remuer dans le soleil, et dans ses yeux des lumières alternaient comme les signaux d'un vapeur. Stumm se sentait mal à l'aise. Il trouvait pénible de devoir manifester perpétuellement son attention à une conversation si changeante et si peu ordinaire, alors qu'il était là en uniforme devant tout le monde, sur le plateau de la place. Dans les interstices des pavés, de l'herbe poussait ; c'était de l'herbe de l'année précédente, avec un air d'extraordinaire fraîcheur, comme un cadavre étendu dans la neige ; c'était d'ailleurs extrêmement curieux et troublant que de l'herbe poussât entre ces pierres quand on songeait que quelques pas plus loin l'asphalte était, conformément à l'actualité, polie par les voitures. Le général sentit grandir en lui l'angoissante obsession qu'il allait, si les choses se prolongeaient, se jeter à genoux et manger de l'herbe devant tout le monde. Il ne voyait pas bien pourquoi ; mais, cherchant protection, il regarda où étaient Ulrich et Diotime.

Ceux-ci s'étaient mis à l'abri sous un mince voile d'ombre tendu à l'angle d'un mur, et l'on n'entendait que leurs deux voix, incompréhensibles, qui se querellaient.

« C'est une vue sans espoir ! disait Diotime.

– Et quoi donc ? demandait Ulrich machinalement, sans grande curiosité.

– Il y a aussi des individualités dans la vie, après tout ! »

Ulrich s'efforça de trouver le regard de sa voisine. « Grands dieux ! dit-il, nous en avons assez parlé !

– Vous n'avez pas de cœur ! Sinon, vous ne pourriez pas parler toujours comme vous le faites ! » Elle dit cela avec douceur. L'air tiédi montait des pavés le long de ses jambes qui, inaccessibles et absentes pour le monde, étaient enveloppées dans ses longues jupes comme les jambes d'une statue. Aucun signe ne trahit qu'elle remarquât quelque chose. C'était une tendresse où aucun être humain, où aucun homme n'entrait. Ses yeux pâlirent. Mais peut-être était-ce seulement l'impression que faisait sa réserve dans une situation où elle était exposée aux regards des passants. Elle se tourna vers Ulrich et dit avec effort : « Quand une femme doit choisir entre le devoir et la passion, sur quoi s'appuierait-elle, sinon sur son caractère ?

– Mais vous n'avez pas à choisir ! répliqua Ulrich.

– Vous allez trop loin ; je n'ai pas parlé de moi ! » murmura sa cousine.

Comme il ne répondait pas, ils restèrent un instant à regarder la place d'un air hostile. Puis Diotime demanda :

« Jugez-vous possible que ce que nous appelons notre âme sorte de l'ombre où elle se trouve d'ordinaire ? »

Ulrich la regarda stupéfait.

« Chez certains êtres privilégiés, ajouta-t-elle.

– Vous voulez donc, finalement, parler avec les esprits ? demanda-t-il incrédule. Arnheim vous a-t-il fait rencontrer un médium ? »

Diotime était déçue. « Je n'aurais pas cru que vous me compreniez si mal ! lui reprocha-t-elle. Si j'ai dit "sortir de l'ombre", je voulais dire de l'impropriété, de cette dissimulation miroitante dans laquelle nous ressentons parfois l'extraordinaire. Cela ressemble à un filet tendu qui nous tourmente parce qu'il ne nous retient ni ne nous laisse partir. Ne croyez-vous pas qu'il y ait eu des époques où les choses en allaient autrement ? La personne intérieure était plus apparente ; des hommes isolés suivaient un chemin éclairé ; en un mot, ainsi qu'on le disait jadis, ils suivaient la voie sacrée ; et les miracles devenaient réalité, puisqu'ils ne sont qu'une autre forme, toujours présente, de la réalité ! »

Diotime était surprise de l'assurance avec laquelle, même sans être dans une disposition particulière, elle pouvait parler de ces choses comme de réalités concrètes. Ulrich rageait en secret, mais en fait il était profondément effrayé. Les choses en sont donc au point que cette volaille géante parle exactement comme moi ? se demanda-t-il. Il voyait de nouveau l'âme de Diotime devant la sienne comme une grande poule qui s'apprête à piquer un ver de son bec. La très vieille terreur enfantine de la Géante l'envahissait, mêlée à un autre sentiment curieux. Il trouvait agréable d'être englouti spirituellement, pour ainsi dire, dans un accord stupide avec un être qui lui était apparenté. Cet accord, bien entendu, était arbitraire et absurde : Ulrich ne croyait ni au pouvoir magique de la parenté, ni à la possibilité de prendre sa cousine au sérieux, fût-ce dans la plus trouble des ivresses. Mais des changements s'opéraient en lui depuis quelque temps. Il s'amollissait, son agressivité intérieure diminuait, tendait à se convertir en un désir de tendresse, de rêve, de parenté ou Dieu sait quoi encore ; ce qui se traduisait aussi par le fait que l'humeur opposée à cette tendance, une humeur de mauvaise volonté, explosât parfois brusquement.

C'est pourquoi, maintenant encore, il se moquait de sa cousine. « Si vous pensez cela, je considère comme votre devoir de devenir publiquement ou secrètement, mais le plus vite possible, la bien-aimée intégrale d'Arnheim ! lui dit-il.

– Taisez-vous, je vous en prie ! Je ne vous ai jamais autorisé à parler de cela ! dit Diotime en se dérobant.

– Je dois en parler ! Jusqu'il y a peu, je ne savais pas bien quelles relations s'étaient établies entre Arnheim et vous. Maintenant je vois clair. Vous me faites l'effet de quelqu'un qui décide sérieusement de partir pour la lune : je ne vous aurais pas crue capable d'une telle folie !

– Je vous ai dit que je puis être passionnée ! » Diotime voulut regarder hardiment le ciel, mais le soleil ne tira de sa paupière et de sa pupille qu'une expression presque comique.

« Ce sont là les délires de la faim amoureuse, dit Ulrich, ils passent avec la satiété. »

Il se demanda quels étaient les projets d'Arnheim sur sa cousine. Regrettait-il son offre et cherchait-il à couvrir sa retraite par quelque comédie ? Dans ce cas, il eût été plus simple de partir et de ne plus revenir : un homme qui avait passé sa vie dans les affaires devait bien être capable de la brutalité nécessaire. Ulrich se souvenait d'avoir observé chez Arnheim certains signes qui, chez un homme âgé, révèlent le travail de la passion : le visage était quelquefois gris jaunâtre, flasque, fatigué, le regard y entrait comme dans une chambre où le lit, à midi, n'a pas encore été fait. Il devinait que cela s'expliquait surtout par les ravages que peuvent faire deux passions presque également puissantes lorsqu'elles luttent vainement pour la suprématie. Mais comme il ne pouvait se figurer la passion de la puissance dans toute l'étendue qu'elle avait chez Arnheim, il ne comprenait pas davantage l'importance des dispositions que l'amour prenait contre elle.

« Vous êtes un homme singulier ! dit Diotime. Toujours différent de ce qu'on attendrait ! Ne m'avez-vous pas vous-même parlé de l'amour séraphique ?

– Et vous croyez que cela soit réellement possible ? demanda Ulrich distraitement.

– Non pas, bien entendu, sous la forme par vous décrite !

– Arnheim éprouve donc pour vous un amour séraphique ? » Ulrich se mit à rire discrètement.

« Ne riez donc pas ! » dit Diotime irritée. Il y avait presque un sifflement dans sa voix.

« Vous ne savez pas pourquoi je ris, dit-il pour s'excuser. Je ris d'énervement, comme on dit. Arnheim et vous êtes des âmes sensibles. Vous aimez la poésie. Je suis absolument convaincu que vous êtes parfois effleurés par de mystérieux souffles ; souffles de quelque chose : mais il s'agirait de savoir quoi. Et maintenant, vous voudriez vous y attaquer avec toute la méticulosité dont votre idéalisme est capable ?

– N'êtes-vous pas toujours à réclamer que l'on soit précis et méticuleux ? » rétorqua Diotime.

Ulrich était un peu décontenancé. « Vous êtes folle ! dit-il. Pardonnez-moi l'expression, mais vous êtes folle ! Et vous n'avez pas le droit de l'être ! »

Arnheim, cependant, avait révélé au général que le monde se trouvait depuis deux générations en proie à un bouleversement formidable : l'âme approchait de sa fin.

Le général sursauta. Bon Dieu, encore du nouveau ! se dit-il. A dire vrai, malgré Diotime, il avait pensé jusqu'alors que cette chose appelée l'âme n'existait pas. A l'École des Cadets comme au régiment, on avait fait une croix sur ces histoires de curés. Mais comme un fabricant de canons et de plaques de blindage en parlait aussi tranquillement que s'il avait vu la chose devant lui, les yeux du général commencèrent à le picoter et à rouler sombrement dans l'air transparent.

Arnheim ne se laissait pas poser de questions. Les mots coulaient de ses lèvres sans arrêt par la petite fente rose pâle qui séparait sa courte moustache de sa barbiche. Donc, comme il disait, l'âme, dès la décadence de l'Église, c'est-à-dire à peu près au début de la civilisation bourgeoise, était entrée dans une ère de ratatinement et de vieillissement. Depuis, elle avait perdu Dieu, toutes les valeurs, tous les idéaux stables ; et les choses étaient allées si loin que l'homme, aujourd'hui, vivait sans morale, sans principes, et même sans expérience vécue.

Le général ne comprenait pas bien pourquoi l'on devait ne pas avoir d'expériences vécues si l'on n'avait pas de morale. Mais Arnheim ouvrit le gros volume relié en peau de porc qu'il tenait à la main. Ce volume contenait la précieuse reproduction d'un manuscrit qui ne pouvait être remis en prêt même à un mortel aussi exceptionnel que lui. Le général vit un ange au milieu d'une planche, étendant ses ailes horizontales sur les deux pages que recouvraient la terre sombre, un ciel doré et d'étranges taches de couleurs posées comme des nuages. Il avait sous les yeux la reproduction d'une des peintures les plus saisissantes et les plus merveilleuses du haut Moyen Age, mais comme il l'ignorait et connaissait parfaitement la chasse au gibier à plumes et ses représentations figurées, il lui sembla simplement qu'une créature ailée à long cou qui n'est ni un homme ni une bécasse devait constituer une erreur que son interlocuteur tenait à lui faire remarquer.

Cependant, Arnheim montrait la figure du doigt et dit pensivement : « Vous avez là sous les yeux ce que la créatrice de l'Action autrichienne aimerait rendre au monde !...

– Tiens ! tiens ! » répondit Stumm. Il avait évidemment sous-estimé la chose et devait se montrer prudent.

« Cette grandeur dans l'expression, unie à une parfaite simplicité, poursuivit Arnheim, nous montre clairement ce que notre temps a perdu. Qu'est-ce que notre science en face de cela ? Des débris ! Notre art ? Des extrêmes, sans nul corps pour les relier. Notre esprit a perdu le secret de l'unité, et c'est pourquoi, voyez-vous, je suis si sensible à ce projet autrichien d'offrir au monde un exemple unifiant, une pensée commune, bien que je ne le croie pas entièrement réalisable. Je suis allemand. Aujourd'hui, dans le monde entier, tout n'est que vacarme et lourdeur ; mais c'est pire encore en Allemagne. Dans tous les pays, les gens se tourmentent du matin au soir, qu'ils travaillent ou qu'ils s'amusent ; mais chez nous ils se lèvent plus tôt et se couchent plus tard encore. Dans le monde entier, l'esprit de calcul et de violence a perdu tout contact avec l'âme ; mais c'est chez nous qu'il y a le plus grand nombre de commerçants, la plus puissante armée... » Il jeta sur la place un regard de ravissement. « En Autriche, les choses n'en sont pas encore là. Il y a encore du passé ici, et les gens ont gardé quelque chose de l'intuition primitive. Si une rédemption libérant de son rationalisme l'esprit allemand est encore possible, c'est d'ici seulement qu'elle pourra partir ! Mais je crains, ajouta-t-il avec un soupir, que ce ne soit difficile. Une grande idée, de nos jours, se heurte à trop de résistance. Les grandes idées ne sont plus guère bonnes qu'à se protéger les unes les autres de l'abus qu'on voudrait en faire. Nous vivons, si j'ose dire, la paix armée des idées... »

Il sourit de sa plaisanterie. Puis une autre pensée lui vint : « Voyez-vous, la différence dont nous venons de parler entre l'Autriche et l'Allemagne me rappelle toujours le billard : au billard aussi on rate tous ses coups quand on veut se fier au calcul plus qu'au sentiment ! »

Le général avait deviné qu'il devait se sentir flatté par l'expression de « paix armée des idées », et souhaita manifester son attention. Il possédait quelques notions de billard. C'est pourquoi il dit : « Pardonnez-moi, je joue au billard et aux quilles, mais je n'ai jamais entendu dire qu'il y eût une différence entre le style allemand et le style autrichien ? »

Arnheim ferma les yeux et réfléchit. « Moi-même, je ne joue jamais au billard, dit-il alors, mais je sais que l'on peut prendre la bille en haut ou en bas, à gauche ou à droite ; on peut viser la deuxième bille plein ou fin ; on peut attaquer fort ou faible, donner à la joueuse plus ou moins d'effet ; et il y a sûrement beaucoup d'autres possibilités analogues. Or, je puis imaginer autant de nuances que je veux pour chacun de ces coups : le nombre des combinaisons possibles est donc presque infini. Si je voulais l'établir théoriquement, je devrais tenir compte non seulement des lois mathématiques et de la mécanique des solides, mais encore de celles de l'élasticité ; je devrais connaître les coefficients des matériaux, l'influence de la température ; je devrais disposer des méthodes les plus subtiles pour mesurer la coordination et la graduation de mes impulsions motrices ; mon estimation de la distance devrait avoir la précision d'un nonius ; mon pouvoir combinatoire devrait être plus sûr et plus rapide qu'une règle à calcul... Et je ne parle pas des marges d'erreur, du champ de dispersion et du fait que le but poursuivi : la coïncidence des deux boules, n'est pas un but déterminé, mais plutôt un but conjectural déduit de tout un ensemble d'incidences... »

Arnheim parlait lentement, imposant l'attention, comme quand on verse un liquide au moyen d'un compte-gouttes. Il n'épargnait à son interlocuteur aucun détail.

« Vous voyez, poursuivit-il, que je devrais posséder des qualités qu'il m'est impossible d'avoir, et faire des choses qu'il m'est impossible de réussir. Vous êtes sûrement assez mathématicien pour juger que le seul calcul d'un carambolage serait la tâche d'une vie : dans ces problèmes-là, notre intelligence nous laisse carrément en panne ! Ce nonobstant, je m'approche du billard une cigarette aux lèvres, une mélodie dans l'esprit, le chapeau sur la tête pour ainsi dire, c'est tout juste si je me donne la peine d'examiner la situation, je joue, et voilà le problème résolu ! Or, mon général ! c'est ce qui se passe presque toujours dans notre vie ! Vous n'êtes pas seulement autrichien, mais officier, vous me comprendrez : la politique, l'honneur, la guerre, l'art, tout ce qu'il y a de décisif dans la vie se produit au-delà de l'intelligence rationnelle. La grandeur de l'homme prend racine dans l'irrationnel. Nous autres commerçants, nous ne calculons pas comme vous pourriez le croire. Nous apprenons peu à peu (je parle, bien entendu, des responsables : les petits peuvent toujours compter leurs sous), nous apprenons à considérer nos inspirations réellement efficaces comme un mystère au-dessus de tout calcul. Celui qui n'aime pas le sentiment, la morale, la religion, la musique, la poésie, la forme, la discipline, la chevalerie, la loyauté, la franchise, la tolérance... croyez-moi, ne sera jamais un commerçant de grande envergure. C'est pourquoi j'ai toujours admiré le métier de soldat ; particulièrement en Autriche, où il repose sur de très anciennes traditions. Je me réjouis fort de vous voir aux côtés de Mme Tuzzi. Cela me tranquillise. Votre influence, à côté de celle de notre jeune ami, est extrêmement importante. Toutes les grandes choses reposent sur les mêmes qualités. Les grands devoirs sont une bénédiction, mon général ! »

Sans le vouloir, il secoua la main de Stumm et ajouta

encore : « Il y a très peu d'hommes qui sachent que la véritable grandeur est toujours sans fondement. Je veux dire que ce qui est fort est toujours simple ! » Stumm von Bordwehr en avait le souffle coupé ; il pensait ne pas avoir compris un traître mot à cette tirade et ressentait le besoin de se ruer à la Bibliothèque et d'y rester des heures pour s'instruire des diverses perspectives que lui avait fait entrevoir, évidemment pour le flatter, le grand homme. Dans cette tempête printanière sous son crâne perça brusquement une surprenante clarté. « Le Diable m'emporte si le gaillard n'a pas besoin de toi ! » se dit-il. Il leva les yeux. Arnheim tenait toujours le livre dans ses deux mains, mais maintenant, il prenait sérieusement ses dispositions pour appeler une voiture. Son visage était animé et légèrement coloré, comme l'est celui d'un homme qui vient d'échanger une idée contre une autre. Le général se tut, comme on se tait quand tombe une grande parole, par respect. Si Arnheim avait besoin de lui pour ceci ou cela, le général Stumm pourrait bien avoir, à son tour, besoin d'Arnheim pour le service de Sa Gracieuse Majesté ! Cette pensée lui ouvrait de telles perspectives que Stumm renonça d'abord à se demander si tout cela était bien vrai. Si l'ange du livre avait brusquement soulevé ses ailes peintes pour permettre à l'intelligent général de jeter un coup d'œil dessous, celui-ci n'eût pas pu se sentir plus confus et plus heureux !

Dans l'angle où se tenaient Ulrich et Diotime, cependant, la question suivante venait d'être posée : une femme dans la pénible situation de Diotime devait-elle renoncer, se laisser entraîner à un adultère ou choisir une *via media*, où ladite femme appartiendrait peut-être physiquement à l'un et psychiquement à l'autre, ou peut-être, encore, n'appartiendrait physiquement à aucun des deux ? De ce troisième état n'existait pour ainsi dire aucun texte, mais seulement l'écho lointain d'une sublime musique. Et Diotime continuait à insister sur le fait qu'elle ne parlait absolument pas d'elle-même, mais « d'une femme ». Tout prêt à la fureur, son regard arrêtait Ulrich chaque fois que les paroles de celui-ci voulaient confondre les deux choses.

Ulrich lui parla donc, lui aussi, par périphrases. « Avez-vous jamais vu un chien ? demanda-t-il. Vous le croyez seulement ! Vous n'avez jamais vu que quelque chose qui vous est apparu, à plus ou moins bon droit, comme un chien. Quelque chose qui ne possède pas toutes les qualités canines et qui a, au contraire, un élément personnel qu'aucun autre chien ne possède. Comment donc pourrions-nous jamais faire, dans la vie, *ce qu'il faut faire* ? Nous ne pouvons jamais que quelque chose qui n'est jamais *ce qu'il faut*, mais qui est toujours un peu plus ou un peu moins que *ce qu'il fallait.*

« Une tuile est-elle jamais tombée d'un toit comme le prescrit la loi ? Jamais ! Même dans un laboratoire, les choses ne se présentent jamais comme elles le doivent. Elles divergent dans tous les sens, sans aucun ordre, et c'est une sorte de fiction que de nous en attribuer la faute et de voir dans leur moyenne la véritable valeur.

« Ou encore, on découvre certaines pierres que l'on nomme, à cause de leurs qualités communes, des diamants. Mais l'une de ces pierres provient d'Afrique, l'autre d'Asie ; l'une a été déterrée par un nègre, l'autre par un Asiatique. Peut-être cette différence est-elle si importante qu'elle peut abolir ce qu'il y avait de commun entre ces pierres ? Dans l'équation *Diamant plus circonstances, égale toujours diamant*, la valeur pratique du diamant est si grande que celle des circonstances en est effacée ; mais on peut fort bien imaginer des circonstances psychiques dans lesquelles ce serait l'inverse.

« Toute chose participe à l'ensemble, mais possède en plus sa singularité. Toute chose est vraie, mais aussi, sauvage et incomparable. Il me semble que tout se passe comme si l'élément personnel d'une créature quelconque était précisément cela qui ne coïncide avec rien d'autre. Je vous ai dit un jour qu'il restait d'autant moins d'éléments personnels dans le monde que nous y découvrions davantage d'éléments vrais, parce qu'il se poursuit depuis longtemps contre l'individu un véritable combat dans lequel celui-là perd chaque jour du terrain. Je ne sais ce qu'il restera de nous pour finir, quand tout sera rationalisé. Rien peut-être ; mais peut-être aussi entrerons-nous, lorsque la fausse signification que nous donnons à la personnalité se sera effacée, dans une signification nouvelle qui sera la plus merveilleuse des aventures.

« Comment donc vous déciderez-vous ? *Une femme* doit-elle agir selon la loi ? Elle peut alors aussi bien se régler sur la loi bourgeoise. La morale est une valeur moyenne et collective parfaitement justifiée à laquelle il faut obéir à la lettre et sans aucun écart dès qu'on l'a reconnue. Mais les cas individuels ne peuvent être résolus par elle ; ils sont mathématiquement d'autant moins moraux qu'ils participent davantage du caractère inépuisable du monde !

– Vous m'avez tenu un véritable discours ! » dit Diotime. Elle éprouvait une certaine satisfaction devant l'élévation des exigences qu'on lui imposait. Elle souhaita prouver sa supériorité en marquant plus de réalisme que son interlocuteur. « Que fera donc une femme dont la situation est telle que nous le disions, dans la vie pratique ? demanda-t-elle.

– Elle laissera faire ! répliqua Ulrich.

– Et quoi donc ?

– Ce qui se trouvera ! Son mari, son amant, son renoncement, ses mixtures !

– Avez-vous la moindre idée de ce que cela signifie ? » dit Diotime à qui cette suggestion rappelait douloureusement comment le simple fait qu'elle dormait dans la même chambre que Tuzzi suffisait à couper les ailes à son projet d'éventuel renoncement à Arnheim. Son cousin devait avoir deviné quelque chose de cette pensée, car il lui demanda carrément : « Voulez-vous essayer avec moi ?

– Avec vous ? » dit Diotime en traînant sur les mots. Elle chercha à s'abriter derrière une inoffensive plaisanterie : « Peut-être me ferez-vous une offre pour m'expliquer ce que vous entendez par là ?

– Bien volontiers ! dit Ulrich gravement. Vous lisez beaucoup, n'est-ce pas ?

– Certes !

– Or, que faites-vous, en lisant ? Je vous répondrai tout de suite : vos opinions omettent ce qui ne leur agrée pas. L'auteur a déjà fait de même. Rêvant ou rêvassant, vous omettez également. Je constate donc ceci : la beauté ou l'émotion entrent dans le monde par l'omission. Notre attitude au sein de la réalité est évidemment un compromis, un état moyen dans lequel les sentiments s'empêchent mutuellement d'atteindre au déploiement de la passion et se perdent dans la grisaille ; les enfants, qui ignorent encore cette attitude, sont donc plus heureux et plus malheureux que les adultes. Et j'ajouterai tout de suite que les gens bêtes omettent aussi ; on sait bien que la bêtise rend heureux. Voici donc ma première proposition : que nous essayions de nous aimer comme si vous et moi étions les personnages d'un poète qui se rencontrent dans les pages de son livre. Négligeons donc, en tout cas, cette enveloppe de graisse qui vous fait croire que la réalité est chose toute ronde. »

Diotime avait grand désir de faire quelque objection. Elle souhaitait maintenant détourner la conversation de la direction trop personnelle qu'elle avait prise. Elle tenait en outre à montrer que les questions évoquées ne lui étaient pas étrangères. « C'est parfait, répondit-elle, mais on prétend que l'art est une récréation qui doit nous reposer de la réalité et nous permettre d'y revenir rafraîchi !

– Et moi, je suis si déraisonnable, repartit son cousin, que je prétends qu'il ne devrait pas y avoir de *récréations* du tout ! Quelle est donc cette vie qu'il faudrait de loin en loin perforer de récréations ? Ferions-nous des trous dans un tableau sous prétexte que sa beauté exige de nous trop d'efforts ? A-t-on prévu des vacances dans la béatitude éternelle ? Je vous avoue que l'idée même du sommeil m'est parfois désagréable.

– Tenez, l'interrompit Diotime en s'emparant de son exemple, c'est là qu'on voit combien ce que vous dites est contre nature ! Un homme qui ne ressent pas le besoin du repos et de la détente ! Aucun exemple ne pouvait mieux mettre en évidence la différence qui vous sépare d'Arnheim ! D'un côté, un esprit qui ignore l'ombre des choses, et de l'autre, un esprit qui se nourrit de l'humanité intégrale, de ses ombres comme de ses lumières !

– J'exagère sans aucun doute, avoua Ulrich inébranlable. Vous le reconnaîtrez plus nettement encore lorsque nous entrerons dans les détails. Pensons par exemple aux grands écrivains. On peut régler sa vie sur eux, mais on ne peut tirer la vie de leur œuvre comme le vin de la grappe. Ils ont donné à ce qui les émouvait une forme si solide qu'elle semble du métal laminé entre les lignes mêmes. Mais que disent-ils réellement ? Personne ne le sait. Eux-mêmes ne l'ont jamais su exactement. Ils sont comme un pré sur lequel volent les abeilles ; en même temps, ils sont eux-mêmes un vol de-ci de-là. Leurs pensées et leurs sentiments traversent tous les degrés intermédiaires entre des vérités (ou aussi bien des erreurs) à la rigueur démontrables, et des essences changeantes qui s'approchent de nous de leur propre mouvement ou nous échappent quand nous cherchons à les examiner.

« Il est impossible de détacher la pensée d'un livre de la page qui l'entoure. Elle nous fait signe comme le visage d'un homme qui se détache d'une file d'autres visages lorsque nous passons devant, et qui surgit un instant chargé de sens. Sans doute exagéré-je à nouveau quelque peu ; mais je vous le demande : que se passe-t-il d'autre en notre vie que ce que j'ai décrit là ? Je ne parle pas des impressions précises, définissables et mesurables, mais toutes les autres notions sur lesquelles nous appuyons notre vie ne sont que des métaphores qu'on a laissé geler. Entre combien de représentations différentes une notion aussi simple que celle de virilité ne flotte-t-elle et ne vacille-t-elle pas ? C'est comme un souffle qui change de forme à chaque respiration ; rien n'y est stable, aucune impression, aucun ordre. Si donc, comme je l'ai dit, nous omettons simplement, dans la littérature, ce qui ne nous agrée pas, nous ne faisons alors rien d'autre que rétablir l'état primitif de la vie.

– Cher ami, dit Diotime, ces considérations me paraissent sans objet. » Ulrich avait fait une pause, dans laquelle tombèrent ces paroles.

« Il le semble, en effet. J'espère que je n'ai pas parlé trop haut, répliqua-t-il.

– Vous avez parlé vite, à voix basse et longtemps, précisa-t-elle un peu moqueuse. Néanmoins, vous n'avez pas dit un mot de ce que vous vouliez dire. Savez-vous ce que vous m'avez expliqué une fois de plus ? Qu'il faut abolir la réalité ! Je vous avoue que cette remarque, lorsque vous me l'avez faite pour la première fois, au cours de l'une de nos randonnées, je crois bien, m'a obsédéc longtemps ? Je ne sais pourquoi. Mais comment pensez-vous vous y prendre, voilà ce qu'une fois de plus, malheureusement, vous n'avez pas dit !

– Il est clair qu'il me faudrait alors vous faire un second discours, au moins aussi long que le premier. Vous attendez-vous que la chose soit simple ? Si je ne me trompe, vous parliez de fuir avec Arnheim dans une sorte de sainteté. Vous vous représentez donc cela comme une deuxième espèce de réalité. Ce que j'ai dit, moi, signifie que l'on doit reprendre possession de l'irréalité : la réalité n'a plus aucun sens !

– Cela, Arnheim aurait du mal à vous l'accorder ! dit Diotime.

– Naturellement : c'est justement ce qui nous sépare. Il voudrait donner un sens au fait qu'il mange, qu'il boit, qu'il dort, qu'il est *le grand Arnheim* et qu'il ne sait s'il doit vous épouser ou non. C'est dans ce dessein qu'il a toujours collectionné les trésors de l'esprit. » Ulrich fit soudain une pause qui se changea en silence.

Au bout d'un instant il demanda sur un autre ton : « Pouvez-vous me dire pourquoi c'est avec vous que j'ai cette conversation ? En ce moment, je me souviens de mon enfance. J'étais, vous ne le croirez pas, un brave petit : aussi tendre que l'air dans une chaude nuit de lune. Je pouvais être démesurément amoureux d'un chien ou d'un couteau… » Mais cette phrase non plus, il ne l'acheva pas.

Diotime, incrédule, le regarda. Elle se rappelait de nouveau avec quelle passion il avait pris en son temps le parti de la « précision du sentiment », alors que maintenant il la combattait. Un jour, il avait même reproché à Arnheim son manque de pureté spirituelle, et aujourd'hui, il défendait l'indifférence. Elle se sentait inquiète de ce qu'Ulrich fût pour les « sentiments sans vacances », alors qu'Arnheim, équivoque, avait déclaré qu'il ne fallait jamais haïr, ou *aimer totalement* ! Cette pensée la troubla beaucoup.

« Croyez-vous vraiment qu'il existe des émotions illimitées ? demanda Ulrich.

– Oh ! il existe des sentiments illimités ! répliqua Diotime en retrouvant la terre ferme sous ses pieds.

– Voyez-vous, je n'y crois pas vraiment, dit Ulrich distraitement. L'étrange est que nous en parlions si souvent et que ce soit précisément ce que nous fuyons toujours, comme si nous risquions d'y sombrer. » Il remarqua que Diotime n'écoutait pas. Elle regardait avec appréhension du côté d'Arnheim, dont les yeux cherchaient une voiture.

« J'ai peur, dit-elle, que nous ne devions le délivrer du général.

– J'arrêterai une voiture et je me chargerai du général », dit Ulrich complaisant. Au moment où il allait s'éloigner, Diotime posa la main sur son bras et dit, pour le récompenser aimablement de ses efforts, sur un ton de gracieuse approbation : « Tout sentiment qui n'est pas illimité est sans valeur. »

115. *La pointe de tes seins est comme un pétale de pavot.*

Obéissant, elle aussi, à la loi qui veut qu'aux périodes de grande stabilité succèdent de furieux assauts, Bonadea fit une rechute. Ses tentatives pour approcher Diotime étaient demeurées vaines ; le beau projet qu'elle avait eu de punir Ulrich par la réconciliation des deux rivales et leur subite indifférence envers lui, cette chimère à laquelle elle avait voué plus d'un rêve, s'était définitivement écroulé. Elle dut s'abaisser à frapper de nouveau à la porte de son amant, mais celui-ci semblait s'être arrangé pour qu'ils fussent continuellement interrompus, et son amabilité sans passion annulait tous les récits qui devaient lui expliquer pourquoi elle était revenue, alors qu'il le méritait si peu. Le désir de lui faire une terrible scène à ce propos la tourmentait beaucoup ; d'un autre côté, son attitude vertueuse l'en empêchait, de sorte qu'elle éprouva bientôt une aversion croissante pour les perfections qu'elle s'était imposées. La nuit, sa tête lourde de volupté inassouvie pesait sur ses épaules comme une noix de coco dont une erreur de la nature eût fait pousser l'écorce, velue comme un singe, à l'intérieur. Finalement, Bonadea se retrouva gonflée de colère impuissante comme un buveur qu'on a privé de sa bouteille. A part soi elle pestait contre Diotime, cette suborneuse, cette insupportable créature, et critiquait avec une froide objectivité de pédant la souveraineté noblement féminine dont le charme était le secret de Mme Tuzzi. Autant elle avait été heureuse de copier toutes ses attitudes, autant elle désira échapper à cette imitation pour retrouver la jungle de la liberté. Le fer à friser et le miroir perdirent le pouvoir qu'ils avaient eu de la changer en image idéale, et l'état de conscience artificiel dans lequel elle avait vécu s'abolit du même coup. Le sommeil lui-même, dont elle avait toujours savouré les délices en dépit de tous les conflits de sa vie, commençait maintenant, certains soirs, à se faire un peu attendre. Cela lui était si nouveau qu'elle se vit déjà insomniaque ; elle éprouva dans cet état ce qu'éprouvent tous les malades graves, à savoir que l'esprit s'envole et laisse le corps en plan, comme un blessé. Quand elle était couchée dans ses tribulations comme dans du sable chaud, toutes les phrases subtiles qu'elle avait admirées dans la bouche de Diotime lui paraissaient infiniment lointaines ; alors elle méprisait Diotime sincèrement.

Comme elle ne pouvait pas se résoudre à retourner encore une fois chez Ulrich, elle imagina un nouveau plan pour le ramener aux émotions naturelles ; ce fut la conclusion de ce plan qu'elle trouva en premier. Elle pénétrerait chez Diotime quand Ulrich serait auprès de sa séductrice. Les discussions chez Diotime n'étaient évidemment que prétextes à fleureter au lieu de travailler vraiment pour le bien public. Bonadea, elle, travaillerait pour le bien public... Du même coup, le début de ce plan fut à son tour au point : en effet, personne ne se soucie plus de Moosbrugger, il court à sa perte pendant que les autres font des phrases ! Bonadea ne fut pas surprise une minute de ce que, dans sa détresse, Moosbrugger dût être une seconde fois son sauveur. Elle l'aurait jugé abominable si elle avait réfléchi sur son compte ; elle pensait seulement : « Si Ulrich a tant de sympathie pour lui, comment pourrait-il l'oublier ? » Comme elle continuait à méditer son plan, deux autres détails lui vinrent à l'esprit : elle se souvint qu'Ulrich, dans une conversation qu'ils avaient eue à propos de cet assassin, avait affirmé que l'homme possédait une seconde âme, toujours innocente, et qu'une personne responsable de ses actes pouvait toujours agir autrement qu'elle ne l'avait fait, mais l'irresponsable jamais. Elle en conclut à peu près qu'elle voulait être irresponsable pour être ensuite innocente, qualités dont Ulrich était privé lui aussi et qu'il fallait, pour son salut, lui rendre. Afin de mettre ce projet à exécution, elle erra plusieurs soirs, en grande toilette, sous les fenêtres de Diotime, et n'eut pas besoin d'attendre longtemps pour les voir s'éclairer sur toute la longueur de la façade en signe d'intense activité intérieure. Elle avait raconté à son mari qu'elle était invitée, mais ne s'attardait jamais ; pendant les quelques jours où le courage lui manqua encore, ce mensonge, ces allées et venues crépusculaires devant une maison où elle n'avait rien à faire créèrent en elle un élan croissant qui devait bientôt la conduire au haut de l'escalier. Elle pouvait être aperçue par des connaissances, ou observée par son mari si le hasard l'amenait dans ces parages ; elle pouvait attirer l'attention du concierge ; un agent penserait peut-être à lui demander ce qu'elle faisait là ; plus sa promenade se répétait, plus grands lui apparaissaient ces dangers et plus vraisemblable, si elle continuait à hésiter, l'éventualité d'un incident. Sans doute Bonadea s'était-elle plus d'une fois glissée sous des porches ou aventurée sur des chemins où elle souhaitait passer inaperçue ; mais elle avait alors, comme un ange gardien à son côté, la conscience que ces actes étaient inséparables du but qu'elle voulait atteindre. Tandis que, cette fois, elle devait pénétrer dans une maison où elle n'était pas attendue et ne savait pas ce qui l'attendait. Elle était dans l'état d'esprit d'une femme qui, devant commettre un attentat, ne s'était représenté d'abord la chose qu'assez vaguement, et se voit transportée par les circonstances dans une disposition d'esprit où les coups de pistolet, l'éclair des gouttes de vitriol dans l'air n'ajouteront pas grand-chose à l'exaltation.

Bonadea n'avait pas d'intentions aussi violentes, mais son esprit se trouvait dans un semblable isolement lorsqu'elle pressa enfin réellement sur la sonnette, et entra. La petite Rachel s'était discrètement approchée d'Ulrich pour lui annoncer qu'on désirait lui parler dans l'antichambre, sans révéler que cet « on » était une dame inconnue dissimulée sous une épaisse voilette. Lorsque la porte du salon se fut refermée sur eux, Bonadea découvrit son visage. En cet instant, elle était fermement persuadée que le cas de Moosbrugger ne pouvait plus souffrir aucun ajournement, et elle accueillit Ulrich non pas comme une amante dévorée de jalousie, mais hors d'haleine, tel un coureur de marathon. En complément, elle inventa sans aucun effort que son mari, la veille, lui avait appris qu'on ne pourrait bientôt plus rien faire pour Moosbrugger. « Je ne hais rien tant, conclut-elle, que cette espèce obscène de criminels. Je ne m'en suis pas moins exposée au risque de passer ici pour une intruse. Il faut maintenant que tu retournes immédiatement vers la maîtresse de maison, que tu abordes les plus influents de ses hôtes et leur exposes ton affaire, si tu ne veux pas arriver trop tard. » Elle ne savait pas ce qu'elle espérait. Qu'Ulrich, ému, remercierait, qu'il ferait appeler Diotime, que Diotime se retirerait avec eux dans une pièce écartée ? Que Diotime, peut-être, serait attirée dans l'antichambre par le seul bruit de leurs voix ? Auquel cas elle était bien décidée à lui faire comprendre qu'elle, Bonadea, n'était pas la moins bien placée pour se charger des nobles sentiments d'Ulrich ! Ses yeux humides étincelaient, ses mains tremblaient. Elle parlait haut. Ulrich était dans le plus grand embarras. Il ne cessait de sourire, ultime ressource pour la calmer et gagner du temps afin de trouver le moyen de la persuader de repartir au plus vite. La situation était scabreuse et se serait peut-être résolue dans une crise de larmes ou des cris, si Rachel n'était venue au secours d'Ulrich.

La petite Rachel était restée debout tout le temps non loin d'eux, les yeux écarquillés et brillants. Quand la belle inconnue, tremblant de tout son corps, avait demandé à parler à Ulrich, elle avait tout de suite deviné l'aventure. Elle entendit la plus grande partie de la conversation, et les syllabes du nom de Moosbrugger résonnèrent dans son oreille comme autant de coups de fusil. La voix de la dame, à qui le chagrin, le désir et la jalousie imprimaient de fortes vibrations, l'exalta, bien qu'elle ne comprît pas de tels sentiments. Elle devina que cette femme était la maîtresse d'Ulrich et elle fut dans l'instant deux fois plus amoureuse de lui. Elle se sentit portée vers l'action, comme si elle avait entendu chanter à pleine voix et qu'elle dût irrésistiblement se mettre à l'unisson. Ainsi arriva-t-il qu'elle ouvrit une porte, avec un regard qui implorait la complicité du silence, et invita les deux amants à entrer dans la seule chambre qui ne fût pas utilisée pour la soirée. C'était sa première trahison publique envers sa maîtresse, car elle ne pouvait douter un instant de la manière dont son initiative, découverte, serait accueillie. Mais le monde était si beau, l'exaltation de l'aventure est un état si extraordinaire qu'elle ne put s'obliger à réfléchir si loin.

Lorsque la lumière s'alluma et que les yeux de Bonadea découvrirent peu à peu où elle se trouvait, ses jambes faillirent se dérober sous elle, et le rouge de la jalousie lui monta aux joues : ce qu'elle voyait autour d'elle, c'était la propre chambre à coucher de Diotime. Des bas, des brosses à cheveux étaient dispersés partout dans le plus grand désordre avec bien d'autres épaves, ainsi qu'il arrive quand une femme se change en toute hâte de la tête aux pieds pour recevoir et que la bonne n'a pas le temps de ranger, ou qu'elle néglige comme c'était le cas ici, puisque de toute manière il faudra faire à fond le lendemain matin ; dans les grandes occasions, en effet, la chambre à coucher elle-même devait servir de garde-meubles pour débarrasser les autres pièces. L'air sentait ces meubles entassés, la poudre, le savon et les parfums. « La petite a fait une bêtise : nous ne pouvons pas rester ici ! dit Ulrich en riant. D'ailleurs, tu n'aurais pas dû venir, de toute façon on ne peut rien faire pour Moosbrugger.

– Je n'aurais pas dû me donner tout ce mal, dis-tu ? » répéta Bonadea presque sans voix. Ses regards erraient autour d'elle. Comment la petite femme de chambre, se demandait-elle avec angoisse, aurait-elle eu l'idée de conduire Ulrich dans le saint des saints de la maison si elle n'en avait pas eu l'habitude ? Pourtant, elle n'eut pas le courage de lui représenter cette preuve, et préféra ce reproche étouffé : « Tu as le front de dormir tranquille quand une telle injustice se prépare ? Je ne dors plus depuis des nuits, c'est pourquoi j'ai résolu d'aller à ta recherche ! » Elle avait tourné le dos à la chambre et regardait fixement l'opacité qui montait du dehors jusqu'à ses yeux. Cela pouvait être des cimes d'arbres, ou la profondeur d'une cour. Malgré son excitation, elle s'orientait assez pour savoir que cette chambre ne donnait pas sur la rue ; il se pouvait qu'on les vît d'autres fenêtres, et quand elle prit conscience qu'elle se trouvait maintenant, avec son infidèle amant, en pleine lumière, le rideau levé, dans la chambre à coucher de sa rivale, devant une salle de théâtre obscure et inconnue, elle se sentit très excitée. Elle avait ôté son chapeau et ouvert son manteau, son front et les chaudes pointes de ses seins touchaient les vitres froides ; la tendresse et les pleurs mouillaient ses yeux. Elle se libéra lentement et se tourna de nouveau vers son ami : un peu de la tendre et indulgente noirceur où ses regards s'étaient perdus restait dans ses prunelles qui avaient gagné une profondeur dont elles n'étaient pas conscientes. « Ulrich, dit-elle avec force, tu n'es pas méchant ! Tu le crois seulement. Tu te crées toutes les difficultés possibles pour t'empêcher d'être bon ! »

Par ces mots, exceptionnellement intelligents, la situation redevint dangereuse. Pour une fois, ce n'était pas la ridicule nostalgie d'une consolation dans les pensées « bien » qu'éprouvait cette femme entraînée par son corps ; c'était la beauté même de ce corps qui exprimait son droit à la douce dignité de l'amour. Ulrich s'approcha de Bonadea et lui mit son bras autour du cou ; ils s'étaient de nouveau tournés vers l'obscurité et regardaient dehors ensemble. Dans les ténèbres apparemment sans limites une faible lueur qui provenait de la maison s'était dissoute, c'était comme si un épais brouillard emplissait l'air de son moelleux. Pour on ne sait quelle raison, Ulrich avait l'impression, bien que ce fût la fin de l'hiver, de contempler une de ces nuits d'octobre où la fraîcheur est encore douce, et il lui semblait que la ville y fût roulée comme dans une immense couverture. Puis, il pensa qu'on pouvait tout aussi bien dire d'une couverture qu'elle ressemble à une nuit d'octobre. Il ressentit une douce incertitude sur sa peau et attira Bonadea plus près de lui.

« Veux-tu y aller, maintenant ? demanda Bonadea.

– Et empêcher l'injustice qui se prépare à l'égard de Moosbrugger ? Non. Je ne sais même pas s'il s'agit vraiment d'une injustice. Que sais-je de lui ? Je l'ai vu une fois au procès, brièvement, j'ai lu divers articles à son sujet. C'est comme si j'avais rêvé que la pointe de tes seins est pareille à un pétale de pavot. Devrais-je croire pour autant qu'elle en soit un ? »

Il réfléchit. Bonadea réfléchit aussi. Il pensa : « C'est donc bien vrai qu'un homme, même considéré froidement, ne signifie pas beaucoup plus pour les autres qu'une série de comparaisons. » Les réflexions de Bonadea aboutirent à ce résultat : « Viens, allons-nous-en !

– C'est impossible, répondit Ulrich, on demanderait où je suis passé, et si l'on avait vent de ta visite ici cela ferait scandale. »

Le silence, le spectacle de la fenêtre et quelque chose qui pouvait être aussi bien, sans qu'on pût distinguer, la nuit d'octobre ou de janvier, une couverture de laine, la douleur ou le bonheur, les unit de nouveau.

« Pourquoi ne fais-tu jamais ce qui va de soi ? » demanda Bonadea.

Il se souvint tout à coup d'un rêve qu'il devait avoir fait récemment. Il était de ces hommes qui rêvent rarement, ou du moins ne se rappellent jamais leurs rêves, et cela le toucha étrangement de voir ce souvenir s'ouvrir à l'improviste devant lui pour le laisser entrer. Il avait essayé vainement à plusieurs reprises de franchir une abrupte paroi de montagne, et avait été arrêté chaque fois par un intense vertige. Sans avoir besoin d'autre explication, il comprenait maintenant que cette aventure se rapportait à Moosbrugger, bien que celui-ci ne fût jamais apparu dans le rêve. Cela figurait aussi sous une forme physique, une vision de rêve ayant souvent plus d'un sens, les vains efforts de son esprit qui n'avaient cessé de se manifester dans ses conversations et ses rencontres récentes ; ils ressemblaient beaucoup à une marche en pays inconnu, quand on n'arrive pas à dépasser un certain point. Il ne put s'empêcher de sourire du réalisme naïf avec lequel son rêve avait représenté la chose : du rocher lisse, de la terre qui s'éboule, ici ou là un arbre isolé, halte ou but, et puis l'accroissement instantané de la dénivellation comme il s'avancait. Il avait essayé de passer plus haut ou plus bas avec le même insuccès, il était près de se sentir mal quand il déclara à quelqu'un qui marchait avec lui : « N'insistons pas, puisqu'il y aura toujours, au fond de la vallée, le facile chemin de tout le monde ! » C'était clair ! Il semblait d'ailleurs à Ulrich que la personne qui l'accompagnait pouvait fort bien être Bonadea. Peut-être aussi avait-il vraiment rêvé que la pointe de ses seins était comme un pétale de pavot ; quelque chose d'incohérent, qui pouvait bien être pour l'émotion en quête de réponse une large dentelure ou un rouge-bleu, un mauve sombre, se détachait d'un angle pas encore éclairé de son rêve, comme un brouillard.

A ce moment précis, sa conscience fut illuminée par cette lucidité qui permet de découvrir d'un seul coup d'œil à la fois les coulisses et tout ce qui se joue sur la scène, même si l'on demeure ensuite incapable de décrire cette impression. Le rapport qui existe entre un rêve et ce qu'il exprime lui était connu ; ce n'est pas autre chose que celui qui caractérise l'analogie et la comparaison dont il s'était préoccupé si souvent déjà. Une comparaison comporte une vérité et une non-vérité que l'émotion ne dissocie pas. Si, prenant la comparaison telle qu'elle est, on la façonne avec ses sens sur le mode de la réalité, on obtient le rêve et l'art ; mais entre ceux-ci et la vie pleine, réelle, demeure une paroi de verre. Si, la considérant avec son intelligence, on détache les éléments mal assortis de ceux qui le sont parfaitement, on obtient la vérité et la connaissance, mais en ruinant le sentiment. A la manière de certaines espèces de bactéries qui divisent en deux la substance organique qu'elles attaquent, l'espèce humaine, en vivant, divise l'état premier de la comparaison en deux : d'une part la matière solide de la réalité et de la vérité, d'autre part l'atmosphère vitreuse du pressentiment, de la foi et des artifices. Il semble qu'il n'y ait pas entre deux de tierce possibilité. Que de fois, pourtant, des choses incertaines s'achèvent comme on l'avait souhaité, pourvu qu'on les ait entreprises sans trop réfléchir !... Ulrich avait le sentiment qu'il se trouvait, maintenant, dans le labyrinthe de ruelles où l'avaient entraîné si souvent ses humeurs et ses pensées, sur la place principale d'où toutes les rues rayonnent. Il l'avait laissé entendre vaguement à Bonadea qui lui avait demandé pourquoi il ne faisait jamais ce qui allait de soi. Sans doute ne comprit-elle pas sa réponse. C'était quand même un grand jour pour elle. Elle réfléchit un moment, serra plus fort le bras d'Ulrich et répondit en guise de conclusion : « En rêve, tu ne penses pas non plus, tu vis simplement telle ou telle histoire ! » C'était presque vrai. Il lui pressa la main. Elle eut de nouveau, brusquement, les larmes au yeux. Elles coulèrent très lentement sur son visage, et de sa peau baignée de sel monta le parfum indéfinissable de l'amour. Ulrich le respira et ressentit une grande nostalgie de ce monde équivoque et voilé, une nostalgie d'oubli et d'abandon. Mais il se ressaisit et reconduisit Bonadea tendrement à la porte. A ce moment-là, il était sûr d'avoir encore quelque chose en perspective qu'il n'avait pas le droit de gâcher par des demi-passions. « Il faut que tu ailles, maintenant, dit-il à mi-voix, et ne sois pas fâchée, je ne sais quand nous pourrons nous revoir : j'ai tant à faire maintenant avec moi-même ! »

Et le miracle se produisit : Bonadea n'opposa aucune résistance, elle ne prononça pas de grandes phrases irritées. Elle n'était plus jalouse. Elle sentait qu'elle « vivait une histoire », justement. Elle aurait aimé envelopper Ulrich de ses bras. Elle pressentait qu'il fallait le ramener sur terre. Plus que tout, elle aurait aimé lui tracer sur le front un signe de croix protecteur comme elle le faisait pour ses enfants. Et cela lui semblait si beau qu'il ne lui vint pas à l'idée d'y voir une fin. Elle mit son chapeau et embrassa Ulrich, puis elle l'embrassa une fois encore à travers la voilette dont les fils s'embrasèrent comme les barreaux d'une grille brûlante.

Avec l'aide de Rachel qui avait monté la garde et écouté à la porte, on réussit à faire disparaître Bonadea discrètement, bien que le signal du départ général eût été donné dans la maison. Ulrich glissa un gros pourboire dans la main de la jeune fille et lui fit compliment de sa présence d'esprit. Rachel fut si enthousiasmée de l'un et de l'autre qu'avec l'argent, sans qu'elle s'en aperçût, ses doigts gardèrent assez longtemps la main d'Ulrich, jusqu'à ce qu'il ne pût se retenir de rire et tapât amicalement sur l'épaule de la jeune fille, devenue soudain toute rouge.

116. *Les deux arbres de la vie. Ulrich réclame la création d'un Secrétariat général de l'Ame et de la Précision.*

Ce soir-là, il y avait eu moins de monde qu'autrefois chez les Tuzzi. La participation aux réunions de l'Action parallèle faiblissait ; ceux qui étaient venus se retirèrent plus tôt que d'ordinaire. Même l'apparition, à la dernière minute, de Son Altesse le comte Leinsdorf, qui sembla d'ailleurs soucieux et lointain, et que des nouvelles alarmantes sur les manœuvres nationalistes dirigées contre son entreprise avaient mis de mauvaise humeur, ne put arrêter cette désagrégation. On traîna un peu dans l'attente que son arrivée signifiait peut-être du nouveau ; mais comme il n'en laissait rien paraître et se préoccupait peu des personnes présentes, les derniers invités se retirèrent à leur tour. C'est pourquoi Ulrich remarqua non sans effroi, lorsqu'il réapparut, que les pièces étaient presque vides. Peu de temps après, le « petit cercle » des familiers se retrouvait seul dans les pièces désertées, accru seulement de la présence du sous-secrétaire Tuzzi qui était rentré chez lui entre-temps.

Son Altesse répétait : « On peut faire d'un Empereur octogénaire un symbole de la Paix : l'idée est belle. Mais il faut lui donner un contenu politique ! En ce qui me concerne, n'est-ce pas, vous le savez, j'ai fait ce que j'ai pu : les nationalistes allemands sont furieux à cause de Wisnietzky, prétendant qu'il est slavophile, et les Slaves sont non moins furieux, prétendant que ce fut, au ministère, un vrai loup déguisé en agneau : tout cela prouve simplement que c'est un authentique patriote, un homme au-dessus des partis, et je ne le lâcherai pas ! Mais il faut compléter cette mesure aussi rapidement que possible sur le plan culturel, que les gens aient quelque chose de positif à se mettre sous la dent. Notre Enquête en vue de déterminer les desiderata des différents-milieux-de-la-population avance beaucoup trop lentement. L'Année autrichienne, l'Année universelle, c'est très bien ; mais je dirais que tout symbole doit devenir peu à peu vérité. C'est-à-dire que, tant que cela demeure à l'état de symbole, cela touche mon cœur même s'il ne comprend pas ; mais ensuite, je vais me détourner du miroir du cœur, et j'entreprendrai autre chose, quelque chose de tout différent peut-être, qui m'aura séduit entre-temps. Je ne sais si je me fais bien comprendre ? Notre chère hôtesse se donne toute la peine du monde, et l'on traite ici depuis quelques mois les problèmes les plus dignes d'attention. Néanmoins, la participation faiblit, et j'ai le sentiment que nous devrons bientôt nous décider pour quelque chose. Pour quoi, je ne sais trop. Sera-ce une deuxième tour pour la cathédrale Saint-Étienne, une colonie impériale et royale en Afrique ? C'est à peu près indifférent. Je suis persuadé, en effet, que la chose pourra prendre, au dernier moment, une tournure toute différente. L'essentiel est que l'imagination des participants soit harnachée, si je puis dire, à temps, de peur qu'elle ne nous échappe ! »

Le comte Leinsdorf avait le sentiment d'avoir parlé utilement. Arnheim prit la parole et répondit pour les autres : « Ce que vous dites de la nécessité de féconder, en certaines circonstances, la réflexion par l'action, et ne serait-ce que par une action provisoire, est extraordinairement juste ! De ce point de vue, il est en effet significatif qu'un changement d'atmosphère se soit manifesté depuis quelque temps parmi les intellectuels qui se réunissent ici. L'impression d'insurmontable chaos dont on souffrait au début s'est effacée. On ne voit presque plus de propositions nouvelles, les anciennes sont à peine mentionnées encore, en tout cas jamais sérieusement défendues. On a l'impression que s'est éveillée de tous côtés la conscience d'avoir accepté, en même temps que l'invitation, l'obligation d'aboutir à un accord : maintenant, toute proposition à peu près acceptable aurait des chances d'être généralement approuvée.

– Qu'en est-il chez nous, mon cher ? dit Son Altesse en se tournant vers Ulrich qu'elle avait aperçu entre-temps. Peut-on aussi parler de clarification ? »

Ulrich fut obligé de le nier. Les échanges de vues écrits peuvent être beaucoup plus agréablement traînés en longueur que les conversations. L'afflux des propositions d'amendement ne diminuait pas. Ulrich continuait donc à fonder des sociétés et à les renvoyer, au nom de Son Altesse, aux différents ministères, dont la bonne volonté à leur égard semblait cependant avoir sensiblement faibli dans les derniers temps. Tel fut son rapport.

« Quoi d'étonnant ? dit Son Altesse en se tournant vers les autres. Notre peuple possède un sens politique extrêmement développé ; il faudrait être une véritable encyclopédie pour pouvoir le satisfaire dans toutes les directions où il se manifeste. Les ministres sont évidemment débordés. Cela prouve que le moment est venu d'intervenir de plus haut.

– A ce propos, dit Arnheim en reprenant la parole, il ne devrait pas échapper à Votre Altesse que le général von Stumm, ces derniers temps, a suscité un intérêt croissant chez les participants au congrès. »

Le comte Leinsdorf considéra le général pour la première fois. « Et comment cela ? » demanda-t-il sans se donner la peine de dissimuler l'impolitesse de sa question.

« Mais j'en suis désolé ! Ce n'était nullement mon intention ! protesta Stumm von Bordwehr avec modestie. Dans une salle de conférences, le soldat doit savoir s'effacer, et je m'en tiens à ce principe. Mais Votre Altesse se souvient que, dès la première séance, remplissant somme toute mon devoir de soldat, j'ai demandé que le Comité-pour-l'élaboration-d'une-grande-Idée, s'il n'avait pas d'autres projets, voulût bien se rappeler que notre artillerie manque de canons modernes, que notre marine n'a pas de bateaux, c'est-à-dire pas assez pour faire face aux charges d'une éventuelle défense du territoire…

– Et alors ? » interrompit Son Altesse en dirigeant sur Diotime un regard surpris et interrogateur qui révélait manifestement son déplaisir.

Diotime haussa ses belles épaules puis les laissa retomber avec résignation. Elle s'était presque habituée à ce que le corpulent petit général, guidé par de mystérieuses forces complices, apparût sans cesse comme un cauchemar sur sa route.

« Et justement, dit Stumm en se hâtant de poursuivre de peur que sa modestie ne fût troublée par le succès, des voix se sont élevées ces derniers temps qui seraient prêtes à appuyer toute proposition de cette nature. On a dit justement que l'armée et la marine étaient une idée commune s'il en fut et même, somme toute, une grande idée qui, vraisemblablement, agréerait aussi à Sa Majesté. Et les Prussiens feraient une tête... je vous demande pardon, monsieur von Arnheim !

– Mais non, les Prussiens ne feraient pas une tête *comme ça* ! protesta Arnheim en souriant. Il va sans dire, d'ailleurs, que, dès qu'il est question de problèmes autrichiens de cet ordre, je ne suis pas là, et n'use qu'avec la plus grande discrétion de l'autorisation qui m'est donnée d'écouter quand même.

– En tout cas, conclut le général, des voix se sont effectivement élevées pour déclarer que le plus simple serait de mettre fin aux bavardages et de se décider en faveur d'une entreprise militaire. Pour ma part, je pense qu'il faudrait y associer une seconde idée, peut-être quelque grande idée civile ; mais, comme je l'ai dit, le soldat n'a pas à s'en mêler, et les voix qui affirment que la réflexion civile n'aboutira à rien se sont élevées justement dans les milieux intellectuels les plus distingués. »

Son Altesse avait écouté les derniers propos du général les yeux fixes et grands ouverts. Seules de discrètes tentatives pour se tourner les pouces, manie dont elle ne pouvait s'abstenir, trahissaient les pénibles efforts de son esprit.

Le sous-secrétaire Tuzzi, que l'on n'avait guère l'habitude d'entendre, intervint d'une voix lente et basse : « Je ne crois pas que le Ministre des Affaires étrangères y voie la moindre objection.

– Tiens ! les départements se sont déjà mis d'accord ? » demanda le comte Leinsdorf avec ironie et irritation. Tuzzi, plein d'une aimable sérénité, répondit : « Votre Altesse plaisante les départements ! Mais le Ministère de la Guerre préférerait célébrer le désarmement mondial à s'entendre avec le Ministère des Affaires étrangères ! » Et il continua : « Votre Altesse connaît sans doute l'histoire des fortifications du Tyrol du sud qui ont été construites dans les dix dernières années sur l'instigation du Chef de l'État-major général ? Elles doivent être irréprochables, le dernier cri dans le genre. Bien entendu, on les a dotées de barbelés chargés à l'électricité et de puissantes batteries de projecteurs. Pour leur fournir le courant, on a installé des moteurs Diesel souterrains. On ne peut pas dire que nous ne soyons pas à la tête du progrès. Le seul ennui est que les moteurs ont été commandés par la division de l'Artillerie, quand c'est le service des Constructions qui fournit le combustible. Le règlement le veut ainsi. En conséquence, on ne peut pas faire fonctionner les installations, parce que les deux services ne peuvent se mettre d'accord sur le point de savoir si les allumettes nécessaires à la mise en marche doivent être considérées comme "combustible" et livrées par le service des Constructions, ou considérées comme "accessoires de moteur" et, comme telles, du ressort de l'Artillerie.

– Délicieux ! » dit Arnheim, quoiqu'il sût fort bien que Tuzzi confondait un moteur Diesel avec un moteur à gaz et que l'on n'employait plus d'allumettes, même pour ceux-ci, depuis longtemps. C'était une de ces histoires qui circulent dans les bureaux, toute de souriante ironie, et le sous-secrétaire, à la façon dont il avait évoqué ce « malheur », paraissait s'en amuser fort. Tous rirent ou sourirent. Le général Stumm était le plus ravi de tous. « La faute en est à ces messieurs de l'Administration, dit-il en prolongeant la plaisanterie. Sitôt que nous nous engageons dans des dépenses qui ne sont pas prévues par le budget, nous nous entendons déclarer par le Ministère des Finances que nous ne comprenons rien aux méthodes des gouvernements constitutionnels. Si donc une guerre devait éclater (ce dont Dieu nous préserve !) avant la fin de l'année financière, nous devrions, à l'aube du premier jour de mobilisation, télégraphier à tous les commandants de fortifications pour les autoriser à acheter des allumettes. Supposons qu'ils ne puissent en trouver une seule dans leurs nids d'aigle : ils en seront réduits à faire la guerre avec celles de leurs ordonnances ! »

Le général avait poussé la plaisanterie un peu loin. A travers la fine trame de l'anecdote, réapparaissait brusquement la menaçante gravité de la situation où se trouvait l'Action parallèle. Son Altesse dit, pensivement : « Au cours des siècles… », puis se souvint qu'il est toujours plus sage, dans les moments critiques, de laisser parler les autres, et ne termina pas sa phrase. Les six personnages se turent un moment, comme s'ils étaient ensemble autour d'un puits à en regarder le fond.

Diotime dit : « Non, c'est impossible !

– Et quoi donc ? interrogèrent tous les regards.

– Ce serait faire ce que nous reprochons à l'Allemagne : réarmer ! » dit-elle, terminant sa phrase. Son âme avait oublié, ou n'avait même pas entendu les anecdotes. Elle en était restée au succès du général.

« Que doit-il donc se produire ? demanda le comte Leinsdorf, soucieux et reconnaissant. Nous devons au moins trouver quelque chose de provisoire !

– L'Allemagne est un pays relativement naïf, débordant de force, dit Arnheim comme s'il devait répondre par une excuse au reproche de son amie. La poudre et l'eau-de-vie lui ont été apportées du dehors. »

Tuzzi sourit de cette image qui lui parut plus que hardie.

« On ne peut nier que l'Allemagne, dans les cercles qui doivent être touchés par notre Action, ne se heurte à une aversion croissante. » Le comte Leinsdorf ne laissa pas échapper l'occasion de glisser cette remarque. « Et même, hélas ! dans les cercles qu'elle touche déjà ! » ajouta-t-il tel un oracle.

Il fut surpris d'entendre Arnheim lui déclarer qu'il ne s'en étonnait pas. « Nous autres Allemands, répliqua-t-il, sommes un peuple malheureux. Non seulement nous sommes le cœur de l'Europe, nous en avons encore toutes les souffrances.

– Le cœur ? » demanda sans le vouloir Son Altesse. Elle s'était plutôt attendue au mot « cerveau » et l'eût plus aisément admis. Mais Arnheim tenait à son expression. « Rappelez-vous, dit-il, qu'il n'y a pas bien longtemps, le Conseil municipal de Prague a adjugé une grosse commande à la France, bien que nous eussions nous aussi fait une offre, et que nous eussions livré mieux à meilleur marché. C'est une question d'antipathie. Et je dois dire que je comprends fort bien ce sentiment. »

Avant même qu'il pût poursuivre, Stumm von Bordwehr, ravi, demanda la parole et donna son explication. « Dans le monde entier, les hommes se tourmentent, mais en Allemagne plus qu'ailleurs. Ils font du bruit dans le monde entier, mais davantage encore en Allemagne. Partout, le monde des affaires a rompu le contact avec une culture millénaire, mais cette rupture est particulièrement sensible dans l'Empire. Partout, bien entendu, la fleur de la jeunesse est enfermée dans les casernes, mais les Allemands ont encore plus de casernes que les autres. C'est pourquoi, en un certain sens, conclut-il, c'est un devoir fraternel pour nous de ne pas rester trop loin derrière eux. Je vous demande pardon si ma pensée semble paradoxale, ce sont les complications de l'intelligence moderne ! »

Arnheim fit un signe de tête approbateur. « Peut-être est-ce encore pire en Amérique que chez nous, ajouta-t-il, mais au moins est-ce là-bas parfaitement naïf. Ils ne connaissent pas les déchirements intellectuels dont nous souffrons. Nous sommes à tous égards le peuple du milieu, où se croisent tous les motifs du monde. C'est chez nous que la synthèse est la plus urgente. Nous le savons. Nous avons une espèce de conscience du péché. Mais si j'ai commencé par ces concessions, la justice exige aussi de reconnaître que nous souffrons pour les autres comme si nous étions le mobile de leurs fautes, et que nous sommes, en un certain sens, blasphémés et crucifiés, ou qu'on l'exprime comme on voudra, pour le reste du monde. Une conversion de l'Allemagne serait sans doute l'événement le plus important qui pourrait se produire. Je suppose qu'il y a même un pressentiment de tout cela dans la prise de position partagée, et, semble-t-il, quelque peu passionnée, dont vous parlez. »

Alors, Ulrich prit à son tour la parole. « Ces messieurs sous-estiment les courants pro-allemands. Je sais de source sûre qu'une violente manifestation contre notre Action se prépare pour très bientôt, parce que celle-ci passe pour antiallemande dans les cercles patriotiques. Son Altesse verra le peuple de Vienne descendre dans la rue. On manifestera contre la nomination du baron Wisnietzky. On suppose que MM. Arnheim et Tuzzi agissent secrètement de concert, tandis que Votre Altesse, elle, contrecarrerait l'influence allemande sur l'Action. »

Le regard du comte Leinsdorf était partagé entre le calme du crapaud et la susceptibilité du taureau. Tuzzi leva lentement des yeux cordiaux et les tourna vers Ulrich d'un air interrogateur. Arnheim éclata de rire et se leva. Il aurait souhaité pouvoir jeter au sous-secrétaire un regard à la fois poli et plein d'humour pour s'excuser de l'absurdité qu'on leur prêtait. Comme il ne pouvait attraper ce regard, il se tourna vers Diotime. Entre-temps, Tuzzi avait pris Ulrich par le bras et lui demandait d'où il tenait cette nouvelle. Ulrich répliqua que ce n'était pas un secret, mais une rumeur répandue publiquement et souvent tenue pour vraie, qu'il avait apprise chez des particuliers. Tuzzi approcha de lui son visage et le força à détourner le sien du cercle. Ainsi protégé, il lui chuchota soudain : « Vous ne savez toujours pas pourquoi Arnheim est ici ? C'est un ami intime du prince Mosjoutoff, il est *persona grata* auprès du Tsar. Il est en relation avec la Russie et doit donner à l'Action une orientation pacifiste. Tout cela officieusement, une sorte d'initiative privée de l'Empereur russe. Une affaire idéologique. Quelque chose pour vous, cher ami ! conclut-il railleur. Leinsdorf n'en a pas la moindre idée ! »

Le sous-secrétaire Tuzzi avait appris cette nouvelle par le canal de ses bureaux. Il la croyait vraie, parce que le pacifisme lui semblait convenir parfaitement à la mentalité d'une belle femme, et expliquer que Diotime fût enthousiasmée par Arnheim et qu'Arnheim fût plus souvent chez eux que partout ailleurs. Auparavant, il avait bien failli sombrer dans la jalousie. Il ne jugeait possibles les inclinations « intellectuelles » que jusqu'à un certain point, mais il lui déplaisait d'utiliser des méthodes sournoises pour découvrir si ce point avait été ou non dépassé. Il s'était donc contraint à faire confiance à sa femme. S'il apparaissait ainsi par son comportement que le souci d'une attitude virile et exemplaire était plus fort chez lui que les sentiments sexuels, ceux-ci n'en suscitaient pas moins assez de jalousie pour lui faire comprendre, pour la première fois, qu'un homme exerçant une profession quelconque n'a jamais le temps de surveiller sa femme ; à moins de négliger les devoirs de sa vie. Sans doute se disait-il que, si un chauffeur de locomotive n'a pas le droit d'emmener sa femme avec lui, un homme qui conduit un royaume a moins encore le droit d'être jaloux. Mais la noble ignorance dans laquelle il était ainsi confiné ne convenait pas mieux à un diplomate et enlevait à Tuzzi un peu de son assurance professionnelle. C'est pourquoi il retrouva sa pleine confiance en soi avec une grande reconnaissance lorsque tout ce qui l'inquiétait parut trouver une explication innocente. Il lui semblait même, maintenant, que ce fût une petite punition pour sa femme qu'il eût tout appris sur Arnheim alors même qu'elle ne voyait encore en lui que l'homme privé et ignorait qu'il fût un émissaire du Tsar. De nouveau, Tuzzi prenait grand plaisir à lui demander de petits éclaircissements qu'elle donnait avec une impatiente aménité. Il avait conçu toute une série de questions apparemment anodines dont la réponse devait lui permettre de tirer ses conclusions. L'époux en aurait volontiers dit davantage au « cousin », et il se demandait comment le faire sans discréditer sa femme lorsque le comte Leinsdorf reprit la conversation en main. Il était le seul à être resté assis, et personne n'avait songé à observer ce qui se passait en lui depuis que les difficultés s'accumulaient. Mais sa volonté de lutter semblait s'être ressaisie. Il pétrissait sa barbe à la Wallenstein et dit avec lenteur et fermeté : « Il faut que quelque chose se produise !

– Son Altesse a-t-elle pris une décision ? demanda-t-on.

– Il ne m'est venu aucune idée, répondit Leinsdorf avec simplicité. Néanmoins, il faut que quelque chose se produise ! » Il était assis là comme un homme qui ne bougera pas avant que sa volonté soit faite.

Incontestablement, une force émanait de lui, si bien que chacun sentit ballotter en soi un vain effort d'invention, comme quand on secoue vainement une tirelire dans tous les sens pour en extraire le dernier sou.

Arnheim dit : « Eh ! il ne faut pas se laisser influencer par les conjonctures ! »

Leinsdorf ne répondit pas.

On reprit encore une fois toute l'histoire des propositions qui devaient donner un contenu à l'Action parallèle.

Le comte Leinsdorf répondait comme un pendule qui a toujours une position différente mais reprend toujours la même trajectoire. « Cela est impossible eu égard à l'Église.

Cela est impossible eu égard aux libres penseurs. Le Comité central des Architectes a protesté là contre. Le Ministère des Finances s'élève contre ce projet. » Cela continua de la sorte à l'infini.

Ulrich, qui ne prenait point part à la conversation, eut l'impression bizarre que les cinq personnes qui parlaient venaient ici de cristalliser, après avoir été pendant des mois un liquide trouble où baignaient ses sens. Pourquoi donc avait-il dit à Diotime qu'il fallait prendre possession de l'irréalité ou, un autre jour, qu'il fallait abolir la réalité ? Maintenant, elle était assise là, elle avait ces phrases en mémoire et pensait sans doute toutes sortes de choses de lui. Comment en était-il venu à lui raconter qu'on devait vivre comme un personnage de roman ? Il était sûr qu'elle l'avait répété depuis longtemps à Arnheim !

Cependant, incontestablement il savait aussi bien que quiconque l'heure qu'il est ou le prix d'un parapluie ! Si néanmoins, en cet instant, il conservait sa position à mi-chemin de soi-même et des autres, ce n'était pas une de ces bizarreries telles qu'en peut susciter un esprit ensommeillé ou absent ; au contraire, il sentait de nouveau sa vie illuminée par la même clarté qu'il avait déjà perçue auparavant en présence de Bonadea. Il se souvint d'une course de chevaux à laquelle il avait assisté peu de temps auparavant, en automne, avec les Tuzzi : un incident s'était produit, entraînant pour les parieurs des pertes considérables et assez suspectes. En un instant, la masse paisible des spectateurs s'était changée en une mer qui envahit la pelouse et non seulement anéantit tout ce qui était à sa portée, mais encore mit les caisses à sac ; après quoi, sous l'influence de la police, cette marée redevint une réunion de spectateurs désireux d'assister à une distraction banale et innocente. Devant de pareils incidents, il était ridicule de méditer sur des comparaisons ou sur ces formes extrêmes et mal déterminées que la vie pourrait ou non prendre. Ulrich avait l'esprit encore assez intact pour comprendre que la vie était un état d'âpreté et de détresse dans lequel il ne faut pas trop penser au lendemain parce que le jour présent est déjà suffisamment dur. Comment pouvait-on ne pas voir que le monde humain n'est pas une chose flottante, mais qu'il tend à une condensation maximum, parce que la moindre irrégularité lui fait craindre de se détraquer complètement ? Plus encore, comment un bon observateur ne reconnaîtrait-il pas que ce mélange de soucis, d'instincts et d'idées qu'est la vie (la vie qui n'utilise jamais les idées que pour en abuser à son profit ou en tirer des excitants), agit sur les idées, telle qu'elle est, pour leur donner forme et cohérence, et que c'est d'elle que les idées reçoivent leur mouvement et leur limitation naturelle ? Sans doute tire-t-on le vin de la grappe, mais combien le vignoble, avec sa rude terre incomestible et ses rangées de ceps de bois mort, scintillant à perte de vue, est plus beau que ne le serait jamais un étang de vin ! « En un mot, pensa-t-il, la création ne s'est pas faite pour l'amour d'une théorie, mais... » Il voulait dire par la violence. Un autre mot s'interposa contre son attente, et sa pensée s'acheva ainsi : « ... mais par la violence et l'amour ; et la relation communément admise entre ces deux forces est erronée ! »

A ce moment-là, une fois de plus, Ulrich interprétait à sa manière les mots violence et amour. Le mot violence contenait tous ses penchants au mal et à la dureté ; il était l'effluence de toute conduite sceptique, objective, lucide. Sans doute un certain goût de la violence froide et brutale avait-il joué jusque dans le choix de sa profession, si bien qu'Ulrich n'était peut-être pas devenu mathématicien sans quelque intention de cruauté. Tout cela était touffu comme le feuillage d'un arbre qui dissimule le tronc lui-même. D'autre part, lorsqu'on ne parle pas simplement de l'amour dans le sens courant du mot, mais qu'en l'entendant on aspire à un état qui se distingue, jusque dans les moindres atomes de notre corps, de la misère du non-amour, lorsqu'on se sent à la fois doué et dépourvu de toutes les qualités, lorsqu'on a constamment l'impression que c'est « toujours la même histoire », les mêmes événements qui se reproduisent, parce que la vie (pleine à craquer de la fierté de sa présence « ici et maintenant », mais en fin de compte si incertaine, si parfaitement irréelle !) se précipite immanquablement dans les deux ou trois douzaines de moules à cake qui constituent la réalité, lorsqu'on estime que manque un morceau à tous les cercles dans lesquels nous tournons, que de tous les systèmes que nous avons institués, aucun ne possède le secret du repos, alors, toutes ces choses qui semblent si différentes se confondent elles aussi comme les branches d'un arbre qui dissimulent de toutes parts le tronc.

Sa vie grandissait ainsi, divisée selon ces deux arbres. Il ne pouvait pas dire à quel moment elle était entrée dans l'ombre de l'arbre au dur grillage, mais cela s'était produit très tôt : déjà ses prématurés desseins napoléoniens trahissaient l'homme qui considère la vie comme une tâche imposée à son activité et à sa mission. Ce besoin d'attaquer la vie et de la dominer avait toujours été très visible en Ulrich, qu'il apparût sous la forme d'un refus de l'ordre établi, de l'aspiration changeante à un ordre nouveau, d'une exigence morale, logique, ou simplement du besoin de conserver son corps en forme. Tout ce qu'Ulrich avait appelé, au cours des années, essayisme, sens de la possibilité, précision imaginaire par opposition à la précision pédante ; tout ce qu'il avait souhaité : que l'on inventât l'histoire, que l'on vécût l'histoire des idées au lieu de l'histoire universelle, que l'on prît possession de ce que l'on ne peut pas entièrement réaliser, et que finalement l'on vécût peut-être comme si l'on n'était pas un être humain, mais le personnage d'un livre, dépouillé de tout l'inessentiel, afin que le reste du monde formât une magique unité, – toutes ces variantes de ses pensées que leur exceptionnelle intransigeance rendait vraiment hostiles à la réalité, avaient ceci de commun qu'elles voulaient agir sur la réalité avec une évidente et implacable ardeur.

Plus difficiles à distinguer, parce que plus proches de l'ombre et du rêve, étaient les éléments de l'autre arbre dans l'image duquel sa vie se reflétait. A la base, il y avait sans doute le profond souvenir d'une relation enfantine avec le monde, de confiance et d'abandon ; et ce sentiment s'était prolongé dans l'intuition d'avoir aperçu un jour une terre immense, réduite plus tard à un peu de terreau dans le pot de fleurs où la morale cultive ses minables plantes. Sans aucun doute, l'histoire malheureusement un peu ridicule de la majoresse représentait l'unique essai de développement intégral qui eût été tenté dans la douce part d'ombre de son être ; mais cet essai marquait aussi le début d'une réaction qui n'en finissait plus. Depuis, les feuilles et les branches de l'arbre poussaient de tous côtés à la surface, mais le tronc demeurait caché, et seuls ces rares signes laissaient deviner qu'il était encore présent. Peut-être cette moitié inactive de son être s'était-elle manifestée surtout dans la conviction involontaire que l'utilité de la moitié active et remuante était toute provisoire, conviction qu'elle projetait sur celle-ci comme une ombre. Dans tout ce qu'il entreprenait (dans les passions du corps comme dans celles de l'esprit), Ulrich s'était senti prisonnier de préparatifs toujours insuffisants ; avec les années, le sentiment de la nécessité s'était épuisé dans sa vie comne l'huile dans une lampe. Son évolution s'était évidemment scindée en deux voies, l'une exposée en plein jour et l'autre obscure et fermée au trafic. L'état de stagnation morale dans lequel il se trouvait et qui l'oppressait depuis longtemps plus peut-être que de raison, ne pouvait provenir que de ce qu'il n'avait jamais réussi à fondre ces deux voies en une.

Maintenant, se souvenant que l'impossibilité de leur fusion s'était manifestée à lui, les derniers temps, dans la tension entre la littérature et la réalité, entre les comparaisons et la vérité, Ulrich reconnut brusquement qu'il y avait là infiniment plus qu'une simple inspiration de hasard surgie de ces dialogues, embrouillés comme des chemins sans but, qu'il avait eus récemment avec les interlocuteurs les moins aptes à le comprendre. Si loin qu'on remonte dans l'histoire, on retrouve ces deux attitudes fondamentales, l'une régie par la métaphore, l'autre par le principe d'identité. Le principe d'identité est la loi de la pensée et de l'action lucides ; il se manifeste aussi bien dans la conclusion inattaquable d'un raisonnement que dans le cerveau d'un maître chanteur poussant sa victime devant lui pas à pas ; c'est une loi qu'impose la misère de notre vie, à laquelle nous succomberions si les relations n'y pouvaient prendre une forme univoque. La métaphore, au contraire, est le mode d'association des images qui règne dans le rêve ; c'est la souple logique de l'âme, à quoi correspond dans les intuitions de l'art et de la religion la parenté de toutes les choses. Les penchants et les aversions ordinaires aussi bien, l'assentiment et le refus, l'admiration, la subordination, la domination, l'imitation et leurs contraires, ces diverses relations de l'homme à l'homme et de l'homme à la nature, qui ne sont pas encore et ne seront peut-être jamais purement objectives, ne peuvent être saisies autrement que par la métaphore. Ce que l'on appelle l'humanité supérieure n'est sans doute qu'une tentative pour fondre ensemble, après les avoir prudemment séparées, ces deux grandes moitiés de la vie que sont la métaphore et la vérité. Mais quand, dans une métaphore, on dissocie tout ce qui pourrait être vrai de ce qui n'est qu'écume, on ne fait d'ordinaire que gagner un peu de vérité en détruisant toute la valeur de la métaphore. Cette dissociation peut avoir été inévitable dans l'évolution intellectuelle, mais elle a eu le même effet que lorsqu'on met bouillir une substance pour l'épaissir : l'évaporation, en cours d'opération, du meilleur d'elle-même. De nos jours, on a parfois l'impression très forte que les notions et les règles morales ne sont que des métaphores recuites autour desquelles flottent les intolérables relents de cuisine de l'humanitarisme.

Si l'on nous permet ici une digression, nous ajouterons simplement que cette impression diffuse a également entraîné ce que les temps présents, s'ils étaient honnêtes, devraient appeler leur vénération de la bassesse. Aujourd'hui, en effet, on ment moins par faiblesse que parce qu'on est convaincu qu'un homme qui maîtrise la vie doit pouvoir mentir. On est violent parce que le caractère univoque de la violence, après de longs palabres inefficaces, fait l'effet d'une délivrance. On forme des groupes parce que l'obéissance permet de réaliser tout ce qu'on ne serait plus capable depuis longtemps de faire de sa propre conviction. L'hostilité de groupe à groupe donne aux hommes la réciprocité jamais apaisée de la vendetta, alors que l'amour aboutirait rapidement au sommeil. Il ne s'agit pas tellement, pour expliquer cela, de savoir si les hommes sont bons ou mauvais : c'est qu'ils ont perdu toute notion de la grandeur et de la bassesse. La surabondance d'ornements intellectuels dont se pare aujourd'hui la méfiance à l'égard de l'esprit n'est elle-même qu'une conséquence paradoxale de cette dislocation. L'accouplement de la philosophie avec des activités qui n'en tolèrent que de faibles doses, comme la politique ;

la tendance générale à transformer aussitôt un point de vue en prise de position et à considérer chaque prise de position comme un point de vue ; le besoin qu'éprouvent les fanatiques de toute nuance de reproduire autour d'eux, comme dans un jeu de miroirs, la découverte dont ils ont bénéficié : tous ces phénomènes, si parfaitement banals, ne représentent pas, comme ils le voudraient, un effort, mais un défaut d'humanité. L'impression qui en résulte, en gros, est qu'il faudrait d'abord éloigner résolument l'âme de toutes les relations humaines où elle n'est pas à sa place.

Dans l'instant où Ulrich pensa cela, il sentit que, si sa vie avait un sens, ce ne pouvait être que de présenter les deux tendances fondamentales de l'humanité à l'état de dissociation et de lutte. Il existe évidemment de tels hommes aujourd'hui, mais ils sont encore seuls ; et seul, Ulrich n'était pas en mesure de recomposer l'unité détruite. Il ne se faisait aucune illusion sur la valeur de ses expérimentations intellectuelles : il était possible qu'il n'eût jamais combiné une pensée avec l'autre en dehors des liens logiques. En fait, c'était plutôt comme s'il avait bâti un échelon après l'autre, et l'extrémité finissait toujours par osciller à une hauteur très éloignée de la vie naturelle. Cela lui répugnait profondément.

C'est peut-être pour cette raison qu'il tourna soudain les yeux vers Tuzzi. Tuzzi parlait. Comme si son oreille s'ouvrait aux premiers bruits du matin, Ulrich l'entendit qui disait : « Je ne suis pas en mesure de juger si vraiment nous n'avons plus aujourd'hui de grandes créations humaines et artistiques, comme vous le dites ; mais ce que je puis affirmer, c'est que la politique étrangère n'est nulle part aussi délicate que chez nous. On peut plus ou moins prévoir que la politique des Français, même pendant l'Année jubilaire, sera inspirée par des idées de revanche et de colonialisme, celle des Anglais par ce qu'on a appelé leurs déplacements de pions sur l'échiquier du monde, celle des Allemands enfin par ce qu'ils nomment, d'une manière parfois équivoque, leur "place au soleil". Mais notre vieille monarchie est sans besoins, et c'est pourquoi personne ne peut prévoir à quelles prises de position les circonstances nous contraindront d'ici là ! » Il semblait que Tuzzi voulût donner à la fois un coup de frein et un avertissement. Il parlait évidemment sans aucune intention ironique. L'arôme de l'ironie s'exhalait simplement de l'objectivité naïve dans la sèche écorce de laquelle il présentait, comme dans une coupe, la conviction que le manque de besoins internationaux représentait un danger considérable. Ulrich se sentit ragaillardi comme s'il avait croqué un grain de café. Entre-temps, Tuzzi avait encore raidi son attitude de mise en garde, et terminait sa déclaration. « Qui oserait encore de nos jours, demanda-t-il, réaliser de grandes idées politiques ? Il faudrait être un peu criminel et un peu spéculateur ! Vous ne le voudriez pas ! La diplomatie est là pour conserver.

– Conserver mène droit à la guerre, repartit Arnheim.

– Il se peut, dit Tuzzi. La seule chose qui nous reste à faire est probablement de bien choisir le moment où l'on y est entraîné ! Vous rappelez-vous l'histoire d'Alexandre II ? Son père Nicolas était un despote ; il est mort de mort naturelle. Alexandre, au contraire, était un maître généreux, qui inaugura son règne par des réformes libérales ; il s'ensuivit que le libéralisme russe devint le radicalisme russe et qu'Alexandre, après avoir failli trois fois être assassiné, succomba à la quatrième. »

Ulrich regarda Diotime. Elle était assise là, droite, attentive, grave et luxuriante. Elle confirma les propos de son mari. « C'est exact. J'ai eu la même impression du radicalisme intellectuel au cours de nos tentatives : quand on lui donne le petit doigt, il vous demande la main. »

Tuzzi sourit. Il eut l'impression d'avoir remporté une petite victoire sur Arnheim.

Arnheim était assis à côté, serein, les lèvres entrouvertes comme un bouton de rose par la respiration. Pareille à une tour de chair verrouillée, Diotime semblait le regarder pardessus une profonde vallée.

Le général astiquait ses lunettes d'écaille.

Ulrich dit lentement : « L'explication est simple : aujourd'hui, les efforts de tous ceux qui se sentent appelés à rétablir le sens de la vie ont ceci en commun que, sur les points où l'on pourrait conquérir non seulement des vues personnelles, mais des vérités, ils méprisent la pensée. En contrepartie, ils choisissent, là où c'est le caractère inépuisable des opinions qui compte, des notions toutes faites et des demi-vérités. »

Personne ne répondit. Pourquoi quelqu'un aurait-il répondu ? Ce qu'on dit ainsi n'est après tout que des mots. Le fait tangible, c'était que six personnes dans une chambre se trouvaient engagées dans une importante conversation ; ce qu'elles disaient, et aussi ce qu'elles ne disaient pas, sentiments, pressentiments, possibilités, était inclus dans ce fait tangible sans lui être comparable en importance ; cela y était inclus à peu près comme le sont les obscurs mouvements du foie et de l'estomac à l'intérieur d'un personnage habillé qui vient d'apposer sa signature au bas d'un important document. Et cette hiérarchie, il ne fallait pas y toucher : voilà en quoi consistait la réalité !

Stumm, le vieil ami d'Ulrich, ayant terminé l'astiquage de ses lunettes, les mit et le regarda.

Bien qu'Ulrich crût n'avoir jamais fait que jouer avec tous ces êtres, il se sentit soudain perdu au milieu d'eux. Il se souvint d'avoir éprouvé un sentiment assez semblable quelques semaines ou quelques mois auparavant : la résistance d'un petit souffle abandonné de la Création contre le paysage lunaire et pétrifié dans lequel il a été exhalé. Il lui sembla que tous les moments décisifs de sa vie avaient été accompagnés d'un pareil sentiment d'étonnement et de solitude. Ce qui lui pesait, cette fois, était-ce donc de l'angoisse ? Il ne réussissait pas à voir clair dans son sentiment : celui-ci lui disait à peu près qu'il n'avait jamais pris de décision réelle dans sa vie et qu'il devrait bientôt en prendre une. Ulrich ne pensait pas cela en termes appropriés ; il le sentait seulement à travers son malaise, comme si quelque chose cherchait à l'arracher à ces êtres parmi lesquels il se trouvait. Et bien qu'ils fussent parfaitement indifférents, sa volonté, tout à coup, s'en défendait comme désespérément !

Le comte Leinsdorf, à qui le silence qui s'était fait entre-temps avait rappelé les devoirs d'un homme politique réaliste, dit sur un ton d'exhortation : « Alors, que doit-il donc se produire ? Nous devons tout de même réaliser quelque chose de décisif, au moins provisoirement, pour prévenir les dangers qui menacent notre Action ! »

Alors, Ulrich se lança dans une tentative insensée. « Altesse, dit-il, il n'y a pour l'Action parallèle qu'une seule tâche : constituer le commencement d'un inventaire spirituel général ! Nous devons faire à peu près ce qui serait nécessaire si l'année 1918 devait être celle du Jugement dernier, celle où l'esprit ancien s'effacerait pour céder la place à un esprit supérieur. Fondez, au nom de Sa Majesté, un Secrétariat mondial de l'Ame et de la Précision. Auparavant, tous les autres problèmes demeureront insolubles, ou ne seront que des faux problèmes ! » Et Ulrich ajouta à ces propos quelques-unes des pensées qui l'avaient absorbé pendant ces instants de mutisme.

Tandis qu'il parlait ainsi et considérait ceux qui l'écoutaient, il lui sembla non seulement que les yeux leur sortaient de la tête, mais encore que leur buste, de surprise, se détachait du reste du corps. On s'attendait qu'il suivît le maître de maison sur le chemin des anecdotes : la plaisanterie ne venant pas, il se vit assis comme un petit enfant entre des tours penchées qui observent ses jeux puérils d'un air un peu offusqué. Seul le comte Leinsdorf lui fit bon visage. « C'est parfaitement juste, dit-il étonné, mais nous n'en avons pas moins le devoir d'aller au-delà des simples allusions pour parvenir à une vérité, et c'est là que Capital et Culture nous ont carrément laissés tomber ! »

Arnheim crut devoir mettre le noble seigneur en garde contre les plaisanteries d'Ulrich. « Notre ami est obsédé par une idée fixe, expliqua-t-il. Il croit qu'il est possible de produire synthétiquement une vie juste, comme on fabrique du caoutchouc ou de l'azote. Mais l'esprit humain (il se tourna vers Ulrich avec son sourire le plus civil) est malheureusement limité en ceci que ses manifestations vivantes ne se laissent pas dresser comme des souris dans un laboratoire. Au contraire, une vaste emblavure permet de nourrir tout au plus un ou deux couples de cobayes ! » Il s'excusa encore auprès des autres de l'audace de cette comparaison, mais il en était satisfait parce qu'il y avait glissé l'élément agricole et foncier qui agréait au comte Leinsdorf, et qu'elle exprimait néanmoins avec vivacité la différence qui sépare les pensées sérieuses des autres.

Mais Son Altesse secoua la tête avec irritation. « Je comprends parfaitement Monsieur de… Jadis, les hommes s'intégraient dans les structures qu'ils trouvaient toutes constituées dès leur naissance, et c'était une manière sûre de se trouver eux-mêmes. Aujourd'hui, dans cet ébranlement général où toutes choses ont été détachées du sol foncier, on devrait déjà, pour ce qu'on pourrait appeler la production de l'âme, substituer aux traditions artisanales l'intelligence de l'usine. » C'était une de ces réponses remarquables comme il en échappait parfois à l'improviste au grand seigneur ; tout le temps qui avait précédé, il n'avait su que regarder fixement Ulrich d'un air déconcerté.

« Mais enfin, tout ce que dit Monsieur de… est parfaitement irréalisable ! affirma énergiquement Arnheim.

– Et pourquoi donc ? » dit le comte Leinsdorf avec une brièveté combative.

Diotime s'interposa. « Mais, Altesse, dit-elle comme si elle lui demandait quelque chose qu'on ne veut pas traduire en mots, à savoir de revenir à la raison, il y a longtemps que nous avons tenté tout ce dont parle mon cousin ! De grands et pénibles débats comme celui d'aujourd'hui, que seraient-ils d'autre ? » « Vraiment ? répliqua l'Altesse irritée. Je me disais justement qu'il n'y a rien à tirer de toutes ces intelligences ! Cette psychanalyse et cette théorie de la relativité, ou Dieu sait comment ça s'appelle, tout cela n'est que vanité ! Chacun voudrait corriger le monde à sa manière ! Je vous le dis, Monsieur de… ne s'est peut-être pas exprimé parfaitement, mais, dans le fond, il a raison ! A peine des temps nouveaux ont-ils commencé que cent nouveautés surgissent, sans qu'il en sorte jamais rien de sensé ! »

La nervosité que provoquait la déroute de l'Action parallèle avait éclaté. Le comte Leinsdorf, agacé, ne pétrissait plus sa barbe, il se tournait les pouces sans même s'en rendre compte. Peut-être une autre chose avait-elle éclaté aussi : l'aversion à l'égard d'Arnheim. Lorsque Ulrich avait commencé à parler de l'âme, le comte Leinsdorf avait été très surpris, mais ce qu'il avait entendu ensuite lui avait beaucoup plu. « Que des gens comme cet Arnheim en parlent tellement, pensa-t-il, ce n'est que du bavardage. On n'en a que faire. La religion n'est pas là pour des prunes. » Arnheim lui-même avait blêmi jusqu'aux lèvres. Auparavant, le comte Leinsdorf n'avait parlé sur un tel ton qu'au général. Arnheim n'était pas homme à souffrir cela ! Mais, sans qu'il le voulût, la netteté avec laquelle Son Altesse avait pris le parti d'Ulrich lui avait fait impression et avait réveillé ses propres sentiments, si douloureux, à l'égard de celui-ci. Il était gêné d'avoir voulu parler à Ulrich et de n'en avoir pas trouvé l'occasion avant que cela ne tournât au choc public. C'est pourquoi il ne se tourna pas vers le comte Leinsdorf, qu'il laissa carrément de côté, mais, avec tous les signes d'une violente agitation qu'on n'était pas habitué à lui voir, s'adressa à Ulrich. « Croyez-vous donc vous-même à tout ce que vous avez dit ? demanda-t-il sévèrement en négligeant toute courtoisie. Croyez-vous que cela soit réalisable ? Êtes-vous vraiment d'avis qu'on puisse vivre seulement d'après les *lois de l'analogie* ? Que feriez-vous si Son Altesse vous donnait carte blanche ? Dites-le donc, je vous le demande instamment ! »

Le moment était pénible. Chose curieuse, Diotime se rappela soudain une histoire qu'elle avait lue quelques jours auparavant dans le journal. Une femme avait été condamnée à une peine terrible parce qu'elle avait donné à son amant l'occasion de tuer son vieux mari qui, depuis des années, ne « remplissait plus ses devoirs conjugaux », et néanmoins n'acceptait pas le divorce. Ce fait divers avait attiré son attention par son réalisme presque médical et, sans doute, l'attrait du contraste. Telles que les choses se présentaient, tout était si simple qu'on ne pouvait juger coupable aucun des protagonistes, dont les chances de s'en tirer étaient fort limitées. Le vrai coupable, c'était, en quelque sorte, l'ensemble contre nature capable de créer de pareilles situations. Elle ne comprenait pas pourquoi il fallait qu'elle y pensât en ce moment précis. Elle pensa aussi qu'Ulrich, dans les derniers temps, lui avait dit beaucoup de choses « flottantes et vacillantes », et elle fut fâchée qu'il y ajoutât toujours quelque effronterie. Elle-même avait supposé d'ailleurs que chez des êtres privilégiés, l'âme pourrait sortir de sa superficialité ; c'est pourquoi il lui parut que son cousin était aussi incertain qu'elle, et peut-être aussi passionné. Tout cela, en cet instant, était dans sa tête ou dans sa gorge, siège abandonné de la comtale amitié leinsdorfienne, mêlé à l'histoire de la femme condamnée ; de telle sorte qu'elle restait bouche ouverte, avec le sentiment qu'il se passerait quelque chose de terrible si on laissait faire Ulrich et Arnheim, mais plus encore, peut-être, si on intervenait.

Ulrich, pendant qu'Arnheim l'attaquait, avait regardé Tuzzi. Tuzzi avait peine à dissimuler dans les rides sombres de son visage une curiosité ravie. Maintenant, songeait-il, toutes les manigances qui avaient bouleversé sa maison allaient vraisemblablement sombrer dans leurs propres contradictions. D'ailleurs, il n'avait aucune sympathie pour Ulrich ; ce que cet homme disait était parfaitement contraire à sa nature. Il était convaincu que la valeur d'un homme réside dans sa volonté ou dans sa profession, mais sûrement pas dans ses sentiments et dans ses pensées ; dire de telles absurdités sur les métaphores lui paraissait parfaitement inconvenant. Ulrich en devinait peut-être quelque chose. Il se rappela avoir déclaré un jour à Tuzzi qu'il se tuerait si l'année de son « congé de la vie » s'achevait sans résultat ; il ne l'avait pas dit en ces propres termes, mais néanmoins avec une netteté pénible, et il en eut honte. De nouveau, il eut l'impression, imparfaitement justifiée, qu'une décision était imminente. A ce moment, il pensa à Gerda Fischel et vit le danger qu'il y aurait à ce qu'elle vînt chez lui et reprît leur dernière conversation. Il comprit soudain qu'ils étaient déjà arrivés, même si lui n'avait fait que jouer, à l'extrême limite des paroles, au-delà de laquelle une seule chose était possible : se prêter avec amour aux désirs flottants de la jeune fille, se dévêtir spirituellement, franchir le « deuxième rempart ». Mais c'était de la folie ; il était convaincu qu'il lui serait toujours impossible d'aller aussi loin avec Gerda, et qu'il ne s'était engagé avec elle que parce qu'il se sentait à l'abri. Il se trouvait dans un état très particulier d'exaltation sobre et irritée. Il aperçut le visage animé d'Arnheim, comprit que celui-ci lui reprochait encore de n'avoir aucun « sens du réel » et lui disait que « ces alternatives brutales étaient, pardonnez-moi l'expression, par trop juvéniles ». Il avait totalement perdu le désir de répondre. Il regarda sa montre, eut un sourire d'apaisement et observa qu'il était très tard, trop tard pour répliquer.

Ce disant, il retrouva pour la première fois le contact avec les autres. Le sous-secrétaire Tuzzi alla jusqu'à se lever, puis se contenta de dissimuler ce manque de courtoisie en faisant on ne sait trop quoi. Le comte Leinsdorf lui-même, entre-temps, s'était calmé. Il aurait été heureux qu'Ulrich fût en mesure de remettre à sa place le « Prussien », mais puisque ce n'était pas le cas, il n'en demeurait pas moins satisfait. « Quand quelqu'un vous plaît, il vous plaît ! pensa-t-il. L'autre peut dire toutes les subtilités qu'il voudra ! » Et, dans un rapprochement audacieux, mais inconscient, avec Arnheim et son « Mystère du Tout », il ajouta avec bonne humeur, tandis qu'il observait l'expression fort peu spirituelle d'Ulrich à ce moment : « On serait tenté d'affirmer qu'un homme sympathique ne peut jamais rien dire ni rien faire d'entièrement stupide ! »

On leva rapidement la séance. Le général rangea ses lunettes d'écaille dans sa poche revolver après avoir vainement essayé de les glisser dans les basques de sa tunique : il n'avait pas encore trouvé la place qui convînt à cet instrument de la sagesse civile. « C'est la paix armée des idées ! » dit-il cependant, avec une complicité satisfaite, à Tuzzi, faisant allusion à la rapidité de ce départ général.

Le comte Leinsdorf, consciencieux, retint encore une fois les partants. « Eh bien ! de quoi donc sommes-nous convenus en fin de compte ? » demanda-t-il ; et, comme personne ne trouvait de réponse, il ajouta sur un ton rassurant : « Allons ! nous verrons bien ! nous verrons bien ! »

117. *Le jour noir de Rachel.*

L'éveil de l'homme en lui et la résolution de séduire Rachel avaient glacé Soliman comme le gibier fait du chasseur ou la bête à abattre du boucher. Il ne savait comment atteindre son but, de quelle manière procéder, et quelles étaient les conditions nécessaires et suffisantes pour l'avoir atteint. En un mot, la volonté de l'homme lui découvrait la faiblesse du garçon. Rachel savait aussi ce qui devait se produire. Depuis qu'elle avait gardé distraitement dans la sienne la main d'Ulrich et vécu l'aventure avec Bonadea, elle était hors d'elle-même ou en proie, si l'on peut dire, à une grande distraction d'origine amoureuse qui retombait sur Soliman comme une pluie de fleurs. Mais les circonstances ne leur étaient pas favorables et faisaient traîner les choses. La cuisinière était malade, Rachel devait sacrifier son jour de sortie, l'activité dans la maison donnait à faire. Sans doute Arnheim était-il souvent auprès de Diotime, mais peut-être avait-on résolu de surveiller les jeunes gens d'un peu plus près, car il n'emmenait que rarement Soliman. Quand cela arrivait, on ne se voyait que quelques minutes en présence des maîtres, et l'on s'imposait un visage sombre et innocent.

Alors, Rachel et Soliman furent bien près de se détester : chacun faisait payer à l'autre le désagrément d'être attaché trop court. Pressé par son instinct, Soliman rêvait d'assauts violents ; il projetait de s'enfuir de l'hôtel la nuit et, pour que son maître n'en sût rien, il vola un drap de lit qu'il essaya de transformer, par diverses coupes et torsions, en échelle de corde. Il n'y parvint pas et fit disparaître le drap maltraité dans un soupirail. Puis il médita longuement et inutilement sur la meilleure utilisation des corniches et sculptures pour escalader nuitamment les façades ; le jour, dans ses courses, il ne voyait plus, de l'architecture qui fait la gloire de cette ville, que les avantages et inconvénients « touristiques ». Rachel, à qui il confiait dans un hâtif chuchotement ces projets et les difficultés auxquelles ils se heurtaient, crut plus d'une fois, le soir, quand elle avait éteint la lumière, voir apparaître au pied du mur la noire pleine lune de sa figure ou entendre un appel grillonnant à quoi elle donnait une timide réponse, restant dangereusement penchée à la fenêtre de sa chambre sur la nuit vide qu'elle devait bien, finalement, reconnaître pour telle. Elle ne se fâchait plus de ces romantiques importunités, mais s'y abandonnait avec une languissante tristesse. En réalité, cette langueur allait à Ulrich ; Soliman, Rachel n'en doutait aucunement, était l'homme que l'on n'aime pas mais auquel on se donnera quand même. Le fait qu'on ne les laissait plus se rencontrer, qu'ils avaient été obligés, dans les derniers temps, de se parler à voix basse, et que la défaveur de leurs maîtres les avait accablés tous deux ensemble, agissait sur elle comme agit sur des amants une nuit habitée d'incertitude, de mystère et de soupirs, et concentrait ses rêves brûlants comme un verre ardent dont les rayons créent moins une chaleur agréable que le sentiment qu'on ne pourra les supporter longtemps.

Rachel, qui ne perdait pas son temps à rêver d'échelles de corde et d'escalades, se révéla dans cette affaire la plus pratique des deux. Le chimérique enlèvement pour la vie était bientôt devenu une nuit dérobée à la surveillance des maîtres, et cette nuit, se révélant à son tour inaccessible, un quart d'heure à l'abri des regards. Après tout, ni Diotime, ni le comte Leinsdorf, ni Arnheim, lorsque leur « fonction », après quelque grande et vaine réunion d'intellectuels, les contraignait à échanger sur les résultats de soucieuses réflexions qui les retenaient souvent, sourds à tout autre besoin, une heure encore, ne songeaient que cette heure se compose de quatre quarts d'heure. Rachel, elle, avait fait le calcul. Et comme la cuisinière, encore imparfaitement rétablie, avait la permission d'aller se coucher tôt, sa jeune collègue avait l'avantage d'avoir tant à faire qu'on ne pouvait jamais savoir où elle se trouvait ; on la déchargea autant que possible, durant cette période, du service des invités. En manière d'essai (comme ces gens trop lâches pour se suicider qui en multiplient les feintes tentatives jusqu'à ce que l'une d'elles, par mégarde, réussisse), elle avait déjà introduit en contrebande dans sa chambre le jeune Noir, armé de quelque excuse professionnelle au cas où il serait découvert, et lui avait fait comprendre ainsi que l'escalade n'était pas l'unique moyen d'accès. Cependant, les jeunes amoureux n'étaient pas encore allés au-delà des bâillements communs dans l'antichambre et de l'espionnage par le trou de la serrure ; jusqu'à ce qu'un soir où les voix dans la chambre se succédaient aussi régulièrement que les bruits d'une batteuse, Soliman déclarât, dans une merveilleuse phrase de roman, qu'il était incapable de patienter plus longtemps.

Dans la chambre, ce fut lui qui ferma la porte. Mais ensuite, ils n'osèrent pas faire de la lumière et restèrent d'abord debout l'un devant l'autre sans rien voir, comme s'ils avaient été privés non seulement de la vue, mais de tous leurs autres sens, telles des statues dans un parc obscur. Soliman songea bien à presser la main de Rachel dans la sienne ou à pincer la jeune fille au mollet pour qu'elle criât (telle avait été jusqu'alors la nature de ses victoires viriles), mais il dut se contraindre, car il ne fallait pas faire de bruit. Lorsqu'il tenta néanmoins, timidement, un petit essai de brutalité, il ne reçut pour toute réponse que la réflexion d'une indifférence impatiente. Rachel sentait la main du destin qui l'empoignait aux reins et la poussait en avant tandis que son front et son nez se glaçaient, comme si, maintenant déjà, toutes ses imaginations l'abandonnaient. Alors, Soliman aussi se sentit complètement abandonné et infiniment maladroit : on ne voyait pas comment ce sombre tête-à-tête pourrait prendre fin. Finalement, ce fut Rachel, la plus noble, mais aussi la plus expérimentée des deux, qui dut faire le séducteur. Elle y fut aidée par la rancune qui s'était substituée dans son cœur à son ancien amour pour Diotime ; depuis qu'elle ne se contentait plus de participer aux sublimes extases de sa maîtresse et menait ses propres intrigues, elle avait beaucoup changé. Non seulement elle mentait pour dissimuler ses rendez-vous avec Soliman, mais elle tirait un peu sur les cheveux de Diotime en la coiffant, pour se venger de l'attention avec laquelle on surveillait son innocence. Ce qui l'irritait le plus était ce qui, naguère, l'avait le plus exaltée, c'est-à-dire d'être obligée de porter les chemises, les culottes et les bas que Diotime lui donnait quand elle n'en avait plus l'usage ; bien qu'elle en réduisît la taille d'un tiers et transformât complètement cette lingerie, elle s'y sentait emprisonnée et devinait sur son corps nu le poids de la moralité. C'est précisément cela qui lui inspira l'ingénieuse pensée dont elle avait besoin dans sa situation. Déjà auparavant, elle avait parlé à Soliman des changements qui étaient apparus depuis assez longtemps dans la lingerie de sa maîtresse ; elle n'eut plus qu'à les lui faire voir pour trouver une transition qui devenait politiquement urgente. « Regarde-moi les méchantes gens, dit-elle en montrant dans l'ombre à Soliman l'ourlet lunaire de ses culottes, et s'il y a quelque chose entre eux, tu peux être sûr qu'ils trompent aussi mon maître dans cette histoire de guerre qui se prépare chez nous ! » Lorsque le garçon, prudemment, tâta les délicates et dangereuses lingeries, elle ajouta, un peu haletante : « Je parie, Soliman, que tes caleçons sont aussi noirs que toi : c'est ce qu'on m'a toujours dit ! » Soliman, offensé, mais tendre, lui enfonça les ongles dans la jambe, Rachel dut faire un mouvement vers lui pour se libérer, elle dut dire ou faire encore ceci et cela sans aucun résultat ; finalement, elle recourut à ses petites dents pointues et traita le visage de Soliman, qui se pressait puérilement contre le sien et à chaque mouvement, tel un garçon qui joue, lui barrait à nouveau le passage, comme on traiterait une grosse pomme. Alors, elle oublia d'avoir honte de ses efforts, Soliman oublia d'avoir honte de sa maladresse, et dans l'obscurité siffla la tempête aérienne de l'amour.

Durement, quand elle les abandonna, elle jeta les amants à terre et disparut à travers les cloisons. L'obscurité entre eux était comme un morceau de charbon où les pécheurs se fussent noircis. Ils ne savaient pas l'heure, ils surestimèrent le temps écoulé et prirent peur. Soliman trouva, au timide dernier baiser de Rachel, un goût d'importunité ; il aurait voulu allumer, et se comportait comme un voleur qui, son butin entre les mains, consacre tous ses efforts à s'en tirer sans dommage. Rachel, qui avait remis de l'ordre dans ses vêtements avec une hâte un peu honteuse, lui jeta un regard qui n'avait ni but ni fond. Ses cheveux en désordre lui tombaient sur les yeux, derrière lesquels lui revenaient, pour la première fois, toutes les vastes images de son amour de l'honneur, jusqu'alors oubliées. Outre toutes les vertus possibles pour elle-même, elle s'était souhaité un amant beau, riche et romanesque ; devant elle, il y avait Soliman, pas trop convenablement habillé, épouvantablement laid, et tout ce qu'il lui avait raconté, elle n'en croyait pas un mot. Peut-être, dans l'obscurité, aurait-elle très volontiers gardé encore un moment entre ses bras, avant de se séparer, son gros visage crispé ; maintenant, à la lumière, il était son nouvel amant et rien de plus, mille hommes ratatinés en un petit bonhomme un peu ridicule, l'unique, celui qui exclut tous les autres. Et Rachel était de nouveau une domestique qui s'était laissé séduire et qui craignait soudain beaucoup qu'un enfant fît découvrir le pot aux roses. Elle était trop effrayée par cette transformation pour seulement soupirer. Elle aida Soliman à s'habiller, car, dans son trouble, le jeune homme avait enlevé sa veste étroite aux nombreux boutons ; Rachel ne l'aidait pas par tendresse, mais seulement pour qu'ils pussent redescendre plus vite. Tout cela lui parut avoir été payé affreusement trop cher ; si on les avait surpris, elle n'aurait pu le supporter. Néanmoins, quand ils furent prêts, Soliman se tourna vers elle et lui fit un sourire magnifique comme un hennissement : après tout, il était très fier. Rachel emporta rapidement une boîte d'allumettes, éteignit la lumière, ouvrit doucement le verrou et lui murmura, avant que la porte ne fût ouverte : « Tu dois me donner encore un baiser ! » C'était en effet ce qui se doit, mais ce fut pour tous deux comme s'ils avaient de la poudre dentifrice sur les lèvres.

Dans l'antichambre, ils furent très surpris d'arriver assez tôt et d'entendre les conversations continuer exactement du même train derrière la porte. Lorsque les invités s'en allèrent, Soliman avait disparu. Une demi-heure plus tard, Rachel coiffait la chevelure de sa maîtresse avec beaucoup de soin et presque le même humble amour que naguère.

« Je suis contente de voir que mes mises en garde n'ont pas été inutiles ! » dit Diotime pour la complimenter ; et la maîtresse, qui avait tant de graves sujets de mécontentement, tapota affectueusement la main de sa petite servante.

118. *Eh bien ! tue-le donc !*

Walter avait changé son costume de travail contre un vêtement de ville plus élégant et nouait sa cravate devant le miroir de Clarisse, lequel, malgré son cadre recourbé à la nouvelle mode, lui renvoyait du fond du verre bon marché et probablement bullé une image déformée et sans profondeur. « Ils ont parfaitement raison, dit-il avec irritation, cette fameuse Action n'est qu'une duperie !

– Qu'en auront-ils de plus à pousser des cris ? dit Clarisse.

– De toute façon, qu'est-ce qu'on a de la vie, aujourd'hui ? S'ils descendent dans la rue, ils forment au moins un cortège ; chacun sent proche du sien le corps de l'autre ! Au moins, ils ne pensent pas, ils n'écrivent pas : il en sortira toujours quelque chose !

– Et tu crois vraiment que l'Action mérite tant d'indignation ? »

Walter haussa les épaules. « N'as-tu pas lu dans le journal la résolution que les Porte-parole allemands ont présentée au Chef du gouvernement ? Insultes et préjudices à la population allemande, et cætera ? Et la résolution ironique du Club tchèque ? Sais-tu que les députés polonais sont partis dans leurs circonscriptions ? Quand on sait lire entre les lignes, c'est encore cette petite nouvelle qui est la plus significative : les Polonais, de qui a toujours dépendu la décision, laissent tomber le gouvernement ! La situation est tendue. Ce n'était pas le moment d'exciter tout le monde avec une campagne patriotique !

– Quand j'étais en ville, ce matin, dit Clarisse, j'ai vu passer la police montée : un régiment entier ; une femme m'a raconté qu'ils sont cachés quelque part !

– Naturellement. Et l'armée est consignée dans les casernes.

– Tu crois qu'il arrivera quelque chose ?

– Comment pourrait-on le savoir ?

– Et ils fonceront sur les gens ? C'est vraiment horrible de penser qu'on a tous ces chevaux autour de soi ! »

Walter avait redéfait le nœud de sa cravate et le recommençait. « As-tu déjà participé à une manifestation de ce genre ? demanda Clarisse.

– Quand j'étais étudiant.

– Et jamais depuis ? »

Walter secoua la tête en signe de dénégation.

« N'as-tu pas dit il y a un instant que c'était la faute d'Ulrich s'il arrivait quelque chose ? dit Clarisse comme si elle voulait s'en assurer.

– Je n'ai pas dit ça ! protesta Walter. Malheureusement, les événements politiques lui sont indifférents. J'ai seulement dit que c'était bien dans sa nature de provoquer des événements de ce genre à la légère ; il fréquente les milieux responsables.

– J'aimerais venir avec toi en ville ! déclara Clarisse.

– Pour rien au monde ! Cela t'exciterait beaucoup trop ! » La réponse de Walter était très résolue. Il avait appris au bureau toutes sortes de choses sur ce qui se préparait, et voulait en tenir Clarisse à l'écart. L'hystérie qui monte d'une grande foule n'était pas faite pour elle. Il fallait traiter Clarisse comme une femme enceinte. Ce mot, qui mettait à l'improviste, dans la susceptibilité cassante de celle qu'il aimait et qui se refusait à lui, la folle chaleur de la grossesse, faillit lui rester dans la gorge. « Mais ces rapprochements qui vont au-delà des notions ordinaires, existent aussi ! » se dit-il non sans fierté. Puis il dit à Clarisse : « Si tu préfères, je resterai aussi à la maison.

– Non, répliqua-t-elle, il faut que toi au moins tu y sois ! »

Elle voulait rester seule. Lorsque Walter lui avait parlé de la manifestation imminente et décrit la forme qu'elles prennent ordinairement, elle avait eu devant les yeux un serpent couvert d'écailles dont chacune bougeait isolément. Elle désirait se persuader elle-même de la vérité de cette vision, et ne plus trop parler avant.

Walter l'entoura de son bras. « Je reste aussi ? » redemanda-t-il.

Clarisse écarta son bras, prit un livre sur un rayon et ne fit pas attention à lui. C'était un volume de son Nietzsche. Mais Walter, au lieu de la laisser, demanda : « Laisse-moi donc voir ce qui t'intéresse ! »

On approchait de la fin de l'après-midi. Un vague pressentiment de printemps flottait dans l'appartement ; comme si l'on entendait des cris d'oiseaux assourdis par les vitres et les murs. Un parfum de fleurs s'exhalait, illusion suscitée par l'odeur de l'encaustique, des meubles capitonnés et des poignées de laiton brillant. Walter tendit le bras vers le livre. Clarisse mit les deux mains dessus et garda son doigt entre les pages.

Alors se déroula une des scènes « terribles » dont cette union était si prodigue. Toutes avaient le même modèle : un théâtre où la scène s'éteint et où deux loges opposées s'allument ; dans l'une se trouve Walter, dans l'autre Clarisse, distingués entre tous les autres humains ; entre eux le profond abîme noir tout chaud d'êtres invisibles ; alors Clarisse ouvre la bouche, Walter répond, et tous écoutent en retenant leur respiration, car c'est un spectacle et un concert comme aucun être humain, jamais, n'en a réussi. Il en fut encore une fois de même ce jour-là, tandis que Walter tendait le bras dans un mouvement de prière et que Clarisse, à quelques pas de lui, serrait son doigt entre les pages du livre. Cherchant au hasard, elle était tombée sur ce beau passage où le Maître parle de l'appauvrissement qu'entraîne la décadence de la volonté, appauvrissement qui se traduit dans toutes les formes de la vie par un foisonnement de détails aux dépens de l'ensemble. « La vie acculée dans les formes les plus mesquines, et ailleurs si peu de vie. » Elle avait encore en mémoire cette phrase et n'avait gardé de tout le reste, qu'elle avait parcouru du regard avant que Walter n'intervînt, que le sens approximatif. Alors, en dépit des circonstances peu favorables, elle fit une grande découverte. Dans ce passage le Maître parlait bien de tous les arts, et même de toutes les formes de la vie humaine, mais il n'empruntait qu'à la littérature ses exemples ; et comme Clarisse ne comprenait pas les généralités, elle découvrit que Nietzsche n'avait pas saisi toute la portée de ses pensées, puisqu'elles s'appliquaient aussi à la musique ! Alors, comme s'il était réellement en train de jouer à côté d'elle, elle entendit le jeu maladif de son mari, ses *rallentando* pathétiques, la dispersion hésitante des sons dès que ses pensées s'égaraient vers elle et, pour citer un autre passage du Maître, « la tendance secondaire du moraliste » qui l'emportait, en lui, sur « l'art ». Clarisse entendait tout de suite à son jeu les moments où Walter la désirait muettement ; elle pouvait voir la musique déserter son visage : il n'y avait plus que les lèvres qui brillaient, on aurait dit qu'il s'était coupé le doigt et qu'il allait s'évanouir. C'était la même chose maintenant qu'il avait étendu le bras vers elle avec ce sourire nerveux. Évidemment, Nietzsche n'avait pu prévoir tout cela, mais que le hasard l'eût fait tomber, elle, justement sur un passage qui s'y rapportait, était significatif.

Tandis qu'elle voyait, entendait et comprenait tout cela, l'éclair de l'inspiration la frappa. Elle fut debout sur une haute montagne appelée Nietzsche ; cette montagne avait enseveli Walter sous elle, mais elle atteignait juste à la plante des pieds de Clarisse ! La « philosophie et la poésie appliquées » de la plupart des êtres qui ne sont ni capables de créer ni tout à fait incapables de sentir, sont faites de cette miroitante fusion d'une petite altération personnelle avec une grande pensée étrangère.

Entre-temps, Walter s'était levé et s'approchait de Clarisse. Il était résolu à rester avec elle et à laisser tomber la manifestation. Tout en s'approchant, il la voyait debout contre le mur, hostile. Malheureusement, ce geste, consciencieusement joué, de la femme qui recule devant un homme, loin de lui communiquer son aversion, éveilla les images viriles qui auraient dû en être la cause. Un homme doit être en mesure de commander et d'imposer sa volonté à qui lui résiste. Tout d'un coup, ce besoin de se comporter en homme se confondit pour Walter avec le désir de lutter contre les restes épars de ces superstitions de jeunesse qui lui avaient fait croire qu'on doit être autrement que les autres. « On doit être comme les autres ! » se dit-il comme par défi. Ne pas admettre cela lui semblait lâche. « Tous, nous avons nos excès, pensa-t-il dédaigneusement. Nous avons en nous maladie, épouvante, solitude, méchanceté ; chacun de nous pourrait faire quelque chose dont il serait seul capable : mais cela ne signifie rien ! » L'illusion que l'on a le devoir de développer en soi l'extraordinaire, plutôt que de reprendre et de fondre en un tout organique ces excroissances vite corrompues et d'en raviver le sang bourgeois trop aisément assoupi, l'aigrissait. Ainsi songeait-il, attendant le jour où la musique et la peinture ne seraient plus pour lui qu'une distraction sublime. Son désir d'un enfant relevait de ces nouvelles tâches ; le rêve qui avait hanté sa jeunesse, devenir un Titan ou un Voleur de feu, aboutissait maintenant à lui faire exagérer la nécessité d'être d'abord « comme les autres ». Il avait honte de n'avoir pas d'enfants ; il en aurait voulu cinq, si Clarisse et son revenu le lui avaient permis, parce qu'il avait besoin d'être le centre d'une grande chaleur vivante. Il souhaitait d'être plus moyen encore que la grande moyenne des hommes, celle qui porte la vie, sans penser à ce qu'il y avait de contradictoire dans ce désir.

Soit qu'il eût trop réfléchi ou trop dormi avant qu'il se disposât à sortir et engageât cette conversation, il avait maintenant le feu aux joues. Clarisse, visiblement, comprit tout de suite pourquoi il s'approchait de son livre. Aussitôt cette adaptation si subtile de l'un à l'autre, malgré les pénibles symptômes d'aversion montrés par Clarisse, émut mystérieusement Walter, au point que sa brutalité souffrit et que sa simplicité, une fois de plus, se démembra. « Pourquoi ne veux-tu pas me montrer ce que tu lis ? Laisse-nous donc parler ! dit-il timidement.

– On ne peut pas "parler" ! siffla Clarisse.

– Que tu peux être surexcitée ! » s'écria Walter. Il voulut lui arracher le livre tout ouvert. Clarisse s'y accrocha obstinément. Quand ils eurent lutté un moment, Walter pensa : « Que m'importe ce livre, après tout ? » et il lâcha Clarisse. Ainsi se serait terminée la querelle si Clarisse, dans l'instant où elle se retrouva libre, ne s'était collée avec violence contre la paroi, comme si elle voulait s'enfoncer dans une haie touffue pour échapper à une menace brutale. Elle était hors d'haleine, pâle, et lui cria d'une voix rauque : « Au lieu de faire quelque chose toi-même, tu voudrais te perpétuer dans un enfant ! »

Sa bouche cracha cette phrase à Walter telle une flamme venimeuse, de sorte que celui-ci, sans le vouloir, répéta en soufflant : « Laisse-nous parler !

– Je ne veux pas parler, tu me répugnes ! » répliqua Clarisse, se retrouvant soudain en pleine possession de ses moyens vocaux et les exploitant très consciemment. On aurait dit qu'un lourd plat de porcelaine venait de tomber à leurs pieds. Walter recula d'un pas et la considéra avec stupeur.

Clarisse n'avait pas voulu aller si loin. Simplement, elle avait peur de lui céder une fois de plus par gentillesse ou indolence. Walter l'aurait aussitôt attachée à lui avec des langes, et il fallait au moins que cela n'arrivât pas maintenant, au moment où elle se préparait à trancher la question. La crise était devenue aiguë ; Clarisse sentait cet adjectif, que Walter avait employé pour lui expliquer pourquoi les gens descendaient dans la rue, souligné d'un gros trait dans sa tête. Ulrich, lié à Nietzsche dont il lui avait offert les œuvres pour son mariage, se trouvait de l'autre côté, du côté où la pointe de l'angle se tournerait si quelque chose éclatait. Nietzsche venait de lui adresser un signe, et si elle se voyait debout sur une « haute montagne », une haute montagne est-elle autre chose qu'un angle aigu ? C'était là des rapprochements très singuliers, qu'aucun homme ne pourrait sans doute déchiffrer et qui lui demeuraient obscurs à elle-même. C'est précisément pour cela qu'elle voulait être seule et chasser Walter de la maison. La haine sauvage qui brûlait en ce moment sur son visage n'était pas une haine pure et véritable, mais une fureur physique à laquelle sa personne ne participait que confusément, un « furioso » comme Walter en connaissait fréquemment ; de sorte que lui aussi, après qu'il eut fixé un moment sa femme avec surprise, fut soudain envahi par une pâleur rétrospective, grinça des dents et s'écria, en réponse à la répugnance dont elle avait parlé : « Garde-toi du génie ! Toi surtout, garde-t'en ! »

Il cria encore plus fort qu'elle ne l'avait fait, et lui-même s'effraya de cette obscure prophétie, car, plus forte que lui, elle s'était frayé toute seule un chemin dans sa gorge. Brusquement, il vit noir dans toute la chambre, comme s'il y avait eu une éclipse de soleil.

Clarisse aussi avait été impressionnée. Elle se tut brusquement.

Une émotion aussi puissante qu'une éclipse de soleil n'est certes pas chose banale, et de quelque façon qu'elle se fût produite, la jalousie de Walter pour Ulrich y avait éclaté d'un coup, à l'improviste. Pourquoi donc le qualifiait-il de génie ? Ce mot évoquait sans doute pour lui une présomption inconsciente de sa proche ruine. Walter, tout d'un coup, retrouva d'anciennes images : Ulrich rentrant chez lui en uniforme, barbare qui avait déjà des histoires avec de vraies femmes alors que Walter, bien qu'il fût plus âgé, écrivait encore des poésies sur les statues des parcs. Plus tard, c'était Ulrich rapportant les dernières nouvelles du monde de la vitesse, de la précision, de l'acier : cela aussi, pour l'humaniste Walter, ressemblait à l'invasion d'une horde de barbares. En face de son cadet, Walter avait toujours éprouvé le malaise secret de celui dont le physique est plus faible, l'esprit d'initiative moins vif. Mais toujours, en même temps, il avait vu en soi-même le représentant de l'esprit, et en Ulrich celui de la volonté brutale. Et toujours, comme pour mieux étayer cette conviction, la même image se répétait : Walter bouleversé par le Beau et le Bon, et Ulrich secouant la tête. Ces impressions-là ne s'effacent pas. Si Walter était parvenu à lire le passage à propos duquel il se battait maintenant avec Clarisse, il n'aurait certainement pas vu dans cette description d'une désagrégation qui transfère la volonté de vivre de l'ensemble aux détails, la critique de ses propres tâtonnements artistiques, ainsi que le faisait Clarisse. Il aurait été persuadé que c'était là tout le portrait de son ami Ulrich, à commencer par la surestimation des détails qui caractérise la superstition de l'empirisme moderne, pour aboutir à la progression de cette barbare décadence à l'intérieur du Moi, qu'il avait traduite par la formule « Homme sans qualités » ou « Qualités sans homme », formule qu'Ulrich, mégalomane comme il l'était, avait encore osé approuver. C'était tout cela que le mot de « génie », dans l'invective de Walter, signifiait. Si quelqu'un avait le droit de se considérer comme une personnalité solitaire, il jugeait que c'était bien lui. Néanmoins, il y avait renoncé pour revenir aux travaux naturels de l'homme et, en cela, il se croyait toute une génération d'avance sur son ami. Tandis que Clarisse se taisait sans relever l'insulte, il songea : « Maintenant, qu'elle me dise un seul mot en faveur d'Ulrich, je ne le supporterai pas ! » La haine le secouait comme l'eût pu faire le propre bras d'Ulrich.

Dans l'excès de son émotion, il entrevit comment il empoignerait son chapeau et s'enfuirait. Il fonçait dans des rues sans les voir. Dans son imagination, les maisons se courbaient au vent sur son passage. Il fallut un moment pour que son pas se ralentît. Maintenant, il regardait en face les passants qu'il croisait. Ces visages qui le considéraient avec cordialité l'apaisaient. Alors, pour autant que sa conscience était demeurée en dehors de ce rêve éveillé, il se mit à expliquer à Clarisse ce qu'il voulait dire. Mais les mots lui brillaient dans les yeux, non dans la bouche. Comment décrire le bonheur d'être au milieu des hommes, au milieu de ses frères ! Clarisse dirait qu'il manquait de personnalité. Mais l'intraitable assurance de Clarisse avait quelque chose d'inhumain, et il était décidé à ne plus céder aux exigences excessives qu'elle lui imposait ! Il éprouvait le plus douloureux besoin d'être enclos avec elle dans un ordre, quel qu'il fût, de ne plus vivre dans l'anarchie individuelle et le délire d'interprétation de l'amour. « Dans tout ce que l'on est ou fait, et même quand on se trouve en opposition avec les autres, on doit sentir en soi, dans ses profondeurs, un mouvement vers eux » : voilà à peu près ce qu'il aurait aimé lui répondre.

Walter avait toujours eu de la chance avec les gens. Ils étaient attirés par lui, et lui par eux, jusque dans la dispute. Ainsi l'idée, assez banale, qu'il y a dans la communauté humaine un pouvoir équilibrant, récompense de l'effort qui finit toujours par s'imposer, était-elle devenue dans sa vie une conviction inébranlable. Il songea soudain qu'il existe des hommes qui attirent les oiseaux ; les oiseaux aiment à voler vers eux, et ces hommes-là ont souvent une expression d'oiseau. D'ailleurs, sa conviction était que tout homme a un animal auquel des liens inexplicables le rattachent. Naguère, il avait imaginé et développé cette théorie ; elle n'était pas scientifique, mais il croyait que les musiciens devinent beaucoup de choses inaccessibles aux savants. Il avait été avéré, dès son enfance, que son animal à lui était le poisson. Les poissons l'avaient toujours violemment attiré et effrayé en même temps. A chaque début de vacances, il les retrouvait avec frénésie. Il pouvait rester des heures au bord de l'eau à en attraper : les enlever à leur élément, déposer leurs cadavres dans l'herbe à côté de lui, jusqu'à ce que tout s'achevât dans un dégoût qui confinait à l'épouvante. Les poissons, à la cuisine, avaient été l'une de ses premières passions. Quand ils étaient vidés, on jetait les carcasses dans un « weidling », ustensile de cuisine en forme de barque, émaillé de vert et de blanc comme de nuages et d'herbes. Pour quelque raison liée sans doute aux lois du royaume culinaire, les squelettes demeuraient dans le récipient à demi rempli d'eau jusqu'à ce que le repas fût prêt ; ils échoueraient alors sur le fumier. Ce récipient attirait mystérieusement le garçon qui y revenait sans cesse pendant des heures, sous de puérils prétextes, perdant la parole quand on lui en demandait la raison. Peut-être Walter aurait-il pu répondre aujourd'hui que le charme fascinant des poissons consistait en ceci qu'ils n'appartiennent pas à deux éléments à la fois, mais qu'un seul suffit à les porter tout entiers. Il les retrouvait devant ses yeux, tels qu'il les avait vus si souvent dans le profond miroir des eaux : ils ne se déplaçaient pas comme lui-même sur un sol à la limite duquel commençait un deuxième élément vide (on ne se trouve chez soi ni dans l'un, ni dans l'autre ! songeait Walter, tissant ses pensées comme une toile dans tous les sens ; attaché à une terre que l'on ne touche que par la minime surface des deux pieds, tandis que le reste du corps s'élève dans un air où, sans ses pieds, il tomberait, et à qui l'on dispute sa place). Le sol des poissons, leur air, leur boisson, leur nourriture, leur peur des ennemis, le cortège ombreux de leurs amours et leur tombeau les enfermaient. Ils se mouvaient dans ce par quoi ils étaient mus, expérience que l'homme ne connaît qu'en rêve ou peut-être dans le nostalgique désir de retrouver la tendresse protectrice du corps maternel, croyance qui commençait alors d'être à la mode. Mais pourquoi donc tuait-il les poissons, pourquoi les arrachait-il à leur élément ? Cela lui procurait une jouissance inexprimable, sacrée ! Il ne voulait pas en savoir la raison : il était l'énigmatique Walter ! Clarisse n'avait-elle pas dit un jour que les poissons étaient les bourgeois des eaux ? Il tressaillit, blessé. Et tandis qu'il fonçait à travers les rues (toujours dans l'état imaginaire où il se trouvait, pensant en même temps tout cela) et regardait en face les passants qu'il croisait, le temps était devenu un bon temps pour la pêche ; non qu'il plût encore, mais il bruinait ; depuis un moment déjà, mais il ne le remarquait que maintenant, les trottoirs et les chaussées étaient brun sombre. Les gens qui y marchaient semblaient maintenant vêtus de noir, ils portaient des hauts-de-forme, mais la chemise ouverte ; Walter le nota sans surprise. De toute façon ce n'étaient pas des bourgeois, ils devaient sortir de quelque fabrique, ils s'avançaient par petits groupes, et d'autres gens, qui n'avaient pas encore fini leur journée, se faufilaient entre eux, comme lui, avec plus de hâte. Il se sentit très heureux. Seuls ces cous nus lui rappelaient quelque chose qui le troublait et n'était pas parfaitement rassurant. Brusquement, de la pluie jaillit du tableau : il se fit comme un poudroiement de gens, il y eut dans l'air des choses éventrées, des blancheurs brillantes ; des poissons tombèrent ; et au-dessus de tout cela s'éleva l'appel tremblant, tendre et comme déplacé, d'une voix isolée qui appelait un petit chien par son nom.

Ces dernières métamorphoses étaient si indépendantes de la volonté de Walter qu'elles le surprirent lui-même. Il ne s'était pas aperçu que ses pensées rêvaient et volaient sur des images avec une rapidité incroyable. Son regard devint fixe. Il regarda le visage de sa femme que l'aversion crispait toujours. Il se sentit très peu sûr. Il se rappela qu'il avait voulu développer en détail un reproche ; sa bouche était encore ouverte. Mais il ne savait pas s'il s'était écoulé des minutes, des secondes ou seulement des millièmes de seconde. Un peu de fierté à cette pensée le réchauffa, comme on sent sur la peau, après un bain glacé, un frisson équivoque. Cela signifiait à peu près : « Voyez de quoi je suis capable ! » Dans le même moment, il ne se sentait pas moins honteux de cette explosion des forces souterraines. N'avait-il pas voulu dire, il y avait un instant seulement, que tout ce qui s'organise, se maîtrise et se satisfait d'une petite place dans le vaste cercle des choses, avait une beaucoup plus grande valeur spirituelle que l'anormal ? Et maintenant, l'arbre de ses convictions avait ses racines dans le ciel, et toute la boue du volcan de la vie leur restait attachée ! C'est pourquoi le sentiment le plus violent qu'il éprouvait depuis son réveil était l'effroi. Il était sûr que quelque chose d'effrayant le menaçait. Cette angoisse n'avait aucun contenu raisonnable. Continuant à penser à moitié en images, il lui semblait simplement que Clarisse et Ulrich s'efforçaient de l'arracher de son tableau. Il rassembla ses esprits pour secouer ce rêve éveillé et voulut dire quelque chose qui aidât la conversation, paralysée par sa violence, à reprendre un cours raisonnable. Il avait quelque chose de ce genre sur la langue, mais le pressentiment que ses mots s'étaient attardés, que quelque chose d'autre avait été dit ou s'était passé entre-temps sans qu'il le sût, le retint, et tout à coup, remontant dans le temps, il entendit Clarisse lui dire : « Si tu veux tuer Ulrich, tue-le donc ! Tu as trop de conscience ! On ne peut faire de bonne musique que sans conscience ! »

Walter resta longtemps sans vouloir comprendre. Parfois, il est vrai, l'on ne comprend une chose que parce qu'on y répond, et il hésitait à répondre parce qu'il craignait de trahir son inattention. Dans cette incertitude, il comprit, ou la conviction s'imposa à lui que Clarisse avait réellement prononcé les mots qui avaient été à l'origine de l'angoissante rêverie qu'il venait de vivre. Elle avait raison de penser que Walter, si tous les souhaits lui avaient été permis, n'en aurait souvent pas eu d'autre que de voir Ulrich mort. De pareils sentiments naissent assez souvent dans les amitiés qui, d'ordinaire, lorsqu'elles touchent de très près à la valeur de la personne, ne meurent pas aussi rapidement que les amours. La rêverie, d'ailleurs, n'était pas très sanguinaire. Au moment où Walter se représentait Ulrich mort, aussitôt, la vieille affection juvénile pour l'ami perdu renaissait, au moins en partie. De même qu'au théâtre une grande exaltation esthétique abolit l'inhibition bourgeoise devant les forfaits les plus monstrueux, il avait presque l'impression que l'idée d'un dénouement tragique comportait quelque beauté même pour celui qu'il imaginait dans le rôle de la victime. Il se sentait très exalté, bien qu'il fût craintif et ne supportât pas la vue du sang. Et quoiqu'il souhaitât sincèrement que l'orgueil d'Ulrich fût brisé une bonne fois, il n'aurait jamais rien fait pour y aider. Primitivement, les pensées n'ont aucune logique, en dépit de celle qu'on veut à tout prix leur attribuer. Il faut la résistance sans imagination de la réalité pour attirer l'attention sur les contradictions qui entachent le poème appelé « Homme ». Peut-être Clarisse avait-elle raison, elle aussi, lorsqu'elle affirmait qu'un excès de conscience bourgeoise peut être un obstacle pour l'artiste. Toutes ces réflexions occupaient à la fois l'esprit de Walter, qui regardait sa femme avec répugnance et perplexité.

Clarisse répétait avec passion : « S'il te gêne pour ton

œuvre, écarte-le de ton chemin ! » Elle semblait trouver cela stimulant et divertissant.

Walter voulut tendre les mains vers elle. Ses bras étaient comme collés à son corps ; il réussit quand même à l'approcher. « Nietzsche et le Christ ont sombré de n'avoir pas été jusqu'au bout ! » lui murmura-t-elle à l'oreille. Tout cela était absurde. Que venait faire ici le Christ ? Que voulait-elle dire en prétendant que le Christ n'était pas allé jusqu'au bout ? Ces comparaisons étaient simplement pénibles. Pourtant, Walter continuait à sentir une contagion indescriptible émaner du mouvement de ces lèvres. Il était clair que la résolution, qu'il avait eu tant de peine à prendre, de se ranger du côté du plus grand nombre était continuellement battue en brèche par un violent besoin d'exception qu'il essayait en vain d'étouffer. Il empoigna Clarisse aussi fort qu'il le put, et l'empêcha de bouger. Les yeux de la jeune femme étaient devant les siens comme deux petits disques. « Je ne sais pas où tu vas chercher des idées pareilles ! » répéta-t-il à plusieurs reprises, mais il n'obtint aucune réponse. Sans le vouloir, il avait dû en disant cela l'attirer à soi : Clarisse dressa les ongles de ses dix doigts comme un oiseau devant son visage, si bien qu'il ne put l'approcher davantage du sien. « Elle est folle », pensa Walter. Mais il ne pouvait pas la lâcher. Il y avait sur le visage de Clarisse une laideur absolument impossible à comprendre. Il n'avait jamais vu de fous ; il pensa qu'ils devaient avoir cet air-là.

Tout à coup, il gémit : « Tu l'aimes ? » Ce n'était certes pas là une remarque particulièrement originale, ni un problème dont ils débattaient entre eux pour la première fois. Mais pour ne pas devoir croire que Clarisse était malade, il préférait supposer qu'elle aimait Ulrich. Ce sens du sacrifice n'était probablement pas sans rapport avec le fait que Clarisse, dont il avait toujours admiré jusqu'ici la beauté Renaissance aux lèvres minces, pour la première fois lui paraissait laide. Cette laideur elle-même dépendait peut-être du fait que son visage n'était plus tendrement protégé par son amour pour Walter, mais recouvert par le grossier amour de son rival. Ainsi les complications ne manquaient pas, elles tremblaient en lui entre le cœur et les yeux comme une nouveauté douée d'une signification aussi bien générale que privée ; mais qu'il eût prononcé la phrase « Tu l'aimes » avec un gémissement inhumain, cela tenait peut-être à ce qu'il était déjà contaminé par la folie de Clarisse, et il en fut un peu épouvanté.

Clarisse s'était dégagée avec douceur. Elle se rapprocha néanmoins de lui volontairement et lui répéta une ou deux fois en réponse, comme si elle chantait quelque chose : « Je ne veux pas d'enfant de toi ! Je ne veux pas d'enfant de toi ! » Ce disant, elle lui donna rapidement quelques furtifs baisers.

Puis elle ne fut plus là.

Avait-elle vraiment dit aussi : « Il veut un enfant de moi » ? Walter ne pouvait se rappeler avec certitude qu'elle l'eût dit, mais il en entendait comme la possibilité. Debout devant le piano, rempli de jalousie, il sentit sur un côté de son corps un souffle mêlé de froid et de chaud. Étaient-ce les courants du génie et de la folie ? Ceux de l'indulgence et de la haine ? Ou encore ceux de l'amour et de l'esprit ? Il pouvait se figurer qu'il laisserait la route libre à Clarisse et poserait son cœur sur cette route afin qu'elle lui marchât dessus. Il pouvait se figurer qu'il les anéantirait, Ulrich et elle, par la violence de ses paroles. Il hésitait s'il devait courir chez Ulrich ou commencer à écrire sa nouvelle symphonie qui, dans un instant pareil, pourrait devenir l'éternel combat de la terre et des astres, ou s'il vaudrait mieux, d'abord, rafraîchir sa fièvre dans l'étang interdit du wagnérisme. L'état inexprimable où il s'était mis se trouva peu à peu dissous dans ces réflexions. Il ouvrit le piano, alluma une cigarette, et tandis que ses pensées se dispersaient toujours davantage, ses doigts retrouvaient sur les touches les bouillonnements paralysants du magicien saxon. Ce mouvement de détente dura assez longtemps. Puis Walter vit avec une parfaite clarté que sa femme et lui avaient été dans un état d'irresponsabilité. En dépit de l'impression pénible qui en résultait pour lui, il savait que ce serait inutile d'aller si tôt après à la recherche de Clarisse pour le lui faire comprendre. Tout à coup, il sentit le besoin de se mêler à la foule. Il enfonça son chapeau sur sa tête et gagna la ville pour réaliser son intention primitive et se mêler à la fièvre générale, s'il réussissait à la trouver quelque part. Tout en marchant, il avait le sentiment de conduire une armée de démons dont il était le capitaine, et qui allait se heurter aux autres. Mais dans le tram déjà, la vie avait retrouvé son allure ordinaire. Qu'Ulrich dût être du parti opposé, que le palais du comte Leinsdorf pût être pris d'assaut, qu'Ulrich fût pendu à un réverbère, piétiné par des assaillants, qu'une autre fois au contraire il fût protégé et sauvé en tremblant par Walter, c'était, tout au plus, de furtives ombres diurnes sur la limpide régularité du parcours à prix fixe, arrêts obligatoires et coups de sonnette avertisseurs, processus avec lequel Walter, respirant maintenant plus calmement, se sentait de secrètes affinités.

119. *Contre-mine et séduction.*

Il semblait alors que les événcments approchassent d'un dénouement. Même pour le directeur Léon Fischel qui, sur l'affaire Arnheim, avait patiemment attendu dans sa contremine, sonna l'heure de la satisfaction. Malheureusement, à cette heure-là, Mme Clémentine n'était pas à la maison, et il fallut se contenter d'entrer chez sa fille Gerda, un journal de midi, généralement bien informé des affaires boursières, à la main. Il s'assit dans un confortable fauteuil, désigna du doigt un entrefilet du journal et demanda, sûr de lui : « Sais-tu maintenant, mon enfant, pourquoi le financier philosophe nous honore de sa présence ? »

Chez lui, il n'appelait jamais Arnheim autrement, pour montrer qu'un homme d'affaires sérieux ne faisait aucun cas de l'admiration des femmes de sa famille pour le riche beau parleur. Bien que la haine ne donne pas la clairvoyance, les rumeurs boursières sont assez souvent confirmées, et l'aversion de Fischel pour le Prussien lui fit trouver aussitôt le juste complément de ce qui n'était que sous-entendu. « Eh bien ! le sais-tu ? répéta-t-il en cherchant à amener de force les yeux de sa fille dans le rayon glorieux de son regard. Il voudrait faire contrôler par son trust les gisements de pétrole galiciens ! »

Là-dessus, Fischel se leva, empoigna son journal comme un chien par la peau du cou et quitta la chambre : l'idée lui était venue de donner quelques coups de téléphone pour aller au plus sûr. Il avait le sentiment d'avoir toujours pensé ce qu'il venait de lire (on le voit, l'effet des nouvelles boursières est analogue à celui des belles-lettres), et il était content d'Arnheim comme si l'on n'eût jamais pu s'attendre à autre chose de la part d'un homme aussi raisonnable ; en quoi il oubliait complètement qu'il l'avait tenu jusque-là pour un vulgaire beau parleur. Il ne voulut pas se donner la peine d'expliquer à Gerda la signification de la nouvelle ; un seul mot de plus eût affaibli le langage des faits. « Il voudrait faire contrôler par son trust les gisements de pétrole galiciens ! » C'est avec le poids de cette simple phrase sur la langue qu'il se retira, ajoutant seulement en pensée : « Celui qui peut prendre sur soi d'attendre est toujours sûr de gagner ! » Vieux principe boursier qui, comme toutes les vérités de la Bourse, complète à merveille les vérités éternelles.

A peine était-il dehors que se révéla l'effet puissant de cette visite sur Gerda. Jusque-là, elle n'avait pas voulu faire à son père le plaisir de la voir émue ou seulement surprise. Mais alors, elle ouvrit violemment une armoire, en sortit son manteau et son chapeau, arrangea ses cheveux et sa mise devant la glace, restant un moment assise et considérant son visage avec mille doutes intérieurs. Elle avait résolu de courir chez Ulrich. Cela s'était produit au moment même où, entendant les propos de son père, elle avait pensé qu'Ulrich devait apprendre cette nouvelle aussi rapidement que possible. Elle connaissait suffisamment la situation dans l'entourage de Diotime pour pouvoir deviner de quelle importance serait pour lui la révélation de son père. Au moment où elle en décida ainsi, ce fut en elle comme si une masse longtemps hésitante s'ébranlait et bousculait ses sensations. Jusque-là, elle s'était contrainte d'agir comme si elle avait oublié l'invitation d'Ulrich à venir chez lui. A peine, dans la masse obscure de ses sensations, les premières s'étaient-elles lentement ébranlées que déjà une agitation et un élan irrésistibles envahissaient les plus éloignées : elle ne pouvait pas se décider, mais la décision était prise et ne se souciait pas d'elle.

« Il ne m'aime pas ! » se dit-elle, tandis qu'elle observait dans la glace son visage, encore plus anguleux depuis quelque temps. « Comment pourrait-il m'aimer, avec une tête pareille ? » pensa-t-elle encore avec lassitude. Et aussitôt, elle ajouta d'un air de défi : « Il ne le mérite pas. Tout cela n'est que pure imagination de ma part ! »

Un complet découragement l'envahit. Les événements des derniers temps l'avaient usée. Ses rapports avec Ulrich, c'était pour elle comme s'ils avaient mis tous leurs soins, pendant des années, à rendre compliqué quelque chose de très simple. Quant à Hans, ses puériles caresses épuisaient ses nerfs ; elle le traitait avec violence et même parfois avec mépris, mais Hans lui répondait avec plus de violence encore, comme un petit garçon qui menace de se tuer ; quand elle devait le calmer, elle se retrouvait dans ses bras, touchée par une ombre, de sorte que ses épaules maigrissaient et que sa peau se fanait. Gerda avait rompu avec tous ces tourments au moment où elle ouvrit son armoire pour y prendre un chapeau ; elle mit fin à son angoisse devant le miroir quand elle se leva rapidement et se précipita dehors : elle était fort loin d'en être délivrée pour autant.

Lorsque Ulrich la vit entrer, il comprit tout ; sans compter qu'elle avait mis une voilette comme Bonadea en portait lorsqu'elle venait le voir. Elle tremblait de tout son corps et cherchait à le dissimuler par une attitude artificiellement désinvolte qui n'aboutissait qu'à une stupide raideur

« Je voulais te voir parce que mon père vient de m'apprendre une nouvelle très importante ! » dit-elle.

« Étrange ! songea Ulrich, la voilà qui me tutoie, tout à coup ! » Ce tutoiement d'autorité le remplit de rage. Pour ne pas le montrer, il chercha à se l'expliquer : le comportement excessif de Gerda était sans doute censé enlever à sa visite tout caractère fatal et même toute signification particulière, afin de la présenter comme un événement raisonnable et simplement quelque peu retardé ; de quoi l'on pouvait déduire le contraire, c'est-à-dire que la jeune fille était décidée à aller jusqu'au bout. « Il y a longtemps que nous

nous tutoyons, et si nous ne le faisions pas expressément, c'est que nous nous sommes toujours évités ! » expliqua Gerda qui avait réfléchi à son entrée chemin faisant et s'attendait à la surprise qu'elle provoquerait.

Ulrich alla au plus court en lui mettant son bras autour du cou et en l'embrassant. Gerda céda comme une chandelle molle. Sa respiration, ses doigts qui s'accrochaient à lui étaient d'une inconsciente. Et lui, en cet instant, l'envahit la cruauté du séducteur, irrésistiblement attiré par l'irrésolution d'une âme qu'entraîne son propre corps comme un homme tombé entre les mains des gendarmes. Par les fenêtres, l'après-midi d'hiver faisait pénétrer dans la chambre de plus en plus sombre une faible lueur, et dans une de ces coupures claires Ulrich était debout, tenant la jeune fille dans ses bras ; la tête se détachait sur le tendre coussin de la lumière, anguleuse et jaune, et la couleur de ce visage était d'huile, de sorte que Gerda, en cet instant, paraissait presque une morte. Lentement, il l'embrassa sur toute la surface de chair libre entre les cheveux et la robe ; il dut surmonter une légère répugnance avant de rencontrer ses lèvres qui s'approchèrent des siennes en lui rappelant les faibles petits bras qu'un enfant serre autour de la nuque d'un adulte. Il pensa au beau visage de Bonadea qui, sous l'empire de la passion, évoquait une colombe dont les plumes se hérissent dans les serres d'un rapace, et à la grâce sculpturale de Diotime, dont il n'avait pas joui. A la place de la beauté que ces deux femmes étaient prêtes à lui offrir, il voyait maintenant devant ses yeux, étrangement, le visage grimaçant de ferveur, désespérément laid de Gerda.

Gerda ne demeura pas longtemps dans cet évanouissement éveillé. Elle avait cru ne fermer les yeux que le temps d'un regard, et tandis qu'Ulrich embrassait son visage, elle pensait aux étoiles immobiles dans l'infinité de l'espace et du temps, de sorte qu'elle n'eut aucune idée de la durée et des limites de ce qui se passait ; mais dès qu'Ulrich relâcha un peu ses efforts, elle se réveilla et se remit spontanément d'aplomb. Ç'avaient été les premiers baisers de passion réelle, et non plus seulement simulée ou rêvée, qu'elle eût donnés et, croyait-elle, reçus ; leur retentissement dans son corps fut aussi énorme que si ce seul instant avait fait d'elle une femme. Cet événement est du même ordre que l'arrachage de dents : bien que le corps en ressorte avec quelque chose en moins, on en retire quand même le sentiment d'être plus complet, parce qu'un motif d'inquiétude est définitivement écarté. Quand elle eut atteint le seuil de cet état, Gerda, sa résolution rafraîchie, se redressa. « Tu ne m'as pas encore demandé ce que je suis venue te dire ! déclara-t-elle à son ami.

– Que tu m'aimes ! repartit Ulrich un peu déconcerté.

– Non. Que ton ami Arnheim trompe ta cousine : il joue les amoureux, mais ses intentions sont tout autres ! » Et elle lui raconta la découverte de son papa.

Cette nouvelle, dans sa simplicité, fit sur Ulrich une profonde impression. Il se sentit en devoir d'avertir Diotime qui, toutes les ailes de son âme déployées, cinglait vers une ridicule déception. En dépit de la satisfaction maligne avec laquelle il se peignait la chose, il sentit qu'il avait pitié de sa belle cousine. Mais ce sentiment était nettement dominé par une sincère gratitude pour le papa Fischel ; et quoique Ulrich fût tout près de lui faire un grand chagrin, il admirait sincèrement sa bonne vieille intelligence d'homme d'affaires, toute parée de belles convictions, qui lui avait permis de trouver l'explication la plus simple des secrets d'un grand esprit nouveau style. Ces réflexions avaient entraîné Ulrich fort loin des tendres devoirs que la présence de Gerda lui imposait. Il s'émerveilla d'avoir pu seulement songer, quelques jours encore auparavant, à ouvrir son cœur à cette jeune fille. « Le passage du second rempart, pensa-t-il, voilà comment Hans intitule l'image infâme de deux anges altérés d'amour ! » Il goûta en pensées, tout comme s'il passait la main dessus, la surface merveilleusement lisse et dure de la forme prosaïque que prend aujourd'hui la vie, grâce aux intelligents efforts de Léon Fischel et de ses coreligionnaires. Aussi répondit-il simplement : « Ton papa est merveilleux ! »

Gerda, toute pénétrée de l'importance de sa nouvelle, avait attendu autre chose. Elle ne savait pas ce qu'elle espérait de l'effet de sa révélation, mais c'était quelque chose comme le moment où, dans un orchestre, tous les instruments se mettent à souffler et à vibrer ensemble ; et l'indifférence qu'Ulrich semblait soudain lui opposer lui rappela une fois de plus douloureusement qu'il s'était toujours fait, vis-à-vis d'elle, l'avocat de la moyenne, de la banalité et du déguisement. Si elle s'était persuadée entretemps que ce n'était là qu'une forme hérissée des approches amoureuses dont elle trouvait elle-même l'exemple dans son âme de jeune fille, une clarté désespérée l'avertissait maintenant (maintenant « qu'ils s'aimaient », comme elle se le disait un peu puérilement) que l'homme auquel elle donnait tout ne la prenait pas suffisamment au sérieux. Ainsi se perdit une bonne part de son assurance. D'un autre côté, pourtant, l'idée de n'être pas prise au sérieux lui était merveilleusement agréable ; cela supprimait tous les efforts que ses rapports avec Hans exigeaient pour se maintenir, et quand Ulrich vantait son père, bien qu'elle ne comprît pas comment il le pouvait, elle n'en sentait pas moins rétabli ainsi un certain ordre qu'elle avait troublé en maltraitant son père pour l'amour de Hans. Ce doux sentiment d'un retour assez inhabituel dans le sein de la famille, retour qu'elle célébrait en fautant, la troubla tellement qu'elle opposa une tendre résistance au bras d'Ulrich et dit à son ami ces mots : « Nous voulons d'abord nous rencontrer humainement ! Le reste viendra naturellement ! » Ces paroles étaient empruntées à l'un des manifestes de la « Communauté d'Action » et représentaient à ce moment-là en elle la dernière trace de Hans Sepp et de ses amis.

Ulrich lui avait de nouveau passé son bras autour des épaules : depuis ces nouvelles d'Arnheim, il sentait qu'il avait devant lui un événement important, mais qu'il fallait d'abord liquider cette rencontre avec Gerda. Le seul sentiment qu'il éprouvât alors était l'extrême désagrément de devoir faire tout ce que la situation exigeait qu'il fît ; c'est pourquoi il referma aussitôt une seconde fois sur elle le bras qu'elle repoussait, mais cette fois avec ce langage muet qui sans violence et avec plus de force que les mots proclame que toute résistance est vaine. Gerda sentit descendre dans son dos la virilité qui émanait de ce bras. Elle avait baissé la tête et regardait obstinément son ventre comme si elle y tenait rassemblées dans un tablier les pensées à l'aide desquelles Ulrich et elle se « rencontreraient humainement » avant que n'arrivât ce qui devait être le couronnement de tout ; elle se rendit compte que son visage devenait toujours plus sot et vide ; comme une coupe vide, il finit par se relever et s'offrit avec ses deux yeux sous les yeux du séducteur.

Il se pencha et le couvrit de ces baisers implacables qui ébranlent la chair. Gerda se leva, privée de volonté, et se laissa conduire. Il y avait environ dix pas à faire pour aboutir à la chambre à coucher d'Ulrich, et la jeune fille se laissa soutenir comme un blessé grave ou un malade. Un pas suivait l'autre, étranger à elle-même bien qu'elle ne se fît pas traîner, mais avançât de son plein gré. Gerda n'avait encore jamais connu pareil vide dans pareille excitation ; elle crut que son sang l'avait désertée, elle se sentit froide comme glace, elle passa devant le miroir qui sembla lui renvoyer son image infiniment trop lointaine ; néanmoins, elle remarqua que son visage était rouge cuivre, avec des taches blêmes. Tout à coup, comme le regard, dans un accident, peut faire preuve d'une acuité exceptionnelle pour tout ce qui se passe au même instant, elle vit la chambre à coucher d'homme fermée, avec tous ses détails, autour d'elle. Elle se dit que, femme, elle fût peut-être entrée ici avec plus d'intelligence et de calcul ; elle en eût été très heureuse. Elle chercha des mots pour dire qu'elle ne voulait aucun profit, seulement se donner ; elle ne les trouva pas, songea : « Il le faut ! » et ouvrit le col de sa robe.

Ulrich l'avait lâchée ; il ne se sentait pas le courage de lui donner, tandis qu'elle se déshabillait, la tendre assistance de l'amour. Il s'écarta et enleva ses propres vêtements. Gerda aperçut le corps puissant et mince de l'homme, debout dans son équilibre de violence et de beauté. Épouvantée, elle nota que son propre corps, bien qu'elle fût encore en sous-vêtements, se couvrait de chair de poule. De nouveau, elle chercha des mots qui lui vinssent en aide : elle était par trop pitoyable ! Ce qu'elle voulait dire devait faire d'Ulrich son amant de la manière qu'elle imaginait, dans une dissolution d'une douceur infinie que l'on atteindrait sans aucun des gestes qu'elle était sur le point d'accomplir. C'était aussi merveilleux que confus. Un instant, elle se vit debout avec Ulrich dans un immense champ de cierges sortant du sol comme des bordures de pensées et s'allumant à leurs pieds sur un simple signe. Comme elle ne pouvait pas dire un seul mot pour l'expliquer, elle se sentit effroyablement laide et pitoyable, ses bras tremblaient, elle ne fut pas capable de se déshabiller jusqu'au bout, ses lèvres exsangues se serrèrent pour lutter contre d'étranges tremblements muets.

Les choses en étaient là quand Ulrich, qui remarqua son tourment et le danger que tout ce qu'il avait eu tant de peine à obtenir de lui-même fût anéanti, s'avança vers elle et détacha la bretelle de la jeune fille. Gerda se glissa comme un adolescent dans le lit. Ulrich, un instant, vit le mouvement d'un adolescent nu ; cela n'avait pas plus de rapports avec l'amour que l'étincellement d'un poisson hors de l'eau. Il crut deviner que Gerda s'était résolue à surmonter aussi rapidement que possible un événement qui ne pouvait plus être évité. Jamais il n'avait compris aussi clairement que dans la seconde où il la suivit, que l'intrusion passionnée dans le corps d'un autre n'était que le prolongement du goût des enfants pour les cachettes mystérieuses et criminelles. Ses mains rencontrèrent la peau de la jeune fille, toujours hérissée par l'angoisse, et lui-même se sentit plus effrayé qu'attiré. Il n'aimait pas ce corps, déjà flasque à demi et encore à demi enfantin. Ce qu'il faisait lui apparaissait totalement dépourvu de sens ; il aurait aimé s'enfuir de ce lit et dut mettre en jeu pour s'en défendre toutes les pensées qui convenaient dans une telle situation. Ainsi se réinculqua-t-il, dans une hâte désespérée, toutes les raisons générales qu'on peut avoir aujourd'hui de se comporter sans sérieux, sans foi, sans égards et sans satisfaction. Il trouva, à s'y abandonner sans résistance, sinon le saisissement de l'amour, du moins une émotion à demi délirante qui rappelait une tuerie, un meurtre, ou, si cela peut exister, un suicide sadique, une saisie par les démons du vide qui derrière toutes les images de la vie ont leur séjour.

Sa situation lui rappela tout à coup, par quelque rapprochement brumeux, son combat nocturne contre les apaches. Il se promettait d'être cette fois plus rapide, mais au même moment quelque chose d'effrayant commença. Gerda avait transformé toutes ses ressources intérieures en volonté, dans l'espoir de triompher de l'angoisse honteuse dont elle souffrait ; elle se sentait comme sur le point d'être exécutée. A l'instant où elle devina Ulrich à côté d'elle dans une nudité inhabituelle, et où elle fut touchée par ses mains, son corps, de lui-même, expulsa cette volonté. Quelque part au fond de sa poitrine, elle continuait à ressentir une amitié indicible, un désir, tremblant à force de tendresse, d'étreindre Ulrich, de baiser ses cheveux, de suivre sa voix de ses lèvres ; elle s'imaginait que si elle touchait sa vraie nature, elle y fondrait comme un peu de neige dans une main chaude ; mais c'était là un Ulrich qui marchait, vêtu comme d'habitude, dans les pièces familières de la maison paternelle, et non pas cet homme nu dont elle devinait l'hostilité et qui ne prenait pas son sacrifice au sérieux, bien qu'il ne lui laissât aucune possibilité de se ressaisir. Tout d'un coup, Gerda s'aperçut qu'elle criait. Comme un petit nuage, comme une bulle de savon, un cri était suspendu en l'air, et d'autres le suivaient. C'étaient de petits cris venus du fond de la gorge, comme si elle luttait avec quelque chose, un vagissement d'où se détachaient en s'arrondissant des sons clairs sur la voyelle I. Ses lèvres se tordaient, elles étaient humides comme dans un moment de mortelle volupté. Elle voulut bondir, mais ne put se soulever. Ses yeux ne lui obéissaient pas et lançaient des signaux qu'elle ne leur avait pas permis. Gerda suppliait qu'on l'épargnât comme le fait un enfant qui doit être puni ou conduit chez le médecin et ne peut plus faire un pas, parce qu'il est complètement déchiré et tordu de cris. Elle avait ramené ses mains sur ses seins et menaçait Ulrich de ses ongles, tandis qu'elle pressait l'une contre l'autre, convulsivement, ses longues cuisses. Cette révolte de son corps contre elle-même était atroce. Elle avait intensément le sentiment de jouer un rôle, mais en même temps elle était seule et abandonnée dans la salle obscure, et elle ne pouvait empêcher que son destin ne fût représenté avec cris et violence, et qu'elle-même, involontairement, ne se mît en scène.

Ulrich, rempli d'horreur, observait les petites pupilles des yeux voilés d'où sortait un regard étrangement rigide, et considérait comme pétrifié les curieux mouvements dans lesquels s'entrelaçaient d'une manière inexprimable le désir et l'interdit, l'âme et l'absence d'âme. La peau pâle et blonde, avec les poils noirs qui prenaient une teinte rouge lorsqu'ils formaient une toison, passa devant ses yeux comme une impression fugitive. Il avait compris lentement qu'il avait affaire à une crise d'hystérie, mais il ne savait pas comment y remédier. Il craignait que les cris, affreusement pénibles, ne devinssent encore plus forts. Il se rappelait qu'une très violente apostrophe devait pouvoir interrompre ce genre de crise, peut-être même un coup brutal. Dans son horreur, la scène avait un petit quelque chose d'évitable qui lui fit penser qu'un homme plus jeune que lui eût peut-être tenté de poursuivre l'assaut. « Peut-être serait-ce une manière de s'en sortir, pensa-t-il. Peut-être faut-il justement ne pas lui céder, maintenant que la petite sotte est allée aussi loin ! » Il n'en fit rien, mais ces pensées irritantes traversaient son esprit dans tous les sens. Il se mit à chuchoter sans le vouloir et sans relâche des paroles consolantes à l'oreille de Gerda, promit qu'il ne lui ferait rien, expliqua qu'il ne lui était encore rien arrivé, lui demanda pardon. Cette poussière de mots balayée dans l'horreur lui apparaissait si ridicule et si indigne qu'il dut se défendre contre la tentation de prendre simplement une brassée de coussins et d'en étouffer cette bouche dont il ne pouvait faire cesser les cris.

Mais la crise s'apaisa enfin d'elle-même, et le corps se calma. Les yeux de la jeune fille s'humectèrent, elle se mit sur son séant, ses petits seins pendaient fatigués sur son corps que la conscience ne contrôlait toujours pas. Ulrich, reprenant haleine, ressentit une fois de plus une profonde aversion pour ce qu'avait d'inhumain et de purement physique l'événement qu'il avait dû surmonter. Puis Gerda retrouva sa conscience habituelle ; quelque chose apparut dans ses yeux comme quand on les tient ouverts un moment avant même d'être vraiment réveillé. Pendant une seconde encore elle eut un regard fixe qui ne comprenait rien ; puis elle remarqua qu'elle était nue, regarda Ulrich, et le sang lui remonta par grandes vagues au visage. Ulrich ne vit rien de mieux à faire que de lui répéter encore une fois tout ce qu'il lui avait déjà murmuré. Il posa son bras sur ses épaules, l'attira contre lui d'un geste consolant et la supplia de ne pas s'effrayer de ce qui s'était passé. Gerda avait réintégré la situation dans laquelle son attaque l'avait surprise, mais tout lui apparaissait étrangement pâle et délaissé. Le lit ouvert, son corps nu dans les bras d'un homme chuchotant passionnément et les sentiments qui l'avaient amenée là : elle savait bien ce que cela devait signifier, mais elle savait aussi qu'il s'était produit entre-temps quelque chose d'affreux à quoi elle ne pensait qu'avec répugnance et confusément. Bien qu'il ne lui échappât point que la voix d'Ulrich sonnait maintenant plus tendre, elle l'attribua au fait qu'elle était désormais pour lui une malade ; elle pensa qu'il l'avait rendue malade, mais tout lui était indifférent. Elle n'avait pas d'autre désir que, sans avoir à dire un seul mot, de n'être plus là. Elle baissa la tête, repoussa Ulrich, chercha sa chemise et l'enfila par en haut comme un enfant ou comme quelqu'un qui ne se soucie plus du tout de ce qu'il fait. Ulrich l'aida. Il lui enfila même ses bas, et lui aussi eut l'impression d'habiller un enfant. Gerda, quand elle se retrouva sur ses jambes, chancela. Sa mémoire lui disait avec quels sentiments elle avait quitté la maison paternelle où elle retournait maintenant. Elle comprit qu'elle n'avait pas triomphé de l'épreuve et se sentit profondément malheureuse et honteuse. Elle ne répondit pas un mot à tout ce qu'Ulrich lui disait. Très loin de tout cela, elle se rappela qu'il avait dit une fois de lui-même, en manière de plaisanterie, que la solitude l'entraînait à des excès. Elle ne lui en voulait pas. Simplement, elle ne voulait plus jamais écouter ce qu'il disait. Il s'offrit à demander une voiture, elle secoua seulement la tête, mit son chapeau sur ses cheveux en désordre et quitta Ulrich sans le regarder. Comme il la regardait partir, sa voilette maintenant à la main, Ulrich eut le sentiment de se conduire comme un gamin. Évidemment, il n'aurait pas dû la laisser partir dans cet état, mais il ne trouvait pas le moindre prétexte pour la retenir. Lui-même, s'il avait voulu l'aider, n'était qu'à moitié rhabillé ; ce qui donnait aussi à la gravité avec laquelle il restait en arrière quelque chose d'incomplet, comme s'il fallait d'abord qu'il finît de s'habiller pour pouvoir décider de ce qu'il devait faire de sa personne.

120. *L'Action parallèle provoque des troubles.*

Lorsque Walter atteignit le centre de la ville, il y avait quelque chose dans l'air. Les gens ne marchaient pas autrement que d'habitude, les trams et les voitures circulaient comme toujours ; peut-être pouvait-on voir ici ou là un mouvement insolite, mais il s'était défait avant même qu'on n'eût pu s'en assurer : cependant, c'était comme si toutes choses avaient été munies d'une petite marque, d'une sorte de flèche dont la pointe désignait une certaine direction. Walter n'avait pas fait trois pas qu'il sentait à son tour ce signe sur lui-même. Il suivit la direction indiquée et eut le sentiment que le fonctionnaire du Département des Beaux-Arts qu'il était, mais aussi bien le peintre et le musicien combattant et même l'époux tourmenté de Clarisse, faisaient place à une personne qui ne s'intégrait plus dans aucune de ces définitions. Les rues elles-mêmes, avec leur activité et leurs maisons orgueilleuses, surchargées d'ornements, entraient dans ce qu'il appelait chez lui un « état préliminaire », parce qu'il lui faisait à peu près l'impression d'une forme cristalline dont les faces commencent à se dissoudre dans un liquide et passent en un autre état. Autant il était conservateur quand il s'agissait de refuser les innovations futures, autant il était prêt à condamner le présent pour lui-même : la menace de détraquement de l'ordre qu'il devinait l'excitait agréablement. Les gens qu'il croisait en foule lui rappelaient son rêve. Il se dégageait d'eux une impression de hâte fluide, et une cohésion qui lui semblait beaucoup plus profonde que celle qu'assurent ordinairement la raison, la morale et d'habiles garanties, faisait d'eux une communauté libre et souple. Il pensa à un grand bouquet de fleurs dont on a ôté le fil, si bien qu'il s'ouvre sans se défaire ; il pensa aussi à un corps qu'on a dépouillé de ses vêtements : alors surgit la souriante nudité qui ne parle ni n'a besoin de parler avec des mots. Quand, allongeant le pas, il se heurta bientôt à une nombreuse troupe de police prête à toute éventualité, cela ne le troubla pas non plus. Cette vision le ravit comme celle d'un camp militaire qui attend l'alarme : avec tous ses cols rouges, ses cavaliers démontés, le mouvement des hommes annonçant leur arrivée ou leur départ, elle inspirait à ses sens une émotion guerrière.

Derrière ce barrage, bien qu'il n'eût pas encore été fermé, Walter fut aussitôt frappé de l'aspect plus sombre des rues. On ne voyait presque pas de femmes, et l'incertitude régnante semblait même avoir englouti les uniformes colorés des officiers en promenade qui d'ordinaire animaient ces quartiers. Comme lui, beaucoup de gens gagnaient le centre de la ville. L'impression que donnait leur marche était cette fois différente : elle rappelait ces pailles et ces débris qu'entraîne un vent violent. Il vit bientôt les premiers groupes se former. Ce n'était pas seulement, semblait-il, la curiosité qui faisait leur cohésion, mais encore l'incertitude : fallait-il continuer à céder à cet attrait inhabituel ou revenir sur ses pas ? A ses questions, Walter recevait des réponses diverses. Parmi ceux auxquels il s'adressait, les uns déclaraient qu'une grande manifestation de loyalisme était en train, les autres croyaient avoir entendu dire que cette manifestation était dirigée contre des patriotes un peu trop entreprenants. Les avis n'étaient pas moins partagés sur la question de savoir si l'excitation générale était celle du peuple allemand contre un gouvernement trop tolérant qui favorisait les revendications des Slaves (comme la plupart le pensaient), ou si cette excitation était favorable au gouvernement et préparait un soulèvement massif de tous les Cacaniens bien-pensants contre les désordres incessants. C'étaient des badauds comme lui, et Walter n'apprit rien qu'il n'eût déjà entendu dire à son bureau ; mais un besoin irrésistible le forçait à poser toujours de nouvelles questions. Les gens auxquels il se joignait lui avouaient-ils ne pas savoir ce qui se passait ou se mettaient-ils à rire, à railler leur propre curiosité, il n'en apprit pas moins (complément d'information d'autant plus affirmatif qu'il avançait davantage) que quelque chose devait une bonne fois se produire, même si personne ne se déclarait prêt à lui expliquer quoi. Plus il progressait ainsi, plus souvent il observait sur les visages une sorte d'exubérance déraisonnable, de noyade de la raison. Il semblait vraiment que ce leur fût déjà indifférent de savoir ce qui se passait là où tout le monde se dirigeait, et qu'il suffît que ce fût quelque chose d'insolite pour les mettre hors d'eux-mêmes. Bien que l'expression « être hors de soi » dût être interprétée dans le sens faible qui définit une légère et très ordinaire excitation, on devinait pourtant dans cette humeur une lointaine parenté avec des états oubliés d'extase et de transfiguration, comme une disposition inconsciente et grandissante à ne plus tenir dans ses vêtements ni dans sa peau.

Walter, tout en échangeant des suppositions et en disant des choses qui lui convenaient fort mal, se mêla aux autres badauds. Les groupes dispersés de ceux qui attendaient et de ceux qui continuaient d'avancer à demi résolus formaient un cortège en direction du lieu présumé du spectacle. Bien que sans intention définie, ce cortège gagnait à vue d'œil en densité et en force interne. Toutes ces sensations évoquaient encore des lapins cabriolant autour de leur terrier et prêts à y disparaître à tout moment, lorsqu'une excitation plus précise se transmit de la tête encore invisible à la queue de ce rassemblement désordonné. Une troupe d'étudiants, ou de jeunes gens quelconques, qui avait déjà fait on ne savait quoi et revenait du « front », s'était heurtée là-bas à la foule. On entendait quelque chose qu'on ne comprenait pas, des nouvelles tronquées et des vagues d'agitation muettes couraient d'avant en arrière. Les gens, selon leur nature ou ce qu'ils saisissaient, éprouvaient de l'irritation ou de la crainte, cédaient à l'agressivité ou à des impératifs moraux. Ils avançaient maintenant sous l'impulsion de ces représentations banales, en chacun d'eux différentes d'aspect, mais qui, malgré la situation dominante qu'elles prenaient dans la conscience, avaient si peu de sens qu'elles s'unissaient en une force commune plus puissante sur les muscles que sur le cerveau.

Walter, qui se trouvait maintenant en plein cortège, ressentait lui aussi la contagion. Il tomba bientôt dans une excitation vide qui n'était pas sans analogie avec un commencement d'ivresse. On ne sait pas exactement comment se produit cette transformation qui, à certains moments, compose d'une quantité de volontés éparses une seule volonté massive, une foule capable des plus grands excès en bien comme en mal mais incapable de réflexion, même quand les hommes qui la constituent n'ont pour la plupart rien cultivé davantage de toute leur vie que la mesure et le sang-froid. L'excitation en quête de détente d'une foule qui ne trouve aucune issue à ses sentiments se rue sans doute alors sur la première voie qui s'ouvre à elle. On peut supposer que ce sont en elle les êtres les plus excitables, c'est-à-dire les extrêmes, capables aussi bien de soudaines violences que de touchantes générosités, qui donnent l'exemple et fraient le chemin. Ils représentent dans la masse les points de moindre résistance, mais le cri qui est jeté à travers eux plutôt que jeté sur eux, la pierre qui leur tombe sous la main, le sentiment dont ils éclatent déblaient la route sur laquelle les autres, s'étant exaltés réciproquement jusqu'aux limites du supportable, suivent sans réfléchir. Ils donnent aux actions de leur entourage la forme de l'action massive que tous ressentent à la fois comme une contrainte et une libération.

En ce qui concerne ces excitations que l'on peut observer aussi bien chez les spectateurs de n'importe quel match ou chez les auditeurs d'un discours, il est d'ailleurs moins important de tirer au clair la psychologie de leur soulagement que les causes qui permettent d'y être disposé. Si le sens de la vie était soumis à un ordre, son non-sens le serait aussi et ne comporterait pas forcément les phénomènes concomitants de la faiblesse d'esprit. Cela, Walter le savait mieux que personne. Il ne manquait pas de propositions d'amélioration, en lui, que ces événements faisaient resurgir. Il se défendait donc continuellement, avec dans la bouche comme un mauvais goût de fadeur, contre un entraînement qui cependant l'enthousiasmait. Dans un instant où sa conscience s'éclaira, il pensa à Clarisse. « Une chance qu'elle ne soit pas ici, pensa-t-il, elle ne résisterait pas à cette pression ! » Au même moment, une douleur poignante l'empêcha de poursuivre cette pensée ; il s'était rappelé l'impression extrêmement nette de folie qu'elle avait faite sur lui. Il pensa : « Peut-être suis-je moi-même fou, pour ne pas l'avoir remarqué plus tôt ! » Il pensa : « Je le serai bientôt, parce que je vis continuellement avec elle ! » Il pensa : « Je ne le crois pas ! » Il pensa : « Mais c'est évident ! » Il pensa : « Son visage bien-aimé est devenu caricature entre mes mains ! » Mais ces pensées ne pouvaient plus être précises, parce que le désespoir et l'absence d'espoir aveuglaient sa conscience. Il sentit seulement qu'il était incomparablement plus beau, en dépit de cette souffrance, d'aimer Clarisse que de se laisser entraîner par ce cortège. Et, pour fuir son angoisse, il s'enfonça plus profondément encore dans les rangs où il marchait.

Par un autre itinéraire que lui, Ulrich avait atteint pendant ce temps le palais du comte Leinsdorf. Lorsqu'il passa le portail, les sentinelles avaient été doublées et un important piquet de police occupait la cour. Son Altesse le comte Leinsdorf l'accueillit avec sang-froid et montra qu'il n'ignorait pas qu'il était devenu la cible de la mauvaise humeur populaire. « Il faut que je me rétracte, dit-il. Je vous ai dit une fois que lorsque beaucoup de gens sont pour quelque chose, on pouvait être sûr qu'il en sortirait quelque chose d'utile. Naturellement cette règle souffre quelques exceptions. »

Le majordome apparut peu après Ulrich pour apporter l'annonce, arrivée entre-temps, que la foule se rapprochait du palais. Sa discrète appréhension l'incita à demander ensuite s'il fallait fermer le portail et les contrevents. Le comte secoua la tête. « A quoi pensez-vous, mon ami ? dit-il avec aménité. Ils ne feraient que s'en réjouir, parce que nous aurions l'air d'avoir peur. D'ailleurs, il y a là tous les agents que la police nous a envoyés ! » Mais il se tourna vers Ulrich et lui dit, comme un homme moralement offensé : « Qu'ils cassent seulement quelques carreaux ! J'ai toujours dit que nous n'arriverions à rien avec toutes ces intelligences ! » Il semblait travaillé d'une profonde amertume qu'il dissimulait sous un calme très digne.

Ulrich s'était approché de la fenêtre quand le cortège déboucha. Des agents marchaient de chaque côté et balayaient les badauds comme un nuage de poussière que la marche résolue des manifestants eût soulevé. Plus loin, des voitures étaient déjà bloquées ici et là dans le fleuve autoritaire qui les contournait en innombrables vagues noires à la pointe desquelles on sentait danser l'écume poudreuse des clairs visages. Quand la tête du cortège arriva en vue du palais, il sembla qu'un ordre quelconque ralentît la marche, un long reflux se produisit, les rangs qui arrivaient s'imbriquèrent les uns dans les autres, évoquant un instant l'image d'un muscle qui se gonfle avant de frapper. L'instant d'après, le coup sifflait dans l'air et se révélait assez inattendu : c'était un cri d'indignation dont on n'entendit le son qu'après avoir vu les bouches grandes ouvertes. Coup sur coup, les visages s'ouvraient au moment où ils entraient en scène, et comme les cris des manifestants plus éloignés étaient dominés par ceux des plus proches, on pouvait, en dirigeant son regard au loin, voir se répéter à l'infini ce spectacle muet.

« La vengeance du peuple ! » dit avec le plus grand sérieux, comme si c'était là une expression aussi établie que le « pain quotidien », le comte Leinsdorf qui s'était avancé un instant derrière Ulrich. « Mais que crient-ils exactement ? Avec ce bruit, je n'arrive pas à saisir. »

Ulrich fut d'avis qu'ils criaient essentiellement : « Ouh ! »

« Sans doute, mais n'y a-t-il pas autre chose ? »

Ulrich ne lui dit pas que, dans la danse sombre des huées, il n'était pas rare d'entendre une invective claire et prolongée : « A bas Leinsdorf ! » Il croyait même avoir perçu quelquefois, mêlé à des « Vive l'Allemagne ! », un « Vive Arnheim ! » ; mais il n'en était pas certain, parce que le verre épais des vitres brouillait les sons.

Ulrich était accouru au palais dès que Gerda s'était enfuie, parce qu'il ressentait le besoin de communiquer au moins au comte Leinsdorf le bruit qui était venu à ses oreilles et compromettait Arnheim au-delà de toute espérance ; mais il n'en avait pas soufflé mot jusqu'ici. Il considérait l'obscure agitation sous les fenêtres et le souvenir de son temps d'officier le remplit de mépris. Il songea : « Une seule compagnie, et l'on nettoierait cette place ! » Il lui semblait le voir : les gueules menaçantes ne sont plus qu'une seule bouche baveuse dans l'inquiétude de laquelle s'insinue soudain la panique ; les coins s'en affaissent peureusement ; les lèvres se retroussent en découvrant les dents ; et tout à coup, son imagination transforma cette foule sombre et menaçante en une troupe de volailles dispersée par un chien ! Ce fut en lui comme si tout ce qu'il avait de mauvais se contractait encore une fois avec violence ; mais la vieille satisfaction de voir l'homme animé par des préoccupations morales reculer devant la violence insensible était, comme toujours, une sensation à deux tranchants.

« Qu'avez-vous donc ? » demanda le comte Leinsdorf qui marchait de long en large derrière Ulrich, et à qui un étrange mouvement de celui-ci donna véritablement l'impression qu'il s'était coupé à un tranchant quelconque, bien qu'il n'y en eût nulle part la possibilité. Comme il n'obtenait aucune réponse, il s'arrêta, secoua la tête et dit : « Finalement, nous ne pouvons oublier que la généreuse décision par laquelle Sa Majesté a accordé à son peuple un certain droit de regard dans ses affaires ne date pas de bien longtemps. Il est donc compréhensible qu'on ne trouve pas partout cette maturité politique qui serait digne à tous égards de la confiance qui lui a été magnanimement accordée par le Souverain ! Je crois avoir dit cela, d'ailleurs, dès notre première séance ! »

En entendant cette harangue, Ulrich renonça à son désir d'instruire le comte ou Diotime des intrigues d'Arnheim. En dépit de leur opposition, il se sentait plus proche de celui-ci que des autres et il se souvint qu'il s'était lui-même jeté sur Gerda comme un grand chien sur un petit qui hurle... Il s'apercevait maintenant que ce souvenir n'avait cessé jusque-là de le tourmenter ; mais il l'effaçait dès qu'il pensait à la conduite infâme qu'Arnheim se permettait d'avoir à l'égard de Diotime. On pouvait même voir, si l'on voulait, un côté comique à cette histoire de corps hurlant, jouant sa comédie devant deux âmes impatientes d'attendre. Et les gens, là en bas, qu'Ulrich continuait à considérer, comme fasciné, sans se soucier davantage du comte Leinsdorf, jouaient eux aussi une comédie ! C'était cela qui le fascinait. Il était absolument certain qu'ils ne voulaient attaquer ni déchiqueter personne, bien qu'ils en eussent l'air. Ils se montraient très sérieusement furieux, mais ce n'était pas le sérieux qui marche contre le feu des canons ; ce n'était même pas le sérieux des pompiers ! « Non, ce qu'ils font là, pensait-il, serait plutôt une action rituelle, un jeu consacré nourri d'un très profond sentiment d'humiliation, le résidu, mi-civilisé, mi-sauvage, d'actions communautaires que l'homme isolé ne prend pas absolument à la lettre ! » Il les enviait. « Comme ils sont plaisants, même maintenant qu'ils voudraient se faire aussi déplaisants que possible ! » pensait-il. La protection contre la solitude que donne une foule, rayonnait de la rue. Qu'il dût, quant à lui, rester en haut sans elle (sensation qui fut un instant si vive qu'il crut voir son image derrière la vitre, enchâssée dans la façade, telle qu'ils la voyaient d'en bas) lui semblait l'expression même de son destin. Ce destin, il le devinait, eût été plus facile s'il s'était mis en colère ou avait alarmé la garde à la place du comte, pour pouvoir un autre jour se sentir cordialement d'accord avec les mêmes gens. Celui qui joue aux cartes, agit, se dispute et se divertit avec ses contemporains a aussi le droit de faire tirer sur eux à l'occasion sans que cela paraisse anormal. Il existe une façon de s'accommoder de la vie qui permet à chaque homme de faire ses affaires sans se soucier de lui, à la seule condition qu'elle puisse elle aussi le traiter à sa guise : c'était à quoi pensait Ulrich. C'est peut-être là une règle singulière, mais elle n'est pas moins sûre qu'un instinct naturel, car c'est d'elle, évidemment, que s'exhale le fumet rassurant de la bonne facture des choses humaines. Celui qui ne possède pas ce don du compromis, celui qui est solitaire, intransigeant et sérieux inquiète les autres de la même manière, inoffensive mais repoussante, qu'une chenille. Il se sent alors écrasé par la profonde aversion pour l'étrangeté des expériences intellectuelles de l'homme seul que peut éveiller l'aspect mouvant d'une foule agitée d'émotions naturelles et communautaires.

Cependant, la manifestation avait augmenté de violence. Le comte Leinsdorf marchait nerveusement de long en large au fond de la pièce et jetait de temps à autre un coup d'œil par la seconde fenêtre. Il paraissait, quoiqu'il ne voulût pas le montrer, souffrir beaucoup. Ses yeux exorbités semblaient deux boules de marbre enfoncées dans les tendres sillons de son visage, et il étendait parfois ses bras croisés derrière son dos comme pour de rudes combats. Ulrich comprit soudain qu'en restant ainsi à la fenêtre, on le prenait pour le comte. Tous les regards de la foule étaient fixés sur lui, on brandissait énergiquement des cannes dans sa direction. Quelques pas plus loin, au tournant de la route, à l'endroit où elle semblait se perdre dans les coulisses, la plupart se démaquillaient déjà : il eût été absurde de continuer à prendre des airs menaçants en l'absence de tout spectateur. Au même instant, l'excitation s'effaçait de leur visage et ils n'y trouvaient rien que de naturel ; il y en avait même un bon nombre qui riaient et avaient l'air de s'amuser comme dans une excursion. Ulrich, qui remarquait cela, riait aussi ; ceux qui survenaient pensaient que c'était le rire du comte ; leur colère s'exaspérait terriblement, et Ulrich riait maintenant de l'ensemble de la scène.

Tout à coup le dégoût l'arrêta. Tandis que ses yeux regardaient encore alternativement les bouches menaçantes, toutes proches, plus loin les visages sereins, et que son âme refusait d'enregistrer plus longtemps ces impressions, un étrange changement se produisit en lui. « Je ne peux plus participer à cette vie, et je ne peux plus me révolter contre elle ! » songea-t-il. En même temps, il sentit derrière lui la pièce, avec les grands tableaux au mur, le long secrétaire empire, les rigides verticales des cordons de sonnette et des rideaux. Cet espace aussi évoquait une petite scène sur le devant de laquelle il se tenait, pendant que dehors les événements se déroulaient sur la grande scène : ces deux scènes avaient une manière bien à elles de coïncider sans se soucier qu'il fût entre les deux. Puis, l'impression de la chambre qu'il sentait dans son dos se contracta et se retourna complètement. Elle se mit à ruisseler à travers lui ou, comme quelque chose de très souple, autour de lui. « Une curieuse inversion spatiale ! » se dit-il. Les gens passaient derrière lui, à travers eux il avait abouti à un néant. Mais peut-être s'en allaient-ils aussi devant et derrière lui ; il fut poli par eux comme un galet par les vagues changeantes et toujours identiques d'un ruisseau. C'était une expérience qu'on ne pouvait comprendre que partiellement. Ce qui en frappait surtout Ulrich était le caractère vitreux, vide et serein de l'état où il se trouvait. « Peut-on donc sortir de son espace pour entrer dans un second espace, un espace caché ? » se demanda-t-il. Il n'aurait pas éprouvé d'autres sentiments, en effet, si le hasard l'avait fait passer par une porte de communication secrète.

Il écarta ces rêveries d'un mouvement si violent de tout le corps que le comte Leinsdorf, étonné, s'arrêta. « Qu'avez-vous donc, aujourd'hui ? demanda Son Altesse. Vous prenez cela trop à cœur ! J'y insiste encore : nous devons conquérir les Allemands à travers les non-Allemands, que cela soit ou non pénible ! » Sur ces mots, Ulrich put au moins retrouver le sourire, et il vit avec reconnaissance devant lui le visage du comte avec ses plis et ses bosses. Lorsqu'on voyage en avion, il y a un moment de l'atterrissage où le sol, retrouvant sa rondeur et sa luxuriance, sort de la platitude cartographique à laquelle il a été réduit pendant des heures ; il semble que la vieille signification retrouvée alors par les choses de la terre monte du sol lui-même : voilà ce que la vue du comte évoqua pour Ulrich. Au même instant, sans qu'il pût comprendre pourquoi, la résolution de commettre un crime lui traversa l'esprit. Peut-être n'était-ce d'ailleurs qu'une inspiration confuse, car il ne lui rattachait aucune image précise. Il se pouvait que cela fût lié à Moosbrugger. Il aurait volontiers aidé ce fou que le destin lui avait fait si arbitrairement rencontrer, comme deux hommes vont s'asseoir un moment dans un parc sur le même banc. Mais dans ce « crime », il ne trouvait en réalité que le besoin de s'exclure, ou d'abandonner la vie que l'on mène en s'arrangeant avec les autres. Ce que l'on nomme mentalité apolitique, ou asociale, ce sentiment justifié et mérité de cent façons, ne naissait pas, n'était prouvé par rien, il était là, simplement ; Ulrich se souvenait qu'il l'avait accompagné toute sa vie, mais rarement avec une telle force. On peut bien dire qu'ici-bas, jusqu'aujourd'hui, toutes les révolutions se sont faites aux dépens de l'esprit. Elles commencent par promettre aux hommes une civilisation neuve, elles balaient toutes les précédentes conquêtes de l'âme comme s'il s'agissait de biens ennemis et elles se voient dépassées par un nouveau bouleversement avant d'avoir pu atteindre le niveau précédent. C'est ainsi que ce que l'on appelle les périodes civilisées n'est rien d'autre qu'une longue série d'entreprises échouées. L'idée de se tenir à l'écart de cette série n'était pas nouvelle chez Ulrich. Ce qu'il y avait de nouveau, c'était seulement les signes de plus en plus nets d'une résolution, d'un acte, même, qui semblait déjà en formation. Il ne se donnait pas la moindre peine pour fournir un contenu quelconque à cette représentation. Le sentiment qu'il ne se retrouverait plus devant quelque théorie générale du genre dont il était si las, mais qu'il devait entreprendre quelque chose de personnel et d'actif à quoi il participerait avec son sang et tout son corps, suffit à le combler pour quelques instants. Il savait qu'au moment de cet étrange « crime » encore inaccessible à sa conscience, il ne pourrait plus faire front au monde ; mais Dieu sait pourquoi c'était là une impression passionnément tendre. Elle se mêlait au souvenir merveilleux de la confusion spatiale des événements qui se déroulaient devant et derrière la fenêtre ; souvenir dont il pouvait à tout moment réveiller l'écho affaibli pour former avec le monde une relation obscurément excitante : s'il avait eu le loisir d'y réfléchir plus longtemps, il l'eût peut-être assimilée à la légendaire volupté des héros dévorés par les déesses qu'ils avaient poursuivies.

Il fut interrompu par le comte Leinsdorf qui, pendant ce temps, avait achevé son propre combat. « Je dois rester ici pour faire front à cette émeute, commença Son Altesse. Mais vous, mon cher, vous devriez vous rendre aussi vite que possible auprès de votre cousine, afin qu'elle n'ait pas le temps de prendre peur et, qui sait ? de confier à quelqu'un de nos journalistes une déclaration qui serait pour le moment déplacée ! Dites-lui peut-être (il réfléchit encore un instant avant de prendre une décision)... oui, j'y pense, le mieux serait de lui dire ceci : Tous les remèdes puissants ont de puissants effets ! Et dites-lui encore ceci : Celui qui veut améliorer le monde ne doit pas craindre, aux jours de crise, les grands moyens ! » Il réfléchit encore. Cela donnait à son visage un air de résolution presque inquiétant. Sa barbe montait, puis descendait à la verticale lorsqu'il se préparait à parler et qu'il y renonçait pour s'accorder un moment de réflexion. Finalement, ce fut sa bonté naturelle qui l'emporta, et il reprit : « Mais vous lui expliquerez aussi qu'elle n'a aucun souci à se faire ! De toute façon, il ne faut jamais avoir peur des foules déchaînées. Plus leurs revendications sont réelles, plus vite elles s'accommodent des conditions réelles si on leur en donne l'occasion. Je ne sais si vous l'avez remarqué, mais on n'a jamais vu une opposition qui n'ait cessé de l'être une fois arrivée au pouvoir. Ce n'est pas simplement une lapalissade, comme on pourrait le croire ; c'est un phénomène très important, car c'est lui qui donne à la politique, si je puis m'exprimer ainsi, son caractère de fait, sa solidité rassurante et sa continuité... »

121. *L'explication.*

Lorsque Ulrich arriva chez Diotime, Rachel lui annonça en ouvrant que Madame n'était pas à la maison, mais que M. le Dr Arnheim était là, qui attendait Madame. Ulrich déclara vouloir entrer sans s'apercevoir que sa petite amie repentante avait rougi en le voyant.

Dans la rue, l'agitation fluait et refluait encore. Arnheim, qui était debout à la fenêtre, s'en écarta pour saluer Ulrich. Le hasard inattendu de cette rencontre qu'il avait recherchée avec tant d'hésitations anima son visage, mais il voulut être prudent et ne trouva pas l'exorde souhaité. Ulrich non plus ne put se résoudre à parler tout de suite des gisements de pétrole galiciens, de sorte que les deux hommes, aussitôt après s'être salués, se turent et finirent par s'approcher ensemble de la fenêtre d'où ils considérèrent sans mot dire la fièvre qui régnait à leurs pieds.

Au bout d'un moment, Arnheim dit : « Je ne puis vous comprendre : n'est-il pas mille fois plus important de s'occuper de la vie que d'écrire ?

– Mais je n'écris pas ! répondit Ulrich brièvement.

– Vous avez raison ! dit Arnheim en s'adaptant à sa réponse. Le travail de l'écrivain est une maladie, comme la peste. Voyez-vous... » Il désigna la rue de deux doigts de ses mains soignées, geste qui malgré sa rapidité évoquait vaguement la bénédiction papale. « Les gens passent, seuls ou en bande, de temps en temps une bouche s'ouvre et crie. Une autre fois, ce même homme écrirait… Vous avez raison !

– Mais n'êtes-vous pas vous-même un écrivain illustre ?

– Oh ! cela ne signifie rien ! » Après cette réponse qui laissait gracieusement la question en suspens, Arnheim se tourna vers Ulrich et, l'affrontant de toute sa largeur, poitrine contre poitrine, lui dit, en espaçant les mots : « Puis-je vous demander quelque chose ? »

Évidemment, il était impossible de dire non. Comme Ulrich, involontairement, avait fait un pas en arrière, cette rhétorique polie agit comme un lasso qui le ramena plus près. « J'espère, dit Arnheim en commençant, que vous n'avez pas trop mal pris notre dernier petit débat, et l'avez attribué à l'intérêt que je porte à vos idées, même si elles semblent, comme c'est assez souvent le cas, contredire les miennes. Puis-je donc vous demander si vous maintenez vraiment que l'on doive vivre, si vous me permettez de résumer la chose ainsi, avec une conscience réduite de la réalité ? Est-ce que je m'exprime comme il faut ? »

Le sourire par lequel Ulrich répondit signifiait : je n'en sais rien, j'attends la suite.

« Vous avez parlé d'une vie qu'il faudrait en quelque sorte laisser en suspens, à l'instar des métaphores qui flottent toujours entre deux mondes. Outre cela, vous avez dit à votre cousine différentes choses extrêmement captivantes. Je serais très chagriné que vous me preniez pour une espèce de militariste prussien des affaires, incapable de rien comprendre à ces choses-là. Mais vous dites, par exemple, que notre réalité et notre histoire ne naissent que de la part indifférente de nous-mêmes. Est-ce à dire que l'on devrait renouveler les formes et les types d'événements et que d'ici là, selon vous, ce qui peut arriver à Pierre, Jacques ou Jean est à peu près indifférent ?

– J'entends, répondit Ulrich avec prudence et contre son gré, que notre histoire rappelle une étoffe qui serait produite en grandes quantités selon une technique très parfaite, mais avec des motifs anciens dont l'évolution n'intéresse plus personne.

– Autrement dit, poursuivit Arnheim, si je vous comprends bien, l'état présent, et sans nul doute insatisfaisant, du monde proviendrait de ce que les chefs croient devoir faire l'histoire universelle au lieu de consacrer toute l'énergie humaine à imprégner d'idées les sphères de la puissance. On pourrait comparer cela plus précisément encore, peut-être, avec l'attitude d'un fabricant qui produit sans relâche, à l'aveuglette, et suit le marché au lieu de l'orienter ! Vous voyez donc que vos idées me touchent de près. C'est précisément pourquoi vous comprendrez que ces idées font parfois sur moi, dans la mesure où je suis un homme qui ne cesse de devoir prendre des décisions capables de déclencher de très vastes mouvements d'affaires, un effet presque monstrueux ! Par exemple, quand vous demandez de renoncer à la signification réelle de notre action ; au caractère "provisoirement définitif" de nos actes, comme dit si délicieusement notre ami Leinsdorf. Vous savez bien qu'il est impossible d'y renoncer totalement !

– Je n'exige rien du tout, dit Ulrich.

– Oh ! vous exigez bien davantage ! Vous exigez la conscience de l'essai ! » Arnheim dit cela avec chaleur et vivacité. « Les chefs responsables devraient cesser de croire qu'ils font l'histoire et comprendre qu'ils n'ont qu'à rédiger des procès-verbaux d'expériences qui puissent servir de base à d'autres expériences ! Cette idée me ravit. Mais qu'en est-il, par exemple, des révolutions et des guerres ? Peut-on ressusciter les morts quand l'expérience est terminée et rayée du plan de travail ? »

Ulrich, quoi qu'il en eût, cédait maintenant au plaisir de parler qui enchaîne questions et réponses un peu comme le plaisir de fumer fait succéder une cigarette à l'autre. Il répliqua qu'il fallait probablement toujours, pour que les choses progressent, s'y attaquer avec le plus grand sérieux, quand même l'on saurait que toute tentative, cinquante ans après sa réalisation, paraîtrait n'en avoir pas valu la peine. D'ailleurs, ce « sérieux perforé » n'était pas une chose extraordinaire ; il arrivait souvent que l'on mît sa vie en jeu pour moins que rien. Psychologiquement, donc, une vie à l'essai n'était nullement impensable. Il ne manquait que la volonté d'assumer une responsabilité en un certain sens illimitée. « C'est là qu'est la différence décisive, conclut-il. Jadis, l'on ressentait les choses d'une manière en quelque sorte déductive, en partant de prémisses bien définies. Ce temps est passé. Aujourd'hui, si l'on n'a plus d'idée directrice, on n'a pas davantage de méthode d'induction consciente, et l'on essaie à l'aveuglette, comme des singes !

– Excellent ! reconnut volontiers Arnheim. Mais permettez-moi une dernière question : vous éprouvez, votre cousine me l'a souvent répété, un intérêt très vif pour un homme malade et dangereux. Soit dit en passant, je le comprends fort bien. Là encore, il nous manque une méthode pour traiter de pareils cas, et l'attitude de la société envers eux est honteusement négligente. Mais la situation étant ce qu'elle est, et la seule alternative que cet homme soit tué innocent ou qu'il tue des innocents, le feriez-vous échapper dans la nuit qui précéderait son exécution, si vous en aviez le pouvoir ?

– Non, dit Ulrich.

– Non ? Vraiment non ? demanda Arnheim avec une soudaine vivacité.

– Je ne sais. Je crois que non. Bien entendu, je pourrais m'en tirer en disant que, dans un monde mal organisé, je n'ai nul besoin d'agir selon ce qui me paraît juste ; mais je vous avouerai franchement que je ne sais ce qu'il me faudrait faire.

– Sans aucun doute, il faut empêcher cet homme de nuire, dit Arnheim pensivement. Cependant, au moment de ses crises, il est le siège de puissances démoniaques dont tous les siècles forts ont senti la parenté avec le divin. Jadis, au moment de ses crises, on aurait renvoyé l'homme au désert. Peut-être y aurait-il tué aussi, mais dans quelque grande vision, comme Abraham voulut sacrifier Isaac ! Voilà la chose ! Aujourd'hui, nous ne savons plus que faire de ces hommes, nous n'avons plus aucune loyauté ! »

Peut-être Arnheim s'était-il laissé entraîner à prononcer ces derniers mots sans bien savoir ce qu'il voulait dire. Le fait qu'Ulrich n'eût pas eu assez « d'âme et de folie » pour répondre « oui » sans inhibition à la question de savoir s'il sauverait Moosbrugger, avait piqué son amour-propre. Ulrich, bien qu'il considérât la tournure de la conversation comme une sorte de signe, peut-être, qui lui rappelait sans qu'il s'y fût attendu sa « résolution » du palais Leinsdorf, s'irrita de l'amplification excessive qu'Arnheim donnait au cas Moosbrugger, et ce double sentiment fit qu'il lui demanda, avec une sécheresse passionnée : « Le délivreriez-vous ?

– Non, repartit Arnheim en souriant, mais je voulais vous faire une autre proposition. » Sans lui laisser le temps de se défendre, il poursuivit : « Il y a déjà longtemps que je désire vous la faire, afin que vous renonciez à une méfiance envers moi qui, je l'avoue, me blesse ; je voudrais même vous gagner à ma cause ! Avez-vous quelque idée de l'aspect d'une grande entreprise économique vue de l'intérieur ? Elle comporte deux têtes : la direction commerciale et le conseil d'administration ; au-dessus de ces deux se trouve encore d'ordinaire ce que vous appelez ici le comité exécutif qui se compose d'éléments des deux précédents et se réunit quotidiennement ou presque. Le conseil d'administration est évidemment composé des hommes de confiance de la majorité des actions... » Il accorda enfin à Ulrich une petite pause, et c'était comme s'il le sondait pour savoir si rien, jusque-là, ne l'avait encore frappé. « Je disais que la majorité des actions place ses hommes de confiance au conseil d'administration et au comité exécutif, dit-il pour l'aider. Vous représentez-vous, par cette majorité, quelque chose de précis ? »

Non, Ulrich ne pouvait pas le dire. Il n'avait du monde de la finance qu'une vague représentation d'ensemble, avec des fonctionnaires, des guichets, des coupons et des papiers qui ressemblaient à de vieux documents.

Arnheim l'aida de nouveau. « Avez-vous déjà élu un conseil d'administration ? Jamais ! ajouta-t-il de lui-même. Et il serait absurde d'y songer, puisque vous ne posséderez jamais la majorité des actions d'une entreprise ! » Il dit cela si résolument qu'Ulrich faillit rougir d'être privé d'une qualité si importante. Décidément, il n'y avait qu'Arnheim pour sauter ainsi d'un bond, sans effort, du démonisme aux conseils d'administration. Arnheim poursuivit en souriant : « Il y a quelqu'un que je ne vous ai pas encore nommé et qui est pourtant, en un certain sens, le personnage principal ! J'ai parlé de la "majorité des actions", terme qui évoque quelque inoffensive pluralité. Néanmoins, il s'agit presque toujours d'une seule personne, le principal actionnaire, personnage anonyme, inconnu du grand public et couvert par ceux qu'il délègue à sa place ! »

Ulrich commença d'entrevoir que c'était là des choses qu'on pouvait lire quotidiennement dans le journal ; mais Arnheim savait leur donner un caractère dramatique. Curieux, il demanda qui possédait la majorité des actions de la Lloyd Bank.

« On ne le sait pas, répondit calmement Arnheim. Plus exactement, il va de soi que les initiés le savent, mais il n'est pas de mise d'en parler. Permettez-moi plutôt d'aller au centre du problème : partout où se trouvent réunies ces deux forces, d'une part un commettant et d'autre part une administration, le même phénomène automatiquement se produit : tous les moyens possibles d'accroissement sont exploités, qu'ils soient moraux, reluisants ou non. Je dis bien "automatiquement", car ce phénomène est indépendant, à un très haut degré, de la personne. Le commettant n'entre pas en contact immédiat avec les réalisateurs, et les organes de l'administration sont couverts par le fait qu'ils n'agissent pas pour des motifs personnels, mais en tant qu'employés. Ce phénomène, vous le trouverez aujourd'hui partout, et pas seulement dans les affaires. Vous pouvez être certain que notre ami Tuzzi donnerait avec la plus grande sérénité de conscience le signal d'une guerre, même s'il est incapable, personnellement, d'abattre un vieux chien ; des milliers d'hommes condamneront à mort votre ami Moosbrugger, parce qu'ils n'ont pas besoin de le faire, à part trois d'entre eux, de leur propre main ! Cette "médiatisation" poussée jusqu'à la virtuosité assure aujourd'hui la bonne conscience de chaque individu et de la société tout entière. Le bouton sur lequel on presse est toujours d'une blancheur immaculée et ce qui se passe à l'autre bout du fil concerne d'autres gens, qui eux, ne pressent pas personnellement sur des boutons. Trouvez-vous cela abominable ? Nous laissons ainsi mourir ou végéter des milliers d'hommes, nous déplaçons des montagnes de douleur, mais nous en tirons quelque chose ! Je serais presque tenté d'affirmer que ce qui s'exprime là sous la forme de la productivité sociale n'est pas autre chose que la vieille division de la conscience humaine en deux : d'une part la fin que l'on approuve, et d'autre part les moyens que l'on tolère ; mais cela d'une manière à la fois grandiose et périlleuse. »

A la question d'Arnheim lui demandant s'il abominait cela, Ulrich avait répondu en haussant les épaules. Cette division de la conscience morale dont parlait Arnheim, le phénomène le plus effrayant de la vie actuelle, a toujours existé. Mais elle n'a conquis sa bonne conscience, sa cruelle bonne conscience, que lorsqu'elle est devenue la conséquence de la division générale du travail ; comme telle, elle participe aussi de son caractère de grandiose fatalité. Ulrich répugnait à s'en indigner seulement. Il en ressentait plutôt, comme par défi, le sentiment agréable et comique que donne une voiture roulant à cent à l'heure lorsque au bord de la route un moraliste empoussiéré proteste avec véhémence. C'est pourquoi, quand Arnheim se fut tu, il répondit d'abord : « Toutes les formes de la division du travail peuvent être développées. La question que vous devriez me poser n'est donc pas si je trouve cela "abominable", mais bien si je crois que l'on puisse accéder à plus de dignité sans revenir en arrière !

– Oui, votre inventaire général ! dit Arnheim. Nous avons organisé à la perfection la division des activités, mais négligé les instances nécessaires à leur coordination. Nous ruinons continuellement l'âme et la morale selon les plus récents brevets et croyons pouvoir assurer leur cohésion avec les bons et vieux remèdes de la tradition philosophique et religieuse ! Je n'aime pas à railler de la sorte, dit-il en se reprenant, et je tiens le "witz" pour quelque chose de fort équivoque. Mais je n'ai jamais considéré la proposition de réorganisation de la conscience, que vous avez faite en notre présence au comte Leinsdorf, comme une simple plaisanterie !

– C'en était une, repartit brièvement Ulrich. Je ne la crois pas réalisable. Je préfère m'imaginer que c'est le diable qui a édifié le monde européen, et que Dieu a voulu permettre à son concurrent de montrer ce qu'il pouvait faire !

– L'idée est charmante ! dit Arnheim. Mais pourquoi

donc vous êtes-vous fâché de ce que je n'aie pas voulu vous croire ? »

Ulrich ne répondit pas.

« Ce que vous venez de dire est également en contradiction avec la déclaration très risquée que vous aviez faite un instant auparavant sur la manière dont nous pourrions nous rapprocher de la vie juste, poursuivit Arnheim avec une tranquille obstination. D'ailleurs, si je laisse de côté la question de savoir si je puis ou non approuver dans les détails, ce qui me frappe en vous est ce mélange d'indifférence et de goût pour l'action. »

Comme Ulrich ne jugeait pas non plus nécessaire de répondre à cette remarque, Arnheim dit, avec la politesse qui convient devant une grossièreté : « J'ai voulu simplement attirer votre attention sur la nécessité pressante où l'on se trouve aujourd'hui, lorsqu'on est placé devant des décisions d'ordre économique dont d'ailleurs presque tout dépend, de résoudre également un problème de responsabilité personnelle. Combien ces décisions deviennent dès lors passionnantes ! » Même dans cette remontrance pleine de modestie, il y avait une légère nuance de séduction.

« Pardonnez-moi, répondit Ulrich. Je réfléchissais à vos propos. » Et comme s'il continuait à le faire, il ajouta : « J'aimerais bien savoir si, à vos yeux, le fait d'instiller dans l'âme d'une femme des sentiments mystiques tout en jugeant plus raisonnable d'abandonner son corps à son mari relève aussi de la "médiatisation" et de la division de la conscience que nous impose l'esprit du temps ? »

Arnheim, à ces mots, changea légèrement de couleur, mais ne perdit pas le contrôle de la situation. Calmement, il répliqua : « Je ne vois pas très bien ce que vous voulez dire. Si vous parliez d'une femme que vous aimez, vous ne pourriez pas dire cela, car la figure de la réalité est toujours plus complexe que le tracé des principes. » Il avait quitté la fenêtre. Il invita Ulrich à s'asseoir. « Vous ne vous rendez pas facilement ! poursuivit-il sur un ton qui trahissait à la fois l'admiration et le regret. Mais je sais que je représente à vos yeux plus un principe hostile qu'un rival personnel. Il n'est pas rare que ceux qui sont personnellement les adversaires les plus acharnés du capitalisme soient en affaires ses plus acharnés serviteurs. Peut-être même ai-je un peu le droit de me compter parmi eux ; sinon, je ne me permettrais pas de vous le dire. Les hommes passionnés et absolus, s'ils ont une fois compris la nécessité d'une concession, deviennent ordinairement ses défenseurs les mieux doués. C'est pourquoi je veux à tout prix mener mon propos à chef et vous proposer ceci : que vous entriez au service de ma firme. »

Intentionnellement, il parut faire peu de cas de cette proposition et même vouloir atténuer, en la débitant vite et sans accent, l'effet de surprise facile dont il était évidemment certain. Sans répondre aucunement au regard stupéfait d'Ulrich, il se mit à énumérer les détails qu'il faudrait régler si la chose se faisait, sans que lui-même prît d'ailleurs personnellement position pour l'instant. « Évidemment, vous n'auriez pas au début la formation nécessaire, dit-il doucement, pour pouvoir assumer une haute charge. Il est d'ailleurs probable que vous n'en auriez pas encore le goût. C'est pourquoi je vous offrirais une place à mes côtés, disons un secrétariat général, poste que je créerais spécialement pour vous. J'espère ne pas vous offenser en disant cela, car je ne conçois nullement ce poste nanti d'un salaire corrupteur. Vous trouveriez certainement dans votre activité la possibilité de vous assurer avec le temps le revenu qui vous plairait, et je suis persuadé qu'au bout d'un an vous vous feriez de moi une tout autre idée. »

Quand Arnheim acheva ce discours, il sentit tout de même qu'il était excité. Au fond, il s'étonnait d'avoir réellement fait à Ulrich une offre dont le refus ne pouvait que l'exposer dangereusement, sans que son acceptation fût pour autant liée à quelque perspective plaisante. L'idée que l'homme qui se trouvait devant lui pût être en mesure de faire quelque chose dont lui-même fût incapable s'était complètement effacée au cours de la conversation, et le besoin de séduire cet homme, de l'avoir en son pouvoir, était devenu absurde dès qu'il s'était exprimé. Qu'il eût redouté en cet homme quelque chose qu'il appelait son « witz », lui paraissait peu naturel. Lui, Arnheim, était un de ces hommes de grand format pour qui la vie se devait d'être simple ! Un tel homme s'accommode de toutes les autres grandeurs dans la mesure où cela lui est permis. Il ne se révolte pas comme un aventurier contre toutes choses, ni ne les met en doute ; ce serait contre sa nature. De l'autre côté, bien sûr, il y a les choses belles et ambiguës dont on tire tout ce qu'on peut. Arnheim croyait n'avoir jamais ressenti aussi profondément la sûreté de la civilisation occidentale, merveilleux tissu de forces et d'inhibitions ! Si Ulrich ne voyait pas cela, il n'était donc qu'un aventurier, et que lui, Arnheim, se fût presque laissé entraîner par cet homme à penser… mais à ce point, bien que les mots fussent tacitement présents en lui, Arnheim ne les trouva pas et ne put analyser avec précision l'idée qui lui était venue d'attirer Ulrich comme pour remplacer le fils qu'il n'avait pas eu. Il n'y aurait pourtant pas eu grand mal à cela. Ce n'était après tout qu'une pensée comme beaucoup d'autres, de celles qu'on n'a pas besoin d'assumer, et sans doute avait-elle été inspirée par cette vague mélancolie qui demeure au fond de toute vie active, parce qu'on n'y trouve jamais la satisfaction totale. Peut-être même cette idée ne lui était-elle pas venue sous une forme aussi contestable, mais avait-il simplement ressenti quelque chose à quoi l'on eût pu donner cette forme. Néanmoins, il préférait ne pas s'en souvenir. Il avait simplement dans la tête, avec une netteté criante, l'idée que si l'on soustrayait l'âge d'Ulrich du sien, la différence ne serait pas bien grande ; et derrière cette idée, il est vrai, cette autre, plus irréelle, qu'Ulrich devait lui servir de mise en garde contre Diotime ! Il se rappelait qu'il avait souvent comparé ses relations avec Ulrich à un cratère secondaire auquel on reconnaît la gravité des phénomènes qui se déroulent dans le cratère central, et il était un peu inquiet que l'éruption maintenant se fût produite, car les mots lui avaient échappé et se frayaient désormais leur propre chemin dans la vie. « Que se passera-t-il, se dit soudain Arnheim, si le type accepte ? » Ainsi approchaient du dénouement les minutes crispées où un Arnheim devait attendre la décision d'un homme plus jeune que lui à qui son imagination seule avait prêté quelque importance. Il se tenait très raide sur son siège, les lèvres hostilement ouvertes, et se disait : « De toute façon, si la chose est vraiment inévitable, on trouvera toujours une solution quelconque. »

Tandis que sentiment et réflexion parcouraient en lui ce chemin, le cours des événements ne s'était pas interrompu, au contraire : questions et réponses continuaient à se succéder sans heurt.

« Et à quelles qualités, demanda sèchement Ulrich, suis-je donc redevable d'une proposition sans doute indéfendable du point de vue commercial ?

– Sur ce point, vous vous trompez une fois de plus, repartit Arnheim. Dans la situation que j'ai, la justification commerciale n'est pas une question de gros sous. Ce que je pourrais perdre avec vous ne joue aucun rôle en face de ce que j'espère gagner !

– Vous piquez ma curiosité au plus haut point, dit Ulrich. Que je puisse être un gain, voilà une chose que l'on ne m'a pas dite souvent. J'aurais peut-être pu en être un minime pour ma science, mais même là, comme vous le savez, j'ai déçu.

– Que vous possédiez une intelligence exceptionnelle, répondit Arnheim (toujours sur ce ton d'assurance inébranlable et calme auquel il se tenait extérieurement), vous le savez fort bien vous-même ; je n'ai pas besoin de vous le dire. Néanmoins, il serait possible que nous ayons dans nos services des intelligences encore plus fines et plus solides. En revanche, c'est votre caractère, ce sont vos qualités humaines que je voudrais, pour des raisons bien définies, avoir continuellement à mes côtés.

– Mes qualités ? Ulrich ne put s'empêcher de sourire. Savez-vous que mes amis m'appellent l'Homme sans qualités ? »

Arnheim laissa échapper un petit geste d'impatience qui voulait dire à peu près : « Ne me racontez donc pas sur vous ce que je sais depuis longtemps mieux que vous-même ! » Dans ce tressaillement qui avait passé de son visage à ses épaules, se révélait son mécontentement, cependant que les mots continuaient à se dérouler selon son premier projet. Ulrich remarqua cette expression. Il était, à l'égard d'Arnheim, si susceptible qu'il se décida enfin à donner à la conversation la tournure tout à fait franche qu'il avait jusqu'alors évitée. Ils s'étaient de nouveau levés entre-temps ; il s'éloigna de quelques pas de son vis-à-vis pour pouvoir mieux observer sa réaction, et dit : « Vous m'avez posé tant de questions importantes que j'aimerais à mon tour, avant de me décider, vous demander quelque chose. » Comme Arnheim l'y invitait d'un geste, il poursuivit, avec une netteté tout objective : « On m'a raconté que votre intérêt pour tout ce qui touche à l'Action actuellement en train (et Mme Tuzzi comme ma modeste personne ne seraient là qu'un complément) doit contribuer à l'acquisition d'une grande partie des gisements de pétrole galiciens ? »

Arnheim, pour autant qu'on pouvait le voir dans la lumière faiblissante, était devenu blême et s'avança lentement vers Ulrich. Celui-ci eut l'impression qu'il lui fallait prévenir une impolitesse, et regretta d'avoir donné à son interlocuteur, par son imprudente franchise, la possibilité de refuser de poursuivre la conversation au moment même où elle allait lui devenir désagréable ; c'est pourquoi il ajouta, aussi aimablement que possible : « Bien entendu, je ne cherche pas à vous offenser, mais notre explication ne pourrait jamais prendre tout son sens si elle s'embarrassait de précautions ! »

Ces quelques mots, et le temps qu'il lui fallut pour s'avancer, suffirent à Arnheim pour reprendre contenance. Il s'approcha d'Ulrich avec un mouvement souriant, lui mit la main, et même à proprement parler le bras sur l'épaule, et, d'une voix pleine de reproches, lui dit : « Comment pouvez-vous ajouter foi à une rumeur de Bourse ?

– Je ne l'ai pas appris sous cette forme, mais de la bouche de quelqu'un de bien informé.

– Oui, j'ai moi-même entendu dire qu'on racontait cela. Mais comment avez-vous pu le croire ? Il va de soi que je ne suis pas ici seulement pour mon plaisir. Je ne puis malheureusement jamais me permettre de délaisser complètement les affaires. Et je ne nierai pas non plus m'être entretenu de ces gisements avec quelques personnes, tout en vous priant instamment de garder le silence sur cet aveu. Tout cela n'en est pas moins secondaire !

– Ma cousine, poursuivit Ulrich, n'a pas la moindre idée

de votre pétrole. Elle a reçu de son mari la mission de vous sonder un peu sur le but de votre séjour, parce qu'on vous tient ici pour *persona grata* auprès du tsar. Mais je suis convaincu qu'elle remplit fort médiocrement cette mission diplomatique, étant sûre et certaine d'être elle-même le seul et unique but de votre présence !

– Je vous en prie, soyez plus délicat ! » Le bras d'Arnheim communiqua à l'épaule d'Ulrich un léger mouvement d'amitié. « Il y a peut-être toujours et partout des significations secondes ; mais malgré votre désir de satire, vous avez parlé de tout cela avec la franchise discourtoise d'un écolier ! »

Ce bras sur son épaule rendait Ulrich incertain. C'était une sensation ridicule et désagréable que de se trouver ainsi enlacé. On pouvait presque, même, la qualifier de pitoyable. Mais il y avait longtemps qu'Ulrich n'avait pas eu d'ami, et peut-être était-ce aussi, pour cette raison, un peu troublant. Il aurait aimé repousser ce bras, et involontairement il s'y efforçait ; Arnheim remarquait les moindres signes d'importunité et devait veiller à ne pas le laisser paraître. Par politesse, parce qu'il devinait cette situation difficile, Ulrich se tint tranquille et supporta le contact qui lui faisait maintenant un effet de plus en plus étrange, comme d'un grand poids qui s'enfonce dans une levée de terre meuble et la disloque. Ce rempart de solitude, il l'avait élevé autour de soi sans le vouloir. Maintenant, la vie pénétrait par une brèche, le battement du cœur d'un autre homme, et c'était un sentiment stupide, ridicule, mais tout de même un peu excitant.

Ulrich pensa à Gerda. Il se rappela que son ami d'enfance Walter avait déjà éveillé en lui le désir de pouvoir, une fois encore au moins, s'entendre complètement avec un autre être, et aussi frénétiquement que s'il n'y avait pas dans tout le vaste monde d'autres différences que de la sympathie à l'antipathie. Maintenant qu'il était trop tard, ce désir remontait en lui, en grandes vagues argentées, aurait-on dit, comme sur l'étendue d'un fleuve en aval les vagues de l'eau, de l'air et de la lumière deviennent un seul argent ; désir si fascinant qu'il dut se garder d'y céder et de provoquer, dans sa situation équivoque, quelque malentendu.

Lorsque ses muscles se raidirent, il se souvint que Bonadea lui avait dit : « Ulrich, tu n'es pas mauvais, mais tu te crées des difficultés pour t'empêcher d'être bon ! »... Bonadea, qui s'était révélée si étonnamment intelligente ce jour-là et lui avait dit encore : « En rêve, tu ne penses pas non plus, mais tu vis ! » Et il lui avait dit : « J'étais un enfant aussi tendre que l'air dans une nuit de clair de lune... » Il se rappelait maintenant qu'en réalité une autre image lui avait alors flotté devant les yeux : la pointe d'un éclair de magnésium. Il croyait connaître son cœur de la même manière que celle-ci est déchirée en poudroiement de lumière. Mais c'était il y a longtemps ; il n'avait pas osé exprimer cette comparaison, et avait succombé à l'autre. De plus, ce n'était pas dans sa conversation avec Bonadea, mais dans une autre avec Diotime, il s'en souvenait tout à coup. « Près des racines, les différences de la vie ne sont pas bien grandes », songea-t-il. Et il regarda l'homme qui lui avait proposé, pour des raisons assez obscures, de devenir son ami.

Arnheim avait retiré son bras. Ils étaient maintenant de nouveau dans l'embrasure de la fenêtre où ils avaient commencé leur conversation. En bas dans la rue, les lampes brûlaient déjà paisiblement, mais l'on devinait les derniers soubresauts des événements : de temps en temps passaient encore de petits groupes de gens serrés les uns contre les autres qui parlaient avec animation, çà et là une bouche s'ouvrait encore, proférant une menace ou quelque huée vacillante à laquelle succédaient des rires. On en retirait l'impression d'un état de demi-conscience. Dans la lumière de cette rue agitée, entre les rideaux retombant à la verticale qui encadraient l'image assombrie de la chambre, Ulrich voyait la figure d'Arnheim et sentait la sienne propre debout, une moitié éclairée et l'autre noire, passionnément aiguisées par cette double signification. Il se souvint des acclamations qu'il croyait avoir entendu adresser à Arnheim. Celui-ci, qu'il fût ou non en relation avec ces incidents, dans le calme impérial qu'il affichait en regardant pensivement la rue, agissait comme le personnage dominant de ce tableau d'un instant et paraissait d'ailleurs y sentir, à chaque regard, sa propre présence. A ses côtés, on comprenait ce qu'est la conscience de soi. La simple conscience ne peut pas ordonner le foisonnement et le scintillement du monde : plus elle est aiguë, plus le monde, au moins provisoirement, recule ses limites ; mais la conscience de soi intervient comme un régisseur et tire de ce désordre l'unité artistique du bonheur. Ulrich enviait à Arnheim son bonheur. A cet instant, il lui sembla que rien ne serait plus facile que d'attenter à la vie de cet homme. Celui-ci, avec son besoin de spectacle, attirait également sur la scène les textes anciens ! « Prends un poignard et accomplis son destin ! » Ulrich avait ces mots dans la tête, déclamés sur un ton de cabotin. Sans le vouloir, il s'arrangea de telle manière qu'il se trouva debout presque derrière Arnheim. Il vit devant lui la surface large et sombre du cou et des épaules. Le cou, surtout, l'invitait. Sa main chercha dans les poches de son côté droit son canif. Il se leva sur la pointe des pieds et jeta les yeux une fois encore, au-delà d'Arnheim, sur la rue. Dans la demi-obscurité de l'extérieur, les hommes étaient entraînés comme du sable par une vague qui déplaçait leurs corps. Il devait bien résulter quelque chose de cette démonstration ; l'avenir envoyait une vague en éclaireur et il se produisait une sorte d'imprégnation créatrice et suprapersonnelle des hommes, mais, comme toujours, extrêmement imprécise et négligente : ainsi Ulrich ressentait-il ce qu'il voyait. Ce spectacle le retint un court instant, mais il était fatigué jusqu'au dégoût d'exercer là-dessus son esprit critique. Il se laissa prudemment retomber sur ses semelles, rougit des rêveries qui lui avaient fait refaire ce chemin en sens inverse, mais n'y attacha pas trop d'importance. Il fut violemment tenté de taper sur l'épaule d'Arnheim et de lui dire : « Je vous remercie, j'en ai assez de tout cela, je veux essayer autre chose et j'accepte votre offre ! »

Comme, en réalité, il s'en abstint, l'un et l'autre laissèrent tomber la proposition. Arnheim reprit la conversation plus en arrière : « Allez-vous quelquefois au cinéma ? Vous devriez le faire ! dit-il. Peut-être cet art n'a-t-il pas encore beaucoup d'avenir sous sa forme actuelle ; mais supposez que s'y associent de grands intérêts commerciaux (l'industrie électrochimique, par exemple, ou celle des colorants), vous assisterez dans quelques décennies à une évolution que plus rien n'arrêtera. Alors commencera un processus auquel devront contribuer tous les moyens de diffusion et d'accroissement du monde moderne. Et quelles que soient les imaginations de nos poètes et de nos esthètes, l'art qui naîtra sera celui de la Société Générale d'Électricité ou de l'Industrie Allemande des Colorants. C'est effrayant, mon cher ! Écrivez-vous ? Non, je vous l'ai déjà demandé. Mais pourquoi n'écrivez-vous pas ? Vous avez raison. Le poète et le philosophe futurs passeront par le tremplin du journalisme ! N'avez-vous pas remarqué que nos journalistes deviennent toujours meilleurs et nos poètes toujours pires ? C'est incontestablement une évolution naturelle. Quelque chose se prépare, et je suis sûr de mon fait : l'époque des grandes individualités tire à sa fin ! » Il se pencha en avant. « Je ne puis voir quelle figure vous faites. Je tire un peu au hasard ! » Il eut un petit rire. « Vous avez réclamé un inventaire général de l'esprit : y croyez-vous ? Croyez-vous donc que la vie soit contrôlable par l'esprit ? Naturellement, vous dites que non ; mais je ne vous crois pas, car vous êtes un homme qui embrasserait le Diable, parce qu'il est l'Homme sans pareil !

– D'où vient cela ? demanda Ulrich.

– De la préface supprimée aux *Brigands*. »

« Supprimée, bien entendu, pensa Ulrich ; comment pourrait-il en être autrement ? »

« Les esprits que le vice abominable attire pour la grandeur qui lui est inhérente », dit Arnheim, continuant à puiser dans sa vaste mémoire. Il sentait qu'il était de nouveau maître de la situation et qu'Ulrich, pour quelque raison que ce fût, avait cédé. Il n'y avait plus cette dureté hostile à côté de lui, on n'avait pas davantage besoin de reparler de l'offre, les choses s'étaient somme toute bien passées. Comme un lutteur devine l'épuisement de son adversaire et pèse alors de tout son poids, il éprouva le besoin de faire valoir encore une fois toute la gravité de son offre. Il poursuivit : « Je crois que vous me comprenez maintenant mieux qu'au début. Je vous avouerai donc franchement qu'il m'arrive de me sentir seul. Quand les hommes sont "nouveaux", ils pensent trop exclusivement affaires ; mais quand les familles d'hommes d'affaires atteignent la deuxième ou la troisième génération, elles perdent toute imagination. Elles ne produisent plus alors que de parfaits administrateurs, des châteaux, des chasses, des officiers, des gendres nobles. Je connais de ces gens-là dans le monde entier. Il y a parmi eux des hommes pleins de finesse et d'intelligence, mais ils ne sont pas capables de produire ne fût-ce qu'une pensée qui relève de cette inquiétude, de cette indépendance et peut-être de ce malheur profond que j'ai caractérisés par la citation de Schiller.

– Malheureusement, je ne puis poursuivre cet entretien, répondit Ulrich. Mme Tuzzi a dû attendre le retour au calme chez des amis, je dois partir. Vous jugez donc que je possède, sans rien comprendre d'ailleurs aux affaires, cette inquiétude qui leur est nécessaire parce qu'elle leur enlève ce qu'elles ont de trop commercial ? » Il avait allumé la lumière pour prendre congé, et attendait la réponse. Arnheim, avec une amabilité majestueuse, lui mit le bras sur l'épaule, geste qui paraissait maintenant consacré, et repartit : « Pardonnez-moi si j'en ai trop dit, c'était une conséquence de la solitude ! Les affaires donnent la puissance et parfois on se demande quoi en faire ! Ne m'en veuillez pas !

– Tout au contraire ! assura Ulrich. Je me suis proposé de réfléchir sérieusement à votre offre ! » Il dit cela rapidement et l'on pouvait interpréter cette hâte comme de l'agitation. C'est pourquoi Arnheim, qui attendait encore Diotime, resta un peu déconcerté et craignit d'avoir plus de peine qu'il n'avait cru à dissuader honorablement Ulrich d'accepter sa proposition.

122. *Le retour.*

Ulrich rentra chez lui à pied. La nuit était belle, mais sombre. Hautes et compactes, les maisons délimitaient l'étrange espace, ouvert par le haut, qu'on nomme rue, au-dessus duquel quelque chose se passait dans l'air, obscurité, vent ou nuages. La rue était parfaitement déserte, comme si le désordre précédent n'avait laissé derrière lui qu'un assoupissement profond. Quand Ulrich croisait un passant, l'écho de ses pas le précédait d'abord un long temps comme l'annonce d'un événement majeur. On pouvait avoir dans cette nuit le sentiment d'une action théâtrale. On sentait qu'on était une apparition dans le monde ; quelque chose qui fait plus d'effet qu'elle ne le mérite. Cela résonne, et quand cela passe dans une flaque de lumière, c'est accompagné de son ombre comme d'un bouffon puissamment vacillant qui se redresse et l'instant d'après rampe de nouveau humblement à vos talons. « Comme on peut être heureux ! » pensa Ulrich.

Par une arcade, il entra dans un passage pavé d'une dizaine de pas qui longeait la rue dont le séparaient des piliers trapus. L'obscurité surgissait des recoins, le traquenard et le meurtre flamboyaient dans la galerie à demi éclairée : un bonheur intense, d'une solennité immémoriale et sanglante, saisissait l'âme. Peut-être était-ce un peu trop. Ulrich imagina soudain avec quelle complaisance et quelle mise en scène intérieure Arnheim marcherait là à sa place. Son ombre et la résonance de ses pas ne lui donnèrent plus de joie, et la musique des spectres dans les murs s'était résorbée. Il savait qu'il n'accepterait pas l'offre d'Arnheim : il lui semblait maintenant n'être plus qu'un fantôme errant dans les galeries de la vie, troublé au point de ne plus pouvoir retrouver le cadre dans lequel disparaître ; il fut singulièrement soulagé lorsque ses pas le conduisirent dans un quartier moins oppressant et moins grandiose.

De larges rues et des places s'ouvraient obscurément. Les maisons banales, paisiblement étoilées par l'illumination des étages, n'avaient plus rien de fabuleux. Revenant à l'air libre, Ulrich flaira cette paix et, sans bien savoir pourquoi, se rappela quelques photographies de son enfance qu'il avait revues dans les derniers temps : il y figurait en compagnie de sa mère, précocement décédée. Il avait considéré avec un sentiment de grande distance un petit garçon à qui une femme belle, vêtue à l'ancienne mode, adressait un sourire heureux. L'idée d'un brave petit garçon intelligent et affectueux qu'on s'était faite obstinément de lui ; des espérances qui étaient bien loin d'être encore les siennes propres ; vague attente d'un avenir, souhaité brillant, qui se tendait vers lui comme les ailes ouvertes d'un filet doré... : quoique tout cela eût été invisible en son temps, les années l'avaient fait ressortir avec netteté sur les vieilles photographies ; et du fond de cette invisibilité visible qui eût pu si aisément devenir réalité, son tendre et vide visage d'enfant le regardait, avec cette expression un peu crispée à quoi la longue pose contraint. Ulrich n'avait jamais ressenti la moindre trace d'inclination pour cet enfant, et bien qu'il éprouvât quelque fierté de la beauté de sa mère, l'ensemble lui avait fait surtout l'impression d'avoir échappé à quelque effrayante menace.

Quiconque a fait la même expérience et vu sa propre personne, enveloppée dans un lointain instant de complaisance à soi-même, le regarder du fond d'anciens portraits comme si du mortier avait séché ou était tombé, comprendra qu'Ulrich se soit demandé comment ce mortier pouvait être fait pour qu'il tînt chez certaines personnes. Il se trouvait maintenant dans l'un de ces espaces verts qui suivent tel un anneau interrompu la ligne des anciennes fortifications. Il lui eût suffi de quelques pas pour le traverser. La large bande de ciel qui s'étendait au-dessus des arbres dans le sens de la longueur l'incita à détourner son chemin et à suivre cette autre direction, comme s'il s'approchait ainsi, sans jamais en être moins éloigné, de la guirlande de lumière suspendue dans le ciel et pourtant intime qui flottait au-dessus des allées hivernales. « C'est grâce à une sorte de perspective intellectuelle, de raccourcissement des distances, songea-t-il, qu'est possible cette paix des soirs qui, en s'étendant d'un jour à l'autre jour, donne le sentiment durable d'une vie en accord avec elle-même. Dans la plupart des cas, la condition préalable du bonheur n'est certes pas de résoudre les contradictions, mais de les faire disparaître comme se referment les trouées d'une longue avenue. De même que partout les relations visibles se déplacent pour l'œil de telle manière que se forme une image saisissable par lui où les choses proches, imminentes, paraissent grandes, mais où, plus loin, même les choses énormes semblent petites et le tout, enfin, s'arrondit et se polit parfaitement, de même les relations invisibles sont déplacées par l'intelligence et le sentiment de telle manière que se forme inconsciemment quelque chose à l'intérieur de quoi on se sent maître chez soi. C'est précisément cette opération, pensa Ulrich, que je ne réussis pas comme il le faudrait. »

Un instant, il resta arrêté par une grande flaque qui lui barrait le chemin. Peut-être fut-ce cette mare à ses pieds, peut-être aussi les arbres nus comme des balais à ses côtés qui évoquèrent soudain une rue de village et éveillèrent en lui cette monotonie de l'âme, hésitant entre la plénitude et la futilité, qui est particulière à la campagne et qui, depuis sa première fugue de jeunesse, l'avait incité plus d'une fois à en refaire l'essai. « Tout devient si simple ! songea-t-il. Les sentiments s'assoupissent, les pensées se détachent les unes des autres comme les nuages après le mauvais temps, et tout d'un coup l'âme redevient un beau ciel vide et bleu ! Qu'une vache, maintenant, rayonne au bord de la route, face à ce ciel : l'événement est si pénétrant qu'on dirait qu'il n'y a rien d'autre au monde ! Qu'un nuage, pérégrinant, fasse de même sur toute la contrée : l'herbe s'assombrit ; un instant plus tard elle étincelle d'humidité ; il ne s'est rien passé d'autre, et c'est pourtant comme une traversée d'un rivage à l'autre d'une mer ! Un vieil homme perd sa dernière dent : ce petit incident fait dans la vie de tous ses voisins une coupure à laquelle ils peuvent rattacher leurs souvenirs ! Les oiseaux chantent tous les soirs au-dessus du village et toujours de la même façon, lorsque vient le silence qui suit le coucher du soleil ; c'est chaque fois un événement nouveau, comme si le monde n'avait pas sept jours d'âge ! A la campagne, les dieux descendent encore vers les hommes, pensa-t-il, on est encore quelqu'un, on vit encore quelque chose ; en ville, où il y a mille fois plus d'événements, on n'est plus en état de les rattacher à soi-même : ainsi commence la progressive abstraction de la vie dont on parle tant… »

Tout en songeant ainsi, il savait que cette évolution donne à la puissance de l'homme une extension mille fois plus grande ; même si elle la dilue dix fois dans les détails, elle l'agrandit encore cent fois dans l'ensemble. Il n'envisageait donc pas sérieusement un quelconque retour en arrière. Il lui vint tout à coup à l'esprit (c'était une de ces pensées apparemment déplacées et abstraites qui prenaient souvent dans sa vie une signification si immédiate), que la loi de cette vie à laquelle on aspire quand on est surchargé de tâches et que l'on rêve de simplicité, n'était pas autre chose que la loi de la narration classique ! De cet ordre simple qui permet de dire : « Quand cela se fut passé, ceci se produisit ! » C'est la succession pure et simple, la reproduction de la diversité oppressante de la vie sous une forme unidimensionnelle, comme dirait un mathématicien, qui nous rassure ; l'alignement de tout ce qui s'est passé dans l'espace et le temps le long d'un fil, ce fameux « fil du récit » justement, avec lequel finit par se confondre le fil de la vie. Heureux celui qui peut dire « lorsque », « avant que » et « après que » ! Il peut bien lui être arrivé malheur, il peut s'être tordu dans les pires souffrances : aussitôt qu'il est en mesure de reproduire les événements dans la succession de leur déroulement temporel, il se sent aussi bien que si le soleil lui brillait sur le ventre. C'est ce dont le roman a tiré habilement profit : le voyageur peut chevaucher à travers les campagnes sous des trombes d'eau ou faire craquer la neige sous ses semelles par moins vingt degrés, le lecteur se sent à son aise. Ce serait assez difficile à comprendre si cet éternel tour de passe-passe de l'art narratif, à quoi même les nourrices recourent pour calmer les enfants, si cette « perspective de l'intelligence », ce « raccourcissement des distances » ne faisaient déjà partie intégrante de la vie. La plupart des hommes sont, dans leur rapport fondamental avec eux-mêmes, des narrateurs. Ils n'aiment pas la poésie, ou seulement par moments. Même si quelques « parce que » et « pour que » se mêlent ici et là au fil de la vie, ils n'en ont pas moins en horreur toute réflexion qui tente d'aller au-delà. Ils aiment la succession bien réglée des faits parce qu'elle a toutes les apparences de la nécessité, et l'impression que leur vie suit un « cours » est pour eux comme un abri dans le chaos. Ulrich s'apercevait maintenant qu'il avait perdu le sens de cette narration primitive à quoi notre vie privée reste encore attachée bien que tout, dans la vie publique, ait déjà échappé à la narration et, loin de suivre un fil, s'étale sur une surface subtilement entretissée.

Lorsqu'il se remit en marche, nanti de cette découverte, il se souvint pourtant que Goethe avait écrit, dans un essai sur l'art : « L'homme n'est point un être enseignant, mais un être vivant, agissant et efficient ! » Il haussa respectueusement les épaules. « Si l'homme peut oublier aujourd'hui le brumeux arrière-plan de doctrine dont toutes ses activités dépendent, c'est tout au plus comme le comédien prend conscience du décor et de son grimage, et s'imagine agir vraiment ! » songea-t-il. Ce souvenir de Goethe était sans doute plus ou moins mêlé à celui d'Arnheim qui ne cessait de le citer pour sa propre défense : car Ulrich, au même moment, se sentit désagréablement ramené à la bizarre incertitude que le bras de cet homme posé sur son épaule avait créée en lui. Entre-temps, marchant sous les arbres, il était parvenu au bord d'une avenue, et il chercha un chemin qui pût le ramener dans la direction de sa maison. Comme il scrutait le nom des rues sur les plaques, il faillit se jeter sur une ombre brusquement apparue, et dut se hâter de freiner sa marche pour ne pas heurter la prostituée qui s'était mise sur son chemin. Elle était là debout et souriait, sans se montrer du tout fâchée qu'Ulrich lui eût presque foncé dessus comme un buffle. Il sentit tout à coup que ce sourire commercial dans la nuit répandait une petite chaleur. Elle dit quelques mots ; elle l'interpella avec les mots usés qui veulent attirer et sont comme le crasseux résidu de tous les hommes : « Tu montes, petit ? » ou quelque chose de ce genre. Ses épaules retombaient comme celles d'un enfant. De son chapeau sortaient des cheveux très vaguement blonds, et dans la lumière du réverbère on apercevait de son visage quelque chose de pâle, d'irrégulier et de touchant. Sous le fard de la nuit pouvait être dissimulée une peau de fille encore jeune, couverte de taches de rousseur. Elle leva les yeux vers lui, elle était beaucoup plus petite qu'Ulrich, néanmoins elle lui dit encore une fois « Petit », si indifférente qu'elle ne trouvait rien de déplacé à ces mots répétés une centaine de fois en un soir.

Ulrich en fut ému. Il ne la repoussa pas. Il s'arrêta et se fit répéter l'invitation, comme s'il avait mal entendu. Sans qu'il pût s'y attendre, il avait trouvé là une amie qui se mettait tout entière à sa disposition pour un petit dédommagement. Elle s'efforcera d'être aimable et d'éviter tout ce qui pourrait lui déplaire. S'il lui marque son accord, elle passera son bras sous le sien, avec une délicate confiance et une hésitation légère, comme on n'en voit qu'aux amis qui se retrouvent pour la première fois après une séparation qu'ils n'ont pas provoquée. S'il lui promet beaucoup plus que son tarif habituel et pose tout de suite l'argent sur la table afin qu'elle n'ait plus besoin d'y penser, mais se trouve dans l'état de bien-être insouciant qu'entraîne une bonne affaire, il apparaîtra alors que la pure indifférence elle-même bénéficie de l'avantage qu'ont toutes les sensations pures d'être nettes de toute prétention personnelle et de servir sans tomber dans la vaine confusion des exigences sentimentales. Mi-sérieuses, mi-plaisantes, ces pensées lui traversèrent l'esprit. Il n'eut pas le courage de décevoir tout à fait la petite personne qui attendait qu'il acceptât le marché. Il remarqua qu'il désirait sa sympathie ; assez maladroit, au lieu d'échanger simplement quelques mots avec elle dans la langue du trottoir, il mit la main à la poche, glissa un billet qui correspondait à peu près au tarif d'une visite dans la main de la jeune fille, et s'éloigna. Ce faisant, il avait gardé un instant dans la sienne la main qui résista un peu, bizarrement surprise. Il n'avait prononcé qu'un seul mot amical. Alors, il laissa la professionnelle, convaincu qu'elle allait rejoindre ses collègues qui chuchotaient non loin de là dans l'obscurité, leur montrer l'argent et se soulager enfin par quelque plaisanterie de ce qui, dans cet incident, lui demeurait obscur.

Cette rencontre resta vivante un moment encore, comme si ç'avait été une tendre et brève idylle. Il ne se faisait aucune illusion sur la rude misère de son éphémère amie. Quand il se la représentait distordant un peu son regard et poussant un de ces petits soupirs, maladroitement joués, qu'elle avait appris à placer au bon moment, cette comédie pour une somme convenue, profondément vulgaire et totalement dénuée de talent, avait quand même, il ne savait pourquoi, quelque chose de touchant. Peut-être parce que c'était toute la comédie humaine, mais jouée par de médiocres acteurs. Déjà pendant qu'il parlait avec la fille, une très naturelle association d'idées lui avait rappelé

Moosbrugger. Moosbrugger, le comédien maladif, le chasseur et l'exterminateur de prostituées qui, dans la nuit fatale, avait erré exactement comme lui. Lorsque les murs des rues avaient cessé de vaciller comme des coulisses pendant un instant, il s'était heurté à l'être inconnu qui l'attendait près du pont, dans la nuit du crime. Quelle merveilleuse scène de reconnaissance ç'avait dû être, quel frisson de la tête aux pieds ! Ulrich, un instant, crut pouvoir se le figurer. Il sentit quelque chose l'emporter dans les hauteurs, comme une vague. Il perdit l'équilibre, mais il n'en avait plus besoin, le mouvement le portait. Son cœur se contracta, mais ses imaginations se déployèrent et s'égarèrent à l'infini, puis cessèrent brusquement dans une espèce de volupté presque épuisante. Il essaya de se dégriser. Évidemment, il était resté si longtemps accroché à une vie sans unité intérieure qu'il enviait maintenant jusqu'aux idées fixes et à la foi d'un aliéné en sa mission ! Moosbrugger n'attirait-il pas d'autres gens que lui, tous les hommes peut-être ? Il entendait dans sa tête la voix d'Arnheim l'interrogeant : « Le délivreriez-vous ? » Et lui qui répondait : « Non. Probablement non. » « Mille fois non ! » ajouta-t-il, non sans entrevoir toutefois, comme dans un éblouissement, l'image d'un acte dans lequel l'intervention violente, telle qu'elle naît d'une extrême excitation, et l'émotion profonde s'uniraient en un état commun, indescriptible, qui ne permettrait plus de distinguer le plaisir de la contrainte, l'acte réfléchi de l'acte nécessaire, l'extrême activité de la réceptivité radieuse. Il se remémora, en passant, l'idée que ces infortunés sont la personnification d'instincts simplement réprimés par les autres hommes, l'incarnation de leurs meurtres imaginaires, de leurs violences rêvées. Ainsi, ceux qui croyaient cela pouvaient liquider Moosbrugger à leur manière, le justifier pour le rétablissement de leur morale après s'être soulagés sur lui ! La division qu'il y avait en Ulrich était autre. C'était précisément qu'il n'étouffait aucun instinct et ne pouvait s'empêcher de constater ainsi que l'image d'un assassin ne lui paraissait pas plus étrange que toutes les autres, qui toutes ressemblaient à ses propres photographies de jadis : d'une part ce qui était devenu sens, et d'autre part le jaillissement du non-sens ! Le surgissement d'une métaphore de l'ordre : voilà ce que Moosbrugger était pour lui ! Ulrich dit, brusquement : « Tout ça... » avec le geste d'écarter quelque chose du dos de la main. Il ne s'était pas parlé à lui-même, il avait dit ces deux mots à voix haute. Il pinça les lèvres et termina la phrase à bouche fermée : « Tout ça doit être réglé une bonne fois ! » Il ne désirait plus savoir dans le détail ce qu'était « tout ça ». « Tout ça », c'était ce qui l'avait préoccupé, tourmenté et parfois aussi ravi de bonheur depuis qu'il avait pris son « congé », tout ce qui l'avait enchaîné comme un rêveur pour qui tout est possible, sauf se lever et bouger. « Tout ça » n'avait abouti qu'à des impossibilités, depuis le premier jour jusqu'aux dernières minutes de ce retour ! Ulrich sentit qu'il lui fallait enfin se décider : ou bien vivre comme tout le monde pour un but accessible, ou bien prendre ces « impossibilités » au sérieux. Comme il était arrivé à proximité de sa demeure, il traversa la dernière rue avec le sentiment étrange que quelque chose était imminent. C'était un sentiment exaltant qui paraissait couler dans la direction d'un acte, mais aussi un sentiment vide et, par là même, curieusement libre.

Peut-être cet accès aurait-il passé comme beaucoup d'autres. Mais lorsque Ulrich déboucha dans la rue où il habitait, il remarqua bientôt que les fenêtres de sa maison étaient éclairées ; un peu plus tard, lorsqu'il fut devant la grille de son jardin, plus aucun doute n'était possible. Son vieux domestique lui avait demandé de pouvoir passer la nuit chez des parents dans un autre quartier, lui-même n'était pas rentré chez lui depuis l'aventure de Gerda qui s'était encore déroulée en plein jour, les jardiniers qui logeaient au sous-sol ne pénétraient jamais dans son appartement. Mais la lumière brillait partout, il semblait y avoir des étrangers chez lui, des cambrioleurs qu'il surprenait. Ulrich était si troublé et avait si peu l'intention de se dérober au sentiment extraordinaire qui l'habitait qu'il marcha sans hésiter droit à la maison. Il ne s'attendait à rien de précis. Il voyait des ombres derrière les fenêtres qui laissaient supposer qu'une seule personne se déplaçait de l'une à l'autre, mais il pouvait aussi y en avoir plusieurs ; il se demanda si on allait tirer sur lui lorsqu'il passerait le seuil, ou s'il devait se préparer à tirer lui-même. S'il avait été dans un autre état, Ulrich aurait probablement été chercher un agent ou, tout au moins, aurait examiné la situation avant de prendre une décision. Mais il voulait être seul avec cette expérience, et il ne sortit même pas le revolver qu'il portait quelquefois sur lui depuis la nuit où il avait été attaqué par les rôdeurs. Il voulait... non, il ne savait pas ce qu'il voulait, on verrait bien !

Lorsqu'il poussa la porte de sa maison, il apparut que le cambrioleur qu'il avait attendu avec des sentiments si confus était, tout bonnement, Clarisse.

123. *Le tournant.*

Peut-être le comportement d'Ulrich avait-il été influencé dès le début par la conviction que tout s'expliquerait sans mal, par ce refus de croire au pire qui nous permet d'affronter le danger ; mais quand son vieux domestique vint l'accueillir à l'improviste dans le hall, il manqua l'assommer. Comme, par bonheur, il y avait renoncé à la dernière minute, il put apprendre de sa bouche qu'un télégramme était arrivé, que Clarisse l'avait pris, que la jeune dame était survenue voilà une heure, au moment même où lui se préparait à s'en aller, qu'elle n'avait pas voulu repartir, si bien qu'il avait préféré rester lui aussi à la maison et renoncer pour ce jour-là à son congé ; en effet, Monsieur lui pardonnerait la remarque, la jeune dame lui avait paru très excitée.

Ulrich le remercia. Quand il entra dans son appartement, il trouva Clarisse étendue sur le divan, tournée un peu de côté et les jambes repliées. Le corps mince, sans taille, les cheveux frisés comme un garçon, le charmant long visage qui, appuyé sur un bras, le regardait lorsqu'il ouvrit la porte, étaient extrêmement séduisants. Ulrich lui raconta comment il l'avait prise pour un cambrioleur. Clarisse ouvrit des yeux pareils au tir rapide d'un browning. « Et peut-être en suis-je un ! repartit-elle. Le vieux renard qui te tient lieu de domestique ne voulait à aucun prix me laisser rester. Je l'ai envoyé se coucher, mais je suis sûre qu'il s'est caché quelque part en bas. Tu n'es pas mal ici ! » Elle lui tendit la dépêche sans se lever. « Je voulais voir de quelle façon tu rentres chez toi quand tu te crois seul, poursuivit-elle. Walter est au concert. Il ne rentre qu'à minuit passé. Je ne lui ai pas dit que je venais chez toi. »

Ulrich ouvrit brusquement la dépêche et la lut en n'écoutant que d'une oreille ce que lui disait Clarisse. Il devint étrangement pâle et lut encore une fois, sans pouvoir y croire, le singulier message. Il y avait déjà quelque temps, bien qu'il eût négligé de répondre à diverses interpellations paternelles au sujet de l'Action parallèle et de la Responsabilité diminuée, qu'il n'avait plus reçu de sommations, sans que cela l'eût frappé. Maintenant, le télégramme lui annonçait sous une forme circonstanciée, bizarre mélange de reproches à demi voilés et de parfaite solennité funèbre évidemment mis au point et rédigé avec la plus grande minutie par son père lui-même, le décès de celui-ci. Ils avaient eu peu d'affection l'un pour l'autre, la pensée de son père avait même presque toujours été désagréable à Ulrich ; pourtant, relisant une seconde fois ce texte, grotesque dans son étrangeté, il se dit : « Me voilà dorénavant seul au monde ! » Dans sa pensée, ces mots n'avaient pas exactement leur sens littéral, qui eût mal convenu à des rapports désormais pour toujours interrompus. Il se sentait plutôt, avec étonnement, monter, comme si le câble d'une ancre s'était rompu, ou devenir définitivement étranger dans un monde auquel il était encore relié par son père.

« Mon père est mort ! dit-il à Clarisse en levant avec un rien d'involontaire solennité la main qui tenait le télégramme.

– Ah ! répondit Clarisse. Félicitations ! » Après une petite pause méditative, elle ajouta : « Alors, tu vas être très riche ! » Elle regardait autour d'elle avec curiosité.

« Je ne crois pas qu'il fût si riche que ça, dit Ulrich comme pour se défendre. Je vivais ici au-dessus de ses moyens. »

Clarisse sanctionna cette rectification d'un tout petit sourire, d'un entrechat de sourire. Nombre de ses mouvements expressifs étaient aussi hâtifs, aussi réduits, aussi crispés que la révérence d'un jeune garçon qui doit payer son tribut d'enfant bien élevé à la société. Elle resta seule dans la chambre, Ulrich s'étant excusé pour quelques minutes, le temps d'organiser son départ.

Lorsqu'elle avait quitté Walter, après la scène violente qu'ils avaient eue, elle n'était pas allée bien loin. Il y avait devant la porte de leur maison un escalier rarement utilisé conduisant au grenier. Elle était restée assise là, enveloppée dans un châle, jusqu'à ce qu'elle entendît son mari quitter la maison. Elle avait une vague idée de ce que sont les cintres dans un théâtre ; c'était là, à l'endroit d'où descendent les cordes, qu'elle était assise, tandis que Walter faisait sa sortie par l'escalier. Elle s'imaginait que les actrices, dans les moments où elles ne jouent pas, sont assises ainsi, enveloppées dans des châles, au milieu de la charpente qui surplombe la scène, et qu'elles regardent en bas. Elle était maintenant, elle aussi, une de ces actrices, avec toutes les péripéties à ses pieds. Là réapparaissait une de ses idées favorites : que la vie est un problème de théâtre. Certes, on n'a pas besoin de la comprendre rationnellement, pensait-elle ; pourrait-on jamais en savoir quelque chose, même ceux qui en savaient plus qu'elle ? Il suffit d'avoir pour la vie le juste instinct, comme le pétrel. On doit étendre ses bras (et cela voulait dire chez elle ses paroles, ses baisers, ses larmes) comme des ailes ! Elle trouvait dans cette image un succédané de la foi qu'elle n'avait plus en l'avenir de Walter. Elle regarda l'escalier raide par où il était descendu, étendit les bras et les tint levés dans cette position aussi longtemps qu'elle put : peut-être, ainsi, l'aiderait-elle ! « Rude montée et descente abrupte sont, dans leur force, d'inséparables frères ennemis ! » pensa-t-elle. Elle nomma ses bras étendus et le regard qu'elle plongeait dans la cage d'escalier « la diagonale jubilante du monde ». Elle abandonna toute idée d'assister aux manifestations de la rue. Qu'est-ce que le « troupeau » pouvait bien lui faire ? Le drame monstrueux des élus avait commencé !

Ainsi donc, Clarisse s'était rendue chez Ulrich. En chemin, elle avait esquissé plusieurs fois son sourire rusé, en pensant que Walter, sitôt qu'elle laissait paraître quelque chose de son intelligence plus haute de leur rapports, la croyait folle. Elle se sentait flattée qu'il craignît d'avoir un enfant d'elle et qu'il en fût pourtant impatient. Pour elle, « être fou », c'était à peu près comme ressembler à des éclairs de chaleur ou se trouver dans un état de santé si exceptionnel qu'il effraye les autres. C'était une qualité qui s'était développée régulièrement dans le cours de son mariage, en même temps que sa supériorité et sa primauté. Elle savait néanmoins qu'elle était parfois incompréhensible aux autres. Quand Ulrich revint, elle sentit qu'il fallait lui dire quelques mots appropriés à un événement qui faisait dans sa vie une si profonde coupure. Elle bondit rapidement à bas du divan, arpenta une ou deux fois la chambre et les pièces contiguës, et dit : « Alors, sincères condoléances, mon vieux ! »

Ulrich la regarda avec étonnement, bien qu'il lui connût déjà ce ton quand elle était nerveuse. « Elle a parfois, alors, quelque chose d'aussi parfaitement conventionnel, pensa-t-il, que quand on trouve par mégarde brochée dans un livre une page d'un autre livre. » Elle lui avait lancé sa formule, non pas même avec l'expression d'usage, mais de côté, par-dessus l'épaule. Cela renforçait l'impression qu'on entendait non pas une note fausse, mais un texte interpolé, et qu'elle-même, chose peu rassurante, était faite de plusieurs textes superposés. Comme Ulrich ne répondait pas, elle s'arrêta devant lui et dit : « Je dois te parler !

– Puis-je t'offrir un rafraîchissement ? » dit Ulrich.

Clarisse, en signe de refus, se contenta d'agiter rapidement la main à la hauteur de l'épaule. Elle rassembla ses esprits et commença : « Walter veut absolument un enfant de moi. Comprends-tu cela ? » Elle semblait attendre une réponse.

Qu'aurait donc dû répondre Ulrich ?

« Mais je ne veux pas ! s'écria-t-elle avec violence.

– Ne te mets donc pas tout de suite en colère ! dit Ulrich. Si tu ne veux pas, il n'y aura rien à faire !

– Mais il en périra !

– Les gens qui pensent tout le temps mourir vivent longtemps ! Nous serons, toi et moi, ratatinés depuis des années que Walter, directeur de ses Archives, aura encore son visage de jeune homme sous les cheveux blancs ! »

Clarisse pivota pensivement sur ses talons et s'éloigna d'Ulrich. Un peu plus loin, elle reprit contenance et le « tint à l'œil ». « Sais-tu de quoi a l'air un parapluie quand on lui a retiré son manche ? Sitôt que je me détourne, Walter s'écroule. Je suis son manche, il est… » « Mon parapluie », avait-elle voulu dire, mais une correction essentielle lui vint alors à l'esprit : « il est mon protecteur[1], dit-elle. Il croit devoir me protéger. Pour cela, il voudrait d'abord me voir avec un gros ventre. Ensuite, il me persuadera qu'une mère "naturelle" allaite elle-même son enfant. Enfin, il voudra élever cet enfant selon ses principes. Tu le sais bien. Il veut simplement s'arroger des droits sur moi et, sous ce noble prétexte, faire de nous des petits bourgeois. Mais si je continue à dire non comme je l'ai fait jusqu'ici, c'en sera fait de lui. C'est bien simple : je suis tout pour lui ! »

Cette affirmation récapitulative arracha à Ulrich un sourire incrédule.

« Il veut te tuer, ajouta rapidement Clarisse.

– Comment ? Je croyais que c'était toi qui lui avais donné cette idée ?

– Je voudrais que l'enfant soit de toi ! » dit Clarisse.

Ulrich siffla de surprise entre ses dents.

Elle souriait comme un très jeune homme qui vient de faire quelque proposition inconvenante.

« Je ne voudrais pas tromper quelqu'un que je connais aussi bien que Walter. Je n'aime pas beaucoup cela, dit lentement Ulrich.

– Allons ! Tu es donc très convenable ? » Clarisse semblait mettre dans ces mots un sens qu'Ulrich n'entendit pas. Elle réfléchit, et ce n'est qu'au bout d'un moment qu'elle reprit l'assaut : « Mais si tu m'aimes, il t'aura en son pouvoir !

– Comment cela ?

– C'est pourtant bien clair. Il m'est seulement difficile de te l'expliquer. Tu te verras forcé d'être plein d'égards pour

1. L'auteur joue sur les mots *Schirm* (protection), *Regenschirm* (parapluie), *Schirm-Herr* (protecteur). *N. d. T.*

lui. Il nous fera pitié. Tu ne peux pas le tromper comme ça, naturellement ; tu essaieras de lui donner une compensation. Et ainsi de suite. Surtout, chose essentielle : tu le forceras à donner le meilleur de lui-même. Nieras-tu que nous soyons cachés à l'intérieur de nous-mêmes comme la statue dans le bloc de marbre ? Il faut se sculpter soi-même ! On doit s'y contraindre les uns les autres !

– Tout cela est bel et bon, dit Ulrich. Mais tu supposes beaucoup trop vite que les choses en iront ainsi. »

Clarisse sourit de nouveau. « Trop vite, *peut-être* ! » dit-elle. Elle s'approcha de lui et suspendit affectueusement son bras au sien, qui resta mollement le long du corps sans lui faire de place. « Est-ce que je ne te plais pas ? Tu m'aimes bien, pourtant, non ? » demanda-t-elle. Comme Ulrich ne répondait pas, elle poursuivit : « Je te plais, je le sais bien. J'ai remarqué assez souvent la façon dont tu me dévisages quand tu viens chez nous ! Te rappelles-tu si je t'ai déjà dit une fois que tu es le Diable ? C'est ce que je ressens. Comprends-moi bien : je ne dis pas que tu sois un diable de seconde catégorie, quelqu'un qui veut le mal parce qu'il est incapable de mieux ; tu es un diable de première grandeur, sachant ce qu'il serait bon de faire et faisant précisément le contraire de ce qu'il voudrait ! Tu trouves que la vie, telle que nous la menons, est abominable, et pour cette raison même, comme par défi, tu dis qu'il faut continuer à la vivre. Et si tu dis aussi, comme un monsieur très convenable : "Je ne trompe pas mes amis !", c'est simplement que tu t'es déjà dit cent fois : "Je voudrais bien avoir Clarisse !" Mais parce que tu es un diable, Ulo, tu as aussi en toi quelque chose de Dieu. D'un grand dieu ! Un dieu qui ment pour qu'on ne puisse le reconnaître ! Tu aurais dû… »

Maintenant, elle lui avait pris non plus seulement un bras, mais tous les deux, et se tenait debout devant lui le visage renversé, le corps reployé comme une plante qu'on saisit délicatement par la fleur. Ulrich s'effraya : « Cela va de nouveau noyer son visage, comme l'autre jour ! » Mais non. Son visage resta beau. Elle n'avait pas son mince sourire habituel, mais un sourire ouvert qui montrait, en même temps que la chair des lèvres, un peu des dents, comme si elle voulait se défendre. La forme de sa bouche dessinait la double courbe de l'arc d'Éros qui se répétait dans les lignes du front et, plus haut, dans le nuage translucide des cheveux.

« Tu aurais dû depuis longtemps me prendre entre les dents de ta bouche de menteur et m'emmener, si seulement tu avais le courage de me montrer qui tu es ! » avait continué Clarisse. Ulrich se dégagea doucement. Elle se laissa tomber sur le divan, comme s'il l'y avait fait asseoir, et l'attira près d'elle.

« Tu ne devrais pas exagérer ainsi », dit Ulrich, comme s'il lui reprochait ses paroles.

Clarisse l'avait lâché. Elle ferma les yeux et enfouit la tête dans ses bras dont les coudes reposaient sur ses genoux. Sa deuxième attaque avait échoué. Elle avait maintenant l'intention de convaincre Ulrich par la seule rigueur de la logique. « Pourquoi t'achoppes-tu aux mots ? repartit-elle. Si je dis Diable ou Dieu, c'est manière de parler. Mais quand je suis seule à la maison (c'est-à-dire, d'habitude, toute la journée), et que je rôde dans les environs, il m'arrive souvent de me dire : si je prends à gauche, Dieu viendra, et si je prends à droite, ce sera le Diable. J'ai eu la même impression quand j'avais à prendre quelque chose dans la main et que je pouvais le faire avec la gauche ou la droite. Mais quand j'ai parlé de cela à Walter, de peur il a fourré ses mains dans ses poches ! Ce qui le touche, ce sont les fleurs, un escargot même. Dis-moi, la vie que nous menons n'est-elle pas affreusement triste ? Il ne vient ni dieu ni diable. Voilà des années que je tourne en rond. Qu'est-ce donc qui pourrait venir ? Rien. Tout ce qui peut arriver, c'est que son art, par miracle, réussisse à transformer Walter ! »

A ce moment-là, elle faisait une impression d'une si suave tristesse qu'Ulrich se laissa aller à toucher du bout des doigts ses cheveux souples. « Tu pourrais bien avoir raison dans les détails, Clarisse, dit-il, mais ce que je ne comprends jamais, avec toi, ce sont les associations d'idées et les sauts du raisonnement.

– C'est pourtant bien simple, répondit-elle, toujours dans la même attitude. Tiens ! avec le temps, une idée m'est venue. Écoute ! » Elle s'était relevée et retrouva soudain toute sa vivacité. « N'as-tu pas dit toi-même, un jour, que l'état dans lequel nous vivons offre des fissures par lesquelles apparaît un autre état, un état en quelque sorte impossible ? Ne me réplique rien. Je sais cela depuis longtemps. Tout homme, naturellement, veut voir sa vie en ordre, mais nul n'y réussit. Je fais de la musique ou de la peinture : c'est comme si je mettais un paravent devant un trou du mur. En plus, toi et Walter, vous avez certaines idées auxquelles je ne comprends pas grand-chose, c'est d'accord, mais là aussi il y a quelque chose qui cloche. Tu disais que la paresse, ou seulement l'habitude, nous fait éviter de regarder ce trou, à moins qu'on ne s'en laisse distraire par de mauvais objets. Eh bien ! le reste va de soi : c'est par ce trou qu'il faut sortir. Et je le peux ! Il y a des jours où j'arrive à me glisser hors de moi-même ! Alors, mais comment l'expliquer ? on est entre les choses comme dépouillé de sa pelure, et les choses elles aussi ont perdu leur crasseuse écorce. Ou encore, l'air vous unit au monde comme deux frères siamois. C'est un état d'une splendeur inouïe ! Tout devient musique, couleur, rythme. Je ne suis plus alors la bourgeoise Clarisse selon que j'ai été baptisée, mais, peut-être, une brillante esquille s'enfonçant lentement dans un immense bonheur ! Mais tu connais cela ! C'est cela que tu voulais dire quand tu affirmais que la réalité comporte un état impossible et qu'au lieu de retourner ses expériences sur soi et de les considérer comme réelles et personnelles, on devrait les tourner vers l'extérieur, comme si elles étaient peintes ou chantées, etc., etc. Je pourrais tout te répéter mot pour mot ! » Cet *etc.* revenait comme un refrain forcené cependant que Clarisse continuait à parler précipitamment, ajoutant presque chaque fois : « Et tu en as la force, mais tu ne le veux pas. Je ne sais pas pourquoi tu ne le veux pas, mais je te secouerai ! »

Ulrich l'avait laissée parler. Simplement, ici ou là, il avait fait non de la tête quand elle lui attribuait quelque affirmation par trop impossible. Il ne trouvait pas le courage de protester et laissait sa main reposer dans les cheveux de Clarisse, sous lesquels ses doigts pouvaient presque sentir la pulsation désordonnée des pensées. Il n'avait jamais vu Clarisse dans un tel état d'excitation sensuelle. Il fut presque stupéfait de voir que même dans ce corps mince et dur eussent trouvé place le relâchement et le tendre déploiement de l'ardeur féminine. Ainsi, l'éternelle surprise se répétait une fois de plus de voir une femme que l'on a toujours connue fermée à tous, s'ouvrir avec soudaineté. Les paroles de Clarisse, bien que heurtant la raison, ne le rebutaient pas. En se rapprochant de son être intérieur pour s'en éloigner de nouveau jusqu'à l'absurde, leur mouvement rapide et continu agissait comme un sifflement ou un bourdonnement dont la qualité sonore ne joue aucun rôle à côté de la violence des vibrations. Il sentait que l'écouter lui rendait ses propres résolutions plus faciles, comme l'audition d'une musique sauvage. Pourtant, lorsqu'il s'aperçut qu'elle-même ne trouvait plus le moyen de sortir de ses paroles ou d'y mettre fin, il lui secoua doucement la tête de sa main ouverte, afin qu'elle reprît ses esprits.

Ce qui se produisit alors fut juste le contraire de ce qu'il avait voulu : brusquement, Clarisse fonça sur lui. Si prestement qu'il ne put s'en défendre et en resta stupéfait, elle lui passa un bras autour du cou et pressa ses lèvres sur les siennes. D'un mouvement très vif, elle avait ramené ses jambes sous elle et se glissa vers lui de telle sorte qu'elle se trouva à genoux sur lui, et qu'il sentit contre son épaule le petit ballon du sein. Il ne comprenait presque rien de ce qu'elle disait. Elle parlait confusément de son pouvoir de rédemption et de sa lâcheté. Il comprit en tout cas qu'il était un « barbare » et que, pour cette raison même, c'était de lui et non de Walter qu'elle voulait avoir le rédempteur du monde. En fait, ses paroles n'étaient qu'un jeu sauvage à portée de son oreille, un murmure pressé, plus soucieux de soi-même que d'être communiqué. On ne saisissait de loin en loin dans ce rapide ruisseau qu'un mot isolé comme « Moosbrugger » ou « Œil du Diable ». Pour se défendre, il avait empoigné sa petite assaillante par le haut des bras et l'écrasait sur le divan ; elle le harcelait maintenant de ses jambes, pressait ses cheveux contre son visage et cherchait à enlacer de nouveau sa nuque. « Je te tuerai si tu ne cèdes pas », dit-elle à voix haute et claire. Elle ressemblait à un garçon qui, partagé entre la tendresse et le dépit, ne veut pas qu'on le repousse et s'excite ainsi de plus en plus. L'effort qu'il faisait pour la maîtriser empêchait Ulrich de sentir plus que faiblement le flux de la volupté dans les membres de la jeune femme. Cependant, il avait violemment accusé le moment où il avait refermé son bras sur son corps et l'avait maintenue sur le divan. C'était exactement comme si le corps de Clarisse avait pénétré à l'intérieur de ses sentiments. Il y avait pourtant longtemps qu'il la connaissait, ils s'étaient chamaillés plus d'une fois, mais jamais il n'avait eu un contact aussi intime avec ce petit être à la fois familier et inconnu dont le cœur battait sauvagement. Quand les mouvements de Clarisse, entravés par les mains d'Ulrich, s'apaisèrent enfin, et que le relâchement des membres se mit à miroiter avec tendresse au fond de ses yeux, ce qu'il ne voulait à aucun prix fut bien près de se produire. Mais à ce moment-là, il se souvint de Gerda, comme si, maintenant seulement, il se trouvait devant la nécessité de faire enfin son choix.

« Je ne veux pas, Clarisse ! dit-il en la lâchant. Je veux être seul. J'ai encore beaucoup à faire avant mon départ ! »

Lorsque Clarisse comprit son refus, ce fut comme si quelques rudes secousses avaient modifié le mouvement d'horlogerie de sa tête. Elle vit Ulrich à quelques pas d'elle, les traits péniblement crispés ; elle le vit parler, ne comprenant apparemment rien. Tandis qu'elle suivait les mouvements de ses lèvres, elle éprouva un dégoût grandissant, puis s'aperçut que ses jupes étaient remontées jusqu'au-dessus du genou, et bondit. Avant même qu'elle se fût souvenue de quoi que ce fût, elle se trouva sur ses pieds, se secoua pour remettre un peu d'ordre dans sa chevelure et ses vêtements comme si elle avait été couchée dans l'herbe, et dit : « Bien sûr, tu dois faire tes bagages, je ne veux pas te retenir plus longtemps ! » Elle avait de nouveau son sourire habituel, moqueur et incertain entre ses lèvres serrées. Elle lui souhaita bon voyage. « Quand tu reviendras, Meingast sera probablement chez nous. Il s'est annoncé, et c'était cela, en fait, que j'étais venue te dire ! » ajouta-t-elle comme en passant.

Ulrich tenait sa main avec hésitation.

Le doigt de la jeune femme s'y frottait comme par jeu. Elle aurait donné beaucoup pour savoir ce qu'elle avait bien pu lui dire, Dieu sait quoi, puisqu'elle était assez troublée pour l'avoir oublié ! Elle savait à peu près ce qui s'était passé et ne s'en souciait guère, son cœur lui disait qu'elle avait été courageuse, prête à tous les sacrifices, et Ulrich timoré. Elle n'avait plus qu'un seul désir : le quitter bon camarade, pour qu'il ne lui restât aucun doute. Elle dit, désinvolte : « Il vaut mieux que tu ne parles pas à Walter de cette visite, et que ce que nous avons dit reste entre nous jusqu'à la prochaine fois ! » Au portail du jardin, elle lui tendit de nouveau la main, et elle refusa qu'il l'accompagnât plus avant.

Lorsque Ulrich rentra, il se sentit d'étrange humeur. Il dut écrire une ou deux lettres pour prendre congé du comte Leinsdorf et de Diotime, régler encore différentes choses, en prévoyant que le problème de la succession l'obligerait à une absence assez longue. Puis il glissa ses menus objets personnels et quelques livres dans les valises déjà préparées par son domestique, qu'il avait envoyé se coucher. Cela fait, il ne se sentit aucune envie de dormir. Cette folle journée l'avait épuisé et surexcité à la fois. Ces deux états, loin de s'atténuer, s'exaspéraient tour à tour de telle sorte que, malgré sa grande fatigue, il n'avait pas sommeil. Sans réellement penser, mais en poursuivant l'oscillation de divers souvenirs, Ulrich dut d'abord s'avouer que, s'il avait déjà quelquefois pensé que Clarisse n'était pas simplement quelqu'un d'extravagant, mais de secrètement détraqué, il ne pouvait plus maintenant en douter, et que pourtant elle avait tenu lors de sa crise, ou comme on voudra définir l'état dans lequel elle venait de se trouver, des propos qui ressemblaient étrangement à certains des siens propres.

Cela qui aurait pu de nouveau l'amener à quelque longue et minutieuse réflexion, lui rappela simplement, sous une forme désagréable et contraire à sa demi-somnolence, qu'il avait encore beaucoup à faire. De l'année qu'il s'était prescrite, la moitié presque était déjà échue sans qu'il eût clarifié aucun problème. Il se souvint tout à coup que Gerda lui avait demandé d'écrire un livre sur son expérience. Mais il voulait vivre sans se diviser en deux moitiés, l'une réelle et l'autre spectrale. Il se rappela le moment où il en avait parlé avec le sous-secrétaire Tuzzi. Il se revit avec lui, dans le salon de Diotime, et cela avait quelque chose de dramatique, de théâtral. Il se souvint d'avoir déclaré à la légère qu'il écrirait un livre ou qu'il se tuerait, l'un ou l'autre. Mais la pensée même de la mort, maintenant qu'il y réfléchissait pour ainsi dire à bout portant, n'était nullement l'expression exacte de son état ; quand il s'y abandonnait davantage encore et s'imaginait qu'il pourrait, au lieu de partir, se tuer le matin même, cette idée lui apparaissait, au moment où il venait de recevoir la nouvelle de la mort de son père, comme une coïncidence décidément déplacée ! Il se trouvait dans cet état de demi-sommeil où les visions de l'imagination commencent à se pourchasser. Il vit devant lui le canon d'une arme dans l'ombre duquel il jetait les yeux et apercevait un néant d'ombre, bouchant la profondeur, et il sentit un étrange accord et une bizarre coïncidence dans le fait que cette même image d'une arme chargée avait été dans sa jeunesse le symbole préféré de sa volonté toujours tendue vers sa cible. Tout à coup, il vit beaucoup d'images pareilles à celles du pistolet ou de son entretien avec Tuzzi. Une prairie au petit jour. Une longue vallée sinueuse envahie par les lourds brouillards du crépuscule, telle qu'il l'avait aperçue d'un train. A l'autre bout de l'Europe, le lieu où il s'était séparé d'une maîtresse ; l'image de sa maîtresse était effacée, celle des rues boueuses et des maisons aux toits de roseaux, fraîche comme de la veille. Puis l'aisselle d'une autre maîtresse, la seule chose qui lui en restât. Des fragments de mélodies. La singularité d'un mouvement. Des parfums de parterres fleuris, jadis passés inaperçus à cause des paroles véhémentes qui montaient du profond trouble des âmes, survivant maintenant aux paroles oubliées. Un homme sur divers chemins, presque pénible à voir : lui-même, comme une file de poupées laissées pour compte et dont les ressorts sont brisés depuis longtemps. On croirait que ces images sont ce qu'il y a de plus fugace au monde, mais l'espace d'un instant, la vie tout entière se dissout en elles ; elles seules demeurent sur le chemin de notre vie dont on dirait qu'il n'a progressé que de l'une à l'autre d'entre elles. Le destin n'a point écouté décrets ou idées, mais ces images mystérieuses, à demi privées de sens.

Cependant que cette absurde impuissance de tous les

efforts dont Ulrich s'était fait gloire le touchait presque aux larmes, dans l'état d'insomnie où il était se déploya, ou plutôt même se produisit tout autour de lui une émotion merveilleuse. Dans toutes les pièces brûlaient encore les lampes que Clarisse, étant seule, avait partout allumées. La surabondance de la lumière ruisselait, vacillait entre murs et objets, emplissant l'espace intermédiaire d'un quelque chose de presque vivant. C'était probablement la tendresse contenue dans toute fatigue sans souffrance qui transformait le sentiment général de son corps ; la conscience qu'on a toujours de son corps, même quand on ne s'en aperçoit pas, conscience d'ordinaire vaguement délimitée, devenait à la fois plus souple et plus ample. C'était un relâchement, comme si un nœud qui tenait tout ensemble s'était défait. Puisque rien ne changeait réellement sur les murs et dans les objets, puisque nul dieu n'entrait dans la chambre de cet incrédule et qu'Ulrich lui-même ne renonçait nullement à sa lucidité (dans la mesure où sa fatigue ne lui faisait pas illusion sur ce point), seul le rapport de lui à son entourage pouvait donc être soumis à cette métamorphose ; et, dans ce rapport même, non pas son aspect matériel, ni les sens et la raison qui lui correspondent objectivement, non ! mais plutôt un sentiment profond comme une nappe d'eau souterraine sur quoi reposaient ordinairement les piliers de la perception et de la pensée objective, piliers qui maintenant s'écartaient doucement les uns des autres ou se confondaient les uns dans les autres : cette dernière distinction elle-même n'avait plus à ce moment-là aucun sens. « C'est une autre attitude. Je change, et, de ce fait, ce qui est en relation avec moi change aussi ! » pensa Ulrich qui croyait bien s'observer. On aurait pu dire aussi que sa solitude (condition qui ne se trouvait pas seulement en lui, mais aussi bien autour de lui, unissant ainsi des deux parts), on aurait pu dire, donc, et il le sentait lui-même, que cette solitude devenait toujours plus dense ou toujours plus grande. Elle franchissait les murs, elle gagnait la ville, sans réellement s'étendre, elle gagnait le monde. « Quel monde ? pensa-t-il. Il n'y a pas de monde ! » Il lui semblait que cette notion n'avait plus aucun sens. Mais il avait constamment gardé assez de sang-froid pour que cette phrase trop exaltée l'affectât aussitôt désagréablement. Il ne chercha plus d'autres mots, mais au contraire rejoignit peu à peu l'état de veille et, quelques secondes après, se leva. Le jour commençait à paraître et mêlait sa pâleur cendreuse à la clarté de la lumière artificielle qui rapidement se fanait.

Ulrich sauta sur ses pieds et s'étira. Quelque chose était resté dans son corps qu'il ne parvenait pas à en faire tomber. Il se passa le doigt sur les yeux, mais son regard gardait une trace du souple contact avec les choses qui maintenant se perdait. Et soudain, d'une manière difficile à décrire, peut-être en une sorte de dérive, il comprit, tout comme si la force de le nier plus longtemps l'abandonnait, qu'il en était de nouveau au point où il s'était trouvé une fois, bien des années auparavant. Il hocha la tête en souriant. Pour se moquer de lui-même, il qualifia d'« attaque de majoresse » l'émotion qu'il venait d'éprouver. Sa raison tenait que le danger n'était pas grand, puisque personne n'était là avec qui il eût pu refaire pareille folie. Il ouvrit une fenêtre. L'air, dehors, était parfaitement indifférent : un air de matin comme tous les autres, où s'éveillaient les premiers bruits de la ville. Tandis que la fraîcheur lui lavait les tempes, l'aversion de l'Européen pour les vertiges du cœur l'envahit de nouveau de sa clarté rigoureuse, et il se proposa d'aborder cette histoire, s'il le fallait, avec la plus grande exactitude. Pourtant, là encore, comme il demeurait longtemps debout à la fenêtre et considérait le matin sans penser, il gardait en lui quelque chose de la confusion générale et scintillante des sensations.

Il ne fut pas peu surpris quand son domestique entra soudain, avec l'expression solennelle de l'homme qui s'est levé tôt, pour le réveiller. Il prit un bain, se livra à une brève et vigoureuse gymnastique et se dirigea vers la gare.

TABLE DU TOME I

II TOUJOURS LA MÊME HISTOIRE

COMPOSITION : CHARENTE-PHOTOGRAVURE À L'ISLE-D'ESPAGNAC
IMPRESSION : MAURY-EUROLIVRES - 45300 MANCHECOURT (10-05)
DÉPÔT LÉGAL : FÉVRIER 1995 - N° 23815-9 (05/10/117325)

Collection Points

DERNIERS TITRES PARUS

P885. Les Savants de Bonaparte, *par Robert Solé*
P886. Un oiseau blanc dans le blizzard, *par Laura Kasischke*
P887. La Filière émeraude, *par Michael Collins*
P888. Le Bogart de la cambriole, *par Lawrence Block*
P889. Le Diable en personne, *par Robert Lalonde*
P890. Les Bons Offices, *par Pierre Mertens*
P891. Mémoire d'éléphant, *par Antonio Lobo Antunes*
P892. L'Œil d'Ève, *par Karin Fossum*
P893. La Croyance des voleurs, *par Michel Chaillou*
P894. Les Trois Vies de Babe Ozouf, *par Didier Decoin*
P895. L'Enfant de la mer de Chine, *par Didier Decoin*
P896. Le Soleil et la Roue, *par Rose Vincent*
P897. La Plus Belle Histoire du monde, *par Joël de Rosnay Hubert Reeves, Dominique Simonnet, Yves Coppens*
P898. Meurtres dans l'audiovisuel, *par Yan Bernabot, Guy Buffet Frédéric Karar, Dominique Mitton et Marie-Pierre Nivat-Henocque*
P899. Tout le monde descend, *par Jean-Noël Blanc*
P900. Les Belles Âmes, *par Lydie Salvayre*
P901. Le Mystère des trois frontières, *par Eric Faye*
P902. Petites Natures mortes au travail, *par Yves Pagès*
P903. Namokel, *par Catherine Lépront*
P904. Mon frère, *par Jamaica Kincaid*
P905. Maya, *par Jostein Gaarder*
P906. Le Fantôme d'Anil, *par Michael Ondaatje*
P907. Quatre Voyageurs, *par Alain Fleischer*
P908. La Bataille de Paris, *par Jean-Luc Einaudi*
P909. L'Amour du métier, *par Lawrence Block*
P910. Biblio-quête, *par Stéphanie Benson*
P911. Quai des désespoirs, *par Roger Martin*
P912. L'Oublié, *par Elie Wiesel*
P913. La Guerre sans nom *par Patrick Rotman et Bertrand Tavernier*
P914. Cabinet-portrait, *par Jean-Luc Benoziglio*
P915. Le Loum, *par René-Victor Pilhes*
P916. Mazag, *par Robert Solé*
P917. Les Bonnes Intentions, *par Agnès Desarthe*
P918. Des anges mineurs, *par Antoine Volodine*
P919. L'Ingénieux Hidalgo Don Quichotte 1 *par Miguel de Cervantes*
P920. L'Ingénieux Hidalgo Don Quichotte 2 *par Miguel de Cervantes*

P921. La Taupe, *par John le Carré*
P922. Comme un collégien, *par John le Carré*
P923. Les Gens de Smiley, *par John le Carré*
P924. Les Naufragés de la Terre sainte, *par Sheri Holman*
P925. Épître des destinées, *par Gamal Ghitany*
P926. Sang du ciel, *par Marcello Fois*
P927. Meurtres en neige, *par Margaret Yorke*
P928. Heureux les imbéciles, *par Philippe Thirault*
P929. Beatus Ille, *par Antonio Muñoz Molina*
P930. Le Petit Traité des grandes vertus
par André Comte-Sponville
P931. Le Mariage berbère, *par Simonne Jacquemard*
P932. Dehors et pas d'histoires, *par Christophe Nicolas*
P933. L'Homme blanc, *par Tiffany Tavernier*
P934. Exhortation aux crocodiles, *par Antonio Lobo Antunes*
P935. Treize Récits et Treize Épitaphes, *par William T. Vollmann*
P936. La Traversée de la nuit, *par Geneviève de Gaulle Anthonioz*
P937. Le Métier à tisser, *par Mohammed Dib*
P938. L'Homme aux sandales de caoutchouc, *par Kateb Yacine*
P939. Le Petit Col des loups, *par Maryline Desbiolles*
P940. Allah n'est pas obligé, *par Ahmadou Kourouma*
P941. Veuves au maquillage, *par Pierre Senges*
P942. La Dernière Neige, *par Hubert Mingarelli*
P943. Requiem pour une huître, *par Hubert Michel*
P944. Morgane, *par Michel Rio*
P945. Oncle Petros et la Conjecture de Goldbach
par Apostolos Doxiadis
P946. La Tempête, *par Juan Manuel de Prada*
P947. Scènes de la vie d'un jeune garçon, *par J.M. Coetzee*
P948. L'avenir vient de loin, *par Jean-Noël Jeanneney*
P949. 1280 Âmes, *par Jean-Bernard Pouy*
P950. Les Péchés des pères, *par Lawrence Block*
P951. Les Enfants de fortune, *par Jean-Marc Roberts*
P952. L'Incendie, *par Mohammed Dib*
P953. Aventures, *par Italo Calvino*
P954. Œuvres pré-posthumes, *par Robert Musil*
P955. Sérénissime Assassinat, *par Gabrielle Wittkop*
P956. L'Ami de mon père, *par Frédéric Vitoux*
P957. Messaouda, *par Abdelhak Serhane*
P958. La Croix et la Bannière, *par William Boyd*
P959. Une voix dans la nuit, *par Armistead Maupin*
P960. La Face cachée de la lune, *par Martin Suter*
P961. Des villes dans la plaine, *par Cormac McCarthy*
P962. L'Espace prend la forme de mon regard, *par Hubert Reeves*
P963. L'Indispensable Petite Robe noire, *par Lauren Henderson*
P964. Vieilles Dames en péril, *par Margaret Yorke*
P965. Jeu de main, jeu de vilain, *par Michelle Spring*

P966. Carlota Fainberg, *par Antonio Muñoz Molina*
P967. Cette aveuglante absence de lumière
par Tahar Ben Jelloun
P968. Manuel de peinture et de calligraphie, *par José Saramago*
P969. Dans le nu de la vie, *par Jean Hatzfeld*
P970. Lettres luthériennes, *par Pier Paolo Pasolini*
P971. Les Morts de la Saint-Jean, *par Henning Mankell*
P972. Ne zappez pas, c'est l'heure du crime, *par Nancy Star*
P973. Connaissance de la douleur, *par Carlo Emilio Gadda*
P974. Les Feux du Bengale, *par Amitav Ghosh*
P975. Le Professeur et la Sirène
par Giuseppe Tomasi di Lampedusa
P976. Éloge de la phobie, *par Brigitte Aubert*
P977. L'Univers, les dieux, les hommes
par Jean-Pierre Vernant
P978. Les Gardiens de la vérité, *par Michael Collins*
P979. Jours de Kabylie, *par Mouloud Feraoun*
P980. La Pianiste, *par Elfriede Jelinek*
P981. L'homme qui savait tout, *par Catherine David*
P982. La Musique d'une vie, *par Andreï Makine*
P983. Un vieux cœur, *par Bertrand Visage*
P984. Le Caméléon, *par Andreï Kourkov*
P985. Le Bonheur en Provence, *par Peter Mayle*
P986. Journal d'un tueur sentimental et autres récits
par Luis Sepúlveda
P987. Étoile de mère, *par G. Zoë Garnett*
P988. Le Vent du plaisir, *par Hervé Hamon*
P989. L'Envol des anges, *par Michael Connelly*
P990. Noblesse oblige, *par Donna Leon*
P991. Les Étoiles du Sud, *par Julien Green*
P992. En avant comme avant !, *par Michel Folco*
P993. Pour qui vous prenez-vous ?, *par Geneviève Brisac*
P994. Les Aubes, *par Linda Lê*
P995. Le Cimetière des bateaux sans nom
par Arturo Pérez-Reverte
P996. Un pur espion, *par John le Carré*
P997. La Plus Belle Histoire des animaux, *par Boris Cyrulnik, Jean-Pierre Digard, Pascal Picq, Karine-Lou Matignon*
P998. La Plus Belle Histoire de la Terre, *par André Brahic, Paul Tapponnier, Lester R. Brown, Jacques Girardon*
P999. La Plus Belle Histoire des plantes, *par Jean-Marie Pelt, Marcel Mazoyer, Théodore Monod, Jacques Girardon*
P1000. Le Monde de Sophie, *par Jostein Gaarder*
P1001. Suave comme l'éternité, *par George P. Pelecanos*
P1002. Cinq Mouches bleues, *par Carmen Posadas*
P1003. Le Monstre, *par Jonathan Kellerman*
P1004. À la trappe !, *par Andrew Klavan*

P1005. Urgence, *par Sarah Paretsky*
P1006. Galindez, *par Manuel Vázquez Montalbán*
P1007. Le Sanglot de l'homme blanc, *par Pascal Bruckner*
P1008. La Vie sexuelle de Catherine M., *par Catherine Millet*
P1009. La Fête des Anciens, *par Pierre Mertens*
P1010. Une odeur de mantèque, *par Mohammed Khaïr-Eddine*
P1011. N'oublie pas mes petits souliers, *par Joseph Connolly*
P1012. Les Bonbons chinois, *par Mian Mian*
P1013. Boulevard du Guinardó, *par Juan Marsé*
P1014. Des lézards dans le ravin, *par Juan Marsé*
P1015. Besoin de vélo, *par Paul Fournel*
P1016. La Liste noire, *par Alexandra Marinina*
P1017. La Longue Nuit du sans-sommeil, *par Lawrence Block*
P1018. Perdre, *par Pierre Mertens*
P1019. Les Exclus, *par Elfriede Jelinek*
P1020. Putain, *par Nelly Arcan*
P1021. La Route de Midland, *par Arnaud Cathrine*
P1022. Le Fil de soie, *par Michèle Gazier*
P1023. Paysages originels, *par Olivier Rolin*
P1024. La Constance du jardinier, *par John le Carré*
P1025. Ainsi vivent les morts, *par Will Self*
P1026. Doux Carnage, *par Toby Litt*
P1027. Le Principe d'humanité, *par Jean-Claude Guillebaud*
P1028. Bleu, histoire d'une couleur, *par Michel Pastoureau*
P1029. Speedway, *par Philippe Thirault*
P1030. Les Os de Jupiter, *par Faye Kellerman*
P1031. La Course au mouton sauvage, *par Haruki Murakami*
P1032. Les Sept Plumes de l'aigle, *par Henri Gougaud*
P1033. Arthur, *par Michel Rio*
P1034. Hémisphère Nord, *par Patrick Roegiers*
P1035. Disgrâce, *par J.M. Coetzee*
P1036. L'Âge de fer, *par J.M. Coetzee*
P1037. Les Sombres Feux du passé, *par Chang-rae Lee*
P1038. Les Voix de la liberté, *par Michel Winock*
P1039. Nucléaire Chaos, *par Stéphanie Benson*
P1040. Bienheureux ceux qui ont soif…, *par Anne Holt*
P1041. Le Marin à l'ancre, *par Bernard Giraudeau*
P1042. L'Oiseau des ténèbres, *par Michael Connelly*
P1043. Les Enfants des rues étroites, *par Abdelhak Sehrane*
P1044. L'Ile et Une nuit, *par Daniel Maximin*
P1045. Bouquiner, *par Annie François*
P1046. Nat Tate, *par William Boyd*
P1047. Le Grand Roman indien, *par Shashi Tharoor*
P1048. Les Lettres mauves, *par Lawrence Block*
P1049. L'Imprécateur, *par René-Victor Pilhes*
P1050. Le Stade de Wimbledon, *par Daniele Del Giudice*
P1051. La Deuxième Gauche, *par Hervé Hamon et Patrick Rotman*